FORSCHUNGEN UND BERICHTE ZUR VOR- UND FRÜHGESCHICHTE
IN BADEN-WÜRTTEMBERG

REGIERUNGSPRÄSIDIUM STUTTGART – LANDESAMT FÜR DENKMALPFLEGE

FORSCHUNGEN UND BERICHTE ZUR VOR- UND FRÜHGESCHICHTE
IN BADEN-WÜRTTEMBERG

BAND 85

2006

KOMMISSIONSVERLAG · KONRAD THEISS VERLAG · STUTTGART

REGIERUNGSPRÄSIDIUM STUTTGART – LANDESAMT FÜR DENKMALPFLEGE

Siedlungsarchäologie im Alpenvorland VIII

JOACHIM KÖNINGER

Die frühbronzezeitlichen Ufersiedlungen von Bodman-Schachen I –
Befunde und Funde aus den Tauchsondagen 1982–1984 und 1986

Mit einem Beitrag von
KAI-STEFFEN FRANK

2006

KOMMISSIONSVERLAG · KONRAD THEISS VERLAG · STUTTGART

HERAUSGEBER:
REGIERUNGSPRÄSIDIUM STUTTGART – LANDESAMT FÜR DENKMALPFLEGE,
BERLINER STRASSE 12 · D-73728 ESSLINGEN AM NECKAR

Bibliografische Information Der Deutschen Bibliothek

Die Deutsche Bibliothek verzeichnet diese Publikation in der Deutschen Nationalbibliografie; detaillierte bibliografische Daten sind im Internet über <http://dnb.ddb.de> abrufbar.

Redaktion und Herstellung
Verlags- und Redaktionsbüro Wais & Partner, Stuttgart

Produktion
Druckerei Ludwig Auer GmbH, Donauwörth

© Regierungspräsidium Stuttgart – Landesamt für Denkmalpflege, Esslingen am Neckar, 2006.
Das Werk einschließlich aller seiner Teile ist urheberrechtlich geschützt.
Jede Verwertung außerhalb der engen Grenzen des Urheberrechtsgesetzes
ohne Zustimmung des Herausgebers ist unzulässig und strafbar.
Dies gilt insbesondere für Vervielfältigungen, Übersetzungen, Mikroverfilmungen
sowie Einspeicherung und Verarbeitung in elektronischen Systemen.
Printed in Germany · ISBN 3-8062-1738-6

Vorwort

Als das Landesdenkmalamt Baden-Württemberg 1979 mit der Erfassung der Seeufer- und Feuchtbodensiedlungen im Rahmen des „Projekts Bodensee-Oberschwaben" begann, zeichnete sich schnell ein großer Bestand an wissenschaftlich bedeutsamen, zugleich aber durch Erosion und Austrocknung erheblich gefährdeten Fundstellen ab. Unter der großen Zahl jungsteinzeitlicher Pfahlbau- und Moorsiedlungen waren in geringerem Maße auch bronzezeitliche Siedlungen zu fassen, von denen vor allem die frühen Anlagen besonderes Interesse verdienten. Durch die Ausgrabungen der 1920er- und 1930er-Jahre in der „Wasserburg Buchau" am Federsee hatte man bereits erste Vorstellungen von der Organisation urnenfelderzeitlicher Feuchtbodensiedlungen, doch fehlte es im südwestdeutschen Alpenvorland ganz allgemein an Erkenntnissen zum Siedlungswesen der frühen und mittleren Abschnitte der Bronzezeit.

Hier sollten am Federsee im Rahmen des DFG-Schwerpunktprogramms „Siedlungsarchäologische Untersuchungen im Alpenvorland" ab 1993 die groß angelegten Ausgrabungen in der „Siedlung Forschner" neue Erkenntnisse bringen. Am Bodensee wollten wir, wenn auch in geringerem Umfang, mit Mitteln der Denkmalpflege ein zweites „Standbein" schaffen, das einen Vergleich der früh- bis mittelbronzezeitlichen Besiedlung am großen Voralpensee mit dem kleineren, am Rande des Jungmoränengebietes liegenden Federseegebiet gestattet. Dies war ab 1982 mit ersten Sondagen in Bodman-Schachen am Überlinger See möglich, die dann bis 1986 im Zuge von Rettungsgrabungen mit Mitteln der Taucharchäologie ausgeweitet wurden.

Herrn Dr. J. Köninger, der mit großem Elan in die Forschung unter Wasser eingestiegen ist, danke ich für die konsequente Durchführung des Projektes bis hin zu reservatbildenden Maßnahmen und für die abschließende Bearbeitung der Befunde und Funde im Rahmen seiner Dissertation. Herrn Prof. Dr. Ch. Strahm vom Institut für Ur- und Frühgeschichte und Archäologie des Mittelalters der Universität Freiburg i. Br., der den Forschungen an Bodensee und Federsee in vielfältiger Weise verbunden ist, danke ich für die wissenschaftliche Betreuung der Arbeit. Mein Dank geht zugleich an Herrn K. U. Frank, der es im Rahmen einer Diplomarbeit unternahm, archäobotanische Untersuchungen an den Kulturschichten von Bodman-Schachen durchzuführen. Frau Prof. Dr. U. Körber-Grohne von der Universität Hohenheim hatte die Betreuung der Arbeit übernommen. Weitere umfangreiche naturwissenschaftliche Gutachten konnten im Rahmen des DFG-Schwerpunktprogramms eingebracht werden. Herr Dr. A. Billamboz führte die dendrochronologischen Untersuchungen, Prof. Dr. M. Kokabi osteologische Untersuchungen und Frau Dr. H. Liese-Kleiber Pollenanalysen durch. Dr. B. Kromer besorgte die Radiokarbondatierungen. Mineralogische und paläontologische Untersuchungen verdanke ich Dr. W. Czygan und Dr. U. Leppig von der Universität Freiburg i. Br. Prof. Dr. E. Pernicka von der Technischen Universität Freiberg/Sachsen fertigte Metallanalysen. Ihnen allen sowie Herrn Dr. H. Schlichtherle, der die Grabungsprojekte koordinierte, gilt mein Dank.

Die Anfänge der Taucharchäologie am Bodensee wurden entscheidend gefördert durch die Hilfe der Tauchmannschaft der Stadtarchäologie Zürich. Für erste persönliche Taucheinsätze im Überlinger See und für die Beratung in weiteren Schritten bin ich Dr. Dr. U. Ruoff mit besonderem Dank verbunden. Die Durchführung der Unterwasserarbeiten erforderte insbesondere auch die Unterstützung zuständiger Behörden. Für kontinuierliche und zuvorkommende Zusammenarbeit sei im Einzelnen dem damaligen Wasserwirtschaftsamt Konstanz, der Gemeinde Bodman-Ludwigshafen, vor allem dem damaligen Bürgermeister Debis, und der Wasserschutzpolizei von Überlingen gedankt.

Die Herstellung oblag dem Verlagsbüro Wais & Partner, die redaktionelle Betreuung Herrn Dr. M. Kempa, wofür an dieser Stelle gedankt sei. Insbesondere danke ich Frau P. Schweizer-Strobel M.A. für das Lektorat des Bandes.

Esslingen, im Dezember 2005 *Jörg Biel*

Inhalt

Vorbemerkung		17
1 Einführung		19
1.1 Allgemeines		19
1.2 Geologisch-geographischer Überblick		21
1.3 Überlinger See und Espasinger Niederung – naturräumliche Betrachtungen		23
1.4 Siedlungslage und benachbarte Ufersiedlungen		24
1.5 Forschungsgeschichte		26
1.5.1 Die Ufersiedlungen in der Bodmaner Bucht		26
1.5.2 Quellen und Stand der Frühbronzezeitforschung am Bodensee bei Sondagebeginn		27
1.5.3 Nachforschungen des Landesdenkmalamtes		28
1.5.4 Weitere Untersuchungen und Entdeckungen		29
2 Die Sondagen des Landesdenkmalamtes in Bodman-Schachen I		30
2.1 Vermessung		33
2.2 Arbeitsweise		35
3 Die Befunde von Bodman-Schachen I		39
3.1 Vorbemerkung		39
3.2 Profile		42
3.2.1 Einführung		42
3.2.2 Profile der Einzelquadrate		42
3.2.3 Profile in Fläche 1		44
3.2.3.1 Nord- und Südprofile, Profile 2 bis 5		44
3.2.3.2 Ost- und Westprofile, Profile B bis E		45
3.2.4 Profile in Fläche 2		46
3.2.4.1 Nord- und Südprofile, Profile 9 bis 15		46
3.2.4.2 Ost- und Westprofile, Profile G bis M		48
3.3 Schichtaufbau und Interpretation		50
3.3.1 Vorbemerkung		50
3.3.2 Interpretation der Profile		50
3.4 Flächenbefund		55
3.4.1 Vorbemerkung		55
3.4.2 Schicht A in Fläche 1		55
3.4.3 Schichtgenese und Fundverteilung		56
3.4.4 Schicht A in Fläche 2		58
3.4.5 Schicht B und C in Fläche 1		58
3.4.6 Die Befundsituation von Schicht B in Fläche 2		59
3.4.7 Schicht B, Fundverteilung und Schichtgenese		60

  3.4.8 Die Befundsituation von Schicht C in Fläche 2 60
  3.4.9 Schicht C, Fundverteilung und Schichtgenese 60
  3.4.10 Schichtausdehnung und Bohrprofile 61
  3.4.11 Befunde an der Oberfläche 62
 3.5 Besiedlungszeitliche Pegelstände 63

4 Die Holzbefunde von Bodman-Schachen I 66
 4.1 Das Pfahlfeld 66
  4.1.1 Lage und Ausdehnung 66
  4.1.2 Morphologie der Pfähle 66
  4.1.3 Holzarten der Pfähle 67
 4.2 Bauhölzer Schicht A 67
  4.2.1 Pfähle – Holzart und Morphologie 67
  4.2.2 Flecklinge 69
  4.2.3 Holzarten der L-Hölzer 71
 4.3 Die Bauhölzer der Schichten B und C und jüngerer Besiedlungsphasen ... 71
  4.3.1 Pfähle – Holzart und Morphologie 71
  4.3.2 Liegende Bauhölzer 75
   4.3.2.1 Flecklinge 75
   4.3.2.2 Sonstige liegende Bauhölzer 78
  4.3.3 Holzarten der L-Hölzer 79
 4.4 Bau- und Siedlungsstrukturen 79
  4.4.1 Vorbemerkung 79
  4.4.2 Bauphase 1 80
  4.4.3 Zur Frage einer Siedlung vor Bauphase 1 83
  4.4.4 Bauphase 2 (Erlenbauphase) 83
  4.4.5 Bauphase 3, Schicht B (Eichenbauphase) 85
  4.4.6 Bauphase 4, Schicht C (Eichenbauphase) 87
  4.4.7 Bauphase 5, ohne Schichtzuweisung (Eichenbauphase) 90
  4.4.8 Erlenkanthölzer und Rundlinge im östlichen Pfahlfeld 92
 4.5 Bau- und Siedlungsstrukturen der Bauphasen 1 bis 5 im Überblick 92
 4.6 Baugeschichte von Bodman-Schachen I 93

5 Weitere Baubefunde aus Ufersiedlungen des Bodenseegebietes 97

6 Frühbronzezeitliche Baubefunde und Siedlungsstrukturen in Süddeutschland und in den angrenzenden Regionen 99

7 Die Funde von Bodman-Schachen I 105
 7.1 Einführung 105
 7.2 Keramik 105
  7.2.1 Allgemeines 105
   7.2.1.1 Merkmalserhebung und Vorgehensweise 105
   7.2.1.2 Nichtmetrische Erfassung 105
   7.2.1.3 Metrische Erfassung 108
  7.2.2 Keramik aus Schicht A 128
   7.2.2.1 Umfang und Erhaltungszustand 128
   7.2.2.2 Gefäßformen 128

	7.2.2.3 Randformen	129
	7.2.2.4 Bodenformen	130
	7.2.2.5 Verzierungen	130
	7.2.2.6 Henkel und Knubben	130
	7.2.2.7 Größenklassen	130
	7.2.2.8 Wandstärken	130
	7.2.2.9 Magerung	130
	7.2.2.10 Oberflächenbehandlung	130
	7.2.2.11 Farbe	130
	7.2.2.12 Funktion der Gefäße	130
7.2.3	Keramik aus Schicht B	131
	7.2.3.1 Umfang und Erhaltungszustand	131
	7.2.3.2 Gefäßformen	131
	7.2.3.3 Randformen	134
	7.2.3.4 Bodenformen	134
	7.2.3.5 Formenspektrum	134
	7.2.3.6 Verzierungen	135
	7.2.3.7 Knubben und Henkel	136
	7.2.3.8 Größenklassen	136
	7.2.3.9 Wandstärken	137
	7.2.3.10 Magerung	137
	7.2.3.11 Oberflächenbehandlung	137
	7.2.3.12 Farbe	137
	7.2.3.13 Funktion	138
	7.2.3.14 Fein- und Grobkeramik	138
	7.2.3.15 Zusammenfassung	138
7.2.4	Keramik aus Schicht C	139
	7.2.4.1 Umfang und Erhaltungszustand	139
	7.2.4.2 Gefäßformen	139
	7.2.4.3 Formgruppe 0, Kleingefäße (Form 8)	142
	7.2.4.4 Formgruppe 1, Schalen und Schüsseln	142
	7.2.4.5 Formgruppe 2, Krüge	143
	7.2.4.6 Formgruppe 3 ,Töpfe	144
	7.2.4.7 Formgruppe 4, engmundige Gefäßformen	149
	7.2.4.8 Anteile der Formen am Formenspektrum	151
	7.2.4.9 Verzierung und Tonqualität der Formgruppen	151
	7.2.4.10 Funktion und funktionale Bestandteile der Gefäße	151
	7.2.4.11 Randformen	152
	7.2.4.12 Bodenformen	152
	7.2.4.13 Verzierungen	153
	7.2.4.14 Feine Zier	153
	7.2.4.15 Grobe Zier, Henkel und Knubben	157
	7.2.4.16 Größenklassen	160
	7.2.4.17 Wandstärken	162
	7.2.4.18 Magerung	162
	7.2.4.19 Oberflächenbehandlung	162
	7.2.4.20 Zur Aufbautechnik	163
	7.2.4.21 Farbe	163
	7.2.4.22 Zusammenfassung	164
7.2.5	Keramik von der Oberfläche	165
	7.2.5.1 Umfang und Erhaltungszustand	165
	7.2.5.2 Gefäßformen	165
	7.2.5.3 Boden- und Randformen	166

	7.2.5.4 Verzierungen	166
	7.2.5.5 Knubben und Henkel	166
7.2.6	Zur relativchronologischen Einordnung der Keramik von der Oberfläche	166
7.2.7	Zur Frage einer vierten Kulturschicht aufgrund der Oberflächenkeramik	168
	7.2.7.1 Zusammenfassung	168
7.2.8	Die Entwicklung der Keramik von Bodman-Schachen I	169
7.2.9	Die Keramikentwicklung im Lichte der absoluten Chronologie	171
7.2.10	Zur Herkunft der ritzverzierten Keramik von Schicht C aufgrund der absoluten Datierung	172

7.3 Bronzefunde 172
   7.3.1 Schicht C 172
   7.3.2 Zur Verbreitung der Bronzefunde aus Schicht C 173
   7.3.3 Nichtstratifizierte Bronzefunde von Bodman-Schachen I 174
      7.3.3.1 Vorbemerkung 174
      7.3.3.2 Bronzemeißel 174
      7.3.3.3 Dolchklingen 175
      7.3.3.4 Spiralenden 175
      7.3.3.5 Nadeln 175
   7.3.4 Der Altfundbestand 175
      7.3.4.1 Beile 175
      7.3.4.2 Messer 176
      7.3.4.3 Verschollene Bronzen 176

7.4 Knochenartefakte 176
   7.4.1 Schicht B/C 176
   7.4.2 Schicht B 177
   7.4.3 Knochenmeißel im Kontext der jüngeren Frühbronzezeit 177

7.5 Geweihartefakte 178
   7.5.1 Schicht C 178

7.6 Silexartefakte 178
   7.6.1 Schicht A 179
   7.6.2 Schicht C 179
   7.6.3 Oberflächenfunde 179
   7.6.4 Silexgeräte im Kontext der Früh- und Mittelbronzezeit 180

7.7 Felsgesteinartefakte 182
   7.7.1 Netzsenker 182
   7.7.2 Klopfsteine 183
   7.7.3 Schleifsteine 183
   7.7.4 Beile 183
   7.7.5 Schmuck 183
   7.7.6 Armschutzplatten 183
      7.7.6.1 Zur Verbreitung und relativen Chronologie von Armschutzplatten 184

7.8 Besondere Tonobjekte 185
   7.8.1 Webgewichte 185
      7.8.1.1 Zur Verbreitung und relativen Chronologie der tonnenförmigen Webgewichte 185

7.8.2	Gusstiegel	186
7.8.2.1	Funktionsweise der Gusstiegel	186
7.8.3	Tondüsen	187
7.8.3.1	Verbreitung und relativchronologische Einordnung der Tondüsen	187
7.8.4	Gemusterte Tonobjekte	187
7.8.4.1	Zur Verbreitung gemusterter Tonobjekte	188
7.8.4.2	Relativchronologische Einordnung und absolute Datierung der gemusterten Tonobjekte	189
7.8.4.3	Funktion und Herkunft der gemusterten Tonobjekte	190
7.8.5	Tonspulen	191
7.8.6	Tonscheiben mit zentraler Lochung	191
7.8.7	Tonlöffel	192
7.8.8	Spinnwirtel	192
7.8.9	Tonobjekte unbekannter Verwendung	193

7.9 Holz- und Rindenartefakte 193
   7.9.1 Holzschalen 193
   7.9.2 Beilholme 193
   7.9.3 Rindenbehälter 194

7.10 Textilreste 194

7.11 Tierknochenfunde 195
   7.11.1 Allgemeines und Methode 195
   7.11.2 Schicht B 196
   7.11.3 Schicht C 197
   7.11.4 Tierknochenspektren der Schichten B und C im Vergleich 197
   7.11.5 Verteilung und Häufigkeit der Tierknochenfunde – zur Methode 198
   7.11.6 Tierknochen aus Schicht B in Fläche 2 198
   7.11.7 Tierknochen aus Schicht C in Fläche 2 198
   7.11.8 Tierknochenspektren aus Ufersiedlungen der Frühbronzezeit im Vergleich 198

8 Früh- und mittelbronzezeitliche Bronzefunde aus Ufersiedlungen des Bodensees und ihrer näheren Umgebung .. 200

8.1 Nadeln 200

8.2 Beile 202

8.3 Lanzen 204

8.4 Dolchklingen 204

8.5 Pfeilspitzen 205

8.6 Bronzemeißel 206

8.7 Bronzepfrieme 206

8.8 Zusammenfassende Betrachtung 206

9 Das Bodmaner Gräberfeld „Im Weiler" 208

10 Relative Chronologie 210

10.1 Schicht A 210
   10.1.1 Relativchronologische Einordnung von Schicht A aufgrund der Stratigraphien am Bodensee 210

  10.1.2 Fundvergleich mit Glockenbecherfunden und frühbronzezeitlicher Siedlungskeramik 210
  10.1.3 Schlussfolgerungen aus der vergleichenden Betrachtung 211
 10.2 Schicht B 211
  10.2.1 Relativchronologische Einordnung von Schicht B aufgrund der Stratigraphien am Bodensee 211
  10.2.2 Vergleich mit Siedlungskeramik der jüngeren Frühbronzezeit .. 211
 10.3 Schicht C 212
  10.3.1 Relativchronologische Einordnung von Schicht C aufgrund der Stratigraphien des Bodenseegebietes und der Schweiz 212
  10.3.2 Vergleich mit Siedlungskeramik der jüngeren Frühbronzezeit .. 212
 10.4 Ludwigshafen-Seehalde, Schicht 10 und 11 213
 10.5 Zur relativen Chronologie der Keramik der jüngeren Frühbronzezeit in Süddeutschland 213
  10.5.1 Vorbemerkungen zur halbquantitativen und quantitativen Analyse frühbronzezeitlicher Keramik 213
  10.5.2 Ergebnisse der halbquantitativen und quantitativen Analyse ausgewählter Keramikkomplexe der jüngeren Frühbronzezeit... 214
 10.6 Das relativchronologische Verhältnis der Hügelgräberkultur zur jüngeren Frühbronzezeit 216

11 Verbreitung der Keramik der Schichten A, B und C 218
 11.1 Vorbemerkung 218
 11.2 Die Verbreitung frühbronzezeitlicher Keramik in den Ufersiedlungen des Bodensees 218
  11.2.1 Die Verbreitung der Keramik aus Schicht A 218
  11.2.2 Die „Bodmaner Fazies" 218
  11.2.3 Die Verbreitung der Keramik aus Schicht B 219
  11.2.4 Die Verbreitung der Keramik aus Schicht C 223
 11.3 Die frühbronzezeitliche Besiedlung der Bodenseeufer 223
  11.3.1 Vorbemerkung 223
  11.3.2 Siedlungslagen 223
  11.3.3 Zur Verbreitung frühbronzezeitlicher Ufersiedlungen am Bodensee 224
 11.4 Die Verbreitung früh- bis mittelbronzezeitlicher Keramik im Bodenseegebiet und im Hegau 226
 11.5 Die Verbreitung der Keramik von Bodman-Schachen I in Süddeutschland und den angrenzenden Regionen 228
  11.5.1 Schicht A 228
  11.5.2 Schicht B und C 230
  11.5.3 Die Arboner Gruppe 235

12 Absolute Chronologie 237
 12.1 Zur Bedeutung der absoluten Datierung 237
 12.2 Die Radiokarbondatierung von Bodman-Schachen I 237
  12.2.1 Vorbemerkung 237
  12.2.2 Die Radiokarbondaten von Schicht A 237
  12.2.3 Datenvergleich und absolute Chronologie der älteren Frühbronzezeit in Süddeutschland 238

12.2.4 Radiokarbondatierte Ufersiedlungen der älteren Frühbronzezeit in der Schweiz 239
12.2.5 Siedlungskeramik der älteren Frühbronzezeit und ihre absolute Datierung 240
12.2.6 Die Dendrodaten von Leubingen und Helmsdorf im Verhältnis zum ^{14}C-Datenblock aus Schicht A 241
12.2.7 Das absolutchronologische Verhältnis von Schnurkeramik, Glockenbecherkultur und älterer Frühbronzezeit in Südwestdeutschland und der Schweiz 242
12.2.8 Die Radiokarbondaten aus Schicht C 243
12.3 Die dendrochronologische Datierung von Bodman-Schachen I 244
12.3.1 Zum Stand der dendrochronologischen Untersuchungen in der Siedlung Bodman-Schachen I 244
12.3.2 Die absolute Datierung der Schichten B und C 245
12.3.2.1 Schicht B 245
12.3.2.2 Schicht C – südlicher Schichtbereich 246
12.3.2.3 Schicht C – östlicher Schichtbereich 246
12.3.2.4 Schlagphase 3 246
12.3.3 Zur Siedlungskontinuität aufgrund der dendrochronologischen Datierung 247
12.3.4 Zusammenfassung 247
12.4 Dendrochronologisch datierte Fundkomplexe der jüngeren Frühbronzezeit im Vergleich 247
12.4.1 Vorbemerkung 247
12.4.2 Meilen-Schellen 248
12.4.3 Wädenswil-Vorder Au 250
12.4.4 Die „Siedlung Forschner" 250
12.5 Bemerkungen zu Stilentwicklungen frühbronzezeitlicher Keramik am Bodensee und in der Zentral- und Ostschweiz 251
12.6 Frühbronzezeitliche Ufersiedlungen des nördlichen Voralpenlandes im Spiegel der Dendrochronologie 254

13 Fernbeziehungen und Kommunikationsachsen 256

14 Umwelt und Wirtschaft der Siedlungen von Bodman-Schachen I – ein Rekonstruktionsversuch 259

14.1 Einführung 259
14.2 Besiedlungszeitliche Wasserstände und Ufersituationen 259
14.3 Besiedlungszeitliche Ufervegetation 259
14.4 Waldvegetation 261
14.5 Rodung und potentielle Nutzflächen 262
14.6 Standort der Nutzflächen und Nutzflächenverlagerung 262
14.7 Rekonstruktion der Wirtschaftsform 263
14.8 Pflanzliche Ernährungsgrundlagen 264
14.9 Zur Vorratshaltung 264
14.10 Tierische Ernährungsgrundlagen 265
14.11 Abschließende Betrachtung zur Wirtschaftsweise 265

15 Zusammenfassung – Résumé – Riassunto – Abstract 266
15.1 Zusammenfassung 266
15.2 Résumé 271
15.3 Riassunto 277
15.4 Abstract 282

16 Verzeichnisse, Fundortlisten und Fundortkatalog 288
16.1 Abkürzungsverzeichnisse 288
16.1.1 Allgemeine Abkürzungen 288
16.1.2 Abkürzungsverzeichnisse und Schüssel zur Keramik 288
16.1.2.1 Allgemeine Abkürzungen 288
16.1.2.2 Verzierung 288
16.1.2.2.1 Zusammenfassende Oberbegriffe zur Zier .. 288
16.1.2.2.2 Ziertechniken und Zierarten 288
16.1.2.3 Gefäßformen 288
16.1.2.3.1 Allgemein 288
16.1.2.3.2 Schicht A 288
16.1.2.3.3 Schicht B 288
16.1.2.3.4 Schicht C 289
16.1.2.4 Magerungsmittel 289
16.1.2.5 Tabellenschlüssel zum Keramikkatalog im Datensatz .. 289
16.1.2.6 Farbschlüssel 290
16.2 Fundortlisten 290
16.2.1 Fundortliste zu den Verbreitungskarten der Keramik der jüngeren Frühbronzezeit in Süddeutschland, der Nord- und Ostschweiz und im angrenzenden Österreich (Abb. 156; 157) 290
16.2.1.1 Deutschland 290
16.2.1.2 Schweiz 295
16.2.1.3 Liechtenstein 296
16.2.1.4 Österreich 296
16.2.2 Fundortliste zur Verbreitungskarte der älteren Frühbronzezeit in Südwestdeutschland, in der Nord- und Ostschweiz und im grenznahen Österreich (Abb. 140) 296
16.2.2.1 Deutschland 296
16.2.2.2 Schweiz 296
16.2.2.3 Österreich 297
16.2.3 Fundortliste zu den Silexsicheln (Abb. 128) 297
16.2.3.1 Deutschland 297
16.2.3.2 Schweiz 298
16.2.3.3 Österreich 298
16.2.3.4 Tschechische Republik 298
16.2.3.5 Slowakische Republik 298
16.2.3.6 Ungarn 298
16.2.3.7 Italien 298
16.2.4 Fundortliste der gemusterten Tonobjekte (Abb. 132) 298
16.2.4.1 Deutschland 298
16.2.4.2 Italien 298
16.2.4.3 Serbien 299
16.2.4.4 Kroatien 299
16.2.4.5 Österreich 299

    16.2.4.6 Polen 299
    16.2.4.7 Rumänien 299
    16.2.4.8 Slowakische Republik 299
    16.2.4.9 Tschechische Republik 299
    16.2.4.10 Ungarn 299
  16.3 Fundortkatalog 299
  16.4 Verzeichnis der abgekürzt zitierten Literatur 308

17 Fundkatalog 314
  17.1 Vorbemerkungen 314
  17.2 Abkürzungen und Signaturen 314
    17.2.1 Im Katalog verwendete Abkürzungen 314
    17.2.2 Im Tafelteil verwendete Signaturen 315
  17.3 Die Funde 315

Tafel 1–78 351

Beilage 1–5

Kai-Steffen Frank

 Botanische Makroreste aus Tauchgrabungen in den frühbronzezeitlichen Seeufersiedlungen Bodman-Schachen I am nordwestlichen Bodensee unter besonderer Berücksichtigung der Morphologie und Anatomie der Wildpflanzenfunde. Aussagemöglichkeiten zu Nutzpflanzen, Vegetationsverhältnissen und zur Lage des Siedlungsareals 431

Tanze nun auf tausend Rücken,
Wellen-Rücken, Wellen-Tücken –
Heil, wer neue Tänze schafft!
Tanzen wir in tausend Weisen,
Frei – sei unsre Kunst geheissen,
Fröhlich – u n s r e Wissenschaft!

Friedrich Nietzsche, aus „An den Mistral".
In: Die fröhliche Wissenschaft (1887).

Vorbemerkung

Im Rahmen meiner praktischen Ausbildung hatte ich in den Jahren 1980 bis 1982 Gelegenheit, an den ersten Ausgrabungen und Sondagen des „Projekts Bodensee-Oberschwaben" (PBO) des Landesdenkmalamtes Baden-Württemberg (LDA) in Oberschwaben und am Bodensee teilzunehmen. Dies gewährte mir Einblicke in die Problematik der Feuchtbodenarchäologie, insbesondere Südwestdeutschlands, wo bis dahin seit den 1930er-Jahren die Pfahlbauforschung zum Erliegen gekommen war. Wesentliche Impulse für meinen Plan, über die Funde und Befunde einer frühbronzezeitlichen Ufersiedlung des Bodenseegebietes zu promovieren, erwuchsen aus Gesprächen und Diskussionen mit dem Leiter des PBO, Dr. Helmut Schlichtherle. Auf der Grundlage modern ergrabener Funde und Befunde einer Ufersiedlung sollte der bis dahin lückenhafte Kenntnisstand zur Frühbronzezeit Südwestdeutschlands, insbesondere hinsichtlich der Chronologie und des Siedlungswesens, verbessert werden. Im Mittelpunkt des wissenschaftlichen Interesses standen somit Fragen zur Stratigraphie, Siedlungsstruktur, Wirtschaftsweise und Umwelt, zur Besiedlung der Bodenseeufer sowie zur absoluten und relativen Chronologie. Das hierzu unabdingbar notwendige Befund- und Fundmaterial musste allerdings zunächst noch ausgegraben werden. Das Ausmaß der erforderlichen Geländearbeiten und damit auch die Dauer der Promotion waren aus diesem Grunde zunächst kaum abzuschätzen.

Die Aufmerksamkeit bei der Auswahl einer geeigneten Ufersiedlung konzentrierte sich bald auf Bodman-Schachen I, da hier einerseits mit Kulturschichterhaltung gerechnet werden konnte und andererseits aus denkmalpflegerischer Sicht Sondagen dringend erforderlich waren. Hier lagen Holzbauteile und Kulturschichtreste ungeschützt an der Oberfläche des Seegrundes, die wenig erosionsbeständigen Kulturschichten waren somit einer rasch fortschreitenden Zerstörung durch Flächenerosion ausgesetzt.

Da die Ufersiedlungen von Bodman-Schachen I ganzjährig unter Wasserbedeckung liegen, musste vor Beginn der Sondagen zunächst eine funktionierende Tauchequipe im Rahmen des PBO etabliert werden. Dies konnte in kurzer Zeit nur deshalb gelingen, weil uns das technische Know-how der damals bereits erfahrenen Tauchgruppe der Züricher Stadtarchäologie zur Verfügung stand.

Die in Bodman-Schachen I anvisierten Rettungsgrabungen unter Wasser fanden dann in den Jahren 1982, 1983, 1984 und 1986 statt. Es folgten in den Jahren bis 1989 die Fundaufnahme mit der Fertigstellung des Katalogs und die Befundauswertung, verbunden mit der Anfertigung der zugehörigen Abbildungen. Die Aufnahme der Altfundbestände in den Museen des Landes und in Privatsammlungen des Bodenseegebietes gingen diesen Arbeiten voraus. Die wissenschaftliche Auswertung der Funde und Befunde von Bodman-Schachen I wurde schließlich Ende 1992 abgeschlossen. Die Promotion an der Universität Freiburg i. Br. erfolgte am 12. Februar 1993.

Zur Drucklegung wurden Gliederung und Inhalt der Arbeit überarbeitet und gestrafft. Wichtige Aspekte zur Frühbronzezeit Südwestdeutschlands, die vor allem aus dem Bereich der Feuchtbodenarchäologie bis 2003 hinzukamen, wurden nachträglich in das bestehende Manuskript eingearbeitet. Dies betrifft für den Bodensee vor allem die Tauchsondagen in den Ufersiedlungen von Egg-Obere Güll I, Ludwigshafen-Seehalde und Haltnau-Oberhof. Berücksichtigt wurden außerdem die neueren Untersuchungen in der Schweiz, insbesondere die wichtigen Entdeckungen am Greifensee und am Zürichsee. Ebenfalls Eingang fand in vorliegenden Band die folgenreiche Neudatierung von Zürich-Mozartstrasse, Schicht 1a/b.

Nach Abschluss der Arbeiten unter Wasser wurden in den 1990er-Jahren in Bodman-Schachen I regelmäßig Kontrolltauchgänge durchgeführt. Die im Kulturschichtbereich über die Jahre festgestellte tief greifende Flächenerosion übertraf bei weitem die bis zu diesem Zeitpunkt angenommene Erosionsrate, der gemessene Abtrag belief sich pro Annum im Zentimeterbereich. Im Winter 2000 wurde deshalb schließlich der seeseitige Bereich der Ufersiedlung, wo Kulturschichten am Seegrund austreten, mit Geotextil und Kies überdeckt und damit versiegelt. Die sich noch im Sediment befindenden Abschnitte der Stratigraphie und das seeseitige Pfahlfeld von Bodman-Schachen I konnten somit dauerhaft unter Schutz gebracht werden.

Das Forschungsvorhaben Bodman-Schachen I erwies sich alsbald in vielfacher Hinsicht als komplexes Unterfangen. Seine Verwirklichung wäre ohne die Mithilfe zahlreicher Kollegen und Kolleginnen wohl kaum zustande gekommen. In erster Linie danke ich Dr. Helmut Schlichtherle, der in zahlreichen anregenden Gesprächen und Diskussionen das Unternehmen von Beginn an wohlwollend und freundschaftlich begleitet hat. Dr. André Billamboz gilt ebenfalls besonderer Dank für die intensive dendrochronologische Analyse der Hölzer von Bodman-Schachen I und die Diskussion der Ergebnisse. Sie standen für vorliegende Arbeit jederzeit zur Verfügung und erwiesen sich alsbald als unverzichtbare Datierungsgrundlage. Insbesondere danke ich auch Prof. Dr. Christian Strahm, der die wissenschaftliche Betreuung der Arbeit übernahm und auch für kontrovers geführte Diskussionen unkonventioneller Sichtweisen stets ein offenes Ohr hatte. Für das Vertrauen, welches mir durch Prof. Dr. Dieter Planck und Dr. Helmut Schlichtherle seitens der Denkmalpflege und von Prof. Dr. Christian Strahm seitens der wissenschaftlichen Betreuung, insbesondere was die unabwägbare Dauer des Vorhabens betrifft, entgegengebracht wurde, bedanke ich mich an dieser Stelle ausdrücklich.

Der Aufbau der Taucharchäologie sowie die anschließenden Tauchsondagen wurden von der Denkmalpflege stets engagiert unterstützt und gefördert. Hierfür danke ich insbesondere Prof. Dr. Dieter Planck, dem damaligen Abteilungsleiter der archäologischen Denkmalpflege des Landesdenkmalamtes Baden-Württemberg, seinem Nachfolger im Amte, Dr. Jorg Biel und Dr. Helmut Schlichtherle, dem Leiter der Arbeitsstelle Hemmenhofen des Landesdenkmalamtes Baden-Württemberg, (seit 2005 Landesamt für Denkmalpflege Regierungspräsidium Stuttgart).

Die Zielsetzung der Arbeit erforderte die Fundaufnahme in zahlreichen Privatsammlungen und Museen des Landes. Für die in zuvorkommender Weise gewährte Einsichtnahme in Fundbestände danke ich S. v. Blankenhagen, Liz. G. Brummer, Dr. K. Eckerle, E. v. Gleichenstein, Dr. H. Schickler, Dr. G. Schöbel, Dr. Ch. Züchner, St. Egenhofer, H. Fiebelmann, H. Gieß, P. Huhn, K. Huhn, H. Hertlein, K. Kiefer, J. Lang, H. Maier, und P. Weber (†).

Besonders bedanke ich mich bei den Teilnehmern der Unterwassersondagen 1982–84 und 1986, deren solidarisches Engagement bei den winterlichen, oft widrigen Arbeitsbedingungen wesentlich zum Gelingen des Unternehmens beigetragen hat. An den Tauchsondagen wirkten mit: R. Bauer, H. Beer, Ch. Begatik, T. Bollwaage, D. Geyer, B. Förster, M. Kinski, Dr. M. Kolb, K. Layer, P. Lischke, K. Luksch, Dr. M. Mainberger, A. Müller M. A., Prof. Dr. J. Müller, W. J. Müller, J. Rehmet M. A., Dr. G. Schöbel, G. Schopp, T. Stern M. A., R. Schäfer M.A., M. Struppe, K. Weiner M. A. und S. Wiedemann.

Für vielfach erfahrene Hilfe und Unterstützung danke ich den Mitarbeitern des PBO U. Auer, A. Harvath, F. Herzig und M. Woltersdorf-Susin. P. Bayard, A. Gruschkus, T. Leonhardt und A. Kalkowski verdanke ich die grafische Umsetzung von Planvorlagen und Zeichenarbeiten. Dankbar verbunden bin ich I. Becker, G. Diesch und U. Veit, auf deren Unterstützung ich auch in schwierigen Phasen des Unterfangens zurückgreifen durfte.

Die in den 1980er Jahren laufende Forschungsgrabung in der „Siedlung Forschner" im südlichen Federseemoor und die Rettungsgrabungen in der „Mozartstrasse" in Zürich lieferten weitere stratifizierte Fundkomplexe der frühen und mittleren Bronzezeit. Zugleich erfuhren die Altfundbestände der Ufersiedlungen von Arbon-Bleiche 2 am schweizerischen Ufer des Bodensees eine umfängliche Neubearbeitung. Der daraus resultierende Austausch mit den federführend tätigen Kollegen Dr. E. Keefer, Dr. St. Hochuli, Dr. Dr. U. Ruoff entfachte eine fruchtbare und sehr anregende Diskussion, wofür ich an dieser Stelle ausdrücklich danke.

In zahlreichen Gesprächen erhielt ich überdies weitere Anregungen. Hierfür danke ich A. Bonenberger M. A., E. Czarnowski, Dr. R. Dehn, Dr. B. Dieckmann, PD Dr. R. Krause, Dr. I. Matuschik, Dr. W. Pape, Dr. K. M. Schmidt, M. Seitz M. A. und K. Weiner M. A.

Im Zuge der Aufarbeitung der bis dato kontrovers diskutierten Fundkomplexe von Zürich „Mozartstrasse" erhielt Ende der 1990er Jahre die Chronologiediskussion erneut Auftrieb. Durch die damit verbundene wissenschaftliche Neubewertung der Fundkomplexe vom Zürichsee kam es zum regen Gedankenaustausch. Den Zürcher Kollegen Dr. B. Eberschweiler und A.-C. Conscience (†) bin ich hierfür dankbar verbunden.

Schließlich danke ich meinen Hochschullehrern Prof. Dr. F. Fischer, Dr. E. Gersbach, Prof. Dr. W. Kimmig(†), Dr. Dr. G. Mansfeld, Prof. Dr. E. Sangmeister und Prof. Dr. Ch. Strahm, die meinen akademischen Werdegang wohlwollend und engagiert begleitet haben.

Last but not least sei meinen Eltern und meinem Bruder mit Familie gedankt. Sie gewährten mir den nötigen Rückhalt und gaben mir durch ihre Unterstützung Zuversicht für dieses langwierige Vorhaben.

Gewidmet sei diese Arbeit meiner Familie.

1 Einführung

1.1 Allgemeines

Im Mittelpunkt vorliegender Arbeit stehen Untersuchungen zur frühen Bronzezeit anhand der Funde und Befunde aus den frühbronzezeitlichen Ufersiedlungen am nordwestlichen Bodenseeufer, insbesondere aus den Ufersiedlungen von Bodman-Schachen I. Sie befasst sich damit mit einem bis dato in der süddeutschen Frühbronzezeitforschung verhältnismäßig wenig beachteten Teilaspekt der Quellengattung Siedlungen, den Ufersiedlungen.

Ihren Anfang nahm die Erforschung der Ufersiedlungen des Bodensees bereits in der Mitte des 19. Jhs., nachdem Ferdinand Keller am Zürichsee die Bedeutung der bei extremem Niedrigwasser am trockengefallenen Ufer des Zürichsees aufgesammelten Gegenstände erkannt und publik gemacht hatte. Zunächst erschöpfte sich am Bodensee wie auch an den Ufern der Schweizer Voralpenseen die Pfahlbauforschung in unsystematischen „Ausbeutungen" der Stationen, indem die Fundschichten mit der Schaufel umgegraben und nach Funden durchwühlt wurden. Wolfgang Kimmig hat in seinem forschungsgeschichtlichen Überblick den Werdegang der Pfahlbauforschung nördlich der Alpen in seinen Anfängen eindrücklich nachgezeichnet.[1] Vom Bodensee selbst sind hiervon bedauernswerterweise kaum schriftliche Überlieferungen vorhanden.

Die bronzezeitlichen Pfahlbauten des Bodensees waren vor allem durch eine Vielzahl an Bronzen bekannt geworden, die unstratifiziert im Rahmen der unsystematischen Ausbeutungen des 19. und beginnenden 20. Jhs. geborgen worden waren.[2] Was die Frühbronzezeit betrifft, so änderte sich die Quellenlage erst 1944 und 1945 durch großflächig angelegte Ausgrabungen Karl Keller-Tarnuzzers in Arbon-Bleiche am Schweizer Ufer.[3] Bedauerlicherweise wurden Funde und Befunde dieser zweifelsohne wichtigen Ufersiedlung der Frühbronzezeit erschöpfend erst im Jahre 1994 vorgelegt.[4] Bis in die 1980er-Jahre lag bemerkenswerterweise aus dem gesamten nördlichen Alpenvorland keinerlei verlässlich stratifiziertes Fundmaterial aus einer feinstratigraphisch ergrabenen Ufersiedlung der Frühbronzezeit vor. Auch bei Siedlungen auf mineralischem Grund war die Quellenlage eher dürftig, hier standen bis auf wenige gut beobachtete Grubeninventare überwiegend Lesefundkomplexe zu Verfügung.

Das bekannte Fundmaterial aus den Siedlungen Süddeutschlands und der Schweiz bestand fast ausschließlich aus Keramik, deren chronologische Einstufung und Gliederung insofern schwer fiel, als das bestehende Chronologieschema, basierend auf Paul Reineckes Stufengliederung, auf Grabfunden beruhte.[5] Es waren dies vor allem Bronzen und Schmuckgegenstände aus Knochen, Keramikbeigaben lagen aus Gräbern so gut wie keine vor. Aufgrund dieser Quellenlage war eine verlässliche Gliederung und Einordnung der Siedlungsfunde nur in sehr begrenztem Maße möglich.

Es war zunächst Emil Vogt, der anhand der Funde aus Ufersiedlungen des Zürichsees und von Untersiggental, einer Fundstelle in der Nordostschweiz, frühbronzezeitliche Siedlungskeramik identifizierte und in das vorgegebene Chronologieschema einzuordnen suchte.[6] In Süddeutschland wurde die frühbronzezeitliche Siedlungskeramik entweder schlicht ignoriert oder dem Spätneolithikum zugeschlagen.[7] Erst 1951 setzte sich Wolfgang Dehn eingehend mit frühbronzezeitlicher Siedlungskeramik anhand der Straubinger Funde auseinander.[8] Hans-Jürgen Hundt erweiterte schließlich anhand der Funde von Heubach und Ehrenstein den Kenntnisstand frühbronzezeitlicher Siedlungskeramik in Süddeutschland.[9] Er stellte ihren zwischen frühbronzezeitlicher und mittelbronzezeitlicher Siedlungskeramik vermittelnden Charakter heraus, bezeichnete sie als Keramikstufe A2/B1 und setzte sie an das Ende der frühen Bronzezeit.[10]

Von Dehns Arbeit ausgehend führte Kimmig aufgrund der Verbreitung der „Straubinger Siedlungskeramik" – und in Anlehnung an Reineckes „Zone

---

1 W. Kimmig, Feuchtbodensiedlungen in Mitteleuropa. Ein forschungsgeschichtlicher Überblick. Arch. Korrbl. 11, 1981, 1 ff.
2 Schlichtherle, Bronzezeitliche Feuchtbodensiedlungen 21 ff.; ausführlich zur lokalen Forschungsgeschichte, insbesondere der Spätbronzezeit, s. Schöbel, Hagnau und Unteruhldingen 15 ff.
3 Keller-Tarnuzzer, Arbon 19 ff.
4 Hochuli, Arbon-Bleiche.
5 Reinecke, Gliederung 43 ff.; darauf aufbauend Christlein, Flachgräberfelder 25 ff.; Ruckdeschl, Gräber.
6 Vogt, Keramik 76 ff.
7 Kimmig, Reusten 29 f.
8 Dehn, Gaimersheim 1 ff.
9 Hundt, Heubach 27 ff.
10 Ebd; ders., Malching 33 ff.

nordwärts der Alpen" den Begriff der „nordalpinen Frühbronzezeitkeramik" ein.[11] Pate stand bei dieser Überlegung das Singener Gräberfeld, durch welches sich nach Auffassung Kimmigs der „Straubinger Kreis" Reineckes zu einem „Großkreis Singen Straubing" erweitern ließ.[12] Allerdings war sich Kimmig bewusst, dass Straubinger Gräber und Siedlungen „unterschiedliche Keramikformen" aufweisen, und vertrat wohl, wie auch Dehn, die Ansicht, dass den Unterschieden im Fundmaterial chronologische Differenzen zugrunde liegen.

Seit den Aufsätzen Hundts[13] war sich die Forschung einig, dass die von ihm beschriebene frühbronzezeitliche Siedlungskeramik aus Südwestdeutschland und der Ostschweiz an das Ende der Frühbronzezeit zu setzen ist und kontinuierlich zur mittelbronzezeitlichen Siedlungskeramik überleitet. Die Katastrophentheorie Reineckes und Friedrich Holstes, die noch Siegfried Junghans[14] für das Ende der frühen Bronzezeit vertreten hatte, war damit zu Recht in Frage gestellt worden. Die zeitliche und räumliche Gliederung frühbronzezeitlicher Siedlungskeramik wurde in der Folgezeit wiederholt versucht,[15] die Forschung verharrte jedoch im Wesentlichen auf dem Kenntnisstand Hundts. Dies lag hauptsächlich daran, dass weiterhin keine stratifizierten homogenen Fundkomplexe zur Verfügung standen, sondern lediglich per se heterogen zusammengesetzte Lesefundkomplexe einer eingehenderen Betrachtung unterzogen werden konnten. Es erstaunt daher nicht, wenn Walter Torbrügge zur Ansicht gelangt, dass „Meinungen und nicht objektivierte Sachverfahren"[16] die Diskussion bestimmen. Hoffnungen, die an stratifizierte früh- und mittelbronzezeitliche Fundkomplexe geknüpft wurden, ließen sich aufgrund einer stagnierenden Quellenlage nicht erfüllen.[17]

Siedlungsfunde, die gesichert der älteren Frühbronzezeit zugewiesen werden konnten, waren noch zu Beginn der Tauchsondagen in Bodman-Schachen I weit gehend unbekannt. Wenige Funde wurden zwar diesbezüglich diskutiert, waren aber weder dem Endneolithikum noch der älteren Frühbronzezeit so recht zuzuschlagen.[18] Eine absolute Zeitskala, die auf unabhängigen absoluten Daten basierend eine Gegenüberstellung von Grab- und Siedlungsfunden anhand dieser Skala erlaubt hätte, fehlte zumindest im süddeutschen Raum vollständig. Fundierte Kenntnisse zur Struktur frühbronzezeitlicher Siedlungen und Rekonstruktion ihrer Umwelt und Wirtschaftsweise waren nur sehr lückenhaft vorhanden.[19]

Die Tauchsondagen in den frühbronzezeitlichen Ufersiedlungen von Bodman-Schachen I in den 1980er-Jahren, die der Bergung freigespülter Holzbauteile und der Sicherung von Kulturschichtresten am Seegrund galten, lieferten nun erstmals gut stratifiziertes Fundmaterial und Siedlungsstrukturen aus einer frühbronzezeitlichen Ufersiedlung des Bodensees. Die dreischichtige Stratigraphie und ihre absolute Datierung durch Dendro- und Radiokarbondaten verbesserten die damalige Quellenlage erheblich.

Die Ziele der vorliegenden Arbeit, die durch einen lückenhaften Publikationsstand und eine ebenso unbefriedigende Quellenlage vorgegeben waren, ließen sich durch den feinstratigraphischen Fundkomplex und die Baubefunde von Bodman-Schachen I im Einzelnen wie folgt formulieren:

– Vorlage der Funde und Befunde aus den Tauchsondagen in Bodman-Schachen I in Verbindung mit den Altfunden des Bodenseegebietes.
– Absolute Datierung der Funde und Befunde von Bodman-Schachen I.
– Diskussion der chronostratigraphischen Ergebnisse.
– Diskussion der Ergebnisse im Rahmen der Frühbronzezeit Südwestdeutschlands, der Schweiz und angrenzender Regionen.
– Datenerhebung zu Umwelt und Wirtschaft der Siedlungen und ihre Interpretation.

Das Erreichen dieser Zielvorgaben wurde nicht zuletzt durch eine fast explosionsartig ansteigende Datenflut aus weiteren Sondierungen und Flächengrabungen in frühbronzezeitlichen Ufer- und Moorsiedlungen in Südwestdeutschland und in der Schweiz ermöglicht. Aber auch der Kenntnisstand

---

11 Kimmig, Reusten 30f.
12 Ebd.
13 Hundt, Heubach 27ff.; ders., Straubing; ders., Malching 33ff.
14 S. Junghans, Die Frühbronzezeit in Südwestdeutschland (Ungedr. Diss. Univ. Tübingen 1948).
15 Gersbach, Esslingen 226ff.; Fischer, Bleiche; J. Zeitler, Die frühbronzezeitliche Siedlung am Hirtenacker bei Zirndorf, Lkr. Fürth. Ein Beitrag zur Chronologie frühbronzezeitlicher Siedlungskeramik. In: Festschr. zum 100-jährigen Bestehen der Abt. Vorgesch. der Naturhist. Ges. Nürnberg e.V. Abh. Naturhist. Ges. Nürnberg e.V. 39, 1982, 83–146.
16 W. Torbrügge, Grabhügel der frühen Bronzezeit in Süddeutschland. Festschr. zum 100-jährigen Bestehen der Abt. Vorgesch. der Naturhist. Ges. Nürnberg e.V. Abh. Naturhist. Ges. Nürnberg e.V. 39, 1982, 65ff.
17 Reim, Mittlere Bronzezeit 157.
18 E. Sangmeister, Endneolithische Siedlungsgrube bei Heilbronn-Böckingen. Fundber. Schwaben NF 15, 1959, 42ff.; Kimmig, Reusten 29ff.
19 Zusammengefasst bei Reim, Mittlere Bronzezeit 141ff. für die mittlere Bronzezeit und jüngere Frühbronzezeit. Die Kenntnisse zur älteren Frühbronzezeit sind diesbezüglich noch weitaus lückenhafter.

zum frühbronzezeitlichen Siedlungswesen auf mineralischem Grund hatte sich bereits zu erweitern begonnen, als die Arbeit noch im Entstehen begriffen war. Der sich schnell weiterentwickelnde Forschungsstand fand einen ersten Niederschlag in den Kolloquiumsbänden von Straßburg und Clermont-Ferrand in den Jahren 1988 und 1992.[20] Zuletzt wurde er für Süddeutschland und für die Schweiz im zweiten Band der Hemmenhofener Skripte zusammengefasst.[21]

1.2 Geologisch-geographischer Überblick

Der Bodensee befindet sich am Südrand des südwestdeutschen Alpenvorlandes. Er ist mit 571 km² Seefläche der zweitgrößte Voralpensee. Der überwiegende Teil seiner Ufer gehört im Norden und Süden politisch zu Deutschland und zur Schweiz, ein kurzer Uferabschnitt im Osten liegt auf österreichischem Hoheitsgebiet. Im Westteil des deutschen Nordufers ist Baden-Württemberg, im Ostteil der Freistaat Bayern Seeanrainer. Am deutschen Ufer blieben Pfahlbaureste bislang auf baden-württembergische Uferabschnitte beschränkt.

Das eigentliche Bodenseebecken wird im Norden durch das oberschwäbische Jungmoränen-Hügelland, im Westen durch den Hegau und im Süden durch das Thurgau-Hügelland eingerahmt. An seinem Ostteil, im Bregenzer Raum, stoßen mit dem Bregenzer Wald Alpenausläufer bis dicht an seine

---

20 Dynamique du Bronze moyen en Europe occidentale. Actes du 113e Congrès national des sociétés savantes, Commission de Pré- et Protohistoire, Strasbourg 1988 (Paris 1989). C. Mordant/O. Gaiffe (Hrsg.), Cultures et sociétés du Bronze en Europe. Actes du colloque „Fondements culturels, techniques, économiques et sociaux des débuts de l'âge du Bronze". 117e Congrès national des sociétés savantes, Clermont-Ferrand 1992 (Paris 1996). Weitere Übersichten in: J. J. Assendorp (Hrsg.), Forschungen zur bronzezeitlichen Besiedlung in Nord- und Mitteleuropa. Internat. Symposium 9.–11. Mai 1996 in Hitzacker. Internat. Arch. 38 (Espelkamp 1997); B. Hänsel (Hrsg.), Mensch und Umwelt in der Bronzezeit Europas (Kiel 1998).
21 Eberschweiler u. a. (Hrsg.), Rundgespräch.

Abb. 1: Naturräumliche Gliederung des Bodenseegebietes, kartiert nach Sick (Anm. 22) und Schlichtherle, Prähistorische Ufersiedlungen. Im Kartenausschnitt die Lage des Bodensees in Südwestdeutschland.

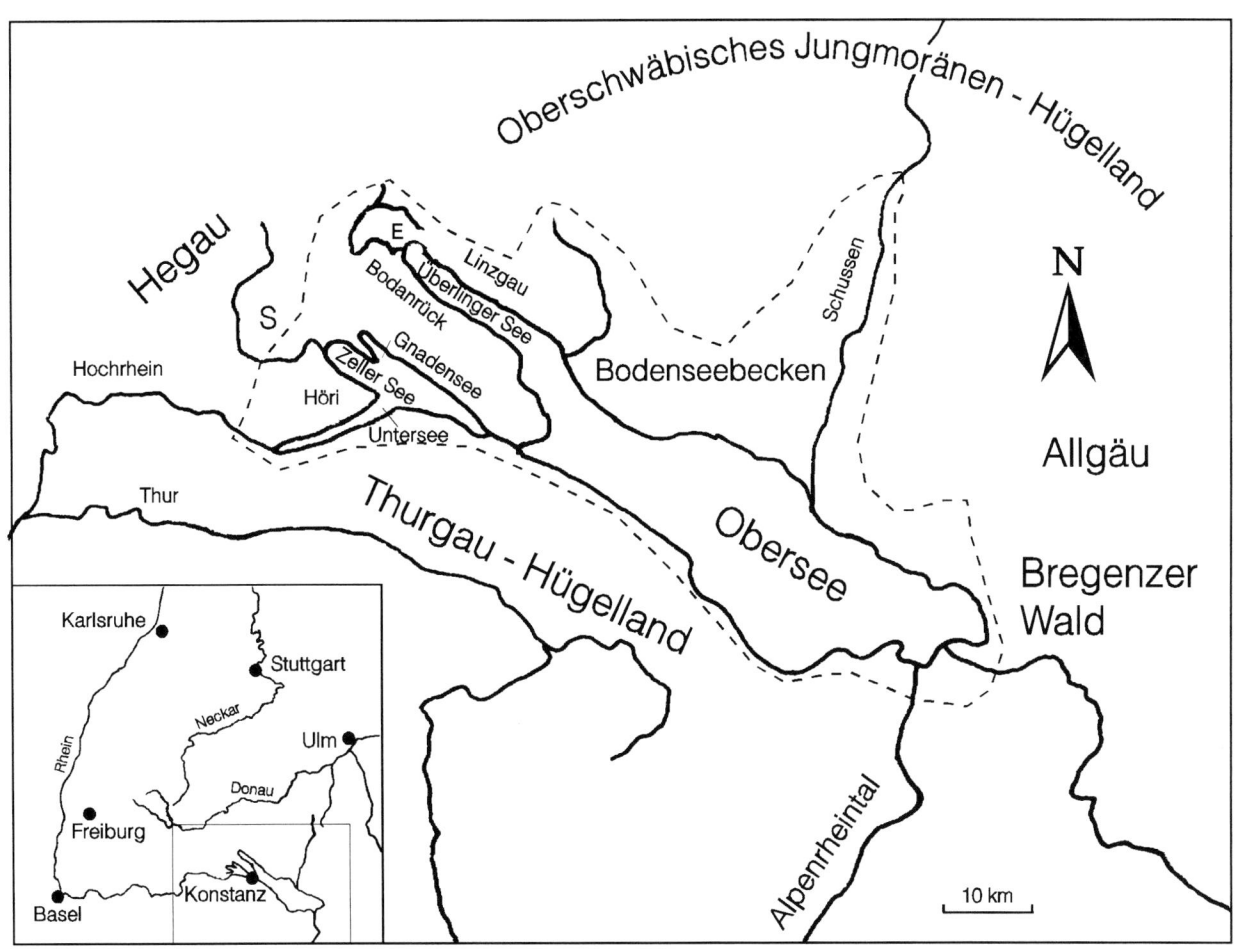

Ufer vor (Abb. 1).²² Das Klima des Bodenseebeckens ist verhältnismäßig mild und zeichnet sich durch eine gegenüber den umliegenden Landschaften erhöhte winterliche Durchschnittstemperatur aus. Sie ist auf die wärmespeichernde Wirkung des Bodensees und seine Beckenlage zurückzuführen.

Der Bodensee besteht aus fünf Seeteilen, die auf zwei Seebecken verteilt sind. Der größte Seeteil, der bis zu 250 m tiefe Obersee im Osten, wird im Westen durch den Überlinger See verlängert. Durch den Seerhein bei Konstanz getrennt, bildet das kleinere der beiden Seebecken den Südwestteil des Bodensees. Die Halbinseln und Landzungen von Mettnau, Höri und Bodanrück untergliedern das südwestliche Seebecken in die flacheren, bis zu 40 m tiefen Seeteile des Gnadensees, des Zellersees und des Untersees. Ihr Pegel liegt um ca. 30 cm tiefer als der Pegel des Obersees und Überlinger Sees. Der maximal 70 m tiefe Überlinger See liegt fjordartig eingeschnitten zwischen Bodanrück im Süden und dem Linzgau im Norden (Abb. 2). Verlandungsebenen des postglazialen Sees schließen sich bei Radolfzell und Bodman an die dortigen Seebecken an. Das westliche Bodenseegebiet umfasst die westlichen Seebecken des Bodensees, die dazwischen liegenden Höhenzüge Höri und Bodanrück und die an den See angrenzenden Niederungen. Das Gebiet liegt am Südrand der Jungmoränenlandschaft Südwestdeutschlands, die durch die eiszeitliche Überprägung tertiärer Formationen durch den Rheingletscher²³ entstanden ist. Das westliche Bodenseegebiet erhält sein besonderes Gepräge durch tertiäre Molassesockel, die sich zwischen den Seeteilen erheben, und durch die Schotter und Geschiebemergel der würmzeitlichen Grund- und Endmoränen, die diese meist überlagern. Das Relief der Landschaft, vor allem im Westteil des Überlinger Sees, ist dementsprechend unruhig und bewegt.

Der Bodensee gehört zu den großen Voralpenseen, die noch heute mit den Flusssystemen verbunden sind, die die Alpen nach Norden und Süden entwässern. Der Alpenrhein als eines dieser Flusssysteme bestreitet 73 % am Gesamtzufluss des Bodensees und ist damit sein bedeutendster Zufluss. Er mündet bei Bregenz in den Obersee und verlässt über den Untersee bei Stein am Rhein den Bodensee in das Hochrheintal. Der Alpenrhein entwässert die Bündner und Vorarlberger Alpen und führt naturgemäß während der Schneeschmelze im Frühjahr erheblich mehr Wasser mit sich als in den Wintermonaten. Diese unterschiedliche Wasserzufuhr bedingt die charakteristischen jahreszeitlichen Wasserspiegelschwankungen des Bodensees. Sie betragen durchschnittlich 1,60 m, im Extremfall sogar 4 m zwischen maximalen Sommerwasserhoch- und Winterwasserniedrigständen. Die jährliche Niederschlagsmenge als weitere Größe des Bodenseewasserhaushalts kann vernachlässigt werden, da sie der Menge des jährlich verdunstenden Wassers entspricht. Da der Bodensee im Gegensatz zu den großen Voralpenseen des Schweizer Mittellandes noch nie reguliert wurde, sind die Auswirkungen der jahreszeitlich bedingten Wasserspiegelschwankungen auf den Uferbereich bis heute zu beobachten. Helmut Schlichtherle spricht in diesem Zusammenhang zu Recht von einem Modellfall.²⁴

Die jährliche Niederschlagsmenge nimmt von Westen nach Osten zu. Sie liegt – abhängig von der Alpennähe – zwischen 800 mm im Westen und 1400 mm im Ostteil des Bodenseebeckens. Die Ufersiedlungen des Bodenseegebietes befinden sich westlich der 1000 mm Jahresniederschlagsgrenze, die auch heute noch die überwiegend weidebewirtschafteten Gegenden am östlichen Seeteil vom vorwiegend ackerbaulich genutzten westlichen Bodenseegebiet trennt. Das Zusammenfallen der Anbaugrenze mit der Verbreitung der Pfahlbauten nach Osten dürfte im Wesentlichen ursächlich zusammenhängen.²⁵

Die großen Flusssysteme Südwestdeutschlands öffnen das Bodenseegebiet mittel- oder unmittelbar nach allen Himmelsrichtungen. Für den Süden, Westen und Südwesten sind hier das Alpenrheintal, der Hochrhein und die Aare zu nennen. Nach Norden und Osten verlaufen die natürlich vorgezeich-

Abb. 2: Nördsüdlich orientiertes Geländeprofil im Bereich der Ufersiedlungen von Bodman-Schachen I durch das Mühlbachtal, den Spittelsberg, den Überlinger See und den Bodanrück. Nach Topographischer Karte 1:25 000, Blatt 8120 Stockach, 8220 Überlingen West. Hrsg. Landesvermessungsamt Baden-Württemberg.

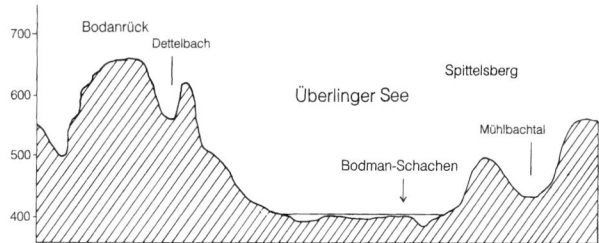

---

22 W. D. Sick, Die ländlichen Siedlungen des Bodenseeraumes. In: H. Maurer (Hrsg.), Der Bodensee (Stuttgart 1982) 121–141; Schlichtherle, Prähistorische Ufersiedlungen 12 Abb. 1.
23 Vgl. ebd. 9 ff.; Schöbel, Hagnau und Unteruhldingen 8 ff. Auf eine eingehendere Beschreibung des Naturraumes wird verzichtet, da dies schon mehrfach geschehen ist.
24 Angaben zum Wasserhaushalt s. Schlichtherle, Prähistorische Ufersiedlungen 19 ff.
25 Ebd. 18 f.

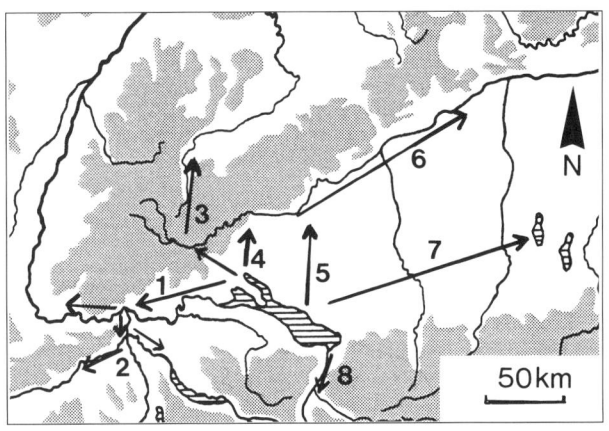

Abb. 3: Das westliche Bodenseegebiet und seine natürlichen Verbindungswege. Nach Westen über den Hochrhein (1) und von dort über die Aare, Reuss und Limmat nach Südwesten (2) ins Schweizer Mittelland und ins Zürichseegebiet. Nach Norden über die Engener Höhe und Baar ins mittlere Neckarland (3), über die Stockacher Aach und Ablach (4) oder über das Schussental und Federseebecken (5) ins Donautal. Nach Osten (6) entweder von dort donauabwärts oder aber dem Alpenhauptkamm (7) folgend. Nach Süden durch das Alpenrheintal (8).

neten Verbindungswege über den Hegau und die Engener Höhe in die Baar. Von dort gelangt man über den Neckar nach Norden in das mittlere Neckarland oder donauabwärts nach Osten. Weiter östlich ist das Bodenseegebiet durch die wichtige Nord-Süd-Achse über das Schussental und das Federseebecken mit der Donau verbunden (Abb. 3). Neben eigenständigen Entwicklungen sind deshalb im neolithischen und bronzezeitlichen Fundgut des Bodenseegebiets kulturelle Einflüsse verschiedenster Herkunft fassbar.[26]

1.3 Überlinger See und Espasinger Niederung – naturräumliche Betrachtungen

Tief eingeschnitten zwischen Bodanrück und Spittelsberg endet der Überlinger See im Westen in der Bodmaner Bucht zwischen den heute zusammengeschlossenen Gemeinden Bodman und Ludwigshafen. Westlich davon schließt sich mit der Espasinger Niederung eine Verlandungsebene spätglazialer Seen des Rheingletschers an.[27] Im Süden und Südwesten wird die Ebene durch die schroffen Abhänge des Bodanrücks und der Homburger Höhen begrenzt, die bis auf 650 m ü. NN ansteigen. Im Norden wird sie von Spittelsberg, Wolfssteig, Bannholz und der Heiligenhalde eingerahmt, im Westen läuft die Ebene an den sanfteren Hängen der Jungendmoränen aus (Abb. 4). Erosionsböschungen ehemaliger Seestände sind in den Randbereichen der Espasinger Niederung nicht erhalten geblieben, Abschlämm-

massen haben diese Böschungen unkenntlich gemacht oder überdeckt.[28] Dagegen ist in der Espasinger Niederung ein Strandwall etwa auf Höhe der Straße von Espasingen nach Bodman erhalten, der ein junges postglaziales Ufer des Überlinger Sees markiert und gleichzeitig das so genannte Große Ried in seiner Ausdehnung nach Osten begrenzt.[29] Überreste des wohl jüngsten erhaltenen Strandwalls befinden sich am Schachenhorn, unmittelbar hinter dem heutigen Ufer.[30] Durch das Große Ried[31] ist die Espasinger Niederung zwischen Überlinger See und Espasingen zweigeteilt (Abb. 4–5). Die Ausdehnung des heute entwässerten Großen Riedes ist im Ackerland an der Schwarzfärbung der Anmoorböden unschwer zu erkennen.

Die Stockacher Aach durchfließt die Niederung von Westen nach Osten in ihrer ganzen Länge. Durch Verlagerungen ihres Mündungsgebietes entstanden am westlichen Ende des Überlinger Sees zwei Sedimentfächer, die sich hornartig, stellenweise mehr als 200 m nach Osten in den See vorschieben (Abb. 5). Die Flachwasserzone am Schachenhorn ist demnach im Hangenden überwiegend abweichend aus fluviatilen Sedimenten und nicht aus den üblichen biogen gefällten Kalksedimenten, den so genannten Seekreiden,[32] aufgebaut. Schilfwurzeln, die bis in den Haldenbereich reichen, belegen ehemals ausgedehnten Röhrichtbewuchs in der gesamten Flachwasserzone. Das heutige Mündungsdelta der Stockacher Aach befindet sich am Aachhorn im Südteil der Bodmaner Bucht, während ihr ehemaliges Mündungsgebiet, das Schachenhorn, etwa 700 m weiter nördlich gelegen ist (Abb. 4).[33] Am ostexponierten Abschnitt des Schachenhorns hat der durch kräftige Ost- und Nordostwinde der Frühjahrs- und Herbststürme verursachte Wellenschlag ein kliffkantenartiges Erosionsufer von 0,5 bis 0,75 m Höhe geschaf-

---

26 Köninger/Schlichtherle, Foreign Elements; Köninger, Bodensee 104 ff. bes. 112; ders., Gemusterte Tonobjekte 442 ff.; J. Köninger/M. Kolb/H. Schlichtherle, Elemente von Boleráz und Baden in den Feuchtbodensiedlungen des südwestdeutschen Alpenvorlandes und ihre mögliche Rolle im Transformationsprozess des lokalen Endneolithikums. In: Cernavoda III – Boleráz. Ein vorgeschichtliches Phänomen zwischen dem Oberrhein und der unteren Donau. Symposium Mangalia/Neptun 18.–24. Oktober 1999. Stud. Danubiana, Ser. Symposia II (Bukarest 2000) 641–672.
27 Erb u. a., Karte 80.
28 Ebd.
29 K. Göttlich, Moorkarte von Baden-Württemberg. Erläuterungen zu Blatt Stockach L 8120 (Stuttgart 1971) 41.
30 Ebd. 66.
31 Ebd. 41.
32 Vgl. Schlichtherle, Prähistorische Ufersiedlungen 1 ff.; A. Schreiner, Einführung in die Quartärgeologie (Stuttgart 1992) 113.
33 Erb u. a., Karte 80. Durch die Befunde von Bodman-Schachen I kann die Existenz der nördlichen Mündung der Stockacher Aach näher eingegrenzt werden.

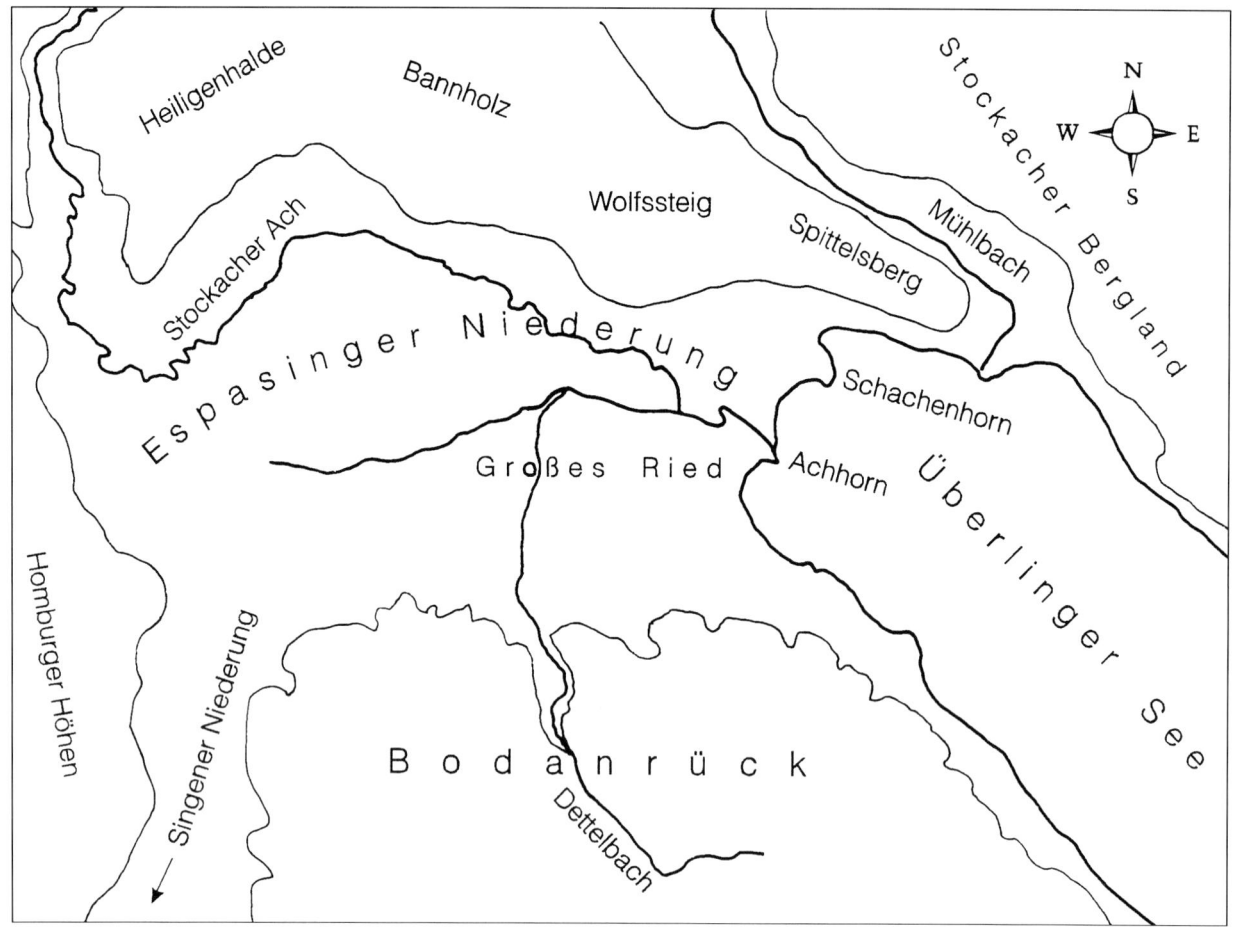

Abb. 4: Espasinger Niederung und Überlinger See. Geographische Übersicht. Kartengrundlage: Topographische Karte 1:25 000, Blatt 8120 Stockach, 8220 Überlingen West. Hrsg. Landesvermessungsamt Baden-Württemberg.

fen, welches erosionsbedingt sukzessive nach Westen zurückverlagert wurde. Im Rahmen des Umweltprogrammes für den Bodenseeraum der Landesregierung von Baden-Württemberg (UBR) wurden deshalb seit 1987 in diesem Abschnitt Uferverbauungen eingebracht und Schilfsanierungs- bzw. -rekultivierungsmaßnahmen durchgeführt, um so der Erosion im Uferbereich entgegenzuwirken. Seit 1984 ist das Schachenhorn Bestandteil des 130 ha großen Naturschutzgebietes „Bodenseeufer" (Schutzgebiets-Nr. 3 132).[34]

Direkt hinter der Uferlinie schließt sich am Schachenhorn ein etwa 30 m breiter Röhrichtgürtel an, der durch die Sommerhochwasser erreicht wird. Dahinter beginnt zwischen 396,5 m ü. NN und 405 m ü. NN die überwiegend ackerbaulich genutzte Espasinger Niederung. Die Böden in der Niederung neigen besonders in Seenähe zur Vernässung, dürften daher mittlere Qualitäten kaum übersteigen. Höhere Bodenqualitäten sind dagegen am sanft ansteigenden Hangfuß des Bodanrücks und Spittelsbergs am Rand der Ebene zu erwarten, wo besser durchlüftete, nährstoffreiche und wenig vernässte Standorte anzutreffen sind. Die Espasinger Niederung und ihre flacheren Randzonen werden heute überwiegend durch Sonderkulturen, Ackerbau und Obstanbau landwirtschaftlich genutzt. Die steilen Abhänge der umgebenden Höhenzüge sind dagegen bewaldet.

1.4 Siedlungslage und benachbarte Ufersiedlungen

Das Pfahlfeld von Bodman-Schachen I befindet sich am seeseitigen Rand der Flachwasserzone und liegt etwa 120 bis 160 m vom heutigen Winterufer entfernt (Abb. 5). Die Flachwasserzone erstreckt sich zwischen Siedlungsplatz und heutigem Ufer zwischen etwa 392 m ü. NN und 395 m ü. NN. Während sie im Winter weit gehend vegetationsfrei bleibt, wird sie im Sommer von ausgedehnten submersen Rasen bedeckt. Bei extremen winterlichen

---

34 Wir tun was für den See. Broschüre des Umweltministeriums Baden-Württemberg o. J.

Niedrigwasserständen um 394 m ü. NN[35] fällt die Flachwasserzone auf einem etwa 60 m breiten Streifen trocken. Das Siedlungsareal selbst befindet sich zwischen 393,50 m ü. NN und 393 m ü. NN ganzjährig unter Wasserbedeckung.

Das Schachenhorn und der nördlich daran anschließende Uferstreifen am Löchle gehört zu den Uferabschnitten des Bodensees, die im Neolithikum und in der Bronzezeit wiederholt besiedelt wurden. Siedlungsnachweise finden sich für die frühe und späte Bronzezeit sowie für das Jung- und Endneolithikum (Abb. 6).[36] Die verhältnismäßig hohe Siedlungsdichte am Schachenhorn mag aus heutiger Perspektive verwundern. Die abgelegene Situation dürfte jedoch im Rahmen der vorgeschichtlichen Besiedlung unter den Aspekten der Sicherheit, aber auch unter wirtschaftlichen Gesichtspunkten durchaus Vorzüge gegenüber anderen Uferabschnitten besessen haben. Die exponiert im See gelegenen Siedlungen waren nach drei Seiten offen, es dürfte daher kaum möglich gewesen sein, sich unbemerkt anzunähern. Die Nähe der Stockacher Aach garantierte zusätzliche Quellen zur Nahrungsbeschaffung, etwa durch erhöhten Fischreichtum im Mündungsgebiet; darüber hinaus dürfte die Espasinger Niederung reichlich Rotwild angezogen haben. Überdies besitzt das Schachenhorn einen durch das Große Ried im Süden und die Höhenzüge im Norden und Westen klar umgrenzten Wirtschaftsraum, der sich von den Wirtschaftsräumen der benachbarten Stationen gut absetzt. Die im Nordosten gelegenen Wirtschaftsflächen im Mühlbachtal dürften den Ludwigshafener Stationen Holzplatz und Seehalde zuzuweisen sein; ebenfalls klar abgetrennt sind die südlich des Großen Riedes gelegenen potentiellen

Abb. 5: Luftaufnahme der Bodmaner Bucht am Westende des Überlinger Sees. Gut erkennbar ist das heutige (links) und das ehemalige (rechts) Mündungsdeltas der Stockacher Aach. Die Ortschaften Bodman und Ludwigshafen finden sich links und rechts oben im Bild. Die Lage der Station Bodman-Schachen I wird durch den Pfeil gekennzeichnet.

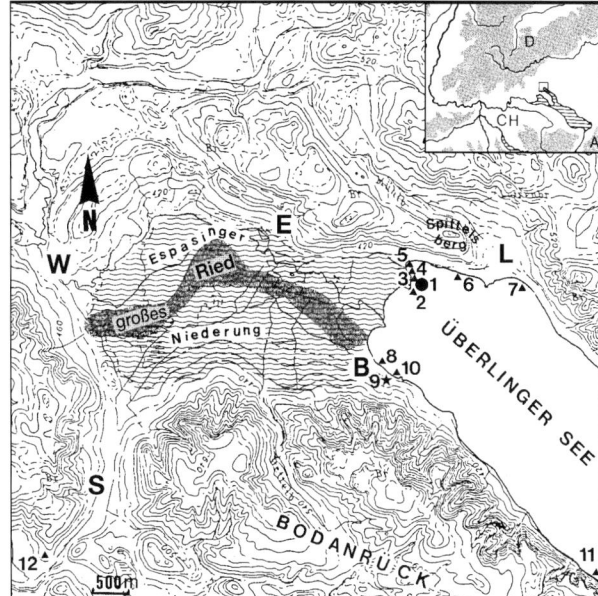

Abb. 6: Lage der Ufersiedlungen in der Bodmaner Bucht am Rande der Espasinger Niederung mit den wichtigsten Ortslagen. Das große Ried unterteilt die Niederung in einen nördlichen und einen südlichen Abschnitt. S Stahringen, W Wahlwies, E Espasingen, L Ludwigshafen, B Bodman. 1 Bodman-Schachen I, 2 Bodman-Schachen III (Nachweis unsicher), 3 Bodman-Schachen II, 4 Bodman-Löchle I, 5 Bodman-Löchle II (Nachweis unsicher), 6 Ludwigshafen-Holzplatz, 7 Ludwigshafen-Seehalde, 8 Bodman-Weiler I, 9 Bodman, Frühbronzezeitgräber, 10 Bodman-Weiler II, 11 Bodman-Blissenhalde, 12 Stahringen, Kiesgrube. Kartengrundlage: Orohydrographische Ausgabe der Topographischen Karte 1:50000, Blatt L 8118 O Tuttlingen, L 8120 O Stockach, L 8318 O Singen, L 8320 O Konstanz. Hrsg. Landesvermessungsamt Baden-Württemberg.

Anbauflächen der Siedlungen von Bodman-Weiler I und II.

Die natürlichen Verbindungswege der Espasinger Niederung sind durch ehemalige Schmelzwasserrinnen des Rheingletschers vorgegeben. Nach Norden gelangt man, der Stockacher Aach flussaufwärts folgend, in das Quellgebiet der Ablach, über die man das Donautal erreicht. Nach Süden hin wird die Espasinger Niederung über Stahringen[37] mit der Singener Niederung verbunden (Abb. 4 unten). Insgesamt sind in der Bodmaner Bucht sechs Pfahlbaustationen zu verzeichnen (Abb. 6), die an vier Ufer-

---

35 Entsprechend 2,1 m über Pegel Konstanz. (Pegelnullpunkt seit 1985 ≙ 894 m ü. NN).

36 Schnarrenberger, Pfahlbauten 13; Tröltsch, Pfahlbauten 165; Köninger/Schlichtherle, Schnurkeramik 149ff.; Schöbel, Hagnau und Unteruhldingen 155. Die zitierten Angaben Reinerths wurden in den 1980er-Jahren unter Wasser überprüft. Im angegebenen Areal konnten lediglich Fischriese (künstlich geschaffene Ablaichstätten) festgestellt werden. Hinweise auf prähistorische Siedlungsreste ließen sich nicht finden. Die spätbronzezeitlichen Funde dürften also, wie von Tröltsch und Schnarrenberger beschrieben, aus dem Areal der frühbronzezeitlichen Station stammen.

37 Vgl. Kartierung A. Schreiner, Erläuterungen zur geologischen Karte des Landkreises Konstanz (Stuttgart 1970) Beil. 1.

abschnitten bei Ludwigshafen, vor Bodman und am Schachenhorn konzentriert sind. Die verkehrsgünstige Lage der nach Norden und Westen offenen Espasinger Niederung, die generelle Situation am Schnittpunkt verschiedener Landschaften[38] und jeweils abgeschlossene Wirtschaftsräume dürften die Bodmaner Bucht zu einem bevorzugt besiedelten Uferstreifen im Neolithikum und in der Bronzezeit gemacht haben.

1.5 Forschungsgeschichte

1.5.1 Die Ufersiedlungen in der Bodmaner Bucht

Die Entdeckungsgeschichte der insgesamt vier Bodmaner Ufersiedlungsareale[39] nahm im Grunde bereits vor dem Jahre 1854 ihren Anfang, als Forstverwalter Ley von Bodman begann, merkwürdige Gegenstände in den seewärtig gelegenen Vorgärten von Bodman aufzusammeln, die mit Sedimenten aus dem Uferbereich dorthin gelangt waren; die Einwohner der Seegrundstücke hatten dadurch versucht, ihre Vorgärten seeseitig zu erweitern.[40] Ley erkannte die vorgeschichtliche Bedeutung der aufgesammelten Gegenstände zunächst nicht. Erst durch die Veröffentlichungen des Schweizers Ferdinand Keller in den Mitteilungen der Antiquarischen Gesellschaft Zürich machten auch ihm den vorgeschichtlichen Hintergrund der Fundstücke bewusst.[41]

Die Entdeckung der Siedlungen am Schachenhorn selbst ist zeitlich nicht exakt festzulegen, sie erfolgte wohl nach 1854 und geraume Zeit vor 1866, dem Jahr der erstmals etwas ausführlicheren Veröffentlichung der Bodmaner Ufersiedlungen durch ihren Entdecker.[42] Zuvor hatte Zollinspektor Dehoff aus Allensbach die Pfahlbauten von Bodman im 5. Pfahlbaubericht kurz abgehandelt.[43] Das Pfahlfeld von Bodman-Schachen muss zu dieser Zeit gut sichtbar noch bis an das Ufer gereicht haben, der Seeboden, so schreibt Ley, „sei förmlich mit Balken belegt".[44]

Die „Ausbeutung" der Bodmaner Pfahlbauten konzentrierte sich in der Folgezeit auf die mehrheitlich neolithischen Fundstellen vor Bodman, die ihrer geringeren Wasserbedeckung wegen leichter zugänglich waren als die Station am Schachenhorn. Die reichen Bodmaner Pfahlbaufunde und deren Verschwinden „ohne genaue topographische Aufnahmen"[45] bewogen wohl um die Jahrhundertwende den Karlsruher Vorgeschichtsverein, unter anderem auch in Bodman wissenschaftliche Ausgrabungen durchzuführen. Erstmals in der Geschichte der Pfahlbauforschung am Bodensee wurden dabei in Bodman und Unteruhldingen Profile – wenn auch schematisch – zeichnerisch aufgenommen und beschrieben;[46] auch die angeschnittenen Pfähle wurden vermessen und in Pfahlplänen aufgezeichnet.[47] Bis zum Beginn der Sondagen des PBO stammte der einzige Hinweis zur Bauweise bronzezeitlicher Häuser des Bodensees aus eben jenen Untersuchungen.[48] Die Kartierung von Flecklingen ermöglichte es dem damaligen Ausgräber Karl Schumacher, ein zweischiffiges Gebäude zumindest teilweise zu rekonstruieren.[49] In der Folge wurden wiederholt Funde aus den Bodmaner Ufersiedlungen veröffentlicht.[50] Sie nahmen dadurch einen festen Platz in der Literatur zur Vorgeschichte Südwestdeutschlands und im Kontext der Pfahlbauforschung.

Vor Ort machte sich der Bodmaner Altbürgermeister Karl Weber um die Pfahlbauten von Bodman verdient. Unter Auflagen erhielt er 1927 die Grabungserlaubnis für den Uferabschnitt der Gemarkung Bodman.[51] Die Funde, die im Sitzungssaal des Bodmaner Rathauses zu besichtigen sind, dürften zum Teil den Grabungsaktivitäten Webers in dieser Zeit entstammen. Ein weiterer Teil der Funde im Bodmaner Rathaus stammt aus der Sammlung seines Sohnes Paul Weber, der der Pfahlbauforschung ebenfalls eng verbunden war.[52]

Über Aktivitäten Hans Reinerths in den Bodmaner Ufersiedlungen Anfang der 1930er-Jahre und während der 1950er-Jahre sind nur mündliche Mitteilungen P. Webers überliefert, Aufzeichnungen, die diese Nachforschungen betreffen, sind offenbar nicht vorhanden. Im Verlaufe eines Gespräches, das ich 1983 mit Reinerth in Unteruhldingen führte, gab er hierüber keine Informationen preis. P. Weber versicherte mir jedoch wiederholt, dass Reinerth auch am Schachenhorn getaucht habe.

---

38 Vgl. Schlichtherle, Siedlungsarchäologische Erforschung 230.
39 Vgl. Kartierung ebd. 210 Abb. 2.
40 Ley, Bodman-Schachen 289 ff.
41 F. Keller, Die keltischen Pfahlbauten in den Schweizerseen. 1. Bericht. Mitt. Ant. Ges. Zürich IX, 2. Abt., Nr. 3, 1856, 67–100.
42 Ley, Bodman-Schachen 290.
43 Dehoff, Die neu entdeckten Pfahlbau Niederlassungen am Bodensee. In: 5. Pfahlbaubericht. Mitt. Ant. Ges. Zürich 14,6, 1863, 144 ff.
44 Ley, Bodman-Schachen 290.
45 Schumacher, Pfahlbauten 27.
46 Ebd. 32 f.
47 Ebd. 29.
48 Schlichtherle, Siedlungsarchäologische Erforschung 208.
49 Schumacher, Pfahlbauten 30.
50 Munro, Stations lacustres; Schnarrenberger, Pfahlbauten; Tröltsch, Pfahlbauten; Wagner, Baden.
51 Schreiben des Badischen Bezirksamtes Stockach vom 3. Februar 1927 (Ortsakte Bodman, LDA, Arbeitsstelle Hemmenhofen).
52 Die Funde befinden sich dort als Leihgabe der Familie Weber. Mündliche Mitt. P. Weber.

Erst im Verlauf der 1950er- und Anfang der 1960er-Jahre spielten die Ufersiedlungen von Bodman-Weiler I für kurze Zeit eine Rolle in der Forschung, als Rudolph Albert Maier sich in mehreren Aufsätzen mit Altfunden aus Bodmaner Ufersiedlungen befasste.[53] Die Pfahlbauten selbst hielt man zu dieser Zeit substantiell für weit gehend ausgegraben und zerstört. Systematische Nachforschungen, die der Bedeutung der fünf- bis sechsschichtigen Stratigraphie von Bodman-Weiler I angemessen gewesen wären, fanden in der Folge nicht statt. 1980 wurde die Fachwelt noch einmal durch die Veröffentlichung zahlreicher Fundstücke auf die Bodmaner Ufersiedlungen aufmerksam.[54] Das Fundmaterial war bei Baggerungen in der Flachwasserzone 1976 angefallen, als entlang der Bodmaner Bootsstege im Bereich der Ufersiedlungen Fahrrinnen ausgebaggert wurden. Letztlich erst durch diese Maßnahme und durch Baggerungen entlang weiterer Bootsstege ab dem Ende der 1960er-Jahre wurden das Pfahlfeld und die Kulturschichtpakete der Ufersiedlung Bodman-Weiler I bis auf stehen gebliebene Profilsockel unter den Hafenstegen und Sedimentblöcke zwischen den Bootsstegen zerstört. Dass in Bodman Kulturschichtreste und Pfahlfeld zumindest abschnittsweise noch vorhanden waren, hatte Helmut Schlichtherle bereits in den 1970er-Jahren durch kleine Sondierschnitte im Uferbereich nachgewiesen.

Die Ufersiedlungen von Bodman-Schachen wurden, soweit dies schriftlich belegt oder aktenkundig geworden ist, auch im 20. Jh. bis in die 1980er-Jahre weniger beachtet als die Ufersiedlungen vor Bodman. Abgesehen von den Sammelaktivitäten K. und P. Webers sowie Helmut Maiers ist eine einzige Fundmeldung anzuführen,[55] die sich auf die Station am Schachenhorn bezieht. Bei Tauchversuchen waren 1956 im Areal der Siedlungen von Bodman-Schachen I frühbronzezeitliche Scherben aufgelesen worden. Wolfgang Kimmig nahm das Fundensemble zum Anlass, auf die Problematik frühbronzezeitlicher Siedlungskeramik hinzuweisen.[56]

Tauchgänge mit Atemgerät und Pressluftflasche wurden schließlich in den 1970er-Jahren durch Peter Menzel durchgeführt. Funde und Informationen aus diesen Tauchgängen konnten Ende der 1970er-Jahre im Rahmen des 1979 eingerichteten Projekts Bodensee-Oberschwaben (PBO) dokumentiert werden. Mit Ausnahme der Funde aus der Sondage Schlichtherles existierte bis dahin kein einziges Fundstück aus den extrem fundreichen Bodmaner Ufersiedlungen, das auch nur annähernd als zuverlässig stratifiziert hätte bezeichnet werden können. Dies trifft naturgemäß auch für die zahlreichen Fundstücke in den Privatsammlungen des Bodensees zu, die überwiegend seit den 1950er-Jahren v. a. in Bodman-Weiler am Ufer aufgelesen worden sind. Erst nach den Tauchsondagen in den 1980er-Jahren wurde das Schachenhorn vermehrt von Sammlern begangen. Vor allem Michael Fiebelmann und Klaus Kiefer suchten nun regelmäßig, mit Watstiefeln und an einem Besenstiel befestigten Löffel bewaffnet, den Flachwasserbereich nach freigespülten Funden ab. Neben frühbronzezeitlichen Scherben und einer Armschutzplatte aus dem seewärtigen Bereich der Station stammt aus diesen Begehungen auch schnurkeramisches Fundmaterial aus dem landseitigen Pfahlfeld von Bodman-Schachen II.

1.5.2 Quellen und Stand der Frühbronzezeitforschung am Bodensee bei Sondagebeginn

Im Altfundbestand der Bodenseepfahlbauten sind frühbronzezeitliche Funde nur selten auszumachen. Vom deutschen Ufer gelangte wenig mehr als eine Hand voll Scherben von Bodman-Weiler, Bodman-Schachen und Wangen zur Veröffentlichung.[57] Die Anzahl der Bronzen überstieg dagegen kaum ein Dutzend (Taf. 50,717.718; 70,1110–1113.1115–1118; 71,1119–1124). Auch aus dem direkten Hinterland des Bodensees waren nur wenige Bronzefunde vorhanden, die grob diesem Abschnitt der Vorgeschichte zugewiesen werden können (Taf. 70,1114; 72,1125–1130; 73,1131–1137). Fundumstände und Fundzusammenhänge der Bronzen sind mit wenigen Ausnahmen unbekannt geblieben. Die Masse der Funde stammte bislang aus den Ausgrabungen von Arbon-Bleiche 2 am Schweizer Bodenseeufer, wo im Jahre 1945 großflächig angelegte Ausgrabungen stattfanden.[58] Nach Ausweis sich überschneidender Palisadenringe und Hausstandorte[59] dürfte es sich um eine mehrphasige Anlage handeln. Pollenanalytische Untersuchungen[60] sprechen für die

---

53 R. A. Maier, Keramik der Badener Kultur aus Ufersiedlungen des Bodensees. Germania 33, 1955, 155 ff.; ders., Zu einigen Fremdelementen der Cortaillodkultur. Germania 35, 1957, 6–10; ders., Neolithische Tonspinnwirtel aus Ufersiedlungen des Bodensees. Germania 37, 1959, 35 ff.; ders., Steinröhrenperlen und Kieselanhänger des nordwestalpinen Äneolithikums. Germania 40, 1962, 33–43.
54 H. Ehrhardt/R. Dehn, Fundschau. Fundber. Baden-Württemberg 5, 1980, 11 Abb. 15–18.
55 Kimmig/Pinkas, Seehalde 201 f.
56 Ebd.
57 Ebd.; Schumacher, Pfahlbauten 27 ff.; Wagner, Baden 51 f.
58 Keller-Tarnuzzer, Arbon 19 ff.; Fischer, Bleiche.
59 Keller-Tarnuzzer, Arbon 20.
60 W. Lüdi, Beitrag zur Kenntnis der Vegetationsverhältnisse im schweizerischen Alpenvorland während der Bronzezeit. In: W. U. Guyan (Hrsg.), Das Pfahlbauproblem. Monogr. Ur- u. Frühgesch. Schweiz 11 (Basel 1955) 93 ff.

Existenz einer mehrschichtigen Stratigraphie. Das umfangreiche Fundmaterial, darunter zahlreiche Bronzen, wurde allerdings ohne detaillierte Schichtzuweisung geborgen, seine Zusammengehörigkeit im Sinne einer Kulturschicht oder Besiedlungsphase ist deshalb wenig wahrscheinlich.[61] Beiträge zu einer eigenständigen relativen und absoluten Chronologie frühbronzezeitlicher Siedlungsfunde konnte durch das Fundmaterial von Arbon-Bleiche 2 deshalb nicht geleistet werden. Seine chronologische Beurteilung musste sich an den relativen Stufengliederungen der Frühbronzezeit orientieren, die aus der typologischen Bewertung und horizontalstratigraphischen Gliederung von Gräberfeldern bzw. Hortfunden hervorgegangen sind.[62] Die Gesamtvorlage der Funde und Befunde von Arbon-Bleiche 2[63] konnte keine wesentliche Änderung dieses Sachverhaltes herbeiführen.

Baubefunde aus frühbronzezeitlichen Ufersiedlungen lagen von Arbon-Bleiche 2[64] und Bodman-Weiler I[65] vor. Die vorgeschlagenen Hausgrundrisse beruhen auf der zeichnerischen Verbindung von Pfählen zu Pfahlreihen aufgrund ihrer gleichartigen Querschnittsformen oder der Verteilung ihrer Flecklinge[66]. Die Rekonstruktion einer Plattform, die Karl Keller-Tarnuzzer für Arbon-Bleiche glaubte beweisen zu können, basierte weniger auf überprüfbaren Befunden, sondern ging in generalisierender Weise aus der gesamthaften Betrachtung des Pfahlfeldes und dessen Pfahldichte hervor.[67] Die Methoden der Dendroarchäologie fanden noch keinen Eingang in die Pfahlfeldauswertung der bis dahin aufgedeckten Ufersiedlungen. Die vorgeschlagenen Ergebnisse sind daher im Grunde nicht nachvollziehbar und besitzen hypothetischen Charakter. Mit einiger Sicherheit konnte aufgrund von wiederholten Beobachtungen in bronzezeitlichen Ufersiedlungen der Ostschweiz und am Bodensee lediglich angenommen werden, dass Flecklinge zum Erscheinungsbild frühbronzezeitlicher Ufersiedlungen in dieser Region zu rechnen sind. Insgesamt war die Pfahlbauforschung am deutschen Bodenseeufer bis zu ihrer Wiederaufnahme durch das Projekt Bodensee-Oberschwaben des Landesdenkmalamtes Baden-Württemberg letztlich auf dem Stand der Wende zum 20. Jh. stehen geblieben.[68]

1.5.3 Nachforschungen des Landesdenkmalamtes

Durch die Ergebnisse der seit 1972 durchgeführten Untersuchungen und Beobachtungen Schlichtherles[69] angeregt, wurde seitens der archäologischen Denkmalpflege des Landesdenkmalamtes Baden-Württemberg (LDA) 1979 das Projekt Bodensee-Oberschwaben (PBO) eingerichtet. Unterstützt durch die Deutsche Forschungsgemeinschaft (DFG) konnte mit Sondageprogrammen die Feldforschung in den Ufer- und Moorsiedlungen Südwestdeutschlands wieder aufgenommen werden. Im Jahre 1981 bezog das Projekt die Räumlichkeiten der „Arbeitsstelle Hemmenhofen", zugleich gelang es die Taucharchäologie als eigene Disziplin zu etablieren. 1983 verlor das PBO seinen provisorischen Charakter und wurde in eine feste Einrichtung des Landesdenkmalamtes Baden-Württemberg umgewandelt.[70]

Den Sondageprogrammen des Projektes folgte in den Jahren 1983 bis 1993 das Schwerpunktprogramm der Deutschen Forschungsgemeinschaft „Siedlungsarchäologische Untersuchungen im nördlichen Alpenvorland". In ausgewählten Objekten wurden großflächig angelegte Forschungsgrabungen durchgeführt. Es waren dies die jungneolithischen Siedlungen von Hornstaad-Hörnle am Bodensee und die bronzezeitliche „Siedlung Forschner" im südlichen Federseemoor. Gleichzeitig nahm die Arbeitsstelle durch weitere Sondagen, Notgrabungen und Prospektionen die Aufgaben der Denkmalpflege im Bereich der Unterwasser- und Feuchtbodenarchäologie wahr. Verbunden mit einer Neuordnung des Landesdenkmalamtes Baden-Württemberg ging 1997 schließlich aus der Arbeitsstelle Hemmenhofen das „Referat 27, Unterwasser-/Pfahlbauarchäologie" mit Sitz in Hemmenhofen hervor.

Im Rahmen der systematischen Bestandsaufnahme der Ufersiedlungen des Bodensees durch das PBO setzte 1980 auch in den Bodmaner Pfahlbauten die Feldforschung wieder ein. Nach ersten kleineren Sondagen am wasserfreien Winterufer in den 1970er-Jahren und kurzen Tauchsondagen 1979[71]

---

61 St. Hochuli, Zur Datierung der früh- und mittelbronzezeitlichen Siedlungsstelle „Bleiche 2" bei Arbon TG. Jahrb. SGUF 74, 1991, 107.

62 Reinecke, Gliederung 43 ff.; F. Holste, Hügelgräber von Locham, BA. München. In: Marburger Studien. Festschr. für Gero Mehrhardt v. Bonegg (Darmstadt 1938) 95 ff.; W. Kimmig, Ein Hortfund der frühen Hügelgräberbronzezeit von Ackenbach, Kr. Überlingen. Jahrb. RGZM 2, 1955, 55 ff.; Christlein, Flachgräberfelder 25 ff.; Ruckdeschl, Gräber.

63 Hochuli, Arbon-Bleiche.

64 Keller-Tarnuzzer, Arbon 21; Vogt, Pfahlbaustudien 182 ff.

65 Schumacher, Pfahlbauten 27 ff.

66 Vgl. Kap. 4 zu den Holzbefunden von Bodman-Schachen I.

67 Vgl. dazu Kritik Vogt, Pfahlbaustudien 182 ff.

68 Schlichtherle, Siedlungsarchäologische Erforschung 208 f.

69 Ders., Hornstaad-Hörnle 15 f.

70 Seitdem steht das weiterhin projektintern verwendete Kürzel für „Pfahlbauarchäologie Bodensee-Oberschwaben".

und 1981[72] in den Stationen Bodman-Weiler I und Bodman-Schachen I begann 1981/82 der Einsatz der Unterwasserarchäologie in den ganzjährig von Wasser bedeckten Ufersiedlungen von Bodman-Schachen I.

1.5.4 Weitere Untersuchungen und Entdeckungen

Vereinzelt während, hauptsächlich aber in den Jahren nach den Untersuchungen am Schachenhorn führten Prospektionstauchgänge und Tauchsondagen des Landesdenkmalamtes sowie Begehungen des Winterufers bei Niedrigwasserständen durch Privatsammler zur Entdeckung und Lokalisierung weiterer frühbronzezeitlicher Ufersiedlungen. Schon im Dezember 1982 gelang im Verlauf einer zweiwöchigen Tauchsondage in der Station Ludwigshafen-Holzplatz der Nachweis von frühbronzezeitlichen Kulturschichtresten am Rand der Bodmaner Bucht. 1990 folgte die Erfassung von zwei weiteren frühbronzezeitlichen Schichten in der benachbarten Station Ludwigshafen-Seehalde. Die Tauchsondagen in Nußdorf-Strandbad lieferten 1992 und 1993 frühbronzezeitliche Keramik und verwaschene, mutmaßlich bronzezeitliche Schichtreste im Haldenbereich seewärts der Horgener Kulturschicht an der Liebesinsel. Weitere frühbronzezeitliche Scherben stammen aus den Begehungen Klaus Kiefers im Jahre 1996 in der Ufersiedlung Litzelstetten-Ebnewiesen. Anfang der 1990er-Jahre in knietiefem Wasser geborgene Pfähle am so genannten Ohrkopf bei Öhningen lieferten zwei ^{14}C-Daten aus dem ersten Viertel des 2. Jt. v. Chr. Im Jahre 1994 gelang es schließlich, die Ufersiedlung Egg-Obere Güll I zu lokalisieren, 1999 kam die neu entdeckte frühbronzezeitliche Kulturschicht von Haltnau-Oberhof hinzu. Aus den Prospektionstauchgängen stammt von dort mittlerweile ein umfangreicher Fundkomplex frühbronzezeitlicher Keramik.

Bei Nachforschungen in der Sammlung des Erlanger Instituts für Ur- und Frühgeschichte stießen wir auf einen frühbronzezeitlichen Scherbenkomplex, dessen Herkunft von Bodman-Weiler wahrscheinlich ist.[73] Eine gemusterte Tonscheibe, ebenfalls aus der Erlanger Sammlung, zeigt eine frühbronzezeitliche Ufersiedlung in Wallhausen an.[74] Die Sondagen 2000/2001 im Bereich der frühbronzezeitlichen Stratigraphie der Ufersiedlung Ludwigshafen-Seehalde erbrachte schließlich eine dritte frühbronzezeitliche Kulturschicht über den bereits bekannten beiden Schichten.[75] Im Rahmen der systematischen Prospektion einzelner Uferabschnitte des Überlinger Sees ab 2003 gelang es schließlich, die bronzezeitlichen Ufersiedlungen bei Konstanz Staad wiederaufzufinden und in der neu entdeckten Ufersiedlung Maurach-Maximilianshalde sowie der Station Unteruhldingen-Bayenwiesen wurden ebenfalls frühbronzezeitliche Funde gemacht. Die Anzahl frühbronzezeitlicher Ufersiedlungen konnten somit seit den Tauchsondagen in Bodman-Schachen am deutschen Bodenseeufer erheblich vermehrt werden. Neufunde von Keramik aus den Jahren 2002 und 2003 in der Sammlung Kiefer weisen schließlich auch auf bislang unbekannte Siedlungsreste der Frühbronzezeit im Osten der Sipplinger Bucht hin, deren Existenz bis dato nur zu vermuten war.

---

71 In Bodman-Weiler I durch U. Ruoff, Stadtarchäologie Zürich (CH).
72 A. Billamboz/H. Schlichtherle, Moor- und Seeufersiedlungen. Die Sondagen 1981 des „Projekts Bodensee-Oberschwaben". Arch. Ausgr. Baden-Württemberg 1981, 42 f.
73 Köninger, Bodensee 102 Abb. 3; 103 f.
74 Ebd. 106 f.
75 Ebd. 93 ff.

2 Die Sondagen des Landesdenkmalamtes in Bodman-Schachen I

In ersten Tauchgängen 1981 und 1982 wurden am Schachenhorn an der Oberfläche liegende Kulturschichtreste und Holzbauteile angetroffen, die ohne schützende Deckschichten der Flächenerosion ausgesetzt waren. Vereinzelt waren Flecklinge an ihren Zapflöchern gebrochen und hatten sich von ihren Pfählen und aus dem umgebenden Schichtverband gelöst (Abb. 7; 8). Nicht weniger tief greifend waren die Folgen der Erosion für die offen liegenden Kulturschichtreste geblieben. Am seeseitigen Rand ließ sich zwischen 1970 und 1982 ein Erosionsbetrag von 4 bis 5 cm feststellen. Kulturschichtbereiche unter einem Anfang der 1970er-Jahre ins Siedlungsareal eingebrachten Steinhaufen lagen um diesen Betrag höher als die umgebenden, ungeschützt daliegenden Kulturschichtflächen (Abb. 31,3). Aus Sicht der Denkmalpflege waren deshalb Sondagen zur Bergung an der Oberfläche liegender Holzbauteile und zur Dokumentation und Sicherung der Kulturschichtreste zwingend notwendig geworden. In den Jahren 1982 bis 1984 und 1986 führte das Landesdenkmalamt Baden-Württemberg im Rahmen des PBO in Bodman-Schachen I je 5- bis 6-wöchige Tauchsondagen durch,[76] an denen Studenten der Universitäten Freiburg und Tübingen beteiligt waren. Die Grabungsmannschaft bestand aus drei bis vier Tauchern und fünf bis sechs Grabungshelfern, die für die Betreuung der Taucher und die Inventarisation des Fundmaterials eingesetzt wurden. In zwei getrennten Flächen und einzelnen dazwischen liegenden Quadraten wurden 36 m² ausgegraben. An zwei weiteren Stellen wurde die Schichtenfolge an einem Pfahl und einem liegenden Bauholz aufgeschlossen. In 278 m² überwiegend zusammenhängender Fläche wurden die am Seegrund offen liegenden Befunde aufgenommen und das Pfahlfeld verprobt (Abb. 9). Im Jahre 1984 wurde mit Hilfe eines aus Schaltafeln konstruierten und mit Sandsäcken abgedichteten Caissons in 4 m² das schnurkeramische Pfahlfeld von Bodman-Schachen II verprobt (Abb. 9; 10).

Abb. 8: Reste eines Flecklings in situ. Deutlich ist die vom Sand zerfurchte Oberseite zu erkennen.

Die Tauchsondagen wurden ausschließlich im Winterhalbjahr durchgeführt. Ausschlaggebend waren die besseren Sichtverhältnisse unter Wasser mit Sichtweiten um die 7 m und die bei Wassertiefen von 1,5 bis 2 m einfacheren Kommunikationsbedingungen zwischen Bootsmannschaft und Tauchern. Die vorteilhaften Witterungsverhältnisse im Sommerhalbjahr wiegen die Nachteile wesentlich schlechterer Sichtverhältnisse von 0,5–2,5 m, je nach Stand der Algenblüte, kaum auf. Im Verlauf einer versuchsweise angelegten Sondage im Sommer 1982 erwiesen sich überdies der starke Bootsverkehr, der teilweise zumindest sehr unangenehm, wenn nicht gefährlich war, und die Wassertiefe an den Grabungsstellen um die 3,5 m als äußerst hinderlich.

Abb. 7: Aus dem baulichen Verband gelöstes Fragment eines Flecklings im landseitigen Pfahlfeld.

---

76 Vorberichte hierzu: J. Köninger/M. Kolb/G. Schöbel, Taucharchäologie am Bodensee (Kr. Konstanz und Bodenseekreis). Arch. Ausgr. Baden-Württemberg 1982, 45 ff.; J. Köninger, Tauchsondagen in den früh- bis mittelbronzezeitlichen Ufersiedlungen am Schachenhorn, Bodman-Ludwigshafen, Kreis Konstanz. Arch. Ausgr. Baden-Württemberg 1983, 67 f.; ders., Abschluß der Unterwassergrabungen in Bodman-Schachen, Kreis Konstanz. Arch. Ausgr. Baden-Württemberg 1986, 52 ff.

Die entlegenen Tauchstellen am Schachenhorn waren günstig nur vom See her zu erreichen. Insofern benötigten wir eine fest vor den Siedlungen verankerte Arbeitsbasis. Die Logistik vor Ort installierten wir in den ersten Jahren auf einem Arbeitsschiff von knapp 20 m Länge, das normalerweise zum Einrammen von Hafenpfählen benutzt wurde (Abb. 11). Auf dem außerhalb der Station über der Halde verankerten Schiff befand sich ein Bürocontainer und eine kleine Schlämmanlage (Abb. 12). Die zum Graben notwendigen Motorpumpen und das Grabungswerkzeug waren auf einem Badefloß installiert (Abb. 13). Die Begleitmannschaft befand sich während der Tauchgänge auf Pontonbooten, die direkt über den Tauchstellen verankert waren (Abb. 14). Während der letzten Kampagne im Jahre 1986 mussten wir auf das Arbeitsschiff verzichten, die Logistik vor Ort bestand nur noch aus einem Badefloß und den Pontonbooten. Die regelhaft auftretenden Frühjahrsstürme, die vor allem der Begleitmannschaft in den Booten zu schaffen machten, erschwerten die Arbeiten am exponiert gelegenen Schachenhorn zeitweise erheblich (Abb. 15).

Die Ufersiedlungen am Schachenhorn blieben auch nach Abschluss der Tauchsondagen unter Beobachtung. Die Erosionsauswirkungen auf die Kulturschichten wurden in regelhaft durchgeführten Kontrolltauchgängen an eingelassenen Fixpunkten überprüft. Die feststellbar fortschreitende Erosion in den seeseitig liegenden Kulturschichten von Bodman-Schachen I veranlassten das Landesdenkmalamt im Winter 1999/2000 schließlich den Versuch zu unternehmen, durch Schutzmaßnahmen die Abspülungsprozesse zu stoppen. Im Kulturschicht führenden Bereich wurden auf Baustahlgitter drapierte Geotextilmatten eingebracht (Abb. 17) und mit einer 30 cm mächtigen Kiesauflage abgedeckt (Abb. 16).[77] Regelmäßig durchgeführte Kontrolltauchgänge werden

---

77 J. Köninger/H. Schlichtherle, Reservatbildende Maßnahmen in Bodensee-Pfahlbausiedlungen bei Wallhausen und am Schachenhorn von Bodman. Nachrichtenbl. Arbeitskr. Unterwasserarch. 7, 2000, 69 ff.

Abb. 9: Übersichtsplan zur Lage der Oberflächenaufnahme, Grabungsschnitte und Bohrpunkte im Vermessungsnetz. 1 Gegrabene Flächen. 2 Oberflächenaufnahme. 3 Bohrungen. 4 Pfahlfeld von Bodman-Schachen I. 5 Pfahlfeld von Bodman-Schachen II. 6 Streubereich schnurkeramischer Funde. 7 Pflöcke der Grundvermessung am Ufer. Der Kartenausschnitt entspricht dem auf Abbildung 19 angegebenen Rechteck.

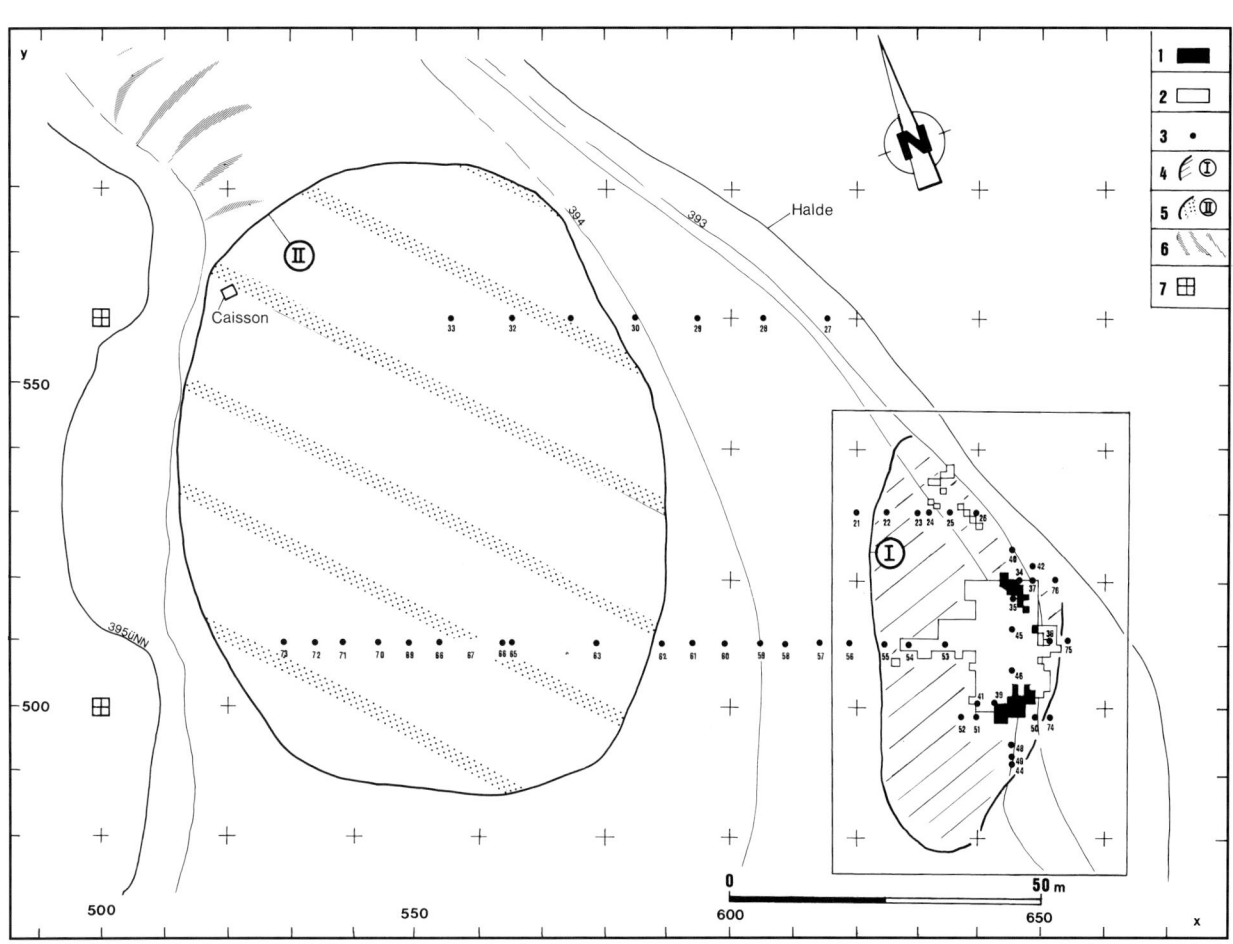

Abb. 10: Bodman-Schachen II. Caisson im schnurkeramischen Pfahlfeld nahe beim Winterufer. Im Hintergrund das an der Halde verankerte Arbeitsschiff, das Ponton rechts davon befindet sich über einer Tauchstelle in der frühbronzezeitlichen Station.

Abb. 11: Arbeitsschiff „Gars". Das pontonartige Schiff ist an der Halde seewärts der Station Bodman-Schachen I verankert. Vor dem Bürocontainer ist der Kompressor zum Füllen der Pressluftflaschen zu erkennen. Badefloß und Pontonboot sind längsseits gelegt.

Abb. 12: Schlämmanlage auf dem Arbeitsschiff. Die entnommene Kulturschicht wird durch Trommelsiebe mit 3 mm Maschenweite gespült.

in den nächsten Jahren erweisen, wie erosionsresistent die eingebrachte Überdeckung tatsächlich ist.
In Bodman-Schachen I konnte damit ein weiteres archäologisches Reservat am deutschen Bodenseeufer geschaffen werden. Die Nachforschungen am Schachenhorn haben somit nach über 100-jähriger Geschichte vorläufig ein Ende gefunden und es besteht die berechtigte Hoffnung, dass das Bodendenkmal am Schachenhorn auf diese Weise für künftige Generationen erhalten werden kann.

Abb. 13: Links: Vor dem Tauchgang. Auf dem Badefloß ist die Motorpumpe zu erkennen. Rechts: Pontonboot und Badefloß werden nach dem Tauchgang am Arbeitsschiff festgemacht.

Abb. 14: Ponton mit Begleitmannschaft über den Tauchstellen.

Abb. 15: Einholen von Pontonboot und Badefloß im Sturm. Bei Frühjahrsstürmen musste die Arbeit unter Wasser wegen zu starken Wellengangs zeitweise unterbrochen werden.

Abb. 16: Oben: Das Spezialponton wird durch Stangen fixiert, bevor der jalousienartige Boden zum Verklappen des Kieses geöffnet wird. Unten: Kiesverklappung aus der Froschperspektive.

2.1 Vermessung

Das Schachenhorn befindet sich verhältnismäßig abgeschieden am Westende des Überlinger Sees. In der näheren Umgebung und in der Flachwasserzone befinden sich dementsprechend keine Vermessungspunkte, auf die man sich zunächst hätte beziehen können. Es wurde deshalb zu Beginn der Tauchsondagen ein lokales und unabhängiges Messraster etabliert. Das Grundraster des Vermessungssystems

Abb. 17: Links: Drapieren der Geotextilmatten auf Baustahlgitter. Rechts: Taucher bei der Kontrolle ausgelegter Geotextilmatten.

Abb. 18: Vermessungsarbeiten am Schachenhorn in knietiefem Wasser.

wurde bei Niedrigwasserstand per Theodolith durch parallele Fluchten in den tiefer im Wasser gelegenen Siedlungsbereich gelegt (Abb. 18). Die Fluchtpunkte wurden durch 1,5 und 2 m lange Armiereisen gesichert. Durch einfaches Streckenabmessen mit dem Metallmaßband wurde das Quadratmeterraster unter Wasser installiert (Abb. 19). Im Abstand von 3 m wurden 3 mm dicke Nylonschnüre zwischen den land-seewärtigen Hauptfluchten verspannt. Die einzelnen Quadrate, in denen gearbeitet werden sollte, konnten so mit Maßband und Meterstab zwischen den ausgespannten Fluchten eingemessen werden (Abb. 20).

Abb. 19: Lage des lokalen Koordinatensystems der Tauchsondagen am Schachenhorn. Das Rechteck entspricht dem Kartenausschnitt von Abbildung 9. Die Südostecke hat die Koordinaten x 670/y 465. Kartengrundlage: Bodenseeuferkarte M. 1:5000, Blatt 14.

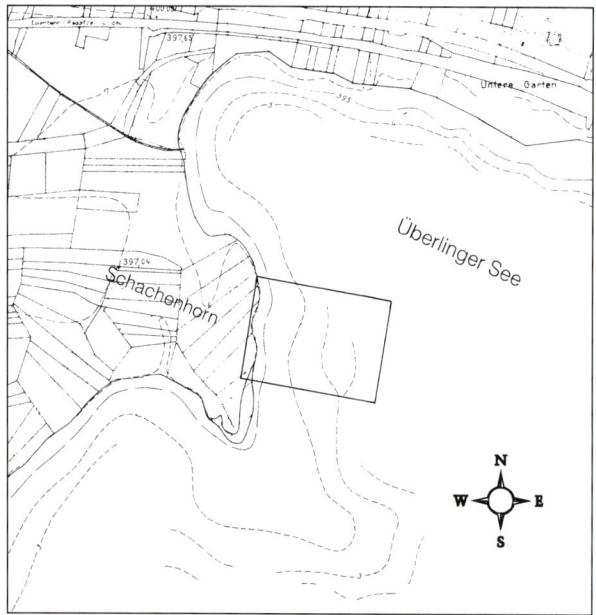

Abb. 20: Luftaufnahme der Sondage 1984. Die gespannten Messschnüre und Maßbänder sind seitlich und vor den Arbeitsbooten zu erkennen. Aufnahme O. Braasch.

Ab 1986 wurde die Grabungsfläche in 3 m × 3 m umfassende Schnitte eingeteilt, die je nach Schnittnummer die Quadrate (Q) 1–9 umfassen (so beinhaltet z. B. Schnitt 9 Q 91 bis Q 99). Die Quadrate der nach Norden orientierten Schnitte wurden fortlaufend mit 1 beginnend von links oben nach rechts unten durchnummeriert. In den Kampagnen zuvor war die Gesamtausdehnung der Siedlung und dadurch auch die Nummernvergabe und Lage der einzelnen Schnitte unklar. Auch hatte sich bis 1983 das 3 m × 3 m-Schnittsystem noch nicht grundsätzlich etabliert. Aus diesem Grunde sind die Schnitte der ersten Kampagnen relativ unsystematisch angeordnet. Die Lage der einzelnen Quadrate ist aus Abbildung 21 ersichtlich.

Im Jahre 1994 wurde das Messraster unter Anleitung von Dieter Müller (LDA Esslingen) über zwei topographische Punkte und einen aufgrund der schlechten Sichtverbindung notwendig gewordenen Hilfspunkt eingemessen und durch sechs 2 m lange Eichenpflöcke gesichert. Punkt 1, mit den Grabungskoordinaten 614/500 etwas landwärts des Pfahlfeldes gelegen, besitzt demnach die Landeskoordinaten R 3 503 140.131, H 5 297 292.209, Punkt 2, an der Nordostecke von Q 21 gelegen, die Landeskoordinaten R 3 503 169.367, H 5 297 285.844. Geringfügige Abweichungen der Soll- und Istwerte dürften darin begründet liegen, dass in den 1980er-Jahren die ursprünglichen Messpunkte des Grabungsrasters im seewärtigen Siedlungsbereich in 2 bis 3 m Wassertiefe ohne Funkverbindung gesetzt werden mussten.

2.2 Arbeitsweise

Die Ufersiedlungen von Bodman-Schachen I liegen ganzjährig unter Wasserbedeckung. Unverzichtbare Grundvoraussetzung für Untersuchungen am Schachenhorn war deshalb der Einsatz der Taucharchäologie, wie sie im Rahmen der Zürcher Stadtarchäologie durch Ulrich Ruoff erfolgreich entwickelt worden war (Abb. 22).[78] Lediglich im landwärtigen Bereich der Station, am Rande des Pfahlfeldes, konnte bei Niedrigwasserständen im Jahre 1984 auf das Atemgerät verzichtet und mit dem Schnorchel gearbeitet werden (Abb. 23). Die Grabung erfolgte

Abb. 22: Schematische Darstellung der Arbeitsweise unter Wasser. 1 Pontonboot, 2 Begleitmannschaft, 3 Sedimentkorb, 4 Motorpumpe, 5 Ansaugstutzen, 6 Druckschlauch, 7 Strahlrohr, 8 Grundplatte, 9 Signalleine, 10 Taucharchäologe.

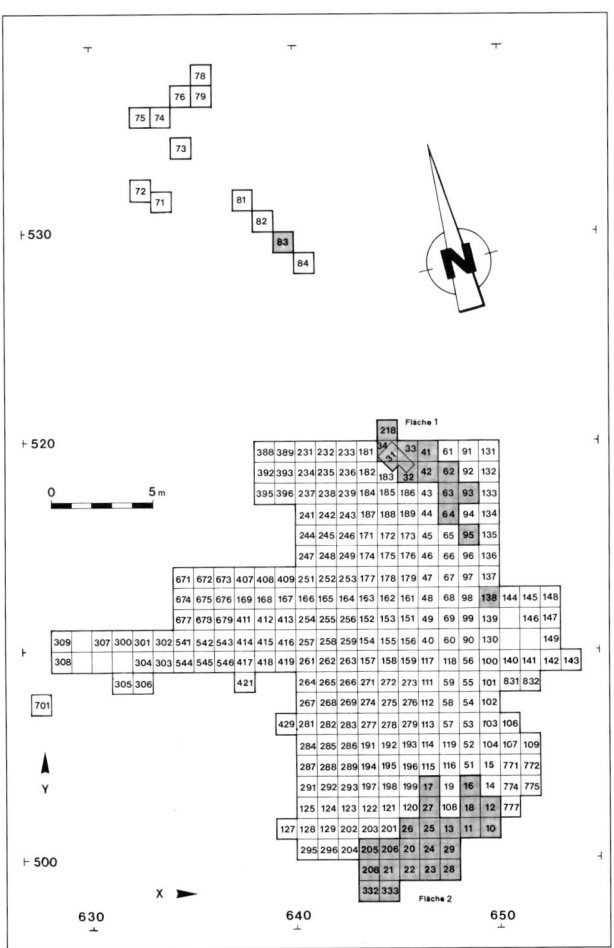

Abb. 21: Übersicht zur Lage der Quadrate im Vermessungssystem. Angegeben sind die Nummern der untersuchten Quadrate. Grabungsflächen sind gerastert.

nach dem Strömungsprinzip: Eine über der Grabungsstelle montierte Motorpumpe erzeugt den nötigen Wasserdruck, der mittels eines so genannten Strahlrohres eine auf 1 m Breite verteilte Strömung bewirkt, durch die die im davor liegenden Grabungsschnitt beim Graben verursachte Trübung des Wassers abgesogen wird. Nach dem Entfernen des je nach Pegelstand bis zu 15 cm mächtigen Oberflächensandes wurde die Kulturschicht mit Spachtel und Stuckateureisen getrennt nach Viertelquadraten (Vq) pro Quadrat (Q) meterweise abgetragen und in handelsübliche Plastikkörbchen verfrachtet. Die gefüllten Sedimentkörbe wurden anfangs noch per Seilzug von der Begleitmannschaft ins Boot gehievt. Bald zeigte sich aber, dass es mit etwas Geschick einfacher war, die Körbchen schwimmend von Hand ins Begleitboot zu transportieren. In Quadraten mit sehr hoher Funddichte wurden die Kulturschichten halbmeterweise abgebaut. Gegraben wurde nach

---

78 Das notwendige technische Know-how wurde uns von U. Ruoff vermittelt. Dafür sei an dieser Stelle herzlichst gedankt. Auf die detaillierte Darstellung der Unterwasserarchäologie wird an dieser Stelle verzichtet, da diese schon mehrfach ausführlich beschrieben worden ist. Vgl. U. Ruoff, Pfahlbauten und Unterwasserarchäologie. In: Unterwasserarchäologie. Ein neuer Forschungszweig (Wuppertal 1973) 127 ff.; Köninger u. a. (Anm. 76) 45 f.

Abb. 23: Unterwasserarchäologie per Schnorchel. Im landseitigen Randbereich des Pfahlfeldes konnte 1984 bei Niedrigwasser ohne Pressluftflasche gearbeitet werden.

Abb. 25: Befundbeschreibung auf wasserfestem Millimeterpapier unter Wasser. Gut zu erkennen sind Strahlrohr, Grundplatte und Messschnüre.

feinstratigraphischen Einheiten. Die einzelnen feinen Bändchen innerhalb der Kulturschichtpakete wurden makroskopisch aufgrund ihrer Färbung, Konsistenz und Anteile an Grobkomponenten unterschieden. Die Differenzierung erfolgte ohne Tastprobe rein optisch, da im winterlichen Wasser mit 5 mm dicken Neoprenhandschuhen gearbeitet werden musste. Im Zweifelsfall wurden Sedimentproben mit aufs Boot genommen und an Land mit bloßer Hand begutachtet. Schichten, die sich auf diese Weise nicht differenzieren ließen, wurden in etwa 5 cm mächtigen Abtragungseinheiten entnommen. Die Schichtenfolge wurde bis etwa 3 cm unter die unterste Kulturschicht abgegraben. Für die Profilzeichnungen mussten zusätzlich entlang der Profile Gräbchen von 5 cm Tiefe und 10 cm Breite abgetieft werden. Mit Bohrungen an den Grabungsprofilen wurde sichergestellt, dass weitere Kulturschichten im Liegenden nicht unerkannt bleiben konnten.

Abb. 24: Taucher bei der Profilaufnahme. Die Schichtgrenzen und Strukturen werden mit Fettstiften auf die vor dem Profil stehende Plexiglasplatte durchgezeichnet.

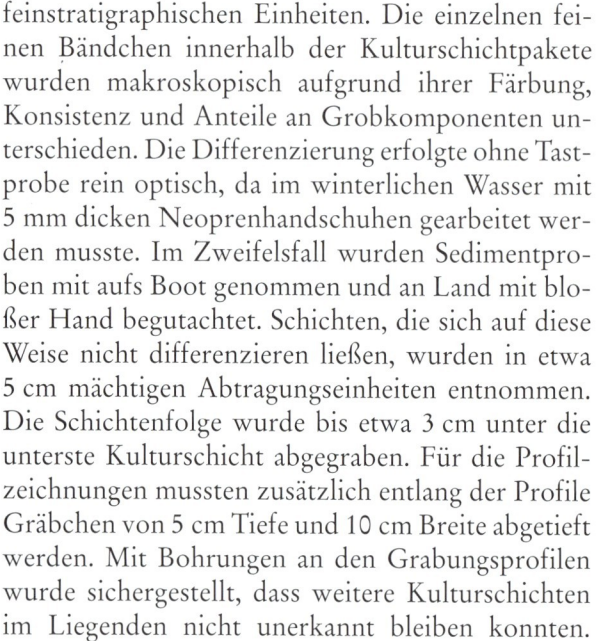

Das Kulturschichtmaterial wurde grundsätzlich in Trommelsieben mit einer Siebmaschenweite von 3 bis 5 mm geschlämmt, so dass auch Kleinstfunde, die beim Graben leicht übersehen werden können, nicht grundsätzlich verloren gegangen sind.
Die freigelegten Schichten wurden in der Fläche im Maßstab 1:1 mit Fettstiften auf 5 mm starken Plexiglasplatten, wenig strukturierte Flächen mit Bleistift auf Plastikpapier direkt im Maßstab 1:10 dokumentiert. Nach dem Abtrag aller vorhandenen Kulturschichten wurden die Profile 1:1 auf Plexiglasscheiben gezeichnet, die senkrecht vor den offen stehenden Profilwänden mit Armiereisen drapiert wurden (Abb. 24). Befundbeschreibungen, Notizen und Skizzen wurden mit Bleistift auf Plastikpapier gefertigt (Abb. 25). In jedem abgegrabenen Planquadrat wurden möglichst alle vier freigegrabenen Profilmeter gezeichnet, es sei denn, größere Bauhölzer, meist Flecklinge, oder Fundanhäufungen ließen dies nicht zu. In den gegrabenen Flächen entstand so ein Profilraster mit einem Meter Seitenlänge. Die einzelnen Schichten ließen sich dadurch auch über Distanzen von mehreren Metern zuverlässig verfolgen. Die Flächen- und Schichtniveaus wurden mit dem Meterstab zur Wasseroberfläche hin gemessen und anhand der Tageswerte am Konstanzer Pegel auf absolute Höhenwerte ü. NN umgerechnet. Durch starken Wellengang verursachte geringfügige Messschwankungen ließen sich durch Messungen am Vortag und tags darauf interpolieren. In Wassertiefen über 120 cm wurden unter Wasser Niveaupflöcke gesetzt, von denen ausgehend mit Wasserwaage und Meterstab relative Niveaus genommen wurden. Das Pflockniveau bzgl. der Wasseroberfläche wurde mit einer an einem Schwimmkörper befestigten Schnur bestimmt.

Die Grabungsschnitte wurden in Bereichen flächig freigespülter Kulturschichten angelegt. Ihre Lage hatte zwei voneinander getrennt liegende Grabungsflächen zur Folge.

Fläche I im Norden des Pfahlfeldes umfasst 13 m² und wurde an der Erosionskante von Schicht A angelegt. Fläche II liegt im südlichen Bereich des Pfahlfeldes und umfasst 22 m² im Bereich der Erosionskanten der Schichten B und C. Zwischen beiden Flächen wurde zur zusätzlichen Absicherung der Stratigraphie ein weiteres Quadrat, Q 138, ausgegraben. Am Nordrand des Pfahlfeldes wurde an einem der exponierten Eichenspalthölzer (P83-1) ein Pfahlprofil dokumentiert (Abb. 21).

Das Fundmaterial, in der Regel stark zerscherbte Keramik und Knochenabfälle, wurde den feinstratigraphischen Schichteinheiten entsprechend viertelquadratweise entnommen. Die Fundkoordinaten dieser Funde gehen aus ihrer Herkunftsbezeichnung, d.h. Schicht, Quadrat und Viertelquadrat, hervor. Größere Scherben, Scherbeneinheiten und besondere Fundstücke wurden einzeln, d.h. dreidimensional, eingemessen. Die Einzeleinmessung sämtlicher Funde wäre bei der vorhandenen Funddichte unverhältnismäßig aufwändig gewesen. Die Funde sind entsprechend ihrer Dokumentation pro Quadrat in Fundlisten (Fnr. 1–x) und Siebfundlisten (Fnr. 1001–x) erfasst.

Mit der Oberflächenaufnahme wurde das Ziel verfolgt, an der Oberfläche liegende Holzbauelemente zu dokumentieren, zu bergen und das Pfahlfeld zu kartieren (Abb. 26). Dabei sollten möglichst großflächig Siedlungsstrukturen erfasst und die Sedimente an der Oberfläche des Seegrundes aufgezeichnet werden. Pfähle ohne Beilspuren wurden im Quadratmeterraster an der Oberfläche in 5 bis 7 cm dicken Scheiben, solche mit Bearbeitungsspuren je nach Möglichkeit in längeren Abschnitten

Abb. 27: Taucher beim Eintüten einer Scherbe.

oder vollständig verprobt. An unbearbeiteten liegenden Hölzern (im Folgenden L-Hölzer genannt) wurde ebenfalls nur eine Holzprobe entnommen. Die Dokumentation der Oberfläche erfolgte analog der Schichtgrabung. Das Fundmaterial von der Oberfläche wurde viertelquadratweise ohne Einzeleinmessung abgesammelt, eindeutig im Schichtverband steckende Funde wurden einzeln dokumentiert. Proben und Funde wurden von der Begleitmannschaft – in der Regel war pro Taucher eine Begleitperson zuständig – in den Pontonbooten entgegengenommen, mit den unter Wasser vergebenen Nummern versehen und vorläufig in Plastiktüten verpackt. In Grabungsschnitten mit hoher Funddichte erhielten die einzeln eingemessenen Fundstücke teilweise schon unter Wasser ihren bezifferten Laufzettel (Abb. 27).

Die Gesamtausdehnung der Kulturschichten und das Pfahlfeldareal wurde mit einem 2 m langen Plastikrohr[79] in Abständen von 2 bis 5 m, je nach oberflächlich sichtbaren Sedimentveränderungen, abgebohrt. Mit Hilfe der Bohrungen konnte der Aufbau der Strandplatte sowie die Ausdehnung erhaltener Kulturschichten festgestellt werden. Die Bohrergebnisse ergänzen die stratigraphischen Ergebnisse aus den gegrabenen Flächen und der Oberflächenaufnahme. Mit den drei Arbeitsmethoden feinstratigraphische Schichtgrabung, Oberflächenaufnahme und Bohrung ließen sich die stratigraphischen Ver-

Abb. 26: Am Seegrund freigespülter Fleckling.

---

79 Das mit Metallgriff versehene Plastikrohr von 7 mm Durchmesser erwies sich in den weichen Sedimenten des Schachenhorns als äußerst nützlich. Das Bohrgerät wurde von der archäologischen Tauchgruppe der Universität Genf entwickelt. Vgl. H. Schlichtherle, Moor- und Seeufersiedlungen. Die Sondagen 1983 des „Projekts Bodensee-Oberschwaben". Arch. Ausgr. Baden-Württemberg 1983, 53 Abb. 41.

hältnisse im gesamten Schicht führenden Siedlungsbereich abklären.

Aus den Grabungsprofilen wurde mit Hilfe von 50 und 70 cm langen Blumenkästen Probenmaterial für botanische Untersuchungen entnommen.[80] Zusätzlich wurden in der Fläche beim Abgraben aufgedeckte makroskopisch sichtbare Anhäufungen etwa von Sämereien oder Getreide, sofern möglich, vollständig in Plastikschachteln oder -tüten verbracht. Die Pollenanalyse lag in den Händen von Helga Liese-Kleiber,[81] die botanischen Makroreste untersuchte Kai Frank (vgl. Beitrag Frank in diesem Band).

Das Grabungsbüro befand sich während aller Kampagnen im so genannten Zollhaus von Ludwigshafen, in welchem heute das Rathaus der Gemeinde Bodman-Ludwigshafen untergebracht ist. Hier wurden die unter Wasser aufgenommenen Profil- und Flächenpläne am Leuchttisch umgezeichnet. Die 1:1 Befundaufnahmen wurden dabei mit Hilfe eines Gitterrasters mit 5 cm Seitenlänge auf M 1:10 reduziert. Notizen und Skizzen, die unter Wasser auf Plastikpapier angefertigt worden waren, wurden handschriftlich in die schnittweise geführten Tagebücher übertragen. Sie waren standardisiert und in die Rubriken 1 bis 7 (Allgemeines, Befund, Funde, Pfähle, L-Hölzer, Proben, Besonderes) pro Eintrag untergliedert.

In der Nasszelle des Zollhauses wurden die Funde von groben Anhaftungen befreit, mit Wasserstrahl und Zahnbürste gewaschen und in getrocknetem Zustand anschließend einzeln mit weißer oder schwarzer Tusche beschriftet. Die Beschriftung enthält das Grabungskürzel, das Jahr der Grabung und die pro Quadrat fortlaufend vergebene Fundnummer (z. B. Bs 83 Q 123-14). Anpassende Scherben wurden mit Kreide markiert und, sofern dies für die Fundzeichnung unerlässlich war, zusammengesetzt.

Abb. 29: Vorbereitung eines Flecklings zur Fotodokumentation.

Insbesondere Bruchkanten sandgemagerter Scherben mussten vor dem Zusammensetzen gehärtet werden. Das gesamte Fundmaterial wurde getrennt nach Schichteinheiten und Grabungsschnitten in Fundkartons magazinfertig verpackt.

Die liegenden Holzbauteile und bearbeiteten Pfähle wurden anhand von Formblättern des PBO holzanatomisch und technomorphologisch erfasst. Von sämtlichen Pfählen wurden die Querschnitte im Maßstab 1:1 oder 1:5 aufgenommen, Hölzer mit deutlichen Bearbeitungsspuren und Bauteile wie etwa Flecklinge oder gelochte Pfähle zusätzlich in der Aufsicht und mit Querschnitten im Maßstab 1:1 mit Filzstiften auf Plastikfolie gezeichnet. Die Objekte wurden hierbei unter eine Scheibe gelegt und direkt auf die darüber liegende Folie durchgezeichnet (Abb. 28). Die Holzbauteile und teilweise auch das Fundmaterial wurden zusätzlich fotografiert (Abb. 29). Die Funde und die Grabungsdokumentation wurden nach Abschluss der jeweiligen Sondage ins Magazin nach Hemmenhofen gebracht. Das Grabungsbüro bestand jeweils nur während der Wintermonate.

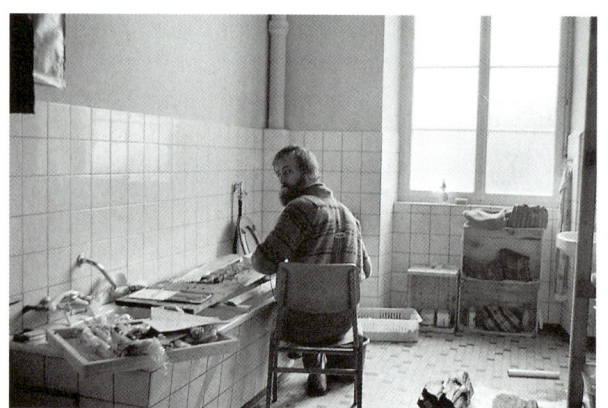

Abb. 28: In der Nasszelle im „Zollhaus" in Ludwigshafen. Im Bad der damals leer stehenden Wohnung wurden Holzbauteile gereinigt, zusammengesetzt und Holzproben verpackt.

---

80 Um die Kästen in das Profil drücken zu können, wurden schmale Schlitze freigestochen. Zur Entnahme wurde das Sediment an der Rückseite des Kastens mit einer Metallplatte durchtrennt, so dass der Profilkasten in die Grabungsfläche gekippt werden konnte.

81 Liese-Kleiber, Pollenanalyse 200 ff.; dies., Getreidepollen – ein Indikator für prähistorische Wirtschaftsformen? Vergleichende Untersuchungen in neolithischen und bronzezeitlichen Siedlungen am Bodensee, Bieler und Neuenburger See. Arch. Nachr. Baden 38/39, 1987, 54 ff.

3 Die Befunde von Bodman-Schachen I

3.1 Vorbemerkung

In den Kampagnen Bs 82–84 und Bs 86 wurden Kulturschichtreste in zwei zusammenhängenden Flächen und einem einzelnen Quadrat angeschnitten.[82] In den Grabungsflächen wurden 51 Profilmeter gezeichnet. In den relativ kleinen Flächen, die entlang den schmalen, an die Oberfläche austretenden Kulturschichtstreifen angelegt sind, kamen zusammenhängende Profilabschnitte mit max. 6 m Länge zustande.

Die in Fläche 1 und 2 angeschnittenen Kulturschichten konnten anfänglich nicht miteinander korreliert werden, da unterschiedliche rezente Erosionsbedingungen im Nord- und Südbereich des Pfahlfeldes verschiedene Schichterhaltungen zur Folge hatten. Durch Bohrungen und den Verlauf der Erosionskanten der Kulturschichten[83] an der Oberfläche (Abb. 30) gelang es im Anschluss an die Sondage Bs 83, die Stratigraphie von Bodman-Schachen I in groben Zügen zu entschlüsseln (Abb. 31). Für den gesamten Schicht führenden Bereich konnte ein einheitliches Befundsystem (s.u.) etabliert werden (Abb. 32).

Die drei durch Seekreide getrennten Kulturschichten wurden von oben nach unten mit geraden Ziffern durchnummeriert und die natürlichen Seesedimente in gleicher Weise mit ungeraden Zahlen. Durch einen Punkt getrennte Suffices bezeichnen die feinstratigraphischen Einheiten der Ablagerungen (z. B. 2.1). Die Benennung der Kulturschichten durch Großbuchstaben erfolgte nach Abschluss der Tauchsondagen von unten nach oben in alphabetischer Reihenfolge.[84]

Das vollständige Idealprofil von Bodman-Schachen I (Abb. 32) umfasst von oben nach unten folgende Schichten:

---

82 Vgl. Kap. 1.5.4 u. 2.2 zu weiteren Untersuchungen und Entdeckungen sowie zur Arbeitsweise.
83 Zum Begriff „Kulturschicht" s. Schlichtherle, Hornstaad-Hörnle 34 mit den wichtigsten forschungsgeschichtlichen Eckdaten.
84 Analog den Bezeichnungen AH 1–3 für Hornstaad-Hörnle I, vgl. ebd. 3.

Schichtbezeichnung	Beschreibung
Befund 1.0	Grauer Schlicksand.
Befund 1.1–1.X	Seekreide, braun gebändert, sandig, stellenweise gepresster weißer Sand, darüber mit Einlagerungen von Haselnussschalenfragmenten und Spänen.
Schicht C	
Befund 2.0–2.X	Detritus, stellenweise sandig, Lehm und Steine eingelagert; an der Schichtbasis verrottete Ästchen, Blattfragmente.
Befund 3.0–3.X	Seekreide, grau bis braungrau.
Schicht B	
Befund 4.0–4.X	Detritus verschiedener Konsistenz, wenig Lehmeinschlüsse.
Befund 5.0–5.X	Seekreide, grau, sandig, braun gebändert.
Schicht A	
Befund 6.0–6.X	Brandschutt mit dünnem Detritusband an der Basis.
Befund 7.0–7.X	Seekreide, hell, weißgrau, leicht sandig.
Befund 8.0–8.X	Lehm, braun, stellenweise Sand-Seekreide-gebändert.

Die feinstratigraphischen Einheiten der einzelnen Kulturschichten aus den beiden Grabungsflächen können erhaltungsbedingt im Detail nicht miteinander korreliert werden. Sie sind in der folgenden Kurzbeschreibung getrennt nach Grabungsflächen zusammengefasst.

Kurzbeschreibung der
feinstratigraphischen Einheiten aus Fläche 1:

Schichtbezeichnung	Beschreibung
Befund 1	Seekreide, weiß bis grau, leicht siltig, an der OK Bef. 2 Molluskennester.
Befund 2	Detritus, verbraunt, seekreidehaltig, Zweige, vereinzelt Späne, Holzkohlen leicht verrundet, ca. 3 cm mächtig.
Befund 3	Graue Seekreide, siltig, wenig Mollusken.
Befund 4	Wenige Zentimeter mächtiges, braun gefärbtes, schmierendes Band, landseitig stellenweise Detritus vorhanden.
Befund 5.1	Seekreide, grau, wenig strukturiert.
Befund 5.2	Lehmiges Sediment, braun.
Befund 5.3	Graue Seekreide, stellenweise schwach braun gebändert.

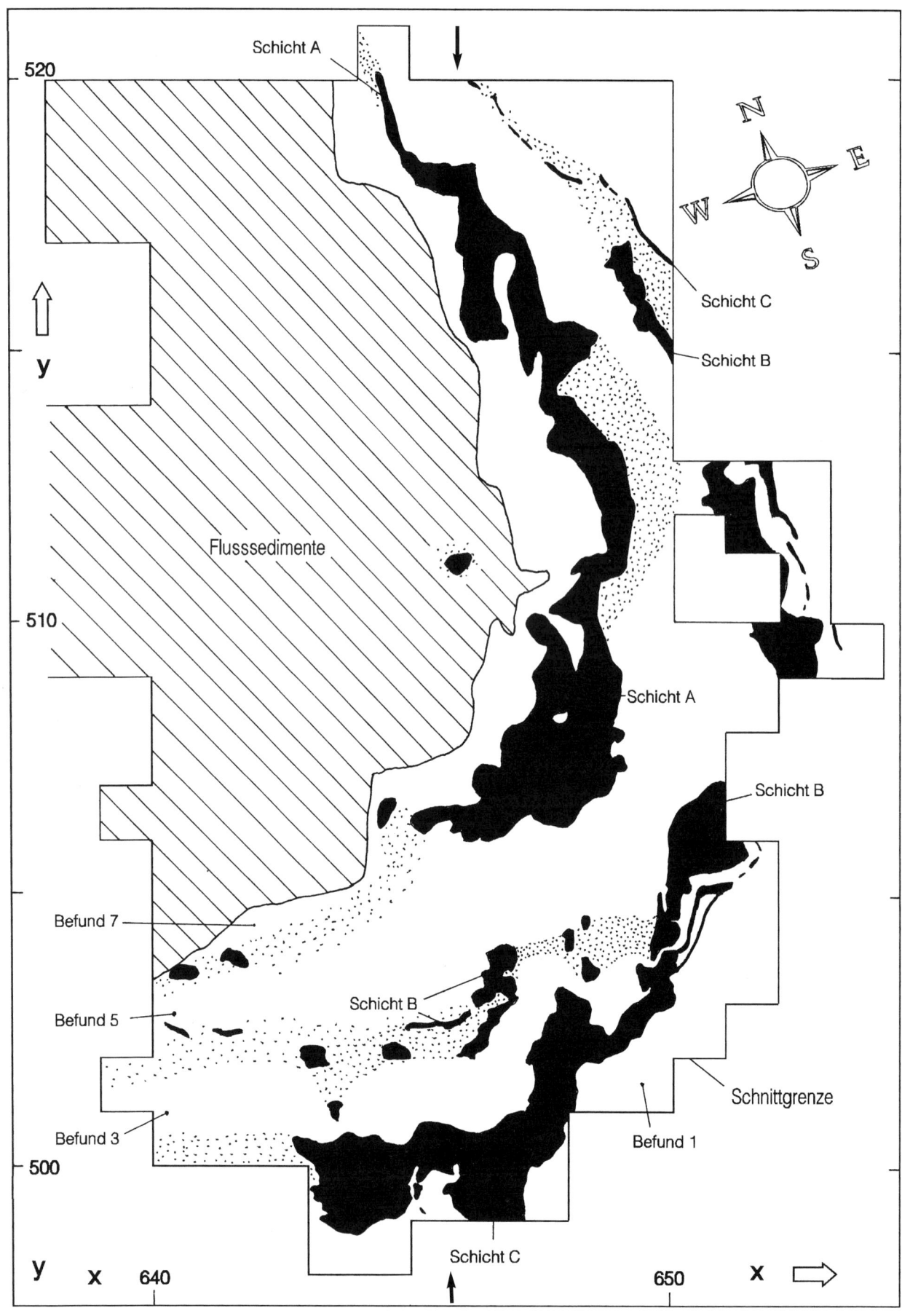

Abb. 30: Sedimentverteilung im Bereich der Oberflächenaufnahme. Die Kulturschichten liegen in halbkreisförmigen Streifen um das landwärtig anstehende Flusssediment. Die schwarzen Pfeile in der Bildmitte oben und unten markieren die Profilflucht auf Abbildung 37.

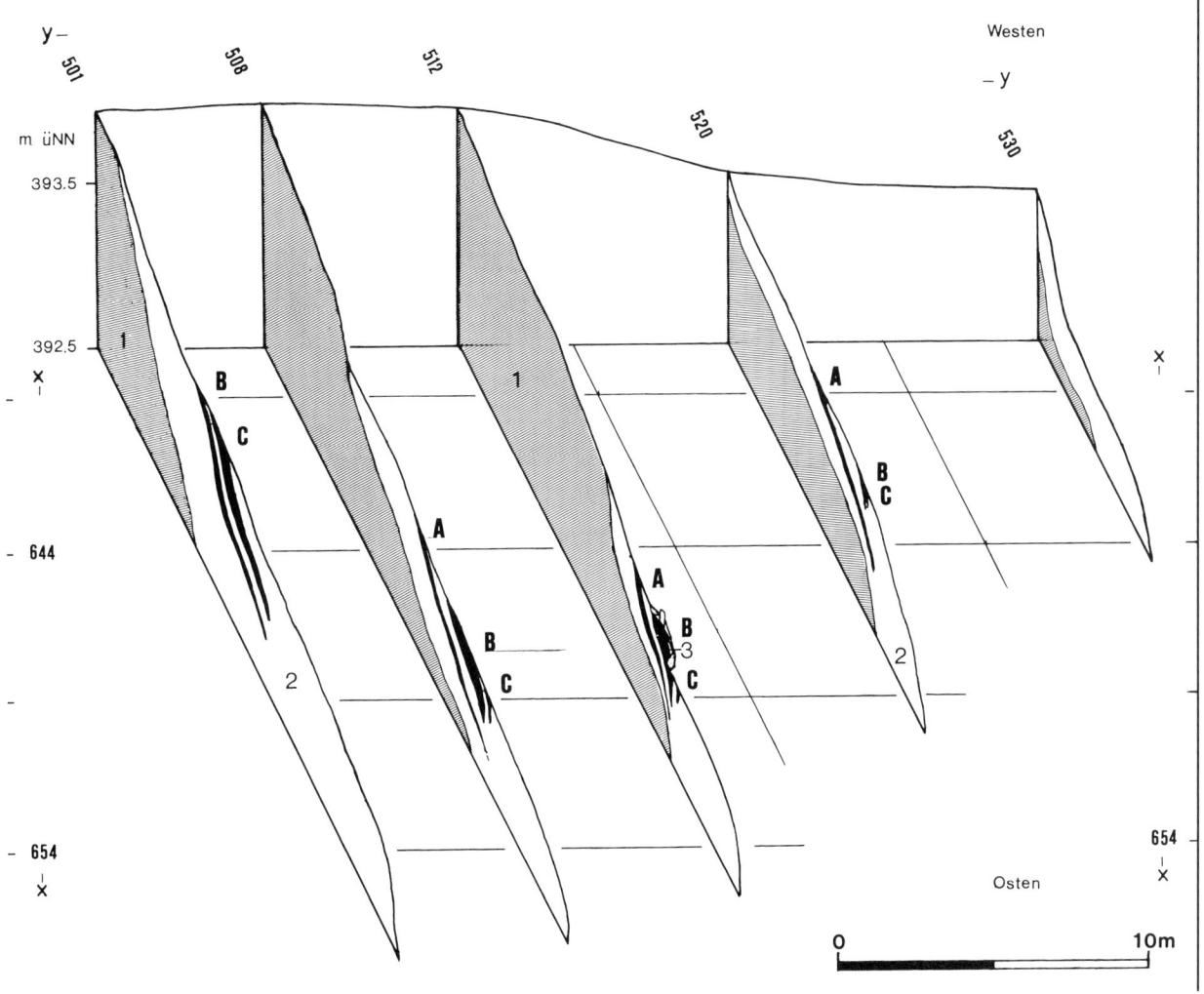

Abb. 31: Bodman-Schachen I. Schematisierend dargestellter Schichtaufbau im seeseitigen Bereich der Ufersiedlung. Die isometrische Perspektive ist 50-fach überhöht. 1 Fluviatile Lehme, 2 Seekreide, 3 Steinhaufen. Die Kulturschichten A, B und C sind dunkel gerastert.

Befund 6.0	Lehmiges Sediment, kalkversinterte Getreideklumpen befinden sich mit ihrer Oberkante in der Schicht, relativ steril.
Befund 6.1/6.1.0	Kompakte Brandschicht, hauptsächlich Getreide, meist kalkversintert in Klumpen zusammengebacken, sowie weit gehend kantenscharfe Holzkohlen, Schichtmatrix verbraunte Seekreide, lockere Konsistenz, molluskenhaltig.
Befund 6.1.2	Lehmlinse, graublau, kompakt, sandig, Kiesel darin, wenig organische Reste und Brandschuttelemente, stellenweise schwach angeziegelt, liegt über und unter 6.1/6.1.0.
Befund 6.2/6.1.1/6.3	Grauer Sand mittlerer Korngröße, wenig Detritusflitter darin enthalten, stellenweise dünnes Detritusband ohne Sand, stellenweise Späne, molluskenhaltig.
Befund 7.1	Graue Seekreide, feine braune Bänderung, ca. 5 bis 10 cm mächtig.
Befund 8	Brauner Lehm, wohl fluviatil, organische Reste wie Rindenstückchen und Laubblätter, sandgebändert.

Kurzbeschreibung der feinstratigraphischen Einheiten aus Fläche 2:

Schichtbezeichnung	Beschreibung
Befund 1.0	Grauer Schlicksand.
Befund 1.1	Weißgraue Seekreide, im Süden braun gebändert, im Südwesten weißer, hart gepresster, fester Sand, teilweise kompakte Steinlage, auch zerplatzte Gerölle darin.
Befund 2.0	Verbraunte Seekreide, Detritusanteil gering, Rindenfetzen und wenige Späne, Gerölle, aufgeweichte Keramik und Knochenabfälle.
Befund 2.1	Lockerer, gut erhaltener Detritus, wenige Zweige und Rinden, nach unten sandig werdend, fundreich.
Befund 2.2	Lockerer Detritus, etwas zersetzt, graue lehmartige Einschlüsse, stellenweise zerplatzte Gerölle konzentriert, Sämereien und wenige Hölzchen, fundreich.

Befund 2.3   Klumpiger, graublauer Lehm mit Kieselsteinen und zerplatzten Geröllen, lokal im Bereich Q22/23 begrenzt, in sandigen, verbraunten Detritus übergehend.

Befund 2.4   Zersetzter Detritus, stellenweise Rinden und Hölzer eingelagert, nach unten weniger intakte Pflanzenteile, fingerdicke Zweige und Späne.

Befund 2.5/6   Zersetzter Detritus, nach unten in verbraunte Seekreide übergehend, an der Unterkante Rindenbahnen, verwitterte Äste und Zweige sowie hoher Sandanteil.

Befund 3/3.0   Graue Seekreide, vermengt mit Ästchen und Rindenstückchen, wenige Zentimeter mächtig.

Befund 4.0   Verbraunte Seekreide mit vielen Zweigen, Rindenstückchen und Spänen.

Befund 4.1   Faseriger, lockerer Detritus, Späne, Sämereien und Rinden, maximal 3 bis 4 cm mächtig.

Befund 4.2   Sand mit Detritus vermengt, auffallend viele Haselnussschalenfragmente.

Befund 4.3   Verbraunte Seekreide, vereinzelt Späne und Zweige.

Befund 5.0/1   Graue bis weiße Seekreide, lockere Konsistenz, im Anstich „rauchend".

Befund 5.2   Lehmiges, braunes Band, sandig, schollig brechend, vereinzelt organische Flitter, wenige Zentimeter mächtig, an der Oberkante Sandlinsen.

Befund 5.3   Seekreide, weiß, fett und fest, wenig Sand, grau gebändert.

Befund 6   Lehmiges Sediment, vereinzelt kalkversinterte Holzkohlen und Haselnussschalenfragmente darin, wenige Zentimeter mächtig.

Befund 7   Fette Seekreide, wenig Mollusken, grau gebändert.

Befund 8   In Fläche 2 nicht aufgeschlossen.

3.2 Profile

3.2.1 Einführung

Die Profile aus den Einzelquadraten und den zusammenhängend gegrabenen Sondierschnitten werden getrennt und in dieser Reihenfolge beschrieben. Insgesamt liegen 51 gezeichnete Profilmeter vor. Die Ost- und Westprofile sind von West nach Ost fortlaufend mit Großbuchstaben versehen, die Nord- und Südprofile entsprechend von Norden nach Süden beziffert (Abb. 33; 34).

In Fläche 1 verlaufen die Profile auf beiden Koordinatenachsen landseewärts, da der Haldenverlauf von Nordwesten kommend nach Süden einen Bogen beschreibt. In Fläche 2 und im südlichen Siedlungsbereich hingegen sind nur die Nord- und Südprofile landseewärts ausgerichtet.

Die Hauptprofilachsen und Profilabschnitte, die zum Verständnis der Schichtgenese wichtig sind, werden detailliert beschrieben. In Fläche 1 sind dies die Profile 2 und C, in Fläche 2 die Profile 12 und 13 sowie Profil J. Die Beschreibungen der übrigen Profile bleibt auf wichtige Details beschränkt. Die Lage derjenigen Profile, die an Pfosten oder in einzelnen gegrabenen Quadraten aufgenommen wurden, ist der Gesamtübersicht (Abb. 21) zu entnehmen.

3.2.2 Profile der Einzelquadrate

Profil 1 – Q 83, Südprofil
Das Profil wurde an der nördlichen Peripherie des Pfahlfeldes angelegt (Beil. 3). Hier interessierten besonders die Schichtverhältnisse an P83-1, einem der markanten Eichenkanthölzer der jüngsten nachgewiesenen Bebauung am Schachenhorn, der dritten

Abb. 32: Bodman-Schachen I, Idealprofil im Kulturschicht führenden Bereich, von oben nach unten. Bef. 1: Schlicksand, darunter ggf. Seekreiden. Bef. 2, Schicht C: Detrituslagen mit Lehmeinschlüssen. Bef. 3: Seekreide. Bef. 4, Schicht B: Detrituslage. Bef. 5.1: Seekreide. Bef. 5.2: brauner Lehm mit Seekreide. Bef. 5.3: Seekreide. Bef. 6, Schicht A: Brandschicht, abgedeckt mit braunem Lehm, darunter dünnes Detritusband oder Sand. Bef. 7: Seekreide. Bef. 8: Lehm, darin Bänder mit Sand und Seekreide.

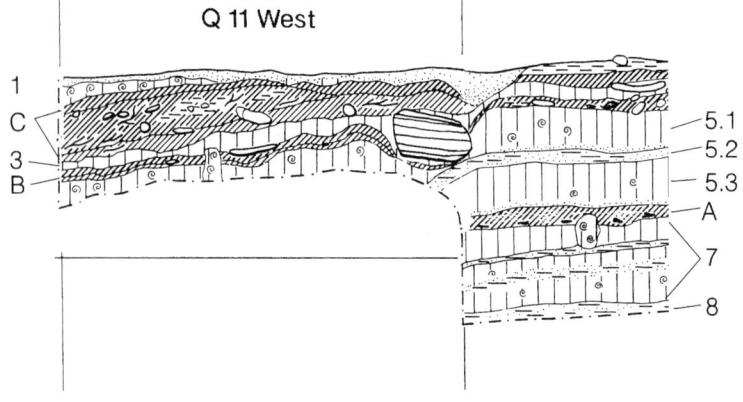
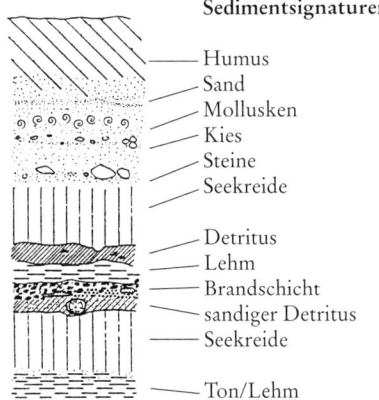

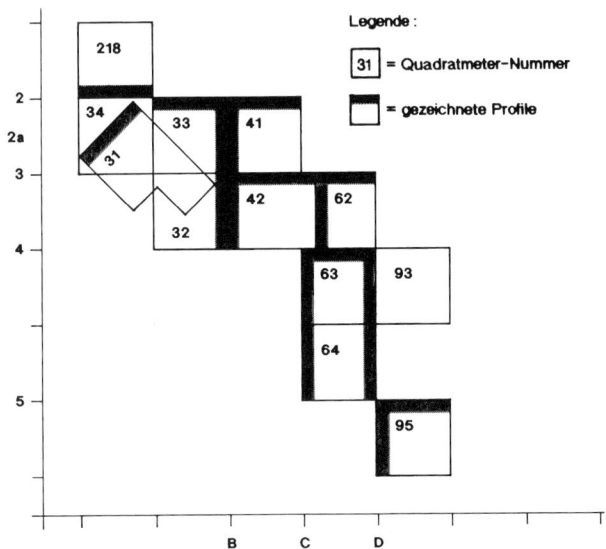

Abb. 33: Übersicht zur Lage der aufgenommenen Profile (gerastert) in Fläche 1. Ihre Benennung ist der Hoch- und Rechtsachse zu entnehmen.

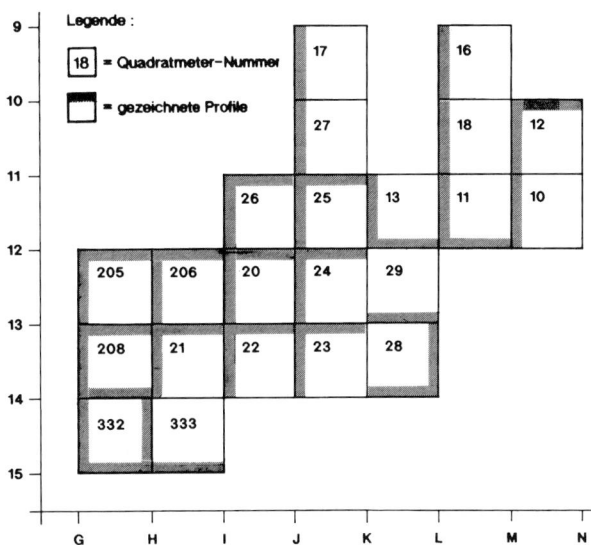

Abb. 34: Übersicht zur Lage der aufgenommenen Profile (gerastert) in Fläche 2. Ihre Benennung ist der Hoch- und Rechtsachse zu entnehmen.

dendrochronologischen Schlagphase.[85] In diesem Bereich fehlen eigentliche Kulturschichten. Verbraunte, teils lehmig-sandige Bänder weisen auf verspülte, stark vom See beeinflusste Kulturschichtreste im Einzugsgebiet eines Flüsschens hin. Die vorgefundenen braunen Bänder können mit der Abfolge des Idealprofils nicht eindeutig korreliert werden. An der Schichtbasis liegt lehmiges, sand- und seekreidehaltiges Sediment (Befund 8). Darüber folgt graubraun gefärbte Seekreide (Befund 7), in der zwei braune Bänder mit Anteilen von faserigem Detritus eingelagert und die in ihrer Konsistenz Befund 8 ähnlich sind. Die braunen Bänder ziehen seewärts stark nach unten. P83-1 stört das gesamte Schichtpaket.

Profil A – Q 83, Westprofil
Der Ausschnitt weicht von Profil 1 ab. Hier liegen nur drei braune Seekreidebänder über Befund 8 vor. Die Schichten fallen deutlich nach Norden ab.

Profil 6 – Q 66, Nordprofil
Das Profil schneidet den Fleckling L66-1. Unter dem Fleckling sind die Befunde 5.3 bis 8 in Spuren erhalten, Befund 6 liegt als Holzkohlestreuung in Befund 7 vor. Direkt unter L66-1 befindet sich sterile, verbraunte Seekreide, bei der es sich vermutlich um Befund 5.3 handelt. Das Liegende ist, was am Oberflächenverlauf von Befund 8 deutlich erkennbar wird, durch den Fleckling nach unten gedrückt. Der Fleckling und dessen Pfahl gehören demnach zur Unterkante von Befund 4, also zu Schicht B.

Profil 7 – Q 138, Südprofil
Q 138 wurde zwischen den Flächen 1 und 2 angelegt (Beil. 3). Im Profil sind die Schichten Befund 5.3 bis 8 erhalten. Die Befundfolge entspricht dem Standardprofil. Über dem lehmigen, dunkelbraunen Sediment Befund 8 folgt Befund 7.1 als hellbraune, leicht sandige Seekreide und 7.2 als hellgraue, ebenfalls leicht sandige Seekreide. Befund 6.1 ist an seiner Basis als wenig konzentrierte Holzkohlen- und Getreidelage in molluskenreicher Seekreide ausgeprägt. Darüber liegt, mit einigen wenigen feinen organischen Partikeln durchsetzt, das braune, lehmige Sediment des Befundes 6.1. Die graue Seekreide des Befundes 5.3 schließt die Schichtenfolge nach oben ab.

Profil F – Q 138, Ostprofil
Die Schichtenfolge des Profils (Beil. 3) entspricht derjenigen von Profil 7. Hinzu kommt ein fleckenweise faseriger, unzersetzter Detritus an der Oberfläche, vermutlich Befund 4. Befund 5.2 fehlt an dieser Stelle. Die stratigraphische Position von Grobdetritus direkt auf Befund 5.3 resultiert wohl aus einer Schichtpressung, die möglicherweise durch einen Fleckling o.Ä. verursacht worden ist. Die geringe Größe des Schichtflecks schränkt seine stratigraphische Beurteilung und Interpretation weit gehend ein.

---

85 Vgl. Kap. 12.3 zur dendrochronologischen Datierung von Bodman-Schachen I.

3.2.3 Profile in Fläche 1

3.2.3.1 Nord- und Südprofile, Profile 2 bis 5

Profil 2 – Q 33, Q 34, Q 41, Nordprofil
Das Profil am Nordrand von Fläche I (Beil. 3) umfasst die gesamte Standardabfolge von Befund 8 bis Befund 1. Die Schichtenfolge zieht ab Q 41 seewärts, in Richtung Osten deutlich nach unten und zeigt damit die Nähe der besiedlungszeitlichen Halde an. Nur die Brandschicht, Befund 6, ist hier gut ausgeprägt, die Befunde 2 und 4 liegen als relativ dünne, braune, seekreidehaltige Bänder mit organischen Flittern vor. Der Profilabschnitt ist von Pfostenlöchern und Pfosten gestört. Befund 8 besteht hier aus braunem, lehmigem Sediment mit Sandeinlagerungen. Die Oberfläche des Befundes verläuft unregelmäßig. Über Befund 8 liegt die graue Seekreide von Befund 7. Darüber befindet sich Befund 6.2 an der Basis von Schicht A. Der gering mächtige Detritus ist sandig und mit lehmiger Seekreide durchsetzt, darin eingelagert sind Haselnussschalenfragmente. Befund 6.1 bildet den zentralen Teil der Brandschicht, Schicht A. Sie besteht aus Lehmflecken, z. T. kalkversinterter Holzkohle und verkohltem Getreide, welches oft zu Getreideklumpen zusammengebacken ist (Abb. 35). Dazwischen befindet sich stellenweise lehmiges, braunes Sediment. Der Befund dünnt in Q 34 aus und wird durch Pfosten gestört. An der Oberkante von Schicht A liegt ein braunes, lehmiges, seekreidehaltiges Sediment (Befund 6.0), an dessen Oberkante unverkohlte L-Hölzer eingelagert sind. Befund 6 wird durch graue, sandige Seekreide (Befund 5) überlagert. Ein braunes, lehmiges und sandiges Sedimentband (Befund 5.2) trennt Befund 5 in die Befunde 5.1 und 5.3. Die darüber liegende Schicht B (Befund 4) besteht aus einem dünnen Band braun gefärbter Seekreide mit geringfügigem Detritusanteil. Schicht B wird von hellgrauer, sandiger Seekreide (Befund 3) überdeckt. Über der Trennschicht (Befund 3) folgt Schicht C (Befund 2) als unstrukturiertes, braunes, seekreidehaltiges Feindetritusband, in welches vereinzelt Zweige eingelagert sind. Schicht C wird durch helle Seekreide (Befund 1.1) überlagert, die unter ca. 5 cm Schlicksandbedeckung (Befund 1.0) liegt. In Q 33 und Q 41 sind Pfähle und Pfostenlöcher im Profil seewärts verkippt. Eine geringfügige postsedimentäre Schrägstellung der Schichtenfolge ist daher nicht auszuschließen.

Profil 2a – Q 31, Nordprofil
Q 31 wurde im Sommer 1982 im nördlichen Pfahlfeldareal als Pilotquadrat angelegt, noch bevor ein festes Koordinatensystem auf die gesamte Pfahlfeldfläche ausgedehnt werden konnte. Hier wurde der Befund 6 erstmals als gut ausgeprägte Brandschicht erfasst. In Q 31 liegt die Standardabfolge des Befundes 6 in Brandschichtausprägung vor (Beil. 3). Vom Hangenden ist, entsprechend der Lage von Q 31 an der Erosionskante von Befund 6, nur Befund 5.3 erhalten. Der Schichtenfolge liegt eine verbraunte, schmierig-lehmige, homogene und sterile Seekreide zugrunde, die von Schilfwurzeln durchwachsen ist (Befund 8). Darüber folgt Befund 7, eine stark sandige Seekreide, die an ihrer Oberkante im Kontaktbereich zu Befund 6 teilweise vollständig aus grauem Sand besteht. Schicht A liegt auf diesem Sandband mit Befund 6.1, einer Brandschicht mit dichter Holzkohle- und Getreidelage, die in eine lehmige, seekreidehaltige Schichtmatrix eingebettet ist. Nach oben hin nimmt der Holzkohle- und Getreideanteil stark ab, so dass an der Schichtoberkante nur noch die Schichtmatrix von Befund 6.1 vorhanden ist, in welche vereinzelt Holzkohlen eingelagert sind. Befund 5.3, graue und sandige Seekreide, die vereinzelt ganze Mollusken ent-

Abb. 35: Zusammengebackenes und verkohltes Getreide aus Schicht A. An den Getreideklumpen sind Abdrücke unterschiedlicher Querschnittsformen erkennbar. Möglicherweise handelt es sich um die Negative von Rundhölzern und Brettern.

hält, überdeckt Schicht A. Auf dieser Seekreide liegt graubrauner Schlicksand (Befund 1.0).

Profil 3 – Q 42, 62, Nordprofil
Das Profil verläuft 1 m südlich von Profil 1 und reicht 1 m weiter nach Osten. Die Befundfolge ist identisch mit Profil 1 (Beil. 3) und umfasst dieselben Kulturschichten. An der Oberkante des Befundes 6.0 liegt im Unterschied zu Profil 1 stellenweise Sand. Befund 6 ist weniger deutlich als Brandschicht ausgeprägt. Vereinzelt befindet sich Lehm in Befund 6.1. Befund 6.2 liegt als gut erhaltener, sandiger Detritus vor.

Profil 4 – Q 63, Nordprofil
Das Profil befindet sich 1 m südlich von Profil 3 und enthält die Befundfolge 5.3 bis 8 (Beil. 3). In die Brandschicht Befund 6.1 ist in Vq a eine Lehmlinse eingelagert.[86] Der Befund wird detailliert unter Profil B beschrieben.

Profil 5 – Q 95, Nordprofil
Das seewärtigste Profil in Fläche 1 zeigt einen nunmehr schwach ausgeprägten Befund 6 mit wenig Holzkohle- und Getreideanteilen, eingelagert in lehmige, verbraunte Seekreide. Im Profil sind die Befunde 8 bis 5.3 erhalten (Beil. 3).

3.2.3.2 Ost- und Westprofile, Profile B bis E

Profil B – Q 32, Q 33, Ostprofil[87]
Die im Abstand von drei Jahren zweifach erfolgte Dokumentation des Profils, zunächst als Q 32 Ost und in der Folge dann als Q 42 West (Beil. 3), zeigt die zügig fortschreitende Erosion vor allem im nordöstlichen Siedlungsareal an. Zwischen 1983 und 1986 betrug hier der Sedimentabtrag 5 bis 7 cm. Befund 6 lag im Jahr 1986 im Gegensatz zu 1983 teilweise schon an der Oberfläche. In Q 33 ist die Schichtenfolge von Befund 4 bis 8 (in Resten) erhalten. Dabei weichen die Befunde 6 und 8 von der Standardschichtfolge leicht ab. Befund 6 liegt in Q 33 als Holzkohleband und in Q 32 als Lehmlinse vor. Der Lehm liegt lokal unter dem Brandschutt. Der sandige Lehm enthält Kiesel sowie wenige organische Reste und Brandelemente. „Stellenweise kann man sogar den Eindruck gewinnen, dass der Lehm ganz schwach angeziegelt ist".[88] Der Lehm erreicht eine Schichtstärke von 7 cm (Abb. 36). Unter der Brandschicht von Befund 6 liegen an der Schichtbasis Späne mit Mollusken vermengt, ohne in braun gefärbte Seekreide oder in Detritus eingelagert zu sein. Befund 6 liegt in Q 32 an der Oberfläche und zieht nordwärts bis Q 33 schwach nach un-

Abb. 36: Schicht A im Zentrum von Profil B. Die Kulturschicht besteht hier aus stellenweise schwach angeziegelten Lehmklumpen und Holzkohle. Unter der liegenden Seekreide ist der braun gefärbte fluviatile Lehm (Befund 8) zu sehen.

ten. Ab hier nimmt das Schichtgefälle dann deutlich zu. Getrennt durch siltige Seekreide mit geringen Sandanteilen liegt unter dem dunkelbraunen, lehmigen Sediment von Befund 8.1 eine braune, lehmige Seekreide (Befund 8.2). An der Oberkante von Befund 8 befinden sich vereinzelt Zweige. Die übrigen Befunde aus Profil B folgen dem Idealprofil.

Profil C – Q 62–64, Westprofil (Beil. 3)
Die Schichtenfolge in Profil C fällt von Süden nach Norden ab. Über der hellen, beim Anstich „rauchenden" Seekreide liegt mit Befund 6.2 ein Detritusband, das mit lehmiger, brauner Seekreide und Sand, in welchem Haselnussschalenfragmente eingelagert sind, durchsetzt ist. Die darüber liegende Brandschicht, Befund 6.1, besteht hauptsächlich aus kalkversinterten Holzkohlen, Getreideklumpen und vielen einzelnen Getreidekörnern. Im Hangenden wird die untere Kulturschicht durch ein braunes, lehmiges, sandhaltiges Sediment (Befund 6.0) abgeschlossen. Der im Profil angeschnittene Pfosten ist in seewärtiger Richtung leicht schräg verkippt,[89] so dass der Befund einer, wenn auch geringfügigen, postsedimentären Schrägstellung der Schichtenfolge aus Profil 2 bestätigt wird. Die darüber liegende Schichtenfolge entspricht dem Idealprofil.

Profil D – Q 95, Westprofil (Beil. 3)
Das Westprofil von Q 95 liegt in der Erosionskante von Schicht A. Sie ist hier schwach ausgeprägt und

---

86 Vgl. Profile B und C in Kap. 3.2.3.2 zu den entsprechenden Profilen.
87 Das Westprofil von Q 42 ist mit dem Ostprofil von Q 32 identisch.
88 Grabungstagebuch Bs 8.3, Eintrag vom 7. 4. 1983.
89 Vgl. Profile 2 und 3 in Kap. 3.2.3.1 zu den entsprechenden Profilen.

besteht aus Getreideklumpen und teilweise kalkversinterten Holzkohlen, die in lehmige, braun verfärbte Seekreide eingelagert sind. Die Schichtbasis besteht aus Sand und fleckenweise verteiltem Detritus. Das Profil reicht bis in Befund 8, der hier nur wenige Zentimeter unter Befund 6 liegt. Die Befunde 5, 7 und 8 weisen keine Besonderheiten gegenüber den Standardausprägungen auf und werden deshalb nicht gesondert beschrieben.

3.2.4 Profile in Fläche 2

3.2.4.1 Nord- und Südprofile, Profile 9 bis 15

Profil 9 – Q 17, Nordprofil
In Q 17 an der nördlichen Peripherie von Fläche 2 wurde die untere Kulturschicht randlich angeschnitten. Bis auf wenige Flecken der mittleren Kulturschicht (Schicht B, Befund 4) sind die Befunde 5.1 bis 8 vorhanden. Zwischen die grauen, leicht sandigen Seekreiden von Befund 5.1 und 5.3 ist das braune, lehmige Band des Befundes 5.2 eingelagert. An dessen Oberkante befindet sich ein dünnes Sandband. Die Matrix von Befund 6 ist der Schichtmatrix von Befund 5.2 sehr ähnlich. Vereinzelt eingelagerte Holzkohlen und L-Hölzer unterscheiden die beiden Schichten. Die liegende Seekreide, Befund 7, ist in Q 17 hell und weiß ausgeprägt.

Profil 10 – Q 12, Nordprofil (Beil. 4)
Das Profil liegt am Ostrand von Fläche 2 im Bereich der durch die Taucher Dieter Allgaier und Heinz Koppmann verursachten Störung. Q 12 gehört zu den beiden Quadraten, die 1982 in Unkenntnis der vorhandenen Stratigraphie ausgegraben wurden. Die ursprünglich vorgenommene Befundvergabe musste entsprechend revidiert und dem 1983 eingeführten Befundsystem angeglichen werden. Befund 2, pflanzlicher Detritus, weist im Profil ein lockeres Gefüge auf, welches sich nach unten verdichtet. Das durch zahlreiche Pflanzenreste gut strukturierte Detrituspaket wird teilweise von einem braun verfärbten, kaum sichtbaren, detritushaltigen Band durchzogen. Schicht B ist an dieser Stelle nicht vorhanden. Aufgrund der randlichen Lage muss angenommen werden, dass die mittlere Kulturschicht hier noch vor Ablagerung der darüber liegenden Schichtenfolge erodiert wurde oder aber nie zur Ablagerung kam.

Profil 11 – Q 25, Q 26, Nordprofil (Beil. 4)
Das Profil befindet sich im flächigen Erosionsbereich der mittleren Kulturschicht. Am östlichen Rand des Profils ist Schicht C erhalten. Die Schichtenfolge fällt in Richtung Osten und Süden mit einem Gefälle von 9° nach unten ab. Unter der üblichen Schlicksandbedeckung an der Oberfläche folgt fester, weißer, gepresster Sand (Befund 1.1), in welchen Rindenfragmente, Späne und Haselnussschalen eingelagert sind. Darunter liegt der untere Bereich von Schicht C, gefolgt von einer grauen, sandigen Seekreide mit vereinzelten Holzkohlestückchen, Rinden und verrollter Keramik (Befund 3). Die mittlere Kulturschicht ist vor allem im östlichen Profilteil gegliedert. Unter braun gefärbter Seekreide mit Rinden und vereinzelten Spänen folgt fasriger, locker gefügter Detritus geringer Dichte, in welchen zahlreiche Späne eingelagert sind und der beim Graben unter Wasser aufschwebt. Darunter liegt eine blaugraue Lehmlage, die stellenweise die Schichtbasis bildet, zum Teil liegt an der Basis der Kulturschicht auch eine braune, Mollusken enthaltende Seekreide. Die Späne streuen bis in die graue Seekreide im liegenden Befund 5.1. Im Ostteil des Profils reicht die Schichtenfolge bis Befund 5.3.
Der im Profil angeschnitte Fleckling L26-3 gehört aufgrund seiner stratigraphischen Position zur Unterkante von Schicht B.

Profil 12 – Q 11, Q 13, Südprofil; Q 20, Q 24, Q 205, Q 206, Nordprofil (Beil. 4)
Profil 12 durchschneidet die gesamte Fläche 2 zentral und erfasst die Schichten B und C in ihrer gesamten land-seewärtigen Ausdehnung. Die angeschnittene Schichtensequenz folgt dem Idealprofil. Beide Kulturschichten sind als locker gefügte Detrituslagen ausgebildet. Befund 2 ist seewärts teilweise von Steinen durchsetzt. Ober- und Unterkante werden jeweils von braun gefärbter Seekreide gebildet. Die hangende Seekreide (Befund 1.2) über Befund 2 ist braun und grau gebändert, was wahrscheinlich aus der Aufarbeitung der oberen Kulturschicht durch Wellenschlag resultiert. 20 bis 25 cm östlich des Profils gehen die Befunde 2 und 4 an der Oberfläche in verbraunte Seekreidebänder über und enden dort. Die Schichtenfolge ist generell mit der Abfolge in Profil 13 identisch, aber verhältnismäßig undifferenziert ausgeprägt. Auf eine detaillierte Beschreibung des Profils wird deshalb an dieser Stelle verzichtet.

Profil 13 – Q 21, Q 22, Q 23, Q 208, Nordprofil; Q 29, Südprofil (Beil. 4)
Profil 13 befindet sich einen Meter südlich von Profil 12 im Bereich optimaler Erhaltung von Schicht C. Die angeschnittene Befundfolge reicht

von Befund 1 bis 5.3, wobei Schicht C in ihrem Erosionsbereich erfasst wurde. Sie liegt[90] ebenso wie Befund 1 hier differenziert vor. In den seewärtigen Quadraten befindet sich die nach Osten abfallende Schichtenfolge unter Seekreidebedeckung. Mit Q 21 liegt eines der 1982 in Aufschlusstechnik gegrabenen Pilotquadrate im Profil, weshalb die Profildokumentation weniger fein differenziert ausfiel als in den benachbarten Quadraten. Befund 1.0 besteht aus graubraunem Schlicksand mit Steinen, die teilweise kalkversintert sind. Darunter folgt weißer, sehr dicht gepackter Sand (Befund 1.2) mit Molluskenflittern und Steinen. Dazwischen sind feine, nicht näher klassifizierbare Detritusflitter und Haselnussschalenfragmente eingelagert. Die darunter folgende, von braunen Seekreide- und Sandbändern durchzogene Seekreide ist grau gefärbt und enthält wenig Mollusken. Direkt an der Oberkante von Schicht C (Befund 2.0) befinden sich angewitterte Scherben und Steine, die wohl als Kondensat erodierter Schichtbereiche von Schicht C zu deuten sind. Die Oberkante von Schicht C bildet ein braunes, unstrukturiertes Seekreideband. Darunter folgt mit Befund 2.1 ein locker gefügter, sehr gut erhaltener Detritus mit zum Teil dichten Grobdetrituslagen, bestehend aus Zweigen und Rindenfetzen sowie vereinzelten Sämereien wie etwa Schlehen- oder Brombeerkernen. Unter Befund 2.1 folgt ein – anscheinend durch Oxidation – etwas dunkler gefärbter, stärker zersetzter Detritus, der einen festeren, komprimierteren Eindruck macht. An wenigen Stellen liegt darin schwach angeziegelter Lehm. In den Planquadraten Q 23 und Q 22 befindet sich etwa in Schichtmitte eine wenig homogene, fette, sandige, blaugraue Lehmlage mit klumpig-fleckigem Gefüge (Befund 2.3). Über und in der Lehmlage sind neben nur leicht beschädigten Gefäßen[91] Steine von max. 5 × 10 cm Größe eingelagert. Die nicht bearbeiteten Gerölle und Sandsteine weisen überwiegend Brandspuren auf.

Die Lehmlage geht an ihren Rändern in sandhaltigen Detritus über, wobei der dortige Sand wahrscheinlich aus dem Lehm ausgewaschen wurde. Unter den Lehmklumpen bzw. der sandigen Detrituslage liegt relativ fest gepresster, zersetzter Detritus (Befund 2.4), an dessen Unterkante sich auffallend oft Späne befinden. Darunter liegt eine braun gefärbte Seekreide (Befund 2.6) mit Ästen und Rinden, die den Übergang zur liegenden Seekreide, Befund 3, bildet. Die eingelagerten Hölzer sind an ihrer Oberfläche furchig und wohl bereits besiedlungszeitlich verwittert.

In Q 23 schiebt sich in die Schichtenfolge zwischen Befund 2.4 und 2.6 lokal eine weitere faserige Detrituslage. Die obere Kulturschicht erreicht hier mit ca. 35 cm ihre größte Mächtigkeit, die seewärts rasch abnimmt. Landwärts nimmt die Mächtigkeit von Schicht C, von Q 23 ausgehend, kontinuierlich ab und wird dadurch in zunehmendem Maße weniger differenziert. Im landwärtigsten Profilteil bei Q 208 liegt zumindest die grobe Dreiteilung von Schicht C weiterhin vor.

Die Schichten B und C werden durch ein max. 5 cm starkes Seekreideband (Befund 3.0) getrennt. Die graue Seekreide ist schmierig, siltig und von Grobsanden durchsetzt. Sie ist fundleer, stellenweise sind Zweige und Rinden eingebettet. Unter den Rinden und Hölzern befinden sich Molluskennester. Sie liegen mit ihrer Unterkante direkt Befund 4.0, der Oberkante von Schicht B, auf. Die Rinden, L-Hölzer und kalkversinterten Steine aus Befund 4 reichen bis in den darüber liegenden Befund 3.

Schicht B ist in Profil 13 nicht in voller Mächtigkeit ausgeprägt und besteht weit gehend aus organischen Flittern, die gleichmäßig über die Fläche verteilt sind. Darunter befinden sich Holzstückchen und Haselnussfragmente, aber auch größere Späne. Nach Süden dünnt Schicht B stark aus und erreicht maximal 1 cm Mächtigkeit, während sie am Nordprofil[92] etwa 4 cm mächtig ist. Die Matrix von Schicht B besteht aus braun gefärbter Seekreide; in daneben erhaltenen Bereichen liegt faseriger Detritus vor. An der Unterkante von Schicht B kommt ein unterschiedlich mächtig ausgeprägtes Sandband hinzu. Wie an der Unterkante von Schicht C sind auch an der Unterkante von Schicht B angewitterte Äste und Rinden eingelagert. Unter Schicht B folgt eine wenig molluskenhaltige, sterile, hellgraue Seekreide (Befund 5), die makroskopisch keine Strukturen erkennen lässt. Darin eingelagert ist das braune, lehmige, wohl fluviatile Sediment des Befundes 5.2, welches im gesamten Siedlungsareal an dieser stratigraphischen Position vorhanden ist. In Q 29 schiebt sich ein weiteres dünnes, braunes Band gleicher Konsistenz zwischen die Befunde 5.1 und 5.2.

Profil 14 – Q 208, Q 28, Südprofil (Beil. 4)
Profil 14 befindet sich 1 m südlich von Profil 13; zwischen den beiden dokumentierten Profilmetern klafft eine drei Meter breite Lücke. Die Schichtenfolge entspricht derjenigen in Profil 13. Schicht B dünnt ostwärts stark aus, Befund 1 ist durch braune

---

90 Q 22, Q 23 und Q 28.
91 Vor allem in Q 22 und Q 23.
92 Vgl. Profil 13 in Kap. 3.2.4.1 zu den entsprechenden Profilen.

Seekreidebänder und Sandeinlagerungen stärker gegliedert als in Profil 13. Die Oberkante des Befundes 2 ist dicht mit Steinen gepackt, dazwischen liegt Keramik, die zwar intakte Oberflächen besitzt, deren Substanz aber stark aufgeweicht, fast lehmartig ist. Auch die Knochen aus Befund 2.1 sind substanziell weich, sie lassen auf ein eher saures Kulturschichtmilieu schließen.

Profil 15 – Q 332, Q 333, Südprofil (Beil. 4)
Profil 15 liegt am Südrand von Fläche 2. Die Kulturschichtsequenz befindet sich hier vollständig unter Seekreidebedeckung. Die Schichtenfolge reicht von Befund 1 bis 5, die Befunde 6 bis 8 fehlen im Profil und konnten auch in 2 m Tiefe nicht angebohrt werden. Die Befundfolge unter Befund 5.2 ist gekennzeichnet durch sandige und lehmige Seekreideschichten. Sie lassen sich mit den im Nordosten erhaltenen Befunden 6 bis 8 allerdings nicht korrelieren. Analog den Profilen 12 bis 14 sind in die hangende Seekreide braune, sandige Bänder eingelagert. Die Seekreide ist nach oben hin durch weißen, verdichteten „Presssand" abgedeckt. An der Unterkante der mittleren und oberen Kulturschicht sind Sandbänder zu erkennen, die in den weiter nördlich gelegenen Profilabschnitten in dieser Deutlichkeit nicht vorhanden sind. In dem ansonsten sterilen Sandband unter Schicht B sind Schalenfragmente von Haselnüssen eingelagert.

3.2.4.2 Ost- und Westprofile, Profile G bis M

Profil G – Q 205, Q 208, Q 332, Westprofil (Beil. 4)
In Profil G sind die Befunde 1 bis 5.3 enthalten, wobei es nur im südlichen Profilteil zur Seekreideüberdeckung der Schichtenfolge kommt. Die Stratigraphie weist hier ein Nord-Süd-Gefälle um ca. 7 bis 8 cm pro Meter auf. Im Unterschied zu den bisher beschriebenen Profilen aus Fläche 2 befindet sich im Nordabschnitt des Profils zwischen den Schichten B und C (Befund 3) ein graues Sandband. Die Schichtenfolge im südlichen Profilteil entspricht der bekannten Abfolge, wobei sich die Lehmflecken aus der Schichtmitte von Schicht C bis zur Schichtbasis fortsetzen.

Profil H – Q 21, Q 206, Westprofil; Q 332, Ostprofil (Beil. 4)
In Quadrat 206 sind die Schichten B und C in ihrem Erosionsbereich angeschnitten und liegen unter gepresstem, grauem Sand. Die Trennschicht, Befund 3, besteht, wenn sie in der Profilmitte auch deutlich sandig ausgeprägt ist, dennoch in ihrer Substanz aus Seekreide. Die Schichtenfolge von Befund 1 bis 5.3 ist, parallel zu Profil G im südlichsten Quadrat des Profils, in bekannter Ausprägung vorhanden. Befund 5 ist durch zwei Bänder lehmigen, braunen Sediments gegliedert. Eine klare Ansprache des Befundes 5.2 kann nicht zweifelsfrei vorgenommen werden. In Q 206 im nördlichen Bereich ziehen die beiden braunen Bänder des Befundes 5 an dem im Profil geschnittenen P206-6 deutlich hoch, so dass an dieser Stelle mit einer Sedimentsetzung gerechnet werden muss. Vergleichbare Setzungserscheinungen der Sedimente sind im nördlichen Siedlungsareal an den gelochten Pfählen der ersten Bauphase zu beobachten.

Profil I – Q 20, Q 22, Q 26, Westprofil
In Profil I (Beil. 4) sind die flächigen Erosionsbereiche der Schichten C und B erfasst, nur am südlichen Rand des Profils sind sie von der Seekreide des Befundes 1 überdeckt. Die Detrituslagen der Schichten B und C sind gering mächtig ausgeprägt, nach Norden nimmt die Schichtstärke von Schicht B zu. Am Westprofil von Q 26 konnte das Profil durch eine Bohrung bis auf sandige, lehmig braune Sedimente, vermutlich Befund 8, verlängert werden. Die darüber liegende Seekreide ist von mehreren sandigen, lehmig braunen Sedimentstreifen durchzogen. Inwiefern Schicht C sich unter diesen Schichten befindet, ist unklar.

Profil J – Q 17, 23-25, 27, Westprofil (Beil. 4)
Das längste der Ost- bzw. Westprofile aus Fläche 2 schneidet von Norden nach Süden die gesamte Stratigraphie von Bodman-Schachen I. Die Schichten B und C sind in ihrem zentralen Erhaltungsbereich angeschnitten, insbesondere Schicht B liegt hier außerordentlich gut ausgeprägt vor. Schicht A wurde randlich erfasst. Das Profil beinhaltet in seinen nördlichen Quadraten mit Resten von Schicht B im Wesentlichen die Befundfolge von Befund 5.1 bis 8. Die weißgraue Seekreide des Befundes 5 ist unstrukturiert und stellenweise mit Molluskenanhäufungen durchsetzt. Befund 5.2 ist als seekreidehaltiges, braunes, sandiges Lehmband vorhanden, an dessen Oberkante sich graue Sandlinsen befinden. Die liegende Seekreide (Befund 7) ist von sandig-lehmigen Bändern durchzogen und liegt einer kompakten, sandgebänderten, lehmig braunen Sedimentserie (Befund 8) auf, die von wenigen dünnen Seekreideschichten durchzogen wird. Zwischen den Befunden 5.3 und 7 liegt ein lehmiges, etwas sandiges, braunes Sediment, in welches Steinchen, Rinden und Holzkohlen eingelagert sind. Vereinzelt finden sich Rundhölzer von ca. 10 cm Durchmesser in dieser Ablagerung. Aufgrund der eingelagerten

Kulturschichtzeiger und der stratigraphischen Position der braunen Lehmschicht kann sie zweifelsfrei als Ausläufer von Schicht A identifiziert werden. Weiter nach Süden sind sukzessive die Erosionskanten der Schichten B und C, die in bekannter Weise nach unten ziehen, im Profil angeschnitten. Schicht C gewinnt nach Süden hin an Mächtigkeit, während Schicht B geringfügig an Schichtstärke abnimmt. Im südlichen Profilbereich fehlt in Schicht B strukturierter Detritus; hier liegen bei einer Schichtstärke zwischen 2 und 5 cm nur noch Feindetritusanteile in einer Matrix aus braungrauer Seekreide vor, durchsetzt von Zweigen, Rinden und etwas verkohltem Getreide. In der Profilmitte ist Schicht B bis zu 10 cm mächtig und als Detritusband mit verbraunter Oberkante ausgeprägt. Die Oberkante von Schicht B wird in ihrem Erosionsbereich von weißem, gepresstem Sand überlagert, in welchen Haselnussschalenfragmente, Späne und L-Hölzer eingelagert sind. Das Sandband geht weiter südlich am Profil über sandige Seekreide in die Seekreide des Befundes 3 mit Einschlüssen von verrollter Keramik, Rindenstückchen und Holzkohlen über. Die Oberkante von Schicht B (Befund 4.0) besteht aus Seekreide, die durch organische Bestandteile braungrau gefärbt ist. In diese Seekreide sind Späne und dünnes Astholz eingelagert. Darunter folgt gut strukturierter, „faseriger" Detritus (Befund 4.1) mit Spänen und Ästchen. Die Unterkante der mittleren Kulturschicht (Befund 4.3) markiert ein braunes, molluskenhaltiges Seekreideband. Holzspäne sind bis in die liegende Seekreide des Befundes 5.1 vorhanden. In diese graue Seekreide eingebettet liegt das lehmige, braune Band von Befund 5.2, an dessen Oberkante sich Sandlinsen befinden. Schicht C entwickelt sich im Südabschnitt des Profils zu seiner vollen Differenziertheit.[93] An der Schichtbasis von Schicht C liegen hier unter Rindenbahnen parallel orientierte Zweige und Äste, die an ihrer Oberfläche angewittert sind. Darunter folgt eine braungraue, schmierige, stellenweise weißgraue Seekreide (Befund 3) mit Molluskenflittern und Rinden.

Im südlichen Profilabschnitt tauchen die lehmigen Sedimente des Befundes 8 mindestens 1,5 m unter die dokumentierte Profilunterkante ab, so dass mit Hilfe des PVC-Bohrers die Ablagerungen des Befundes 8 nicht mehr erreicht werden konnten. An seine Stelle tritt ungebänderte, weiße Seekreide (Befund 7).

Profil K – Q 13, Westprofil
Profil K (Beil. 4) beinhaltet im Erosionsbereich der oberen Kulturschicht die Standardabfolge von Schicht C bis Befund 5.3. Beide Kulturschichten sind als Detritusbänder ausgeprägt.

Profil L – Q 11, Q 16, Q 18, Westprofil; Q 28, Ostprofil
Profil L (Beil. 4) weist zwischen den Quadraten 11 und 28 eine 1 m breite Lücke auf. Das fehlende Ostprofil in Q 29 konnte aufgrund einsetzender Wassertrübung und der tiefen Lage des Profils nicht mehr dokumentiert werden. Für die Befundkorrelation ergeben sich daraus jedoch keine Probleme. Die Schichtenfolge reicht von Befund 1 bis Befund 8 und beinhaltet damit die komplette Stratigraphie von Bodman-Schachen I. Das Schichtpaket zieht insgesamt südwärts nach unten. Die Schichten B und C erreichen nicht die Mächtigkeit wie im 2 m weiter westlich gelegenen Profil J. Die Abnahme der Schichtmächtigkeiten weist auf die siedlungsrandlichere Lage des Profils hin. An seinem Nordende ist zwischen den Befunden 5 und 7 die schwach ausgeprägte, randlich erfasste Brandschicht, Schicht A, eingelagert. Sie besteht in ihrer Substanz aus braunem, lehmigem Sediment, an dessen Oberkante eine Sandschicht liegt. In der lehmigen Schichtmatrix sind vereinzelt Holzkohlen und ein ca. 10 cm dickes L-Holz eingelagert.[94] In der darüber liegenden Seekreide, Befund 5, befindet sich eine braun gefärbte, lehmige Schicht (Befund 5.2), deren Konsistenz mit der Schichtmatrix von Schicht A weit gehend identisch ist. Unter Schicht A folgt weißbraune, lehmige und sandgebänderte Seekreide (Befund 7), die auch im Bereich des südlichsten Profilmeters ca. 50 cm unter der Profilunterkante auf sandigen, braunen, lehmigen Sedimenten (Befund 8) aufliegt. In der Ausprägung des Liegenden weicht dadurch Profil L vom 2 m weiter westlich gelegenen Profil J entscheidend ab. In diesem Bereich dürfte Befund 8 seewärts stark nach unten abtauchen. Die Schichten B und C sind im Profilzentrum in ihren Erosionskanten angeschnitten und südlich von diesem von der hangenden Seekreide des Befundes 1 überlagert. In Befund 1 sind im südlichen Profilabschnitt drei bis vier braun gefärbte Seekreidebänder eingelagert.[95] Die beiden Detritusbänder der Schichten B und C erreichen 5 bzw. 15 bis 20 cm Schichtstärke. Schicht B keilt am Südrand des Profils aus und markiert die dortige Grenze der Schichtausdehnung.

---

93 Vgl. ebd.
94 Eventuell identisch mit dem L-Holz aus Schicht A in Q17, Profil J.
95 Vgl. Profil 13 und 14 in Kap. 3.2.4.1 zu den entsprechenden Profilen.

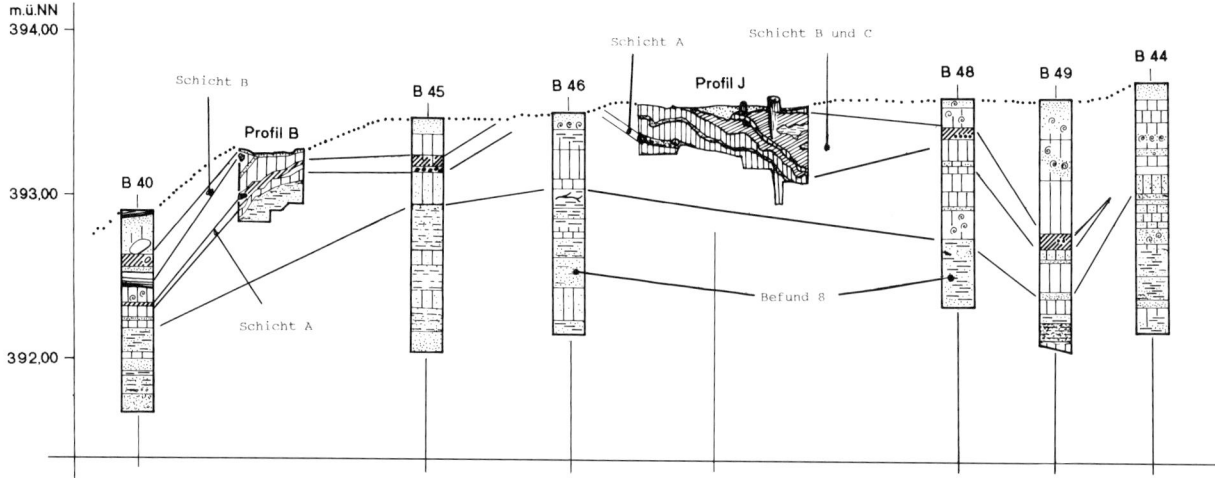

Abb. 37: Nordsüdlich orientiertes Bohrprofil auf der x-Koordinate 646 von y = 522 bis y = 494. Im zweifach überhöhten Profil integriert sind die Profile J und B aus den Flächen 1 und 2. Gut erkennbar ist die im nördlichen Profilabschnitt stärker eingreifende Erosion. Im südlichen Teil sind die Schichten B und C in einer Mulde besser erhalten geblieben (zur Lage des Bohrprofils s. Abb. 9 u. 30, Signaturen s. Beil. 1). Die Höhenangaben beruhen auf dem bis 1985 gültigen alten Höhensystem des Landes (0 m am Pegel Konstanz ≙ 391,776 m. ü. NN).

Profil M – Q 10, Q 12, Westprofil
Die Schichtverhältnisse im seewärtigsten Profil von Fläche 2 (Beil. 4) sind unklar, da das Profil im Bereich einer Störung liegt. Die vorhandene Schichtenfolge von Befund 2 bis 5.3 kann mit den übrigen Profilen nur in groben Zügen korreliert werden. Die Schichten B und C laufen am Südrand des Profils aus.

3.3 Schichtaufbau und Interpretation

3.3.1 Vorbemerkung

Die Interpretation der Schichtenfolge von Bodman-Schachen I gründet sich auf die optische Ansprache der Sedimente vor Ort unter Wasser und die makroskopisch durchgeführte Analyse von Sedimentproben an Land. Weiterhin wird auf die vorliegenden Ergebnisse sedimentologischer Untersuchungen aus Ufersiedlungen des Bodensees zurückgegriffen, sofern vergleichbare Schichtverhältnisse vorliegen.[96] Wichtige Argumentationshilfen[97] beinhalten gleichermaßen die bereits abgeschlossenen Makrorestanalysen[98] und die in Vorberichten vorliegende pollenanalytische[99] Untersuchung der Kulturschichten von Bodman-Schachen I. Auf den generellen morphologischen Aufbau des Bodensees wird im Folgenden nicht näher eingegangen, da hierzu, entsprechend dem heutigen Forschungsstand, schon ausführlich berichtet wurde.[100] Es werden nur die Charakteristika des Schachenhorns in geologischer und morphologischer Hinsicht diskutiert, die von der üblichen Sedimentation abweichen.

3.3.2 Interpretation der Profile

Die Stratigraphie von Bodman-Schachen I weicht im gesamten Siedlungsareal nur unwesentlich vom Idealprofil ab. Ausgenommen ist die Schichtenfolge in Profil 1 an der nördlichen Peripherie des Pfahlfeldes. Sie kann nicht mit der Standardschichtabfolge korreliert werden. Grund für diese Diskordanz sind mit großer Wahrscheinlichkeit die Ablagerungsbedingungen am äußersten Siedlungsrand, an welchem mit Verspülungen und Umlagerungen der Sedimente durch den See gerechnet werden muss. Von einer primären Ablagerung der Schichten kann in diesem Areal daher nicht mehr ausgegangen werden. Vom seewärtigen Siedlungsrand ausgehend ist die Schichtenfolge erosionsbedingt in landwärtiger Richtung bis auf die liegenden Lehme des Befundes 8 reduziert. Die gesamte Schichtenfolge fällt entsprechend dem heute üblichen Winkel der Uferbank seewärts kontinuierlich nach unten ab. An eine sekundäre Schrägstellung der Schichten ist nur in geringem Umfang am Nordostrand des Pfahlfeldes zu denken, da dort einige Pfähle leicht seewärts verkippt sind (Beil. 3, Profil 2 und C). Schicht A ist im Nordostteil der Siedlung trotz der dort verstärkt

---

96 Dazu Schlichtherle, Prähistorische Ufersiedlungen 22ff. Erste Ergebnisse sedimentologischer Untersuchungen für das westliche Bodenseegebiet s. Ostendorp, Allensbach-Strandbad 75ff.
97 Schlichtherle, Hornstaad-Hörnle 41.
98 Frank, Makroreste.
99 Liese-Kleiber, Pollenanalyse 200ff.; dies., Getreidepollen (Anm. 81) 54ff.
100 Schlichtherle, Prähistorische Ufersiedlungen 22ff. mit der wesentlichen Literatur zum Thema.

erosiv wirkenden Nordoststürme in gutem Zustand erhalten geblieben, während sie im erosionsgeschützteren Südteil des Pfahlfeldes ausläuft (Beil. 4, Profil L). Die generell tiefere Lage und die Überdeckung durch fluviatile Lehme dürften für die Erhaltung der unteren Kulturschicht im Nordteil des Pfahlfeldes verantwortlich sein. Ihr Ausbleiben im der Flächenerosion weniger ausgesetzten südlichen Siedlungsareal ist hingegen nur unter der Annahme verständlich, dass sie hier primär kaum abgelagert wurde. Somit ist zu vermuten, dass sich der südliche Sedimentationsbereich in siedlungsrandlicher Lage befindet. Umgekehrt sind die stratigraphisch darüber abgelagerten Schichten B und C im nördlichen Sedimentationsbereich lessivierter, im südlichen Pfahlfeldbereich dagegen sind sie im Schutz der erosionsresistenten fluviatilen Lehme des Befundes 8 in einer Sedimentfalle gut erhalten geblieben (Abb. 37). Der Standardschichtfolge liegt ein lehmig-braunes Sediment mit wechselnder Seekreide- und Sandbänderung zugrunde. Seine Mächtigkeit ist unklar, da mit dem PVC-Bohrer in das zähe Sediment nur wenige Dezimeter eingedrungen werden konnte. Derartige lehmige Sedimente als autochthone, rein limnische Ablagerungen in Verbindung mit abgespülten anstehenden Sedimenten sind ohne fluviatile Einflüsse am Schachenhorn auszuschließen. Es dürfte sich vielmehr substanziell um fluviatile Sedimente handeln, die die Nähe einer Bachmündung anzeigen (Abb. 5). Die Seekreide- und Sandbänderung des Lehms dürfte auf die ständige Verlagerung der Mündung des Flüsschens im Bereich des bronzezeitlichen Pfahlfeldes zurückzuführen sein. Der Entfernung der Bachmündung zum Siedlungsareal entsprechend dürften die limnischen und fluviatilen Anteile im liegenden Lehm schwanken.[101] Zusätzlich ist aufgrund der jahreszeitlich bedingt unterschiedlichen Wasserstände mit land-seewärtigen Verschiebungen der Ablagerungszone glazialer Sedimente zu rechnen. Der Sedimentwechsel in Befund 8 ist in Abhängigkeit von diesen beiden Faktoren zu sehen. Die fluviatilen Sedimente beschränken sich auf den nördlichen und zentralen Pfahlfeldbereich. Im Südteil wurden lediglich braun gefärbte Bänder innerhalb der Seekreide des Befundes 7 abgelagert. Noch vor der Ablagerung anthropogen beeinflusster Sedimente im Zuge der ersten Siedlungstätigkeit am Schachenhorn muss eine Verschiebung der Bachmündung nach Norden außerhalb des bronzezeitlichen Pfahlfeldes oder in den südlichen Abschnitt der Bodmaner Bucht erfolgt sein, da reine Seekreideablagerungen die Flusslehme im Pfahlfeld überdecken. Ohne sedimentologische Untersuchungen ist jedoch nicht zweifelsfrei zu entscheiden, ob zwischen den fluviatilen Ablagerungen an der Profilbasis und der hangenden Seekreide eine Unterbrechung der Sedimentation[102] stattgefunden hat oder ob eine erosionsbedingte Schichtlücke vorliegt.[103] Die liegende Seekreide (Befund 7) erreicht im Norden und Osten des Kulturschicht führenden Areals eine Mächtigkeit um 10 cm,[104] im südlichen, nicht erodierten Bereich ist sie mindestens 80 cm mächtig. Ihr Zustandekommen kann aus der makroskopischen Schichtansprache nicht mit Sicherheit erschlossen werden. Aufgrund der fehlenden Laminierung der Seekreide in den untersuchten Flächen muss mit Umlagerungs- und Anspülungsprozessen gerechnet werden.[105] Dies trifft insbesondere auf die exponierten Siedlungsbereiche im Nordosten zu, wo, verursacht durch Nordoststürme, vor allem bei Niedrigwasser verstärkt mit Umlagerungsprozessen durch Wellenschlag zu rechnen ist. Demgegenüber sind am Südrand des Pfahlfeldes, im Schutze der erosionsresistenten Flusslehme, ruhigere Sedimentationsbedingungen zu erwarten. Hier sind eher primär abgelagerte Seekreiden anzutreffen. An der Oberkante von Befund 7 markiert ein teilweise 2 cm mächtiges Sandband das vorübergehende Ende der Seekreidesedimentation. Allerdings ist nicht mit Sicherheit zu entscheiden, ob die Sandablagerungen, die die Uferbank zu Beginn der ersten Besiedlung von Bodman-Schachen I markieren, limnischen Ursprungs sind oder die direkte Nähe einer Flussmündung anzeigen. Die begrenzte Ausdehnung der Sandschicht im Nord- und Ostteil der Ufersiedlung spricht für die Letztere der beiden Möglichkeiten. Ein winterlicher Niedrigwasserstand würde genügen, um diese gröberen Fraktionen durch fluviatilen Transport weiter in den See hinein bis in diesen Bereich zu verfrachten. Direkt auf die Seekreide des Befundes 7 folgt im Südteil der Ufersiedlung ein lehmig braunes Sediment fluviatilen Ursprungs (s. o.) mit nur geringfü-

---

101 Für die Nähe einer Bachmündung sprechen Ablagerungen gröberer Sedimentfraktionen; an mündungsperipherer Situation ist mit feinkörnigeren Sedimentfraktionen zu rechnen.
102 In diesem Falle wäre eine Wasserstandsänderung als Ursache wahrscheinlich. Vgl. dazu Ostendorp, Allensbach-Strandbad 85ff. Die Argumente aus quantitativ durchgeführten sedimentologischen Untersuchungen stützen die Ergebnisse der Pollen- und Großrestanalyse und der makrozoologischen Untersuchungen.
103 Zur Interpretation von Schichtlücken und ihren Ursachen s. ebd. 85f.
104 Nur im äußersten Nordosten von Fläche 1 im Ostprofil von Q41, Profil C, liegt der Befund 8 mehr als 10 cm unter Befund 6, so dass hier durch den nach unten abziehenden Flusslehm etwas mächtigere Seekreideablagerungen möglich wurden.
105 Dazu detailliert Ostendorp, Allensbach-Strandbad 86.

gigen Seekreideanteilen. Aufgrund der stratigraphischen Position der Schicht und der darin enthaltenen verrollten Holzkohlen ist anzunehmen, dass es sich um Ausläufer der unteren Kulturschicht handelt. Fläche 2 befindet sich demnach zu Beginn der ersten Besiedlung – im Gegensatz zur Fläche 1 – im Bereich von Flussschwebablagerungen. Sie muss damit von der Flussmündung weiter entfernt gewesen sein als Fläche I am nördlichen Siedlungsrand, wo Sande zur Ablagerung kamen. Stellenweise sind in Fläche 1 in Schicht A an der Schichtbasis Detritusflecken von geringer Mächtigkeit und Haselnussschalenfragmente im Sand eingelagert. Die geringe Mächtigkeit der pflanzlichen Ablagerung spricht für eine nur kurz andauernde Siedlungsaktivität, bevor eine Brandkatastrophe zumindest große Teile der Ufersiedlung zerstörte. Das Brandereignis schlägt sich als kompakte Holzkohleschicht über dem Detritus im gesamten Bereich der Schichtausdehnung mit stellenweise massiven Konzentrationen von verkohltem Getreide nieder (Beil. 3). Die Matrix dieser Brandschicht besteht aus kaum detritushaltigem,[106] braunem Lehm, dessen Konsistenz mit den fluviatilen Sedimenten an der Profilbasis (Befund 8) identisch ist. Nach oben hin, zur hangenden Seekreide des Befundes 5, schließt Schicht A mit braunem Flusslehm ab, der nur noch geringfügig anthropogenen Einfluss in Form von verrollten Holzkohlen und L-Hölzern aufweist. Der unverrollte Zustand der Holzkohlen in der Brandschicht von Schicht A und ihre kompakte Ablagerung sprechen gegen eine Wasserbedeckung zur Zeit der Brandkatastrophe und gegen übergreifende nachbesiedlungszeitliche Umlagerungsprozesse. Im Falle der Wasserbedeckung würden Holzkohlen und Hölzer zunächst schwimmen und erst nachdem sie mit Wasser vollgesogen sind absinken. Die Sortierung der Schichtbestandteile nach Dichte und Gewicht wäre zu erwarten, was offenkundig nicht der Fall ist.[107] Aufgrund der ausgezeichneten Erhaltung der Makroreste[108] muss andererseits zumindest bodenfeuchtes Milieu angenommen werden. Für eine nicht unerhebliche Wasserbedeckung im Zeitraum nach der Brandkatastrophe sprechen Flussschwebablagerungen, die Schicht A durchdringen und nach oben hin abdecken. Die Kulturschichtelemente der Brandschicht müssen also in bodenfeuchtem Milieu abgelagert worden sein und dürften, vollgesogen mit Wasser, zum Zeitpunkt der Überdeckung und Durchdringung von fluviatilen Sedimenten keine Schwimmfähigkeit mehr besessen haben. Der Wechsel von wasserbedeckter und wasserfreier Sedimentation ist durch die jahreszeitlich bedingten Pegelschwankungen des Bodensees erklärbar. Die Brandschicht wurde demzufolge wohl bei winterlichen Niedrigwasserständen in bodenfeuchtem Milieu abgelagert und während der sommerlichen Hochwasser durch fluviatile Sedimente überdeckt und so konserviert. Die Überdeckung durch fluviatile Lehme kann auch ursprünglich nicht allzu mächtig gewesen sein, weil ansonsten die vollständigen Gefäße, die den Brandschutt überragten, an diesen Gefäßpartien kaum kalkversintert wären. Die ausschließlich im Herbst bzw. Winter gefällten und in nassem Zustand bearbeiteten Pfähle der untersten Kulturschicht lassen den Aufbau des Dorfes im Winter/Frühjahr vermuten. Die gering mächtigen, gut erhaltenen Detritusablagerungen an der Basis von Schicht A und die darauf bruchlos abgelagerte Brandschicht weisen darauf hin, dass die Brandkatastrophe kurze Zeit nach der Dorferrichtung erfolgte, wahrscheinlich im darauf folgenden Winter oder ein Jahr danach. Die Lage der Ufersiedlung von Bodman-Schachen IA ist im angeschnittenen Bereich aufgrund der Befunde, der guten Erhaltung organischer Substanz und der in Schicht A häufig vorkommenden submersen Wasserpflanzen,[109] Schnecken- und Muschelschalen süßwasserbewohnender Arten im Grenzbereich zwischen Eu- und Sublitoral zu rekonstruieren.[110] Die Schichtenfolge von Schicht A wird stellenweise von der hangenden Seekreide des Befundes 5 durch Sandeinlagerungen wahrscheinlich fluviatilen Ursprungs getrennt. Die darüber abgelagerte graue, siltige und sandige Seekreide (Befund 5) erreicht in Fläche 1 entsprechend ihrer exponierten Lage eine Mächtigkeit von etwa 20 cm. In Fläche 2 liegen im erosionsgeschützteren Teil des Pfahlfeldes Schichtstärken um 50 cm vor. Der Seekreideaufbau (Befund 5) weist keine Laminierung auf, so dass die Ablagerungsbedingungen und die damit eng verknüpfte Frage der Wasserstände nicht weiter geklärt werden können.[111] Im gesamten Schicht führenden Bereich der Ufersiedlungen von Bodman-Schachen I wird Befund 5 durch ein braunes, lehmiges Band (Befund 5.2) unterteilt. An dessen Ober- und Unter-

---

106 Makroskopisch sind nur wenige pflanzliche Fasern zu erkennen, deren Herkunft aus der teilweise dichten Durchwurzelung durch Schilfrhizome nicht ausgeschlossen werden kann.
107 Vgl. Kap. 3.4.2 zum Flächenbefund von Schicht A in Fläche 1.
108 Frank, Makroreste 195.
109 Ebd. 195 ff.
110 Zu ähnlichen Schlussfolgerungen gelangt Frank in Verbindung mit botanischen, archäologischen und zoologischen Argumenten. Vgl. ebd.
111 Vgl. ebd. 198. Limnische Ablagerungen in allen Kulturschichten in ihrem seewärtigen Bereich führen Frank zu dem Schluss, dass ein nachbesiedlungszeitlicher Wasserhochstand nicht zwingend angenommen werden muss.

kante sind Mittel- und Feinsande abgelagert. Die Sedimentation des lehmigen Sediments ist auf eine erneute, der geringen Mächtigkeit der Ablagerung nach zu urteilen, eher kurzfristige Verlagerung der Flussmündung in den nördlichen Bereich der Bodmaner Bucht zurückzuführen. Die Verbreitung dieses Flusslehms im gesamten Schicht führenden Abschnitt von Bodman-Schachen I an gleicher stratigraphischer Position in der Seekreide zwischen der unteren und mittleren Kulturschicht ist ein wichtiger Hinweise zur Korrelation der Schichtenfolge von Fläche 1 und 2.

Die Sande an der Ober- und Unterkante der Schicht weisen nicht unbedingt auf Schichtlücken hin, sondern können analog den Sanden an der Oberkante von Schicht A ebenso als fluviatile Ablagerungen gedacht werden. Im Südteil von Fläche 2 sind in Befund 5 abweichend anstelle der Einen zwei braune Bänder eingelagert. Das untere Lehmband ist aufgrund seiner stratigraphischen Position vermutlich mit Schicht A zu korrelieren. Dem Standardprofil folgend müsste mit der oberen braunen lehmigen Schicht Befund 5.2 vorliegen. Die Seekreide des Befundes 5 wird nach oben hin stellenweise von Sandflecken abgeschlossen und gleicht damit dem Erscheinungsbild der Oberkante von Befund 7. Auch hier ist kaum zu entscheiden, ob die Sande limnischen oder fluviatilen Ursprungs sind. In Fläche 2 liegt Schicht B als eine gut differenzierte, bis zu 10 cm mächtige Kulturschicht vor, deren maßgebliche Ausprägung durch unzersetzte pflanzliche Fasern, Zweige und Rinden bestimmt wird, die im Allgemeinen als Detritus[112] oder Fumier lacustre[113] bezeichnet werden. Die Basis von Schicht B besteht aus Rindenbahnen, reisigartigem Gezweig und Haselnussschalenfragmenten. Die größeren Bestandteile, vor allem die Ästchen, weisen Verwitterungsspuren auf und erinnern stark an die Zusammensetzung von Ablagerungen, wie sie am rezenten Bodenseeufer anzutreffen sind.[114] Die Schichtmatrix der Schichtunterkante ist sandig und besteht aus leicht seekreidehaltigem, zersetztem Detritus, der nur wenig strukturiert ist. Die Seekreide ist im Übergangsbereich zum Detritus, Befund 4, braun gefärbt. Die Siedlung wurde der Schichtbasis von Schicht B zufolge auf der Strandplatte im Uferbereich errichtet. Der darüber liegende Detritus mit maximalen Mächtigkeiten von 8 bis 10 cm ist unzersetzt und nicht oxidiert, die hellbraune Färbung der Schicht dunkelt erst unter Sauerstoffzutritt nach. Ihre Konsistenz des Detritus ist wenig dicht, außerdem ist im Unterschied zu Detritusablagerungen in jung- und endneolithischen Ufersiedlungen des westlichen Bodenseegebietes keine Schichtpressung zu erkennen.[115] Eine mächtige, lang andauernde Sedimentbedeckung durch Seekreideablagerungen ist aus diesem Grunde hier eher auszuschließen. Der daraus abzuleitende allgemeine Sedimentationsstillstand im Bereich der Strandplatte während und nach der Frühbronzezeit und damit der fehlende Abrasionsschutz durch hangende Schichten tragen zu Klärung der Tatsache bei, dass frühbronzezeitliche Kulturschichten am Bodensee selten, meist nur unter besonderen Umständen erhalten geblieben sind.[116] Ähnliche Sedimentationsbedingungen können wahrscheinlich für schnurkeramische[117] und spätbronzezeitliche Siedlungsablagerungen vorausgesetzt werden.[118] Schicht B schließt nach oben hin mit einer verbraunten Zone ab, die aus Detritusanteilen und Seekreide besteht. Die Braunfärbung im Kontaktbereich der Schichten dürfte durch aufgearbeitetes Detritusmaterial verursacht worden sein, so dass also auch zwischen Schicht B und Befund 3 an eine Schichtlücke gedacht werden muss. Teile von Schicht B kamen also nur kurzfristig zur Ablagerung und wurden durch Wellenschlag wieder ausgeräumt. Dies kann während eines Sommerhochwassers vor sich gegangen sein, ein Anstieg des mittleren Mittelwasserstandes muss daraus nicht zwingend erschlossen werden. Sortierungseffekte sowie limnische Schichtkomponenten innerhalb Schicht B sind in Fläche 2 nicht erkennbar, so dass die Ablagerung der Schicht unter Wasserbedeckung ausgeschlossen werden kann. Das im Detritus enthaltene Fundmaterial ist kantenscharf und spricht ebenso wie die Befundsituation für bodenfeuchtes Sedimentationsmilieu. Aufgrund von Koprolithen in Schicht B und den korrelierbaren Dendrodaten ist es unwahrscheinlich, dass Schicht B während eines einzigen winterlichen Niedrigwasserstandes abgela-

---

112 Schlichtherle, Hornstaad-Hörnle 34 ff.
113 Vgl. A. Furger, Die Siedlungsreste der Horgener Kultur. Die neolithischen Ufersiedlungen von Twann 7 (Bern 1980) 29.
114 Vgl. ebd. 29 f. Hier als Basisfumier bezeichnet. Allerdings stimmt der Befund von Bodman-Schachen I mit der bei Furger erwähnten Fundarmut nicht überein.
115 Das hohe Maß der Schichtpressung der Detrituslagen der endneolithischen Kulturschichten von Sipplingen veranlassten Reinerth, von Torfen zu sprechen. H. Reinerth, Das Pfahldorf Sipplingen. Ergebnisse der Ausgrabungen des Bodenseegeschichtsvereins 1929/30. Schr. Ver. Gesch. Bodensee u. seiner Umgebung 59 (Lindau/Friedrichshafen 1932) 32 ff. Abb. 4.
116 Schlichtherle, Prähistorische Ufersiedlungen 31.
117 Die wenigen schnurkeramischen Kulturschichtreste des Bodensees sind stark verspült und sandig. Vgl. Köninger/Schlichtherle, Schnurkeramik 149 f.
118 Ebd.; Schlichtherle, Prähistorische Ufersiedlungen 31. – S. auch Schöbel, Hagnau und Unteruhldingen 61 ff.; J. Köninger, Tauchsondagen in den endneolithischen und frühbronzezeitlichen Ufersiedlungen von Ludwigshafen-Seehalde, Gde. Bodman-Ludwigshafen, Kreis Konstanz. Arch. Ausgr. 2001, 46.

Abb. 38: Q 332 Südprofil (Profil 15). Im Profil sind die Schichten 5.2 bis 1 erfasst. Schicht B ist am Rande seiner Ausdehnung als dünnes, braunes Band ausgeprägt (Pfeile). Lehmeinschlüsse mit darüber liegenden Geröllen im Detrituspaket Schicht C sind in der Mitte des Profils erkennbar. Die Schichten B und C sind durch ein wenige Zentimeter dickes Seekreideband voneinander getrennt.

gert wurde. Ein länger andauernder, niedrigerer mittlerer Mittelwasserstand als zur Zeit der Ablagerung von Befund 5 ist als wahrscheinlich anzunehmen. Unter dieser Voraussetzung kann von einer Unterbrechung der Seekreidesedimentation ausgegangen werden, die durch die Schichtgrenze von Befund 5 zu Schicht B markiert wird.[119] Entsprechend der Befundlage kann dies nur für Fläche 2 postuliert werden. Fläche 1 befindet sich näher am Siedlungsrand und in tiefer liegenden Bereichen von Schicht B. Sie liegt hier folglich in deutlich stärker verspültem Zustand vor.[120]

Die darüber folgende Seekreide des Befundes 3 erreicht maximal eine Mächtigkeit von 5 cm. Aufgrund ihrer klumpigen Textur ist mit großer Wahrscheinlichkeit anzunehmen, dass es sich nicht um organogen gebildete, sondern um angespülte Seekreide handelt. Aufgrund der Seekreide (Befund 3) ist von einer Unterbrechung der Siedlungsaktivitäten zwischen den Schichten B und C nicht unbedingt auszugehen.[121] Der kurze Zeitabstand zwischen den Schlagphasen der Schichten B und C, die Interpretation der Baubefunde sowie die Tatsache, dass die trennende Seekreide während eines oder weniger Ereignisse in das Siedlungsareal gelangt sein kann, sprechen gegen eine längere Unterbrechung der Siedlungstätigkeit. Kurzfristige Unterbrechungen sind dagegen nicht auszuschließen. Den Nachweis einer regelrechten Dauersiedlung würden allerdings erst kontinuierlich durchlaufende Schlagtätigkeiten zwischen den Hauptschlagphasen 1 und 2 erbringen.

Die Schichtbasis der oberen Kulturschicht, Schicht C, gleicht den Basissedimenten von Schicht B. Hinzu kommen noch des Öfteren Blattfragmente von Laubbäumen. Der seewärtige Siedlungsrand von Schicht C dürfte daher ebenso in den saisonal überschwemmten Bereich der Strandplatte gereicht haben. Schicht C ist als Detrituslage ausgeprägt, deren mittlerer Horizont von einem verbraunten, dunkleren Detritusband durchzogen wird, welches weniger strukturiert ist und einen stärker zersetzten Eindruck macht. Die dunklere Färbung weist auf Oxidationsprozesse hin, die möglicherweise ein Offenliegen der Schicht ohne Wasserbedeckung anzeigen. Wesentliche Schichtumlagerungen können jedoch nicht erfolgt sein, da Scherben aus der Schichtbasis und dem oberen Schichtdrittel anpassen und in der Fläche nur geringfügig streuen.[122] In den Detritus eingelagert sind klumpiger, graublauer Lehm und eine ganz beachtliche Anzahl meist zerplatzter Gerölle (Abb. 38). An ihnen haften Rußspuren und Krusten, wie sie an der Keramik ebenfalls zu beobachten sind. Es handelt sich wahrscheinlich um so genannte Hitzesteine.[123] Konsistenz und Ablagerung des Lehms lassen eher an Reste nicht verwendeten Lehms für Boden und Wandbestrich denken als an Teile einer Lehmlage, die in situ einer Hauskonstruktion zugerechnet werden könnte. Über dem etwas stärker zersetzten Detritusband befinden sich im Bereich der optimalen Erhaltung von Schicht C weitere Detrituslagen verschiedener Braunfärbung, denen eine lockere Konsistenz gemeinsam ist. Am Südweststrand von Fläche 2 überdeckt die Seekreide des Befundes 1 die Befundfolge der oberen Kulturschicht. An ihrer Oberkante liegen angewitterte Scherben und Steine, die wohl als Kondensat ausgespülter Schichtabschnitte aufzufassen sind. Teile von Schicht C wurden also nur kurzfristig abgelagert und – durch sommerliche Hochwasserstände oder durch einen generellen Anstieg des Mittelwasserstandes bedingt – wieder ausgeräumt. Die graue, wenig molluskenhaltige hangende Seekreide (Befund 1) ist mit braun gefärbten, sandigen Seekreiden und Sandbändern durchzogen. Die Bänderung weist auf eine wenig ruhige Sedimentation der Seekreide hin, ihre rasche, turbulente

---

119 Liese-Kleiber, Pollenanalyse 218.
120 Mündl. Mitt. H Liese-Kleiber. Die Kulturschichten sind in Fläche 1, Q 62, stark lessiviert. Zitiert bei Frank, Makroreste 195.
121 Die gleiche Ausrichtung der Häuser spricht ebenso gegen eine Siedlungsunterbrechung.
122 Dazu detailliert in Kap. 3.4.7 u. 3.4.9 zur Fundverteilung und Schichtgenese von Schicht B und C.
123 Vgl. zur Funktion der Hitzesteine Furger (Anm. 113) 194ff.; dazu D. Batchelor, The Use of Quartz and Quartzite as Cooking Stones. In: G. Bosinski (Hrsg.), Die Ausgrabungen in Gönnersdorf 1968–1976 und die Siedlungsbefunde der Grabung 1968. Der Magdalénien Fundplatz Gönnersdorf 3 (Wiesbaden 1979).

Ablagerung bei geringer Wasserüberdeckung[124] ist sehr wahrscheinlich.[125] Ein langfristiger Anstieg des Mittelwasserstandes ist demnach nicht zwingend abzuleiten. In Fläche 1 ist Schicht C randlich erfasst und dort analog Schicht B stark verspült. Hinweise auf eine vierte Kulturschicht liegen außerhalb Fläche 2 am seewärtigen Rand der Oberflächenaufnahme vor. Bei der Bergung eines größeren L-Holzes wurde dort im Profilzwickel eine durch Seekreide getrennt über Schicht C liegende, lessivierte Detritusschicht angeschnitten. Anhand des kleinen Profilausschnitts war jedoch nicht mit letzter Sicherheit zu klären, ob hier sekundär abgelagerte Reste von Schicht C vorliegen, oder ob es sich tatsächlich um eine weitere Kulturschicht handelt.

Am Ostrand von Fläche 2 sind Bauhölzer in die hangende Seekreide (Befund 1) eingelagert. Die Hölzer, die mit ihrer Unterkante in Schicht C reichen, sind vermutlich als Versturz von Baueinheiten aufzufassen. Ihre Einlagerung in die Seekreide dürfte relativ rasch im Zuge eines Seepegelanstiegs erfolgt sein,[126] der wahrscheinlich nicht von längerer Dauer gewesen ist. Die lockere Schichtkonsistenz der erhaltenen Detritusschichten schließt die Ablagerung mächtiger Sedimentserien im Hangenden eher aus.[127]

Seekreideablagerungen und Akkumulationen größerer Mächtigkeit, die aufgrund ihrer stratigraphischen Position jünger sein müssen als die Schichten B und C, befinden sich im etwas tiefer gelegenen Bereich der Flachwasserzone an der heutigen Halde. Dieser Teil der Wysse ist am Ostrand des Pfahlfeldes dem besiedlungszeitlichen Siedlungsrand ca. 15 m vorgelagert. Nachweislich wurde nachbesiedlungszeitlich nur hier Seekreide abgelagert. Der Haldenbereich vor dem zentralen Pfahlfeld wurde dadurch seewärts verschoben.

3.4 Flächenbefund

3.4.1 Vorbemerkung

Tatsächlich aussagekräftige Flächenbefunde stellen sich meist erst in größeren Grabungsflächen ein, in denen auch zusammenhängende Strukturen vollständig erfasst werden können. Die Befunde aus den nur wenige Quadratmeter großen Sondierschnitten in Bodman-Schachen I ließen diesbezüglich daher keine allzu ausgreifenden Ergebnisse erwarten. In erster Linie sind es lokale Befunde, die aufgrund ihrer geringen Ausdehnung bereits in den benachbarten Profilen kaum mehr zu erkennen sind oder in diesen, wenn überhaupt, nur peripher erfasst wurden.[128] Aus den Befunden ließen sich deshalb in erster Linie Hinweise zu Schichtgenese und Siedlungsaktivitäten durch Detailbeobachtungen am Befund, an Fund- und Befundverteilungen sowie durch die Erhaltung der Funde selbst gewinnen.

3.4.2 Schicht A in Fläche 1

Zusammenhängend wurde Schicht A ausschließlich in Fläche I im Nordteil des Pfahlfeldes angeschnitten. Der 13 m² umfassende Sondierschnitt orientiert sich entlang ihrer Erosionskante (Abb. 39). Seine Breite übersteigt, dem schmalen Streifen der Kulturschicht folgend, an keiner Stelle drei Meter. Die Schichtenfolge zieht seewärts steil nach unten und zeigt die unmittelbare Nähe der besiedlungszeitlichen Halde an,[129] ihre feinstratigraphische Abfolge bleibt dabei in der gesamten Fläche gleich.[130] So befinden sich an der Basis der unteren Kulturschicht grauer Sand, fleckenweise sandiger Detritus[131] oder lehmige verbraunte Seekreide. In jedem Falle sind Hölzchen und – seltener – Späne an der Kulturschichtbasis anzutreffen. Nur vereinzelt sind eingelagerte Holzkohlestückchen und Getreidekörner zu beobachten. In der ganzen Fläche liegt die Kulturschicht einer grauen Seekreide mit feinen braunen Bändern auf.

In der darüber liegenden dünnen Brandschicht grenzen sich die verschiedenen Brandschuttelemente in der Fläche gegenseitig aus. Graublaue Lehmflecken[132] in den landwärtigen Quadraten der Fläche I werden von dichten Lagen Holzkohle, verkohlten L-Hölzern und verkohltem, zusammengebackenem Getreide[133] seeseitig abgelöst (Abb. 40). Die Vertei-

---

124 Im Eulitoral außerhalb des Sublitorals, der Zone primärer Seekreideablagerung. Aus botanischer Sicht Frank, Makroreste 197f. Heute befindet sich die Station im Sublitoral unter ständiger Wasserbedeckung.
125 Vgl. Gegenüberstellung bei St. Jacomet, Botanische Makroreste aus den Sedimenten des neolithischen Siedlungsplatzes AKAD-Seehofstrasse am untersten Zürichsee. Die Reste der Uferpflanzen und ihre Aussagemöglichkeiten zu Vegetationsgeschichte, Schichtentstehung und Seespiegelschwankungen. Mit einem Beitrag von U. Ruoff. Zürcher Stud. Arch. (Zürich 1985) 39.
126 Vgl. Schlichtherle, Hornstaad-Hörnle 44 mit Anm. 86.
127 Vgl. dazu die Interpretation der landwärtigen Sandablagerungen in Kap. 3.4.11 zu den Befunden an der Oberfläche.
128 Vgl. Schlichtherle, Hornstaad-Hörnle 50.
129 Besonders ausgeprägt in Q41, Vq a und b, Q93, Vq b und d, und Q218.
130 Die Zusammensetzung s. Kap. 3.2.3 zu den entsprechenden Profilen.
131 Gut ausgeprägt ist der Detritus im Bereich von Q42.
132 Zum Beispiel Q32, Q42 und Q186.
133 Im Bereich Q93, Q94 deutlich Getreidehäufungen, desgl. Q63, Q64.

lung von Getreide und Holzkohle in der Fläche ist durch Häufungen charakterisiert, denen nahezu brandschichtfreie Zonen gegenüberstehen. Die Holzkohlen sind in der Mehrzahl unverrollt, einigen Stückchen haftet wie auch den Getreideklumpen Kalksinter an.[134] Letztere dürften durch diesen Kalksinter stabilisiert worden sein. Die wenige Zentimeter mächtige Brandschicht ist in braunes, lehmiges Sediment mit unterschiedlichem Seekreideanteil eingelagert. Die lehmige Matrix der Brandschicht enthält Molluskenschalen und wenige Steinchen. Die Lehmflecken der Brandschicht, die – wie an geringfügiger Braunfärbung erkennbar – schwache Spuren von Verziegelung aufweisen, befinden sich meist unter dem übrigen Brandschutt, sind teilweise aber auch von diesem unterlagert. Unverkohltes Holz fehlt in der unteren Kulturschicht mit Ausnahme weniger L-Hölzer aus der Schichtbasis, die die Brandschicht unterlagert. Die Brandschicht wird regelhaft von sterilem, braunem, lehmigem Sediment überlagert. Nur vereinzelt sind darin meist verrollte Holzkohlestückchen und verkohlte Getreidekörnchen zu finden. Der braune Lehm, wohl fluviatilen Ursprungs, ist an der seewärtigen nördlichen Peripherie in Q 34 durch ein graues Seekreideband getrennt.[135] Die Schichtenfolge wird nach oben von heller, schmierender Seekreide abgeschlossen. Im landwärtigen Bereich der Fläche sind keine Deckschichten über der unteren Kulturschicht erhalten. Hier sind Verluste der primären Befundsituation zu erwarten, möglicherweise fehlen erosionsbedingt unter anderem Brandschuttelemente über den Lehmflecken (s. u.). In Q 218 am Nordrand der Fläche keilt die Brandschicht in der Seekreide aus. Die einzelnen Brandschichtkomponenten wie verkohltes Getreide, Holzkohlen und verkohlte Hölzer sind hier ohne eigene Schichtmatrix in Seekreide eingelagert und von braunem Lehm überdeckt. Die Funde sind ebenfalls signifikant in der Fläche verteilt. Die meist vollständig erhaltenen Gefäße befinden sich im Bereich der Getreidekonzentrationen außerhalb der fundfreien Lehmbereiche (Abb. 40). Sowohl Befundverteilung als auch Fundstreuung sind damit gut strukturiert und durch sekundäre Verlagerungen im angeschnittenen Bereich wohl kaum beeinflusst.

3.4.3 Schichtgenese und Fundverteilung

Schicht A befindet sich in Fläche I an der seewärtigen Peripherie der Strandplatte dicht an der besiedlungszeitlichen Halde. Dies kommt deutlich in Q 218 zum Ausdruck, wo einzelne Brandschichtelemente in reiner Seekreide liegen. Die Einlagerung von Holzkohlen und Getreidekörnern in Seekreide deutet möglicherweise auf Umlagerungsprozesse hin. Die zunächst schwimmfähigen organischen Bestandteile und die im stehenden Wasser organogen ausgefällte Seekreide sollten primär zeitlich versetzt an den Seegrund gelangt sein.

Die Sande an der Schichtbasis der unteren Kulturschicht, die wenig weiter landwärts liegen, dürften

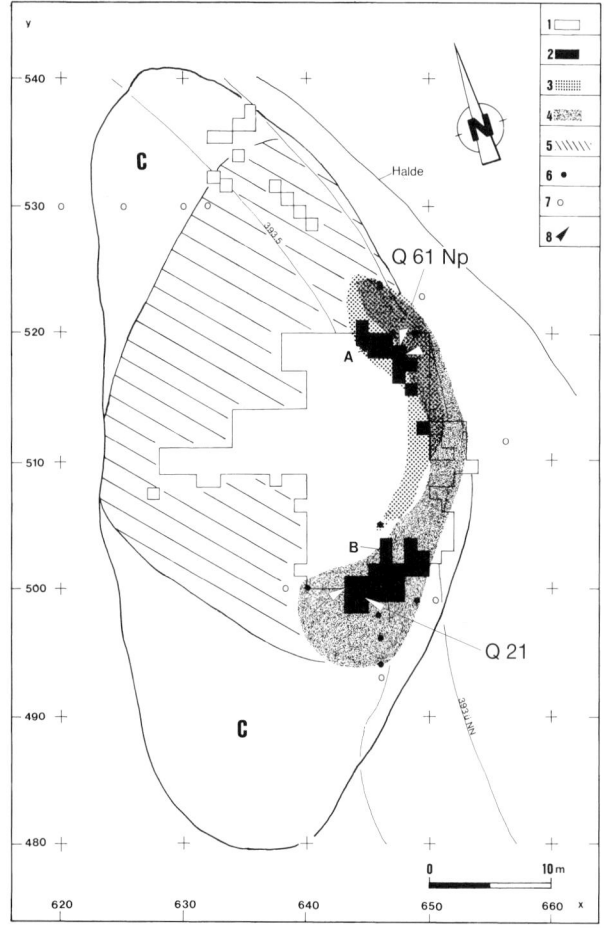

Abb. 39: Ausdehnung der Kulturschichten und des Pfahlfeldes aufgrund von gegrabenen Flächen, Oberflächenaufnahme, Bohrungen und Tauchgängen außerhalb der dokumentierten Oberfläche. Die Lage der Station zum Ufer geht aus Abbildung 9 hervor. 1 Oberflächenaufnahme. 2 Gegrabene Flächen (Fläche 1 im Norden, Fläche 2 im Süden). 3 Ausdehnung Schicht A. 4 Ausdehnung Schicht B und C. 5 Zentrales Pfahlfeld. 6 Bohrkern mit Kulturschicht. 7 Bohrkern ohne Kulturschicht. 8 Lage der Pollen- und Großrestprofile. C Nördliche und südliche Peripherie des Pfahlfeldes.

---

134 Im Gegensatz zu Frank, Makroreste 196, der die Ansicht vertritt, die Kalksinterauflage auf Holzkohlen und Getreide sei beim Kontakt mit Seekreide oder „Herdstellenmaterial" spontan entstanden. Die Kalkkrusten sprechen für eine Entstehung im Zuge der Seekreidebildung. Dieselben Kalkanhaftungen finden sich an Gefäßen, die über die Kulturschicht in die hangende Seekreide reichen.

135 Die Trennung der lehmigen Deckschicht findet sich auch im Sediment im Innern eines Gefäßes (Taf. 2,12) aus Schicht A wieder.

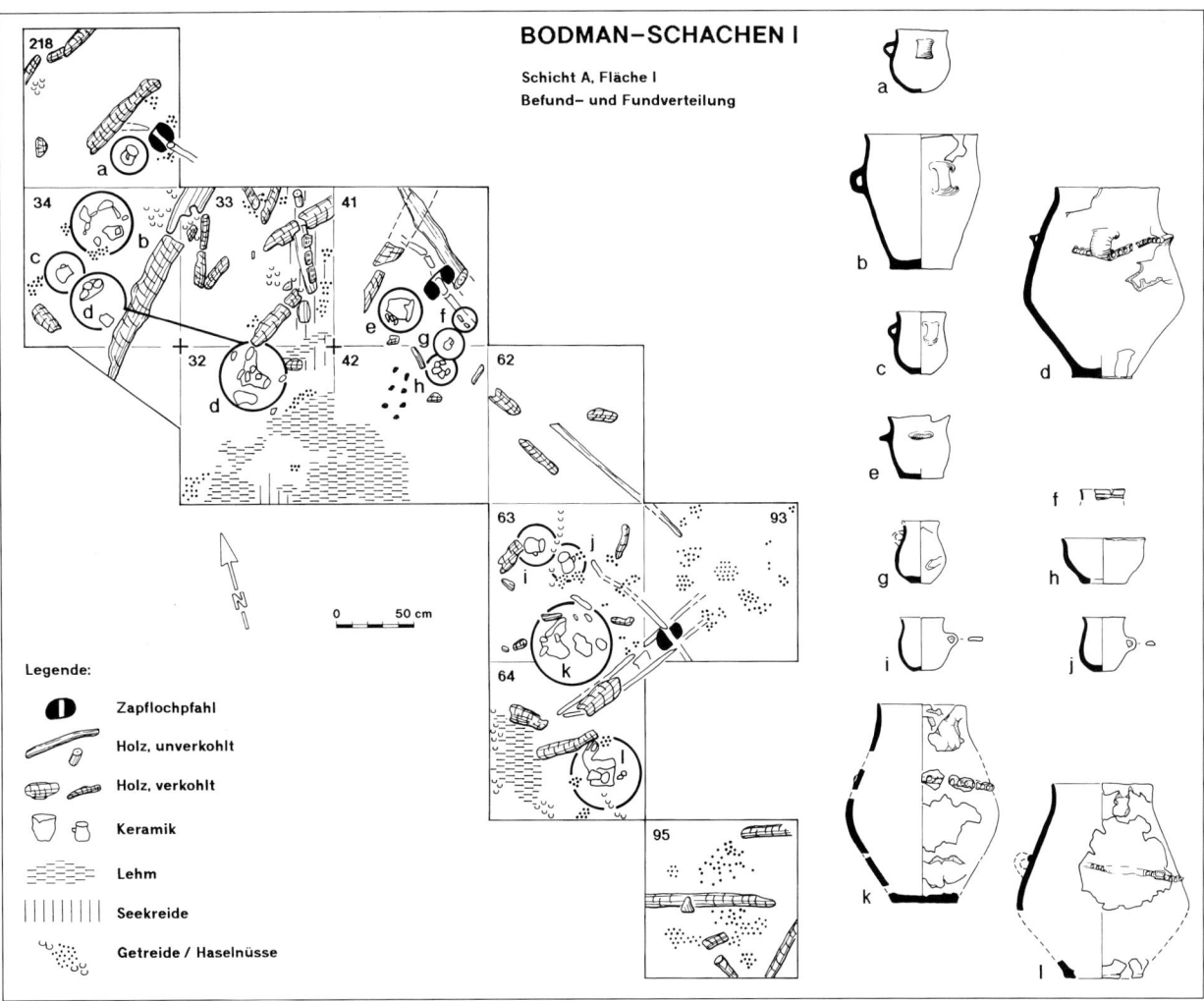

Abb. 40: Schicht A, Grundriss 1.2 in Fläche 1. Fundverteilung und Flächenbefund. Kartiert sind Lehm, Getreide, Hölzer und Keramik im gegrabenen Abschnitt des Hausbereiches. Die in diesem Bereich gefundene Keramik wird rechts in rundergänzter Form wiedergegeben.

einen besiedlungszeitlichen Uferverlauf markieren. Die unsortierte Ablagerung der darin enthaltenen Hölzchen und Späne schließt eine ständige Wasserbedeckung des Areals zur Zeit der Schichtbildung aus. Andererseits muss aufgrund von Molluskenflittern, die in der Schichtbasis eingelagert sind, davon ausgegangen werden, dass das Siedlungsareal in seinen seewärtigen Bereichen periodisch wasserbedeckt war. Die Verteilung der Brandschichtelemente innerhalb der Fläche (Abb. 40) zeugt von einer weit gehend primären Befundsituation, die nur geringfügig von Wassereinflüssen umgelagert worden sein dürfte. Am seewärtigen Rand von Fläche 1 liegen, vom Wasser unsortiert, verkohlte, dicke Eschenhölzer. Sie sind wohl als Brandversturzreste eines Hauses aufzufassen.[136] Dazwischen befinden sich Getreidehäufungen. Landwärts liegt in Flecken und teilweise flächig unverziegelter, blaugrauer Lehm. Als Teil eines ebenerdigen Bodens kann der Lehm kaum gedient haben, da er von Brandschicht über- und unterlagert wird. Er scheint aufgrund seiner nicht regelhaften stratigraphischen Position versturzartig zur Ablagerung gelangt zu sein. Die ursprüngliche oder beabsichtigte Verwendung des Lehms als Isoliermaterial in Hausböden oder -wänden, geht aus seiner mit Steinchen und Sand aufbereiteten Konsistenz hervor. Da er weit gehend unverziegelt vorliegt ist zu vermuten, dass er aus den unteren Wand- oder Bodenbereichen stammt, die bei einem Brand des Hauses weniger der Hitze ausgesetzt waren und daher eher unverziegelt blieben. Das Fehlen von verziegelten Hüttenlehmbrocken im Brandschutt, wie sie bei entsprechender Bauweise mit Lehmverputz zu erwarten wären, deutet auf eine Isolierung der Hauswände und -böden durch organische Materialien wie Moose oder Rin-

---

136 Vgl. Kap. 4.4.2 zu den Bau- und Siedlungsstrukturen der Bauphase 1.

den, die sich in einer Brandschicht in funktional erkennbarem Zustand kaum wiederfinden dürften. Der Gesamtbefund mit verkohlten und teilweise in Seekreide eingelagerten L-Hölzern, die unsortierte, in Flussschweb eingelagerte Brandschicht und unscharf begrenzte Lehme sowie seitlich oder auf dem Kopf liegende, meist vollständig erhaltene Keramikgefäße sprechen für eine abgehobene Bauweise der Häuser von Schicht A im untersuchten Ausschnitt.[137]

Fundverteilung und Befund der unteren Kulturschicht können in Fläche 1 mit Grundriss 1.2 in Verbindung gebracht werden (Abb. 40). Die Lehmverteilung der Brandschicht liegt innerhalb der gedachten Hausfläche, die durch zehn gelochte Pfähle markiert wird, während verkohlte Hölzer, verkohltes Getreide, massive Holzkohlelagen und die Keramik entlang der gedachten Außenwände an der Nordostseite streuen.[138] Die Keramik aus Fläche 1 ist demnach Teil eines aufgrund der Befundlage eher unvollständigen Hausinventars. Das Ausbleiben der übrigen Fundgattungen resultiert möglicherweise aus dem gezielten Auslesen des Brandschutts.

3.4.4 Schicht A in Fläche 2

Schicht A ist lediglich an der nördlichen Peripherie der Fläche 2 in Q 17 und Q 18 vorhanden (Abb. 39; Beil. 4, Profil J rechts). Obwohl Fläche 2 sich hier im erhaltungsgünstigeren Südostteil der Siedlung befindet, enthält die verbraunte, lehmige und sandige Seekreide lediglich vereinzelt verrollte Holzkohlen und verkohlte L-Hölzer mit Durchmessern um 10 cm. Schicht A dürfte hier im Randbereich, möglicherweise aber auch schon außerhalb der eigentlichen Siedlung angeschnitten worden sein.

3.4.5 Schicht B und C in Fläche 1

Die dünn ausgeprägten Schichten der mittleren und obere Kulturschicht sind in Fläche I in wohl siedlungsrandlicher Lage angeschnitten. Die nur wenige Zentimeter mächtigen Detritusschichten ziehen steil nach unten (Abb. 31).

Die obere Kulturschicht enthält vereinzelt leicht verrollte Holzkohlen, Ästchen und Späne in einer stark seekreidehaltigen, braunen Schichtmatrix, die einen hohen mineralischen Anteil haben dürfte. Die verrundeten Holzkohlen weisen auf den von Was-

---

137 Vgl. Kap. 3.3 zu Schichtaufbau und Interpretation.
138 Zur Fundverteilung in Hausbereichen vgl. die jungneolithischen Befunde bei B. Dieckmann, Die neolithischen Ufersiedlungen von Hornstaad-Hörnle am westlichen Bodensee. Die Grabungskampagne 1983/84. In: Becker u. a., Ufer- und Moorsiedlungen 109 Abb. 5; ein Beispiel aus einer endneolithischen Ufersiedlung s. bei U. Leuzinger, Die jungsteinzeitliche Seeufersiedlung Arbon-Bleiche 3. Befunde. Arch. Thurgau 9 (Frauenfeld 2000) 149.

Tabelle 1: Bodman-Schachen I. Anteile der Holzarten am Gesamtspektrum der Hölzer von Bodman-Schachen I getrennt nach Pfählen, liegenden Hölzern und Spänen (a) sowie getrennt nach Gattung und Schichten (b–d).

a Gattung/Holzart	Que	Fra	Ulm	Til	Fag	Cor	Ace	Bet	Aln	Sal	Pop	Var	Summen
Pfähle	315	139	–	5	23	5	6	1	228	4	8	11	745
Liegende	45	79	2	2	12	45	8	9	172	2	6	–	382
Späne	64	9	–	2	13	3	3	2	34	–	2	2	134
Summe	424	227	2	9	48	53	17	12	434	6	16	13	1261

b Bauholz/Holzart	Que	Fra	Ulm	Til	Fag	Cor	Ace	Bet	Aln	Sal	Pop	Var	Summen
Schicht A	8	23	–	–	–	6	7	–	7	1	–	–	52
Schicht B	3	4	–	–	3	–	–	–	33	–	3	–	46
Schicht C	5	–	–	–	2	–	–	–	20	–	–	–	27
Summe	16	27	–	–	3	8	7	–	60	1	3	–	125

c Äste/Holzart	Que	Fra	Ulm	Til	Fag	Cor	Ace	Bet	Aln	Sal	Pop	Var	Summen
Schicht A	–	2	–	–	–	1	–	–	–	–	–	–	3
Schicht B	–	1	–	–	1	5	1	3	8	–	–	–	19
Schicht C	3	7	1	1	2	7	3	1	7	–	–	–	32
Summe	3	10	1	1	3	13	4	4	15	–	–	–	54

d Späne/Holzart	Que	Fra	Ulm	Til	Fag	Cor	Ace	Bet	Aln	Sal	Pop	Var	Summen
Schicht A	4	1	–	–	–	–	–	–	2	–	1	–	8
Schicht B	2	5	–	–	4	1	2	2	15	–	–	–	31
Schicht C	58	3	–	2	9	2	1	–	17	–	1	2	95
Summe	64	9	–	2	13	3	3	2	34	–	2	2	134

Abb. 41: Schicht B, Fläche 2. Im Schutze von Fleckling L208-2 hat sich die zylinderstempelverzierte Scherbe Q208-14 kantenscharf erhalten. Die verspülte Schicht B hebt sich graubraun von der Seekreide ab.

ser aufgearbeiteten Charakter der mutmaßlich an der besiedlungszeitlichen Halde gelegenen Schichtreste hin. Keramikscherben, die über die obere Kulturschicht in das hangende Sediment ragen und

Abb. 42: Schicht B, Fläche 2. Fleckling L208-2, eingesunken im verspülten Bereich von Schicht B. Im Hintergrund und rechts im Bild ist im Profil unter Schicht C Schicht B als dünnes, braunes Band erkennbar (Pfeile).

dort kalkversintert und angewittert sind, zeigen eine wohl rasch erfolgte nachbesiedlungszeitliche Wasserbedeckung im nordöstlichen Pfahlfeldareal an.

Die mittlere Kulturschicht ist als fein strukturierter Detritus erhalten, der seewärts in ein verbrauntes Seekreideband übergeht. Der kantenscharfe Zustand der Keramik sowie die intakte Konsistenz von Pflanzenfasern lassen keine tief greifenden Veränderungen der Kulturschicht durch den See im nicht verbrauntenden Bereich erkennen und sprechen für primäre Ablagerungsverhältnisse.

3.4.6 Die Befundsituation von Schicht B in Fläche 2

Schicht B ist in 16 Quadratmetern als meist wenige Zentimeter dicke Ablagerung erhalten. Das sandige Detritusband am Westrand der Fläche geht nach Norden in einen faserigen Detritus geringer Dichte über. Der gut erhaltene Abschnitt der mittleren Kulturschicht setzt sich nach Norden bis zum zentralen Bereich des Pfahlfeldes fort. Die maximal 10 cm mächtige Kulturschicht ist kaum durch Holz-, Stein- und Sedimenthäufungen oder dergleichen strukturiert (Beil. 2,3). Angewitterte Äste und Zweige an der Schichtbasis könnten auf natürlichem Wege in die anthropogen zustande gekommene Schicht gelangt sein. Auffallend sind die in der gesamten Fläche an der Schichtbasis gehäuft auftretenden Späne unterschiedlicher Größen. Sie weisen auf die Holzverarbeitung vor Ort in der Siedlung hin.[139] Die Holzartenverteilung belegt die Verarbeitung von Gehölzen, die im nachgewiesenen Holzartenspektrum der Artefakte und Bauteile fehlen (Tab. 1).

Konzentrationen von Sämereien in Q20 und Q24, bei denen es sich um die Reste von Koprolithen handeln dürfte,[140] und der kantenscharfe Zustand der Keramik im zentralen Befund 4.1 der Schicht vermitteln das Bild einer primären Befundsituation. In ihren Randbereichen ist die Keramik nur ausnahmsweise kantenscharf erhalten geblieben, so in Q208 im Schutze eines Flecklings (Abb. 41–42; Beil. 2,4 li. u.).

---

139 Dazu Schlichtherle, Hornstaad-Hörnle 78 mit Anm. 108.
140 Ebd. 79 mit Anm 111.

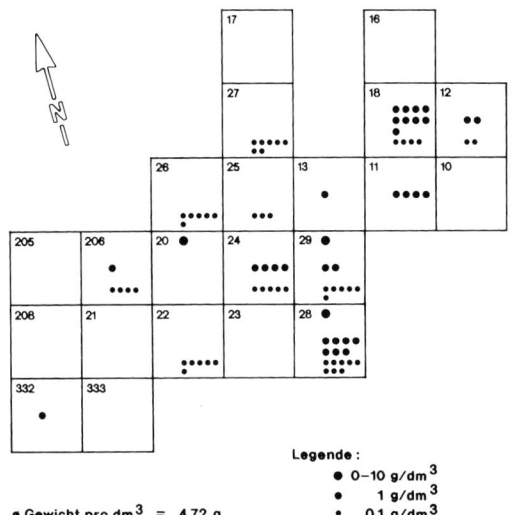

Abb. 43: Schicht B, Fläche 2. Verteilung der Tierknochenabfälle in g/dm³ Kulturschicht und Quadratmeter.

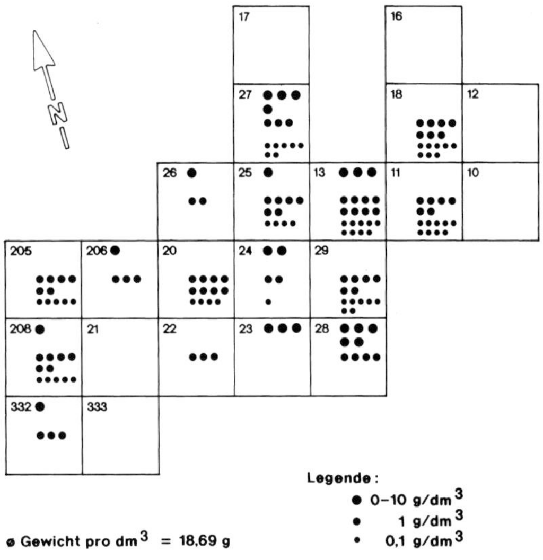

Abb. 44: Schicht B, Fläche 2. Verteilung der Keramik in g/dm³ Kulturschicht und Quadratmeter.

3.4.7 Schicht B, Fundverteilung und Schichtgenese

Knochenabfälle sind in der Fläche unregelmäßig verteilt (Abb. 43). Sie konzentrieren sich in ihrem Ost- und Südostteil, während Keramikscherben in den nördlichen und westlichen Quadraten häufiger auftreten (Abb. 44), wobei die Funde in den Fundkonzentrationen lose streuen. Im Vergleich zu Schicht C ist der Anteil an Knochenabfällen am Fundaufkommen auffallend hoch (Abb. 43; 45).

Die Ablagerung der mittleren Kulturschicht kann im Zentrum und im nördlichen Bereich von Fläche 2 aufgrund der Fundverteilung in wasserfreiem Milieu angenommen werden; Bodenfeuchtigkeit muss allerdings vorausgesetzt werden, da sich ansonsten die empfindlichen Sämereien und auch Späne nicht erhalten hätten. Unter der Voraussetzung, dass die Beeren nicht bevorratet, sondern während ihrer Reifezeit verzehrt wurden, muss zumindest kurzfristig für einen Sommer die Fläche außerhalb der Reichweite der sommerlichen Hochwasserstände gelegen haben. Die Konservierung von Koprolithen, die Anhäufung von Beerenkernen, ist jedenfalls nur so, in wasserfreiem Milieu, denkbar.[141]

3.4.8 Die Befundsituation von Schicht C in Fläche 2

Die obere Kulturschicht erreicht in Fläche 2 ihre größte Mächtigkeit. Sie gliedert sich feinstratigraphisch in faserige Detrituslagen lockerer Konsistenz im Wechsel mit verbräuntem, siltigem „Feindetritus", dessen homogene, strukturlose Zusammensetzung auf einen hohen mineralischen Anteil schließen lässt. Dazwischen eingelagert sind Lehmflecken, die an ihrem Rand in sandigen Detritus (Befund 2.2) übergehen. Die Detrituslagen (Befund 2.4), die sich unter den Lehmflecken (Befund 2.3) befinden, sind weniger gut strukturiert und dichter als der darüber liegende lockere Detritus (Befund 2.1).

3.4.9 Schicht C, Fundverteilung und Schichtgenese

In der oberen Detrituslage befinden sich Blattfragmente, Späne, Sämereien – darunter auch Koprolithen –, Stengel und Ästchen teilweise in Konzentrationen eingelagert. Wie Schicht 4.1 der mittleren Kulturschicht (B) muss auch diese Schicht im Sommer kurzfristig hochwasserfrei gewesen sein. Der Wechsel von Detrituslagen verschiedener Zusammensetzung, darunter verbräunte Abschnitte, deutet andererseits auf eine, wenn auch peripher, vom See beeinflusste Sedimentation der oberen Kulturschicht hin.[142] Die Sande am Rande der Lehmflecken wurden dagegen vielleicht aus den benachbarten Lehmen ausgewaschen. Sie müssen also nicht zwingend durch den See hierher verfrachtet worden sein. Ein geringer Anteil der Keramik aus der oberen Kulturschicht liegt in klein zerscherbtem Zustand, mit angewitterten Oberflächen und verrundeten Bruchkanten vor (Abb. 46). Die Masse der Keramik ist demgegenüber in kantenscharfem, unverolltem

---

141 Ebd. 79.
142 Vgl. Frank, Makroreste 195 ff.

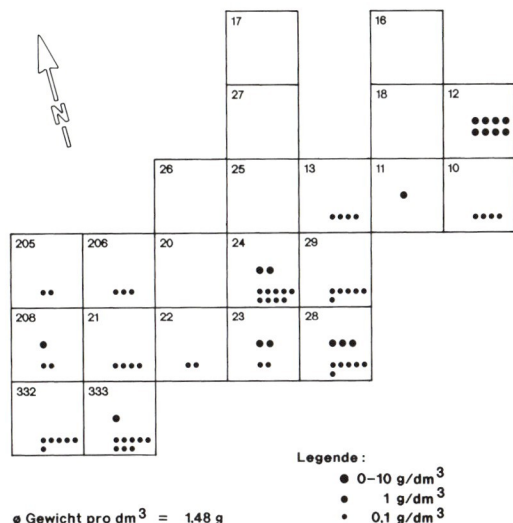

Abb. 45: Schicht C, Fläche 2. Verteilung der Tierknochenabfälle in g/dm³ Kulturschicht und Quadratmeter.

Zustand erhalten (Abb. 47; 104 oben). Von Seiten des Fundmaterials kann also eine tief greifende Aufarbeitung von Schicht C durch den See im südlichen Bereich des Pfahlfeldes ausgeschlossen werden.

Im Flächenbefund auffällig sind im Bereich von Q 22 und Q 23 liegende unverziegelte Lehme und eine hohe Konzentration von Hitzesteinen und Geröllen. Im gleichen Bereich befindet sich die größte Keramikdichte pro Schichtvolumeneinheit (Abb. 48; Beil. 2,1), während die Knochenfunde abweichende Verteilungsschwerpunkte aufweisen (Abb. 45). Im Gegensatz zu Schicht B liegt der Schwerpunkt im Fundaufkommen deutlich bei der Keramik, die, ebenso wie Hitzesteine, in erheblichen Mengen konzentriert ist. Der Befund deutet auf einen Abfallhaufen hin (Beil. 2,1).

Die Keramik aus Schicht C, die mit Ausnahme eines Topfes (Taf. 40,606) aus dieser Anhäufung in Fläche 2 stammt, repräsentiert also u.U. die in einer „Siedlungseinheit", etwa einem Haushalt, benutzte Keramik. Will man nicht voraussetzen, dass in sämtlichen „Haushalten" identische Geschirrsätze verwendet wurden, so liegt es nahe anzunehmen, dass der vorliegende Kanon an Form- und Zierelementen die in der Siedlung geläufige Ware nur ausschnittsweise wiedergibt. Anpassende Scherben finden sich quer durch das gesamte Schichtpaket (z.B. Katalog-Nr. 175; 205; 212; 219; 240; 262; 399) und bestätigen zusammen mit dem überwiegend kantenscharfen Zustand der Scherben, dass die feinstratigraphischen Einheiten von Schicht C kurzfristig abgelagert wurden.

3.4.10 Schichtausdehnung und Bohrprofile

Die Ablagerungsverhältnisse sowie die Ausdehnung der Kulturschichten wurden durch die bereits erwähnte planigraphische Dokumentation des Seegrunds im Schicht führenden Bereich in Verbindung mit einem Bohrprogramm abgeklärt. Die landwärtige Schichtausdehnung wird durch die durchgängigen Erosionskanten der Kulturschichten deutlich markiert (Abb. 30). Ihre seewärtige Ausdehnung musste durch Bohrungen abgeklärt werden. Vor allem an der Ostseite des Pfahlfeldes im Bereich der seeseitig relativ weit vorgelagerten Halde war die tatsächliche Schichtausdehnung unklar. Anhand der Bohrungen konnten Kulturschichtreste auf einer Fläche von ca. 50 m² pro Kulturschicht festgestellt werden.

Abb. 46: Schicht C, Fläche 2. Anteile erodierter Scherben am Gesamtaufkommen der Keramik je feinstratigraphischer Einheit.

Abb. 47: Schicht C, Fläche 2. Oberer Schichtbereich (Bef. 2.1) mit kantenscharf erhaltenen, ritzverzierten Scherben.

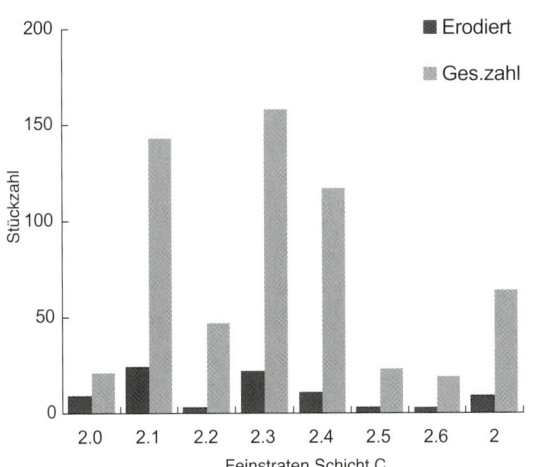

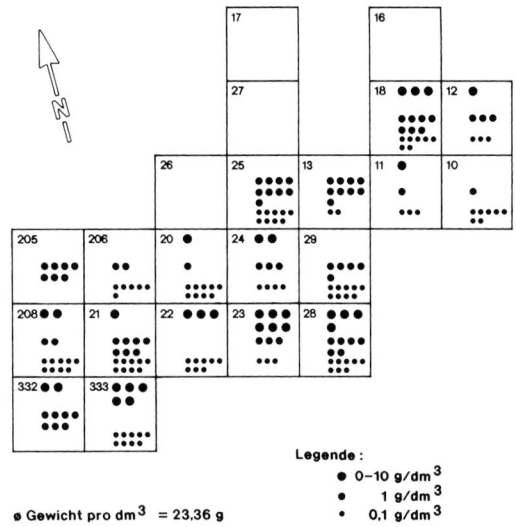

Abb. 48: Schicht C, Fläche 2. Verteilung der Keramik in g/dm³ Kulturschicht und Quadratmeter.

3.4.11 Befunde an der Oberfläche

Die systematische Dokumentation der Befunde an der Oberfläche erfolgte im Zentrum des Pfahlfeldes und erstreckt sich mit 267 m² zusammenhängender Fläche bis zu dessen seewärtigem Rand. Zwei weitere, nur wenige Quadrate umfassende Flächen sind an der nördlichen Peripherie des Siedlungsareals angelegt (Abb. 21). Die heutige Oberfläche des Seegrundes bewegt sich in diesem Bereich zwischen 2,25 m und 1,66 m ü. PK.[143]

Im aufgenommenen Areal ist der Seegrund durchweg von 5 bis 10 cm mächtigen Sandlagen bedeckt. An der Oberfläche liegt wenige Zentimeter mächtiger, braungrauer Schlicksand, gefolgt von grauen Fein- und Mittelsanden, die abschnittsweise nach unten fester und kompakter werden. Die Mächtigkeit und Ausdehnung der Sandauflage ist offenbar nicht konstant, sondern wandert und verschiebt sich wasserstandsabhängig in landseewärtiger Richtung. Bis auf einen 7 bis 8 m breiten Streifen am seewärtigen Rand des Pfahlfeldes liegt lehmig-sandiges Sediment an der Oberfläche (Abb. 30). Der Höhenunterschied des Seegrundes beträgt im landseitigen Bereich, wo lehmige Sedimente an der Oberfläche liegen, auf eine Distanz von 18 m zum See hin ca. 50 cm. Der Höhenunterschied in der seewärts anschließenden, aus organogenen Seekreiden und den darin eingelagerten Kulturschichten aufgebauten Zone beträgt hingegen auf eine Distanz von nur 7 m bereits 40 cm (Abb. 30; 31). Das hier deutlich stärkere Gefälle des Seegrundes dürfte auf die im Verhältnis zu den landwärts liegenden Lehmen weniger erosionsbeständige Konsistenz der Seekreiden und Kulturschichten zurückzuführen sein. Kulturschichtreste finden sich ausschließlich im Seekreide führenden Bereich, der die seewärtige Peripherie des Pfahlfeldes umfasst. Sie sind am Seegrund als uferparallele Sedimentstreifen sichtbar (Abb. 30) und markieren die Erosionskanten der an der Oberfläche austretenden Kulturschichten, die seewärts keilartig nach unten ziehen und auslaufen.[144]

Die landseewärtige Reihenfolge der Erosionskanten gibt die Stratigraphie von Bodman-Schachen I wieder. Der landseitige Sedimentstreifen liegt stratigraphisch unter den seewärts folgenden Erosionskanten. Die in den 15–20 m voneinander entfernt liegenden Sondierschnitten festgestellten Schichtenfolgen können durch die Sedimentstreifen an der Oberfläche untereinander direkt verbunden werden und bestätigen zugleich die Existenz der Schichtenfolge im gesamten Schicht führenden Bereich von Bodman-Schachen I (Abb. 31).[145]

Die Kulturschichten sind innerhalb ihres Schichtbereiches unterschiedlich gut erhalten. Die am Schachenhorn aufgrund der kräftigen Ost- und Nordoststürme tief greifende Erosion erreicht vor allem die Sedimente im exponierten Ostteil der Siedlung. Die Oberfläche des Seegrundes liegt hier etwa 40 bis 60 cm tiefer als im weiter südlich gelegenen, erosionsgeschützteren Bereich der Ufersiedlung (Abb. 31; Beil. 1).

Schicht A ist im exponierten Ostbereich aufgrund ihres generell tief liegenden Sedimentationsniveaus in bescheidenem Umfang flächig vorhanden. Die beiden höher gelegenen Schichten B und C sind dort infolge der starken Erosion nur noch als dünne Streifen verbraunter Seekreide erhalten. Im Südteil des Schicht führenden Bereiches sind sie dagegen besser konserviert.

Das besiedlungszeitliche Niveau der einzelnen Siedlungen kann anhand der oberflächlich einsedimentierten Bauhölzer in groben Zügen rekonstruiert werden. Das Oberflächenniveau zu Beginn der ältesten Bauphase von Bodman-Schachen I, deren Zugehörigkeit zu Schicht A als gesichert gelten

---

143 Abk. „ü. PK" – „über Pegel Konstanz", als Niveauangabe. Die Nullmarke am Pegel Konstanz wurde 1816 auf 391,766 m ü. NN festgelegt, seit 1985 391,894 m ü. NN. Bei Werten, die den Untersee, Gnadensee und Zellersee betreffen, ist der etwas tiefer liegende Seepegel gegenüber dem Überlinger See und Obersee zu beachten (391,572 m ü. NN).

144 Vgl. Schlichtherle, Prähistorische Ufersiedlungen 30 Abb. 12. Die aus den Erosionsstreifen resultierende Schichtenfolge als drei seewärts abtauchende Kulturschichtkeile wird hier schematisch dargestellt.

145 Vgl. Kap. 3.3 zu Schichtaufbau und Interpretation.

kann (s. u.), entspricht im zentralen Pfahlfeld dem heutigen Niveau des Seegrundes. Hier liegen die Prügel der gelochten Pfähle (Abb. 49), die die besiedlungszeitliche Oberfläche markieren, heute offen am Seegrund (Beil. 1). Niveauverschiebungen der Pfahlroste unter der Last der zu tragenden Konstruktionen sind, wenn überhaupt, nur in geringem Umfang zu erwarten, da diese dort meist unmittelbar den zähen fluviatilen Lehmen aufliegen. Die wenig erosionsbeständigen Clematisbindungen[146] der Lochpfahlkonstruktionen sind auf dem heutigen Niveau des Seegrundes teilweise bis in den landwärtigsten Bereich des Pfahlfeldes erhalten (Beil. 1, P429-1). Erosionsbedingte nachbesiedlungszeitliche Niveauverschiebungen unter das besiedlungszeitliche Niveau von Schicht A sind hier daher eher auszuschließen.

Was die Ablagerungsbedingungen der Schichten B und C betrifft, so erweist sich die Oberflächenaufnahme als nicht weniger aufschlussreich. Am Rande ihrer Erosionskanten im südlichen Bereich der Station sind die oberen Kulturschichten nicht mehr scharf zur hangenden Seekreide hin voneinander zu trennen; sie gehen dort in eine helle, gepresste Sandschicht über, die von organischen Flittern und L-Hölzern durchsetzt ist.[147] Landseitig endet die Sandschicht am Rande des fluviatilen Lehms (Befund 8; Beil. 1; 4, Profil J). In die Schicht sind, z.T. in direkter Überlagerung, Flecklinge der ersten und zweiten dendrochronologisch erfassten Schlagphase eingelagert, die wiederum mit den Schichten B und C verknüpft werden können (Beil. 1). Demnach ist davon auszugehen, dass im landwärtigen Bereich die seeseitig durch Seekreide getrennten Kulturschichten B und C in dieser Sandschicht ohne sterile Zwischenschicht zusammenlaufen. Das Niveau der besiedlungszeitlichen Oberfläche wird durch die liegenden Bauhölzer markiert, die den an-

Abb. 49: Gelochter Pfahl P184-2 mit angebundenem Pfahlrost aus Haselstangen L184-1–3. 1 Zeichnerische Rekonstruktion des Baubefundes. 2 Umzeichnung der Konstruktion in Originalfundlage.

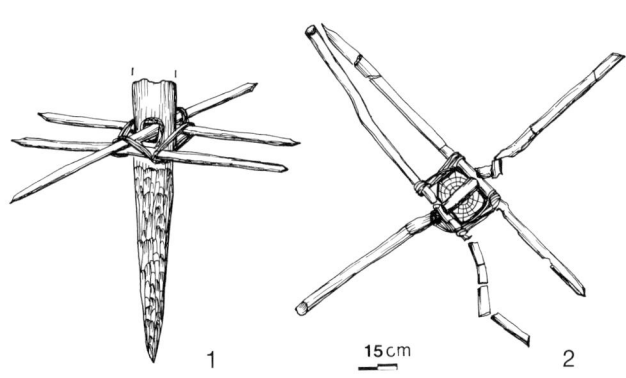

stehenden fluviatilen Lehmen aufliegen und wie die Lochpfähle in den zähen Flusslehm kaum eingesunken sein können. Im landwärtigen Bereich des Pfahlfeldes, in welchem dendrodatierte Zapfhölzer vorhanden sind, die zugehörigen Flecklinge dieser Bauphasen aber fehlen, muss das Oberflächenniveau etwas höher gelegen haben. Vollständig geborgene Pfahlspitzen signalisieren jedoch, dass die besiedlungszeitliche Oberfläche nur geringfügig höher zu rekonstruieren ist als das Niveau des heutigen Seegrundes.

Die Sedimentation der Siedlungsabfälle landwärts der Kulturschichtkeile von Fläche 2 in Sanden, deren Entstehung als Kondensat abgespülter Kulturschichten aufgrund der darin primär einsedimentierten Bauhölzer ausgeschlossen werden kann, spiegelt veränderte Sedimentationsbedingungen während der jüngeren Frühbronzezeit am Bodensee und damit vielleicht auch generell an den großen Voralpenseen wieder. In der Regel fehlen in bronzezeitlichen Ufersiedlungen die dicken Detrituspakete, die aus jungneolithischen Ufersiedlungen vorliegen. Überwiegend sind hier dagegen Kulturschichten zu beobachten, die in sandigem Milieu abgelagert wurden.[148] Die Ursachen dafür könnten im häufigeren Wechsel der Pegelstände liegen,[149] die zudem generell niedriger als im Jungneolithikum zu veranschlagen sein dürften.[150]

3.5 Besiedlungszeitliche Pegelstände

Die Rekonstruktion der besiedlungszeitlichen Pegelstände basiert im Grunde auf Höhenangaben, die in den Sondierschnitten an Kulturschichten und an liegenden Bauelementen gewonnen wurden. Sie unterliegt zahlreichen Unwägbarkeiten, vor allem in Bereichen, wo wassergesättigte Seekreiden den Baugrund bilden. Auflastender Druck und Eigengewicht können zu Fließbewegungen im Liegenden und in der Folge zu Setzungserscheinungen und Rutschungen ganzer Abschnitte der Flachwasserzone führen. Es ist also keinesfalls in jedem Fall da-

---

146 Vgl. Kap. 4.4.2 u. 4.4.3 zu den Bau- und Siedlungsstrukturen der Bauphase 1 und zur Frage einer Vorgängersiedlung.
147 L-Hölzer = liegende Hölzer. Horizontal einsedimentierte Hölzer, im Gegensatz zu vertikal steckenden Hölzern, den Pfählen = P-Hölzer.
148 Zum Beispiel in den spätbronzezeitlichen Ufersiedlungen von Hagnau-Burg und in den frühbronzezeitlichen Siedlungen von Egg-Obere Güll, Bodman-Weiler I und Ludwigshafen-Strandbad. Vgl. Köninger, Bodensee 94; ders. (Anm. 118).
149 Schlichtherle, Prähistorische Ufersiedlungen 31.
150 Vgl. Kap. 3.5 zu den besiedlungszeitlichen Pegelstände.

von auszugehen, dass die heutigen Messwerte den ursprünglichen, besiedlungszeitlichen Höhenwerten entsprechen. Bodman-Schachen I ist insofern ein Glücksfall, als dass das Siedlungsareal teilweise im Bereich von fluviatilen Lehmen liegt. Die vergleichsweise zähen Lehme dürften, wenn überhaupt, nur in weitaus geringerem Umfang Höhenverschiebungen zulassen. Anzeichen solcher geringfügiger Höhenverschiebungen des Seegrundes lassen sich vereinzelt an gelochten Pfählen erkennen. Durch Sedimentsetzungen sind ihre durchgesteckten Prügel an der Lochung gebrochen und nach unten versetzt (Abb. 50). An Pfählen der fünften Bauphase zeichnen sich ebenfalls Schichtsetzungen ab, indem die Schichten der Befunde 5 bis 2 an den Pfählen nach oben ziehen. Die Höhendifferenz liegt bei insgesamt 20 bis 30 cm und ist damit eher marginal. Rutschungs- und Setzungsmechanismen,[151] die den ganzen Uferstreifen betreffen, sind auf den äußersten Siedlungsrand beschränkt und ebenfalls geringfügig. Sie dürften ursächlich mit der besiedlungszeitlichen Haldennähe des betroffenen Bereichs zusammenhängen. Die aus dem Befund von Bodman-Schachen I gewonnenen Höhenangaben, vor allem aus dem Areal der fluviatilen Lehme, dürften mit geringen Abweichungen also tatsächlich mit den besiedlungszeitlichen Werten übereinstimmen.

Die Siedlung von Bodman-Schachen IA muss aufgrund seiner Befundlage an der Grenze zwischen Eu- und Sublitoral gelegen haben,[152] was etwa dem Niveau der mittleren Winterwassertiefstände gleichkommt. Daraus resultiert ein mittlerer Winterwassertiefstand, der im Vergleich zu heute mindestens um 2 m tiefer gelegen haben muss (Abb. 51).

Die Schichten B und C waren aufgrund der Flächenbefunde zumindest einen Sommer lang ohne Wasserbedeckung, d.h., die Hochwasserspitzen blieben in diesem Zeitraum unter der Höhenmarke von 393,3 m ü. NN und damit unter dem Niveau der dort gefundenen Koprolithen. Der mittlere Mittelwasserstand während der Ablagerung der Schichten B und C müsste demnach also um 392 m ü. NN angenommen werden und die heutige Abflussschwelle des Obersees in Konstanz, die bei 392,5 ü. NN liegt, wäre demzufolge unterschritten worden;[153] der Obersee wäre bei gleich bleibender Abflussschwelle ein abflussloses Gewässer gewesen. Dies dürfte jedoch kaum der Fall gewesen sein. Die Bildung sublakustrischer Tuffbänke[154] im schnell fließenden Wasser lassen bei Konstanz auf Abflussschwellen in der Frühbronzezeit schließen, deren Höhe unter den heute vorliegenden Werten anzusetzen sind.

Die niedrigen Mittelwasserstände, die anhand der Schichten B und C postuliert werden können, stehen möglicherweise im Zusammenhang mit Klimaveränderungen im mittleren Subboreal.[155] Auch am Federsee lassen sich in der fraglichen Zeit niedrige Wasserstände rekonstruieren.[156] Untersuchungen zur holozänen Gletscherentwicklung zeigen, dass der erste Höhepunkt der so genannten Löbbenschwankung – festgestellt anhand von Gletscher-

Abb. 50: Gelochter Pfahl (P184-1) der ersten Bauphase (Haus 1) mit angebundenem „Pfahlrost" aus Haselstangen und Resten der Clematisbindung. Die Unterzüge sind bereits zur Hälfte geborgen (Bildvordergrund).

---

151 Schlichtherle, Prähistorische Ufersiedlungen 26 Abb. 10 im Überblick.
152 Vgl. Kap. 3.3.2 u. 3.4.3 zur Interpretation der Profile und zum Flächenbefund.
153 Vgl. Schlichtherle, Prähistorische Ufersiedlungen 26.
154 Ebd. 29 mit Anm 58.
155 Vgl. F. B. Renner, Beiträge zur Gletschergeschichte des Gotthardgebietes und dendroklimatologische Analysen an fossilen Hölzern. Physische Geographie 8 (Zürich 1982) 157 ff. – Jacomet (Anm. 125) 43 f. – H. Liese-Kleiber, Züge der Landschafts- und Vegetationsentwicklung im Federseegebiet. Neolithikum und Bronzezeit in neuen Pollendiagrammen. Ber. RGK 71, 1990, 68 ff. Abb. 3.
156 Ebd.

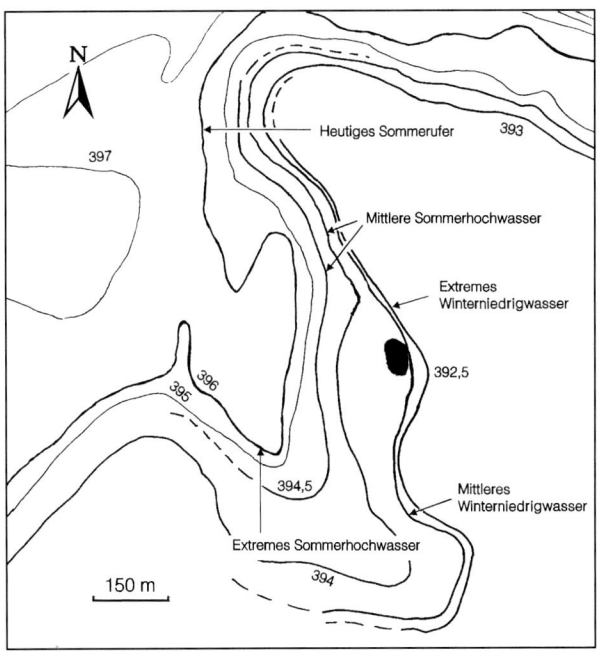

Abb. 51: Lage der Siedlungen von Bodman-Schachen I mit besiedlungszeitlichen Winter- und Sommerwasserständen. Die Rekonstruktion geht in vereinfachender Weise vom heutigen Relief der Flachwasserzone aus.

matischen Veränderungen zu suchen sein.[159] Weshalb allerdings die Löbbenschwankung im Zeitraum nach 1558 v. Chr., fixiert durch Maximalstände alpiner Gletscher im Gegensatz zur Phase um 1628 v. Chr.,[160] sich im Wasserhaushalt der großen nördlichen Voralpenseen durch höhere Wasserstände bemerkbar macht, ist vorderhand unklar. Zu vermuten ist, dass zumindest teilweise unterschiedliche Ursachen die festgestellten Gletschervorstöße auslösten und begünstigten. Jedenfalls machen die Untersuchungen zur holozänen Gletscherentwicklung im jahrgenauen Dendrodatenraster und die zeitgleichen Ereignisse an den Voralpenseen deutlich, dass es sich hier um vielschichtige und komplexe Vorgänge handelt, die das prähistorische Wasserstandsregime der großen nordalpinen Seen beeinflussten und mitunter prägten. Es wird deshalb kaum möglich sein, dieses und damit verbunden das Siedelgeschehen an den Seeufern in eindimensionaler Weise mit Klimaschwankungen kausal zu verbinden und dadurch zu erklären.

vorstößen in den österreichischen Alpen – tatsächlich mit den frühbronzezeitlichen Ufersiedlungen des ausgehenden 17. Jh. v. Chr. zusammenfällt.[157]
Die mittleren Mittelwasserstände in der Zeit zwischen den Kulturschichtablagerungen lassen sich weniger präzise rekonstruieren. Geringfügige oder kurzfristige Anstiege des Bodenseepegels vor allem zwischen den Ablagerungen der Schichten A und B sind nicht auszuschließen. Der generelle Trend deutet während der älteren und jüngeren Frühbronzezeit auf vergleichsweise niedrige Mittelwasserstände hin, die auf ein insgesamt trockenes Klima schließen lassen.
Für die Bauphase um 1500 v. Chr. sind keine Kulturschichten vorhanden. Das nahezu gleichzeitige Abbrechen der Siedlungsbelege in dieser Zeit in den Flachwasserzonen der großen Voralpenseen, aber auch an Gewässern wie dem Federsee, lassen an einen generellen Anstieg der Wasserstände denken.[158] Wesentliche Gründe für dieses gleichzeitige Abbrechen der Siedlungsnachweise im gesamten nördlichen Alpenvorland dürften in tief greifenden kli-

157 K. Nicolussi/G. Patzelt, Untersuchungen zur holozänen Gletscherentwicklung von Pasterze und Gepatschferner (Ostalpen). Zeitschr. Gletscherkde. und Glaziolgeologie 36, 2000, 1–87 bes. 74 f.
158 Dazu F. Menotti, Die Aufgabe der frühbronzezeitlichen Uferrandsiedlung von Bodman-Schachen I. Plattform 7/8, 1998/99, 60 ff. Dass zunehmende Niederschläge und Feuchtigkeit allein für einen Pegelanstieg ausreichen, wie dies S. 60 nachzulesen ist, darf bezweifelt werden. Die Ausdehnung des Bodensees entlang heutiger Isohypsen veranschaulicht zwar wie entsprechend höhere Pegelwerte sich heute auswirken würden. Zur Simulation der Verhältnisse dürfte ein solches Verfahren jedoch erst werden, wenn Daten zur Paläotopographie im fraglichen Bereich miteinbezogen werden. So könnte sich zeigen, dass bereits bei geringen Pegelverschiebungen Teile der Espasinger Niederung ganzjährig von Wasser bedeckt waren. Welche Auswirkungen dies auf das Siedelverhalten hatte, wäre im Einzelfall zu diskutieren. Angesichts der Befundlage der Siedlung um 1500 v. Chr. kein einfaches Unterfangen. Die derzeitige Befundsituation zwingt zum umgekehrten Weg. Klimaforschung und dendrochronologische Untersuchungen lassen einen Pegelanstieg vermuten und erklären sozusagen von außen den Abbruch der Ufersiedlungen um 1500 v. Chr. im nördlichen Alpenvorland.
159 Rösch, Durchenbergried 56; zur Klimadiskussion s. M. Strobel, Rez. J. Schibler/H. Hüster-Plogmann/St. Jacomet/Ch. Brombacher/E. Groß-Klee/A. Rast-Eicher, Ökonomie und Ökologie neolithischer und bronzezeitlicher Ufersiedlungen am Zürichsee. Germania 78/1, 2000, 209 ff.
160 Vgl. Nicolussi/Patzelt (Anm. 157) 75.

4 Die Holzbefunde von Bodman-Schachen I

4.1 Das Pfahlfeld

4.1.1 Lage und Ausdehnung

Das Pfahlfeld von Bodman-Schachen I befindet sich dicht an der Halde und setzt sich von der weiter landwärts gelegenen endneolithischen Pfahlstreuung von Bodman-Schachen II gut ab (Abb. 9). Ein wie von Ley 1866 beschriebenes bis zum Ufer durchgehend sichtbares Pfahlfeld ist in dieser Form heute nicht mehr vorhanden.[161]

Die Ausdehnung des frühbronzezeitlichen Pfahlfeldes geht in erster Linie aus der Oberflächenaufnahme hervor, die hauptsächlich das Pfahlfeld gemischter Zusammensetzung – d. h. aus Weichholz- und Eichenpfählen bestehend – erfasst. Dieser zentrale Pfahlfeldbereich (Abb. 39) nimmt eine Fläche von etwa 1000–1200 m² ein. Im Süden, Norden und Westen wird das Pfahlfeld außerhalb der Oberflächenaufnahme von Eichenpfählen markiert, deren Pfahlköpfe gut sichtbar bis zu 30 cm aus dem Seegrund ragen (Abb. 52; Beil. 5); im Osten wird es durch die besiedlungszeitliche Halde begrenzt, die durch die dort auslaufenden Kulturschichten angezeigt ist (Abb. 39). Seine Gesamtausdehnung kann dadurch auf max. etwa 2000 m² eingegrenzt werden. Es handelt sich also um ein vergleichsweise kleines Pfahlfeld am Schachenhorn.

Die Pfahldichte ist mit 2,7 Pfählen/m² relativ gering. In häufig besiedelten Pfahlbaustationen des Bodensees sind zehn Pfähle und mehr pro Quadratmeter keine Seltenheit.[162] In der frühbronzezeitlichen Ufersiedlung von Meilen-Schellen gibt Ulrich Ruoff eine Pfahldichte von 7 Pfählen/m² an.[163] Im Gegensatz zum ebenfalls frühbronzezeitlichen Pfahlfeld von Arbon-Bleiche 2, wo die teilweise schlechte Holzerhaltung für die geringe Pfahldichte verantwortlich sein dürfte, erklärt sich die niedrige Pfahldichte in Bodman-Schachen I aus der verhältnismäßig geringen Anzahl von im Grunde fünf Bauphasen.[164]

4.1.2 Morphologie der Pfähle

Aus dem Pfahlfeld von Bodman-Schachen I wurden 745 Pfähle verprobt (Tab. 1). Im Unterschied zu neolithischen Pfahlfeldern sind Pfähle mit polygonalem Querschnitt (35%) und durchschnittlich größeren Durchmessern in großer Zahl vorhanden.[165] Die polygonal zugerichteten Pfähle (Abb. 62,4–16) gehören zu so genannten Flecklingen (Abb. 62,1–3.17–20), wie sie in Ufersiedlungen der jüngeren Frühbronzezeit, aber auch der Spätbronzezeit in Südwestdeutschland und der Ostschweiz zum Teil gehäuft verwendet wurden. Die Pfähle wurden durch längs der Faser flach angesetzte Beilhiebe zugerichtet, wobei die hintereinander angeordneten Hiebspuren lange Facettenbahnen bilden. Spanfetzen stecken gebliebener Beilhiebe, die nicht flach genug angesetzt oder entlang von Aststörungen zu tief ins Holz liefen, wurden längs der Faser abgerissen oder durch Schläge gegen bzw. senkrecht zur Faser abgetrennt. Die Pfahlspitzen wurden überwiegend in Wipfelrichtung aus dem Holz geschlagen, die Hiebrichtung entspricht damit der Wachstumsrichtung des Holzes. Unbeabsichtigt ins Holz laufende Beilhiebe sind dadurch weit gehend vermeidbar.

Abb. 52: Eichenpfähle am Nordoststrand des Pfahlfeldes. Die Kanthölzer ragen weit über den Seegrund. Weichholzpfähle sind hier nicht mehr anzutreffen.

---

161 Die ufernahen Pfähle des schnurkeramischen Pfahlfeldes sind von Schlicksanden bedeckt und nur vom Wasserstand abhängig vereinzelt sichtbar.
162 Vgl. dazu Gross u. a., Zürich „Mozartstrasse" 80 f.
163 Ruoff, Meilen-Schellen 51.
164 S. Kap. 4.6 zur Baugeschichte von Bodman-Schachen I.
165 Vgl. E. Keefer, Die bronzezeitliche Siedlung „Forschner" bei Bad Buchau, Kreis Biberach. Arch. Ausgr. Baden-Württemberg 1983, 70 Abb. 59; Vogt, Pfahlbaustudien 196 Taf. X.

Abb. 53: Schicht A. Gelochte Eschenpfähle P 151-3 (1) (s. Abb.54,3) und P 46-1 (2) (s. Abb. 54,11). Die Spuren der Bebeilung werden durch die kurvolinear verlaufenden Jahrringgrenzen im Bereich der Lochung gut erkennbar. Die darüber liegende Spaltfläche setzt sich von den bebeilten Bereichen gut ab (v.a. Abb. 53,1).

Die Hiebspuren an den Facettenbahnen dürften aufgrund ihrer Länge und ihres flachen Querschnitts von Metallwerkzeugen stammen, Knochenwerkzeuge sind hier allerdings ebenfalls nicht auszuschließen. Durch Steinbeile würden demgegenüber jedenfalls – entsprechend ihrem Schneidenumriss – Hiebspuren mit tieferem Querschnitt entstehen, die bei flächiger Bebeilung kürzer ausfallen

dürften als diejenigen, die von Metallbeilen stammen; eine durch eng aneinander sitzende kleine Mulden gekennzeichnete Fläche wäre zu erwarten. Metallbeile bewirken dagegen flache und großflächigere Facetten. Sie sind an den Pfählen von Bodman-Schachen I durchschnittlich 7 cm lang und 3,4 cm breit.[166]

4.1.3 Holzarten der Pfähle

Für die Pfähle wurden hauptsächlich Eichen (315 Stck./42,3%), Erlen (228 Stck./30,6%) und Eschen (139 Stck./18,7%) verwendet (Tab. 1). Alle übrigen Holzarten sind mit Anteilen unter fünf Prozent vertreten. Das Holzartenspektrum des Pfahlfeldes von Bodman-Schachen I ist demnach vergleichsweise einheitlich.[167] Das Erscheinungsbild ist auf die holzartspezifische Verwendung von Bauholz innerhalb der einzelnen Besiedlungsphasen von Bodman-Schachen I zurückzuführen.[168] Das Bauholz wurde demnach selektiv in Bachauen (Erlen), in der Hartholzaue (Eschen und Eichen) oder, was die Eichen betrifft, teilweise auch in den umliegenden Hanglagen und Höhen geschlagen. Mangel an Eichenholz, wie er phasenweise in Ufersiedlungen zu beobachten ist, scheint hier nicht vorzuliegen.[169]

4.2 Bauhölzer Schicht A

4.2.1 Pfähle – Holzart und Morphologie

Schicht A können Eschen- und Eichenpfähle zugewiesen werden.[170] Es handelt sich um Rundhölzer aus Eschenholz mit Durchmessern bis zu 8 cm und um Eschen- und Eichenpfähle mit Durchmessern von 15 bis 20 cm bei durchschnittlich 30 Jahrringen (Tab. 2).[171] Am Ansatz der in langen, flachen Facettenbahnen zugerichtet, 15 bis 20 cm dicken Pfahlspitzen ist ein rechteckiges Loch ausgestemmt (Abb. 53; 54). Oberhalb der Durchlochung ließ man

Tabelle 2: Bodman-Schachen I, Bauphase 1. Die Maße der Lochpfähle und ihre durchschnittlichen Jahrringbreiten. Alle Maße in Millimeter.

Pfahl Nr.	Holzart	Dm. max.	Dm. min.	Lochmaße Breite	Höhe	Dicke	Jahrringe Anzahl	øDm.
P21-3	Fra	155	118	50	64	118	36	4,2
P41-2	Fra	106	106	58	70	106	35	3,0
P46-1	Fra	206	206	66	91	117	33	6,2
P63-1	Fra	150	139	70	–	–	37	6,2
P56-1	Que	128	110	80	–	–	28	5,4
P60-1	Fra	136	125	70	–	–	23	5,9
P121-1	Que	130	98	70	–	–	44	3,0
P151-3	Que	180	118	80	–	118	37	4,9
P157-1	Que	165	130	–	–	–	34	4,9
P172-5	Fra	130	112	64	–	–	38	3,4
P184-2	Fra	181	170	74	–	–	30	6,0
P218-1	Fra	172	172	63	–	–	36	4,8
P242-6	Fra	194	150	70	–	135	39	5,0
P261-3	Fra	150	120	–	–	–	39	3,8
P411-2	Fra	150	95	50	–	80	15	6,0
P412-4	Fra	155	93	55	–	95	25	6,2

---

[166] Den Angaben liegen für die Länge und Breite von Facetten Maße von 100 Pfählen zugrunde, bei denen die Bearbeitungsspuren gut zu sehen sind und metrisch erfasst werden konnten. Gemessen wurde mit einer Präzisionsschieblehre, die üblicherweise im Metallgewerbe benutzt wird.

[167] Vgl. W. Torke, Abschluß der Grabungsarbeiten in der bronzezeitlichen Moorsiedlung Forschner bei Bad Buchau, Kr. Biberach. Arch. Ausgr. Baden-Württemberg 1989, 82.

[168] Vgl. Kap. 4.6 zur Baugeschichte von Bodman-Schachen I.

[169] Zum Beispiel A. Billamboz, Das Holz der Pfahlbausiedlungen Südwestdeutschlands. Jahrringanalyse aus archäodendrologischer Sicht. Ber. RGK 71, 1990, 199.

[170] Vgl. Kap. 4.4.2 zu den Bau- und Siedlungsstrukturen der Bauphase 1.

[171] Nur wenige besitzen Durchmesser um 10 cm.

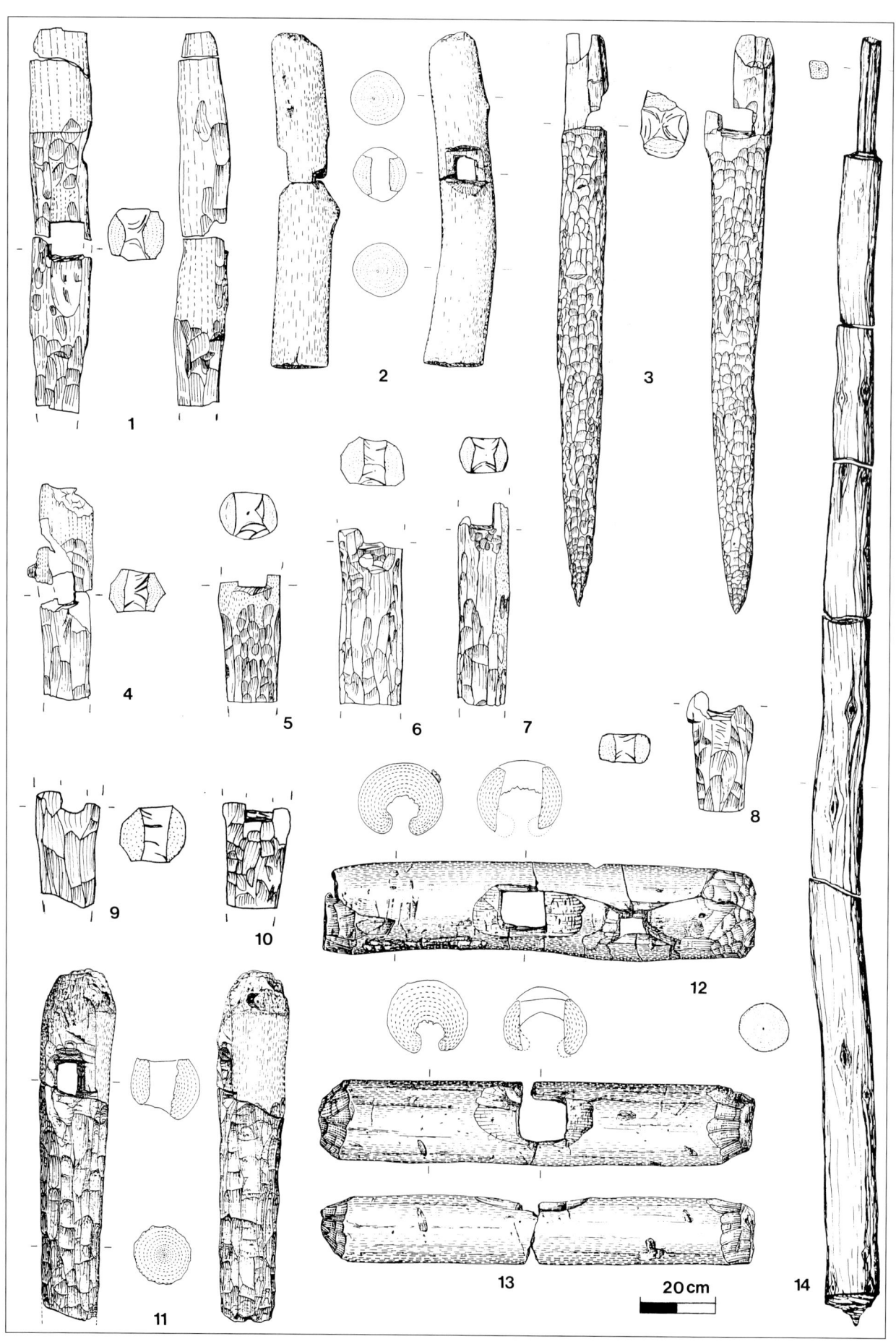

Abb. 54: Schicht A. Lochpfähle, Eschenflecklinge und Eichenständer der ersten Bauphase. 1 P276-1. 2 P21-3. 3 P151-3. 4 P41-2. 5 P157-1. 6 P184-2. 7 P172-5. 8 P60-1. 9 P63-1. 10 P56-1. 11 P46-1. 12 L55-1. 13 L57-1. 14 L53-2. Grundrisszugehörigkeit, Haus 1.2: 4.6–9.11; Haus 1.5: 1.3.5.10; Haus 1.6: 2.

Abb. 55: Schicht A. Lochpfahl P184-2 in Fundlage. Links und rechts des Pfahls befinden sich Reste der Clematisbindung.

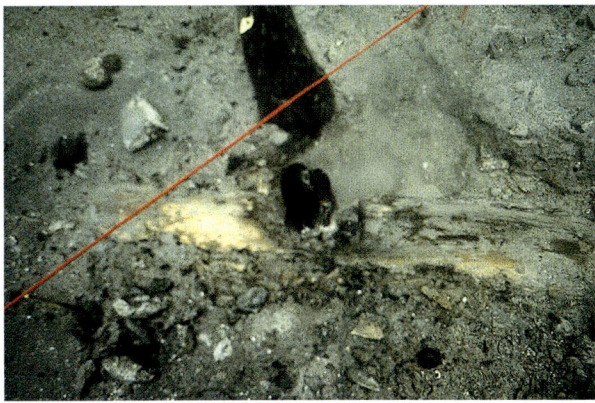

Abb. 57: Schicht A, Bauphase 1. An seiner Oberseite angekohlter Fleckling L57-1 in Fundlage. In Bildmitte oben ist das untere Ende des Eichenständers L53-2 zu erkennen.

die Rinde an den Pfähle, soweit dies aus den erhaltenen Stücken geschlossen werden kann. Durch das Loch wurde ein armdicker, meist aus einer Haselstange geschnittener Prügel gesteckt, der seinerseits von zwei weiteren, parallel angeordneten Prügeln unterlegt wurde (Abb. 49). Sie befinden sich regelhaft an der Basis von Schicht A oder sind in die darunter liegende Seekreide eingesunken. An einigen Pfählen dieses Konstruktionsprinzips waren Clematisbindungen erhalten, die die Prügel dieser „pfahlrostartigen" Konstruktion untereinander und mit dem Pfahl verbanden (Abb. 49; 55). Die Pfahlspitze beginnt dicht unter oder direkt an der Lochung (Abb. 53; 54). An einem schräg verkippten gelochten Pfahl, der bis zur Spitze geborgen werden konnte, beträgt die Länge der Spitze ab dem Loch ca. 1,6 m (Abb. 54,3). Vergleichbare Konstruktionen liegen von Fiavé im Trentino vor.[172] Auch hier wurden die Pfähle gelocht und die unterlegten Stangen zusammengebunden. Die Ähnlichkeit der au-

Abb. 56: Schicht A, Bauphase 1. Fleckling L55-1 in Fundlage. Schicht A liegt unter dünner Sandbedeckung direkt an der Oberfläche. Gut zu erkennen ist die bebeilte Stirnseite des Flecklings (Pfeil).

ßergewöhnlichen Konstruktionen mit denen von Bodman-Schachen I dürfte enge Beziehungen zwischen dem westlichen Bodenseegebiet und dem Trentino markieren.

Neben den gelochten Pfählen sind Eichenpfosten mit quadratisch-rechteckigem Querschnitt Schicht A zuzuweisen.[173]

4.2.2 Flecklinge

Aus Schicht A liegen zwei Flecklinge vor. Die beiden aus einem hohlen Erlenstamm gefertigten Exemplare nehmen sich im Verhältnis zu den Flecklingen jüngerer Bauphasen eher als Prototypen aus (Abb. 54,12.13). Flecklingskonstruktionen scheinen im Kontext von Schicht A die Ausnahme zu sein. Ihre architektonische Zugehörigkeit ist unsicher, rein planigraphisch käme eine Art Anbau an Haus 1.5 in Betracht (s.u.).

Die Flecklinge werden von Schicht A seitlich angelagert (Abb. 56). Einer der Flecklinge, L 55-1, überlagert den Unterzug L 56-1 des gelochten Pfahls P 56-1, der Fleckling mit dem zugehörigen Vierkantzapfholz muss also nach der Pfahlrostkonstruktion um P 56-1 an den Seegrund gelangt sein. Eine weitere eigenständige Bauphase ist jedoch aufgrund des Befundes nicht zwingend zu erschließen, da sich Flecklinge und Unterzüge der gelochten Pfähle an gleicher stratigraphischer Position in der Schichtbasis der unteren Kulturschicht befinden. Aufgrund der Befundsituation insgesamt ist eher

---

172 F. Marzatico, Gli abitati preistorici nella torbiera di Fiavé. In: Die ersten Bauern. Pfahlbaufunde Europas 2. Einführung, Balkan und die angrenzenden Regionen der Schweiz (Zürich 1990) 248f.
173 Vgl. Kap. 4.2.2. zu den Flecklingen aus Schicht A.

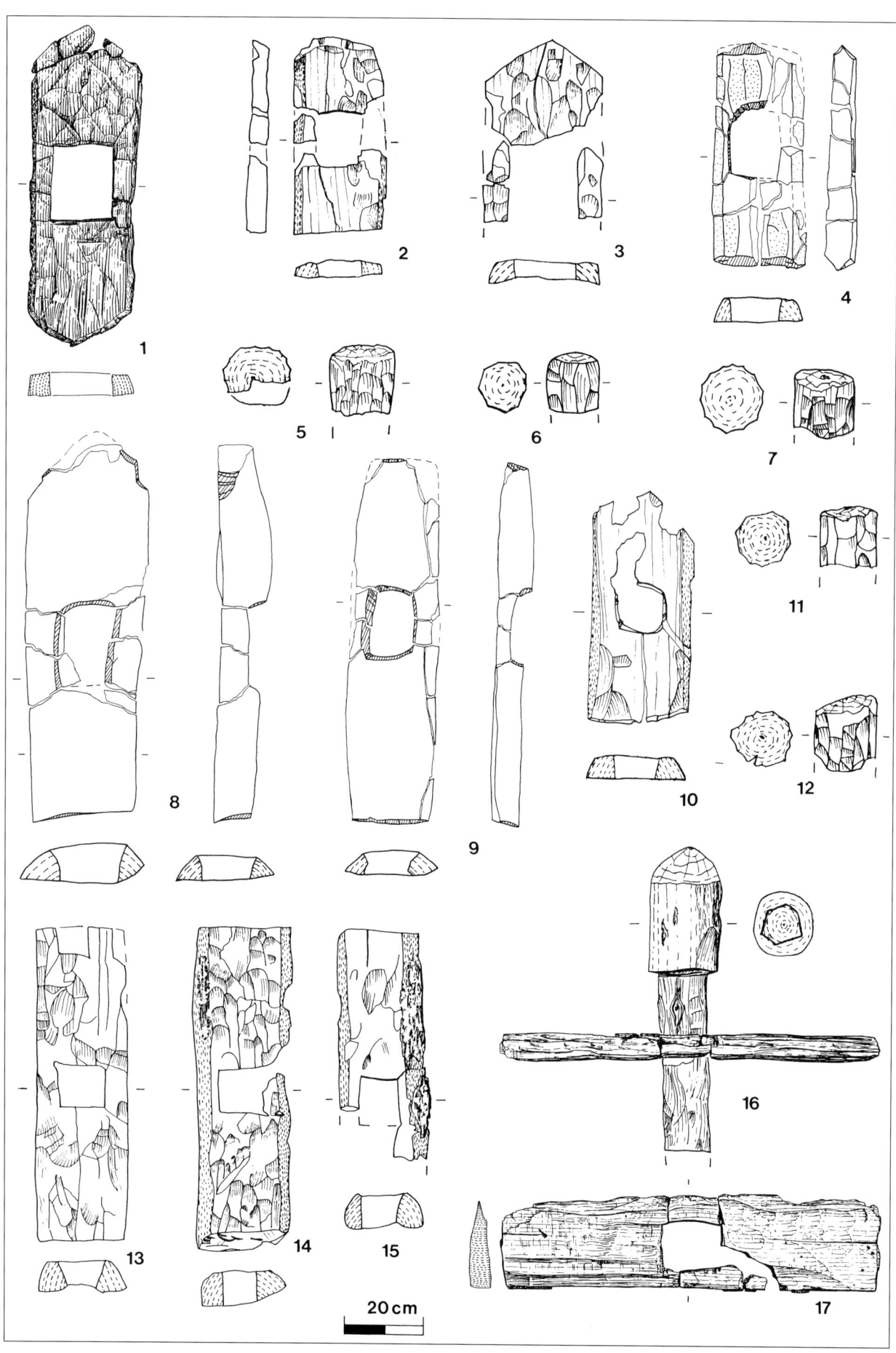

Abb. 58: Schicht B, Bauphase 2 und 3. Flecklinge aus Erlen- (2–4.13–15), Buchen- (17) und Eichenholz (1) sowie polygonale bebeilte Erlenpfähle (5–7.11.12.16). 1 L190-1. 2 L232-2. 3 L193-1. 4 L31-3. 5 P190-4. 6 P274-1. 7 P275-1. 8 L26-3. 9 L122-2. 10 L31-3. 11 P293-1. 12 P193-1. 13 L198-1. 14 L201-2. 15 L279-1. 16 P20-2. L20-4. 17 L20-4. Bauphase 2: 1–7.11.12; Bauphase 3: 8.13.14. Grundrisszugehörigkeit, Haus 2.3: 1.3.5–7.11–12. Schicht B, Bauphase fraglich: 9.13.15. Der Fleckling L20-4 ist in Originalfundlage an P20-2 montiert (16.17).

anzunehmen, dass der zeitliche Abstand zwischen den verschiedenen sich direkt überlagernden Holzbauelemente sehr gering ist oder annähernd Zeitgleichheit vorliegt. Der zweite Fleckling liegt ebenfalls in der Brandschicht. Er ist an seiner Oberseite angekohlt (Abb. 57). Deshalb dürfte dieses Holz noch vor dem Brandereignis und damit ebenfalls wohl nahezu zeitgleich mit den Pfahlrostkonstruktionen der gelochten Pfähle eingebracht worden sein.

4.2.3 Holzarten der L-Hölzer

Der Bestand an L-Hölzern aus Schicht A ist eher spärlich. Von insgesamt 382 L-Hölzern stammen 48 aus Schicht A, hinzu kommen acht stratifizierte Späne. Das Holzartenspektrum der L-Hölzer aus Schicht A umfasst hauptsächlich Eschen, Eichen, Erlen und Hasel; Weide und Pappel sind in geringen Anteilen ebenfalls vertreten (Tab. 1). Die Eschen-, Eichen- und Haselhölzer dürften überwiegend als Bauholz von der Hartholzaue bzw. von Ruderalstandorten in die Siedlung gelangt sein, während Pappel, Weide und Erle, die im direkten Umfeld der Siedlung in der Weichholzaue ihre Standorte haben, auch natürlicherweise hierher gelangt sein können. Die beiden Flecklinge wurden aus Erlenholz gefertigt. Nach den Holzarten der Späne zu urteilen, wurden die Bauhölzer, mit Ausnahme der Flecklinge überwiegend Eiche und Esche, in der Siedlung auch verarbeitet (Tab. 1).

4.3. Die Bauhölzer der Schichten B und C und jüngerer Besiedlungsphasen

4.3.1 Pfähle – Holzart und Morphologie

An den Pfählen der jüngeren Besiedlungsphasen wurde, mit Ausnahme einiger in Bahnen teilentrindeter Erlenpfähle und tangentialer Spalthölzer, die Rinde belassen. Es überwiegen Eichen- und Erlenpfähle. Die Eiche erreicht Anteile von 40–50%, der Erlenanteil ist mit ca. 30% überraschend hoch.[174] Möglicherweise spiegelt sich hier der siedlungsnahe Standort der Erle in den Bachauen der Espasinger Niederung wieder und ist – wie dies in Bauphase 2 belegt ist – eventuell auf die Nutzung der nahe gelegenen Holzressource im Rahmen der Pionierbauphasen zurückzuführen (s. u.). Mit Anteilen unter einem Prozent der Pfähle selten vertreten sind Pappel, Weide, Hasel, Buche, Ahorn, Linde, Tanne und Kiefer. Die Pfähle dieser Hölzer sind meist ca. 5 cm dick und daher nicht als Bauholz im Sinne von tragenden Konstruktionselementen anzusprechen. Das Spektrum der Holzarten spricht für eine selektive Auswahl der Bauhölzer (Tab. 1).

Abb. 59: Bauphase 2. Erlenpfahl (P17-1) mit Rast und darüber bebeiltem Pfahlkörper in fundfrischem Zustand (Pfahldurchmesser max. 22 cm).

Die Erlenpfähle sind überwiegend als Rundhölzer (ca. 67% der Erlenpfähle) in einem Dorfzaun an der Südseite der Ufersiedlung verbaut. Etwa 27% sind polygonal in langen Facettenbahnen behauen (Abb. 58). Sie besaßen im heute aberodierten Bereich wohl eine Rast und gehörten demnach zu Flecklingskonstruktionen. Eine ganze Reihe von polygonalen Erlenpfählen mit Rast, die bei ihrer Auffindung im Verbund mit ihren Flecklingen erhalten waren (Abb. 58,16–17), belegen dies. In vergleichbarer Weise bebeilte Eichenpfähle gehören ebenfalls zu Flecklingskonstruktionen. Die Erlenpfähle wurde aus ganzen Baumstämmen hergestellt. Dies dürfte in erster Linie damit zusammenhängen, dass Erlenholz aufgrund seiner Drehwüchsigkeit von Haus aus nur bedingt spaltbar ist. P 17-1 ist über der Rast bebeilt und bildet so einen Absatz (Abb. 59). Pfähle morphologisch vergleichbaren Zuschnitts sind aus der „Siedlung Forschner" und von Arbon-Bleiche 2 bekannt. Für Arbon wird eine Funktion der Absätze als Auflagefläche für Unterzüge einer leicht abgehobenen Bodenkonstruktion erwogen.[175]

Eine geringe Anzahl flächig facettierter Erlenpfähle mit rechteckigem bis ovalem Querschnitt besitzt Durchmesser bzw. Seitenlängen, die diejenigen der Zapfhölzer deutlich übertreffen (Abb. 60,18–21). Sie sind den mächtigen Eichenkanthölzern mit Unterschneidung am Nordrand des Pfahlfeldes vergleichbar (Abb. 52; 60,16.17). Vermutlich diente auch hier die Unterschneidung im Zusammenwirken mit Flecklingen oder vergleichbaren Konstruktionen als Pfahlabsicherung.[176] Sie dürften erosionsbedingt fehlen.

---

174 Vgl. Ruoff, Meilen-Schellen 54 f.
175 Hochuli, Arbon-Bleiche 346 ff. Abb. 131.
176 Köninger, Abschluß (Anm. 76) 54.

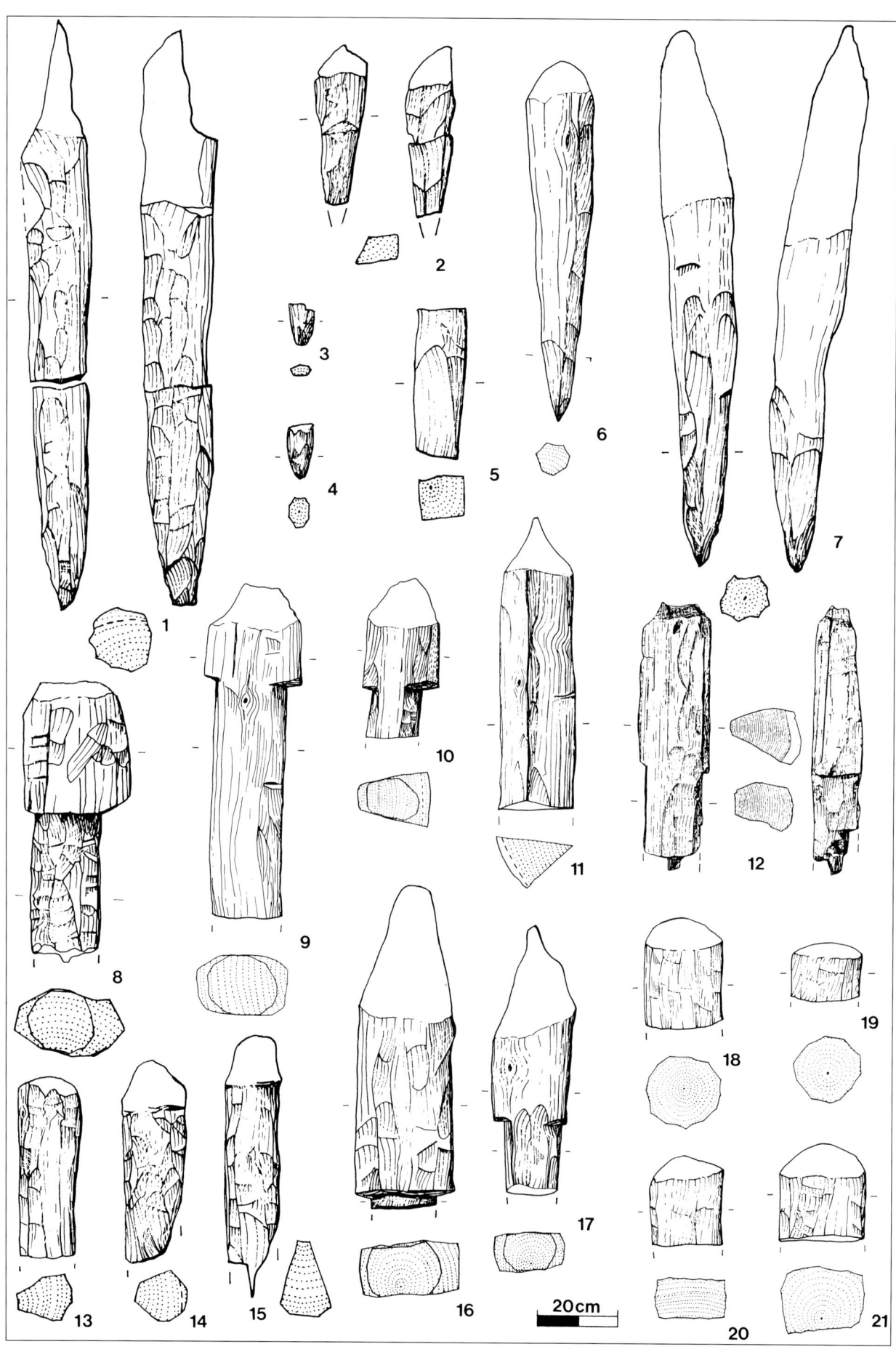

Abb. 60: Pfähle und Pfahlspitzen der 5. Bauphase (8–21) und ohne Bauphasenzugehörigkeit (1–7) aus Eiche (1.2.7–11.13–17), Erle (12.18–21), Buche (3), Pappel (4) und Esche (5.6). 1 L196-1. 2 P151-3. 3 P179-1. 4 P188-5. 5 P151-2. 6 P24-2. 7 P132-1. 8 P21-1. 9 P24-1. 10 P16-3. 11 P23-8. 12 P121-4. 13 P114-1. 14 P103-3. 15 P28-8. 16 P83-1. 17 P92-1. 18 P60-2. 19 P49-5. 20 P99-3. 21 P136-2. Grundrisszugehörigkeit, Haus 5.1: 16 (Eiche); Haus 5.2: 17 (Eiche); Haus 5.4: 18–21 (Erle); Haus 5.5: 8–15 (Eiche).

Abb. 61: In Bahnen facettierter Eichenpfahl mit polygonalem Querschnitt (Abb. 62,12).

Bei den Eichen überwiegen Pfähle mit polygonalem Querschnitt (ca. 60%), Rundhölzer spielen mit einem Anteil von knapp 10% eine untergeordnete Rolle. Die Eichenpfähle mit polygonalem Querschnitt (Abb. 61) sind zumeist an der Oberkante ihrer Flecklinge aberodiert.[177] In wenigen Fällen sind sie auch dicht über der Oberkante ihrer Flecklinge abgebeilt.[178] Offensichtlich waren die Pfähle nicht mehr in Funktion und bei Ausbesserungs- oder Neubauarbeiten hinderlich geworden.

Die polygonal bebeilten Eichenpfähle sind oberhalb ihrer Flecklinge als radiale[179] oder tangentiale Spalthölzer[180] zu ergänzen (Abb. 62,9.10),[181] die radialen Spältlinge nehmen 1/6 bis 1/8 eines Vollkreises ein.[182] Aus einem Eichenstamm konnten dementsprechend sechs bis acht Eichenpfähle dieses Typs herausgespalten werden. Bei tangentialer Aufspaltung (Abb. 60,16.17) werden dagegen maximal vier Spalthölzer je Baumstamm gewonnen. Allerdings sind diese Pfähle massiver als die radialen Spältlinge.[183] Deshalb und durch das meist im Markbereich tangential geschnittene Kernholz sind tangentiale Spältlinge höher belastbar als radiale Spältlinge. Pfähle aus tangential gespaltenen Baumstämmen treten erst im Verlauf der frühen Bronzezeit häufiger auf. Dies mag damit zusammenhängen, dass sich Baumstämme wesentlich leichter radial, also den Markstrahlen entlang spalten lassen. Die quer zur Spaltrichtung verlaufenden Markstrahlen bewirken zwar die höhere Stabilität tangential gespaltener Pfähle, die harten Markstrahlen erschweren aber das Zurichten der Pfähle. Die Sicherung der tangentialen Spältlinge durch Flecklinge oder eine entsprechende Konstruktion[184] konnte auch an den bis weit unter die Unterschneidung ergrabenen radialen Spältlingen nicht festgestellt werden. Möglicherweise hatte die Rast der Pfähle selbst diese Funktion innegehabt.[185] Pfähle vergleichbaren Zuschnitts finden sich in den frühbronzezeitlichen Ufer- und Moorsiedlungen von Baldegg und des Federseegebietes.[186] In keinem der Fälle ist jedoch mit letzter Sicherheit auszuschließen, dass ehemals vorhandene horizontale Substruktionselemente erosionsbedingt fehlen.

Die Durchmesser der Eichenzapfhölzer bewegen sich zwischen 8 und 19 cm mit einer Häufung der Werte zwischen 8 und 14 cm; die der polygonalen Erlenpfähle liegen mit Werten zwischen 12 und 19 cm im oberen Bereich der Eichenzapfhölzer gleichen Querschnitts (s. u.). Die unterschiedliche Größe und Pfahlform von Eichen- und Erlenhölzern ist wahrscheinlich in der unterschiedlichen Qualität der beiden Holzarten und teilweise in ihrer unterschiedlichen Funktion zu suchen.

Die Länge der Zapfen ab Rast ist unklar; am einzigen in situ bis zu seiner Spitze geborgenen und noch 103 cm langen Eichenpfahl P304-1 war die Rast bereits aberodiert.[187] In Anlehnung an die Angaben Karl Schumachers[188] ist mit einer Gesamtlänge der Zapfen ab Rast von ca. 150 cm zu rechnen. Die bronzezeitlichen Zapfhölzer unterscheiden sich damit konstruktionsbedingt[189] von den etwa 20 bis 60 cm langen, aber bedeutend dünneren jungneolithischen Zapfhölzern von Hornstaad.[190]

Die Durchmesser der gefällten Bäume bewegen sich bei den Eichenrundlingen zwischen 10 und 20 cm, bei den Erlenrundlingen zwischen 7 und 22 cm in vergleichbaren Größenordnungen. Für die Verarbeitung zu Spalthölzern wurden mächtigere Baumstämme benötigt. Die anhand des Markstrahlenverlaufs und bei Splinterhaltung rekonstruierten Durchmesser schwanken zwischen 40 und 60 cm.

Die Buchenpfähle im südlichen sowie die Tannen- und Kiefernpfähle im zentralen Pfahlfeld sind rela-

---

177 Vgl. Befund von Meilen-Schellen bei Ruoff, Meilen-Schellen 54 f.
178 Gut zu erkennen war dies bei den Pfählen P20-1 und P24-3.
179 Insgesamt drei Pfähle: P21-4, P10-1 und P16-1.
180 Insgesamt zwei Pfähle: P13-4 und P83-1.
181 Vgl. Ruoff, Meilen-Schellen 55.
182 Gemessen wurden die Kreisausschnitte mit Polarkoordinatenpapier anhand der im M. 1:1 gezeichneten Pfahlquerschnitte.
183 Vergleichbar sind die Pfähle der „besonderen Konstruktion" von Baldegg, vgl. Vogt, Pfahlbaustudien Taf. X.
184 Ebd. 197.
185 Vgl. ebd. 168.
186 Vgl. R. Bosch, Pfahlbau Baldegg (Gemeinde Hochdorf, Luzern). B. Wissenschaftlicher Teil. I. Große Untersuchungen. Jahrb. SGU 31, 1939, 41 ff.; Keefer (Anm. 165) 69 f. 70 Abb. 59.
187 Eine weitere polygonal facettierte Pfahlspitze mit 70 cm erhaltener Länge wurde als liegendes Holz L196-1 geborgen. Die Spitze wurde vermutlich schon besiedlungszeitlich gezogen.
188 Schumacher, Pfahlbauten 30 ff.
189 Vgl. Kap. 4.3.2.1 zu den Flecklingen.
190 Vgl. Schlichtherle, Pfahlbauten 145 und freundl. Mitt. P. Schweizer.

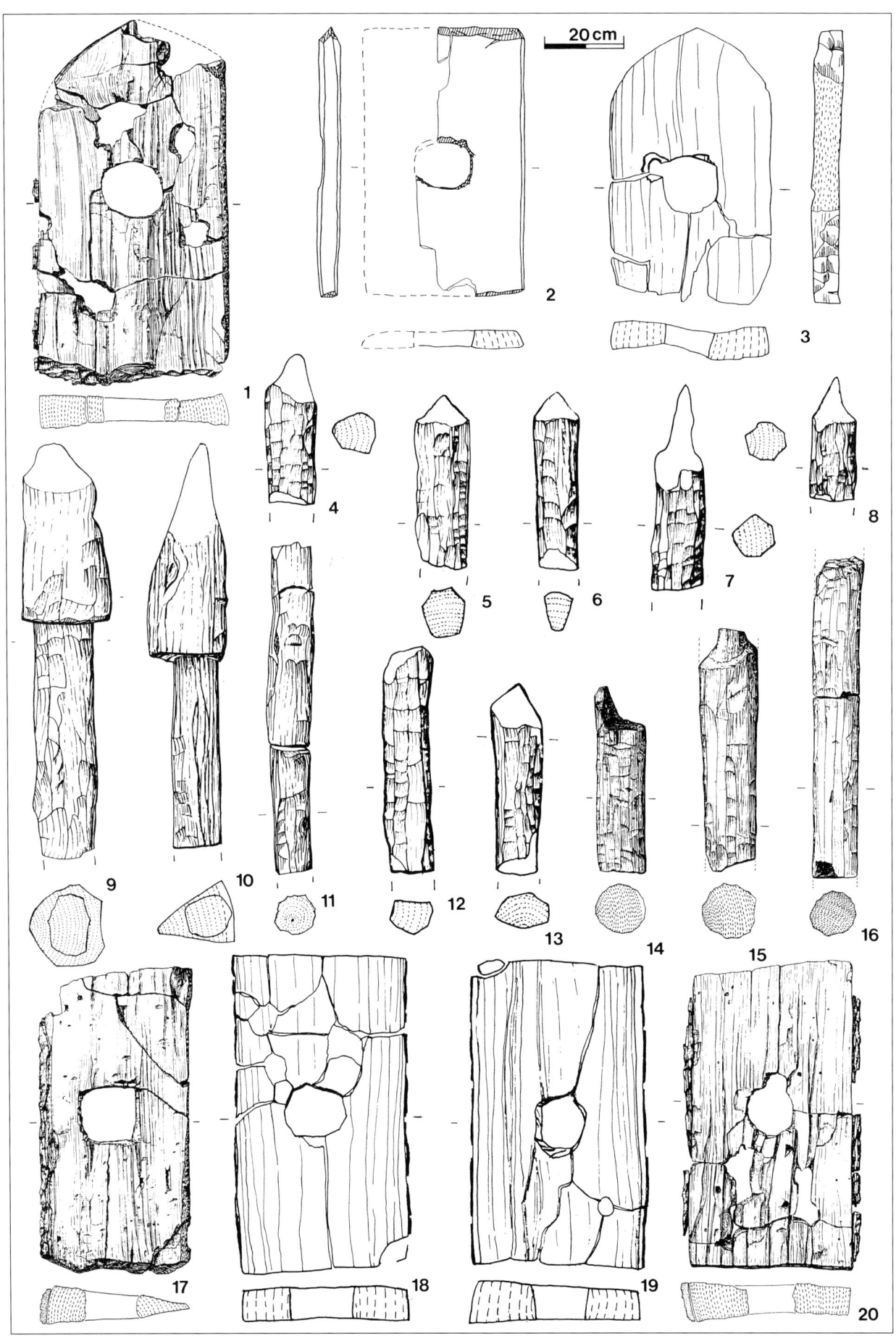

Abb. 62: Schicht C. Polygonal mit dem Beil bearbeitete Eichenpfahlspitzen und Erlenflecklinge der 4. Bauphase. 1 L10-2. 2 L25-1. 3 L201-1. 4 P53-3. 5 P25-2. 6 P190-1. 7 P52-5. 8 P51-2. 9 P333-1. 10 P10-1. 11 P153-3. 12 P122-4. 13 P57-1. 14 P24-3. 15 P20-1. 16 P19-1. 17 L20-1. 18 L16-1. 19 L24-5. 20 L13-6. Die Pfosten und liegenden Hölzer, die aus denselben Quadraten stammen, gehören als Flecklingskonstruktion zusammen. Grundrisszugehörigkeit, Haus 4.3: 11; Haus 4.4: 1–8.10.12.13.16.18–20; Haus 4.5 oder 4.4: 9.14–15.17.19.

tiv hart. Sie durchschlagen die Flecklinge der gesamten Bodmaner Stratigraphie und gehören am ehesten zu neuzeitlichen, künstlich angelegten Fischlaichplätzen, so genannte Fischriese, die sich seewärts des bronzezeitlichen Pfahlfeldes von Bodman-Schachen I bis zur heutigen Halde erstrecken.

4.3.2 Liegende Bauhölzer

4.3.2.1 *Flecklinge*

Im Gegensatz zu Moorsiedlungen[191] sind in den Ufersiedlungen der großen Voralpenseen nur selten liegende Holzkonstruktionen erhalten. Vergleichbare Reste von Hausböden aus Ufersiedlungen sind bis heute sehr selten bekannt geworden.[192] Eine der wenigen etwas häufiger in Erscheinung tretenden horizontalen Holzkonstruktionen sind die so genannten Flecklinge, die in der Literatur auch unter den Begriffen Grundplatte,[193] Schlammleiste[194] oder Pfahlschuh[195] Eingang gefunden haben. Es handelt sich hierbei um rechteckige Bretter mit mittig ausgestemmtem Loch, deren Größe in Bodman-Schachen I bei einer Stärke von ca. 7 bis 13 cm zwischen 0,5 m (1 m und 0,3 m (0,6 m Grundfläche variiert (Tab. 3).

In Bodman-Schachen I wurden im Verlauf der Tauchsondagen 56 Flecklinge im Schnittsystem erfasst, von denen 47 vollständig oder in großen, zusammenhängenden Teilen geborgen werden konnten. Die restlichen neun an der Oberfläche liegenden Exemplare waren bereits bis zur Unkenntlichkeit im Oberflächensand zerrieben und im Wellenschlag fragmentiert. Es wurde daher auf eine Bergung der Fragmente verzichtet und lediglich eine Holzprobe entnommen.

Mit Ausnahme der Exemplare aus Schicht A (s. o.) und eines radialen Buchenbrettes aus Schicht B sind die Flecklinge aus tangentialen Spaltbrettern hergestellt. Ihre Breite entspricht folglich den Durchmessern der Baumstämme, aus denen sie herausgespalten wurden (Tab. 3). Die Rinde wurde an den Brettern belassen. An Holzarten ist die Erle mit 29, die Pappel mit einem, die Buche mit einem und die Eiche mit vier[196] Exemplaren vertreten. Bevorzugt wurden sie wohl aus Erle hergestellt, da Erlenholz im Wasser aushärtet.

Die Flecklinge der jüngeren Frühbronzezeit aus Bodman-Schachen I unterscheiden sich von jungneolithischen Flecklingen[197] aus Ufersiedlungen des westlichen Bodensees durch ihre Größe und Funktion. Während die frühbronzezeitlichen Zapfhölzer unter den Flecklingen über einen Meter in den Seegrund reichen[198] und dadurch für die aufgehende Hauskonstruktion selbst zumindest einen Teil der Belastung tragen konnten ohne einzusinken, waren die neolithischen Zapfhölzer regelrecht auf ihren Flecklingen fundamentiert. Die ca. 20 bis 60 cm langen Zapfen sollten lediglich verhindern, dass der Pfahl von seinem hölzernen Fundament rutscht. Im Gegensatz zur primär tragenden Funktion der neolithischen Flecklinge wie in Hornstaad sollten die frühbronzezeitlichen Flecklinge ein späteres Nachsinken ihrer Pfähle verhindern. In beiden Fällen ist davon auszugehen, dass es sich innerhalb der Hauskonstruktionen um tragende Pfähle handelt, die mit Flecklingen abgesichert wurden.

Eine Verbindung der Flecklinge mit ihren Pfählen durch Holzkeile,[199] die – im Sinne der Fundlage – von unten zwischen Pfahl und Fleckling getrieben wurden, konnte in Bodman-Schachen I nicht beobachtet werden. Die Flecklinge waren hier nicht fest mit ihrem Pfahl verbunden. Es ist daher wahrscheinlich, dass die Häuser mit Flecklingskonstruktionen auf wasserfreiem Grund errichtet wurden.[200] Ansonsten ließen sich Pfähle mit lose aufgesteckten Flecklingen kaum gegen die Auftriebskräfte des Wassers problemlos einbringen. Verkeilte Fleck-

---

191 Zum Beispiel W. U. Guyan, Das jungsteinzeitliche Moordorf von Thayngen-Weier. In: W. U. Guyan (Hrsg.), Das Pfahlbauproblem. Monogr. Ur- u. Frühgesch. Schweiz 11 (Basel 1955) 223 ff.; R. R. Schmidt, Jungsteinzeit-Siedlungen im Federseemoor (Augsburg 1930–1937); Schlichtherle, Pfahlbauten.
192 Die Befunde von Zürich-Mozartstrasse sind die große Ausnahme. Vgl. Gross u. a., Zürich „Mozartstrasse" 60 ff.
193 J. Speck, Die Ausgrabungen in der spätbronzezeitlichen Ufersiedlung Zug „Sumpf". Ein Beitrag zur Frage der Pfahlbauten. In: Guyan (Hrsg.) (Anm. 191) 280 ff.
194 Bosch (Anm. 186) 41 ff.
195 Zum Beispiel Ruoff, Meilen-Schellen 53. Der Begriff „Pfahlschuh" bezeichnet nach L. Mackensen eigentlich die eiserne Armierung einer Pfahlspitze. Vgl. dazu L. Mackensen, Neues deutsches Wörterbuch (Laupheim 1952) 580. Die Herkunft des Begriffs „Fleckling" von dem Verb „flecken", mit der Bedeutung „Baumstämme zuschneiden" ist wahrscheinlich, die Verwendung des Begriffs daher sinnvoll. Vgl. dazu ebd. 283. In der Literatur haben sich beide Begriffe gleichwertig etabliert, sie werden synonym verwendet.
196 Der hohe Anteil an Erlenflecklingen findet in Meilen-Schellen seine Entsprechung, vgl. Ruoff, Meilen-Schellen 54.
197 Vgl. Schlichtherle, Pfahlbauten 145. Außer den regelhaft in Hornstaad verbauten Flecklingen sind weitere Exemplare aus Sipplingen-Osthafen und Markelfingen-Schlafbach bekannt, die aus Hornstaader oder frühem Pfyner Zusammenhang stammen bzw. undatiert sind (unpubl.). Aus einer bislang undatierten Moorsiedlung in Oberschwaben aus dem Areal Musbach-Seewiesen, Lkr. Ravensburg, liegen ebenfalls Hinweise auf Flecklinge vor. Fundber. Schwaben N. F. 2, 1922–24, 10.
198 In Bodman-Weiler I sind 1,5 m bei vergleichbaren Flecklingskonstruktionen belegt. Vgl. Schumacher, Pfahlbauten 30 ff. In Bodman-Schachen I liegen Zapfenenden mit Mindestlängen von 70 und 103 cm vor.
199 Vgl. Vogt, Pfahlbaustudien 168; Ruoff, Meilen-Schellen 54 f.
200 Vgl. Kap. 3.5 zu den besiedlungszeitlichen Pegelständen.

Tabelle 3: Bodman-Schachen I. Gesamtkatalog der Flecklinge. Maße in Millimetern, bei Fragmenten sind die entsprechenden Maße in Klammern gesetzt. Form: A Rundling, B tangentialer Spältling (1 Herzbrett, 2 Schwartenbrett), C radialer Spältling. Zum Bauzusammenhang vgl. Bezifferung der Bauphasen und Grundrisse.

Fleckling		Befund		Hauptform			Lochung			Bearb./Querschnitt	Pfahl			Bauzusammenhang
L-Nr.	Holz	Ober-	Unterkante	L.	B.	H.	L.	B.	H.	Facettiert	Form	P-Nr.	Holz	Grundriss
L10-2	Aln	2	4	980	550	75/91	140	160	78	–	B1	P10-1	Que	4.4
L13-6	Aln	2(4)	3	756/860	432/395	112/79	117	124	72	–	B1	P13-1	Que	4.4
L16-1	Aln	2?	5	795	440	85	160	150	85	–	B1	P16-1	Que	4.4
L19-1	Que	2?	4	(420)	320	70	(180)	140	70	–	B1	P19-4	Que	4.4
L20-1	Aln	2	2.6/3	720	375	50/190	140	170	90/70	–	B1	P20-1	Que	4.5
L20-4	Fag	4	5.2	860	205/170	50/5	150	100	50/4	x	C	P20-2	Aln	–
L24-5	Aln	2	4.1	770	430/410	120	145	130	90	–	B1	P24-3	Que	4.5
L25-1	Que	2	2	645	(410)	50/35	125	(125)	50	–	B1	P25-2	Que	4.4
L26-3	Aln	4	5	940	312	84	125	116	112	–	B1	P26-2	Que	–
L27-1	Aln	0	5	–	–	–	–	–	–	–	B1	P27-2?	Que	–
L31-3	Aln	0/5	5/6	500	258	68	122	138	68	x	B1	P31-2	Aln	2.1?
L33-1	Aln	4	5	585	243	39	126	118	60	x	B1	P33-1	Que	–
L33-2	Pop	5	5	(560)	(245)	(80)	(95)	(90)	75	?	B1	P33-2	Aln	2.1?
L42-1	Aln	0	5	570	315	106	128	114	106	–	B2	P42-1	Que	4.1
L44-1	Aln	0	5	(548)	292	90	(140)	92	85	x	B1	P44-1	Que	3.1
L48-1	Aln	0	5	(610)	352	53	–	120	50	x	B1	P48-1	Que	3.1
L50-1	Aln	0	0	(800)	356	73/62	–	132	74	–	B1	–	–	–
L52-2	Aln	0	5	(760)	305/281	118	(180)	135	115	x	B2	P52-2	Aln	–
L53-3	Aln	0	5	(900)	405	112/95	(130)	122	96	–	B1	P53-2	Que	4.4
L55-1	Aln	0	6/7	1180	216	173	120	102	169	–	A	P55-1	Que	1.5?
L57-3	Aln	0	6/7	1145	221/201	176	124	105	174	–	A	P57-2	Que	1.5?
L64-3	Aln	5	5	570	241/280	78/85	121	122	85/90	x	B1	P64-3	Que	3.1
L66-1	Aln	0	5	610	358/324	75/67	128	126	72	x	B1	P66-1	Que	3.1
L68-1	Aln	0/5	5	551	233	90	102	110	90	x	B1	P68-1	Que	3.1
L93-1	Aln	0	4/5	650	(300)	60	190	(160)	57	?	B1	P93-1	Que	4.1
L94-1	Aln	0	4/5	617	342	75/51	153	141	75	?	B1	P94-1	Que	4.1
L122-2	Que	0	3–5	868	226	73	150	116	75/54	–	B2	P122-4	Que	4.4
L123-1	Aln	0	3–5	(800)	180/200	(80)	130	120	80	–	B1	P123-1	Que	4.4
L125-1	Aln	0	3–5	(700)	(220)	50/60	–	–	–	–	B1	P125-6	Aln	–
L126-1	Aln	0	3–5	–	–	–	–	–	–	–	B1	P126-9	Aln	–
L145-1	Aln	0/2	2/3	730	290/340	95/74	178	160	95/74	–	B2	P145-1	Que	4.3?
L147-1	Aln	0/2	2/3	(700)	283	90	(130)	90	125	–	B2	P147-1	Que	4.3?
L176-1	Aln	0	5/6	–	–	–	–	–	–	–	B1	P176-1	Aln	3.1
L190-1	Que	0	3/5	810	250	60	200	170	63	x	B1	P190-4	Aln	2.3
L191-1	Aln	0	3/5	–	–	–	–	–	–	?	B1	P191-1	Aln	2.3
L193-1	Aln	0	3/5	–	–	–	–	–	–	?	B1	P193-1	Aln	2.3
L198-1	Aln	0	3/5	(570)	230	80	160	140	80	x	B1	P198-1	Que	–
L201-1	Aln	0	3/5	950	550	95	200	198	93	x	B1	P201-3	Que	4.4?
L201-2	Aln	0	3/5	800	220	90	110	90	90	–	B1	P201-4	Que	–
L208-2	Aln	4/5	4/5	1160	230	70	102	98	68	–	B2	–	–	–
L232-3	Aln	0	5	–	–	–	100	–	–	x	B1	P232-5	Aln	2.1
L273-1	Aln	0	3/5	520	220	70	130	110	70	–	B1	P271-1	Que	–
L279-1	Aln	0	0/5	(460)	220	68	–	80	68	x	B1	–	–	–
L276-2	Aln	0	5	–	–	–	–	–	–	?	B1	P276-2	Aln	2.3
L286-1	Aln	0	5	–	–	–	–	–	–	?	B1	P286-1	Aln	2.3
L332-2	Aln	0/2	2.5	(220)	170	60	–	13	60	–	B1	P332-3	Que	4.5
L393-1	Aln	0	5/7	(270)	300	60	–	130	60	x	B1	P393-1	Aln	2.1

lingskonstruktionen stammen vom Bodensee demgegenüber aus Schicht 11 von Ludwigshafen-Seehalde.[201] Die Keile sind dort wie an den Baubefunden aus dem Zürichsee von unten gesetzt, die Konstruktion wurde demnach fertig montiert in den weichen Seegrund gedrückt.

Die Flecklinge entstammen in der Mehrzahl Ufersiedlungen der jüngeren Frühbronzezeit und der spätbronzezeitlichen Urnenfelderkultur, wo sie unter entsprechend günstigen Erhaltungsbedingungen gehäuft auftreten.[202] Aus dem Gebiet des westlichen Bodensees sind Flecklinge seit den Ausgrabungen Schumachers um die Wende vom 19. zum 20. Jh. in Bodman-Weiler I bekannt.[203]

Morphologie der Flecklinge
Die Umrissformen der Flecklinge von Bodman-Schachen I sind unterschiedlich. Es können rechteckig flache oder gewölbte Exemplare (Abb. 78,19) von solchen mit sechseckigem Umriss (Abb. 63) unterschieden werden. Flecklinge mit rechteckigem Grundriss sind an ihren Enden einfach abgeschrägt oder spitz zulaufend, solche mit geraden Enden im Grundriss hingegen meist lang gezogen sechseckig. Die verschiedenen Umrissformen resultieren wahrscheinlich aus der Herstellung. Die Flecklinge wur-

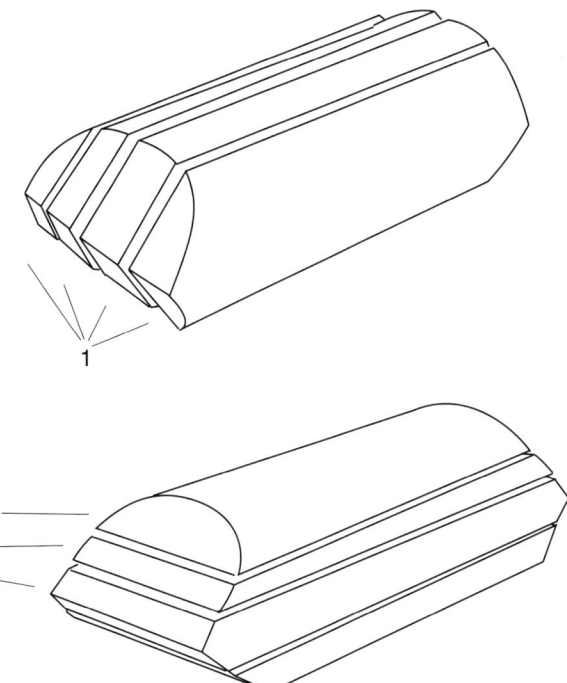

Abb. 64: Schematische Darstellung der Zerlegung eines Baumstammes. Je nach Lage der Spaltebene zur Kerbebene resultieren Flecklinge mit sechseckigem Umriss und geraden Schmalseiten (1), mit rechteckigem Umriss, schrägen Schmalseiten (2 u. 3) und – je nach Lage im Baumstamm – mit zwei Spaltflächen (3) oder mit einer Spaltfläche und einer dem Durchmesser des Baumes entsprechenden aufgewölbten Oberseite (2) oder mit rechteckigem Umriss und spitz zulaufenden Schmalseiten (4).

Abb. 63: Bauphase 2. Eichenfleckling L190-1 (s. Abb. 58,1) mit langsechseckigem Umriss und nachfacettierter Oberfläche.

den demnach aus Baumstammsegmenten herausgespalten, in die der Baumstamm zuvor per zweiseitiger Kerbung in Flecklingslänge zerlegt wurde. Angefangene Kerben an den langen Schmalseiten von Fleckling L10-2 aus Schicht C (Abb. 62,1) deuten vermutlich ebenfalls auf die angegebene Reihenfolge der Kerb- und Spaltvorgänge hin. Flecklinge, die in der Kerbebene aus dem Stammteil gespalten werden, besitzen rechteckige Grundrisse mit schrägen Schmalseiten. Bretter aus dem Markbereich eines Baumstammes, wo die Kerbflächen aufeinander treffen, besitzen dachförmig zulaufende Schmalseiten. Wird ein Fleckling senkrecht zur Kerbebene herausgespalten, entsteht automatisch eine lang gestreckte, sechseckige Grundform, deren spitz zulaufenden Schmalseiten den Kerbwinkel angeben, in dem der Baumstamm segmentiert wurde. Sind die Kerbebenen um etwa 90° gegeneinander versetzt,

---

201 Köninger, Bodensee 95 Abb. 4; 5; 96.
202 Gross u. a., Zürich „Mozartstrasse" 74 mit 472 Flecklingen aus Zürich-Mozartstrasse. In Hochdorf-Baldegg wurden 497 Flecklinge dokumentiert, vgl. dazu Vogt, Pfahlbaustudien 168 ff.
203 Schumacher, Pfahlbauten 30 ff.

entstehen Bretter mit je einer spitz zulaufenden und einer geraden Schmalseite. Bretter aus dem Kernbereich besitzen zwei flache, aus den Spaltflächen bestehende Oberflächen, während Schwartenbretter eine flache und gewölbte Oberfläche mit Rinde aufweisen (Abb. 64).

Stratigraphische Einordnung der Flecklinge
Mit einiger Sicherheit sind 24 Flecklinge stratigraphisch den Schichten B und C zuzuweisen.[204] Sie lassen sich in solche mit flächig, meist beidseitig facettierten Spaltflächen (Abb. 63; 58, 1–4; 10; 13–15; 17) und in solche mit nicht nachgearbeiteten Spaltflächen unterscheiden (Abb. 65). Einige der kleineren, flächig facettierten Flecklinge gehören stratigraphisch zu Schicht B, die größeren mit nicht nachbearbeiteten Spaltflächen zu Schicht C. Der allgemein erosionsbedingten Befundsituation entsprechend (Abb. 30; 31) streuen die älteren und damit stratigraphisch tiefer liegenden Flecklinge mit nachfacettierten Oberflächen weiter landwärts als die jüngeren Exemplare mit nicht nachgearbeiteten Spaltflächen (Abb. 66). Flecklinge mit nachfacettierten Oberflächen, die regelhaft zu Erlenpfählen mit polygonalem Querschnitt gehören, streuen landwärts am weitesten (Abb. 66) und liegen damit in der Projektion stratigraphisch unter facettierten Flecklingen mit Eichenpfählen. Letztere sollten deshalb jünger sein.[205] Die direkte Überlagerung eines facettierten Flecklings mit zugehörigem Erlenzapfholz durch einen Fleckling mit Eichenpfahl ist unsicher (Abb. 66 unten). Sicher ist hingegen die direkte Überlagerung von facettierten Flecklingen durch Flecklinge mit roh belassenen Spaltflächen (Abb. 66 oben und unten). Anhand der Flecklinge lassen sich also drei Bauphasen belegen, die den Schichten B und C zuzuordnen bzw. etwas älter zu datieren sind als Schicht B. Die älteste Bauphase der jüngeren Besiedlung, Bauphase 2, markieren facet-

Abb. 65: Fleckling L20-1 mit roh belassener Spaltfläche aus Schicht C (Länge ca. 1 m) (s. Abb. 62,17).

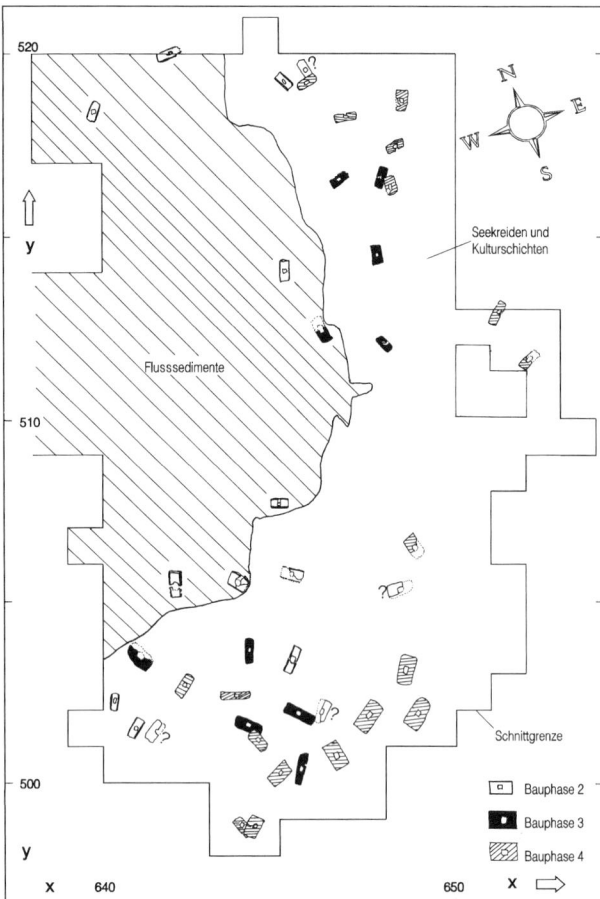

Abb. 66: Verteilung der Flecklinge in der Fläche. Facettierte Flecklinge mit Erlenpfählen (Bauphase 2) und Eichenpfählen (Bauphase 3) sowie nicht nachgearbeitete Flecklinge mit Eichenpfählen (Bauphase 4).

tierte Flecklinge mit Erlenzapfhölzern, gefolgt von facettierten Flecklingen mit Eichenzapfhölzern (Bauphase 3). Bauphase 4 wird durch Flecklinge mit roh belassenen Spaltflächen und Eichenzapfhölzern vertreten.

4.3.2.2 Sonstige liegende Bauhölzer

Im südöstlichen Pfahlfeld waren in erhaltungsgünstiger Situation über Schicht A Rundhölzer ohne Bearbeitungsspuren eingelagert, die aufgrund ihrer Durchmesser von ca. 10 cm als Bauholz gewertet werden dürfen. Ihre Herkunft aus dem Versturz von Hausruinen ist anzunehmen. Ansätze zur Rekonstruktion der Häuser können nicht abgeleitet werden, da die Hölzer nicht vollständig geborgen werden konnten und im ergrabenen Bereich keine Bearbeitungsspuren aufweisen. Unter den L-Höl-

---

204 Problematisch ist die Schichtzuweisung der Flecklinge L10-2 und L16-3. Vgl. dazu Kap. 12.3.2 zur absoluten Datierung der Schichten B und C.
205 Vgl. Kap. 4.6 zur Baugeschichte von Bodman-Schachen I.

zern befindet sich eine ca. 70 cm lange Eichenspitze (L196-1), die in den gepressten Sanden im landwärtigen Pfahlfeld eingelagert war. Es dürfte sich hierbei um die Spitze eines polygonalen Zapfholzes handeln (Abb. 60,1).

4.3.3 Holzarten der L-Hölzer

Aus den Schichten B und C wurden insgesamt 250 L-Hölzer und Späne holzanatomisch untersucht. Davon stammen 73 Holzproben von Bauhölzern, 126 von Spänen und 51 von Ästen (Tab. 1). In Schicht B verteilen sich diese drei Kategorien relativ gleichmäßig. Die Erle ist unter den Holzarten der L-Hölzer dominant, gefolgt von Esche, Buche, Hasel und Eiche. Diese Erlendominanz der L-Hölzer ist auf die Erlenflecklinge und Späne zurückzuführen, während sich die Anteile der Buche und der Esche allein durch das Holzartenspektrum der Späne erklärt. Das Astholz wird von der Erle dominiert.

In Schicht C sind Späne am häufigsten vertreten (Tab. 1). Dem Holzartenspektrum aus Schicht C liegt die größte Anzahl Proben zugrunde. Dementsprechend ist von dort das Holzartenspektrum der L-Hölzer vielfältiger als aus den Schichten A und B. In Schicht C wird die Eiche zur häufigsten Holzart unter den L-Hölzern, gefolgt von Erle, Esche, Hasel und Buche. Der hohe Eichenanteil geht auf die Holzartenverteilung bei den Spänen zurück (Tab. 1,b–d). Sie weisen teilweise facettenartige Beilspuren auf und sind meist in relativ flachem Winkel scharfkantig abgetrennt (Abb. 67). Späne dieses Zuschnitts dürften bei der Bebeilung von Pfählen angefallen sein. Der hohe Erlenanteil ist demgegenüber auf die Erlenflecklinge zurückzuführen. Die Holzartenverteilung der Späne und ihre große Anzahl deutet möglicherweise auf die Zurichtung der Bauhölzer aus Eiche und Erle vor Ort in der Siedlung hin.

Das Spektrum der Holzarten belegt eine selektive Holznutzung. Das Holz wurde sowohl aus der näheren Umgebung in der Weichholzaue bzw. in der nahe gelegenen Bachaue geschlagen als auch von weiter entfernten Standorten in der Hartholzaue und von den umliegenden Hängen und Höhen herbeigeschafft.

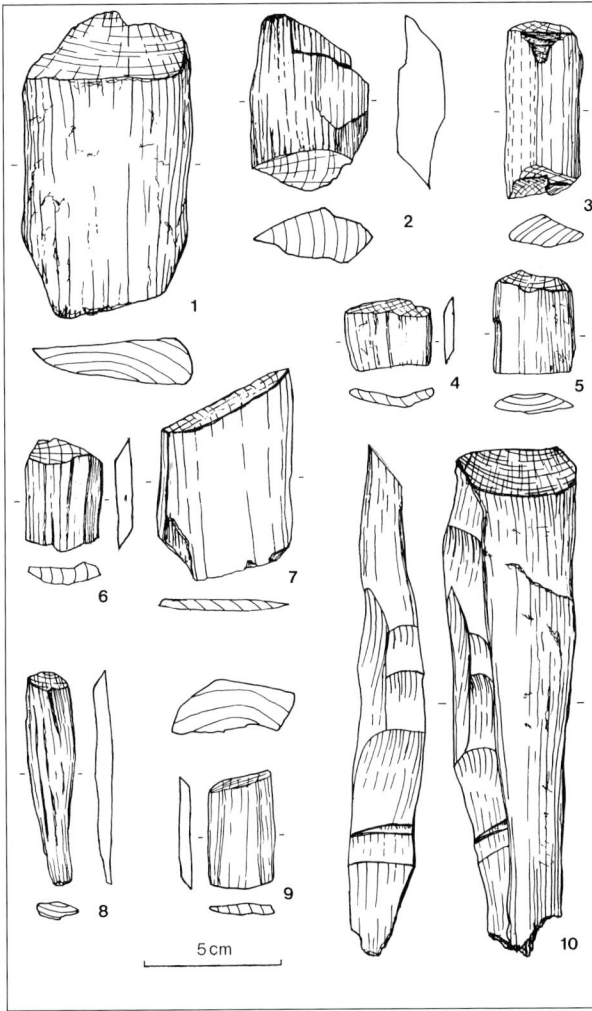

Abb. 67: Eichenspäne aus Schicht C. 1 L29-5. 2 Q10-1001/4. 3 Q12-66/2. 4 Q10-1001/2. 5 Q10-1001/6. 6 Q12-66/3. 7 Q12-66/5. 8 Q10-1001/1. 9 Q12-66/1. 10 L15-4.

4.4 Bau- und Siedlungsstrukturen

4.4.1 Vorbemerkung

Die Untersuchung der Bau- und Siedlungsstrukturen basiert auf der nach Holzarten getrennten Kartierung der Pfähle und ihrer Zuweisung zu den einzelnen Bauphasen aufgrund der stratigraphischen Position ihrer Substrukturen. Miteinbezogen wurden die dendrochronologisch datierten Eichenpfähle (Stand der Untersuchung 1989). Die dendrochronologische Untersuchung des Eichenpfahlfeldes wurde inzwischen um stichprobenartig angelegte Messungen an Erlenpfählen und -flecklingen erweitert. Die Ergebnisse dieser Untersuchungen bleiben einer eigenen Publikation vorbehalten.[206]

Die stratigraphische Einbindung der gelochten Pfähle und Flecklinge, ihre unterschiedliche Zurichtung und die dendrochronologisch ermittelten

---

206 S. Kap. 12.3 zur dendrochronologischen Datierung von Bodman-Schachen I. Die Jahrringanalysen wurden durch A. Billamboz am Dendrochronologischen Labor des Landesdenkmalamtes Baden-Württemberg in Hemmenhofen durchgeführt.

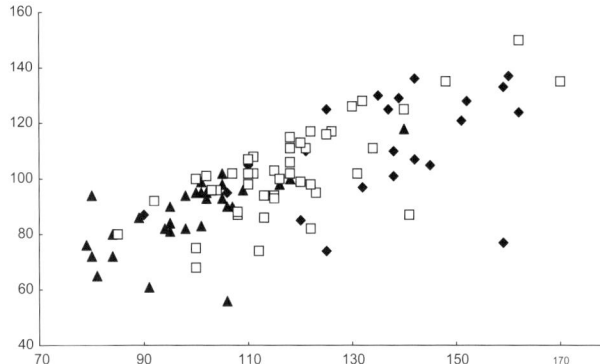

Abb. 68: Pfahldurchmesser (in mm) polygonal behauener Eichenpfähle. Die Pfähle der einzelnen Bauphasen setzen sich durch ihre im Mittel unterschiedlichen Durchmesser voneinander ab.
▲ Bauphase 3
□ Bauphase 4
◆ Bauphase 5

Schlagphasen belegen für die frühbronzezeitlichen Ufersiedlungen am Schachenhorn fünf Bauphasen.[207]

Die dendrodatierten Pfähle – insgesamt konnten 93 von 228 gemessenen Eichenpfosten datiert werden – dienten bei der Pfahlfeldanalyse als Fixpunkte. Ihre Kartierung wurde durch Pfähle ergänzt, die den datierten Pfosten morphologisch ähnlich sind und für die jeweilige Schlagphase als typisch angesehen werden können oder deren Flecklinge durch ihre stratigraphische Position die Zugehörigkeit ihrer Pfähle zur jeweiligen Bauphase belegen.[208]

Die dendrodatierten Zapfhölzern der einzelnen Schlagphasen unterscheiden sich hauptsächlich durch ihre Durchmesser. Die undatierten polygonalen Zapfhölzer konnten deshalb vielfach anhand ihrer Durchmesser verschiedenen Bauphasen zugeordnet werden (Abb. 68; 69). Erosionsbedingte Veränderungen der Zapfholzdurchmesser und dadurch mögliche Beeinträchtigungen des Auswahlkriteriums können weit gehend ausgeschlossen werden, da im landwärtigen Bereich des zentralen Pfahlfeldes mit der höchsten zu erwartenden Erosion polygonale Pfahlspitzen immer noch Restlängen von 103 cm aufweisen, ihre Durchmesser sich aber erst auf den untersten 25 cm merklich verringern (Abb. 60,1–7; 78,9). Schließlich konnten durch die verwendeten Holzarten der Pfähle weitere Siedlungsstrukturen gefasst werden. Insgesamt ließen sich auf diese Weise knapp 60% der Pfähle einzelnen Hausgrundrissen zuweisen.[209]

Die Bauphasen von Bodman-Schachen I werden, beginnend mit der ältesten Bebauung, in arabischen Ziffern durchnummeriert. Die Hausgrundrisse der einzelnen Bauphasen sind nach ihrer Bauphasenzugehörigkeit beziffert. Haus 3 der Bauphase 2 erhält also die Hausnummer 2.3. Die Grundrisse werden fortlaufend von Nordwesten nach Südosten gezählt.

4.4.2 Bauphase 1

Am Spitzenansatz gelochte Eschen- und Eichenpfähle (Abb. 49) lassen sich durch die stratigraphische Position ihrer Pfahlroste Schicht A zuweisen und repräsentieren damit Bauphase 1, die älteste am Schachenhorn innerhalb des frühbronzezeitlichen Pfahlfeldes nachgewiesene Bebauung.[210]

Aus der Kartierung der gelochten Pfähle resultieren für Bauphase 1 zwei vollständige Hausgrundrisse (Abb. 70, Haus 1.2 u. 1.4); ein weiterer Grundriss, an dessen Südostseite zwei Pfosten fehlen, kann nach dem Muster der beiden vollständigen Grundrisse ergänzt werden (Abb. 70, Haus 1.5). Die vorgeschlagenen Hausgrundrisse werden durch die Befund- und Fundverteilung im Kulturschicht führenden Bereich von Haus 1.2 abgesichert (Abb. 40).[211]
Es handelt sich um annähernd gleich große Häuser mit einer Grundfläche von 24 m² bei Seitenlängen

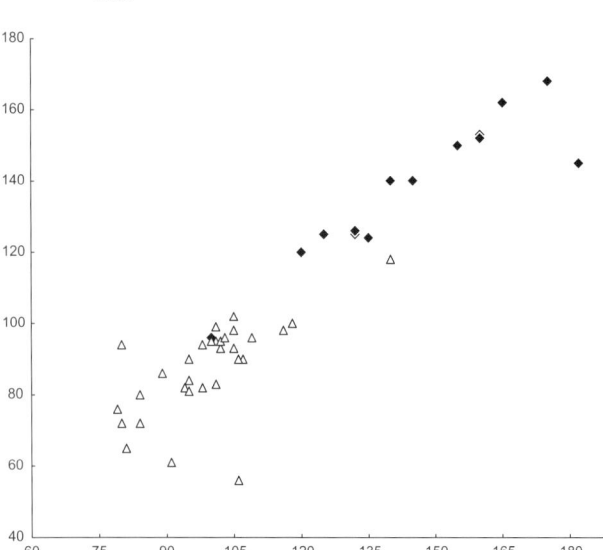

Abb. 69: Pfahldurchmesser (in mm) polygonal behauener Eichen- und Erlenpfähle der Bauphasen 2 und 3.
△ Eiche
◆ Erle

---

207 Vgl. dazu Kap. 12.3 zur dendrochronologischen Datierung von Bodman-Schachen I.
208 Vgl. Kap. 4.2 u. 4.3 zu den Bauhölzern der verschiedenen Schichten.
209 Nach Abzug der dünnen Pfähle mit Durchmessern um 5 cm verbleiben von 745 Pfählen 682 Stück. Von diesen können gesichert 346 Hausgrundrissen zugeordnet werden.
210 Vgl. Kap. 4.2 zu den Bauhölzern aus Schicht A.
211 Vgl. Kap. 3.4.2 u. 3.4.3 zum Flächenbefund der Schicht A in Fläche 1 sowie zur Schichtgenese und Fundverteilung.

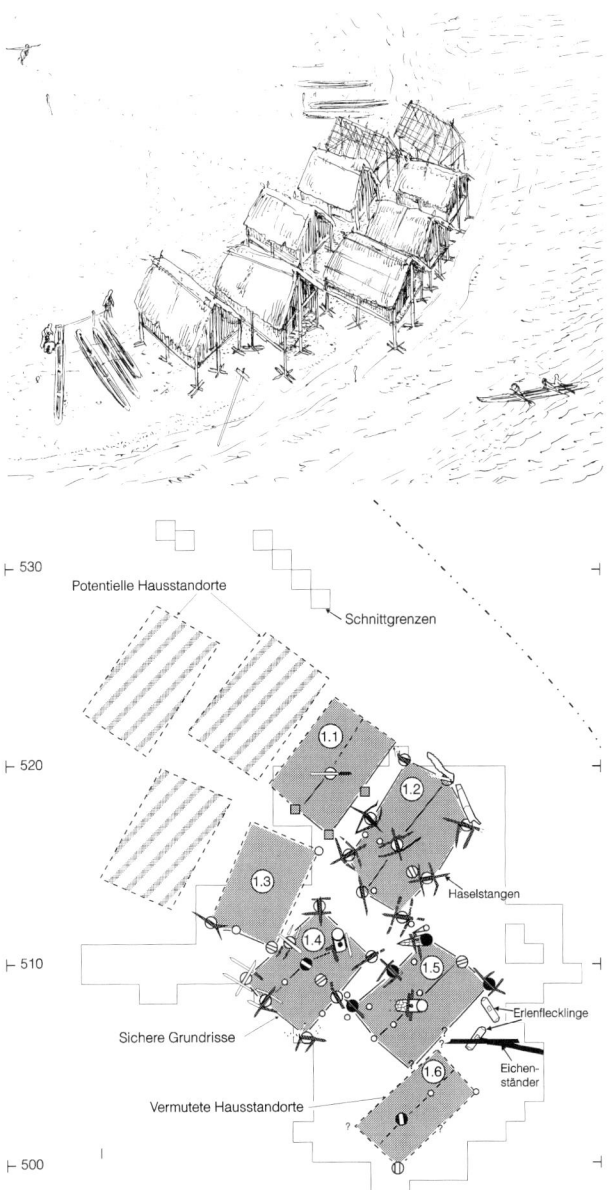

Abb. 70: Bauphase 1. – Unten: Rekonstruktion der Hausstandorte. Kartiert sind gelochte Eschen- und Eichenpfähle und weitringige Eschenpfähle. Vollsignatur: Eiche; offene Signatur: Esche; gerasterte Signatur: Haselstangen der Lochpfähle. – Oben: Die skizzenhafte Darstellung der Dorfanlage stammt aus der Feder Helmut Schlichtherles.

von 4 m und 6 m. An den Außenseiten und in der Firstflucht befinden sich je drei gelochte Pfähle, die insgesamt drei Joche bilden. In Haus 1.2 und 1.4 steht in der mittleren Querflucht an der Südostseite je ein weiterer gelochter Pfahl, dessen Funktion vorerst unklar bleibt (Abb. 70).

An der Nordecke von Haus 1.5 wurde neben dem gelochten Pfahl P 151-3 und parallel zu diesem verkippt ein 8 cm dicker Eschenrundling angetroffen (Abb. 70, Nordwestecke Haus 1.5). Das Jahrringmuster des nicht gelochten Eschenpfahls ist von großen Zuwachsraten geprägt, wie dies auch bei den gelochten Pfählen der Fall ist (Tab. 2). Das Pfahlfeld von Schicht A wurde aufgrund dieses Befundes durch weitringige Eschenrundlinge mit entsprechende geringen Durchmessern erweitert (Abb. 70). Sie streuen innerhalb der Hausgrundrisse und befinden sich häufig dicht an den gelochten Pfählen. Ähnliche Pfostenbefunde sind von Häusern in Hornstaad-Hörnle I bekannt. Dort konnten den ebenfalls unterschiedlich fundamentierten Pfosten verschiedene Funktionen zugewiesen werden. Den gelochten Pfählen von Bodman-Schachen I käme analog den Baubefunden von Hornstaad in erster Linie eine dachtragende Funktion zu, die dünneren Eschenpfähle dürften hingegen eher als stützende Elemente in Betracht kommen, die den Boden mitzutragen hatten.[212] Die Einschlagtiefe von 1,6 m, wie sie für P 151-3 belegt ist, kann aufgrund ihrer ähnlichen Abmessungen auch für die übrigen gelochten Pfähle vermutet werden. Sie dürfte diesen, jedenfalls wenn sie in zähem Flusslehm gegründet waren, die Stabilität verliehen haben, die nötig war, um Wand- oder Dachkonstruktionen zu tragen. Der Prügelrost an den gelochten Pfählen hatte daher wohl primär keine tragende Funktion. Er sollte eher das Nachsinken des Pfahles unter Belastung verhindern und ist daher als „Pfahlabsicherung" zu betrachten. Er besaß damit dieselbe Funktion wie die Flecklinge, die überwiegend in den jüngeren Bauphasen von Bodman-Schachen I verwendet wurden (s. u.).

Die feste Verbindung zwischen Pfahlrost und Pfahl durch Waldrebenschlingen kann funktionsbedingt kaum schlüssig erklärt werden. Sie erscheint jedoch sinnvoll, wenn die Pfosten unter Wasserbedeckung gesetzt werden sollten. In diesem Falle musste der Prügelrost gegen den Auftrieb des Wassers am Pfosten gehalten werden. Die Konstruktion der gelochten Pfähle ist daher als Indiz für ein wasserbedecktes Siedlungsareal zum Zeitpunkt des Siedlungsaufbaus zu werten. Zu ähnlichen Schlussfolgerungen kommen aufgrund vergleichbarer Befunde die Ausgräber der urnenfelderzeitlichen Ufersiedlung von Greifensee-Böschen.[213]

Unmittelbare Hinweise zur Konstruktion der Wände und des Daches sind spärlich. Im nordöstlichen

---

212 Vgl. A. Billamboz/H. Schlichtherle, Pfahlbauten – Häuser in Seen und Mooren. In: Der Keltenfürst von Hochdorf, Methoden und Ergebnisse der Landesarchäologie (Stuttgart 1985) 259 Abb. 386.

213 Vgl. B. Eberschweiler, Blockbauten im spätbronzezeitlichen Dorf von Greifensee-Böschen. In: Die ersten Bauern. Pfahlbaufunde Europas 1. Schweiz (Zürich 1990) 195 Abb. 5.

Pfahlfeldrand sind umgeknickte Fragmente eines gelochten Pfahles auf eine Länge von etwa 1,5 m über der Lochung erhalten. An diesem Pfahlabschnitt sind keine weiteren Einlassungen, Zapflöcher oder Kerben vorhanden, die auf die Befestigung horizontaler Verbindungen schließen ließen. Bei einer abgehobener Bauweise, die aufgrund der Befunde anzunehmen ist,[214] ist der Abstand des Hausbodens vom Seegrund mindestens um diesen Betrag anzunehmen, sofern Querträger oder Unterzüge eingezapft gewesen sein sollten.[215] Einfachere Verbindungen von Wand und Hausboden durch Waldrebe oder Seilstücke, die am Holz kaum Spuren hinterlassen, sind jedoch ebenso vorstellbar,[216] zumal anzunehmen ist, dass die Bodenlast auf weitere Stützpfosten verteilt war (s. o.).

Hinweise auf lehmverstrichene Wände fehlen auch im Falle von Haus 1.2. Trotz gut erhaltener Brandschicht[217] waren angeziegelte Lehmbrocken nicht auszumachen. Die Konstruktion der Außenwände durch Rindenbahnen oder Flechtwandkonstruktionen, die mit Moosen isoliert waren, sind denkbare Alternativen. Nachweise von Flechtwänden liegen aus der urnenfelderzeitlichen Ufersiedlung Greifensee-Böschen am Greifensee (ZH) in der Schweiz vor,[218] wobei hier nicht ganz klar, ist ob es sich tatsächlich um Reste von Außenwänden handelt.

Die Hinweise zur Höhe der Häuser sind für die erste Bauphase vielleicht in Ansätzen der Länge eines vollständig erhaltenen Pfahls zu entnehmen (Abb. 54,14), seine Zugehörigkeit zu den erfassten Hausgrundrissen ist jedoch unsicher.[219] Der Eichenrundling ist an einem Ende mit Beilhieben stumpf abgeschlagen und misst bis zu seinem zapfenförmig zugearbeiteten Ende 3,3 m (Abb. 54,14). Der Vierkantzapfen ist im Querschnitt annähernd quadratisch, 30 cm lang und ca. 5 cm breit. Unter der Voraussetzung, dass der Pfosten anlässlich einer Reparatur ausgewechselt und direkt über dem Boden oder unwesentlich darüber abgeschlagen wurde, ist er in seiner ursprünglichen Länge über dem Seegrund bzw. der Uferbank erhalten. Die Länge des Pfostens mit Zapfenende von 3,3 m reicht für einen Firstpfosten bei abgehobener Bauweise kaum aus.[220] Aufgrund der rekonstruierten Siedlungslage an der Grenze zwischen Eu- und Sublitoral[221] müsste der Hausboden 2–2,5 m von der Uferbank abgehoben gewesen sein. Der Pfahl mit Zapfenende könnte damit aus einer Seitenwand stammen.

Sein Zapfenende findet Parallelen an den Firstpfosten der Schwellbalkenbauten der Siedlung a/Schicht 1 von Zürich-Mozartstrasse,[222] in Hornstaad-Hörnle I[223] und in Aichbühl[224]. Die Deutung der Pfähle mit Zapfenenden ist je nach Befundsituation uneinheitlich. Sie reicht von der senkrechten Konstruktionseinheit als Dachträger bis hin zur waagerechten Konstruktionseinheit innerhalb von Ständerbauten.

Aufgrund der Abmessungen der gesichert nachgewiesenen Hausstandorte (s. o.) lassen sich aus sieben weiteren gelochten Pfählen und facettierten Eschenpfählen mit breiten Jahrringen drei weitere Grundrisse wahrscheinlich machen (Abb. 70, Haus 1.1, 1.3 u. 1.6). Das Fehlen einzelner Pfähle in den vorgeschlagenen Grundrissen kann im Einzelfall nicht geklärt werden. Pfostenlöcher waren an der Oberfläche jedenfalls nicht erkennbar.

Innerhalb der Oberflächenaufnahme stehen die sicher rekonstruierbaren Häuser in zwei unregelmäßigen Zeilen mit dem Giebel nach Nordosten zur Wetterseite hin orientiert. Bei angenommener regelmäßiger Bebauung des gemischten Pfahlfeldes sind drei weitere Hausstandorte im Nordteil des Pfahlfeldes rekonstruierbar. Insgesamt wäre also mit maximal neun etwa gleich großen Hausgrundstück für die Siedlung von Schicht A zu rechnen (Abb. 70), deren Fläche durch die Verteilung der gelochten Pfähle und die Kulturschichtausdehnung auf ca. 600 m² eingegrenzt werden kann.[225] Nachweise einer Umzäunung oder Palisade fehlen. Die Häuser der ersten Bauphase sind von einheitlicher Größe. Unterschiedliche Funktionen der einzelnen Baueinheiten lassen sich an den nachgewiesenen Grundrissen sowie den dazugehörigen Befunden nicht unterscheiden. Analog den Befunden von Haus 1.2 handelt es sich vermutlich um Wohnhäuser.

---

214 Vgl. Kap. 3.3.2 zur Interpretation der Profile.
215 Der Nachweis derartiger Verbindungen liegt von Fiavé vor. Vgl. Marzatico (Anm. 172) 245 ff.
216 Vgl. Gross u. a., Zürich „Mozartstrasse" 67 ff. In Hornstaad-Hörnle I sind an ganz erhaltenen Ständern jedenfalls keine Kerben o. Ä. vorhanden.
217 Vgl Kap. 3.4 zum Flächenbefund.
218 E. Gross/U. Ruoff, Das Leben in neolithischen und bronzezeitlichen Dörfern am Zürich- und Greifensee. Arch. Schweiz 13, 1990, 107 Abb. 6.
219 Die Zugehörigkeit des liegenden Holzes zu P57-1, die aufgrund der Befundlage nahe lag, erwies sich aufgrund dendrochronologischer Messungen als nicht richtig.
220 Vgl. Hornstaad-Hörnle I mit Wandpfosten von ca. 4,5 m Länge bei abgehobener Bauweise, s. Schlichtherle, Pfahlbauten 145. – Mozartstrasse Schicht 1b mit 5,5 m der Firstpfosten und 2 m für die Wandpfosten bei ebenerdiger Bauweise, s. Gross u. a., Zürich „Mozartstrasse" 60 f.
221 Vgl. Kap. 3.3 zu Schichtaufbau und Interpretation.
222 Gross u. a., Zürich „Mozartstrasse" 67 Abb. 97.
223 Schlichtherle, Hornstaad-Hörnle 86 ff.
224 Schmidt (Anm. 191) 99 f.
225 Vgl. Kap. 3.4.2 u. 3.4.4 zum Flächenbefund von Schicht A in Fläche 1 und 2.

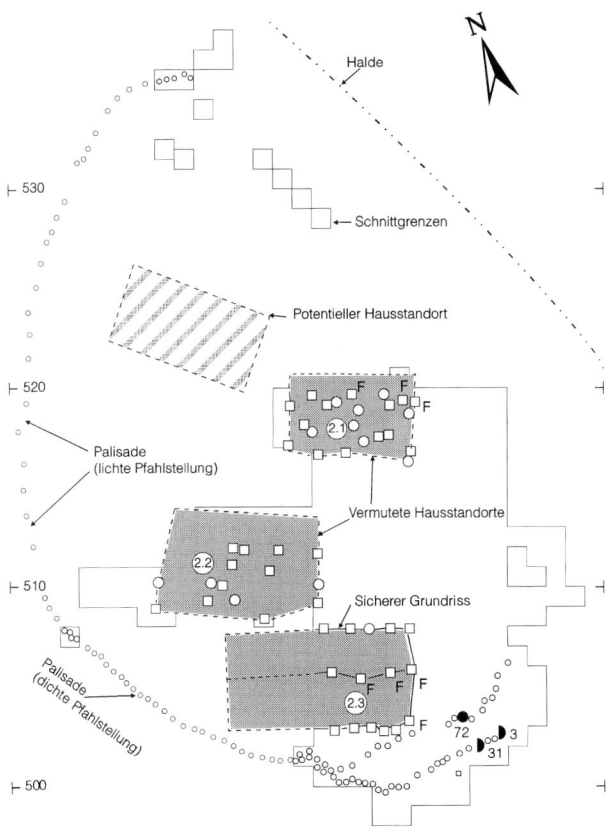

Abb. 71: Bauphase 2. Durch Erlenpfosten belegte Hausstandorte (Signaturen s. Abb. 72).

4.4.3 Zur Frage einer Siedlung vor Bauphase 1

Die gelochten Pfähle sind aus ganzen Eschen- und Eichenstämmen hergestellt, deren Jahrringe vergleichsweise hohe Zuwachsraten aufweisen. Die 15 bis 20 cm dicken Baumstämme besitzen im Durchschnitt lediglich 30 Jahrringe (Tab. 2). Derartige jährliche Zuwachsraten sind in Stockausschlägen zuvor gerodeter Flächen zu erwarten,[226] wobei solche Rodungsflächen auch durch natürliche, etwa durch Blitzschlag ausgelöste Waldbrände entstehen können.
Trifft es zu, dass die weitringigen Gehölze aus Schicht A in einer von Menschenhand gerodeten Fläche geschlagen wurden, so ist in der näheren Umgebung von Bodman-Schachen I eine Siedlung zu vermuten, die zeitlich vor der ersten nachgewiesenen Siedlungsphase am Schachenhorn liegt. Diese Siedlung müsste entsprechend dem Alter der Stockausschläge etwa 35 bis 40 Jahre vor dem Bau von Siedlung A errichtet worden sein.
Möglicherweise ist die vermutete Siedlung in Bodman-Weiler I oder Ludwigshafen-Seehalde zu suchen. Aus beiden Stationen stammt Keramik, die der älteren Frühbronzezeit zugewiesen werden kann, von Ludwigshafen-Seehalde sind überdies gelochte Pfähle bekannt geworden.[227]

4.4.4 Bauphase 2 (Erlenbauphase)

Bauphase 2 ist durch polygonal bebeilte Erlenpfähle aus Vollhölzern mit nachfacettierten Flecklingen belegt (Abb. 58,1–7.11.12).[228] Ihre Datierung zeitlich vor die dendrochronologisch erfasste Bauphase 3 geht aus der stratigraphischen Position dieser Flecklingskonstruktionen hervor (s. o.). Die Zuweisung teilentrindeter Erlenrundhölzer zur zweiten Bauphase ist weniger klar. Insgesamt erschließen sich durch die Kartierung der teilentrindeten und der polygonal bebeilten Erlenpfähle im südlichen Pfahlfeld zwei deutliche Struktureinheiten (Abb. 71). Am Südrand des zentralen Pfahlfeldes befindet sich eine ost-west-orientierte Reihe von in einzelnen Bahnen entrindeten Erlenrundlingen, die sich seewärts in zwei Pfahlreihen auftrennt (Abb. 71). Der „Erlenzaun" setzt sich mit dichter Pfahlstellung in nordwestlicher Richtung mit leichter Biegung fort und endet in dieser Form nach ca. 20 m in Q701.[229] Eine locker stehende Pfahlreihe von Weichholzrundlingen, wohl Erlen, mit Abständen zwischen 0,5 und 1 m schließt in nördlicher Richtung an die dichte Pfahlstellung des Erlenzauns an und endet in Schnitt 7 am nördlichen Pfahlfeldrand. Der Zaun begrenzt landwärts den zentralen Teil des Pfahlfeldes; auf der Seeseite fehlt eine vergleichbare Siedlungsbegrenzung. Die Pfahlreihe ist wahrscheinlich Schicht B zuzuordnen, deren Ausdeh-

---

226 Vgl. dazu A. Billamboz, Premières investigations archéodendrologiques dans le champ de pieux de la station Hornstaad-Hörnle I sur les bords du lac de Constance. In: Becker u.a., Ufer- und Moorsiedlungen 140ff.; A. Billamboz/W. Torke, Études dendrochronologiques des bois de construction des stations Forschner et Bodman-Schachen I. In: A. Billamboz/E. Keefer/J. Köninger/W. Torke, La transition Bronze ancien-moyen dans le sud-ouest de l'Allemagne à l'exemple de deux stations de l'habitat palustre (Station Forschner, Federsee) et littoral (Bodman-Schachen I, Bodensee). In: Dynamique du Bronze moyen en Europe occidentale. Actes du 113e Congrès national des Sociétes savantes, Commission de Pré- et Protohistoire, Strasbourg 1988 (Paris 1989) 72ff. bes. 74 bzgl. Schicht A.
227 Aufgrund typologischer Überlegungen scheint das entsprechende Fundmaterial aus Ludwigshafen-Seehalde, Schicht 10, älter zu sein als dasjenige aus Schicht A. Eine mögliche Vorgängersiedlung wäre hier also denkbar; vgl. Köninger, Bodensee 97ff.
228 Vgl. Kap. 4.3.2.1 zur stratigraphischen Einordnung der Flecklinge.
229 Die Erlenpfahlreihe wurde bis zum Ende ihrer dichten Stellung verfolgt, konnte allerdings aufgrund vorherrschenden Zeitdrucks nicht durchgehend zeichnerisch dokumentiert werden.

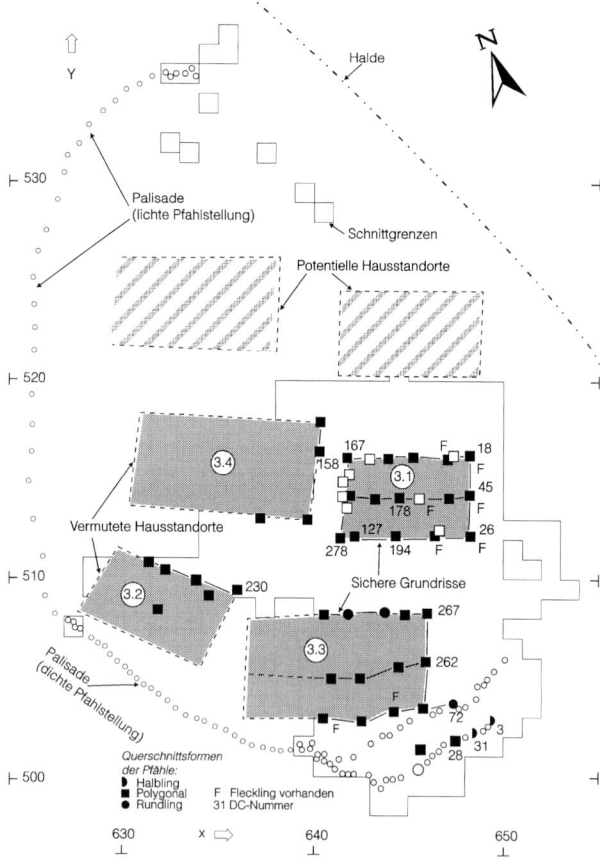

Abb. 72: Bauphase 3. Durch Eichen- und Erlenpfosten belegte Hausstandorte. Durchgezogene Linien markieren zusammengehörige Pfahlreihen und die Begrenzung der Hausstandorte, unsichere Begrenzungen und Zusammenhänge sind gestrichelt dargestellt. Vollsignatur: Eiche; offene Signatur: Erle. Die Dendrodaten zu den angegebenen DC-Nummern s. Tabelle 4.

nung sie nach Süden hin in etwa begrenzt.[230] Andererseits stören einzelne Erlenpfosten Schicht B,[231] so dass ein Teil des Erlenzauns erst nach deren Ablagerung errichtet worden sein kann. Da es sich möglicherweise um nachträgliche Ausbesserungen handelt, ist die Zugehörigkeit der Pfahlreihe zu Schicht B nicht grundsätzlich in Zweifel zu ziehen. Für eine Errichtung des Erlenzaunes vor den Bauphasen, die der Schicht C angehören, spricht die Ausdehnung der dendrochronologisch datierten Pfähle der zweiten Schlagphase über den Erlenzaun hinaus nach Süden (s. u.). Möglicherweise datieren zwei in der äußeren Erlenreihe stehende Eichenhalblinge und ein im inneren Zaunbereich stehender Eichenrundling die Erlenpalisade durch ihre Dendrodaten mit Waldkanten um 1644 v. Chr. Die übrigen Waldkantendaten dieser Schlagphase streuen in Grundriss 3.1 und sind 3 bzw. 4 Jahre jünger. Grundriss 3.3, der direkt an den Erlenzaun angrenzt, ist mit einem Splintgrenzdatum um 1639 v. Chr. datiert und damit ca. 5 Jahre jünger.

Die zweite Struktur des Erlenpfahlfeldes ist klar begrenzt. In regelhaften Abständen stehen in drei Reihen polygonal zugerichtete Erlenpfähle (Abb. 58, 1.3.5–7.11–12). Ihre Kartierung ergibt Grundriss 2.3 (Abb. 71), der in seinen Abmessungen, den Pfostenabständen zueinander und seiner Orientierung den Grundrissen 3.1 und 3.3 entspricht (Abb. 72).

Die Erlenbauphase kann mit Schicht B nicht zweifelsfrei verknüpft werden. Im südlichen Bereich von Schicht B liegt L 20-4, der facettierte Fleckling eines Erlenpfahls, unter Schicht B. Im zentralen und nördlichen Pfahlfeld ist die Zuordnung unklar.

Die zeitliche Differenz zwischen den Bauphasen 2 und 3 dürfte nicht allzu groß zu veranschlagen sein. Grundriss 3.3 wurde offenbar als Nachfolgebau des Erlenhauses 2.3 errichtet. Eine derartige Baufolge beinhaltet im Regelfall eine zeitliche Differenz, die maximal bei 50 Jahren liegt.[232] Aufgrund des in Bauphase 2 verbauten minderwertigen Erlenholzes muss wahrscheinlich von einer wesentlich kürzeren Zeitspanne zwischen Bauphase 2 und 3 ausgegangen werden. Möglicherweise wurden Erlenzaun und Haus 2.3 gemeinsam um 1644 v. Chr. errichtet. Haus 2.3 wäre dann durch Haus 3.3 um 1639 v. Chr. ersetzt worden. Mit einiger Sicherheit kann zwischen Bauphase 2 und 3 von einer Siedlungskontinuität ausgegangen werden.

Weitere Erlenpfähle mit polygonalem Querschnitt befinden sich auch im übrigen Pfahlfeld, eindeutige Pfahlreihungen sind nicht zu erkennen. Ihre Kartierung machen weitere Hausstandorte (2.1 und 2.2) nördlich von Haus 2.3 wahrscheinlich. Die Erlenbauphase ist demzufolge im gesamten zentralen Pfahlfeldbereich gemischter Zusammensetzung vertreten (Abb. 71).

Die Bauphasenzugehörigkeit des Erlenzaunes kann nicht zweifelsfrei geklärt werden. Aufgrund der Holzart möchte man eher einen Zusammenhang mit Bauphase 2 herstellen. Der Fortbestand der Umzäunung während Bauphase 3 muss offen bleiben. Die übrigen Bauphasen kommen für den Erlenzaun demgegenüber nicht in Frage, da Hausstandorte den Zaun im Süden des Pfahlfeldes schneiden.

---

230 Zur Ausdehnung Schicht B nach Süden s. Beil. 2,3.
231 P25-5 durchschlägt Rinde in Schicht B.
232 Zwischen den einzelnen Bauphasen von Hornstaad-Hörnle IB liegen Zeitspannen von 6 bis maximal 23 Jahren, s. Billamboz (Anm. 169) 195.

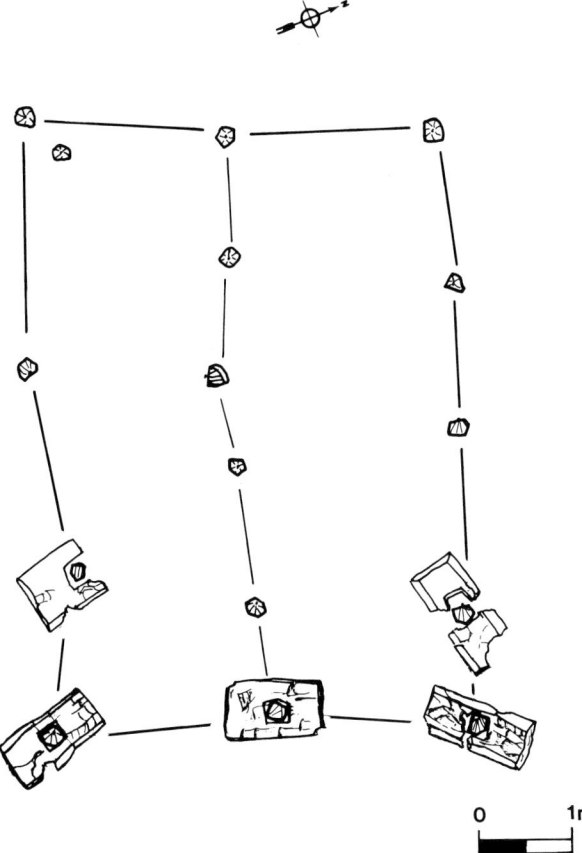

Abb. 73: Bauphase 3. Eichenpfähle von Grundriss 3.1 mit zugehörigen Flecklingen.

Tabelle 4: Bodman-Schachen I, Bauphase 3. Dendrochronologisch datierte Eichenpfähle. Korrelation der im dendrochronologischen Labor vergebenen DC-Nummern der Pfähle mit ihren Grabungsnummern, zugehörigen Flecklingen und Baustrukturen. Die Dendrodaten sind roh angegeben. W Waldkantendatierung; S Splintgrenzendatierung; K nur Kernholz vorhanden, datiert wurde der letzte Jahrring (zur Datierung mit Splint und Kernholz vgl. Becker u. a., Dendrochronologie 27). Zu den Ziffern der letzten Spalte s. Abb. 72.

DC-Nr.	Pfahl Nr.	Datierung (v. Chr.)	Fleckling Nr.	Holzart	Grundriss (Nr.) od. Zaun
3	P12-1	W-1644	–	–	Zaun
18	P64-3	1690 K	L64-3	Aln	3.1
26	P68-1	1668 K	L68-1	Aln	3.1
28	P13-4	1666 K	–	–	Zaun
31	P11-3	S-1644	–	–	Zaun
45	P66-1	S-1643	L66-1	Aln	3.1
72	P19-3	W-1644	–	–	3.1?
127	P165-1	S-1646	–	–	3.1
158	P241-4	W-1640	–	–	3.4
167	P242-1	W-1640	–	–	3.1
178	P178-1	W-1641	–	–	3.1
194	P153-1	W-1641	–	–	3.1
230	P545-1	W-1642?	–	–	3.2
262	P193-3	S-1646	–	–	3.3
267	P273-4	1669 K	–	–	3.3
278	P255-2	W-1640	–	–	3.1

4.4.5 Bauphase 3, Schicht B (Eichenbauphase)

Die Basis der mittleren Kulturschicht ist durch den Eichenpfahl P66-1 in Verbindung mit dessen Fleckling L66-1 mit Splintgrenze absolut um 1635 v. Chr. und damit in die erste Schlagphase von Bodman-Schachen I datiert.[233] Demzufolge sind die Pfähle der ersten Schlagphase mit Waldkanten zwischen 1644 und 1640 v. Chr. wahrscheinlich Schicht B zuzuweisen.

Der Rahmen von Haus 3.1 wird durch mindestens acht dendrodatierte Eichenpfähle markiert, fünf davon besitzen Waldkanten um 1641 v. Chr. und 1640 v. Chr. (Tab. 4; Abb. 72; 73). Die dendrochronologisch datierten Eichenpfähle sind unterhalb der Unterschneidung im Zapfenbereich erhalten und weisen dort einen polygonalen Querschnitt mit Durchmessern zwischen 8 und 10 cm auf (Abb. 68). Grundriss 3.1 kann durch die Kartierung weiterer Eichenpfähle gleichen Zuschnitts ergänzt werden (Abb. 73; 74,7–10.15–18). Die Pfähle stehen längs in regelhaften Abständen von 1,5 bis 2 m, die Abstände zwischen den Pfahlreihen liegen zwischen 2 und 2,5 m (Abb. 73). Die seewärtige Begrenzung von Grundriss 3.1 kann durch seine siedlungsrandliche Lage als gesichert gelten. Landwärtig scheinen polygonale Erlenpfähle den Grundriss zu begrenzen.

Mit diesen Vorgaben kann ein zweischiffiger, ost-west-orientierter Hausgrundriss von 4,0 m × 6,5 m mit einer Grundfläche von ca. 26 m² rekonstruiert werden. Die regelhafte Pfahlanordnung in drei Reihen lässt auf ein zweischiffiges Gebäude mit Seiten- und Firstpfosten schließen. Flecklinge, die normalerweise an Pfählen polygonalen Querschnitts anzutreffen sind, haben sich nur im seewärtigen Abschnitt des Grundrisses erhalten. Die erhaltenen Flecklinge in Grundriss 3.1 sind ausnahmslos flächig nachfacettiert. Die aus ihrer horizontalen Verteilung hervorgegangene relativchronologische Einstufung der facettierten Flecklinge wird durch den dendrochronologisch datierten Grundriss 3.1 gesichert.[234]

Südlich von Grundriss 3.1 lassen sich im Abstand von vier Metern Eichenpfähle polygonalen Querschnitts aus dem Pfahlfeld aussondern, die den morphologischen Vorgaben der Pfähle aus Grundriss 3.1 entsprechen (Abb. 74,11–14). Ihre Kartierung

---
233 Vgl. Kap. 12.3.2.1 zur absoluten Datierung von Schicht B.
234 Vgl. weiter unten Kap. 4.4.4 zur Bauphase 2 (Erlenbauphase); desgl. Kap. 4.3.2.1 zu den Flecklingen.

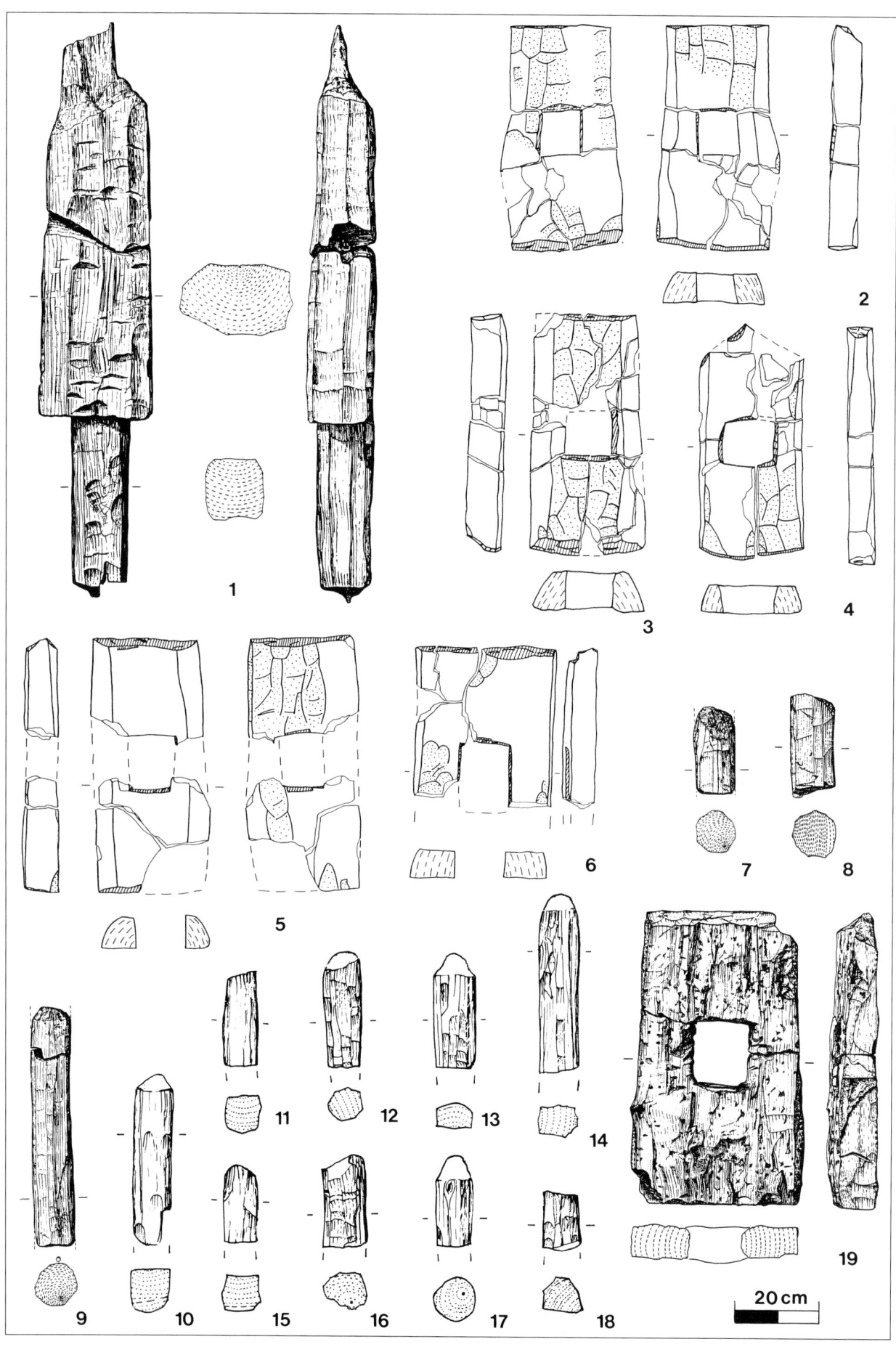

Abb. 74: Schicht B, Bauphase 3. Eichenpfähle und nachfacettierte Erlenflecklinge. 1 P13-4. 2 L68-1. 3 L64-3. 4 L33-1. 5 L44-1. 6 L48-1. 7 P48-1. 8 P66-1. 9 P44-1. 10 P178-1. 11 P272-2. 12 P59-2. 13 P201-4. 14 P273-4. 15 P153-1. 16 P64-3. 17 P46-2. 18 P187-2. 19 L66-1. Grundrisszugehörigkeit, Haus 3.1: 2–10.15–18; Haus 3.3: 11–14.

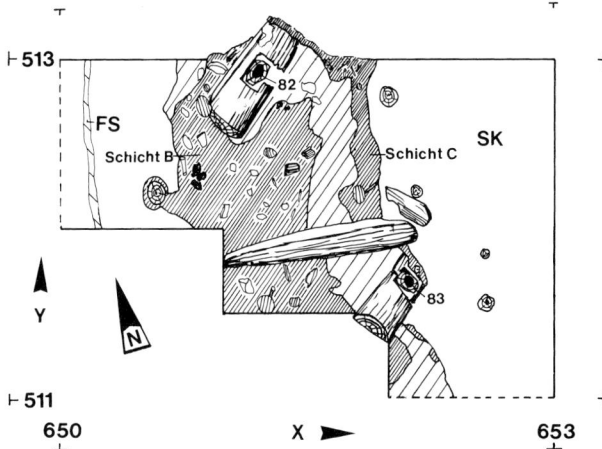

Abb. 75: Oberflächenbefunde im Bereich der Flecklingskonstruktionen L145-1/P145-1 (DC 82) und L147-1/P147-1 (DC 83). Die Flecklinge liegen auf Schicht B an der Basis von Schicht C und werden von dieser überlagert. FS fluviatiles Sediment, SK Seekreide.

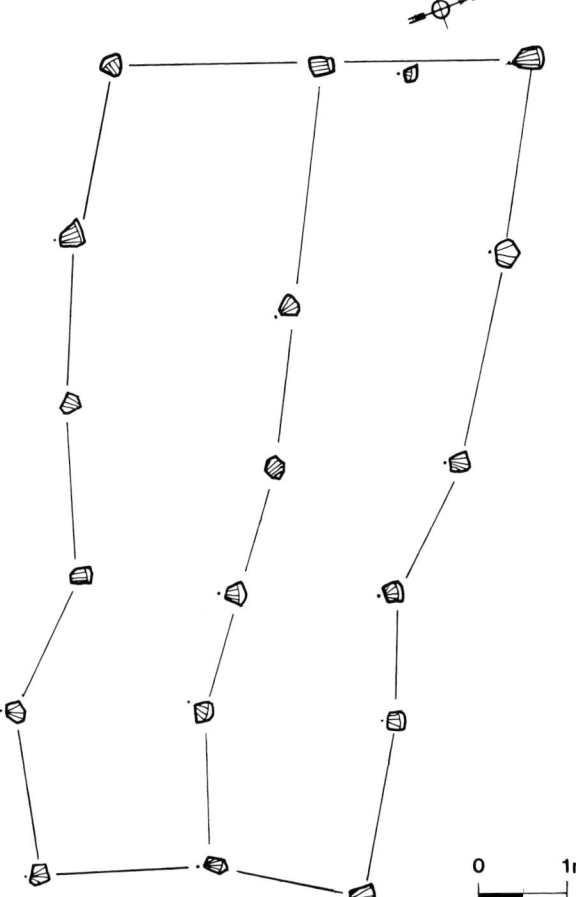

Abb. 76: Bauphase 4. Durch Eichenpfosten um 1611 v. Chr. datierter Grundriss 4.3.

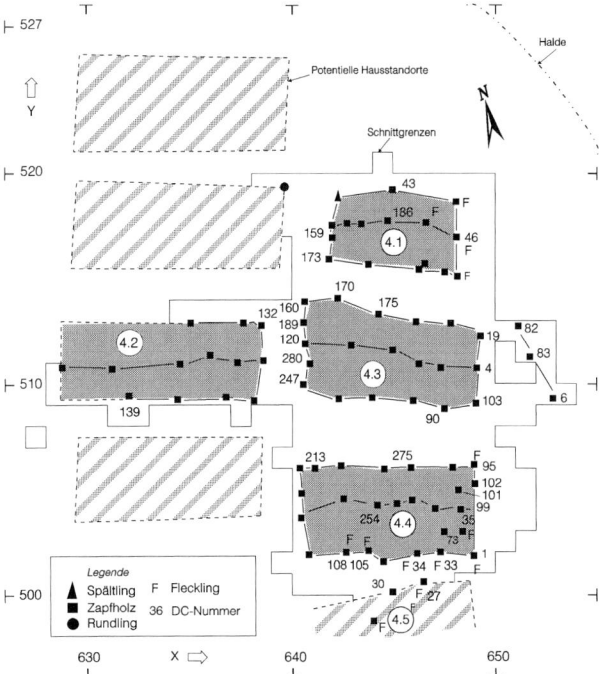

Abb. 77: Bauphase 4. Durch Eichenpfosten belegte und potentielle Hausstandorte. Die Dendrodaten zu den angegebenen DC-Nummern s. Tabelle 5.

ergibt Grundriss 3.3. Er steht längsseits parallel zu Grundriss 3.1 und ist zu diesem landwärts leicht versetzt (Abb. 72). Die beiden Hausgrundrisse stimmen in der Abmessung ihrer Hausbreiten und in den Eichenpfostenabständen untereinander weitgehend überein. Die Länge von Grundriss 3.3 übersteigt die Oberflächenaufnahme, so dass im Vergleich mit Grundriss 3.1 landwärts möglicherweise Pfostenstellungen zu ergänzen sein werden.

Die Zugehörigkeit von Grundriss 3.3 zu Schicht B geht zunächst aus P 193-3 mit einem Splintgrenzdatum um 1639 v. Chr. hervor (Tab. 4). Die Orientierung des Grundrisses und die durchschnittlichen Durchmesser der polygonalen Eichenpfähle sprechen ebenfalls für die Verknüpfung mit der Eichenbauphase von Schicht B. Ein weiterer Hausstandort, Grundriss 3.2, kann aufgrund der Morphologie der kartierten Zapfhölzer landseitig von Grundriss 3.3 wahrscheinlich gemacht werden. Die Bebauung des gesamten gemischten Pfahlfeldes während der Eichenbauphase von Schicht B geht aus der Streuung dendrochronologisch datierter Eichenpfähle hervor. Westlich der Häuser 3.1 und 3.3 zeichnen sich durch einzelner Pfahlstellungen zwei weitere Grundrisse (3.2 und 3.4) ab (Abb. 72).

4.4.6 Bauphase 4, Schicht C (Eichenbauphase)

Im Süden des Pfahlfeldes lag der Fleckling L 24-5 an der Schichtbasis der oberen Kulturschicht. Der Eichenpfahl des Flecklings datiert mit Waldkante um 1612 v. Chr. (Beil. 2,1–3). Im östlichen Teil des Pfahlfeldes datiert, ebenfalls durch seinen Fleckling

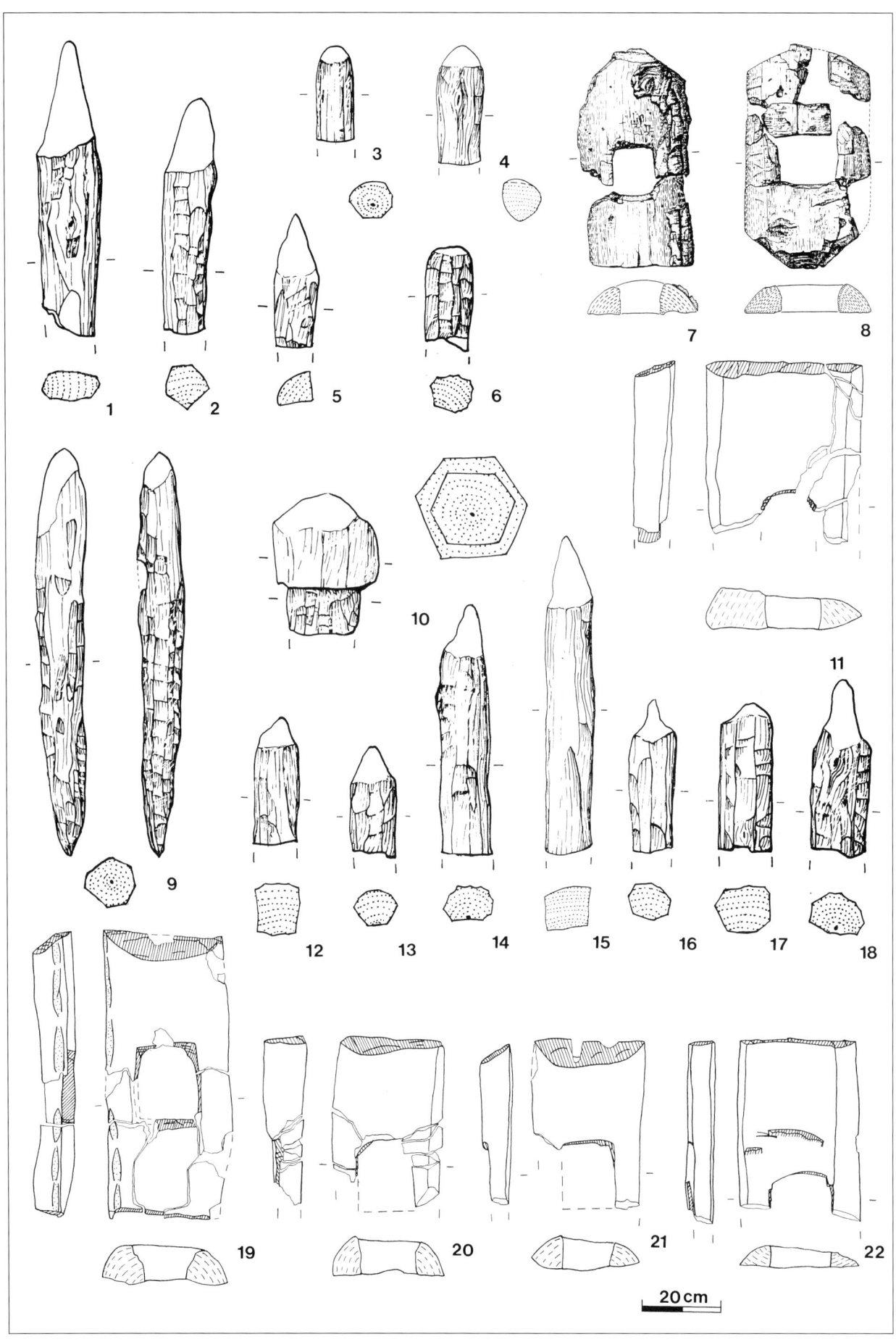

Abb. 78: Bauphase 4. Erlenflecklinge und facettierte Eichenpfosten. 1 P145-1. 2 P147-1. 3 P157-1. 4 P47-1. 5 P100-1. 6 P158-5. 7 L42-1. 8 L94-1. 9 P304-1. 10 P101-1. 11 L53-3. 12 P172-2. 13 P237-1. 14 P185-2. 15 P45-1. 16 P182-1. 17 P235-1. 18 P189-3. 19 L145-1. 20 L52-2. 21 L147-1. 22 L103-1. Aus denselben Quadraten stammende Pfosten und Flecklinge gehören als Flecklingskonstruktion zusammen. Grundrisszugehörigkeit, Haus 4.1: 7.8.12–18; Haus 4.2: 9; Haus 4.3: 1–6.10.19.21; Haus 4.4: 11.

stratifiziert, der Eichenpfahl P 145-1 die Schichtbasis von Schicht C um 1591 v. Chr.[235] (Abb. 75). Die Daten gehören dendrochronologisch zur zweiten Schlagphase von Bodman-Schachen I, die Datierungen mit Waldkanten von 1618 bis 1591 v. Chr. umfasst.

Im zentralen Pfahlfeld zeichnet sich Grundriss 4.3 durch elf dendrodatierte Eichenpfähle ab (Abb. 76; 77; 78,1–6.10.19.21). Zwei dieser Pfähle lieferten Daten mit Waldkanten um 1611 v. Chr. (Tab. 5). Sie unterscheiden sich von eichenen Zapfhölzern der dritten Bauphase durch ihre größeren Durchmesser. Aufgrund ihrer Morphologie und von Durchmessern über 10 cm (Abb. 68) können seewärts weitere Pfahlstellungen ergänzt werden. Der ost-west-orientierte Grundriss 4.3 nimmt damit eine Grundfläche von ca. 30–35 m² bei Abmessungen von 8,0 × 4,5 m ein (Abb. 76). Die um 1591 v.Chr. datierten Pfosten (Abb. 77,6.82.83) belegen möglicherweise die seeseitige Erweiterung des Gebäudes.

Südlich von Grundriss 4.3 streuen weitere polygonale Eichenpfähle, deren Flecklinge an der Basis von Schicht C liegen. Die Pfosten lassen sich weniger klar zum Grundriss von Haus 4.4 vereinen. Grob kann jedoch aufgrund der hier streuenden polygonalen Eichenzapfen und Erlenflecklinge ein weiterer Hausstandort wahrscheinlich gemacht werden, der parallel zu Grundriss 4.3 orientiert ist (Abb. 77). Inwiefern die Pfosten südlich von Haus 4.4 einen eigenständigen Hausgrundriss 4.5 repräsentieren (Abb. 77 unten) oder Haus 4.4 zugeschlagen werden müssen, ist unklar. Die morphologische Ähnlichkeit ihrer Flecklinge mit denen aus Haus 4.4 spräche für einen gemeinsamen baulichen Kontext (Abb. 62,1–3.17–20).

Auch im nördlichen Pfahlfeldbereich ist die Situation eher unübersichtlich. Aufgrund einzelner polygonaler Eichenpfähle und Erlenflecklinge zeichnet sich hier Grundriss 4.1 ab (Abb. 77; 78,7.8.12–18). Schließlich befinden sich landwärts von Haus 4.3 teilweise unvollständige Reihen polygonaler Eichenzapfen mit entsprechenden Durchmessern. Sie dürften den Hausstandort 4.2 markieren. Die Abmessungen des erfassten Hausbereichs entsprechen denen von Haus 4.3 (Abb. 77). Seine landwärtige Verlängerung über die untersuchte Oberfläche hinaus ist unwahrscheinlich, da dort die Pfahlfeldgrenze verläuft. Aus der Kartierung der Pfähle von Grundriss 4.1 und 4.4 ergeben sich keine eindeutig zu rekonstruierenden Pfahlreihen. Die Kartierung von polygonalen Eichen, die den datierten Eichenpfählen der zweiten Schlagphase morphologisch entsprechen, liefern weniger übersichtliche Pfahlstellungen nördlich und südlich von Grundriss 4.3 (Abb. 77). Vermutlich sind dafür Pfähle, die der Ausbesserung und Erneuerung dienten, und nicht mehr brauchbare Pfosten, die deshalb entfernt wurden, verantwortlich zu machen. Aufgrund der Pfahlstellungen sind hier Hauskonstruktionen mit regelhaft stehenden Firstpfosten- und Seitenpfos-

Tabelle 5: Bodman-Schachen I, Bauphase 4. Dendrochronologisch datierte Eichenpfähle. Die Dendrodaten sind roh angegeben. W Waldkantendatierung; S Splintgrenzendatierung; K nur Kernholz vorhanden, datiert wurde der letzte Jahrring (zur Datierung mit Splint und Kernholz vgl. Becker u. a., Dendrochronologie 27). Zu den Ziffern der letzten Spalte s. Abb. 77.

DC-Nr.	Pfahl Nr.	Datierung (v. Chr.)	Fleckling Nr.	Holzart	Grundriss
1	P10-1	W-1604	L10-2	Aln	4.4
4	P130-2	W-1593?	–	–	4.3
6	P142-1	1621 K	–	–	4.3?
19	P138-2	1632 K	–	–	4.3
27	P24-3	S-1612	L24-5	Aln	4.5
30	P20-1	1630 K	L20-1	Aln	4.5
33	P13-1	1632 K	L13-6	–	4.4
34 (Fl)	P25-1	S-1612	L25-1	Que	4.4
35	P16-1	W-1605?	L16-1	Aln	4.4
43	P33-1	S-1612	–	–	4.1
46	P93-1	S-1628	L93-1	Aln	4.1
73	P19-4	S-1609	L19-1	Que	4.4
82	P145-1	W-1591	L145-1	–	4.3?
83	P147-1	W-1592	L147-1	–	4.3?
90	P117-2	S-1616	–	–	4.3
95	P53-2	S-1619	L53-3	Aln	4.4
99	P51-2	S-1625	–	–	4.4
101	P52-3	S-1620	–	–	4.4
102	P52-5	1642 K	–	–	4.4
103	P100-1	1621 K	–	–	4.3
105	P122-4	S-1618	L122-2	Que	4.4
108	P123-1	S-1612	L123-1	Aln	4.4
120	P166-1	W-1611	–	–	4.3
132	P168-1	1632 K	–	–	4.2
139	P304-1	1633 K	–	–	4.2
159	P242-5	S-1626	–	–	4.1
160	P247-1	S-1625	–	–	4.3
170	P249-1	1643 K	–	–	4.3
173	P241-1	S-1599	–	–	4.1
175	P178-3	S-1623	–	–	4.3
186	P182-1	W-1611	–	–	4.1
189	P251-1	W-1611	–	–	4.3
213	P281-1	W-1611	–	–	4.4
247	P261-2	S-1612	–	–	4.3
254	P195-3	1624 K	–	–	4.4
275	P278-1	W-1618?	–	–	4.4
280	P254-1	S-1625	–	–	4.3

---

235 Zur Problematik der verschiedenen Datierungsansätze s. Kap. 12.3.2 zur absoluten Datierung der Schichten B und C.

Abb. 79: Befundsituation an der Oberfläche. P25-1 (Bauphase 5, Haus 5.6) stört den um 1612 v. Chr. datierten Fleckling L25-1 und durchschlägt im Liegenden den in Schicht B stratifizierten Fleckling L26-3.

tenreihen eher unwahrscheinlich. Konstruktionen mit Querriegeln und Pfählen im „Hausinneren" mit bodentragenden Funktionen sind denkbar. Eine Reihung der Pfähle wäre dann nicht zwingend erforderlich. Die Pfahlreihen der Grundrisse 4.3 und 4.2 lassen demgegenüber mit einiger Sicherheit die Rekonstruktion der Gebäude mit Wand- und Firstpfostenreihen zu, wobei Pfahljoche zu fehlen scheinen.

4.4.7 Bauphase 5, ohne Schichtzuweisung (Eichenbauphase)

Die fünfte Bauphase entspricht der dendrochronologisch dritten Schlagphase um 1500 v. Chr. Die Pfähle durchschlagen die Schichten A bis C und sind daher jünger als diese Ablagerungen zu datieren (Abb. 79).

Haus 5.5 (Abb. 80) ist gut belegt. Mit Ausnahme von sechs Pfählen ließen sich sämtliche 18 Eichenpfosten mit der süddeutschen Eichenstandardkurve synchronisieren (Abb. 81). Allerdings sind lediglich zwei der Pfähle splintgrenzdatiert. Die übrigen Pfosten lieferten Kernholzdaten (Tab. 6). Ihr exaktes Fälldatum konnte daher nicht ermittelt werden. Der bauliche Zusammenhang mit den beiden splint-

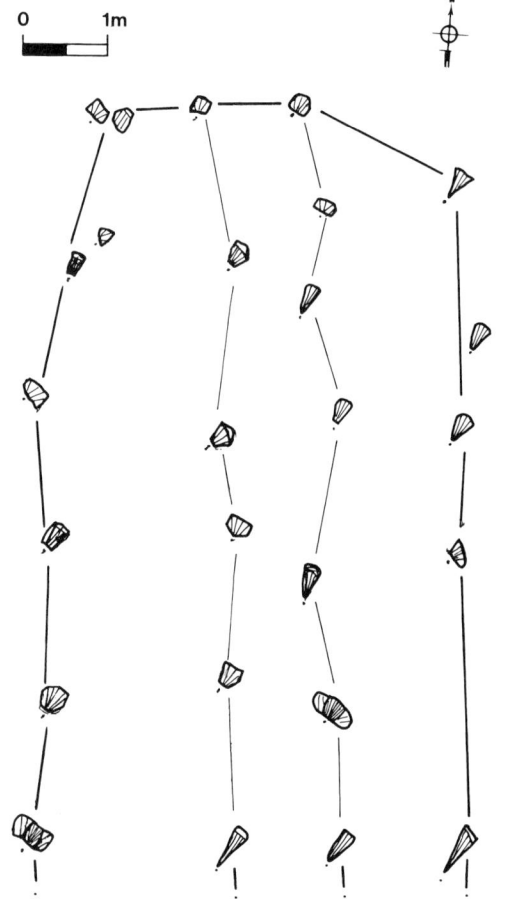

Abb. 80: Bauphase 5. Durch Eichenpfosten um 1500 v. Chr. datierter Grundriss 5.5.

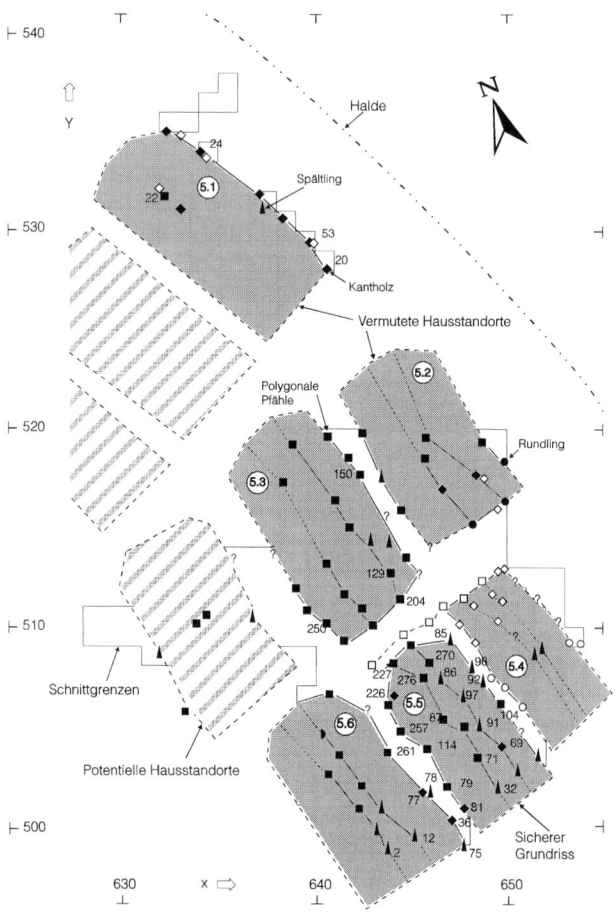

Abb. 81: Bauphase 5. Durch Eichen- und Erlenpfosten belegte sowie potentielle Hausstandorte. Vollsignatur: Eiche; offene Signatur: Erle. Die Dendrodaten zu den angegebenen DC-Nummern s. Tabelle 6.

grenzdatierten Pfählen ermöglicht die Rekonstruktion ihrer Fälldaten um 1500 v. Chr. Die Kartierung der dendrochronologisch datierten Pfähle lieferte den nord-süd-orientierten Grundriss eines dreischiffigen Gebäudes. Seine Grundfläche beträgt im erfassten Bereich ca. 42 m² bei Abmessungen von 5×8,5 m (Abb. 80). Eine weitere Pfostenstellung liegt möglicherweise weiter südlich außerhalb des untersuchten Bereiches. Der südwestlich von Haus 5.5 in Teilen erfasste Grundriss 5.6 reicht jedenfalls um eine weitere Pfahlstellung nach Süden. Die Begrenzung des Pfahlfeldes schließt Pfahlstellungen der Gebäude 5.5 und 5.6 weit gehend aus. Die drei-

Abb. 82: Bauphase 5. Hausgrundriss 5.1 zeichnet sich im haldennahen Bereich durch weit über den Seegrund ragende Eichenpfosten ab. Pfähle der übrigen Bauphasen fehlen hier an der nordöstlichen Peripherie des Pfahlfeldes.

Tabelle 6: Bodman-Schachen I, Bauphase 5. Dendrochronologisch datierte Eichenpfähle. Korrelation der im dendrochronologischen Labor vergebenen DC-Nummern der Pfähle mit ihren Grabungsnummern und Baustrukturen. Die Dendrodaten sind roh angegeben. W Waldkantendatierung; S Splintgrenzendatierung; K nur Kernholz vorhanden, datiert wurde der letzte Jahrring (zur Datierung mit Splint und Kernholz vgl. Becker u. a., Dendrochronologie 27). Zu den Ziffern der letzten Spalte s. Abb. 81.

DC-Nr.	Pfahl Nr.	Datierung (v. Chr.)	Grundriss
2	P21-4	W-1503?	5.6
12	P23-8	S-1503	5.6
20	P84-1	S-1520	5.1
22	P76-2	S-1521	5.1
24	P73-1	S-1523	5.1
32	P10-2	1520 K	5.5
36	P24-1	1541 K	5.6
53	P83-1	1529 K	5.1
69	P14-3	S-1504	5.5
71	P16-3	1528 K	5.5
75	P28-8	1541 K	5.6
77	P26-2	S-1515	5.6
79	P25-7	1544 K	5.5
81	P29-1	1546 K	5.5
85	P117-1	1522 K	5.6
86	P112-1	1526 K	5.5
87	P114-1	1526 K	5.5
91	P51-7	1530 K	5.5
92	P54-2	1533 K	5.5
96	P55-3	S-1510	5.5
97	P57-3	1531 K	5.5
104	P103-3	1514 K	5.5
114	P190-1	1525 K	5.5
129	P162-1	1526 K	5.3
150	P239-3	S-1508	5.3
204	P153-6	1556 K	5.3
226	P277-1	1530 K	5.5
227	P271-3	1516 K	5.5
250	P261-1	1543 K	5.3
257	P195-1	1532 K	5.5
261	P197-2	W-1504	5.6
270	P273-3	1527 K	5.5
276	P276-3	1515 K	5.5

schiffige Konstruktion Haus 5.5 bedingt eine freitragende Dachkonstruktion ohne Firstpfosten oder Firstpfosten, die auf einem Querriegel aufsitzen.[236] Zur Errichtung von Haus 5.5 wurden überwiegend radiale und tangentiale Spalthölzer (Abb. 60,8–10. 12–15) verwendet, deren polygonal zugerichtete Zapfenenden mit Durchmessern zwischen 13 und 18 cm die Pfahlstärken der Eichenpfähle der Schichten B und C im Mittel deutlich übertreffen (Abb. 68). Daneben wurden auch radiale Spältlinge ohne Zapfenenden verbaut (Abb. 60,11).
Die übrigen dendrodatierten Pfähle von Bauphase 5 lassen sich nur zu Teilgrundrissen zusammenführen, der Ergänzungsversuch durch weitere entsprechend dimensionierte Eichenpfähle ergab im zentralen Pfahlfeld die beiden Grundrisse 5.3 und 5.6 (Abb. 81). Zumindest ein weiterer Hausstandort (Abb. 81, Nr. 5.2) wird durch einzelne typische Eichenpfähle in diesem Pfahlfeldbereich angezeigt. Mit einer Pfahlreihe aus wuchtigen radialen Spalthölzern am Nordrand des Pfahlfeldes dicht an der heutigen Halde konnte mit Haus 5.1 mit einiger Sicherheit ein weiterer Grundriss dokumentiert werden (Abb. 81; 82). Die gesicherten Grundrisse und Teilgrundrisse sind in Nord-Süd-Richtung orientiert und streuen im gesamten Pfahlfeld. Sie lassen während der fünften Bauphase – gleichbedeutend mit der Schlagphase 3 – die Bebauung von weiten Teilen des Pfahlfeldes in der vorgegebenen Ausrich-

---

236 Rezentes Beispiel. Gross u.a., Zürich „Mozartstrasse" 69 Abb. 100. Vgl. dazu A. Masuch/K.-H. Ziessow, Überlegungen zur Rekonstruktion bandkeramischer Häuser. In: Frühe Bauernkulturen in Niedersachsen: Linienbandkeramik, Stichbandkeramik, Rössener Kultur. Arch. Mitt. Nordwestdeutschland, Beih. 1, 1983, 229 ff.

tung vermuten (Abb. 81). Hinweise auf eine Umzäunung der Siedlung fehlen.

4.4.8 Erlenkanthölzer und Rundlinge im östlichen Pfahlfeld

Am östlichen Pfahlfeldrand, direkt an Gebäude 5.5 anschließend, befinden sich radiale Erlenspalthölzer und Rundhölzer, die flächig facettiert sind und ähnliche Abmessungen besitzen wie die Eichenpfähle des benachbarten Eichengrundrisses (Abb. 60,20.21). Sie stehen parallel zu dessen Ost- und Nordseite. Die Pfahlreihe an seiner nördlichen Schmalseite gehört möglicherweise zu einem Steg zwischen den Eichengrundrissen 5.5 und 5.3 oder aber ist Teil des Gebäudes 5.5. Die Erlenpfähle östlich von Gebäude 5.5 bilden im Ansatz den dreischiffigen Grundriss 5.4 (Abb. 81). Weitere großkalibrige, facettierte Erlenpfähle streuen in den Pfahlreihen der Grundrisse 5.1 und 5.2. Ohne weitere Befunde bleibt nur eine grobe Zuweisung dieser Erlenpfähle in den Bereich der jüngsten Schlagphase. Möglicherweise wurden die ersten Gebäude der fünften Bauphase wie im Falle der Bauphasen 2 und 3 aus Erlenholz errichtet. Das Bauholz wäre somit zunächst in den siedlungsnah gelegenen Erlenbeständen der Bach- und Weichholzauen der Espasinger Niederung geschlagen worden.[237]

4.5 Bau- und Siedlungsstrukturen der Bauphasen 1 bis 5 im Überblick

Für sämtliche Bauphasen lassen sich gesicherte Hausgrundrisse belegen. Daneben sind Gebäude der zweiten, dritten und vierten Bauphase durch Pfahlhäufungen angedeutet, deren Konstruktion im Einzelnen unklar ist. Ein unregelmäßiges Pfahlwerk scheint Dach-, Wand und Bodenkonstruktionen zu tragen.
Die gesichert belegten Hausgrundrisse der Bauphasen 1 bis 4 sind dagegen durchwegs zweischiffig und in Ständerbauweise konstruiert, wobei es sich um keine lupenreine Ständerkonstruktionen handelt, da die verwendeten Flecklings- und Pfahlrostkonstruktionen die Gebäudelast nur zum Teil trugen. Ein erheblicher Teil wurde von den Pfosten selbst getragen, deren verhältnismäßig massiven Zapfenenden immerhin noch etwa 1,5 bis 2 m unter den Flecklingen bzw. unter den Pfahlrosten ins Sediment reichten. Die Konstruktionen und die verhältnismäßig spärlichen Befunde der Häuser aus den Bauphasen 1 bis 4 machen eine Bauweise mit von der Oberfläche deutlich abgehobenen Hausböden

wahrscheinlich. Die Bodenkonstruktion der Häuser der fünften Bauphase ist weniger klar. Die verwendeten Pfähle mit Unterschnitt lassen an ehemals vorhandene ständerartige Konstruktionen denken, die wiederum abgehoben konstruierte Böden indizierten.
Regelhaft angeordnete Pfostenjoche sind für die Gebäude der 1. Bauphase belegt. Hier scheint auch eine Mischung von Pfosten und Ständerbau – vergleichbar den jungneolithischen Häusern von Hornstaad-Hörnle I – vorzuliegen. Die gelochten Pfählen trugen vermutlich das Dach und vielleicht Teile von Wand und Boden, auf die begleitenden dünneren Pfähle entfiel wohl die restliche Last von Wand und Boden.
Die ebenfalls zweischiffigen Häuser der Bauphasen 2 bis 4 besitzen keine klaren Pfostenjoche, es lassen sich nur kursorisch Wand- und Firstpfosten unterscheiden, deren Funktionen im Einzelnen unklar sind. Die dreischiffigen Häuser der fünften Bauphase dürften schließlich mit Querriegel und aufgesetztem Firstpfosten oder ohne Firstpfosten mit freitragendem Dach konstruiert gewesen sein.
Bauphase 1 umfasst auf einer Fläche von ca. 600 m² drei sichere Hausstandorte, drei weitere Gebäude werden durch einzelne weitringige Eschenpfähle und gelochte Pfähle angedeutet. Daneben sind im nicht untersuchten nördlichen Pfahlfeldbereich potentiell drei weitere Hausstandorte rekonstruierbar. Die sicheren Gebäudestrukturen besitzen Grundflächen von etwa 24 m²; es handelt sich um zweischiffige Grundrisse.
Die Siedlungsgröße der Eichen- und Erlenbauphase (Bauphase 2 und 3) ist aufgrund der Erlenumzäunung abschätzbar. Sie umfasst eine Fläche von etwa 1000 m² in einem Oval von 30 m × 35 m.
Für die Bebauung der Siedlungsfläche während Bauphase 2 zeichnet sich, bis auf den zweischiffigen Grundriss 2.3, ein undeutliches Bild ab. Aufgrund der Verteilung der polygonalen Erlenpfähle im Pfahlfeld sind zwei weitere Grundrisse im aufgenommenen Pfahlfeldbereich angedeutet. Im landwärtigen Areal des Pfahlfeldes außerhalb der Oberflächenaufnahme lassen sich unter Übertragung der festgestellten Abstände zwischen den Hausgrundrissen ein bis zwei weitere potentielle Hausstandorte hinzufügen. Insgesamt ist dadurch mit vier bis fünf Hausstellen für die Erlenbauphase zu rechnen. Zur Bebauungsfolge liegen keinerlei Hinweise vor.
Für die Eichenbauphase der Schicht B, Bauphase 3,

---

237 Vgl. Kap. 4.4.8 zu den Erlenkanthölzern und Rundlingen im östlichen Pfahlfeld.

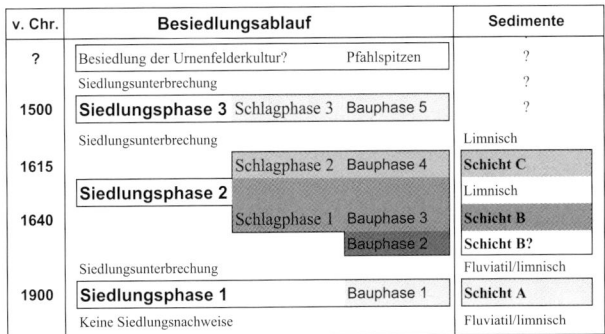

Abb. 83: Sedimentation und Siedelgeschehen am Schachenhorn während der Bronzezeit. Korrelation der Sedimentationsabläufe mit den festgestellten Siedlungs-, Bau- und Schlagphasen.

sind im aufgenommenen Pfahlfeldbereich zwei gesicherte zweischiffige Hausgrundrisse rekonstruierbar, ein weiteres Gebäude wird durch Zapfhölzer geringen Durchmessers und ein dendrodatiertes Zapfholz der ersten Schlagphase[238] angedeutet. Im nicht dokumentierten Pfahlfeldbereich innerhalb der Erlenumzäunung sind zwei weitere Hausgrundrisse der durch Grundriss 3.1 und 3.3 vorgegebenen Größen rekonstruierbar. Somit liegen potentiell fünf Häuser für die dritte Bauphase vor. Ihre Anordnung in zwei locker stehenden Reihen erscheint am wahrscheinlichsten (Abb. 72).

Die nächstjüngere Bebauung am Schachenhorn, Bauphase 4, setzt mit Schlagphase 2 um 1618 v. Chr. ein und endet um 1591 v. Chr. Die nachgewiesenen Baustrukturen sind um 1611 v. Chr. zu datieren und umfassen zweischiffige Grundrisse im zentralen und südlichen Pfahlfeld, ein dritter Hausstandort im nördlichen Pfahlfeld ist wahrscheinlich. Die Ausdehnung der vorhandenen Bebauungsdichte mit den vorgegebenen Abständen zwischen den Häusern und der Grundfläche von Grundriss 4.3 auf das gesamte Pfahlfeld ergibt potentiell maximal fünf weitere Hausstandorte bei regelhafter Bebauung der Siedlungsfläche. Die Anordnung der Häuser in zwei Zeilen ist wahrscheinlich.

Die Verbreitung dendrochronologisch datierter Eichenpfähle der zweiten Schlagphase dehnt sich über die Erlenumzäunung von Schicht B hinaus aus. Die Ausdehnung der Siedlung von Schicht C vergrößert sich damit gegenüber Bodman-Schachen I, Schicht B, in geringem Umfang um 100 bis 200 m² auf etwa 1100 bis 1200 m².

Die Siedlung bleibt auf den erweiterten Teil des zentralen Pfahlfeldes beschränkt, während der Nord- und Südteil des Pfahlfeldes den großzügiger dimensionierten Eichenspältlingen der dritten dendrochronologisch ermittelten Schlagphase vorbehalten bleibt.

Die Abfolge der Bebauung zwischen 1618 und 1591 v.Chr. im Zuge der zweiten Schlagphase kann beim derzeitigen Stand der dendrochronologischen Auswertung nicht detailliert nachgezeichnet werden. Die Daten streuen zeitgleich in den rekonstruierten Hausgrundrissen 4.3 und 4.4. Die jüngeren Schlagdaten um 1591 v.Chr. sind auf eine kleine Fläche am östlichen Pfahlfeldrand beschränkt. Sie markieren möglicherweise den seewärtigen Ausbau von Haus 4.3.

Bauphase 5 ist durch die dritte dendrochronologische Schlagphase belegt. Mit Haus 5.5 liegt, dendrochronologisch abgesichert, ein dreischiffiger Grundriss vor. Hausgrundriss 5.5 und die ergänzten Teilgrundrisse 5.1, 5.3 und 5.6 erlauben den Versuch, die Siedlungsstruktur der fünften Bauphase in groben Zügen zu skizzieren. Die Häuser waren demnach uferparallel orientiert und wahrscheinlich in Häuserzeilen angeordnet. Eine Umzäunung des Dorfes konnte nicht festgestellt werden.

Den Flächenumfang der Siedlung markiert die Verbreitung der mächtigen Eichenspältlinge und Kanthölzer, die in loser Streuung die Fläche des zentralen Pfahlfeldes im Norden und Süden erweitern. Die Siedlungsausdehnung erreicht etwa 2000 m². Struktur und Ausdehnung der möglicherweise vorausgehenden oder gleichzeitigen Erlenbauten ist unklar. Teilweise handelt es sich vielleicht um Stegpfosten von Haus 5.5. Bei allen Siedlungen von Bodman-Schachen I, ausgenommen sind die Bauphasen 2 und 3, handelt es sich um offene Siedlungen ohne zaun- oder palisadenartige Abgrenzungen der Siedlungsfläche.

4.6 Baugeschichte von Bodman-Schachen I

Die Analyse des Pfahlfeldes und der liegenden Bauelemente erlaubt, wenn man von wenigen Unschärfen einmal absieht, eine einigermaßen verlässliche Beschreibung der Baugeschichte der frühbronzezeitlichen Siedlungen von Bodman-Schachen I hinsichtlich der Abfolge der einzelnen Bauphasen, Siedlungsphasen, Siedlungsstrukturen und Siedlungsgrößen im Kontext der Befundfolge (Abb. 83–85).

Die älteste nachweisbare Bebauung am Schachenhorn kann Schicht A zugewiesen werden. Sie gehört in die ältere Frühbronzezeit. Die Häuser sind in zwei unregelmäßigen nordost-südwest-orientierten

---

238 Vgl. Kap. 4.4.5 u. 12.3.1 zu den Bau- und Siedlungsstrukturen der Bauphase 3, Schicht B, und zum Stand der dendrochronologischen Untersuchungen.

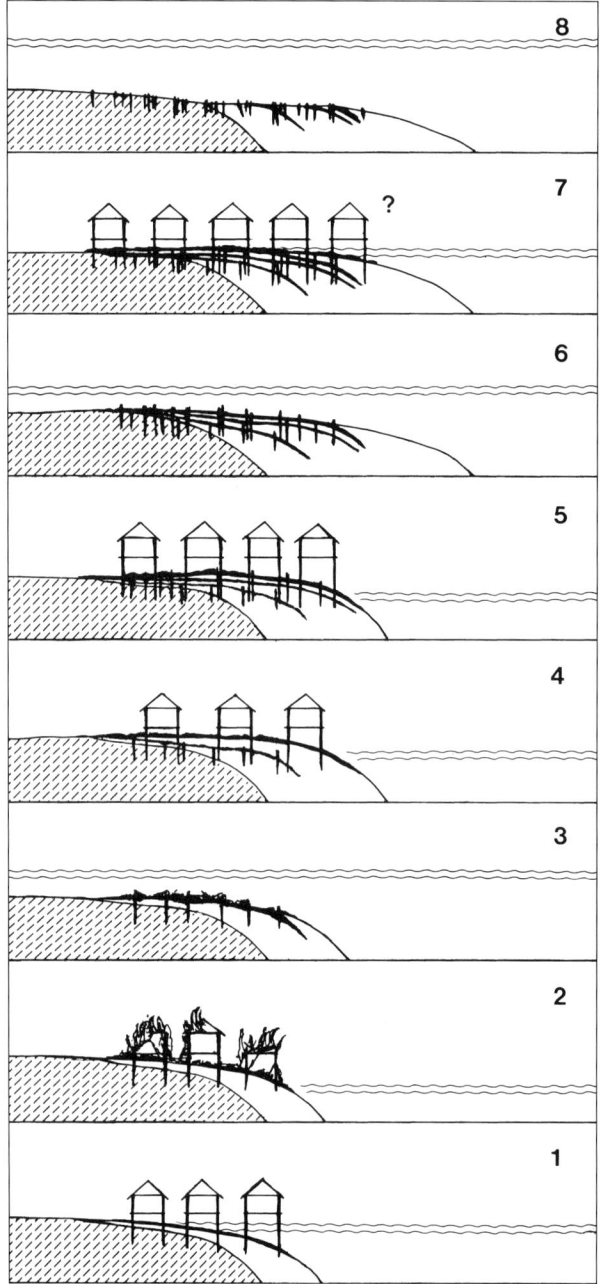

Abb. 84: Siedlungsablauf, Sedimentation und Pegelstände am Schachenhorn während der frühen und mittleren Bronzezeit, in vereinfachender Weise schematisierend dargestellt auf der Grundlage der Befunde. 1 Bauphase 1. 2 Brandkatastrophe, Ablagerung der Brandschicht von Schicht A in wasserfreiem Milieu. 3 Anstieg des Seepegels zwischen den Bauphasen 1 und 2, Ablagerung von Seekreiden und fluviatilen Sedimenten. 4 Bauphase 2 und 3, Ablagerung von Schicht B bei wesentlich niedrigerem Seepegel. 5 Bauphase 4, zuvor kurzfristige Siedlungsunterbrechung oder zwischenzeitlich möglicherweise durch ein einmaliges Ereignis abgelagerte Seekreide, Ablagerung von Schicht C. 6 Anstieg des Seepegels nach Auflassung der Siedlung, teilweise Abrasion der abgelagerten Kulturschichten, Seekreideablagerungen wohl hauptsächlich im Haldenbereich. 7 Bauphase 5, erneute Besiedlung um 1500 v. Chr., die Pegelstände des Sees sind unklar. 8 Nachbesiedlungszeitliche Hochstände, wohl verbunden mit der Abrasion abgelagerter Kulturschichten. Seekreideakkumulationen führten zur seewärtigen Verlagerung der Halde. Die Häuser sind während der Bauphasen 1 bis 4 mit vom Baugrund abgehobenen Hausboden rekonstruierbar, die Verhältnisse während Bauphase 5 sind diesbezüglich unklar.

Zeilen angeordnet und beanspruchen eine Siedlungsfläche von etwa 600 m². Die absolute Datierung durch ^{14}C-Daten ins 19. Jh. v. Chr. zeigt zwischen den Bauphasen 1 und 2 eine Unterbrechung der Besiedlung am Schachenhorn von mehr als hundert Jahren.

Die darauf folgenden Siedlungsaktivitäten setzen um die Mitte des 17. Jh. v. Chr. wieder ein. Die zweite Bauphase wird durch die Bebauung mit Erlenpfählen charakterisiert. Die Gesamtfläche der Siedlung ist durch eine Pfostenreihe im südlichen Pfahlfeld, die sehr wahrscheinlich dieser Erlenbauphase zuzurechnen ist, auf etwa 1000 m² begrenzt. Das Verhältnis von Schicht B zur Erlenbauphase bleibt unter Berücksichtigung der Befunde der darauf folgenden Eichenbauphase und mangels einer eindeutigen Befundlage der Erlenbauphase unklar. Aus der stratigraphischen Lage der Flecklinge der beiden Bauphasen und ihrer identischen Bearbeitung sowie der gleichen Orientierung der Häuser erschließt sich eine eher geringe zeitliche Distanz zwischen den Erlen- und Eichenbauten der Bauphasen 2 und 3.

Die dritte Bauphase am Schachenhorn beinhaltet die Daten der ersten dendrochronologischen Schlagphase. Sie kann durch Flecklinge der Basis von Schicht B zugeordnet werden. Die Verteilung der datierten Eichenpfosten der zweiten Schlagphase im Pfahlfeld belegt die Bebauung innerhalb des Erlenzaunes auf einer Fläche von etwa 1000 m². Zur Dynamik der Bebauung während der Eichenbauphase lassen sich aufgrund des niedrigen Datenaufkommens kaum Angaben machen, es gilt lediglich festzuhalten, dass im nördlichen Pfahlfeld die etwas älteren Daten um 1640/41 v. Chr. streuen, während im südlichen Pfahlfeld in Haus 3.3 ein Splintgrenzdatum um 1639 v. Chr. integriert ist. Beim Stand der dendrochronologischen Auswertung käme eine Bebauung von Süden nach Norden in Betracht. Unmittelbar davor, um 1644 v. Chr., wäre die Errichtung des Erlenzaunes und möglicherweise von Haus 2.3 anzusetzen. Die darauf folgende vierte Bauphase lieferte die Datenserie der zweiten dendrochronologischen Schlagphase, deren Waldkantendaten sich von 1612 bis 1591 v. Chr. erstrecken. Bauphase 4 kann Schicht C zugewiesen werden. Die Bauphasen 2 bis 4 spiegeln eine kontinuierliche Besiedlung am Schachenhorn wieder, die in derselben Ausrichtung und Anordnung der Häuser ihren Ausdruck findet (Abb. 85) und zwischen den Bauphasen 3 und 4 auch durch die dendrochronologischen Eckdaten gestützt wird. Die Siedlungen entwickeln sich von einer umzäunten Siedlungseinheit zu einer offenen Dorfanlage. Die Gebäudeeinheiten

Bauphase 1

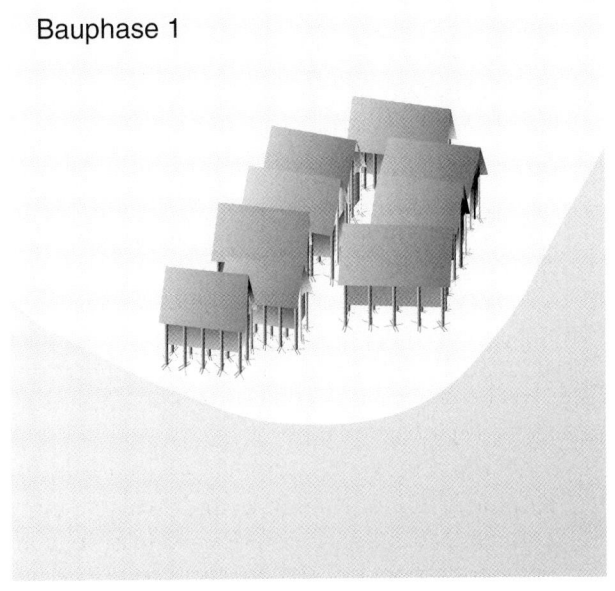

Bauphase 2

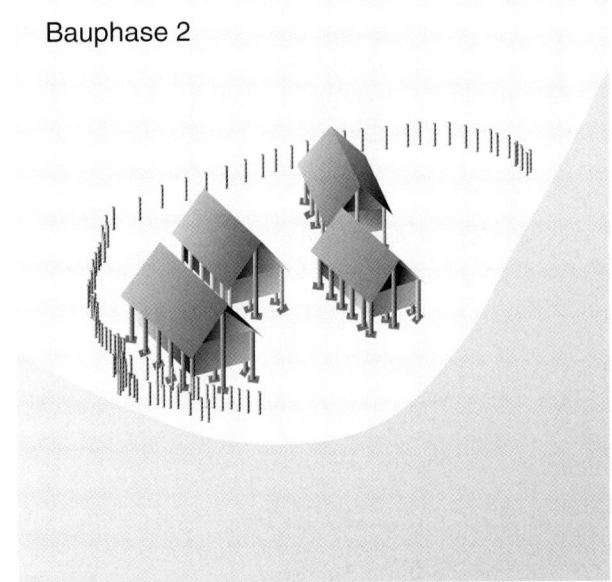

Bauphase 3

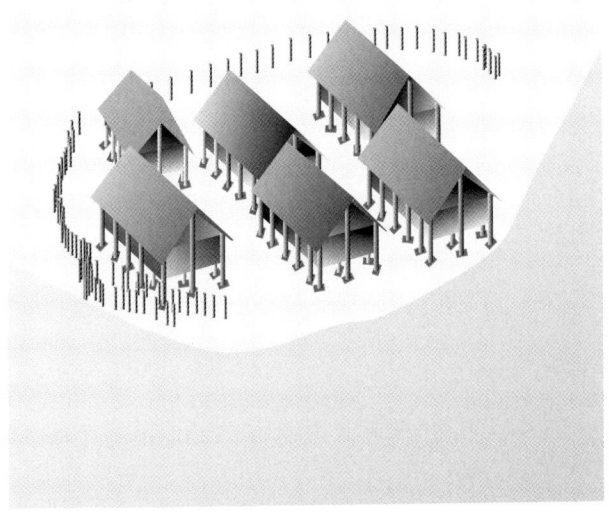

Bauphase 4

Bauphase 5

Abb. 85: Perspektivische Darstellung der dreidimensional rekonstruierten Siedlungen von Bodman-Schachen I. Hellgraues Raster: im Winterhalbjahr vermutlich wasserfreier Bereich.

und die Siedlungsausdehnung vergrößern sich tendenziell von Bauphase 2 nach 4. Das Anwachsen der Bevölkerung im Verlauf von zwei bis drei Generationen könnte darin ihren Ausdruck finden. Die baugeschichtlich fassbare Siedlungskontinuität bestätigt indirekt die Befundinterpretation der Schichten B und C.[239] Insgesamt sind im Verlauf der Besiedlung niedrige Pegelstände zu vermuten.

Bauphase 5 kann keiner Kulturschicht zugeordnet werden. Sie resultiert aus der dritten Schlagphase, deren Daten um 1500 v. Chr. streuen. Die zeitliche

---

239 Vgl. Kap. 3.3 zu Schichtaufbau und Interpretation; Anm. 121.

Differenz zwischen den Dendrodaten der zweiten und dritten Schlagphase von knapp 100 Jahren schließt eine kontinuierliche Besiedlung aus. Die etwa 60- bis 80-jährige Unterbrechung der Siedlungsaktivitäten wird durch die unterschiedlichen Hauskonstruktionen und die verschiedene Ausrichtung der Häuser in den Bauphasen 4 und 5 unterstrichen. Ein zwischenzeitlicher Anstieg des Seepegels, verbunden mit Seekreideablagerungen am seeseitigen Siedlungsrand, ist wahrscheinlich (Abb. 84).

Die Baugeschichte am Schachenhorn ist mit der fünften Bauphase nicht abgeschlossen. Die Spitze eines Pfahles (Abb. 60,6), die mit ihrem Ende knapp unter den erhaltenen Kulturschichten steckte, verweist auf eine jüngere Bebauung im Pfahlfeld von Bodman-Schachen I. Ihre zeitliche Eingrenzung ist nicht möglich. Vielleicht handelt es sich um die letzten Reste einer urnenfelderzeitlichen Besiedlung, die im Altfundmaterial von Bodman-Schachen I angezeigt ist.[240]

Die Siedlungen der älteren und jüngeren Frühbronzezeit am Schachenhorn verbindet trotz unterschiedlicher Hausbauweise und Organisation und trotz erheblicher zeitlicher Distanz ihre geringe Größe. In jedem Fall handelt es sich um kleine, wenig organisiert erbaute Dörfer an dem einigermaßen entlegenen Standort am Westende des Überlinger Sees. Sie unterscheiden sich hauptsächlich in der Bebauungsdichte und Ausrichtung der Häuser. Mit Ausnahme der fünften Bauphase ist aufgrund der Befunde eine vom Boden abgehobene Bauweise als wahrscheinlich anzunehmen.

---

240 Vgl. Schöbel, Hagnau und Unteruhldingen Taf. 21; 22.

5 Weitere Baubefunde aus Ufersiedlungen des Bodenseegebietes

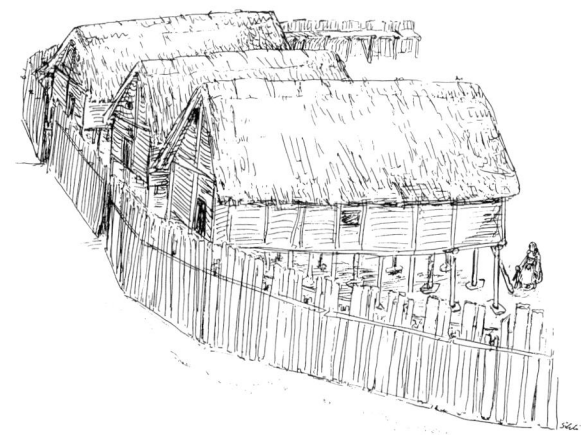

Abb. 86.1: Egg-Obere Güll I. Skizzenhafte Rekonstruktion der befestigten Anlage (Zeichnung H. Schlichtherle).

Sieht man von Bodman-Schachen I einmal ab, so sind frühbronzezeitliche Baubefunde in Ufersiedlungen des Bodensees überaus spärlich. Es sind dies überwiegend einzelne Grundrisse und Konstruktionsdetails. Aus Arbon-Bleiche II ließen sich eine Unterzugkonstruktion wahrscheinlich machen, deren Trägerelemente auf Pfählen mit Überschnitt aufgelegt waren.[241] Für Schicht 10 in Ludwigshafen-Seehalde sind gelochte Pfähle belegt. Abweichend von Schicht A sind die durchgesteckten Rundhölzer (Hasel und Kernobstholz) mit Keilen an den Pfosten fixiert.[242] Die Hausgrößen von Ludwigshafen-Seehalde, Schicht 10, entsprechen in etwa denjenigen der ersten Bauphase von Bodman-Schachen I. Die jüngeren Bauphasen sind in Ludwigshafen-Seehalde mit Flecklingen konstruiert, die durch Keile an ihren Pfählen fixiert waren.[243] Aufgrund der geringen Größe zusammenhängend dokumentierter Flächen und aufgrund der erosionsbedingt reduzierten liegenden Baubefunde ließen sich hier keine Gebäudegrundrisse rekonstruieren.[244]

Besondere Aufmerksamkeit verdienen die Baubefunde von Egg-Obere Güll I. Die seeseitig erhaltene

---

241 Hochuli, Arbon-Bleiche 346 ff. Abb. 135.
242 Köninger, Bodensee 96.
243 Ebd.
244 Vgl. ders. (Anm. 118).

Abb. 86.2: Egg-Obere Güll I. – Pfahlplan der Ufersiedlung mit eingetragenen Hausstandorten (1–3), Spaltbohlen (A) und ruckwärtige Ankerpfähle (B) der äußeren Holzmauer, Durchlässen (E) und umgestürzten Eichenbohlen (C). Im Osten der Anlage ist im Innenbereich durch dicht aneinander stehende Eichenspältlinge (D) eine weitere, wohl ältere Befestigung erkennbar.

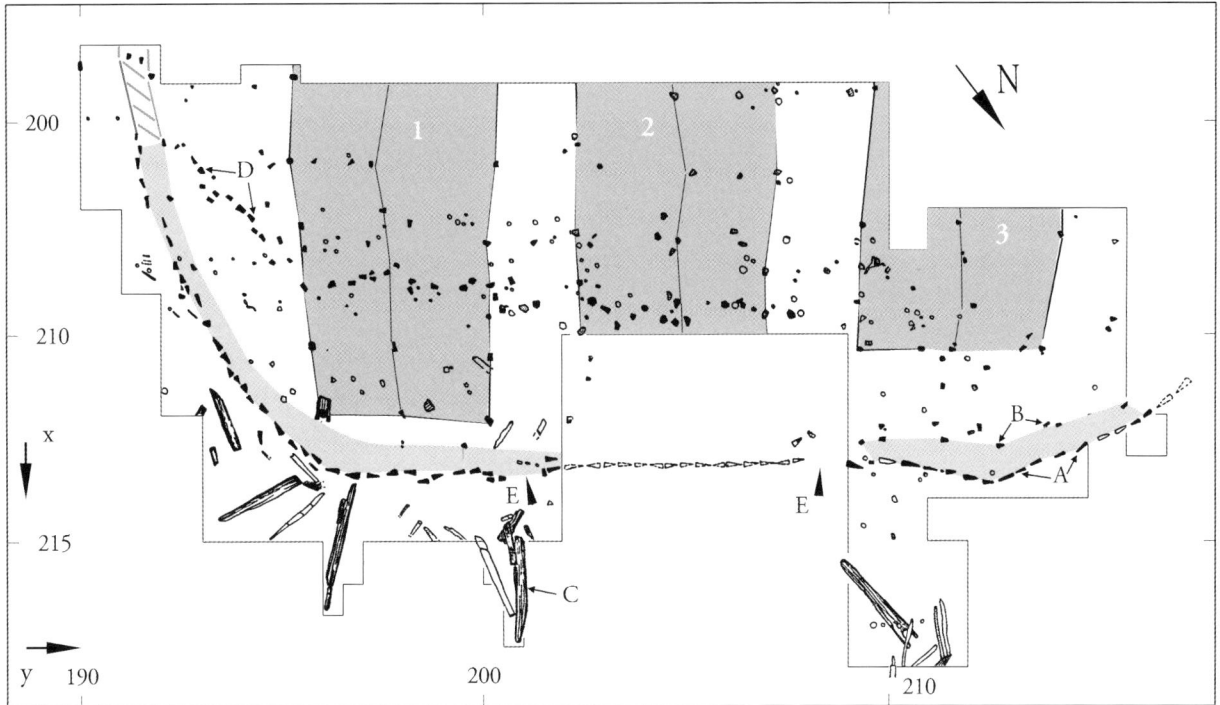

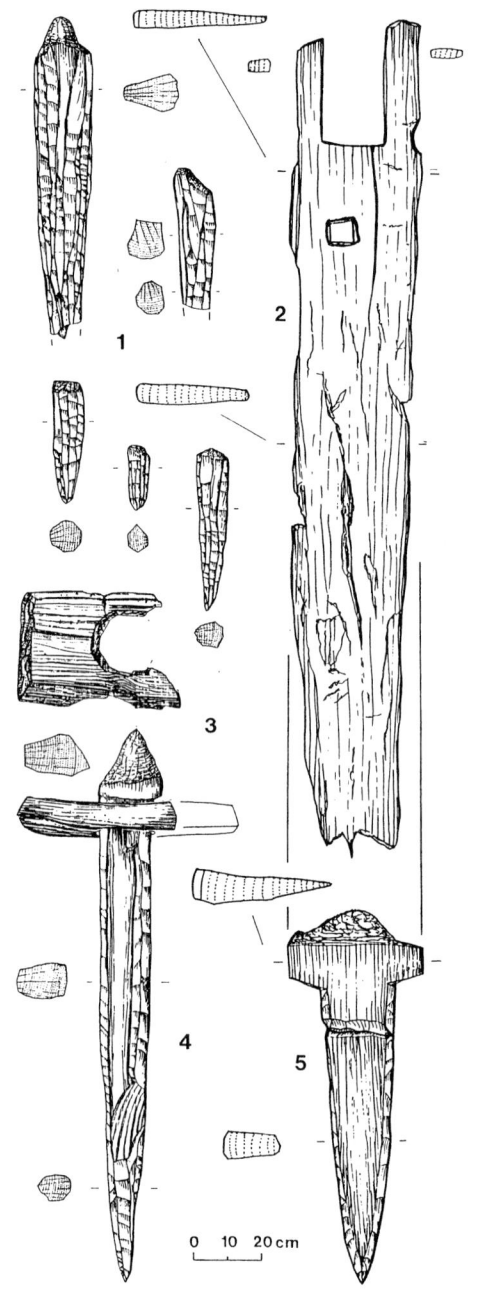

Abb. 87: Egg-Obere Güll I. Bauhölzer. 1 Pfahlspitzen aus dem Innenbereich. 2 Mauerbohle, gelocht und mit zangenförmigem Ende. 3 Fleckling Haus 1, Nordostecke (s. Abb. 86 unten links). 4 Fleckling, in Originallage montiert. 5 Spitze einer Mauerbohle aus der äußeren Holzmauer (s. Abb. 86 unten, A), montiert mit annähernd vollständig erhaltener Bohle (2). Alles Eiche.

Anlage besitzt eine uferparallele Holzmauer aus Eichenbohlen, die seitlich in flachen Winkeln dem Land zu umbiegt. An ihrer Frontseite befinden sich zwei Unterbrechungen, die sich auf die Gassenbereiche zwischen den Häusern beziehen (Abb. 86,E).

Die Mauerbohlen, die bis zu einem halben Meter breit sind, sind am Spitzenansatz unterschnitten und gleichen darin den Pfählen der Flecklingskonstruktionen (Abb. 87). Die Spitze unterhalb der Unterschneidung betrug nach Maßgabe eines vollständig geborgenen Exemplares knapp 90 cm. Die Gesamtlänge der Mauerbohlen ist aufgrund nahezu vollständig erhaltener Exemplare aus dem Außenbereich der Anlage mit 3,5 bis 4 m zu veranschlagen. Allein aufgrund der Proportionierung der Bohlenspitzen ist anzunehmen, dass ehemals Unterzüge oder Schwellhölzer vorhanden waren, denen die Mauerbohle mit ihren Unterschneidungen aufsaßen und so im weichen Seegrund stabilisiert wurden. In der Vertikalen wurde die Konstruktion vermutlich durch regelhaft an der Innenseite der Holzmauer stehende Eichenspältlinge gehalten (Abb. 86,B), deren Querhölzer wohl in den vorgefundenen Zangenenden und Zapflöcher der Mauerbohlen eingelassen waren. Auf den Querverbindungen zwischen den Mauerbohlen und den Ankerpfosten im Innern verlief vermutlich ein Wehrgang. Es ist davon auszugehen, dass die Mauerbohlen zusätzlich untereinander verbunden waren. Insgesamt ist demnach also von einer komplexen, zimmermannstechnisch anspruchsvolleren Konstruktion auszugehen, die allein durch ihre rekonstruierte Höhe über Grund von ca. 3,5 m fortifikatorischen Charakter besitzt.

Die drei belegten Hausgrundrisse sind giebelseitig dicht an die Mauer angelehnt (Abb. 86). Es handelt sich vermutlich um zweischiffige Grundrisse, die 4 bis 5 m breit und zumindest 6 m lang waren. Für einen der Seitenpfosten ist eine Flecklingskonstruktion erwiesen.

Eine weitere Reihe von Eichenspältlingen schneidet die Hausstandorte im landseitigen Bereich. Sie belegt die Zweiphasigkeit der Anlage, wie dies auch durch die dendrochronologisch belegten Schlagphasen zum Ausdruck kommt. Die Daten für die Holzmauer liegen mit Waldkante bei 1621 und 1620 v. Chr. Die stark befestigte Anlage in der Oberen Güll bestand demnach zeitgleich mit der nur wenige Kilometer entfernt gelegenen offenen Siedlung von Bodman-Schachen IC (Bauphase 4). Hier liegt die besondere Bedeutung der Anlage in der Oberen Güll begründet. Sie belegt, dass am Bodensee offene unbefestigte Ufersiedlungen zeitgleich mit stark befestigten Anlagen bestanden und deutet damit auf hierarchische Strukturen im Siedelsystem der späten Frühbronzezeit hin.

6 Frühbronzezeitliche Baubefunde und Siedlungsstrukturen in Süddeutschland und in den angrenzenden Regionen

Frühbronzezeitliche Baubefunde finden sich in großer Zahl vor allem in den Ufersiedlungen des Alpenvorlandes. Ihr Erscheinungsbild ist vielgestaltig. Die absolut datierten Nachweise gehören in erster Linie in ihren späten Abschnitt, der dendrochronologisch in die 2. Hälfte des 17. Jh. v. Chr. datiert. Aus den älteren Siedlungen sind Nachweise selten. Am Zürichsee sind in Zürich-Mozartstrasse Schwellbalkenbauten[245] zu nennen, die ins 19. Jh. v. Chr. datieren.[246]
Etwas jünger als Bodman-Schachen IA datiert die erste Siedlungsphase der stark befestigten Anlage der „Siedlung Forschner" (Sf 1) im südlichen Federseeried. Flächendeckend sind Strukturen der Innenbebauung für die Mitte des 18. Jh. v. Chr. nachgewiesen.[247] Die Hausgrößen entsprechen überwiegend denen der dritten Bauphase von Bodman-Schachen I, wobei sich auch größere Gebäudeeinheiten abzuzeichnen scheinen. Allerdings handelt es sich, neben einigen zweischiffigen Grundrissen, oft um einschiffige Konstruktionen, deren Pfosten möglicherweise durch Schwellbalken[248] untereinander verbunden waren. Gesicherte Nachweise solcher Pfahlfundamentierungen fehlen. Die Pfähle der Innenbebauung sind nur noch in ihrem Spitzenbereich erhalten. Polygonal bebeilte Pfahlspitzen der ersten Siedlungsphase, die den Zapfhölzern der 2. Siedlungsphase von Bodman-Schachen I morphologisch gut vergleichbar sind, deuten auf die Verwendung von Flecklingen oder vergleichbare Konstruktionen hin. Die Gebäude der „Siedlung Forschner" (Sf 1) unterliegen keiner strikten Anordnung. Auch für die Bebauung um 1500 v. Chr. liegen Häuser in unregelmäßigen Gruppen vor.[249] Die Siedlungsstruktur gleicht darin in auffallender Weise der Innenbebauung der benachbarten spätbronzezeitlichen „Wasserburg" Buchau[250] und hebt sich deutlich von der Bebauung frühbronzezeitlicher und auch spätbronzezeitlicher Ufersiedlungen in eng stehenden Häuserzeilen ab. Die Größe der „Siedlung Forschner" um 1750 v. Chr. und um 1500 v. Chr. wird durch eine zweischalige Holzmauer bzw. datierte Palisaden klar begrenzt.[251]
Flecklingskonstruktionen sind vor allem für den um 1650 bis 1600 v. Chr. datierten Spätabschnitt der Frühbronzezeit zahlreich belegt.[252] Sie sind in der Ostschweiz im Zürichseegebiet u. a. aus den Ufersiedlungen von Zürich-Mozartstrasse, Meilen-Schellen, Zürich-Bauschanze und Wädenswil-Vorder Au in großer Zahl vertreten,[253] ebenfalls zahlreich vorhanden sind Flecklinge aus der Ufersiedlung Hochdorf-Baldegg (LU) am Baldeggersee.[254] Am Bodensee sind, abgesehen von den Exemplaren von Bodman-Schachen I, Flecklinge in Bodman-Weiler I,[255] in Ludwigshafen-Seehalde, Schicht 11,[256] Egg-Obere Güll I[257] und in Arbon-Bleiche 2[258] belegt. Ihr Vorkommen in Oberschwaben ist ungewiss (s. o.). Flecklinge sind im nördlichen Alpenvorland während der Frühbronzezeit somit in der Ostschweiz und im Bodenseegebiet verbreitet (Abb. 88), was dem Verbreitungsgebiet der Flecklinge im Jungneolithikum in etwa entspricht.[259] Es handelt sich also möglicherweise um ein über lange Zeiträume hinweg tradiertes Bauprinzip.
Erstaunlicherweise befindet sich südlich des Alpenhauptkammes ein weiteres Verbreitungsgebiet dieser doch sehr spezifischen Bauelemente. Einfach gelochte Flecklinge sind dort aus Lavagnone, Schicht F2 (Lavagnone 3), Barche di Solferino im Gardaseegebiet[260] und von Canar di San Pietro Po-

---

245 Ein Erklärungsversuch für diese in Feuchtbodensiedlungen wenig geläufige Baukonstruktion s. Gross u. a., Zürich „Mozartstrasse" 69.
246 Zur Datierung s. Conscience, Neudatierung 148 ff.
247 Vgl. Torke, Bauholzuntersuchung 52 ff.
248 Vgl. Rekonstruktionsversuch bei Schlichtherle, Pfahlbauten 149.
249 Freundl. Mitt. H. Schlichtherle.
250 Vgl. Schlichtherle, Pfahlbauten 81 Abb. 8 f.; G. Schöbel, Die spätbronzezeitliche Ufersiedlung „Wasserburg-Buchau", Kreis Biberach. In: Inseln in der Archäologie. Archäologie unter Wasser 3 (München 2000) 86 ff.
251 Zur Differenzierung in die Siedlungen 1 und 2 vgl. Torke, Bauholzuntersuchung 54 f. Abb. 1; 2.
252 Etwas älter datieren die Flecklinge von Ludwigshafen-Seehalde, Schicht 11, (s. Kap. 10.4) und Bodman-Schachen IA (s. Kap. 10.1.1 u. 12.2.2).
253 Ruoff, Frühbronzezeitliche Funde 144 f. – ders., Meilen-Schellen 51 ff.; Conscience, Wädenswil-Vorder Au 189 Anm. 12; dies., Keramik, 126 f. 130.
254 Vogt, Pfahlbaustudien 168; M. Spring, Die frühbronzezeitlichen Baubefunde von Hochdorf-Baldegg (LU) neu interpretiert. In: Eberschweiler u. a. (Hrsg.), Rundgespräch 134.
255 Schumacher, Pfahlbauten 30 ff.
256 Köninger, Bodensee 95 Abb. 4. 5; 96.
257 Ders., Ufersiedlungen 32 ff.
258 Hochuli, Arbon-Bleiche 40 ff.
259 Freundl. Mitt. H. Schlichtherle.
260 R. Perini, Gli scavi nell Lavagnone. Sequenza e tipologia degli abitati dell'Età del Bronzo. Ann. Benacense 9, 1988, 126 ff. 127 Fig. 17 u. 18; 129 Fig. 19; 144 Fig. 30.

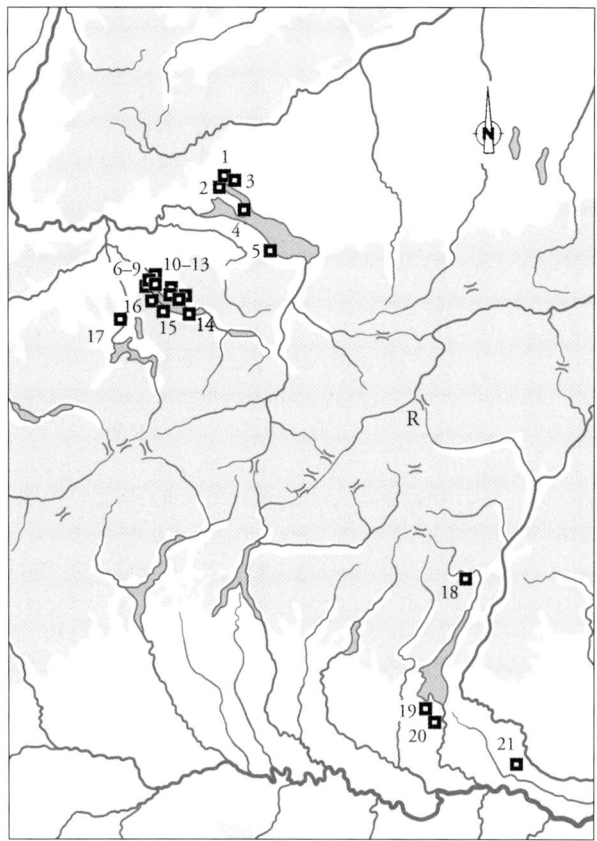

Abb. 88: Verbreitungskarte frühbronzezeitlicher Flecklinge nördlich und südlich des Alpenhauptkammes. 1 Bodman-Schachen I, 2 Bodman-Weiler I, 3 Ludwigshafen-Seehalde, 4 Egg-Obere Güll I, 5 Arbon-Bleiche II, 6 Zürich-Bauschanze, 7 Zürich-Mozartstrasse, 8 Zürich-Utoquai, 9 Zürich-Breitningerstrasse, 10 Küsnacht-Hörnli, 11 Erlenbach-Winkel, 12 Meilen-Schellen, 13 Obermeilen-Rorenhaab, 14 Rapperswil-Technikum, 15 Wädenswil-Vor der Au, 16 Horgen-Scheller, 17 Hochdorf-Baldegg, 18 Fiavé, 19 Lavagnone, 20 Barche di Solferino, 21 Canar di San Pietro Polesine, R = Reschenpass.

lesine[261] am rechten Ufer des Tartaro südwestlich des Gardasees belegt. Zweifach gelochte Flecklinge stammen aus dem Gardaseegebiet von Barche di Solferino und Bande di Cavriana[262] (Abb. 88). Die Stationen datieren in den jüngeren Abschnitt der Frühbronzezeit (Bronzo Antiquo III) und sind damit etwas älter als das Gros der Flecklinge im nördlichen Alpenvorland.[263] Sie verweisen ebenso wie die gelochten Pfähle von Bodman-Schachen IA auf enge Kontakte über den Alpenhauptkamm hinweg nach Norditalien ins Gardaseegebiet und in die südlich daran anschließenden Regionen.[264]

In der Ostschweiz sind es im Kontext der jüngeren Frühbronzezeit mit wenigen Ausnahmen Flecklingskonstruktionen, die eine eng stehende Bebauung der Ufersiedlungen in Häuserzeilen oder Häuserreihen andeuten. Im Einzelfall lassen sich jedoch in den verhältnismäßig kleinflächigen Grabungsschnitten keine Hausgrößen feststellen. In Zürich-Bauschanze,[265] Obermeilen-Rorenhaab,[266] Meilen-Schellen[267] und Wädenswil-Vorder Au[268] stellt sich die Frage, ob die durch Flecklinge deutlich markierten Fluchten von First- und Außenpfosten den Anschnitt einer langen Gebäudeeinheit anzeigen oder ob sich kleinere Einheiten einer giebelständig eng stehenden Häuserreihe hinter den Pfostenfluchten verbergen.[269]

Die Innenbebauung der alt gegrabenen Siedlungen von Arbon-Bleiche 2 und Hochdorf-Baldegg scheint im Einzelnen weniger klar zu sein. Mehrere sich überschneidende Palisaden bzw. Pfahlreihen belegen die Mehrphasigkeit der Arboner Station.[270] Je nach Größe der Palisadenringe sind Siedlungsflächen von 800 m² bis zu 7000 m² Größe rekonstruierbar. In Arbon kann also mit Siedlungsformen dorfartiger Größe bis hin zu größeren Anlagen à la „Siedlung Forschner" gerechnet werden. Aus den publizierten Grabungsbefunden sind Strukturen dieser Siedlungen im Detail ansatzweise nur in den Randbereichen herauszulesen.[271] Im Siedlungszentrum fehlen erhaltungsbedingt Pfähle, hier stehen nur noch Pfostenlöcher für die Beurteilung zur Verfügung.

In Baldegg ließ sich jüngst anhand der Grabungsunterlagen die Innenbebauung in eng stehenden Häuserzeilen rekonstruieren.[272] Die an den publizierten Pfahlplänen gewonnenen Hypothesen Beat Arnolds[273] besitzen demgegenüber bedeutend weniger Überzeugungskraft.

Die beiden Reihen mächtiger Kanthölzer mit durchgezapften Prügeln, die sich schon Emil Vogt nicht so recht erklären konnte, bleiben dagegen

---

261 N. Martinelli/M. Pappafava/O. Tinazzi, Datazione dendronologica dei resti strutturali. In: Canàr di San Pietro Polesine. Ricerche archeo-ambientali sul sito palafitticolo. Padusa Quaderni 2, 1998, 105 ff. 112 Fig. 2.

262 Cl. Balista/G. Leonardi, Gli abitati di ambiente umido nel Bronzo Antico dell'Italia settentrionale. In: D. Cocchi Genick (ed.), L'antica età del bronzo. Atti del Congresso di Viareggio, 1–12 Gennaio 1995 (Firenze 1996) 220.

263 Dendrodaten bei Martinelli u. a. (Anm. 261) 105 ff.; zur absoluten Datierung der frühen Bronzezeit in Norditalien s. Köninger, Gemusterte Tonobjekte 448 ff. 458 Abb. 14.

264 Vgl. Kap. 13 zu den Fernbeziehungen und Kommunikationsachsen.

265 Conscience, Keramik 130.

266 Hügi, Meilen-Rorenhaab 20 Abb. 12.

267 Vgl. Ruoff, Meilen-Schellen 52 Abb. 2.

268 Conscience, Wädenswil-Vorder Au 112 f.

269 Mündliche Mitt. U. Ruoff beim Feuchtbodenkongress im Erlebnispark „Pfahlbauland", Zürich 1990.

270 Vgl. Hochuli, Arbon-Bleiche 38 Abb. 29 a–c.

271 B. Arnold, Cortaillod-Est et les villages du lac de Neuchâtel au Bronze final. Structure de l'habitat proto-urbanisme. Arch. Neuchâteloise 6 (Neuchâtel 1990) 108 Fig. 89; Hochuli, Arbon-Bleiche 38 Abb. 29 a–c.

272 Spring (Anm. 254) 134 f.

273 Arnold (Anm. 271) 113 ff. 115 Fig. 96.

weiterhin rätselhaft.²⁷⁴ Möglicherweise handelt es sich, wie vielleicht auch im Fall Zürich-Mozartstrasse,²⁷⁵ um einen zentral gelegenen und überdachten (?) Dorfplatz. Die Überschneidung von Häuserzeilen und zentraler Konstruktion belegen die Mehrphasigkeit der Ufersiedlung in Baldegg. Die möglichen Siedlungsgrößen zwischen 0,1 ha und 0,25 ha bewegen sich im Größenbereich der kleineren frühbronzezeitlichen Ufersiedlungen.

Aus der in den 1990er-Jahren erfolgten Rettungsgrabung in Concise-sous-Colachoz am Neuenburgersee liegen nun auch erstmals dendrochronologisch datierte Siedlungsstrukturen aus der Westschweiz vor.²⁷⁶ Sie datieren zwischen 1801 und 1773 v. Chr. und zwischen 1645 und 1570 v. Chr. Die ältere Anlage ist offenbar von einem Palisadensystem umgeben, welches zum Vergleich mit den starken Befestigungen der „Siedlung Forschner" im Federseeried (s. u.) und der Ufersiedlung Egg-Obere Güll I am Bodensee veranlasste.²⁷⁷ Der landwärtige Zugang scheint zentral in die Anlage zu führen, die Untersuchung ihrer Innenbebauung ist aber noch in den Anfängen begriffen.

Die Innenbebauung der jüngeren Siedlungsphase weist uferparallele Häuserreihen auf, die sich an einer mittigen Dorfgasse orientieren, die ihrerseits offenbar ebenfalls einen landseitigen Siedlungszugang verlängert. Die Größen der traufseitig eng aneinander stehenden Häuser scheint unterschiedlich zu sein. An der Ost- und Westseite befinden sich Gebäudeeinheiten, die senkrecht zu den Häuserreihen orientiert sind. Die Siedlungsfläche wird nach außen durch lose stehende Pfostenreihen begrenzt, die eher die Reste eines einfachen Dorfzaunes zu sein scheinen. Die Gesamtgröße der jüngeren Anlage dürfte eher in der Größenordnung der „Siedlung Forschner" liegen, sie übersteigt jedenfalls die älteren Siedlungsphasen von Bodman-Schachen I erheblich. Dementsprechend hoch ist mit mindestens 20 Grundrissen die Anzahl der ehemals vorhandenen Gebäudeeinheiten für die Siedlungsanlage um 1600 v. Chr. zu veranschlagen.²⁷⁸

Bebauungsnachweise und Strukturen frühbronzezeitlicher Siedlungen auf mineralischem Grund, von Flussterrassen und in Tallage, waren bis Mitte der 1990er-Jahre eher spärlich.

Aus dem Donaumoos bei Ingolstadt wurden vom so genannten Dachsbückel bei Karlshuld in den 1930er-Jahren zwei einschiffige Pfostenbauten angegraben,²⁷⁹ die aufgrund der Keramik in die jüngere Frühbronzezeit gehören.²⁸⁰ Die wohl einräumigen Häuser sind 3,5 bis 4 m breit, ihre Länge kann nur in einem Fall einigermaßen verlässlich mit 6,5 m angegeben werden. In Karlshuld handelt es sich aufgrund der nachgewiesenen Feuerstellen eindeutig um Wohngebäude.

1990 wurde aus der Donauniederung in der Nähe von Ingolstadt bei Zuchering erstmals eine Dorfanlage mit Großgebäuden bekannt,²⁸¹ die auf dem Scheitel einer Geländerippe an einem alten Donaulauf gelegen sind. Es handelt sich um eine nicht befestigte Ansiedlung, deren wohl mehrräumigen, größeren Baustrukturen in einer locker stehenden Reihe angeordnet sind und deren Dimensionierung im Größenbereich mittelneolithischer Langhäuser liegt. Mark Bankus weist die Großbauten der jüngeren Früh- bzw. älteren Mittelbronzezeit zu.²⁸² Vergleichbare Baubefunde aus dem Hegau von Mühlhausen-Ehingen datieren in die mittlere Bronzezeit.²⁸³

Seit Mitte der 1990er-Jahre ist der Nachweis solcher Großbauten geradezu sprunghaft angestiegen.²⁸⁴ Die einzelgehöftartigen, meist zweischiffigen Pfostenbauten²⁸⁵ sind in Flussniederungen auf Schotterflächen und Niederterrassen angelegt und scheinen einen in Süddeutschland bislang kaum beachteten Siedlungstyp zu repräsentieren. Sie scheinen in Süddeutschland offenbar entlang der Donau, aber auch in den nördlich und östlich angrenzenden Regionen in der frühen Bronzezeit geläufig zu sein, während frühbronzezeitliche Nachweise in der Schweiz und

---

274 Vgl. Vogt, Pfahlbaustudien 194 Fig. 44.
275 Gross u. a., Zürich „Mozartstrasse" 70 ff.
276 J.-P. Hurni/C. Wolf, Bauhölzer und Dorfstrukturen einer frühbronzezeitlichen Siedlung: das Fallbeispiel Concise (VD) am Neuenburgersee in der Westschweiz. In: Eberschweiler u. a. (Hrsg.), Rundgespräch 170 ff.
277 C. Wolf/E. Burri/P. Hering/M. Kurz/M. Maute-Wolf/D. S. Quinn/A. Winiger, Les sites lacustres néolithiques et bronzes de Concise VD-sous-Colachoz: premiers résultats et implications sur le Bronze ancien régional. Avec la collaboration de Chr. Orcel, J.-P. Hurni et J. Tercier. Jahrb. SGUF 82, 1999, 28.
278 Vgl. dazu Hurni/Wolf (Anm. 276) 173 Abb. 9.
279 Bayer. Vorgeschbl. 15, 1938, 71 ff. Abb. 2.
280 Dehn, Gaimersheim 11.
281 K.-H. Rieder, Ein frühbronzezeitlicher Siedlungsplatz südlich von Zuchering, Stadt Ingolstadt, Oberbayern. Arch. Jahr Bayern 1990, 45 f. Aus dem Text und der Abbildung einer gezähnten Sichel ist nicht ersichtlich, in welchen Abschnitt der Frühbronzezeit die Anlage gehört. Zur Datierung gezähnter Sicheln vgl. Schlichtherle, Erntegeräte 39; Köninger, Bodensee 104 f.
282 M. Bankus, Frühe und mittlere Bronzezeit. In: K. H. Rieder/A. Tillmann (Hrsg.), Archäologie um Ingolstadt. Die archäologischen Untersuchungen beim Bau der B 16 und der Bahnverlegung (Kipfenberg 1995) 53 ff.
283 J. Aufdermauer/B. Dieckmann, Mittelbronzezeitliche und frühmittelalterliche Siedlungsbefunde aus Mühlhausen-Ehingen, Kreis Konstanz. Arch. Ausgr. Baden-Württemberg 1994, 66; Dieckmann, Mühlhausen-Ehingen 75 ff.
284 Vgl. Assendorp (Hrsg.) (Anm. 20); M. Nadler, Einzelhof oder Häuptlingshaus? – Gedanken zu den Langhäusern der Frühbronzezeit. In: Eberschweiler u. a. (Hrsg.), Rundgespräch 39 ff.
285 Schlichtherle/Strobel, Ufersiedlungen – Höhensiedlungen Abb. 11,6.

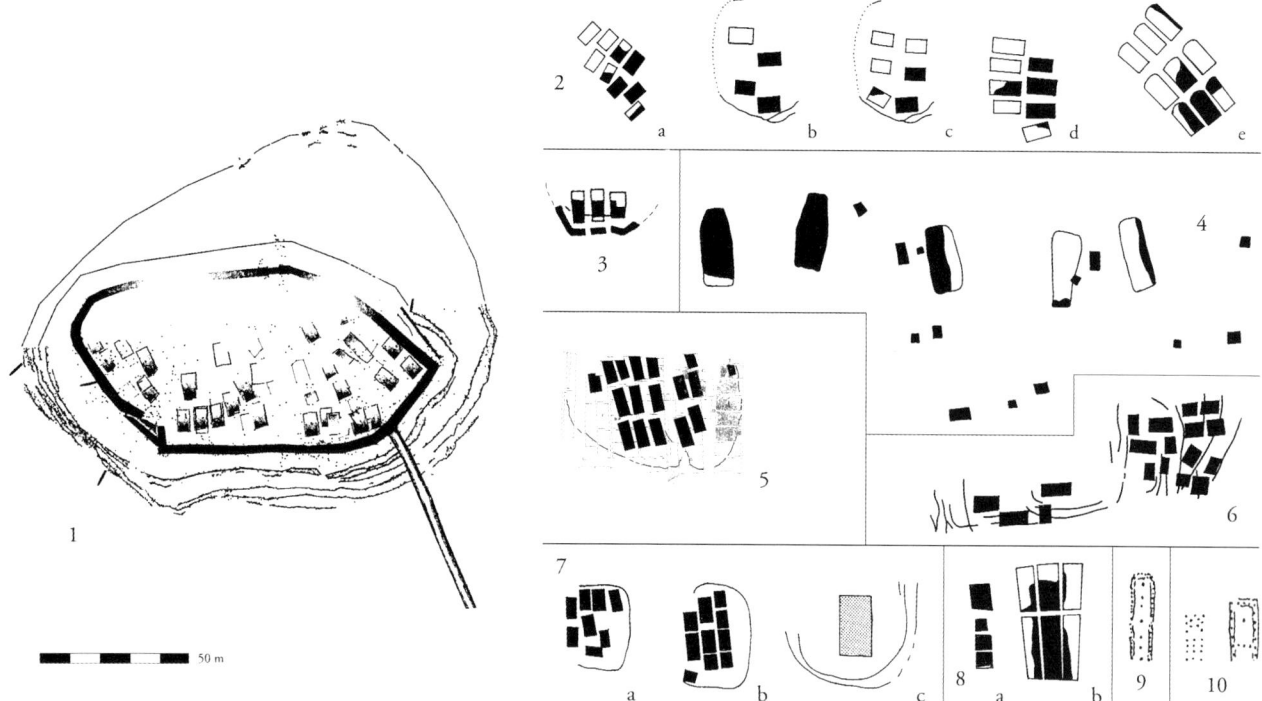

Abb. 89: Frühbronzezeitliche Siedlungsstrukturen in Süddeutschland und der Schweiz. 1 „Siedlung Forschner". 2 Bodman-Schachen I, Bauphasen 1–5. 3 Egg-Obere Güll, 4 Zuchering. 5 Hochdorf-Baldegg. 6 Arbon-Bleiche II. 7 Zürich-„Mozartstrasse", Schicht 1a–c. 8 Savognin-„Padnal", Horizont E und D, 9 Bopfingen, 10 Ehingen. Umgezeichnet nach Schlichtherle, Pfahlbauten; Torke, Bauholzuntersuchungen; Rieder (Anm. 281); Vogt, Pfahlbaustudien; Arnold (Anm. 271); Hochuli, Ausgrabungen 1985–1990; Gross/Ruoff (Anm. 218); Rageth, Resultate Padnal; M. Spring, die frühbronzezeitlichen Baubefunde von Hochdorf-Baldegg (LU) neu interpretiert. In: Eberschweiler u.a. (Hrsg.) Rundgespräch 133 ff. Abb. 3 und eigenen Rekonstruktionsvorschlägen. Sicher rekonstruierte Hausgrundrisse, nachgewiesen durch Pfosten, Wandgräbchen oder Mauerzüge sind durch Vollsignatur, ergänzte Hausstandorte und Pfahlreihen als durchgezogene Linien signiert; der Holzboden von Zürich-Mozartstrasse (7c) ist gerastert.

in Südwestdeutschland zwischen Donau und Bodensee bislang fehlen.[286] Oft sind diese Großbauten allerdings nur mühsam zu datieren. Ihre chronologische Spanne reicht offenbar von der Glockenbecherkultur bis in die mittlere Bronzezeit, wobei einzelne solcher Grundrisse zunächst auch in die Eisenzeit datiert wurden.[287] Wenngleich die Datierung von Großbauten en detail auch problematisch zu sein scheint, so kann inzwischen doch festgehalten werden, dass sie fester Bestandteil eines früh- und frühmittelbronzezeitlichen Siedlungsmusters in Süddeutschland sind. Endneolithische Bauten dieser Art und solche der späten Bronzezeit belegen allerdings auch, dass mit vergleichbaren Großbauten nicht unbedingt in jedem Falle eine spezifisch frühbronzezeitliche Gebäudeform vorliegt.[288] Sie scheinen in endneolithischen Traditionen zu wurzeln und über die frühe Bronzezeit hinaus weiter zu existieren.

Vereinzelt geblieben sind Bebauungsnachweise von Höhensiedlungen. Vom Padnal in Graubünden können aus den Horizonten D und E einer der seltenen Hausgrundrisse und Strukturen einer Höhensiedlung beigebracht werden.[289] Die Befunde veranlassten zu einer Rekonstruktion der Ansiedlung in einer bzw. drei engständigen Häuserreihen ähnlich der Häuseranordnung von Zürich-Mozartstrasse, Schicht 1, Dorf b. Ganz ähnlich liegen die Verhältnisse auf der Cresta bei Cazis,[290] einer weiteren unbefestigten Höhensiedlung Graubündens, deren frühbronzezeitliche Schichten um 1800 v. Chr. datieren. Die Bebauung der verhältnismäßig kleinen Anlagen in Häuserreihen scheint den spezifischen Geländeverhältnissen angepasst zu sein. In beiden Fällen befindet sich die Siedlung in einer Mulde, die durch ihre längliche Form eine Reihenbebauung vorgibt.[291]

---

286 Der Grundriss von Cham-Oberwil mit einer Grundfläche von 78 m² weist möglicherweise auf mittelbronzezeitlichen Großbauten in der Zentralschweiz hin. Vgl. U. Gnepf Horisberger/S. Hämmerle, Mittelbronzezeitliche Siedlungsspuren in Cham-Oberwil, Hof (ZG, Schweiz). In: Eberschweiler u.a. (Hrsg.), Rundgespräch 148.

287 R. Krause, Viereckschanze mit „zentralörtlicher" Funktion. Arch. Deutschland 1995, H. 4, 30ff.

288 Vgl. dazu abweichend ders., Frühbronzezeitliche Großbauten aus Bopfingen (Ostalbkreis, Baden-Württemberg). Ein Beitrag zu Hausbau und Siedlungsweise der Bronzezeit. In: Assendorp (Hrsg.) (Anm. 20) 165.

289 Rageth, Resultate Padnal 69.

290 C. Lüdin, Cresta Cazis. Archäologischer Fundbericht. Jahrb. SGUF 53, 1966/67, 100 Taf. 33; I. Murbach-Wende, Cazis-Cresta, ein bronze- und eisenzeitlicher Siedlungsplatz. In: Eberschweiler u.a. (Hrsg.), Rundgespräch 117–124.

291 Rageth, Resultate Padnal 64 mit Anm. 7 u. 8.

Sie ist insofern auf die großen frühbronzezeitlichen Höhensiedlungen im Alpenrheintal kaum übertragbar.

Die vorliegenden Hausgrößen der verschiedenen Siedlungsarten unterscheiden sich zum Teil erheblich (Abb. 89). In den Ufersiedlungen Südwestdeutschlands und der Schweiz fällt auf, dass es sich meist um zweischiffige Gebäude handelt, die in der Regel eine Größe von 30–40 m² nicht übersteigen. Die dreischiffigen Gebäude der fünften Bauphase von Bodman-Schachen I (Abb. 89,2e) besitzen in Ufersiedlungen der jüngeren Frühbronzezeit bislang keine Vergleichsmöglichkeiten. Ein ähnlich konstruiertes Gebäude vergleichbarer Zeitstellung befindet sich im Horizont E der Höhensiedlung vom Padnal.[292] Ebenso scheint die 2. Phase von Haus 1 von Zuchering dreischiffig konstruiert zu sein.[293] Gehäuft finden sich Parallelen in urnenfelderzeitlichen Ufersiedlungen der Westschweiz[294] und am westlichen Bodensee.[295] Möglicherweise nimmt damit also die dendrochronologisch jüngste Bauphase von Bodman-Schachen I Konstruktionsprinzipien und vielleicht auch Siedlungsstrukturen vorweg, die während der Urnenfelderkultur in normierten, fast kasernenartigen Ufersiedlungen am Bodensee und in der Westschweiz zum Ausdruck kommen.

Die neuerdings erkannten frühbronzezeitlichen Großbauten auf mineralischem Grund überschreiten die Hausgrößen aus Ufersiedlungen mit 200 m² und mehr Grundfläche bei weitem. Im Gegensatz zu den Ständerbauten aus Ufersiedlungen des nördlichen Voralpenlandes handelt es sich um Pfostenbauten. Oberschwaben scheint dabei die nördliche Peripherie der durch Flecklingskonstruktionen gekennzeichneten Ständerbauweise zu markieren. Südwestlich dieser Zone liegen auch aus Ufersiedlungen Pfostenbauten vor.

Die Funktion der unterschiedlich großen Gebäudeeinheiten ist eher unklar. Die Großbauten sind möglicherweise als Einzelgehöfte zu sehen, in denen Wohnraum, Stallungen und Bevorratung unter einem Dach vereint waren. Ob sich hinter diesen doch teils mächtigen Bauten von teilweise mehr als 30 m Länge auch hierarchische Strukturen verbergen, muss offen bleiben. Denkbar wäre, dass nur „Großbauern" sich solche Gebäude leisten bzw. errichten lassen konnten.[296] Sie dienten also möglicherweise ganzen Sippschaften als Wohn- und Wirtschaftsgebäude. Die kleineren Gebäudeeinheiten aus den Ufersiedlungen, aber auch aus dem Donaumoos, sind dagegen eher als Wohnbauten einzelner Familien mit vielleicht begrenzter Vorratshaltung zu sehen. Die Funktion der Reihenhäuser aus

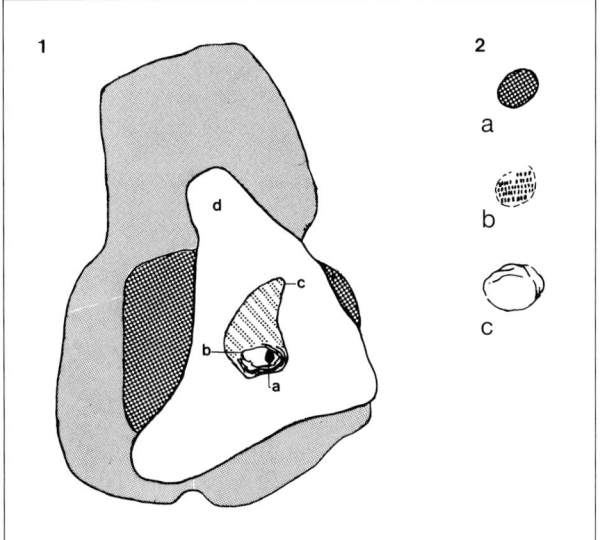

Abb. 90: Größenvergleich früh- und mittelbronzezeitlicher Siedlungen mit der mittelalterlichen Stadt Freiburg im Breisgau. 1 Freiburg im Breisgau, mittelalterliche Vorstadt (feines Raster) und Kernstadt (grobes Raster). a Bodman-Schachen I, Bauphase 4, Frühbronzezeit. b Siedlung Forschner, Frühbronzezeit. c Heuneburg, Mittelbronzezeit. d Mörnsheim, Frühbronzezeit. 2a Mittelalterliche Burg von Freiburg im Breisgau. 2b Ehrenstein, Jungneolithikum. 2c Wasserburg Buchau, Urnenfelderzeit. Umgezeichnet nach Schlichtherle, Pfahlbauten; Matuschik, Fundber. Baden-Württemberg 16, 1991, 27–55; Menke (Anm. 299); Gersbach (Anm. 299); Torke, Bauholzuntersuchungen.

Schweizer Ufersiedlungen ist schließlich unklar. Es könnte sich sowohl um kleine, zusammengesetzte Wohneinheiten als auch um zusammenhängende Strukturen großer Gebäude handeln, die Wohn- und Wirtschaftseinheiten ganzer Sippen unter einem Dach vereinen.

Auch die vorliegenden Siedlungsgrößen und -strukturen variieren beträchtlich (Abb. 89; 90). Im Rahmen der Ufersiedlungen lassen sich kleine dörfliche Anlagen mit 0,05 ha bis maximal 0,2 ha Siedlungsfläche von größeren Anlagen mit 0,5 ha Innenfläche unterscheiden. In den kleinen Stationen liegen 5 bis 10 Hausstandorte vor, in den großen Anlagen sind etwa 25 bis 30 Häuser anzutreffen. Ihre Bebauungsmuster sind im 17. Jh. v. Chr. regional tendenziell unterschiedlich. Den Häuserzeilen des Bodensees stehen überwiegend Bebauungsbeispiele in Häuserreihen im Zürichseegebiet und in der Westschweiz gegenüber. In Concise-sous-Colachoz sind es Häu-

---

292 Ebd. 65 f. Abb. 3; 4; 67.
293 Bankus (Anm. 282) Abb. 5.
294 M. Primas, Die Bronzezeit im Spiegel ihrer Siedlungen. In: Die ersten Bauern. Pfahlbaufunde Europas 1. Schweiz (Zürich 1990) 77.
295 Schlichtherle, Pfahlbauten 149.
296 Vgl. Nadler (Anm. 284) 45 ff.

serreihen, die uferparallel ausgerichtet sind. Abweichend in uferparallelen Häuserzeilen mit seewärts orientierten Giebelseiten ist vermutlich die Innenbebauung von Baldegg zu rekonstruieren. Die unterschiedlichen Bebauungsmuster der Ufersiedlungen des 19. und 18. Jh. lassen keine regionalen Gewichtungen erkennen. Die dreischiffigen Häuser der fünften Bauphase von Bodman-Schachen I, die um 1500 v. Chr. datiert, waren vermutlich in uferparallelen Häuserreihen angeordnet. Die Häusergruppen der „Siedlung Forschner" reflektieren schließlich eine haufenartige Bebauung bronzezeitlicher Moorsiedlungen in Oberschwaben.

Hervorzuheben ist die Existenz stark befestigter Anlagen, die mit regelrechten Holzwehrmauern umgeben waren. Besondere Bedeutung ist der Tatsache beizumessen, dass am Bodensee die stark befestigte Anlage in der Oberen Güll (Abb. 86)[297] zeitgleich mit der nur wenige Kilometer entfernt gelegenen offenen Dorfanlage in Bodman-Schachen I (Bauphase 4) bestand (Abb. 89,2d). Inwiefern sich hier ab dem 18 Jh. v. Chr. die Entstehung erster Machtzentren abzeichnet, wie sie möglicherweise in Mitteldeutschland durch die „Fürstengräber" der Aunjetitzer Kultur im Verbund mit Höhensiedlungen zum Ausdruck kommen,[298] ist ungewiss.

Unklar ist das Verhältnis zwischen stark befestigten Ufer- bzw. Moorsiedlungen und Höhensiedlungen mit zum Teil gewaltigen Grundflächen[299] (Abb. 90) und ihre jeweilige Rolle in den einzelnen Siedelsystemen. Zwischen Oberer Donau und Federsee scheinen Höhensiedlungen regelhaft zueinander zu liegen und das Territorium gewissermaßen zwischen sich aufzuteilen. Miteinbezogen in diese Aufteilung ist offenbar die stark befestigte „Siedlung Forschner" im Federseemoor.[300] Die hierbei implizierten kleinräumigen Einflussbereiche von Zentralsiedlungen sind beim derzeitigen Quellenstand jedoch kaum zu belegen. Einzig die mittelbronzezeitliche Heuneburg scheint Mittelpunkt zahlreicher sie umgebender Siedlungsplätze gewesen zu sein.[301]

Bei allem Zugewinn an neuen Kenntnissen muss dennoch offen bleiben, wie man sich die Siedelsysteme und Siedlungsmuster mit Ufersiedlungen, Höhensiedlungen und Sippengehöften vorzustellen hat. Unklar ist auch, wie der Normalfall einer Siedlung in diesen Siedlungsmustern aussieht und ob mit den Extremlagen an Ufern und auf den Höhen tatsächlich die Ausnahme von der Regel vorliegt.

---

297 Köninger, Ufersiedlungen 32f. 35 Abb. 40.
298 Vgl. Ch. Strahm, Einführung: Prähistorische Siedlungsmuster in Europa. In: A. Aspes (Hrsg.), Settlement Patterns between the Alps and the Black Sea 5th to 2nd Millennium B. C. Symposium Verona-Lazise 1992. Mem. Mus. Civ. Storia Nat. Verona, ser. II, Sez. Scienze Uomo 4 (Verona 1995) 29f. 30 Abb. 18.
299 Heuneburg bei Upflamör mit 4,5 ha, vgl. E. Gersbach, Die mittelbronzezeitlichen Wehranlagen der Heuneburg bei Hundersingen a. D. Arch. Korrbl. 3, 1973, 417ff.; die Abschnittsbefestigung Mörnsheim umfasst 25–30 ha, s. M. Menke, Ausgrabungen in der bronzezeitlichen Abschnittsbefestigung von Mörnsheim (Südliche Frankenalb). Germania 61, 1983, 367; zur Datierung von Mörnsheim s. H. Willkomm, Beitrag der Kernphysik zu den ^{14}C-Daten von Mörnsheim, Kr. Eichstätt. In: Menke (diese Anm.) 399ff.; vgl. Primas (Anm. 294) 76. Ein Vergleich der Siedlungsflächen von Höhensiedlungen mit Ufersiedlungen kann nur gelten, wenn eine flächige Innenbebauung der Höhensiedlungen angenommen wird.
300 Hemmenhofener Skripte 2, 2001, 186; Schlichtherle/Strobel, Ufersiedlungen – Höhensiedlungen 83ff.
301 S. Kurz, Untersuchungen zur Herausbildung der hallstattzeitlichen Siedlung auf der Heuneburg. Denkmalpfl. Baden-Württemberg 29, 2000, 20ff.; Schlichtherle/Strobel, Ufersiedlungen – Höhensiedlungen 84.

7 Die Funde von Bodman-Schachen I

7.1 Einführung

Der folgenden Untersuchung liegt das Fundmaterial von Bodman-Schachen I aus den Tauchsondagen von 1982–1984 und 1986 zugrunde. Sie ist in der Hauptsache mit Keramik befasst, die den weitaus größten Anteil des Fundmaterials ausmacht. Besonderes Augenmerk gilt dabei den stratifizierten Fundkomplexen aus den Schichten A, B und C. Die wenigen Altfunde, die sich der Ufersiedlung Bodman-Schachen I zuweisen lassen, fließen in die Ausführungen zur unstratifiziert vorliegenden Keramik aus der Oberfläche mit ein.

Insgesamt wurden in den Sondierschnitten 3,5 m³ Kulturschicht ergraben. Auf Schicht A entfallen davon 0,55 m³, auf Schicht B 0,65 m³ und auf Schicht C 2,23 m³. Die Keramikdichte pro Kubikmeter Kulturschicht liegt demnach für Schicht A bei etwa 26,5 kg, für Schicht B bei 16,7 kg und für Schicht C bei 30,7 kg. Der errechnete Wert liegt damit beispielsweise um ein Vielfaches über jungneolithischen Vergleichswerten aus Ödenahlen, wo eine Keramikdichte von 1,4 kg pro m³ Kulturschicht ermittelt wurde.[302] Die Artefaktdichte der Knochenabfälle liegt für Schicht B bei 3,8 kg und für Schicht C bei 1,5 g pro Kubikmeter Kulturschicht. Die Dichte an Geweih- und Knochengeräten ist dagegen mit einem Artefakt aus Schicht C und drei Geräten aus Schicht B verhältnismäßig gering und jungneolithischen Verhältnissen vergleichbar.

7.2 Keramik

7.2.1 Allgemeines

Die Keramikauswertung bezieht sich in erster Linie auf den Fundbestand der Tauchsondagen des Landesdenkmalamtes, das Hauptaugenmerk liegt hierbei auf der stratifizierten Keramik.

7.2.1.1 Merkmalserhebung und Vorgehensweise

Die Unterwassersondagen Bs 8.2–84 und Bs 8.6 lieferten 138,3 kg Keramik. Davon sind 88,1 kg stratifiziert, die restlichen 50,2 kg Keramik wurden bei der Kartierung des Pfahlfeldes im Quadratmeterraster von der Oberfläche abgesammelt.

Der gesamte Keramikbestand wurde zunächst quadratmeterweise und pro Schicht gewogen und, soweit möglich, zusammengesetzt. Von der gezeichneten Keramik – üblicherweise Rand- und Bodenscherben sowie alle rundergänzbaren und verzierten Scherben – sind 1048 Stücke im Tafelteil des Kataloges abgebildet. Die Auswertung der Keramik bezieht sich, bis auf die Angaben der Gesamtgewichte und der durchschnittlichen Scherbengewichte, auf die abgebildeten Funde. Etwa 100 kleinere Rand- und Bodenscherben wurden nicht in die statistische Auswertung miteinbezogen, da es sich höchstwahrscheinlich um Fragmente abgebildeter Gefäßteile handelt. Weniger gut erhaltene, rissige Scherben zerbrachen bisweilen bei der Bergung. Die Stücke waren nach der Aushärtung meist nicht mehr zusammenzusetzen, so dass der zahlenmäßige Bestand an Scherben dadurch künstlich erhöht wurde. Es wurden daher die ursprünglich zusammengehörigen Scherben jeweils als eine Scherbeneinheit ausgezählt.

7.2.1.2 Nichtmetrische Erfassung

Im Textteil des Katalogs sind die wesentlichen Merkmale der Keramik systematisch zu einer Kurzbeschreibung zusammengefasst. Sie beinhaltet die Katalognummer, die Bezeichnung des Gefäßteils, von der die Scherbe stammt (Wand-, Rand-, Bodenscherbe etc.), die Beschreibung der Verzierung, die Bestimmung der Magerung getrennt in Magerungsklasse und -art, die Klassifizierung der Oberflächenbehandlung und Farbe sowie die besonderen Merkmale in dieser Reihenfolge. Die Inventarnummer und der Befund, aus dem der Fund stammt, finden sich am Ende der Katalogbeschreibung.

Die Katalognummer wurde fortlaufend vergeben und ist mit der Nummer im Tafelteil identisch. Der Ergänzungsgrad bezeichnet bei nicht rundergänzbaren Scherben den Gefäßteil, aus dem die Scherbe stammt. Es wird in Rand-, Wand- und Bodenscherben, Henkel und Knubben unterschieden.

---

302 H. Schlichtherle, Ödenahlen – eine jungneolithische Siedlung der „Pfyn-Altheimer Gruppe Oberschwabens" im nördlichen Federseeried. Archäologische Untersuchungen 1981–1986. In: Die neolithische Moorsiedlung Ödenahlen. Siedlungsarchäologie im Alpenvorland III. Forsch. u. Ber. Vor- und Frühgesch. Baden-Württemberg 46 (Stuttgart 1995) 46.

Die Gefäßformen wurden zunächst rein optisch bestimmt. Es handelt sich also um eine subjektive Formansprache. Die so voneinander unterschiedenen Gefäßformen lieferten charakteristische Wertebereiche für das Verhältnis des Randdurchmessers zum maximalen Durchmesser (Gefäßindex, s. u.), die zusätzlich als Kriterium zur Bestimmung der Gefäßformen herangezogen wurden.

Einheitliche Beschreibungen der Gefäßformen oder metrische Formprinzipien existierten für das Formgut frühbronzezeitlicher Keramik nicht. Selbst typische Gefäßformen wie der doppelkonische Krug wurden mit verschiedenen Termini umschrieben.[303] Entsprechend diesem Stand sind, in Anlehnung an die Bearbeitung neolithischer Keramikkomplexe,[304] die Gefäßformen in Grundformen[305] aufgeteilt und in ihrer bronzezeitlichen Ausprägung beschrieben. Als Grundformen gelten Schalen, Schüsseln, Tassen, Krüge, Becher und Töpfe.

Im allgemeinen deutschen Sprachgebrauch werden Becher als Trinkgefäße in Zylinder- oder abgestumpfter, umgekehrter Kegelform mit plattem Boden definiert.[306] Sie besitzen im Gegensatz zu Tassen und Krügen keinen Henkel. Andererseits werden Tassen jedoch als henkelbecherartige Trinkgefäße beschrieben.[307] Krüge werden als kannenähnliche Gefäße von zylindrisch ausgebauchter Form ohne Ausguss bezeichnet.[308] Die allgemein üblichen Formdefinitionen können in diesem Falle nicht auf die urgeschichtlichen Gefäßformen angewendet werden. Die Gefäßbezeichnungen werden daher am vorliegenden Material orientiert und entsprechend neu definiert.

Als Becher werden weitmundige, schwach s-profilierte Gefäße bezeichnet, deren Randdurchmesser kleiner ist als ihre Gefäßhöhe. Sie kommen mit oder ohne Henkel vor. Tassen sind im Gegensatz dazu niedriger. Ihre Gefäßhöhe ist geringer als ihr Randdurchmesser (Index größer als 8[309]), ihr maximaler Durchmesser liegt in der Größenordnung des Randdurchmessers. Krüge sind demgegenüber höher und engmundiger, ihr Randdurchmesser ist deutlich kleiner als ihr Maximaldurchmesser. Krüge und Tassen sind im Gegensatz zu Bechern immer gehenkelt.

Schalen und Schüsseln sind einfacher zu unterscheiden. Die Schale ist als eingliedrige Gefäßform definiert, ihr maximaler Durchmesser fällt mit dem Randdurchmesser zusammen. Im Gegensatz zur Schale ist die Schüssel eine zweigliedrige Gefäßform. Auch hier entspricht der Randdurchmesser dem maximalen Durchmesser oder unterschreitet diesen nur minimal. Allerdings liegt zwischen Rand und maximalem Durchmesser eine kleine Einziehung vor, bzw. das Gefäßunterteil ist durch einen deutlichen Wandknick von der Halszone getrennt.

Unter den Töpfen sind weitmundige, unterschiedlich profilierte Formen zusammengefasst, die aufgrund ihrer groben Machart und anhaftender Kochreste überwiegend dem Kochgeschirr zuzurechnen sind.

Zur weiteren Differenzierung des Formenspektrums, welches den Grundformen nicht angegliedert werden konnte, wurde der Gefäßindex Randdurchmesser/maximaler Durchmesser benutzt. (s. u.). Es handelt sich hierbei um besonders engmundige Gefäße.

Davon ausgenommen sind die Kleingefäße. Unter diesem Begriff wird eine Größenklasse zusammengefasst, deren Randdurchmesser in einem Wertebereich zwischen 3 und 5 cm liegt. Zum Teil sind Kleingefäße oder Miniaturgefäße dem jeweiligen Formenspektrum entsprechend typisch profiliert und verziert, es befinden sich aber auch untypisch Formen darunter.

Die Randformen der Keramik wurden nach der Ausprägung der Randlippe und der ansetzenden Halspartie beurteilt. Sämtliche Randscherben, auch die der vollständigen Gefäße, fanden Eingang bei der Beurteilung des Randformenspektrums.

Die Verzierungen werden in eingetiefte und plastische Zier unterschieden. Sie sind im Katalogtext vor allem hinsichtlich ihrer technischen Merkmale, die aus der Zeichnung nicht hervorgehen, kursorisch beschrieben. Die eingetieften Verzierungen werden wie folgt differenziert:

Eingetiefte Zier	Unterscheidungskriterien
Ritzzier	Ritzlinien, 1 bis 2 mm breit, überwiegend v-förmiger Querschnitt.
Rillenzier	Ritzlinien, 3 bis 5 mm breit, überwiegend u-förmiger Querschnitt.
Einstichzier	Einstiche, senkrecht in die Gefäßwand gestochen, mit rundem Umriss.

---

303 So z. B. als „doppelkonische Tasse" und „Kegelhalskrug" bei Hundt, Heubach 27 ff.

304 J. Winiger, Das Fundmaterial von Thayngen-Weier im Rahmen der Pfyner Kultur. Monogr. Ur- u. Frühgesch. Schweiz 18 (Basel 1971) 95 ff. – Bleuer, Seeberg Burgäschisee-Süd 13 ff.

305 Gross u. a., Zürich „Mozartstrasse", 94 ff.; in Erweiterung dazu sind Schüsseln, Krüge und Flaschen für Bodman-Schachen I miteinbezogen.

306 Der kleine Brockhaus. Handbuch des Wissens (Leipzig 1929) 438 f.

307 Der Volks-Brockhaus. Deutsches Sach- und Sprachwörterbuch für Schule und Haus. 3. Aufl. (Leipzig 1934) 48.

308 Ebd. 659.

309 Index s. Kap. 7.2.1.3 zur metrischen Erfassung.

Kornstich	Einstiche, schräg horizontal oder vertikal in die Gefäßwand, mit getreidekornförmigem Umriss.
Furchenzier	Ritzlinie, durch aneinander gereihte stich Einstiche erzeugt.
Stempelzier	Stempelabdrücke von zylindrischen, kreisförmigen, dreieckigen oder u-förmigen Gegenständen.
Eindruckzier	In die Gefäßwand senkrecht oder seitwärts eingedrückte Fingerkuppen oder ähnlicher, nicht identifizierbarer Gegenstände.

Der Umriss der Einstiche an der Gefäßoberfläche wird insbesondere unterschieden, weil die eingetiefte Zier nachweislich mit einer weißen Paste gefüllt wurde und das beabsichtigte Muster letztendlich von diesem Umriss abhängt.

An plastischer Zier liegen aufgesetzte oder herausmodellierte Leisten vor, die allerdings auch an Bruchflächen nicht immer eindeutig unterschieden werden können. Knubben und Applikationen werden ebenfalls unter den Zierelementen behandelt. Die plastische Zier wurde wie folgt untergliedert:

Plastische Zier	Unterscheidungskriterien
Glatte Leisten	Ungegliederte Leisten, Querschnitt oft flach dachförmig.
Tupfenleisten	Fingerkuppenförmige Abdrücke, nicht näher klassifizierbar.
Fingertupfenleisten	Fingerkuppenförmige Abdrücke mit erkennbarer Fingernagelkerbe.
Kerbleisten	Durch Eindrücke schmaler Gegenstände gegliederte Leiste.
Stempelleisten	Durch gleichmäßige, regelhaft wiederkehrende Eindrücke verziert.

Tupfen- und Fingertupfenleisten sind oft nicht scharf voneinander zu trennen. Im Zweifelsfalle wurde zugunsten der Tupfenleiste entschieden. Der Querschnitt der Leisten ist konvex bis dachförmig. Sowohl die plastische wie auch die eingetiefte Zier wurde am weichen Ton vor dem Brand angebracht. Das zur Herstellung der Keramik notwendige Rohmaterial könnte aus den oberflächennah anstehenden glazialen Beckentonen in der direkten Umgebung der Siedlungen stammen. Noch bis in dieses Jahrhundert wurde bei Ludwigshafen und in Bodman der glaziale Ton in den so genannten Lettlöchern, d.h. Lehmgruben abgebaut. Allerdings ist nicht unbedingt davon auszugehen, dass Tone aus diesen siedlungsnahen Vorkommen zur Keramikherstellung verwendet wurden.[310] Wie Untersuchungen zeigen, wurde beispielsweise die endneolithische Horgener Keramik aus Nußdorf (Kr. Überlingen) aus reiferen Tonen hergestellt, die im Mineralbodenbereich des Hinterlandes anstehen.[311]

Die Magerung der Keramik wird rein optisch beurteilt und in Magerungsart und Magerungsklasse unterschieden. Die makroskopische Ansprache der Korngröße und der Magerungsart beinhaltet sicher subjektive Fehler. Keramikdünnschliffe, die eine exaktere Differenzierung der Magerung ermöglichen würde, liegen nicht vor.

Unter der Magerungsart sind die zur Magerung verwendeten Magerungsmittel zusammengefasst. Sie werden generell in runde und eckige Magerungspartikel getrennt. Unter runden Magerungsmitteln sind die nicht zerstoßenen Grundsubstanzen Sand und Steinchen zusammengefasst, während unter den eckigen Magerungsmitteln die Magerung aus zerstoßenem Gestein, der Gesteinsgrus, oder zerstoßener Keramik, die so genannte Schamottemagerung, subsumiert werden. Die organische Magerung, meist aus Druschresten bestehend, entzieht sich naturgemäß diesem Raster. Die Aufteilung in Magerungshaupt- und -nebenkomponenten wurde vorgenommen, wenn mehrere Magerungsmittel in klar unterschiedlicher Häufigkeit erkennbar waren. Die Klassifizierung in Haupt- und Nebenkomponente ist im Einzelfall sicher zufällig, gesamthaft sind jedoch bei genügend großer Scherbenzahl realistische Werte und damit Rückschlüsse auf die Herstellungstechnik der Keramik zu erwarten. Im Einzelnen werden die Magerungsmittel wie folgt unterschieden:

Magerungsart	Unterscheidungskriterien
Steingrus	Kantige Gesteinspartikel, grau bis beige, ohne oder mit nur geringem Quarzanteil, je nach Quarzgehalt des zerstoßenen Gesteins.
Steinchen	Feine Kieselsteinchen, rund, nicht zerstoßen.
Sand	Runde, feinkörnige Fraktion, nicht zerstoßen.
Schamotte	Zerstoßene Keramik, meist schwarz.
Organische Magerung	Schwarze Hohlräume im Ton, selten Abdrücke von Getreide oder anderen organischen Materialien identifizierbar.

Die Magerungsklasse bezeichnet die Korngrößen der Magerungsmittel. Sie sind in die fünf Abstufungen fein, mittel, grob und die dazwischen liegenden

---

310 Schlichtherle, Hornstaad-Hörnle 92.
311 K. Böhm/H. Hagn, Archäometrische Untersuchungen an jungsteinzeitlicher Keramik Südbayerns – eine Zwischenbilanz. In: K. Schmotz (Hrsg.), Vorträge des 6. Niederbayer. Archäologentages, Deggendorf 1988 (Buch a. Erlbach 1988) 36.

Korngrößen fein bis mittel und mittel bis grob unterteilt. Scherben, die offensichtlich zwei verschiedene Korngrößen gleichermaßen regelmäßig verteilt aufweisen, werden je nach Magerungsklasse als mittel bis grob bzw. fein bis mittel gemagert angesprochen. Anhand der Korngröße der Magerungspartikel lassen sich somit fünf Magerungsklassen differenzieren. Die Größenklassen sind wie folgt definiert:

Magerungsklasse	Korngröße
fein	unter 1 mm
mittel	1 bis 2 mm
grob	über 2 mm

Die Beschreibung der Oberfläche bezieht sich auf die Außenseite der Keramik und ist in die fünf Kategorien geglättet, verstrichen, schlickgeraut, geglättet und schlickgeraut sowie verstrichen und schlickgeraut gegliedert. Die Merkmale der einzelnen Kategorien sind wie folgt definiert:

Oberflächenbehandlung	Unterscheidungskriterien
geglättet	Porenlose, sorgfältig geglättete Oberfläche, selten Glättspuren.
verstrichen	Glatt gestrichene Oberfläche mit Unebenheiten und Poren, weniger sorgfältig ausgeführt als die Glättung.
schlickgeraut	Tonschlickerauftrag auf der Gefäßoberfläche, zum Teil dekorativ in Bahnen horizontal oder vertikal verstrichen.
geglättet und schlickgeraut	Tonschlickerauftrag am Gefäßkörper bis zur Zierleiste oder zur horizontalen Eindruckzier, darüber geglättet.
verstrichen und schlickgeraut	Wie oben, aber über der Zierzone verstrichen.

Die Farbangabe der Keramik bezieht sich auf die Keramikoberfläche. Ihre Bestimmung wurde mit Hilfe der Munsell Soil Colour Charts[312] durchgeführt. Die Farben im Katalogtext korrelieren mit den Nummern dieser Erdfarbtafeln.[313] Die Farbtöne durchlaufen das gesamte Farbspektrum von schwarz bis orangerot, wobei sich nur die hauptsächlich auftretenden Farben schwarz und hell- bis dunkelbeige klar voneinander absetzen lassen. Zwischen diesen Farbtönen sind die Übergänge fließend. Die Bestimmung der Farben nach den Munsell Soil Colour Charts an einer Stichprobe von 200 Scherben ergab zwischen schwarz und dunkelbeige, dunkelbeige und beige sowie beige und hellbeige zu geringen Teilen gemeinsame Farbtöne auf der Erdfarbskala.

Die Änderung der Keramikfarbe kann durch alltäglichen Gebrauch oder außergewöhnliche Hitzeeinwirkung, etwa durch ein Schadfeuer, hervorgerufen werden. Die Unterscheidung fällt schwer und ist im Einzelfall zu überprüfen.

Unter den Kategorien Zustand und Besonderes werden der Erhaltungszustand der Keramik und besondere Merkmale beschrieben, die selten auftreten.[314] Zu den besonderen Merkmalen gehören auffällige technische Details wie eingesetzte Böden oder Henkel und Knubben, deren Einzapfung im Scherbenbruch sichtbar ist. Hitzeeinwirkungen an der Keramik, die aufgrund ihrer Färbung und unregelmäßigen Verteilung auf der Scherbenoberfläche nicht auf den eigentlichen Brand der Keramik zurückgeführt werden können, werden als „sekundär gebrannt" bezeichnet. Die Oberflächenbehandlung der Böden wurde ebenfalls hier aufgenommen. Auffälligkeiten an der Keramikoberfläche wie Magerungskörner, die an kantenscharfen Scherben die Oberfläche durchstoßen, und Glättspuren wurden unter dieser Spalte vermerkt. Besondere Ziertechniken und Randformen sind gleichfalls hier aufgeführt.

7.2.1.3 Metrische Erfassung

Der Keramikteil des Katalogs wurde verschlüsselt (vgl. Kap. 16.1.2.5) im VIP-Datensatz[315] in der angegebenen Reihenfolge (s. o.) aufgenommen und durch die metrisch erfassten Merkmale erweitert (Tab. 7).

Die Messungen wurden mit Schieblehre und Tasterzirkel durchgeführt und sind in Millimetern angegeben. Gemessen wurden die Wand- und Bodenstärke, der Rand-, Maximal- und Bodendurchmesser, die Gefäßhöhe, Leisten- und Knubbenstärke. An nicht rundergänzbaren Scherben konnte nur die Wand- bzw. die Bodendicke gemessen werden. Die Wandstärke wurde, wenn möglich, ca. 5 cm unter dem Rand gemessen, um eine Vergleichbarkeit der Daten zu gewährleisten, da die Wandstärke innerhalb eines Gefäßes je nach Gefäßpartie erheblich variieren kann. Bei großen Schwankungen der Scherbendicke ist der Mittelwert angegeben. An plastisch verzierten Scherben wurden Knubben- und Leistenstärke gemessen, wobei aus messtechnischen Gründen die Gefäßwand in die Messstrecke miteinbezogen wurde. Sie gibt abzüglich der

---

312 Munsell Soil Color Charts (Baltimore/Maryland 1975).
313 S. Farbschlüssel im Anhang.
314 Im Einzelnen s. Kap. 16.1.2.5 Tabellenschlüssel zum Keramikkatalog im Datensatz.
315 VIP GEM Professional Vers. 1.0 1986, VIP Technologies Corporation.

Wandstärke an, wie weit Leisten und Knubben über die Gefäßwand überstehen.

Gefäß-, Rand-, Boden- und Maximaldurchmesser wurden mit selbst angefertigten Schablonen am Gefäß außen bzw. auf der Randlippe abgenommen. Die Messschwankungen bewegen sich bei kleinen Gefäßen unter 1 cm, bei großen Gefäßen etwas darüber. Sie sind überwiegend auf Unregelmäßigkeiten der handgemachten Keramik selbst zurückzuführen.

Die metrische Erfassung der Gefäßproportionierung basiert entgegen allgemein üblicher Praxis auf dem Verhältnis von Rand- zu maximalem Durchmesser (Rdm./Mdm.),[316] auf das Proportionsverhältnis von Randdurchmesser zu Gefäßhöhe musste verzichtet werden, da Gefäßhöhe und Randdurchmesser an nur 36 Gefäßen gemessen werden konnten.

In den Überschneidungszonen der Indizes verwandter Grundformen kommt es aufgrund der teilweise geringen Anzahl einzelner Formen zu Abgrenzungsschwierigkeiten, die durch die oft fehlenden Gefäßhöhen begünstigt werden. Erst eine genügend große Anzahl vollständiger Gefäße der verschiedenen Formen wird zeigen, ob markante Größenwerte existieren, die eine scharfe Trennung der einzelnen Formen ermöglichen, oder ob fließende Übergänge vorhanden sind. Die rein optisch und somit subjektiv bestimmten Gefäßformen ließen sich auf diesem Wege durch ein objektives Kriterium, den Gefäßindex, testen. Die Größenklassen von Formen oder Formgruppen resultieren aus den im Diagramm abgetragenen Gefäßindizes.

Statistische Untersuchungen betreffen hauptsächlich die Keramik aus Schicht C. Die Anzahl der verwertbaren Scherben der Schichten B und A ist dagegen mengenmäßig grenzwertig bzw. nicht ausreichend.

Die Anteile der Merkmale am Gesamtspektrum werden relativ und absolut angegeben. Die relative Häufigkeit einzelner Merkmale hängt dabei von der Häufigkeit der mitbetrachteten Merkmale ab. Auch an stark zerscherbtem Material erkennbare Merkmale dürften – absolut betrachtet – überrepräsentiert sein. Kleine Gefäße sind im Gesamtspektrum der Gefäßformen vermutlich ebenso überrepräsentiert, da sie auch aus kleinen Scherben rundergänzbar sind. Um statistischen Verzerrungen entgegenzuwirken, wurden die Anteile verzierter Keramik, je nach Qualität, auf 100 grobe oder feine Randscherben bezogen. Die Anteile wurden nach Vorgabe bestehender Analysen an Schweizer Keramikkomplexen berechnet und sind so mit den Ergebnissen dieser Untersuchungen vergleichbar.[317]

---

316 Die Verhältniszahl Rdm./Mdm. wird im Folgenden als „Gefäßindex" bezeichnet.
317 Vgl. Ruoff, Frühbronzezeitliche Funde 144f.

Tabelle 7: Bodman-Schachen I. Keramik der Schichten A, B und C (Abk. Kap. 16.1.2.5).

Schicht A – nach Katalognummern geordnet

Knr	Vz	LT	LZ	MK	MKN	MA	MAN	OB	F	Zus	Bes	WS	BS	Rdm	Mdm	Bdm	Gh	Ls	Ks	Gf	Ind
1			1		1		1	4	24	GH	5	6	80	88	33	97			3	0,91
2			1		1		1	4	24	H	4	5	81	86	37	96			3	0,94
3	1		1		1	7	1	36	3	G	4		80						3	
4			3	2	1	6	2	5	4	M	7									
5			3	3	1	3	2	16	56.1	M	6			100	45					
6			3		1		2	35	47	KM	6	7	110	110	78	113		23	4	1
7			23	3	12	3	1	15	34		8	8	150	150	82	82			2	1
8			12	3	1	2	1	36	124	HMB	6	7	88	97	35	112			3	0,91
9			1		1	6	1	2		G	5	9	64	88	36	111			3	0,72
10			1		0	7	1	4	1234	H	5	5	94	110	33	114			3	0,85
11	1	1	3	3	1	27	2	36	123	HMK	11	17	190	295	115	342	16	27	6	0,64
12			3	3	1	2	2	36	234	HBM	7	10	205	218	112	241			5	0,94
13	1	1	3		12		2	36		K	7						15	19		
14	1	1	3	3	12	3	2	5	2		7						12			
15	1	1	3		2		2	3	124		6						11			
16	1	1	3		2		2	36	34	HM	11	14	220	280	120	345	14		6	0,78
17	1	1	3		23		2	56	3	HKM	10	13	180	310	140	345	14		6	0,58

Schicht B – nach Katalognummern geordnet

Knr	Vz	LT	LZ	MK	MKN	MA	MAN	OB	F	Zus	Bes	WS	BS	Rdm	Mdm	Bdm	Gh	Ls	Ks	Ind
30	6			1		1	4	2	3	16.1		6		90	110					0,81
31	9			23		12		2	1			6								
32				13		1		2	4		K	3		24	30				7	0,93
33	3			1	2	1		1	1			5								
34				1		4		1	1			3	8			18				
35				1	2	1	1	1	2			6			106					
36				2		2		1	2		A	7						13		
37				1	1	1	4	1	1			4	4	40	47	26	44			0,85
38				12		1		1	2		B	7	8			58				
39		1	3	23		12		1	1	2		6						10		
40		1	1	1		1		1	12	6		5						10		
41				1	2	1	4	1	1			5			110					
42a				12		2		1	3	2		7								
42b				13		12		1	3			6								
42c				1		1		0	5	6.2		6								
42d				1		1		1	1			5								
42e				1	1	1	4	1	1			6								
42f				1		4		1	1			6								
43				1	2	1		1	12	6.1		6			110					
44a				3		2		2	3	3	Ra	8								
44b				2	3	1	2	1	3	2		6								
44c				23	1	2	1	1	3			5								
44d				12		1		1	1			4								
44e				1	1	1	4	1	3			6								
45				1		1		0	2		B	10				35				
46				1	2	1	4	1	1			4		80	100					0,8
47				1	12	1	45	2	3	26		9	11		85					
48				1		1		1	1			4		130	160					0,79
49				3		23	4	1	2		HM	6	5	100	105	40	52			0,95
50				23		12		2	3	23	H	8								
51				1	3	1	4	1	3		H	4		75						
52	24			1		1	4	1	1		H	5		105	125					0,84
53	5			12		1	4	1	4			6								
54				12		7		1	39			5		100						
55				1		1		1	1			5								
56	5			1	3	1	1	1	1			5								
57	5			12		15		1	9	6.1		6								
58				1		1	7	1	1	2		4		105						
59				1		1	4	1	1			4		100						
60	5			23		1	7	1	35	37		6		115	195					0,58
61				3		1		1	13	6.1	G	5		125	185					0,67
62	5			1	2	1	1	1	1			6		120	180					0,66
63	5			12		1	46	1	1	6.1	K2	6		190	295				17	0,64
64				2		2		3	56	3	Ke	0						32		
65				3		2		0	56	36.2	Ke	8						24		
66				1	2	1		1	13	6.1	Ke	8						20		
67				1		1		1	39	6.1		6		120						
68				13		1	4	1	1			6		140						
69				3		2		1	1	6.1		7		140	148					0,94
70				23		2	57	1	3	12		6		140						

Knr	Vz	LT	LZ	MK	MKN	MA	MAN	OB	F	Zus	Bes	WS	BS	Rdm	Mdm	Bdm	Gh	Ls	Ks	Ind
71				2		2		2	56	3		7		145	205					0,7
72				3		12	4	0	3	6.2		7	9			120				
73				3	2	2	5	1	2			7	13			103				
74				23		2		3	9		B	7	10			100				
75				3		1		2	2	27		8	8			75				
76				23		12	4	1	13	6.2	HM	7		140	170					0,82
77				12		1		2	3	6.1		6	7			70				
78				1		1		1	3	12	B	6	10			70				
79				23		12		1	2		M	8		144	195					0,73
80				23	1	2	5	1	15	23	Ra	9		260	320					0,81
81		1	2	3		1	7	5	3		K	7						11		
82				1	3	1	5	1	1			7								
83				3		2		0	3	6.2	K	6							24	
84				23		12		4	3	23		8							20	
85		2	3	2	3	2	2	3	3	2		7						10		
86		1	1	23		12		5	3			7						10		
87				23		2		2	3			9	9			100				
88		1	3	2	2	1	5	1	1	2		7						10		
89		1	1	1	3	1	2	5	3	6.2		8						10		
90				2	3	1	1	2	3	2	B	8	7			50				
91				1	1	1	24	1	3	5		6	8			85				
92				3		2	5	2	3	12	Bv	7	10			120				
93				23		2		2	2	1		9				160				
94				23		2		3	5	16.1	ZI	10								
95				1		1	4	1	35		ZI	7								
96		1	1	12		1		4	13	2		6						10		
97		1	1	3		2		3	5	3		6		130				9		
98		1	3	12	3	1	24	4	2	25	H	6						10		
99		2	1	2	3	12		4	35	12		6		145	195			8		0,74
100		1	3	2	3	1	24	4	1	2		8						12		
101		2	2	23		12		5	39	26.1		7		180	280			12		0,64
102		1	1	1	3	14	2	2	35	5	K	7		140	140			11	23	1
103		1	3	12		2	5	4	3			6						12		
104		2	3	12		12		3	13	12		6						8		
105				1		1		1	13	56.1		6		215	215					1
106		1	1	2		2		4	2			9						12		
107		2	1	23		12		2	3			6						11		
108		2	1	1		1	7	5	3	2		8		300	300			12		1
109				3		12		2	45			9						16		
110		1	1	3		2		5	35		K	11		340	350			22	32	0,97
111		1	1	1	2	1	1	2	2	6.1		10						15		
112		2	1	3		1	4	4	2	2		7						10		
113		1	12	3		2		2	2		H	10		280	340			18		0,82
114		1	13	23		2	7	2	13	2345		8		225	300			14		0,75
115		1	1	3		2		4	25	3		8						17		
116		2	1	2	3	1	1	1	3	2		9						14		
117		1	1	23		12		5	3	12	K	10		250	320			17	39	0,78
118				12		12		4	15	2	K	7			145				18	
119		1	1	3		1		4	3	2	M	7			200			11		
120		1	1	3		23		5	58	123		8						19		

Knr	Vz	LT	LZ	MK	MKN	MA	MAN	OB	F	Zus	Bes	WS	BS	Rdm	Mdm	Bdm	Gh	Ls	Ks	Ind
121		2	1	1		1	7	5	3	2		8						10		
122		1	1	23		2		3	13	12	K	9						16	49	
123		2	1	3		1		2	45		M	6						9		
124		1	1	3		1		1	2	6.1		8						11		
125		1	1	1	2	12		2	5			8						12		
126		2	1	2	3	1	24	1	1	2	G	7						12		

Schicht C – nach Katalognummern geordnet

Knr	EG	GT	Vz	LT	LZ	MK	MKN	MA	MAN	OB	F	Zus	Bes	WS	BS	Rdm	Mdm	Bdm	Gh	Ls	Ks
170	2	3				1		1	4	1	35	36		9			23				
171	2	3				1		1						6			42				
172	1	4				1		1	4	1	1			4	10		60	40			
173	1	5	6			2	1	1	4	2	3		A	4,5	6	48	48	48			5
174	1	5				1	2	1		1	12	12		5		80	100				
175	2	4				1	3	1	3	1	3			4,5		75					
176	1	5				12		1		2	3	6	H	5,5	8	70	100	65			
177	1	1				1	2	1	15	2	2	6	H	6		91	121				
178	1	1				1	3	1	2	1	1			6,5		120	120				
179	1	12				1		1		2	4	12		4,5		85	110				
180	1	4				1	1	1	4	1	23			5,5	10	115	118	60			
181	1	1				1		1		2	3	12		8		100	138				
182	1	1				1	3	4	1	1	3	2	G	5,5		155					
183		1	8			3		12		1	2			6							
184		1				23		1		2	1		M	7,5							
185	1	1				2		1		1	2			7		165					
186		1	3			23		2			5	6		10							
187		1				2	3	12		2	1			9							
188		1				3	1	1	46	1	1		OH	6,5							
189	1	1	2			1	3	2		1	12	2		7		200					
190		1		1	1	3		2		2	45			9						12	
191		1		1	2	23		1		2	1			10						14	
192		1		1	1	3		2		2	3			8						14	
193	1	1				23	1	2	6	1	23		GM	9		240					
194		1		1	1	3		12		2	3		K	6						16	26
195	1	1				23		2		2	7			10		245					
196		1				1	23	1		2	23	12	MK	9							14
197	1	4				1	2	1	6	2	3	2	BK	7	8	160	165	120	136		
198	1	23				2		1		2	3			8	9		165	80			15
199	1	1				1	1	1	4	2	1			5		130	140				
200	2	1				1	2	1	45	1	1			6		178					
201	1	1				12		12		1	1			4		135	140				
202	2	1				3		1		2	3		M	6		160	175				
203	1	1				12		1		1	2		M	6		130	140				
204	1	4				1	3	1		1	1		MG	5	12	190	200	77	120		
205	1	1				12		1		1	2		M	5		140	150				
206	1	4				3		1		2	3	2	A	8	14	150	150	55	115		12
207	1	4				2	2	2	5	1	1		MA	7	9	220	220	125	85		12
208		1				12		25		1	2		S	6							
209	2	2				1		14		1	2		S	5			122				
210	1	1	2			1		2		1	1		S	5,5		150	210				
211		1				1		45		1	1		S	6							

Knr	EG	GT	Vz	LT	LZ	MK	MKN	MA	MAN	OB	F	Zus	Bes	WS	BS	Rdm	Mdm	Bdm	Gh	Ls	Ks
212	2	2	23			1	2	12		1	1		SG	6,5		150					
213	1	4				1	1	1	4	1	1		S	5,5		125	140				
214	1	4	2			1		1	4	1	1		H	3,5	5	43	70	37	65		
215	1	4	2			1		1	4	1	1	8		4		80	110				
216	1	4	2			1		1	4	1	1		H	6,5		110	180				
217	1	4	12			1		1	4	1	1	8		9		140	225				
218		1	2			1	2	4	5	1	1			6							
219	2	23	2			2		1		1	1	3		5	4		215	95			
220	1	4	23			1	2	1	1	1	1	7		7,5			220				
221	2	4	2			23		12	4	1	2			7			200				
222	2	2	12			1		4		1	1			6			90				
223		2	12			12		1	4	1	45	8	O	7							
224	2	2	12			1		14		1	1			3,5			90				
225	2	2	12			1	1	4	2	1	1			8			132				
226	2	2	2			2	1	1	4	1	1			5,5			180				
227	2	2	23			1	1	1	46	1	1			6			160				
228	2	2	12			12	1	1	6	1	13		O	6,5							
229	2	2	2			1		1		1	1			6,5			190				
230		2	12			1	3	1	45	1	1	8		7							
231	2	2	2			1		4		1	1			7			230				
232		2	123			1		1	4	1	1			8							
233	2	2	12			1		1	4	1	1			5			130				
234	1	2	12			1		1	4	1	1			9			240				
235	1	4	12			2		1		1	2			5	5	70	115	55			
236		2	12			1	3	4	6	1	1			5,5							
237		1	2			2	1	12	5	1	1		H	4							
238	1	1	3			1	2	1	15	1	12	8	H	5	5	85	110	56	110		
239	2	2	2			1	3	1	1	1	1	6.1		5			120				
240	2	2	12			1		1		1	1			6,5			150				
241		1				1	2	1	46	1	1		H	5,5							
242	1	1	12			1	2	1	14	1	1	6.1	H	5		100					
243	2	2	12			1	2	1	12	1	1			6			160				
244	2	1	2			12		1	4	1	1		H	5		90					
245	2	2	2			1	2	1	46	1	1			6			170				
246	2	1				12		1		1	46		H	4,5		130					
247	2	2	12			12	2	1	6	1	2		M	6		170					
248	1	4	23			1		1		1	1			6,5			180				
249	1	4	123			12		1		1	1	8	H	6		135	200				
250		2	2			3		2		1	1	8		6							
251		2	2			1	3	1	24	1	12	8		6,5							
252	2	2	2			1		1		1	1	8		5,5							
253	2	2	2			1		14		1	3	8		5			130				
254	2	2	2			23	2	1	5	1	35		F	5			152				
255	2	1	2			12		2		1	2			7		130					
256	2	2	12			1	2	1	146	1	1		M	4			192				
257	2	2	123			12	1	1	46	1	1			7			180				
258	2	2	12			3	1	1	46	1	4	6	M	7			200				
259		2	2			1		1	4	1	2	6		8							
260	2	1	34			1	1	1	6	1	2			5		160					
261		2	2			12		1	4	1	1	8		5							
262	1	4	24			1	2	1	145	1	12			8		120	295				
263	2	2	2			1		1		1	1			7,5			100				

| Knr | EG | GT | Vz | LT | LZ | MK | MKN | MA | MAN | OB | F | Zus | Bes | WS | BS | Rdm | Mdm | Bdm | Gh | Ls | Ks |

Knr	EG	GT	Vz	LT	LZ	MK	MKN	MA	MAN	OB	F	Zus	Bes	WS	BS	Rdm	Mdm	Bdm	Gh	Ls	Ks
264		2	23			23		2		1	46	6	O								
265	2	3				1		15	4	1	1			7	7			50			
266		2		1	4	1	2	1	4	1	12		O	6						7	
267	2	3				2		16	4		45	36			9			40			
268	2	3				23		1		1	1	6.1	M	5	6			70			
269	2	23				1		1	4	1	1	4		5	4		105	42			
270	2	3				1	2	1	1	1	1			7	7			90			
271	2	2				1	1	1	6	1	12			6	9		70	48			
272	2	3				2		1		1	12			4	6			60			
273		2	24			1	2	1	35	1	47		H	7,5							
274	1	23				1	1	4	15	1	1			5	15		120	45			
275		2	23			2	2	1	45	1	12			6							
276		2	2			2		5	4	1	1			5							
277		1	12			1		1		1	1			5							
278		2	3			3		1	4		4	6.2		8							
279		2	2			1	23	1	15	1	2			8							
280		2	23			12		12	4	1	1			7							
281		2	2			23	1	1	6	1	2	6.1		9							
282		2	2			1	2	1	1	1	2			7							
283		2	2			1	2	4	5	1	24	3		6,5							
284		2	3			1		1	4	1	1			8							
285		2	3			2		1		1	2			6							
286		3	3			23		12	4	2	3			9	12						
287	2	2	2			1		1		1	13	3		6			280				
288	2	3				1	1	1	46	1	1			6	9			70			
289	2	3				1	2	1	16	1	2	6.1		8	9			80			
290		2	24			2		1		1	3			6,5							
291		2	24			2		24		1	2			10							
292		2	24			1	2	2		2	15	8		7							
293		2	12			1		24		1	1			4							
294		2	24			1		4		1	4			7							
295		2	24			12		1		1	5	38		8							
296		2	12			1		1	4	1	1			5,5							
297		2	12			1		24		1	1			4							
298		2	12			1	2	1	6	1	2			5,5							
299		2	13			1	2	1	14	1	1			5							
300		2	12			1	1	1	46	1	3			5							
301		2	1			2	3	1	14	1	1		MO	6							
302		2	12			1		1		1	24	36		6,5							
303		2	12			1		1	4	1	1			5							
304		2	12			1		16		1	1			5							
305		2	12			12	1	1	6	1	2		MO	6							
306		2	12			1	3	14	5	1	1	8		6							
307		2	12			1	1	14	56	1	1			5							
308		2	12			1	3	1	5	1	2			5							
309		2	2			1		1		1	1			5							
310		2	123			12		1		1	2			8							
311		2	2			1	2	1	1	1	1			6							
312		2	3			2		2		1	1	8		7							
313		2	2			2		2	4	1	1	8		6							
314		2	1			1		4		1	3										
315		2	12			1		1	4	1	2			5							

Knr	EG	GT	Vz	LT	LZ	MK	MKN	MA	MAN	OB	F	Zus	Bes	WS	BS	Rdm	Mdm	Bdm	Gh	Ls	Ks
316	2	2				1		1		1	1	8		5							
317	2	2				1	2	1	1	1	1			5							
318	2	2				1		1		1	1	8		4							
319	2	12				1	2	1	2	1	3			7							
320	2	12				1		1		1	1			6							
321	2	2				1	1	1	6	1	1	6.1		5							
322	2	2				12	3	1	14	1	2	8		6							
323	2	12				1		1	4	1	1			6							
324	2	24				1		1	4	1	1			7							
325	2	2				1	2	1		1	1		F	4,5							
326	2	12				2	3	1	1	1	1			5							
327	2	2				2	3	1	146	1	23	8		5							
328	2	12				12		2		1	1			7,5							
329	2	12				1		1		1	1	6.1		5							
330	2	12				1		1	4	1	1			6							
331	2	2				1		4		1	3			6							
332	2	12				2		2		1	1			8							
333	2	12				2		1		1	2	8		7							
334	2	12				1		1	4	1	1	8		8							
335	2	12				1	23	12	126	1	3	8	O	7							
336	2	12				1		4		1	1			6,5							
337	2	12				1		14		1	1			6							
338	2	2				12		1	4	1	2			7							
339	2	12				1		14		1	1			7							
340	2	13				2		1		1	2		M	6,5							
341	2	12				1		4		1	1			6							
342	2	2				1	2	16	2	1	2	6.1	M	6							
343	2	23				1	1	1	46	1	1			6							
344	2	2				1	1	1	46	1	1			5							
345	2	12				1		4		1	2			6							
346	2	2				2		2		1	1			5							
347	2	12				1		1		1	1			6							
348	2	2				1	2	1	46	1	1	8	A	6,5							
349	2	12				12		1		1	1			5							
350	2	12				1		24		1	1			6							
351	2	8				2	2	2	5	1	1			6							
352	2	12				1		1	4	1	1			5							
353	2	2				1		4		1	3			6							
354	2	12				1	2	1	46	1	1			4							
355	2	8				1		1		1	1		O	5							
356	2	13				1		4		1	1			5							
357	2	12				1	3	1	45	1	1			6							
358	2	23				12		16	4	1	1	6.1		6							
359	2	2				1		1		1	1			4							
360	2	2				1		2		1	1			6							
361	2	2				12	3	1	5	1	1	8	O	5							
362	2	23				12		1		1	1			7							
363	2	2				12		1	4	1	1	8		7							
364	2	2				12		1	4	1	2			6							
365	2	2				1	12	1	26	1	1	8		5							
366	2	2				1		4		1	12	8		6,5							
367	2	2				1	3	1	5	1	1			4,5							

Knr	EG	GT	Vz	LT	LZ	MK	MKN	MA	MAN	OB	F	Zus	Bes	WS	BS	Rdm	Mdm	Bdm	Gh	Ls	Ks
368		2	2			1	1	1	6	1	2			5							
369		2	2	1	4	2		1	4	1	1			6,5						9	
370		2	2	1	4	12	3	1	2	1	23			6						8	
371		2	2			12	2	1	46	1	1	6.1		8							
372		2	2			1		1		1	2	6.2		5							
373		2	23			1	3	1	14	1	2			6							
374		2	2			1		4		1	1			4							
375		2	2			12	1	1	46	1	1			6							
376		2	2			1		4		1	1			5,5							
377		2	23			2		4		1	13		O	6							
378		2	23			3		12	4	1	23		O	6							
379		2	2			12		1		1	2			8							
380		2	2			1		1	4	1	1			6							
381		2	2			12		2	4	1	1			5							
382		2	2			1		4		1	1			5							
383		2	2			1		14		1	1			4							
384		2	3			2		2		1	1	8		7							
385		2	2			1		4		1	1			5							
386		2	2			2		24		1	1			4							
387		2	2			1		4		1	1	6.1		5							
388		2	2			1		1	4	1	1			5							
389		2	2			2		4		1	3	6		6							
390		2	2			2		12	4	1	2			6							
391	2	1				1		14		1	1			5		60					
392	2	1				1	12	1	15	1	1			5		85					
393	2	2	2			1		1	4	1	1			4			100				
394	2	1				2		1		1	1			5		75					
395	2	1				1		15		1	1			6		150	180				
396	2	1				1	2	1	2	1	2	6		7		184					
397	2	1				2		12	4	2	3	12		8		140					
398	2	1				12		12		1	3			7		170					
399	2	1				2		2		1	3			7		150	190				
400	2	1				12		1		1	2			5,5		120					
401	2	1				2		12		1	2			8		210					
402	2	1	2			2		15		1	1	6		5		100					
403	2	1	2			1		2		1	2			5,5		120					
404	1	2				2	2	1	2	1	1			5			214				
405	2	1				23		12	4	2	12		M	6,5		270					
406		5				1	3	1	24	1	1	6	H								
407	2	2				23		2		1	1	7		5		120					
408	1	1				2	2	2	5	1	2			6,5		175					
409	2	2				1		1		1	1			6,5			145				
410	2	2				1		1	4	1	1			6			245				
411	2	2				3		2		1	2	26		8			160				
412	2	1				1		16	4	1	2	6.1		7		180					
413	2	2				1	2	1		1	2			6			160				
414	2	1				1	2	16	4	1	2			6		150	180				
415	1	4				12		12		1	2	6.1	MH	6	6	125	200	80	120		
416	1	4				2	3	15	1	1	12			8		140	195				
417	2	1				23		1		2	2	2	MH	5			150				
418		5				12	2	12	6	1	1		H								
419		2				1		1	4	1	1		H	7							

Knr	EG	GT	Vz	LT	LZ	MK	MKN	MA	MAN	OB	F	Zus	Bes	WS	BS	Rdm	Mdm	Bdm	Gh	Ls	Ks
420		5				1		1	4	1	12		H								
421		5				1		1		1	2	6	H								
422		5				2	3	2	2	2	58		H								
423	1	1				1		12		1	59	6	H	7		135	173				
424		5				2		2		1	1		H								
425	1	4				1	2	1	5	1	1		OH	6,5		140	155				
426	1	4				12		15		1	3	23	H	6,5	7	150	160	90	152		
427	1	4				2	3	1	2	1	3		H	7	8	160	196	80	205		
428	2	2				12	1	1	24	1	1		H	6,5			160				
429		1				12		12		1	1			6							
430	2	1				1	2	1	5	12	3	1	K	6							22
431	2	1				1	2	1	46	1	2			5,5		100					
432		1				3		2		2	38			8							
433	2	1				2		1	4	1	2			6		190					
434	2	1				1	2	1	56	1	1			5		120					
435		1				3		2		2	4			7							
436	2	1				1	2	1	46	1	1		G	6		180					
437	2	1				1		4			5	6.2				83					
438		1				3		2		1	1		G	7							
439	2	1				23		12		1	1		GM	7		180					
440	2	1				1		4		1	2	6		4		100					
441a		5				2		2		1	3		H								
441b		5				2	3	1	5	1	1		H								
442	2	1				1	12	1	456	1	1		OGK	7		150					22
443		5				2		1		1	1		H								
444	2	1				3		12		1	12		LG	12		285					
445		5				2		1		1	1		H								
446	2	1	2			1		1		1	1			5		100					
447	2	1				1		1	4	1	1			8		170					
448	2	1				1		1		1	1	6.1		7		100					
449	2	1				1		1	4	1	4	6.2		6		140					
450	2	1				2		12		1	3			5,5		100					
451	2	1				23		2		1	2		O	6		140					
452	2	1				1		1	4	1	1			7		145					
453	2	1				2		15		1	2			6		140					
454	2	1				1	2	2	2	1	1			6,5		200					
455	2	1				1	13	1	25	2	3			6		160					
456	2	1				3		2		1	1		G	7		200					
457	2	1				2		2		1	12		O	7		140					
458	2	1				23		2		3	48	12		9		340					
459	2	3				12	3	1	2	2	4	16		8	9		50				
460		2		2	1	23		12			4	6.2								8	
461		2		1	1	23		12	4	3	4			7						13	
462	2	3				1	1	1	6	1	1	6.1			10		45			12	
463		2		2	1	1		2		2	3			8						12	
464		2		1	1	23		1		2	3			9						18	
465		2		1	1	2		12		1	3			7						14	
466	2	3				23	3	2	5	2	3				9		70				
467	2	3				1		4		1	1		Be				80				
468		2		1	1	2	2	1	5	2	3			8						14	
469		2		1	1	2	3	2	2	2	5	6.1		11						14	
470	2	3				12	3	1	24	1	2				14		90				

Knr	EG	GT	Vz	LT	LZ	MK	MKN	MA	MAN	OB	F	Zus	Bes	WS	BS	Rdm	Mdm	Bdm	Gh	Ls	Ks
471a		3				3		2		2	3		Be	8							
471b		3				3	3	12	5	3	3		M	15	22						
472	2	3				2		16		2	2	2	B	5	8			80			
473	2	3				3	3	2	5	2	3		B	6				105			
474	2	3				2		15	4	1	3		B		16			100			
475	2	3				23		1		2	35	3		6	7			110			
476	2	3				3		2			5	64		8	14			126			
477		3				3		2		2	3		Be	9							
478		3				3		2		2				8	12						
479	2	3				3	3	12	56	3	3		GeB	10	10			130			
480	2	3				23		12		2	3			8	10			80			
481		2		1	1	23		1	4	2	38		K	9						12	19
482		2	6			23		1		2	38		K	6						17	
483	2	3				3	2	2	5	2	3	2		7	12			90			
484	2	3				12		1		1	1			6	4			100			
485	2	3				3		12	4	3	48	3	B	9	14			115			
486	2	3				1	1	1	46	1	2		B	6	6			120			
487	2	3				3		12		2	3	7	B	10	11			120			
488	2	2				2		2		3	3	6.1		6				150			
489	2	2				23		2		3	3			8							
490		1		1	1	23	2	1	6	2	3	2	O	8						13	
491	2	3				3		1		2	39	2	L	10	10			150			
492		1		1	1	23		2		23	4	1		7						15	
493	2	3				1		1	4	2	3			12	11			180			
494	2	3				2		2	4	1	1	6.1		4,5				45			
495	2	3				12	1	1	456	1	1	3	B	8				65			
496	2	3				3		1	4	2	3	2		10	11			180			
497	2	3				1	3	1	2	1	2			3	4			60			
498		2		1	1	3		1		5	2	2		8						14	
499	2	3				1		1	4	1	12			6	7			80			
500	2	3				1	1	1	46	1	3	13	B	8	11			100			
501	2	2				1	2	1	45	1	3	6.2		7				85			
502		2		1	1	3		2		3	3			9						16	
503	2	2				1		1		1	2			6				110			
504	2	3				1		1	4	1	13			6	7			70			
505	2	3				1		1	4	2	3			8	11			80			
506		2		1	1	3		1		2	3			8						12	
507		2		1	1	23		1		2	3			9						14	
508	2	3				1		1		1	12			7	14			80			
509		2		1	1	2		12		2	3			7						10	
510		2		1	1	23		1		1	3			8						12	
511		2		1	1	2		12		2	3			10						15	
512	2	2				2		12		2	2	2	M	6				75			
513	2	3				12		1	4	1	13	23		8	13			90			
514	2	23				2		1	4	2	38	1		10	16			85			
515	2	3				1		4		1	1		O	7	9			110			
516	2	3				1		1	4	2	3			7	10			85			
517		2		1	1	1	2	4	2	2	2	6.1		9						17	
518		2		2	1	3	2	2	5	3	2	2		9						15	
519		2		1	1	3		12		2	38	16		10						16	
520	2	3				23		2		2	34	36		8	9			90			
521		2		1	1	3		12		22	38	16		9						12	

Knr	EG	GT	Vz	LT	LZ	MK	MKN	MA	MAN	OB	F	Zus	Bes	WS	BS	Rdm	Mdm	Bdm	Gh	Ls	Ks
522		2		1	1	23		1	4	2	4			8						13	
523		2		2	1	23		12		5	35	36		9						13	
524	2	2				2		12		2	3			5,5				80			
525	2	3				1		1	4	2	38	1		12	11			140			
526	2	3				3		2	4	2	38			10	12			248			
527	2	2				3		12		3	38			9							
528a		1				2		2		1	3			7							
528b		1				2		1		1	2			7							
528c		1				23		1		2	3			7							
528d		1	6			1	2	2	2	1	3			6							
529a		1				23		12		2	3			8							
529b		1				23		1		2	3			7							
529c		1				2		1		1	1			8							
529d		1				1		1		1	1			4,5							
530		1		1	1	3		12		2	3	6.1		9						12	
531		2		1	1	3		2		1	1	1		7,5						10	
532		2		2	1	2		1		1	3			8						10	
533		2		2	1	1	1	4	16	1	3	6.2		9						12	
534		2		1	1	1	1	1	46	1	4	6.1		9						12	
535		2		1	1	3		2			5	6.2		6						11	
536a		1				3		2		2	3	2		6,5							
536b		1				23		12		1	2			7							
536c		1				3		1	4	2	3	2	M	6							
536d		1				23		2		2	18			8							
536e		1				2	3	2	2	2	12			7							
537a		1				3		2		3	3	2		7							
537b		1				23	2	2	5	2	38			7							
537c		1				2		2		1	13			7							
537d		1				2		1		1	2			10							
537e		1				3		2		2	4	3		8							
537f		1				13		12		3	3	2		9							
538		2		2	1	1		1		1	3			7						12	
539		1	2			12		1		1	12			7							
540		1	6			12		12		2	3			8							
541		2	67			23		2		1	38			6,5							
542		2				1		1		1	2			5							
543		1		2	2	23		6		2	3		M	7						12	
544		1	6			12		1		1	2			6							
545		2		1	1	2		2		2	3	2	K	8							25
546		2				12	1	1	6	1	2		K	8							21
547		6				1		1	4		3	6.2	K								12
548		2		1	1	2		2		1	2			8						14	
549		2	3			2	3	2	16	1	1			5							
550		2	3			23		2			2	1	O	7,5							
551		1				23		25		1	1			9							
552		2	2			1	23	1	145	1	1			4							
553		2	2			1		4		1	12	8		3							
554		5				1		1		1	2	6	H								
555		5				1		1		1	12		H								
556		5				1	23	1	14	1	1		H								
557		1				3		2		2	5	23	H	10							
558	2	2	6			1	1	4	1	2	2	12		6			142				

Knr	EG	GT	Vz	LT	LZ	MK	MKN	MA	MAN	OB	F	Zus	Bes	WS	BS	Rdm	Mdm	Bdm	Gh	Ls	Ks
559	1	4	6			1		4		1	35	6.2		5		100	110				
560	2	2	6			3		2		1	34	2		6,5			200				
561	2	1	6			1		1	4	1	45	36		6		140	175				
562	2	1	6			2	3	1	1	1	3			7,5		190	220				
563	2	2	6			2		1		1	3		K	7,5			200				
564	2	1	6			1		1	4	12	2			6		165	210				
565	2	1	6			3		2		2	2	2		6,5		70	160				
566	2	1	6			3		2		2	28	2		6		200	240				
567		1	6			3		2		2	8	2		8							
568	2	1	6			3		2	4	2	3	124		8		105	135				
569		2	6			3		12		4	2			7,5							
570	2	1	6			3		1		3	38			8		180	215				
571	2	2	6			1		1	4	5	3	12	K	6			190				
572a		1				2		12		2	3			6							
572b		1				23		1		2	3	1		6							
572c		1				23		2		2	3			8,5							
572d		1				1	2	12	12	1	3			11							
572e		1				1		1	4	2	2	12		9							
573	2	1	6			3		1		3	34	23	MK	8		180	215			26	
574	2	3				3		12		3	3	1	B	8	10			110			
575	2	3				23		2		3	5	6.1		11	16			130			
576	1	1	6			23		12		3	3			8,5		185	220				
577	2	3				23	3	1	3	3	3			7	10			90			
578	2	1	6			23		2		3	24	2	MK	7		200	275				
579a		1				23		2		2	3	2		6							
579b		1				23		12		2	3	2		7							
579c		1				2		2		1	5	3		8							
579d		1				1		1	4	1	3			7							
579e		1				2	1	2	1	2	3			7							
580a		1				12		12		2	2	2		9							
580b		1				3	13	12	46	3	1	12		10							
580c		1				23		1		1	3			7,5							
581	1	4	6			2	2	1	2	1	2			8,5		105	205				
582	2	2	6			23		2		2	8		K	7			210				
583		2	6			1		1	4	1	3			6							
584		2	6			1		1	4	5	3	12		6							
585	2	1	6			23		2		2	38	27		8		130					
586		2	6			12		1	4	2	38			8							
587		2	6			23	1	1	1	1	38			9							
588		2	6			2	3	1	14		4	6.2		7							
589		2	6			2		2		2	3			10							
590		2	6			23	2	1	5	3	3	2		8							
591		2	6			1		1		0	5	6.2		6							
592	1	4	6			1	3	12	3	4	3	12	K	8		185	245				25
593		1	6			23		12		2	3			10							
594		2	6			1	3	1	45	0	38		O	6							
595		2	6			1		1	4	2	38			5							
596		2	6			3		2		2	38	2		8							
597		2	6			2	1	1	1	1	2			7							
598		2	6			23		2		2	3	6.1		8							
599	2	1				1		1		1	1			5		120					
600	2	2				12		1		1	2	6.1	K	7			145				18

Knr	EG	GT	Vz	LT	LZ	MK	MKN	MA	MAN	OB	F	Zus	Bes	WS	BS	Rdm	Mdm	Bdm	Gh	Ls	Ks
601	2	1		2	5	3		12	4	2	34	12	K	9		190	200			13	19
602	2	2	3	1	5	23		1			12	13	K	6			150			10	16
603	2	1	6			12		1		5	2	2	K	7		200	225				28
604		1	8			2		12	4	5	2			9,5							
605		3				23		1		3	3	6.1		12	14						
606	1	4	7			23		12		1	23	34	H	6	10	90	235	80	218		
607		2	8			23		2	4	2	24			6							
608		2	7			23		1		1	4	6.1		7							
609		2	7			23		1		1	4			6							
610		2	8			3		2	4	1	1			7							
611		2	7			23		12			35	6.2		5							
612	2	2		1	4	2	3	12		4	4	3	H	10			400			18	
613		6				3		2		2	38		K								20
614	2		1	1		23		1		2	38		O	9						18	
615		2		1	1	23		1		1	2	6.1		10						18	24
616	2	3				3	1	25	4	3	38			9	14			150			
617		2		1	1	23		12		1	1			10						14	
618		2		1	1	3	3	1	34	2	23	12		8						15	
619	2	3				23		2		3	4	2		9	17		140				
620		2		1	1	23		2		2	3			9						12	
621		2		1	1	23	1	1	1	5	3	36		9						15	
622	2	3				3		12		3	3			10	12		110				
623	2	3				23		1		3	3	2		8	11		100				
624		1		1	1	3		2		2	5	12		10						14	
625	2	1	9			12		1		3	3	12		8		250					
626		1	9	2	3	23		1		2	2	2		9						13	
627		1	9			2		12		2	3			6							
628		1	9			12		1		1	3			7							
629	2	1				2		2		2	3			8		150					
630		1	9			3		2		2	3			7							
631		1	9			3		2		2	2			6							
632	2	1	9			3		2	4	2	35			9		150					
633		1	9			12		2		2	2	2		6							
634	2	1				2		2	4	1	1		L	6		100					
635	2	1	9			2	3	1	14	3	4	123		8		165					
636		1	9			3		2		1	38			8							
637	2	1	9			3		2	4	23	38			9		220	260				
638	1	4	9			2		1		2	3		BM	7	14	110	140	80	140		
639		1		1	1	2		2		5	3	12	K	7						10	19
640	2	1		1	1	23		1	4	5	3	26	K	6		115	195			10	16
641		1		1	1	23		***		2	34	6.1		7						12	
642	2	1		2	1	3		1	4	5	45	12		9		200	240			12	
643		1		1	1	2		2		2	3			10						16	
644		2		2	2	3		1	4	4	8	12		8						14	
645		2		1	1	23		2		5	3			9						16	
646	2	1		1	1	23		2		2	2	123	K	7		175	200			14	26
647		2		1	1	2		2		5	2			8						13	
648		2		1	1	3		12		5	35			9						17	
649	1	4		1	1	12		1		1	3	2	K	9		160	215			14	25
650	2	3				2	3	2	2	2	3			9	15		130				
651	2	3				2		2		1	1	6.1		9			140				
652	2	2		1	1	3		2		5	3	2	K	8			200			15	26

Knr	EG	GT	Vz	LT	LZ	MK	MKN	MA	MAN	OB	F	Zus	Bes	WS	BS	Rdm	Mdm	Bdm	Gh	Ls	Ks
653		2		1	1	2		1		3	38	2	K	10						18	28
654		2		1	2	2		2		2	39	1	K	10							20
655		6				2		1		2	2		K								20
656		1		1	1	23		2	4	2	3	6.2		9						13	
657		1		2	3	23		1		2	3	2	M	9						11	
658	1	4		2	1	3	3	12	45	4	45	23	K	8		215	260				
659		2		2	1	1		1	4	1	3	2		7						13	
660		2		1	1	23		12	4		3	36		9						12	
661		2		1	1	12		1		2	3			6						11	
662		2		1	1	23	2	1	46	1	1	2		9						14	
663		2		1	3	1		1	4	1	3	2		7						13	
664		2		1	1	3		1		2	3		M	8						14	
665		2		1	1	23	1	15	46	2	4			9						13	
666		2		1	1	23		12		2	3	6.1		6						9	
667	2	3				3		2		2	3			6	8			80			
668	2	3				3		26		2	2		BO	9	13			130			
669	2	1		1	1	23		1		4	2	2	H	7,5		180	330			11	27
670	2	1		1	1	23		12		5	23	26		8		220					
671		2		1	1	3		2		3	3	2		8						15	
672		2		1	1	3		25		5	3			10						18	
673		2		1	1	23		12	4	3	4		M	8						13	
674		1		1	1	23		1		3	38	2		9						15	
675		1		1	1	23		1	4	3	2	2		8						16	
676	1	4		2	1	3		1	4	4	3	256	K	7		270	325			11	23
677		2		1	1	3		12		12	3	2		8						16	
678		2		1	2	23	2	1	24	4	1	2		6						10	
679		2		1	1	3		1		2	3		M	9						13	
680	2	2		1	1	3		2		2	25			9			400			14	
681	2	1		1	1	23		2		3	3	2		9		345	435			16	
682	2	1		1	1	23		2		2	12	12		9		250				16	
684		1		1	1	3		1		5	3	6.2		9						13	
685		1		2	1	23	3	2	5	4	2	2		4						8	
686		1		1	1	23		12		2	78	12		11						14	
687		1		1	1	3		1		5	4	6.1		7						12	
688		2		1	1	23		2	4	5	2	12		9						16	
689		2		1	1	23		12		3	3	2		9						14	
691	2	2		1	1	2		12		1	2			7							
692		1		1	1	3		2		1	2			8						15	
693		2		1	1	23		2		3	3	6		10						12	
694	1	4		1	1	2	3	12	3	3	3	2	K	10		330	330			16	30
695	2	1	9	1	1	3		12		3	3	25		12		290				17	
696	1	4		1	1	23		2		3	38	2		11		350	355			19	
697	1	4	9	1	1	23		2	4	3	39	2		11	22	380	396	170	472	16	
698		2	6			3		25		2	35		K	8							15
699		1				12		15		1	1		A	5,5						11	
701		1		1	1	3		2		3	3			8						14	
702		1		1	1	2		1		3	2	2		8						14	
703		2				1		4			3	236	K	7						21	
704		2				3		2		2	4		K	8,5						24	
705	2	2				23		12		3	3			8							
706		2				1	2	2	2	1	2	6.1	K	5						15	

Schicht B – rundergänzte Keramik nach Gefäßformen und Randdurchmessern geordnet

Knr	Vz	LT	LZ	MK	MKN	MA	MAN	OB	F	Zus	Bes	WS	BS	Rdm	Mdm	Bdm	Gh	Ls	Ks	Gf	Ind
37				1	1	1	4	1	1			4	4	40	47	26	44			1	0,85
32				13		1		2	4		K	3		24	30				7	1	0,93
102	1	1		1	3	14	2	2	35	5	K	7		140	140			11	23	2	1
105				1		1		1	13	56.1		6		215	215					2	1
108	2	1		1		1	7	5	3	2		8		300	300			12		2	1
46				1	2	1	4	1	1			4			100					3	
48				1		1		1	1			4			160					3	
52	24			1		1	4	1	1		H	5		105	125					4	0,84
49				3		23	4	1	2		HM	6	5	100	105	40	52			4	0,95
51				1	3	1	4	1	3		H	4		75						5	
58				1		1	7	1	1	2		4		105						5	
54				12		7		1	39			5		100						5	
30	6			1		1	4	2	3	16.1		6		90	110					6	0,81
61				3		1		1	13	6.1	G	5		125	185					7	0,67
76				23		12	4	1	13	6.2	HM	7		140	170					7	0,82
59				1		1	4	1	1			4		100						8	
67				1		1		1	39	6.1		6		120						8	
71				2		2		2	56	3		7		145	205					8	0,7
79				23		12		1	2		M	8		144	195					8	0,73
69				3		2		1	1	6.1		7		140	148					8	0,94
60	5			23		1	7	1	35	37		6		115	195					9	0,58
63	5			12		1	46	1	1	6.1	K2	6		190	295				17	9	0,64
62	5			1	2	1	1	1	1			6		120	180					9	0,66
80				23	1	2	5	1	15	23	Ra	9		260	320					10	0,81
114		1	13	23		2	7	2	13	2345		8		225	300			14		11	0,75
101	2	2		23		12		5	39	26.1		7		180	280			12		12	0,64
99	2	1		2	3	12		4	35	12		6		145	195			8		12	0,74
117	1	1		23		12		5	3	12	K	10		250	320			17	39	13	0,78
113	1	12		3		2		2	2		H	10		280	340			18		13	0,82
110	1	1		3		2		5	35		K	11		340	350			22	32	14	0,97

Schicht C – rundergänzte Keramik nach Gefäßformen und Randdurchmessern geordnet

Knr	Vz	LT	LZ	MK	MKN	MA	MAN	OB	F	Zus	Bes	WS	BS	Rdm	Mdm	Bdm	Gh	Ls	Ks	Gf	Ind
622				3	3	12		3	3			10	12			110					
493				1		1	4	2	3			12	11			180					
474				2		15	4	1	3		B		16			100					
171				1		1						6				42					
289				1	2	1	16	1	2	6.1		8	9			80					
473				3	3	2	5	2	3		B	6				105					
485				3		12	4	3	48	3	B	9	14			115					
500				1	1	1	46	1	3	13	B	8	11			100					
467				1		4		1	1		Be					80					
499				1		1	4	1	12			6	7			80					
513				12		1	4	1	13	23		8	13			90					
462				1	1	1	6	1	1	6.1			10			45					
270				1	2	1	1	1	1			7	7			90					
527				3		12		3	38			9									
489				23		2		3	3			8									
459				12	3	1	2	2	4	16		8	9			50					
616				3	1	25	4	3	38			9	14			150					
466				23	3	2	5	2	3				9			70					

123

Knr	Vz	LT	LZ	MK	MKN	MA	MAN	OB	F	Zus	Bes	WS	BS	Rdm	Mdm	Bdm	Gh	Ls	Ks	Gf	Ind
288				1	1	1	46	1	1			6	9			70					
480				23		12		2	3			8	10			80					
470				12	3	1	24	1	2				14			90					
505				1		1	4	2	3			8	11			80					
651				2		2		1	1	6.1		9				140					
512				2		12		2	2	2	M	6				75					
487				3		12		2	3	7	B	10	11			120					
504				1		1	4	1	13			6	7			70					
574				3		12		3	3	1	B	8	10			110					
524				2		12		2	3			5,5				80					
496				3		1	4	2	3	2		10	11			180					
265				1		15	4	1	1			7	7			50					
577				23	3	1	3	3	3			7	10			90					
575				23		2		3	5	6.1		11	16			130					
170				1		1	4	1	35	36			9			23					
516				1		1	4	2	3			7	10			85					
520				23		2		2	34	36		8	9			90					
268				23		1		1	1	6.1	M	5	6			70					
494				2		2	4	1	1	6.1		4,5				45					
705				23		12		3	3			8									
600				12		1		1	2	6.1	K	7			145						
650				2	3	2	2	2	3			9	15			130					
619				23		2		3	4	2		9	17			140					
488				2		2		3	3	6.1		6				150					
486				1	1	1	46	1	2		B	6	6			120					
252	2			1		1		1	1	8		5,5									
623				23		1		3	3	2		8	11			100					
491				3		1		2	39	2	L	10	10			150					
501				1	2	1	45	1	3	6.2		7				85					
508				1		1		1	12			7	14			80					
483				3	2	2	5	2	3	2		7	12			90					
475				23		1		2	35	3		6	7			110					
503				1		1		1	2			6				110					
691		1	1	2		12		1	2			7									
514				2		1	4	2	38	1		10	16			85					
484				12		1		1	1			6	4			100					
515				1		4		1	1		O	7	9			110					
476				3		2			5	64		8	14			126					
479				3	3	12	56	3	3		GeB	10	10			130					
472				2		16		2	2	2	B	5	8			80					
668				3		26		2	2		BO	9	13			130					
497				1	3	1	2	1	2			3	4			60					
495				12	1	1	45	1	1	3	B	8				65					
267				2		16	4		45	36			9			40					
667				3		2		2	3			6	8			80					
526				3		2	4	2	38			10	12			248					
525				1		1	4	2	38	1		12	11			140					
272				2		1		1	12			4	6			60					
560	6			3		2		1	34	2		6,5			200						
558	6			1	1	4	1	2	2	12		6			142						
680		1	1	3		2		2	25			9			400				14		
253	2			1		14		1	3	8		5			130						

Knr	Vz	LT	LZ	MK	MKN	MA	MAN	OB	F	Zus	Bes	WS	BS	Rdm	Mdm	Bdm	Gh	Ls	Ks	Gf	Ind
409				1		1		1	1			6,5		145							
257	12			12	1	1	46	1	1			7		180							
247	12			12	2	1	6	1	2		M	6									
393	2			1		1	4	1	1			4		100							
239	2			1	3	1	1	1	1	6.1		5		120							
411				3		2		1	2	26		8		160							
274				1	1	4	15	1	1			5	15	120	45						
263	2			1		1		1	1			7,5		100							
407				23		2		1	1	7		5		120							
227	23			1	1	1	46	1	1			6		160							
428				12	1	1	24	1	1		H	6,5		160							
231	2			1		4		1	1			7		230							
240	12			1		1		1	1			6,5		150							
269				1		1	4	1	1	4		5	4	105	42						
245	2			1	2	1	46	1	1			6		170							
243	12			1	2	1	12	1	1			6		160							
413				1	2	1		1	2			6		160							
417				23		1		2	2	2	MH	5		150							
431				1	2	1	6	1	2			5,5		100						0.1	
440				1		4		1	2	6		4		100						0.1	
434				1	2	1	56	1	1			5		120						0.1	
403	2			1		2		1	2			5,5		120						0.1	
449				1		1	4	1	4	6.2		6		140						0.1	
457				2		2		1	12		O	7		140						0.1	
453				2		15		1	2			6		140						0.1	
451				23		2		1	2		O	6		140						0.1	
455				1	3	1	5	2	3			6		160						0.1	
398				12		12		1	3			7		170						0.1	
200				1	2	1	45	1	1			6		178						0.1	
436				1	2	1	46	1	1		G	6		180						0.1	
412				1		16	4	1	2	6.1		7		180						0.1	
396				1	2	1	2	1	2	6		7		184						0.1	
433				2		1	4	1				6		190						0.1	
401				2		12		1	2			8		210						0.1	
405				23		12	4	2	12		M	6,5		270						0.1	
458				23		2		3	48	12		9		340						0.1	
454				1	2	2	2	1	1			6,5		200						0.1	
391				1		14		1	1			5		60						0.2	
448				1		1		1	1	6.1		7		100						0.2	
450				2		12		1	3			5,5		100						0.2	
452				1		1	4	1	1			7		145						0.2	
260	34			1	1	1	6	1	2			5		160						0.2	
439				23		12		1	1		GM	7		180						0.2	
456				3		2		1	1		G	7		200						0.2	
670		1	1	23		12		5	23	26		8		220						0.2	
444				3		12		1	12		LG	12		285						0.2	
447				1		1	4	1	1			8		170						0.3	
682		1	1	23		2		2	12	12		9		250				16		0.3	
394				2		1		1	1			5		75						0.4	
638	9			2		1		2	3		BM	7	14	110	140	80	140			9	0,78
423				1		12		1	59	6	H	7		135	173					9	0,78
397				2		12	4	2	3	12		8		140	175					9	0,8

Knr	Vz	LT	LZ	MK	MKN	MA	MAN	OB	F	Zus	Bes	WS	BS	Rdm	Mdm	Bdm	Gh	Ls	Ks	Gf	Ind
416				2	3	15	1	1	12			8		140	195					9	0,72
629				2		2		2	3			8		150	180					9	
426				12		15		1	3	23	H	6,5	7	150	160	90	152			9	0,93
395				1		15		1	1			6		150	180					9	0,83
399				2		2		1	3			7		150	190					9	0,78
427				2	3	1	2	1	3		H	7	8	160	196	80	205			9	0,81
197				1	2	1	6	2	3	2	BK	7	8	160	165	120	136			9	0,96
408				2	2	2	5	1	2			6,5		175	230					9	0,76
425				1	2	1	5	1	1		OH	6,5		140	155		165			10	0,9
563	6			2		1		1	3		K	7,5			200					11	
571	6			1		1	4	5	3	12	K	6			190					11	
564	6			1		1	4	2	2			6		165	210					11	0,78
568	6			3		2	4	2	3	124		8		200	260					11	0,76
676		2	1	3		1	4	4	3	256	K	7		270	325		240	11	23	12	0,83
681		1	1	23		2		3	3	2		9		345	435			16		12	0,79
404				2	2	1	2	1	1			5			214					13	
410				1		1	4	1	1			6			245					14	
414				1	2	16	4	1	2			6		150	180					14	0,83
642		2	1	3		1	4	5	45	12		9		200	240			12		14	0,83
652		1	1	3		2		5	3	2	K	8			200			15	26	15	
592	6			1	3	12	3	4	3	12	K	8		185	245		260		25	15	0,75
658		2	1	3	3	12	45	4	4	23	K	8		215	260		270			15	0,82
561	6			1		1	4	1	45	36		6		140	175					16	0,8
649		1	1	12		1		1	3	2	K	9		160	215		240	14	25	16	0,74
430				1	2	1	5	2	3	1	K	6		170					22	16	
646		1	1	23		2		2	2	123	K	7		175	200			14	26	16	0,87
570	6			3		1		3	38			8		180	215					16	0,83
573	6			3		1		3	34	23	MK	8		180	215			26		6	0,83
576	6			23		12		3	3			8,5		185	220		250			16	0,84
562	6			2	3	1	1	1	3			7,5		190	220					16	0,86
601		2	5	3		12	4	2	34	12	K	9		190	200			13	19	16	0,95
578	6			23		2		3	24	2	MK	7		200	275					16	0,72
603	6			12		1		5	2	2	K	7		200	225		210		28	16	0,88
566	6			3		2		2	28	2		6		200	240					16	0,83
695	9	1	1	3		12		3	3	25		12		290				17		17	
697	9	1	1	23		2	4	3	39	2		11	22	380	396	170	472	16		17	0,95
694		1	1	2	3	12	3	3	3	2	K	10		330	330		280	16	30	18	1
696		1	1	23		2		3	38	2		11		350	355	300	300	19		18	0,98
248	23			1		1		1	1			6,5			180					19	0,63
217	12			1		1	4	1	1	8		9		140	225					19	0,62
234	12			1		1	4	1	1			9		150	240					19	0,62
565	6			3		2		2	2	2		6,5		70	160					20	0,43
640		1	1	23		1	4	5	3	26	K	6		115	195			10	16	20	0,58
254	2			23	2	1	5	1	35		F	5		75	152					21	0,49
258	12			3	1	1	46	1	4	6	M	7		95	200					21	0,47
256	12			1	2	1	46	1	1		M	4		100	192					21	0,52
228	12			12	1	1	6	1	13		O	6,5								22	
287	2			1		1		1	13	3		6		145	280					22	0,51
442				1	2	1	45	1	1		OGK	7		150					22	22	
262	24			1	2	1	45	1	12			8		170	295					22	0,57
669		1	1	23		1		4	2	2	H	7,5		180	330			11	27	22	0,55
581	6			2	2	1	2	1	2			8,5		105	205		220			23	0,51

Knr	Vz	LT	LZ	MK	MKN	MA	MAN	OB	F	Zus	Bes	WS	BS	Rdm	Mdm	Bdm	Gh	Ls	Ks	Gf	Ind
582	6			23		2		2	8		K	7		130	210					23	0,6
585	6			23		2		2	38	27		8		130	240					23	0,54
606	7			23		12		1	23	34	H	6	10	90	235	80	218			24	0,38
612		1	4	2	3	12		4	4	3	H	10			400			18		25	0,42
221	2			23		12	4	1	2			7			200					26	
437				1		4			5	6.2				83							0.4
392				1	2	1	5	1	1			5		85							0.4
446	2			1		1		1	1			5		100							0.4
402	2			2		15		1	1	6		5		100							0.4
599				1		1		1	1			5		120							0.4
400				12		1		1	2			5,5		120							0.4
634				2		2	4	1	1		L	6		100							0.5
255	2			12		2		1	2			7		130							0.5
632	9			3		2	4	2	35			9		150							0.9
635	9			2	3	1	4	3	4	123		8		165							0.9
637	9			3		2	4	3	38			9		220							0.9
625	9			12		1		3	3	12		8		250							0.9
182				1	3	4	1	1	3	2	G	5,5		155			45			1	1
185				2		1		1	2			7		165						1	1
189	2			1	3	2		1	12	2		7		200						1	1
193				23	1	2	6	1	23		GM	9		240						1	1
195				23		2		2	7			10		245			145			1	1
180				1	1	1	4	1	23			5,5	10	115	118	60	98			2	0,97
178				1	3	1	2	1	1			6,5		120	120		70			2	1
203				12		1		1	2		M	6		130	140					2	0,92
199				1	1	1	4	2	1			5		130	140					2	0,92
201				12		12		1	1			4		135	140		72			2	0,96
205				12		1		1	2		M	5		140	150					2	0,93
206				3		1		2	3	2	A	8	14	150	150	55	115		12	2	1
204				1	3	1		1	1		MG	5	12	190	200	77	120			2	0,95
207				2	2	2	5	1	1		MA	7	9	220	220	125	85		12	2	1
209				1		14		1	2		S	5			122					3	
213				1	1	1	4	1	1		S	5,5		125	140		85			3	0,89
225	12			1	1	4	2	1	1			8		132						4	
224	12			1		14		1	1			3,5		90						4	
226	2			2	1	1	4	1	1			5,5		180						4	
233	12			1		1	4	1	1			5		130						4	
229	2			1		1		1	1			6,5		190						4	
222	12			1		4		1	1			6		90						4	
220	23			1	2	1	1	1	1	7		7,5		220						4	
214	2			1		1	4	1	1		H	3,5	5	43	70	37	65			4	0,61
235	12			2		1		1	2			5	5	70	115	55	110			4	0,6
215	2			1		1	4	1	1	8		4		80	110					4	0,72
216	2			1		1	4	1	1		H	6,5		110	180		160			4	0,61
238	3			1	2	1	15	1	12	8	H	5	5	85	110	56	110			5	0,77
244	2			12		1	4	1	1		H	5		90						5	
242	12			1	2	1	14	1	1	6.1	H	5		100	140					5	0,71
246				12		1		1	46		H	4,5		130						5	
249	12			12		1		1	1	8	H	6		135	200		220			5	0,67
415				12		12		1	2	6.1	MH	6	6	125	200	80	190			6	0,78
176				12		1		2	3	6	H	5,5	8	70	100	65	85			7	0,7
177				1	2	1	15	2	2	6	H	6		91	121					7	0,75

Knr	Vz	LT	LZ	MK	MKN	MA	MAN	OB	F	Zus	Bes	WS	BS	Rdm	Mdm	Bdm	Gh	Ls	Ks	Gf	Ind
271				1	1	1	6	1	12			6	9		70	48				8	
170				1		1	4	1	3			3			23					8	
171				1			1								48					8	
172				1		1	4	1	1			4	10	40	60	40	40			8	0,66
173	6			2	1	1	4	2	3		A	4,5	6	48	48	48	36		5	8	1
602	3	1	5	12			1		2	13	K	6			150			10	16	9	
198				2		1		2	3			8	9		165	80			15	9	
175				1	3	1	3	1	3			4,5		75	90					9	0,84
174				1	2		1	1	12	12		5		80	100					9	0,8
179				1		1		2	4	12		4,5		85	110					9	0,77
559	6			1		4		1	35	6.2		5		100	110					9	0,9
181				1		1		2	3	12		8		100	138					9	0,72
219	2			2		1	1	1	3			5	4		215	95				26	
210	2			1	2		1	1			S	5,5			150	210				26	0,67
212	23			1	2	12		1	1		SG	6,5			150					26	
202				3		1		2	3		M	6			160	175				27	0,91

7.2.2 Keramik aus Schicht A

7.2.2.1 Umfang und Erhaltungszustand

Aus Schicht A in Fläche 2 stammen elf nahezu vollständige Gefäße und sechs Scherben (Taf. 1; 2; 3; Tab. 7). In Fläche 1 ist Schicht A fundleer.
Die Keramik ist mit großer Wahrscheinlichkeit Hausgrundriss 1.2 zuzuordnen (Abb. 40). Der Keramikbestand wurde offensichtlich nach der Brandkatastrophe, der die Siedlung der Bauphase 1 zum Opfer fiel, von den Bewohnern nicht aus dem Brandschutt geborgen. Der hohe Anteil ganzer Gefäße ist ursächlich auf ihre Ablagerung in der Brandschicht zurückzuführen.[318] Die Keramik aus Schicht A ist häufig sekundär gebrannt (Tab. 7). Ihre fleckig-grau und -orange gefärbte Oberflächen machen dies wahrscheinlich.
Die Keramik ist durchweg in kantenscharfem Zustand erhalten, ihre Ablagerung dürfte also ohne anhaltende Wassereinwirkung erfolgt sein.[319] Mit wenigen Ausnahmen ist die gesamte Keramik dort, wo sie nicht von Kulturschicht bedeckt war, von einer Kalkkruste überzogen. Die aus der Kulturschicht heraus ragenden Abschnitte müssen demnach zumindest zeitweise kurz nach ihrer Ablagerung wasserbedeckt gewesen sein.

7.2.2.2 Gefäßformen

Die kleine Auswahl an vollständigen Gefäßen aus Schicht A enthält ausschließlich Grundformen, d.h. Schüsseln, Becher und Töpfe (Abb. 91).[320]
Becher (Abb. 92; Taf. 1,1.2.8–10) und doppelkonische Töpfe (Taf. 2,11; 3,16.17) sind jeweils mehrfach vertreten und können aufgrund ihrer typischen und uniformen Ausprägung als charakteristische Gefäßformen für die unterste Kulturschicht von Bodman-Schachen I gelten. Eine Schüssel (Taf. 1,7) und zwei

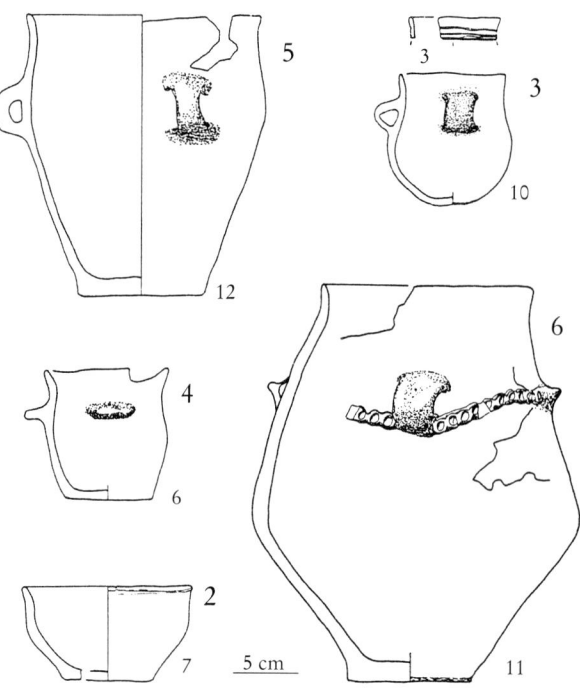

Abb. 91: Keramik aus Schicht A, Formenspektrum. 2 Schüsseln. 3 Becher. 4–6 Töpfe (Schlüssel s. Kap. 16.1.2.3.2). Die kleinere Ziffer entspricht der Nummer im Katalog und im Tafelteil.

---
318 Zum Befund s. Kap. 3.4.2 zu Schicht A in Fläche 1.
319 Zur Befundinterpretation s. Kap. 3.2 u. 3.4.3 zu den Profilen sowie zur Schichtgenese und Fundverteilung.
320 Vgl. Kap. 7.2.1.2 zur nichtmetrischen Erfassung der Keramik.

Abb. 92a: Keramik aus Schicht A. Randscherbe eines rillenverzierten Bechers (Taf. 1,3).

weitmundige Töpfe unterschiedlicher Größenklassen (Taf. 1,6; 2,12) erweitern außerdem das Formenspektrum.

Die übrigen Scherben (Taf. 1,4.5; 2,13–15) aus Schicht A gehören ihrer Tonqualität und Verzierung nach zu urteilen zu Töpfen. Ihre Form ist aus den Scherben nicht mehr zu rekonstruieren.

Becher (Form 3)

Die Becher (Abb. 91; 92; Taf. 1,1.2.8–10) sind mit fünf nahezu vollständigen Exemplaren vertreten. Sie sind in ihrer Formgebung und Größenordnung sehr einheitlich ausgeprägt. Die leicht s-profilierte Form mit abgeflachtem Boden besitzt auf der Schulter auf halber Gefäßhöhe oder im oberen Gefäßdrittel eine bandförmige Henkelöse von flachem (Taf. 1,2) oder flach-d-förmigem (Taf. 1,1) Querschnitt. Die Charakteristika der Becher sind der leicht ausschwingende Trichterrand, die schulterständige Henkelöse und der abgeflachte kleine Boden mit meist leichter Einziehung. Die Gefäßindizes der Becher bewegen sich zwischen 0,85 bis 0,94 und weisen diese als weitmundige Gefäße aus. Den Bechern formal anzuschließen ist eine ritzverzierte Randscherbe (Abb. 92a. Taf. 1,3).

Doppelkonische Töpfe (Form 6)

Mehrfach vertreten sind im Formenspektrum von Schicht A neben den gehenkelten Bechern doppelkonische große Töpfe mit steiler Halszone (Taf. 2,11; 3,16.17). Zwei der drei Töpfe (Taf. 3,16.17) liegen in stark zerscherbtem Zustand vor, ihre Maße und Proportionen mussten deshalb teilweise an der Zeichnung abgenommen werden. Die ursprüngliche Gefäßform dürfte durch die zeichnerische Rekonstruktion in den wesentlichen Punkten wie Durchmesser und Gefäßhöhe wiedergegeben worden sein. Der Gefäßumbruch der Töpfe, der im unteren Gefäßdrittel liegt, bestimmt ihre charakteristische Proportionierung. Die Töpfe sind mit Gefäßindizes zwischen 0,64 und 0,57 verhältnismäßig engmundig. Der leicht abgesetzte Standboden fällt, gemessen an der Gefäßgröße, relativ klein aus.

Weitmundige Töpfe (Form 4 und 5)

Die übrigen Formen sind nur einfach vertreten. Es handelt sich dabei um einen weitmundigen s-profilierten Topf mit deutlicher Einziehung zum Boden hin – Form 5 – (Taf. 2,12) und einen ebenfalls weitmundigen, schwach s-profilierten Topf – Form 4 – (Taf. 1,6). Beide Töpfe sind weit gehend vollständig erhalten. Ihre Gefäßindizes liegen entsprechend ihrer Profilierung und Weitmundigkeit bei 0,94 und 1,00. Beide Töpfe besitzen einen leicht abgesetzten Flachboden.

Schüsseln[321] (Form 2)

Das Formenspektrum rundet eine flau s-profilierte Schüssel ab (Taf. 1,7). Die Gefäßhälfte erlaubt die Rekonstruktion eines großen Flachbodens. Der Gefäßindex der Schüssel liegt wie bei den meisten Schüsseln bei 1,0, da der maximale Durchmesser den Randdurchmesser bei Schüsseln definitionsgemäß kaum überschreitet.

7.2.2.3 Randformen

Die Randformen weisen keine besonderen Charakteristika auf. Es handelt sich überwiegend um runde, sich teilweise nach oben verjüngende Randlippen, die bei den Bechern und kleineren Töpfen leicht ausschwingen. Die Ränder der großen Töpfe stehen dagegen nahezu senkrecht. Der Rand der

---

321 Definition in Kap. 7.2.4.2 zu den Gefäßformen in Schicht C.

Abb. 92b: Keramik aus Schicht A. Annähernd vollständig erhaltene Becher mit schulterständiger Henkelöse (Taf. 1,1.2.8.10). Gefäßhöhe unten links 9,7 cm.

Schüssel ist ansatzweise abgestrichen und bietet damit kein rundes, sondern eher kantiges Profil.

7.2.2.4 Bodenformen

Die Bodenformen sind bei den jeweiligen Gefäßformen besprochen und werden daher nicht gesondert beschrieben.

7.2.2.5 Verzierungen

Die Verzierung der Keramik beschränkt sich hauptsächlich auf aufgesetzte Fingertupfenleisten an Töpfen. In die Leisten sind Knubben oder Henkelösen integriert (Taf. 2,11.13–15; 3,16.17). Die Leisten verlaufen flachwinklig schräg auf der Gefäßschulter und sind leicht geschwungen (Taf. 2,11). Die Randscherbe eines Bechers (Taf. 1,3) ist ritzverziert. Die Zierzone besteht aus drei horizontal umlaufenden Ritzlinien und beginnt dicht unter dem Rand. Die unterste Ritzlinie verläuft im Bruch der Randscherbe, die Zierzone ist also unvollständig.

7.2.2.6 Henkel und Knubben

Henkel und Knubben finden sich sowohl an den Bechern als auch an den Töpfen. Sie sind an der Gefäßwandung von Töpfen schulterständig einzeln (Taf. 1,6; 2,12) oder in Leisten integriert, paarweise gegenständig angebracht (Taf. 2,11). Die Knubben dürften an der Gefäßwand durch Zapfen befestigt gewesen sein. Diese Befestigungstechnik ist einfach belegt (Taf. 2,13).
Die Befestigung der Henkel, die an Henkelfragmenten oder in den Bruchstellen normalerweise erkannt werden kann, ist an den weit gehend vollständig erhaltenen Gefäßen nicht auszumachen. Analog den Knubben ist ihre Befestigung in der Gefäßwand durch Zapfen nahe liegend.

7.2.2.7 Größenklassen

Aufgrund der geringen Gesamtzahl lassen sich nur grob die Becher mit Randdurchmessern bis 11 cm von großen Töpfen mit Randdurchmessern von 16 bis 20 cm unterscheiden. Die großen Töpfe setzen sich darüber hinaus durch ihre Gefäßhöhen von 34 cm von den weitmundigen Töpfen (Taf. 1,6; 2,12) mit Gefäßhöhen von 11 und 24 cm gut ab. Inwiefern die weitmundigen Töpfe eigenständige Größenklassen vertreten, muss der geringen Anzahl wegen offen bleiben.

7.2.2.8 Wandstärken

Die Wandstärken der Keramik aus Schicht A streuen zwischen 4 und 11 mm bei einer durchschnittlichen Dicke von 6,9 mm[322] und sind überwiegend größenabhängig. Kleine Töpfe sowie Becher besitzen Wandstärken zwischen 4 und 6 mm, während große Töpfe einheitliche Werte zwischen 10 und 11 mm aufweisen. Der Topf mittlerer Größe liegt mit 7,5 mm zwischen diesen Wandstärken. Die Schüssel fällt mit 8 mm Wandstärke aus dem Rahmen, sie ist im Verhältnis zu ihrer Größe relativ dickwandig.

7.2.2.9 Magerung

Als Magerungsmittel wurden hauptsächlich Quarz- und Steingrus verwendet; organische Materialien oder Glimmer wurden in nur geringen Mengen als Magerungsnebenkomponenten dem Ton beigemengt.
Die Korngrößen der Magerung zerfallen deutlich in zwei Extreme, es kommen im Wesentlichen nur feine oder grobe Magerungspartikel vor. Ebenso wie die Wandstärken verteilen sich die Magerungsmittel und -korngrößen signifikant auf die Gefäßformen und -größen. Durchweg feintonige, quarzgrusegemagerte Becher setzen sich deutlich von grobtonigen, stein-, quarzgrus- und steinchengemagerten Töpfen ab.

7.2.2.10 Oberflächenbehandlung

Die Art der Oberflächenbehandlung ist, ebenso wie die Magerung, von den Gefäßgrößen und -formen abhängig. Die Oberfläche der feintonigen Becher ist geglättet, während die Töpfe und die übrigen Formen verstrichene Oberflächen besitzen. Die Rauung der Gefäßoberfläche durch Schlickauftrag scheint nicht üblich gewesen zu sein. Sie fehlt an der Keramik aus Schicht A.

7.2.2.11 Farbe

Die Farbe der Keramik bleibt wenig aussagekräftig, da nahezu alle Scherben durch sekundären Brand im Schadfeuer ihre ursprüngliche Färbung verloren haben. Die farblich nicht veränderten Oberflächenbereiche deuten auf eine dunkelbeige bis schwarze Färbung der Becher und auf beige bis graue Farbtöne der Töpfe hin.
Der Rand eines rillenverzierten Bechers (Taf. 1,3) besitzt Reste einer ehemals braunen Oberfläche, die sich jedoch nur unscharf von seiner sekundären Orangefärbung absetzt.

7.2.2.12 Funktion der Gefäße

An Töpfen und Bechern sind auf der Gefäßinnenseite verkohlte Krusten festgebacken. Es handelt

---

322 Vgl. dazu Angaben bei Gross u. a., Zürich „Mozartstrasse" 144; die Keramik aus Schicht A ist offenbar dickwandiger als die Ware aus Schicht 1 von Zürich-Mozartstrasse.

sich wahrscheinlich um angebrannte Getreidegrütze. War dies im Falle der Töpfe zu erwarten, so scheint es doch fraglich, ob tatsächlich auch die Krusten in den Bechern vom Kochen stammen. Die Krustenreste in den Gefäßen könnten ebenso gut auch zufällig beim Dorfbrand entstanden sein. Auf die Funktion der Gefäße sollte daher in diesem Falle aufgrund der anhaftenden Krustenreste nicht unbedingt geschlossen werden.

7.2.3 Keramik aus Schicht B

7.2.3.1 Umfang und Erhaltungszustand

Die mittlere Kulturschicht lieferte 10,87 kg Keramik und damit weitaus weniger keramische Funde als Schicht C. Davon sind insgesamt 108 Scherben und Gefäßfragmente – das sind alle Rand-, Boden- und verzierten Scherben – im Tafelteil abgebildet (Tab. 7). Sie stehen nur wenigen Funden anderer Fundgattungen gegenüber (Taf. 12,138; 13,143; 15,163. 165.167a–b) und machen im Fundspektrum von Schicht B den größten Anteil aus.
Die Keramik ist überwiegend kantenscharf erhalten. Unter Berücksichtigung schwach verrundeter Scherben sind 22% der Keramik erodiert. Starke, d. h. flächige Erosionsspuren liegen an 4,3% der Keramik vor (Abb. 93). Der im Verhältnis zur Keramik aus Schicht C[323] etwas höhere Erosionsgrad dürfte auf die geringere Mächtigkeit von Schicht B zurückzuführen sein. Analog verhält sich der Grad der Zerscherbung. Das Durchschnittsgewicht pro Scherbe liegt mit 15,36 g deutlich unter dem durchschnittlichen Scherbengewicht von 24,49 g der Keramik aus Schicht C.

7.2.3.2 Gefäßformen

Zur Beurteilung des Formenspektrums der Keramik aus Schicht B stehen nur 29 zeichnerisch rundergänzte Gefäßfragmente zur Verfügung, davon konnten 23 Scherben vom Rand bis unter den Gefäßumbruch rekonstruiert werden. Entsprechend dieser kleinen Zahl sind typische Formen nur schwer auszumachen. Darüber hinaus kann nicht davon ausgegangen werden, dass damit das gesamte Formenspektrum erfasst ist.

Kleingefäße (Form 1)
Die Kleingefäße (Taf. 4,32.34.37) sind für Schicht B dreifach belegt. Ihre Randdurchmesser streuen von 2,5 bis 4 cm.
Die „Spielzeuggefäße" sind aus einem Tonklumpen geformt und fein oder grob gemagert. Wahrscheinlich wurden die Kleingefäße aus dem zufällig zur

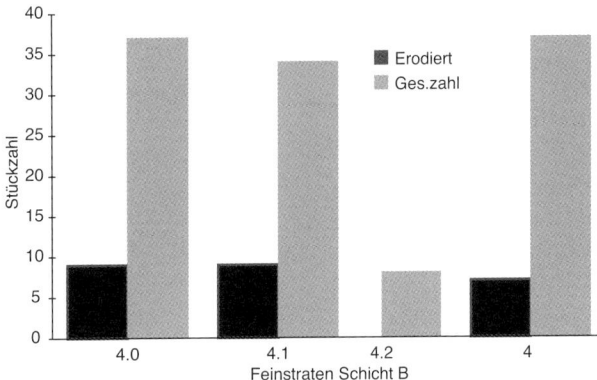

Abb. 93: Keramik aus Schicht B. Anteil erodierter Scherben am Gesamtaufkommen der Keramik je feinstratigraphischer Einheit.

Verfügung stehenden, aufbereiteten Ton gefertigt, der normalerweise für die zum Gebrauch bestimmte Keramik verwendet wurde.
Ein kleiner Grifflappen sowie ein Kleingefäß mit ausgezogenem Rand sind offenkundig der gebräuchlichen Keramik nachgemacht (Taf. 4,32.34).

Schalen (Form 2)[324]
Die Schalen (Taf. 8,102.105.108) sind im Gegensatz zu ihrer Oberflächenbehandlung und Zier von feiner Tonqualität. Die beiden leistenverzierten Schalen[325] sind schlickgeraut und über der Leiste oder am ganzen Gefäßkörper verstrichen, während die unverzierte Schale geglättet ist.
Analog Schicht C sind tiefe und flache Schalen unterschiedlicher Größe vertreten. Zumindest eine Schale mit Krustenresten ist dem Kochgeschirr zuzurechnen.[326]

Knickwandschüsseln mit abgesetzter Schulter (Form 3)
Schüsseln[327] (Taf. 4,46.48) sind im Formenspektrum zweifach vertreten. Die feintonigen und geglätteten Fragmente sind vor allem durch eine deutlich scharf abgesetzte Schulter und Knickwandprofilierung charakterisiert. Die Indizes[328] der weitmundigen Gefäßform liegen bei 0,8. Die feine Tonqualität der Schüs-

---

323 Vgl. Kap. 7.2.4.1 zum Umfang und Erhaltungszustand der Keramik aus Schicht C.
324 Definition der Gefäßform in Kap. 7.2.1.2 zur nichtmetrischen Erfassung der Keramik.
325 Zur Verbreitung und Bewertung vgl. Gersbach, Esslingen 246 mit Anm. 52; 248 Abb. 11.
326 Vgl. Kap. 7.2.4.4 zur Formgruppe 1, Schalen und Schüsseln, der Keramik aus Schicht C.
327 Definition der Gefäßform im Kap. 7.2.1.2 zur nichtmetrischen Erfassung der Keramik.
328 Gemeint ist der Gefäßindex Rdm./Mdm.

seln wird durch ihre Dünnwandigkeit unterstrichen (4 mm). Hinweise auf ihre Verwendung fehlen.

Tassen (Form 4)
Die beiden Tassen von Schicht B (Taf. 5,49.52) sind bauchig bzw. knickwandprofiliert und besitzen eine leichte Schulterkehlung, auf die der untere Henkelansatz Bezug nimmt. Sie sind mit feinem bzw. grobem Quarzgrus gemagert und geglättet.
Eine der fein gemagerten Tassen (Taf. 5,52) ist durch eine flach geritzte, mit feinen Einstichen[329] gefüllte Reihe hängender Dreiecke verziert. Die Zierzone sitzt, im Gegensatz zur Zierzone an Krügen aus Schicht C, auf der Gefäßschulter in Höhe des unteren Henkelansatzes, so dass dieser die Dreiecksreihe unterbricht. Die Tassen dürften zum Trinkgeschirr gehören, direkte Hinweise auf ihre Benutzung fehlen.

Krüge (Form 5)[330]
Zwei Ränder lassen sich aufgrund ihrer engen Gefäßmündung und ihrem ausschwingenden Randprofil wahrscheinlich den Krügen (Taf. 5,54.58) zuordnen. Die Randscherbe eines engmundigen Gefäßes (Taf. 5,51) mit randständigem Henkelansatz gehört sicher zu einem Krug. Die spezifische Form der Krüge kann aufgrund ihrer fragmentarischen Erhaltung nicht beschrieben werden. Auch die Zierzone, die sich üblicherweise auf der Gefäßschulter befindet,[331] ist nicht erhalten. Möglicherweise handelt es sich um ritzverzierte Exemplare, die in unterschiedlicher Ausprägung in Schicht C (Form 4 und 5) vorkommen.

Töpfe (Form 6 bis 14)
Die Töpfe lassen sich grob in unverzierte, eindruck- und stempelverzierte einerseits und leistenverzierte, überwiegend schlickgeraute Gefäße andererseits unterscheiden.

Kleine eiförmige Töpfe (Form 6)
Die kleinsten, meist unverzierten Vertreter der Töpfe (Taf. 4,30.35.41.43) zeichnen sich durch ihr eiförmiges Profil aus. Die im Verhältnis zu ihrer Größe dickwandigen Töpfchen sind überwiegend feintonig und geglättet. Die einzige Randscherbe dieser Form besitzt eine horizontale Reihe Fingertupfen auf der Gefäßschulter. Innen anhaftende Krustenreste weisen das Gefäß dem Kochgeschirr zu.

S-profilierte Töpfe mit ausgezogenem Rand (Form 7)
Deutlich abgesetzt von Form 6 sind stark s-profilierte Töpfe mit Trichterrand oder deutlich ausgezogenem Rand (Taf. 5,61; 6,76). Die Töpfe sind grobtonig und besitzen teilweise schulterständige Henkelösen.

Tonnenförmige Töpfe mittlerer Größe (Form 8)
Tonnenförmig bis bauchig profilierte Töpfe (Taf. 5,59; 6,67.69.71.79) besitzen Randdurchmesser zwischen 10 und 14 cm. Sie können nachweislich nicht dem Kochgeschirr zugerechnet werden. Die grobtonigen, geglätteten Töpfe besitzen unterrandständige Henkelösen oder sind unverziert.

Bauchige Töpfe mit abgesetzter bis gekehlter Schulter (Form 9)
Im Gegensatz zu den bis jetzt beschriebenen, wenig charakteristischen Topfformen sind Töpfe mit bauchiger Profilierung (Taf. 5,60.62.63) und abgesetzter bis gekehlter Schulter typische Vertreter der Keramik aus Schicht B.
Die bauchigen Töpfe mit Schulterkehlung sind am Schulterabsatz durch eine einfache oder doppelte horizontale Zylinderstempelreihe verziert. Weitere nicht rundergänzbare Scherben (Taf. 5,53.56.57) mit Schulterkehlung sind ebenfalls mit Zylinderstempeln verziert. Es scheint sich um regelhaft kombinierte Merkmale zu handeln. Inwiefern die Zylinderstempelabdrücke analog der in Ritztechnik verzierten Feinkeramik von Schicht C weiß inkrustiert waren, kann nicht entschieden werden, da am vorliegenden Scherbenmaterial Inkrustationsreste fehlen.
In die Zierreihe ist gelegentlich eine zweihöckrige Knubbe integriert,[332] die in dieser Ausprägung nur in Kombination mit der bauchigen Form und der Zylinderstempelzier belegt ist. Die zylinderstempelverzierten Töpfe[333] sind überwiegend feintonig und geglättet. Der Verwendungszweck der beschriebenen Topfform ist unklar.

Töpfe mit steilem Rand und kurzem Kegelhals (Form 10)
Weniger bauchig ausgeprägt ist ein größerer unverzierter Topf (Taf. 7,80) mit steilem Rand und kurzem Kegelhals, der nur bis zum Bauchumbruch erhalten ist. Das grobtonige und geglättete Gefäß darf aufgrund außen anhaftender Krustenreste zum Kochgeschirr gezählt werden.

---

329 Vgl. Hundt, Heubach 31, der auf die Feinheit der Einstichzier bei der Straubinger Siedlungskeramik hinweist.
330 Definition der Gefäßform im Kap. 7.2.1.2 zur nichtmetrischen Erfassung der Keramik.
331 Vgl. Kap. 7.2.4.5 zur Formgruppe 2, Krüge, aus Schicht C; desgl. beispielhaft Hundt, Straubing Taf. 36,25.
332 Schicht B, Taf. 5,63; von der Oberfläche Taf. 51,739. Vgl. Hundt, Straubing Taf. 22,14.
333 Vgl. ders., Heubach 35.

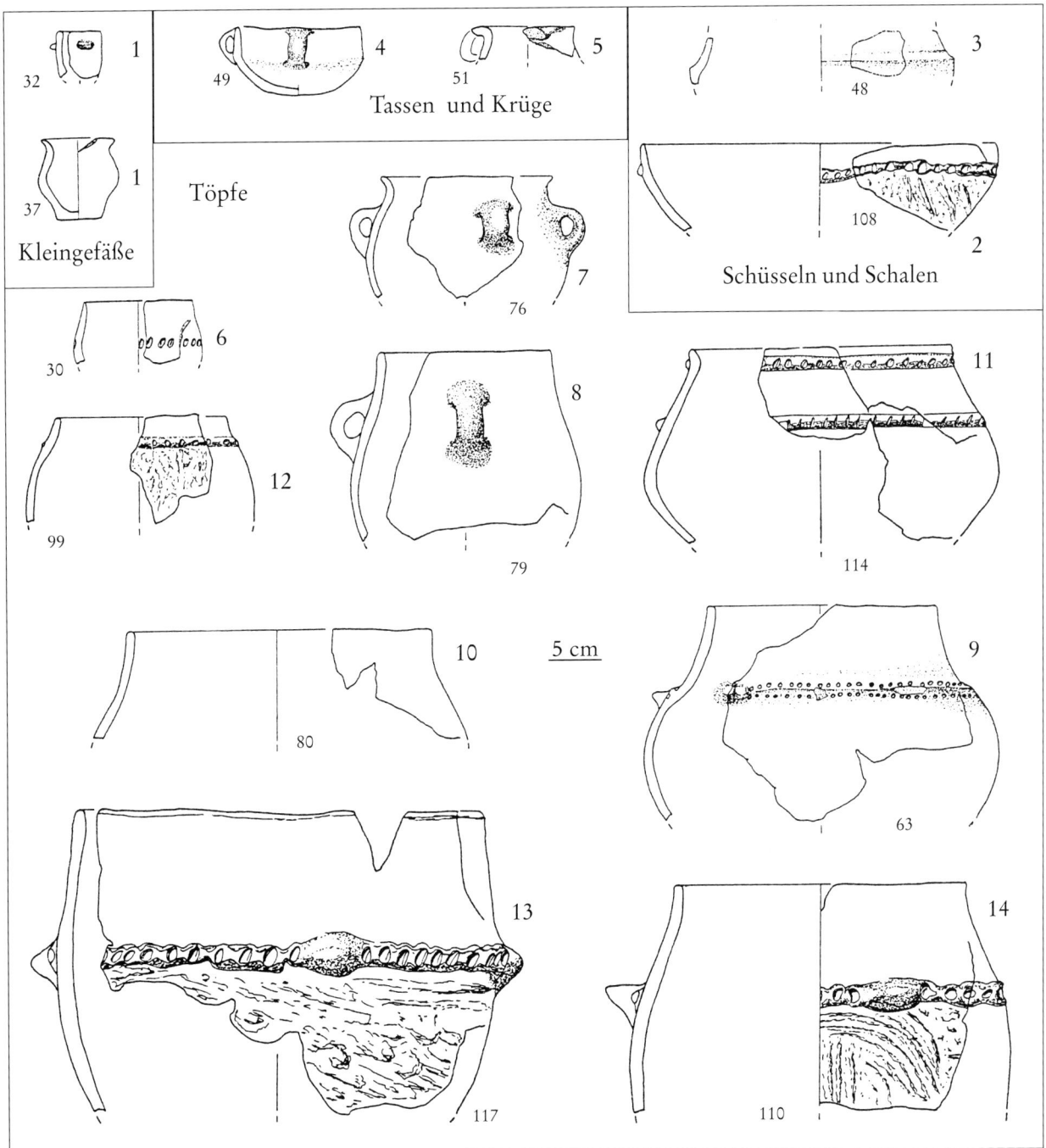

Abb. 94: Keramik aus Schicht B. Formenspektrum. Die größeren Ziffern beziehen sich auf die die Gefäßform (Schlüssel s. Kap. 16.1.2.3.3), die kleineren Ziffern darunter auf die Katalognummer.

Doppelkonische, niedrige Töpfe (Form 11)
Ein doppelkonischer Topf (Taf. 9,114) setzt sich von den übrigen leistenverzierten Töpfen gut ab. Der formal auffällige Topf unterscheidet sich vom übrigen Spektrum durch horizontal umlaufende Leisten, die dicht unter dem Rand und auf der Gefäßschulter sitzen. Der Topf ist beige bis schwarz und mit mittlerem bis grobem Steingrus gemagert. Außen anhaftende Krustenreste weisen ihn dem Kochgeschirr zu.

Bauchige Töpfe mit kurzem, steilem Rand (Form 12)
Bauchige Töpfe mit kurzem, steilem Rand (Taf. 8,99.101)[334] sind zweifach belegt. Die aufgesetzten oder herausmodellierten Leisten sitzen, der kurzen Halszone entsprechend, verhältnismäßig dicht unter dem Rand und trennen den geglätteten oder verstrichenen Gefäßhals vom schlickgerauten Gefäß-

---

334 Vgl. Kimmig, Reusten Taf. 19,5; 22,14.

körper. Die vorhanden Teilprofile der mittel- bis grobtonigen Töpfe können zu niedrigen Topfformen ergänzt werden.

Große, tonnenförmige Töpfe (Form 13)
Weniger stark bauchig und eher tonnenförmig profiliert ist ein etwas größerer Topf (Taf. 10,117), dessen horizontale Fingertupfenleiste deutlich tiefer am Gefäßkörper sitzt als bei Form 12. Auch hier trennt die Leiste das verstrichene Gefäßoberteil vom schlickgerauten Gefäßkörper. Der grobe Schlickauftrag ist vertikal und bogenförmig in Bahnen verstrichen.

Große, geradwandige Töpfe (Form 14)
Nahezu unprofiliert geradwandig ist ein Topf (Taf. 9,110), der im oberen Gefäßdrittel eine Horizontalleiste besitzt. Sie trennt die verstrichene Rand- und Halszone des Topfes vom schlickgerauten Gefäßkörper. Bei beiden schwach profilierten Töpfen (Form 13 u. 14) ist je eine in die Horizontalleiste integrierte Griffknubbe erhalten. Die Gesamtzahl der Knubben am Gefäß und ihre möglicherweise gegenständige Anordnung kann aufgrund ihrer fragmentarischen Erhaltung nicht festgestellt werden.

7.2.3.3 Randformen

Zur Beurteilung der Randformen liegen insgesamt 52 Randscherben vor, von denen 29 zu Rändern rundergänzt werden konnten.
Überwiegend sind die Ränder rund (Taf. 5,60; 8,102; 9,110) bis spitz ausgezogen (Taf. 5,50). Lediglich zwölf Ränder sind horizontal abgestrichen und als Blockränder ansprechbar. Die Randlippe ist meist steil gestellt oder nach innen geneigt, so dass Trichterränder fast vollkommen fehlen. Nur Krugränder sind trichterförmig ausladend.
Besonders auffallend sind stark ausgezogene Ränder, deren Verwandtschaft mit Straubinger Formen unverkennbar ist.[335]

7.2.3.4 Bodenformen

Die Anzahl der vorhandenen Gefäßböden (14 Stück) steht in klarem Missverhältnis zur Zahl vorhandener Teilprofile (23) oder Ränder (29). Von 14 Bodenscherben sind nur zwei an vollständigen Gefäßen vorhanden, alle anderen sind keinem Gefäß zuweisbar.
An Bodenformen sind abgeflachte Böden, Flachböden, abgesetzte Flachböden und Standringböden vorhanden.[336]
Das Spektrum wird dominiert von Flachböden, deren Zugehörigkeit zu mittelgroßen, mäßig profilierten Töpfen aufgrund der Profilierung der ansetzenden Gefäßwand wahrscheinlich ist (Taf. 6,75.77.79). Großen Töpfen kann ein grobtoniger Boden (Taf. 7,93) zugewiesen werden, während abgesetzte Flachböden zu mittleren Töpfen gehören dürften.
Das einzige vollständig erhaltene Gefäß mit Flachboden ist ein Spielzeugtöpfchen, von dem angenommen werden kann, dass es sich um die Nachbildung einer gebräuchlichen Topfform handelt. Entsprechend seiner Randbildung dürften s-profilierte Töpfe flachbodig ergänzbar sein.
Der singuläre Boden mit Standring gehört demgegenüber zu einem bauchigen, feintonigen Gefäß, möglicherweise einem mit Zylinderstempeln verzierten Topf.

7.2.3.5 Formenspektrum

Aufgrund der geringen Anzahl an Gefäßformen kann kaum davon ausgegangen werden, dass das Formenspektrum von Schicht B (Abb. 94) einen Großteil der ehemals vorhandenen Gefäßformen beinhaltet. Ebenso wenig kann in den meisten Fällen entschieden werden, in welchem Maße eine erkannte Gefäßform als typischer Vertreter für das vorliegende Keramikspektrum gelten kann. Es bleibt festzustellen, dass zumindest Krüge, Tassen sowie Schalen und Schüsseln als Grundformen vorhanden sind.
Die vertretenen Topfformen lassen nur die Vermutung zu, dass tonnenförmige bis bauchige Formen mit steiler Rand-Hals-Zone der S-Profilierung vorgezogen wurden. Im Gegensatz zu den Töpfen aus Schicht C sind diejenigen aus Schicht B durchweg niedrig. Typisch scheinen zylinderstempelverzierte, bauchige Töpfe mit abgesetzter oder gekehlter Schulter zu sein.[337] Die mehr oder weniger starke Betonung der Schulter im Gefäßprofil, die an verschiedenen Gefäßformen festzustellen ist, weist wahrscheinlich auf eine für Schicht B typische Ausprägung der Gefäßprofilierung hin. Auffallend sind stark ausgezogene Ränder, die auch im nicht strati-

Abb. 95: Keramik aus Schicht B. Zieranteile, absolut (n) und bezogen auf 100 Randscherben (%) (Abk. Kap. 16.1.2.2.2 S. 288).

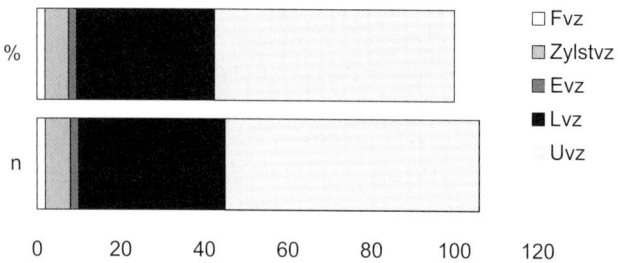

---

335 Hundt, Straubing Taf. 42,15–24.
336 Vgl. ebd. Taf. 24,18.
337 Hundt, Heubach 35 mit Verweis auf das Material der Roseninsel.

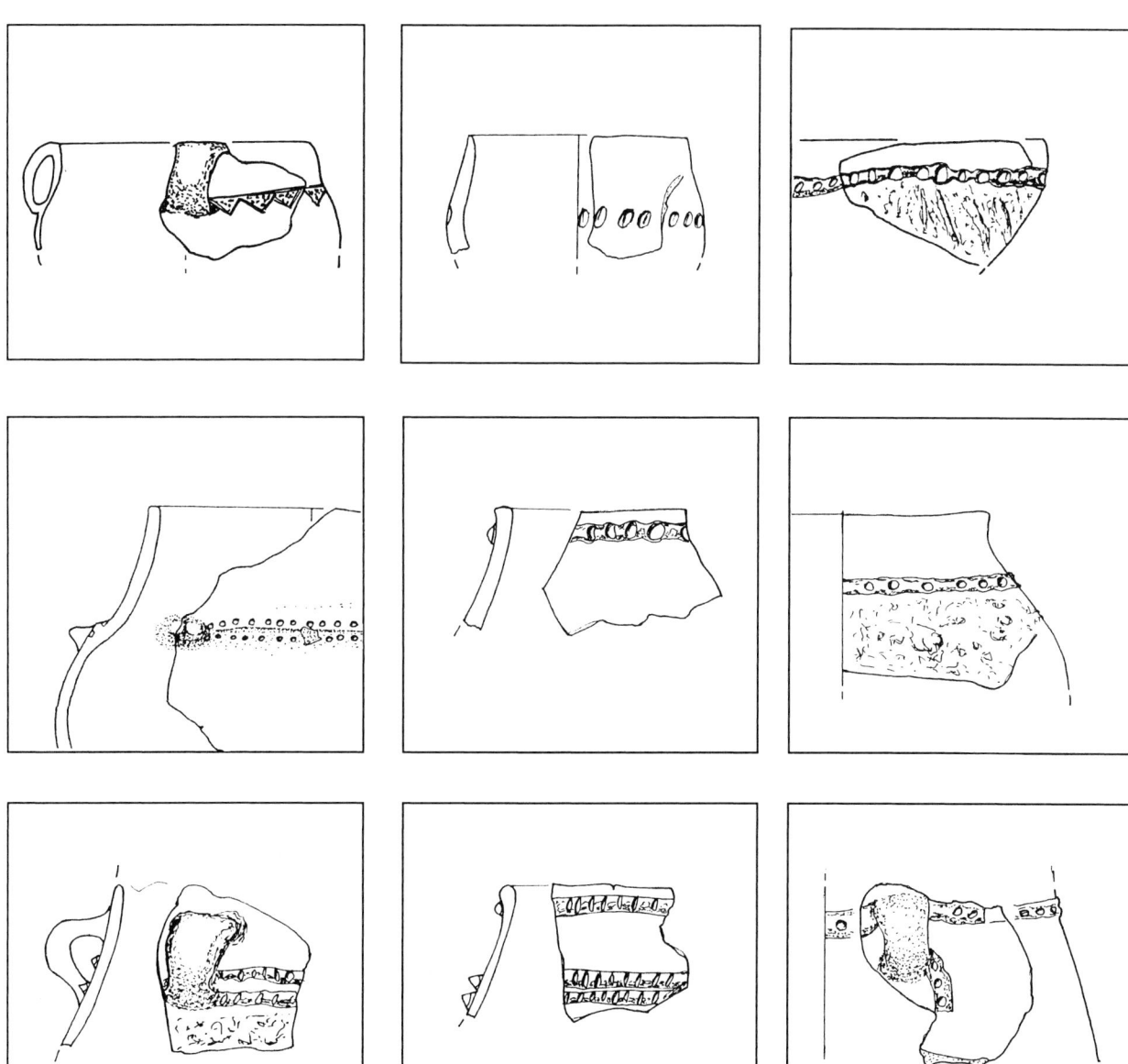

Abb. 96: Bodman-Schachen I, Keramik aus Schicht B. Zierspektrum (unterschiedlich skaliert).

fizierten Fundmaterial vorkommen (Taf. 51,724.729). Vergleichbare Randformen finden sich an Straubinger Siedlungskeramik,[338] die auch hinsichtlich ihrer Verzierung Ähnlichkeiten zur Keramik von Schicht B aufweist (s. u.). Die Anteile der vertretenen Formen am Formenspektrum dürften aufgrund der geringen Anzahl ansprechbarer Gefäßprofile zufällig sein.

7.2.3.6 Verzierungen

Von den abgebildeten Scherben sind bei geringen Anteilen fein verzierter Ware 42,52% verziert und 57,48% unverziert (Abb. 95). Als feine Zier (eingetiefte Zier) liegen Zylinderstempeleindrücke, Ritz- und Rillenzier sowie feine Einstichzier vor (Abb. 96; 97 oben).

Die mehrfach vorhandene Zylinderstempelzier ist horizontal in einfacher oder doppelter Reihe an Gefäßen mit abgesetzter oder gekehlter Schulter angebracht. In die meist doppelte Zierreihe sind zweihöckrige Knubben integriert (Abb. 96). Eine profilierte Wandscherbe ist durch Rillen verziert (Taf. 4,32), wobei ihre Anordnung in einem Muster nicht erkennbar ist.

Feine Ritz und Einstichzier liegt kombiniert an einer Tasse (Taf. 5,52) in Form einer horizontal umlaufenden punktgefüllten Reihe hängender Dreiecke vor, die durch das untere Henkelende der Tasse unter-

---

338 Vgl. Hundt, Straubing Taf. 43,7.20.21.

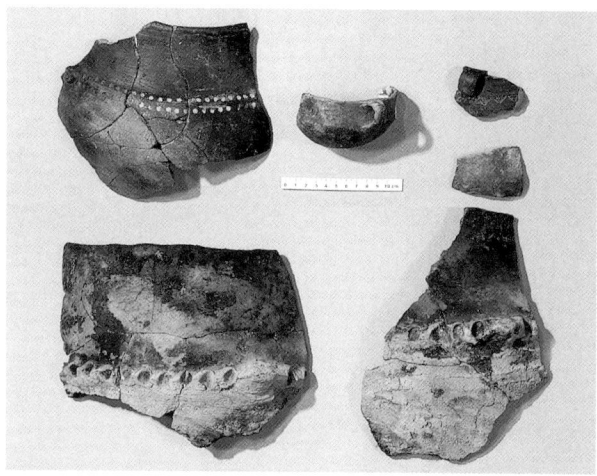

Abb. 97: Keramik aus Schicht B. Zierproben grober plastischer Zier und feiner eingetiefter Zier.

brochen wird. Die Ritz- und Einstichzier erinnert durch ihr Ornament und ihre feine Ausführung an die Verzierung Straubinger Siedlungskeramik.

Die grobe Verzierung ist im Verhältnis zur feinen Zierweise wesentlich häufiger vertreten. Mit Ausnahme eines fingertupfenverzierten Töpfchens handelt es sich ausschließlich um aufgesetzte oder herausmodellierte Leisten (Abb. 97 unten; 98). Der Anteil herausmodellierter Leisten ist dabei deutlich höher als bei der leistenverzierten Keramik aus Schicht C. Die Leisten befinden sich überwiegend auf der Schulter über dem Gefäßumbruch. Leisten am Rand treten dagegen seltener auf. Nur geringen Anteil scheinen Doppel-, Mehrfach- und Vertikalleisten am Leistendekor einzunehmen, wobei sich hier bei größerer Materialbasis durchaus Verschiebungen ergeben können. Die Kombination aus Horizontal- und Vertikalleisten, in deren Kreuzungspunkt ein Henkel integriert ist (Taf. 9,113) liegt nur aus Schicht B vor. Meist sind die Leisten durch Fingertupfen gegliedert (Abb. 96; 98).

Verhältnismäßig oft sind Leisten auch durch flache Gegenstände gekerbt. Im Querschnitt sind die Kerbleisten, im Gegensatz zu rundovalen Querschnittsformen der Fingertupfenleisten, spitz dachförmig profiliert. (Taf. 8,100; 9,114) Dies scheint eine Eigenheit der Keramik aus Schicht B zu sein, ebenso wie flach gedellte Tupfenleisten (Taf. 7,81). Sie unterscheiden sich klar von den Tupfenleisten aus Schicht C, deren Eindrücke auf der Leiste fast bis zur Gefäßwandung reichen. Glatte Leisten fehlen.

7.2.3.7 Knubben und Henkel

Griffknubben und Henkel sind entweder in Leisten integriert oder als eigenständige Zier- und Funktionselemente vorhanden. Knubben sind sowohl eingezapft (Taf. 5,64.66) als auch auf die Gefäßwandung aufgesetzt (Taf. 5,65; 7,84.85), eindeutige Nachweise eingezapfter Henkel und Henkelösen fehlen.

Die Henkel besitzen flach d- bis bandförmige Querschnitte. Neben randständigen Henkeln an Tassen und Krügen liegen einige unterrandständige Henkelösen an unverzierten Töpfen vor. Eine in Leisten integrierte Henkelöse als Bezugspunkt für Vertikal- und Horizontalleisten liegt ausschließlich aus Schicht B vor.

7.2.3.8 Größenklassen

Die Aufteilung der Keramik in Größenklassen beruht auf der Gesamtzahl von 31 rekonstruierbaren Randdurchmessern;[339] weitere Vergleichsgrößen sind in angemessener Zahl nicht vorhanden. Die Randdurchmesser bewegen sich zwischen 24 und 340 mm (Tab. 7). Erwartungsgemäß setzen sich die Kleingefäße mit Randdurchmessern von 24–40 mm deutlich von den übrigen Gefäßformen ab. Die Trennung zwischen kleinen Töpfen mit Randdurchmessern zwischen 7,5 cm und 10,5 cm und Töpfen mittlerer Größe mit Randdurchmessern zwischen 11,5 cm und 14,5 cm fällt dagegen undeutlich aus. Kleine Töpfe, Krugränder und Tassen gehören aufgrund ihrer ähnliche Randdurchmesser derselben Größenklasse an wie kleine eiförmige Töpfe.

Die Größenklasse mit Randdurchmessern zwischen 7,5 cm und 14,5 cm umfasst unverzierte Töpfe mittlerer Größe, einen leistenverzierten Topf (Taf. 8,99) und eine kleine Schale (Taf. 8,102).

Der gut abgesetzten Größenklasse mit Randdurchmessern zwischen 18 cm und 30 cm gehören in der Hauptsache leistenverzierte Töpfe an, die noch zur Größenklasse der mittelgroßen Töpfe zu rechnen sind. Am unteren Rand dieser Größenklasse liegt der leistenverzierte Topf (Taf. 8,101) und ein zylinderstempelverzierter Topf (Taf. 5,63). Die Randdurchmesser der größeren Schalen liegen ebenfalls in diesem Bereich (Taf. 8,108).

Ein leistenverzierte Topf (Taf. 9,110) setzt sich mit 34 cm Randdurchmesser als einziger Vertreter großer Töpfe[340] von leistenverzierten Töpfen mittlerer Größe deutlich ab.

Die nur skizzenhaft angedeuteten, schwach erkennbaren Gruppierungen der Gefäßformen und ihre Unterteilung in Größenklassen basiert auf einer ge-

---

[339] An zwei Gefäßen ist der Rand nicht erhalten, kann aber aufgrund der Randnähe der Scherben rekonstruiert werden.
[340] Vgl. Kap. 7.2.4.16 zu den Größenklassen der Keramik aus Schicht C.

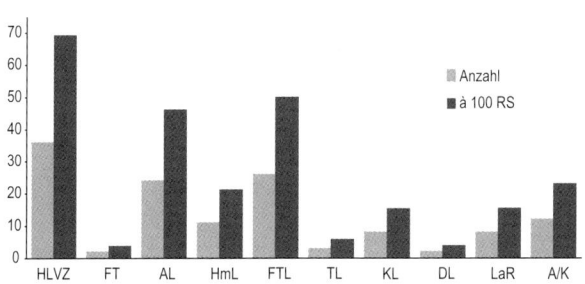

Abb. 98: Keramik aus Schicht B. Anteile leistenverzierter und tupfenverzierter Scherben sowie von Scherben mit Knubbe, absolut und bezogen auf 100 Randscherben (Abk. Kap. 16.1.2.2.2 S. 288).

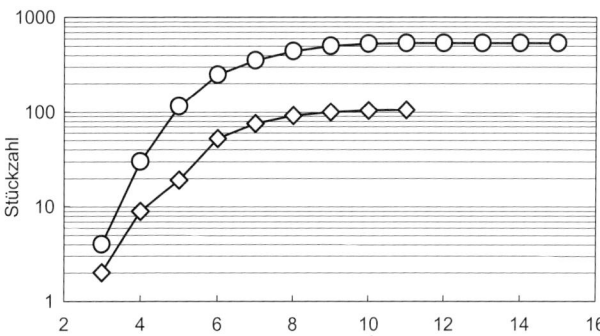

Abb. 99: Keramik aus den Schichten B und C. Wandstärkensummenkurve.

ringen Anzahl von Randdurchmessern und besitzt entsprechend nur vorläufigen Charakter.

7.2.3.9 Wandstärken

Die Bandbreite der Wandstärken erstreckt sich bei einem Durchschnittswert von 6,62 mm von 3–11 mm. Dabei liegen die meisten Wandstärken zwischen 5 und 9 mm mit einer deutlichen Häufung bei 6 mm (Abb. 99). Erwartungsgemäß sind die Wandstärken tendenziell abhängig von der Gefäßgröße (Rdm. als Bezugsgröße). Die Grundformen zeichnen sich mit Ausnahme der Schalen durch ihre Dünnwandigkeit aus, während leistenverzierte Töpfe entsprechend ihrer Größe dickwandiger sind.

Eine im Verhältnis zu ihrer Größe ausgesprochen dünne Wandung (6 mm) besitzen die zylinderstempelverzierten Töpfe, die sich dadurch gut von den übrigen Töpfen ihrer Größenklasse absetzen.

7.2.3.10 Magerung

Als Magerungsmittel wurden hauptsächlich Quarz- und Steingrus verwendet, während Sand, Steinchen, Schamotte und Glimmer seltener eingesetzt wurden (Abb. 100). Ihre Zusammensetzung weist auf eine bewusste Auswahl der Gesteine hin, die zur Grusgewinnung zerstoßen wurden. Die pro Scherbe hauptsächlich verwendete Magerungssorte (Magerungshauptkomponente) wurde nicht in Reinform unter den Rohton gemischt, sondern mit zusätzlichen Magerungsmitteln (Magerungsnebenkomponenten) vermengt (Abb. 101).

Die Korngrößen der Magerung sind mit Ausnahme der feinsten Fraktion relativ gleichmäßig am Keramikspektrum beteiligt. Feine Magerung kommt am häufigsten vor (Abb. 102).

Die Magerungssorten verteilen sich auf die verschiedenen Korngrößen (Magerungsklassen) größenspezifisch. Zur feinen Magerung wurde Quarzgrus eindeutig bevorzugt. Etwas weniger deutlich fällt dies bei mittelfeiner Magerung aus. Die mittlere Magerung zeigt dagegen eine Verschiebung zugunsten der Steingrusmagerung, die etwa die Hälfte der mittleren Magerung ausmacht. Die beiden groben Magerungsklassen werden von Steingrus und Steinchenmagerung dominiert (Abb. 100). Die selteneren Magerungssorten Schamotte, Glimmer und Sand bleiben als Hauptmagerungskomponenten auf die beiden feinen Magerungsklassen beschränkt. Die Magerungsnebenkomponenten sind in allen Korngrößen gut vertreten. Als Magerungsmittel sind neben der Sandmagerung Schamotte und Glimmer regelhaft vertreten. Organische Magerung fehlt dagegen vollständig. Die Keramik von Schicht B ist ebenso wie die Keramik von Schicht C hauptsächlich quarz- und steingrusgemagert und in allen Magerungsklassen bis zu einem gewissen Grade mit Sand versetzt.

7.2.3.11 Oberflächenbehandlung

In gleicher Weise wie die Farbe verändert sich die Oberflächenbehandlung mit gröber werdender Tonqualität von geglätteter Ware hin zur Schlickrauung. Auffallend hoch im Verhältnis zu Schicht C ist der Anteil von schlickgerauten Gefäßen, die über der Zierleiste geglättet oder verstrichen sind (z.B. Taf. 8,96.99.101). Selten scheint Schlickauftrag zu sein, der das ganze Gefäß auch oberhalb der horizontalen Leistenzier bedeckt (Taf. 8,97).

Der Schlickauftrag beschränkt sich auf Töpfe mit Leistenzier oder Grifflappen und auf Schalen, während die Oberflächen der unverzierten Henkeltöpfe, Krüge, Tassen, Schalen und Töpfe mit gekehlter Schulter geglättet sind.

7.2.3.12 Farbe

Veränderte Oberflächenfarben, die durch den Gebrauch des Tongeschirrs entstanden sein dürften, liegen bei 10% der Scherben vor. Die fein und

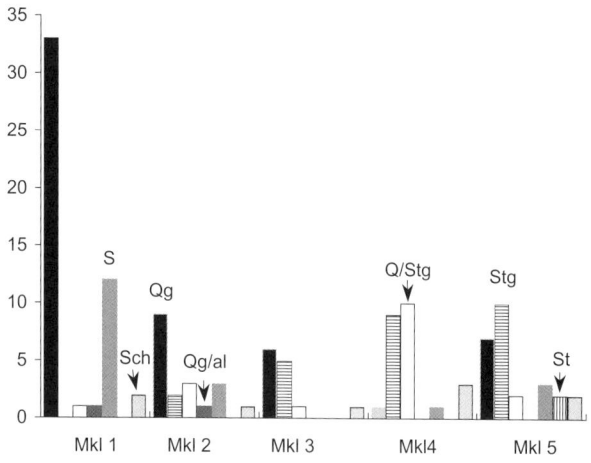

Abb. 100: Keramik aus Schicht B. Verteilung der Magerungsmittel auf die Magerungsklassen (Mkl), n = 106 (Abk. Kap. 16.1.2.4 S. 289).

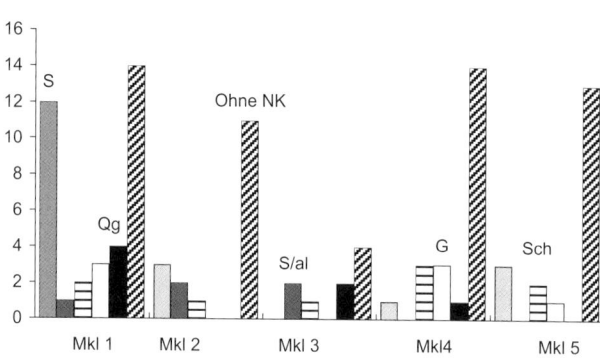

Abb. 101: Keramik aus Schicht B. Verteilung der Magerungsnebenkomponenten auf die Magerungsklassen (Mkl), n = 106 (Abk. Kap. 16.1.2.4 S. 289).

mittelfein gemagerte Keramik ist meist reduzierend gebrannt und damit von schwarzer bis dunkelbeiger Farbe. Mit zunehmender Tonvergröberung wird die Oberfläche heller und nimmt hellbeige-graue bis braune Färbung an.

7.2.3.13 Funktion

Bis auf einen schwach profilierten Topf (Taf. 9,110) sind alle leistenverzierten Töpfe durch Krustenreste als Kochgeschirr identifizierbar (Tab. 7).
Hinweise zur funktionalen Deutung der übrigen Gefäße liegen nicht vor. Die verzierten, schwarzen, geglätteten Tassen und Töpfe dürften als Trinkgeschirr oder dekorativen Zwecken gedient haben.

7.2.3.14 Fein- und Grobkeramik

Aufgrund der Oberflächenbehandlung, der Farbe, der Tonqualität und der Verzierung können dunkle, geglättete, unverzierte oder fein verzierte Scherben von hellen, leistenverzierten Scherben mit schlickgerauter oder verstrichener Oberfläche abgesetzt werden.
Diese Trennung letztendlich in Kochgeschirr – erwiesen durch Krustenreste und Anhaftungen an der äußeren Gefäßwand sowie Rußflecken – einerseits und in Gefäße des Trinkgeschirrs oder dekorativen Charakters andererseits ist unscharf, da sich einige Ausnahmen sowohl der einen als auch der anderen Kategorie zuschlagen lassen. Die unverzierten Töpfe entziehen sich weit gehend diesem Muster der Merkmalsverteilung.

7.2.3.15 Zusammenfassung

Aufgrund des geringen Fundaufkommens kann keine differenzierte, quantitative Analyse der Keramik von Schicht B durchgeführt werden, mengenbezogene Angaben sind daher im Sinne von Tendenzen zu verstehen.
Die Keramik aus Schicht B ist überwiegend mit feinem Quarzgrus gemagert. Steingrus ist dagegen häufig bei den gröberen Fraktionen als Magerungsmittel anzutreffen. Selten sind Schamotte, Sand, Steinchen und Glimmer unter den Magerungsmitteln vertreten. In allen Fällen liegen Mischungen von verschiedenen Magerungsarten vor.
Die Farbgebung der Oberfläche variiert von schwarz über beige bis braun, wobei die dunklen Farben auf die dünnwandige, geglättete Keramik beschränkt bleiben.
Die Oberflächenbehandlung ist analog der Farbgebung an die Keramikqualität gebunden und steht in direkter Beziehung zur Verzierung der Gefäße. Geglättete Oberflächen sind weit gehend auf unverzierte, stich-, stempel- und ritzverzierte Keramik beschränkt, während verstrichene und schlickgeraute Oberflächen mit leistenverzierter Ware gekoppelt sind. Dabei ist meist der Gefäßkörper unterhalb der horizontalen Leiste schlickgeraut und die Gefäßzone über der Leiste verstrichen oder geglättet.
Die eingetiefte Verzierung kommt im Gegensatz zur plastischen Leistenzier nur selten vor. Sie bleibt auf Keramik feiner Qualität beschränkt (s. o.) und ist als einfache oder doppelte, horizontal umlaufende Zylinderstempelreihe oder als horizontale Reihe hängender Dreiecke mit feiner Einstichfüllung vorhanden. Die Zylinderstempelzier scheint auf bauchige Gefäße mit leichter Schulterkehlung beschränkt zu sein, während das Motiv der fein gestochenen Dreiecke auf Tassen vorkommt (Taf. 5,52).

Hauptsächlich ist die Keramik leistenverziert. Die Leisten sind überwiegend einfach, horizontal umlaufend angebracht und durch Fingertupfen oder eingedrückte Gegenstände gegliedert. Typisch erscheinen die mit flachen Gegenständen gekerbten Leisten und Tupfenleisten mit flachen Dellen, die sich von Tupfenleisten, die bis auf die Gefäßwandung oder knapp darüber eingedrückt sind, deutlich absetzen.

Einfach belegt ist eine senkrechte Leiste, die an einer horizontalen Leiste hängt und in deren Zwickel ein Henkel integriert ist. Das Fehlen dieser integrierten Henkelzier im umfangreichen Keramikmaterial von Schicht C weist u. U. auf eine Eigenheit der Keramik von Schicht B hin.

Das Formenspektrum der Feinkeramik beschränkt sich auf Tassen, bauchige Gefäße mit Schulterkehlung und Knickwandschüsseln. Eiförmige kleine Töpfchen, Krugfragmente und unverzierte Töpfe ergänzen das Formenspektrum der besser gearbeiteten Keramik. Dem stehen Gefäßformen von gröberer Tonqualität gegenüber, die meist leistenverziert sind. Dazu gehören bauchige Töpfe verschiedener Größenklassen mit kurzem, steilem Rand und große, weitmundige, niedrige Töpfe. Hinzu kommt ein doppelkonischer Topf mit je einer horizontal umlaufenden Tupfen- und Kerbleiste. Ebenfalls von grober Machart sind Schalen, die in tiefer und flacher Ausprägung vorliegen.

Knubben, Grifflappen und Henkel sind im Spektrum geläufig, wobei zweihöckrige Knubben nur für Schicht B belegt sind. Diese sind ausschließlich

Abb. 102: Keramik aus Schicht B. Anteile der Magerungsklassen (Mkl), absolut und prozentual.

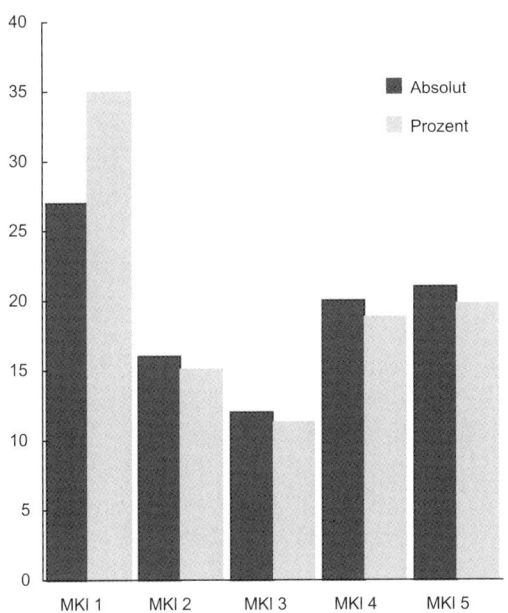

mit zylinderstempelverzierten Töpfen kombiniert und in dieser Kombination vermutlich typisch für das Keramikensemble der mittleren Kulturschicht von Bodman-Schachen I. Das Formenspektrum wird durch Kleingefäße abgerundet. Eine Gliederung in Fein- und Grobkeramik gelingt für die leistenverzierte Ware und die verzierte Feinkeramik. Die unverzierten Töpfe sind diesbezüglich nicht einheitlich klassifizierbar.

7.2.4 Keramik aus Schicht C

7.2.4.1 Umfang und Erhaltungszustand

Die obere Kulturschicht, Schicht C, liefert mit 68,5 kg das umfangreichste Keramikmaterial aus der Stratigraphie von Bodman-Schachen I. Im Katalog- und Tafelteil sind davon 564 Scherben abgebildet und beschrieben. Bis auf kleinere Rand- und Bodenscherben wurden alle zeichenbaren Keramikfunde[341] erfasst (Tab. 7).

Die Keramik ist überwiegend in kantenscharfem Zustand erhalten. Lediglich 15% der Scherben (84 Stück) sind leicht, 2,6% (15 Stück) stark erodiert (Abb. 46). Diese Scherben stammen überwiegend aus den wasserbeeinflussten Zonen in der Schichtmitte und aus dem oberen Bereich von Schicht C.[342] Die Keramik aus dem gesamten Schichtpaket gehört zeitlich eng zusammen, z.T. konnten Scherben aus dem oberen Schichtbereich und der Schichtbasis zusammengesetzt werden. Die Keramik von Schicht C wird deshalb gesamthaft betrachtet und nicht nach feinstratigraphischen Einheiten getrennt ausgewertet.

7.2.4.2 Gefäßformen

Die Beurteilung des Formenspektrums basiert auf 113 zeichnerisch ergänzten Scherben, inklusive der vollständigen und nahezu vollständigen Gefäßen. Davon sind 83 vom Rand bis über den Gefäßumbruch erhalten oder in zuverlässiger Weise zeichnerisch rekonstruiert.

Neben der Profilierung der Gefäße wurden weitere typische Merkmale herangezogen, die auf einzelne Formen beschränkt sind oder an ihnen deutlich hervortreten und damit zur formalen Ansprache eines Gefäßtyps beitragen.[343] Die einzeln beschriebenen Gefäßformen wurden anhand ihrer Grundformenzugehörigkeit oder Gefäßindizes[344] zu Formgrup-

---

341 Insgesamt sind 564 Keramikteile im Katalog unter den Nummern 170–706 abgebildet.
342 Vgl. Kap. 3.4.9 zur Fundverteilung und Schichtgenese von Schicht C.
343 Vgl. Kap. 7.2.4.13 zur Verzierung der Keramik von Schicht C.
344 Vgl. Kap. 7.2.1.2 zur nichtmetrischen Erfassung der Keramik.

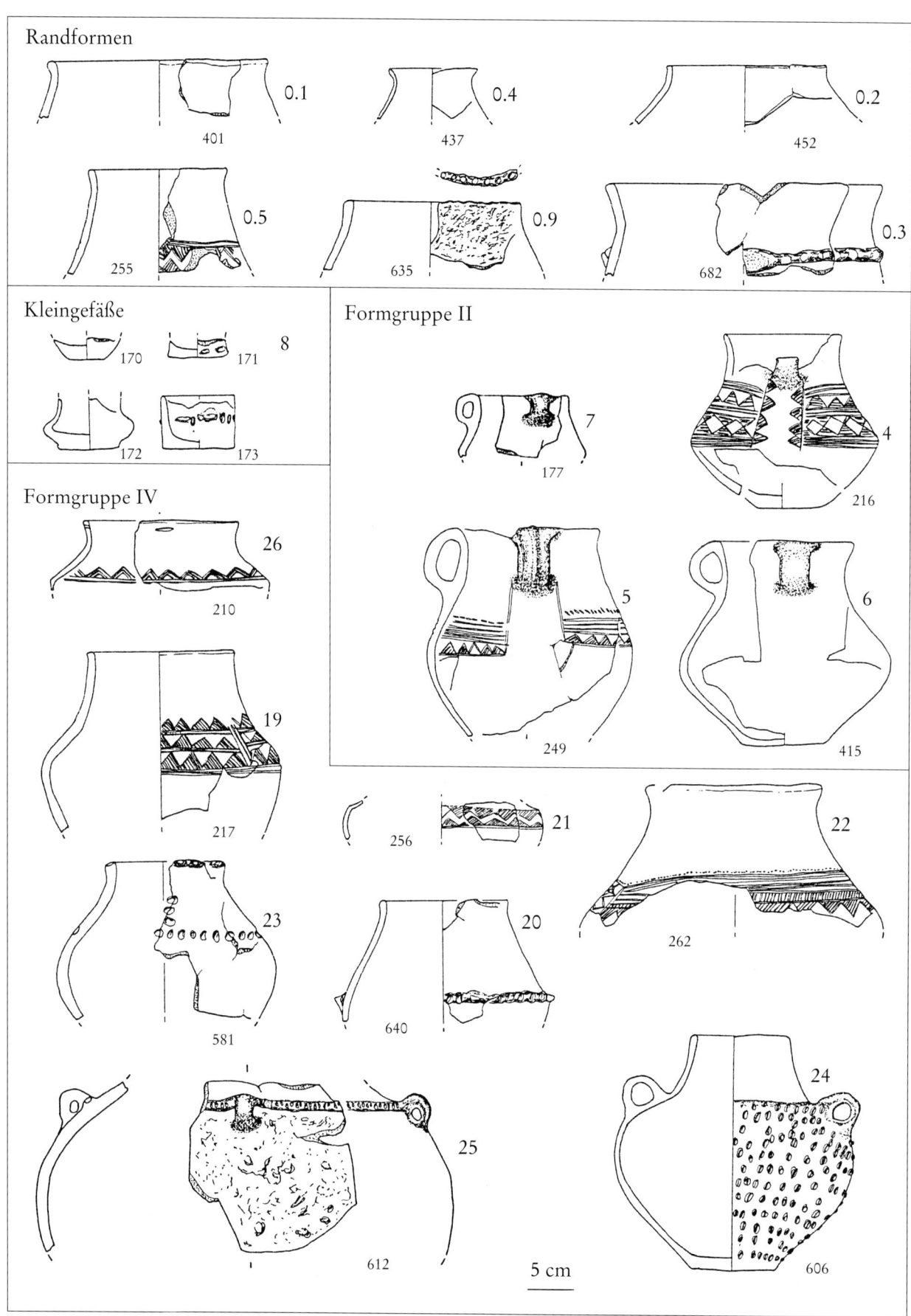

Abb. 103: Keramik aus Schicht C. Formenspektrum. Formgruppen II und IV, Randformen und Kleingefäße (Formgruppe 0). Die größere Ziffer bezeichnet die Gefäßform (s. Kap. 16.1.2.3.4 S. 289), die kleinere Ziffer darunter entspricht der Katalognummer.

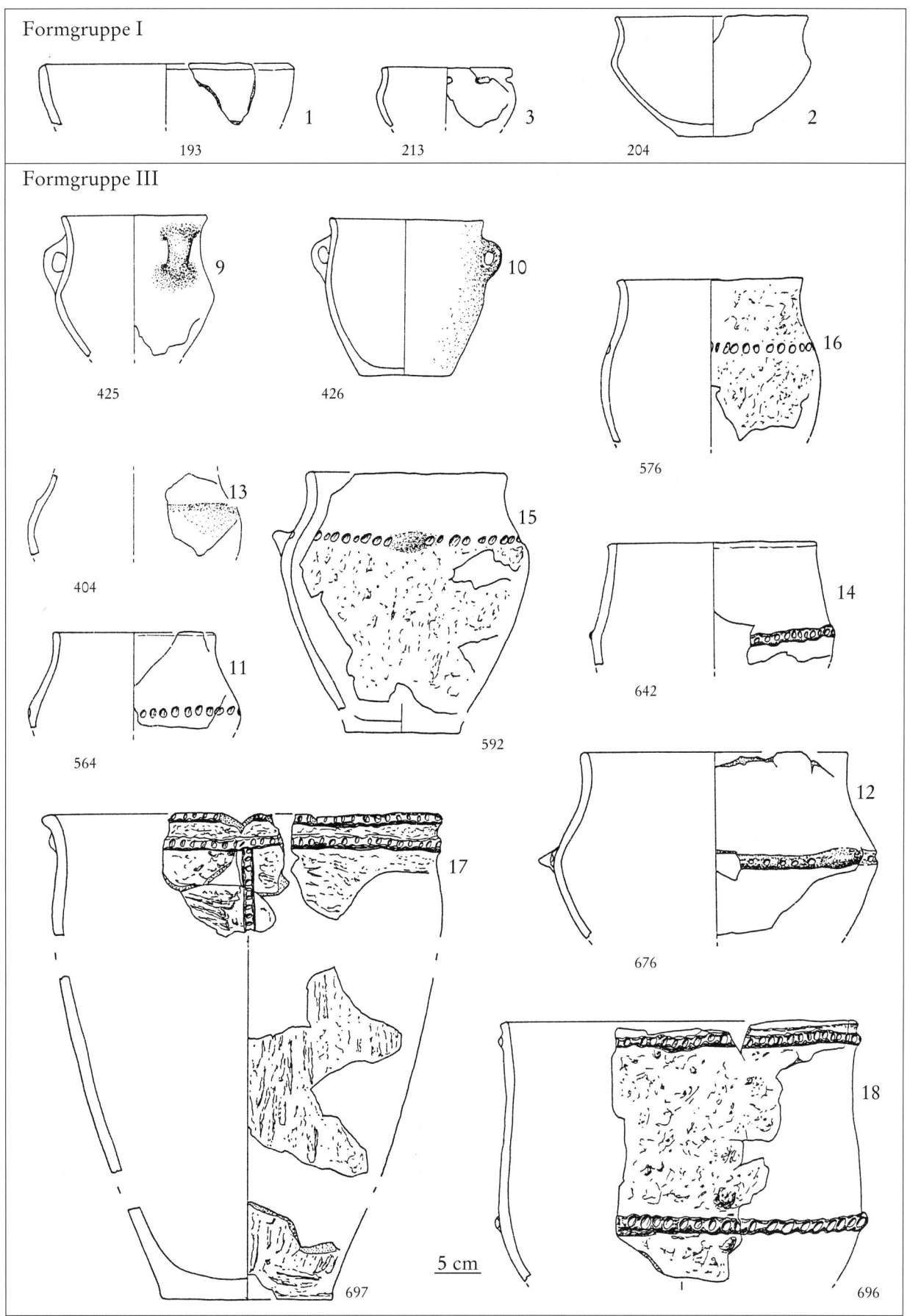

Abb. 103 Fortsetzung: Formgruppen II und III. Keramik aus Schicht C. Formenspektrum.

Tabelle 8: Übersicht über die Formgruppen, Gefäßbezeichnungen, darunter zusammengefassten Formnummern und Formenanzahl.

Formgruppe	Gefäßbezeichnung	Form Nr.	Anzahl
0	Kleingefäße	8	4
1	Schalen	1	5
	Schüsseln	2–3	11
2	Krüge	4–7	19
3	Töpfe	9–18	49
4	Engmundige Gefäße	19–26	23
–	Sonstige	27	1

Tabelle 9: Bodman-Schachen I. Keramik der Schicht C. Die Formgruppen und Einzelformen in absoluten Stückzahlen und ausgezählt nach Rändern.

Formen	Anzahl	Ränder
Schalen	*11*	*5*
Form 1	11	5
Schüsseln	*11*	*10*
Form 2	9	9
Form 3	2	1
Krüge	*19*	*12*
Form 4	11	4
Form 5	5	5
Form 6	1	1
Form 7	2	2
Kleingefäße	*6*	*2*
Form 8	6	2
Töpfe	*48*	*41*
Form 9	18	16
Form 10	1	1
Form 11	4	2
Form 12	2	2
Form 13	1	1
Form 14	3	2
Form 15	3	2
Form 16	12	12
Form 17	2	2
Form 18	2	2
Engmundige Gefäße	*18*	*15*
Form 19	3	2
Form 20	2	2
Form 21	3	3
Form 22	5	4
Form 23	3	3
Form 24	1	1
Form 25	1	0
Form 26	4	2
Sonstige	*7*	*3*
Form 27	1	1

pen zusammengefasst, wie aus Tabelle 8 ersichtlich (Tab. 8; Abb. 103; 105). Die Krüge werden von den Formen 5 und 6 dominiert, die Formen 9 und 16 sind bei den Töpfen am häufigsten vertreten. Die Anteile der einzelnen Formen sind in Formgruppe 4 relativ gleichmäßig verteilt (Tab. 9).

7.2.4.3 Formgruppe 0, Kleingefäße (Form 8)

Die Kleingefäße (Taf. 16,170–173; 23,271) wurden zum Teil aus einem Tonklumpen herausgeformt. Sie besitzen teilweise einen unverhältnismäßig dicken Boden (Taf. 16,172.173) und sind von grober wie auch feiner Tonqualität. Man gewinnt den Eindruck, dass die Miniaturgefäße aus Resten aufbereiteten Tones hergestellt wurden, die bei der Produktion der „richtigen" Keramik übrig blieben (vgl. Schicht B).

7.2.4.4 Formgruppe 1, Schalen und Schüsseln

Schalen (Form 1)
Insgesamt liegen fünf rundergänzte und vier nicht ergänzbare Schalenrandstücke vor. Je nachdem, wie scharf die Gefäßwand vom Rand nach innen zieht, werden flache Schalen (Taf. 17,182), tiefe Schalen (Taf. 17,193.195) und Schalen mit leichtem Wandknick (Taf. 17,190–192) unterschieden. Der Wandknick wird durch aufgesetzte Fingertupfenleisten plastisch verstärkt oder aber nur vorgetäuscht.[345] Auch bei tiefen Schalen übersteigt die Gefäßhöhe die Hälfte des Randdurchmessers kaum.[346]

Die Randdurchmesser der Schalen bewegen sich im mittleren Bereich des gesamten Größenspektrums zwischen 155 und 245 mm. Aufgrund der wenigen Exemplare mit erhaltenem Randdurchmesser kann nicht entschieden werden, ob eine generelle Unterteilung in große und kleine Schalen sinnvoll ist.

Die Wandstärken der Schalen nehmen linear mit zunehmendem Randdurchmesser bei gleichzeitiger Verschlechterung der Tonqualität zu.

Fragmente von tellerförmigen Gefäßen gehören laut Definition ebenfalls zu den Schalen (Taf. 17,184.187). Sie sind mittel bis grob gemagert und verstrichen, gehören also zur gröberen Keramik. Die Schalen dürften als Koch- und Essgeschirr gedient haben. Die tellerförmigen Exemplare und flachen Schalen sind auch als Topfdeckel geeignet.

---

[345] Nicht zu verwechseln mit Schalen, deren Leisten auf die kalottenförmig profilierte Außenwand gesetzt sind. Vgl. aus Schicht B, Taf. 8,102.108. Dazu Gersbach, Esslingen 247; 248 Abb. 11.
[346] Vgl. Winiger (Anm. 304) 97.

Knickwandschüsseln und s-profilierte Schüsseln
(Form 2 und 3)

Grundsätzlich können knickwandprofilierte – Form 2 – (Taf. 18,203.207) und s-profilierte Schüsseln – Form 3 – (Taf. 18,213) unterschieden werden. Gemeinsames Merkmal dieser beiden Schüsselformen ist ihre geringe Gefäßhöhe im Verhältnis zum Randdurchmesser. Letztere liegen zwischen 115 und 220 mm, die Wandstärken bewegen sich zwischen 4 und 8 mm. Kleine Schüsseln mit Randdurchmessern von 110 bis 140 mm und große Schüsseln mit Randdurchmessern um 220 mm lassen sich voneinander trennen.

Die überwiegend gute Tonqualität weist die Schüsseln als „Feinkeramik" aus. Von den elf Schüsseln sind zwei auf den Schultern mit Applikationen verziert, die vermutlich paarweise gegenständig angebracht waren.[347]

Die s-profilierten Schüsseln besitzen Schlitzränder. Sie dienten möglicherweise zur Bespannung der Gefäße. Schlitzrandschüsseln könnten demnach als Handtrommeln genutzt worden sein.

7.2.4.5 Formgruppe 2, Krüge

Als Krüge werden engmundige Gefäße mit randständigem Henkel und Gefäßindizes zwischen 0,61 und 0,78 bezeichnet.

Knickwandprofilierte, doppelkonische Krüge
(Form 4)

Zur Beschreibung und Charakterisierung von Form 4 stehen uns vier nahezu vollständige Krüge (Abb. 104; Taf. 19,214–216; 20,235) und sieben Krugfragmente (Taf. 19,220; 20,222.224–226.229.233) zur Verfügung. Die Gefäßform unterscheidet sich von flaschenförmigen Gefäßen durch leicht höhere Gefäßindices und randständige Henkel.

Die scharfe Profilierung des doppelkonischen Kruges setzt ihn von bauchigen Krügen (Taf. 21,242.249) und solchen mit flauem Wandknick (Taf. 29,415)[348] deutlich ab. Entscheidend zu seiner typischen Formgebung trägt der tiefe Sitz des maximalen Durchmessers im unteren Gefäßdrittel bei. Dieser verleiht dem Gefäß eine sehr eigenwillige Form, die durch einen kurzen, vom abgeflachten Boden stark ausladenden Gefäßkörper und eine lange Schulter geprägt ist. Die doppelkonischen Krüge sind ausnahmslos in horizontalen Musterzonen ritz-, rillen- und kornstichverziert (Abb. 106). Die Henkelzone bleibt von der horizontalen Verzierung ausgespart und wird durch senkrechte Ritzlinien oder vertikal angeordnete Muster abgesetzt.[349] Der Henkelansatz des randständigen Henkels sitzt charakteristischerweise immer über der horizontalen Zierzone. Im

Abb. 104: Doppelkonischer Krug aus Schicht C (Taf. 19,216). In fundfrischem Zustand nach der Blockbergung (oben) und restauriert (unten).

Unterschied dazu sitzen die Henkel an Krügen der Straubinger Siedlungskeramik unter dem Rand. Ihr unterer Henkelansatz befindet sich in der Zierzone und unterbricht diese. Unter Berücksichtigung der übrigen Krugformen können kleine Krüge mit Randdurchmessern zwischen 6 und 10 cm und große Krüge mit Randdurchmessern zwischen 12 und 15 cm unterschieden werden (Abb. 107–109). Der kleine knickwandprofilierte Krug mit 43 mm Rand-

---

347 In vergleichbaren Fundkomplexen sind gegenständige, zwei- oder vierfach angebrachte Henkelösen und Applikationen geläufig. S. Kap. 7.2.4.15 zu grober Zier, Henkeln und Knubben an der Keramik von Schicht C; vgl. desgl. die Keramikfunde von Zürich-Mozartstrasse, Schicht 1, s. Gross u. a., Zürich „Mozartstrasse" Taf. 14,4; allg. Kimmig, Reusten 33 ff.
348 Vgl. Hundt, Heubach Taf. 12,11.35.
349 Vgl. ebd. 32.

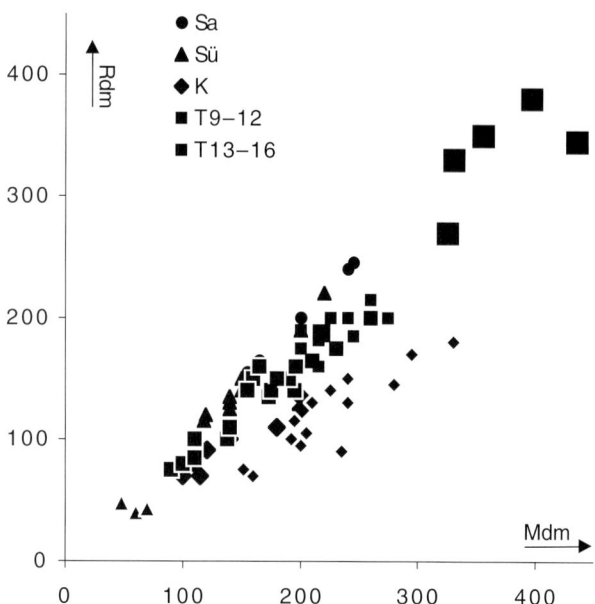

Abb. 105: Keramik aus Schicht C. Gefäßindizes Randdurchmesser/Maximaldurchmesser (Rdm/Mdm). Sa Schalen, Sü Schüsseln, K Krüge, T Töpfe (Form 9–18, s. Schlüssel Kap. 16.1.2.3.4), F Flaschen, KG Kleingefäße.

durchmesser (Taf. 19,214) gehört zu den Kleingefäße (Abb. 107).

Die Wandstärken von 3,5–8,0 mm bewegen sich im Wesentlichen ohne auffällige Abhängigkeit von der Gefäßgröße insgesamt im unteren bis mittleren Bereich des gesamten Wandstärkenspektrums.

Bauchige, s-profilierte Krüge (Form 5)
Die Beschreibung bauchiger Krüge basiert auf zwei Gefäßfragmenten mit nahezu vollständigem Gefäßprofil (Taf. 21,238.249) und drei Wandscherben, die zu bauchigen Krügen rundergänzt werden können (Taf. 21,242.244.246). Weitere Wandscherben (Taf. 21,243.245.247) gehören wahrscheinlich ebenfalls zu bauchigen Krügen, sind aber nicht mit letzter Sicherheit zu identifizieren.

Die bauchigen Krüge sind weniger typisch ausgeprägt als die doppelkonischen Krüge. Abgesehen von ihrer generell weicheren Profilierung ohne Wandknick unterscheiden sie sich von den doppelkonischen Krügen durch die Lage ihres maximalen Durchmessers auf halber Gefäßhöhe.

Die Randdurchmesser der bauchigen Krüge liegen zwischen 85 und 135 mm. Die Wandstärken der s-profilierten Krüge verteilen sich unabhängig von ihrer Gefäßgröße zwischen 5 und 7,5 mm bei durchweg guter Tonqualität. Die Zierzone befindet sich auf der Schulter unter dem Henkelansatz. Der Bereich unter dem Henkel ist wie beim doppelkonischen Krug zierfrei gehalten und seitlich durch vertikale Muster oder Ritzlinien begrenzt.

Die Verzierung besteht aus horizontalen Ritz- und Rillenmustern mit und ohne Kornstichsäumung. Die Henkel sind bandförmig oder durch eine Mittelrippe profiliert.

Flau profilierte, doppelkonische Krüge (Form 6)
Neben den formal gut definierbaren Krügen muss noch eine Krugform Erwähnung finden, deren Proportionierung den bauchigen Krügen entspricht (Taf. 29,415). Die Profilierung ist dagegen flau doppelkonisch. Im Gegensatz zu den Krugformen 5 und 6 ist die Form 7 unverziert. Die Oberflächenfarbe des Kruges ist bei guter Tonqualität grau und weniger sorgfältig geglättet.

Knickwandprofilierte Krüge (Form 7)
Diese zweifach vertretene Krugform (Taf. 16,176.177) ist unverziert und nicht in der typischen Profilierung und Proportionierung ausgeprägt wie der doppelkonische Knickwandkrug. Die Randdurchmesser der beiden Exemplare streuen im Bereich der kleinen Krüge. Die Profilierung ist unterschiedlich scharf. Vor allem der abgesetzte Flachboden (Taf. 16,176) steht im Gegensatz zu den abgeflachten Böden der verzierten Krugformen 4 und 5.

7.2.4.6 Formgruppe 3 ‚Töpfe

Formgruppe 3 beinhaltet die Topfformen. Es handelt sich um weitmundige, unverzierte oder leistenverzierte Gefäße unterschiedlicher Profilierung mit Indizes zwischen 0,72 und 1.

S-profilierte, tonnen- oder napfförmige Töpfe (Form 9)
Unter Form 9 sind überwiegend unverzierte Töpfe zusammengefasst,[350] die leicht s-profiliert (Taf. 30,426), tonnenförmig (Taf. 16,174; 17,198; 42,638), konisch (Taf. 17,197) oder leicht bauchig s-profiliert (Taf. 28,399; 29,408.416; 30,423; 42,629) sind.
Ihre Gefäßindizes, die zwischen 0,72 und 0,96 streuen, weisen diese Formen den Töpfen zu. Merkmale wie die weit gehend fehlende Zier, gelegentlich auftretende Henkelösen und wenig charakteristische Profilierung schließen die genannten Töpfe formal zusammen. Die Abgrenzung zu s-profilierten Töpfen ist im Einzelfall schwierig. Ein generelles Kriterium zur Unterscheidung liegt in der durchschnittlich größeren Ausprägung der s-profilierten Töpfe (Tab. 7).
Die Tonqualität der Töpfe der Form 9 ist durchschnittlich etwas besser als die überwiegend grob gearbeitete Keramik der s-profilierten Töpfe.

---

350 Ausnahme: Taf. 37,559.

Ein tonnenförmiger Topf (Taf. 42,638) und ein Napf (Taf. 37,559) sind mit einer Fingertupfenreihe auf dem Gefäßumbruch bzw. auf der Randlippe verziert. Die Position der Zier auf dem Rand schließt die Ränder der Form 09 (Taf. 42,625.632. 635.637) diesen Töpfen der Form 9 an.

Das Fragment eines kleinen Topfes (Taf. 40,602) ist mit einer glatten, horizontal umlaufenden Leiste verziert. Die Zone unterhalb der Leiste ist flächig mit vertikal angeordneten, parallelen Rillen durchzogen und fällt aufgrund des flächig angebrachten Rillendekors aus dem Rahmen der typischen Rillenzier der Keramik von Schicht C.

Kleine, knickwandprofilierte Töpfe (Form 10)
Die Knickwandprofilierung des kleinen Topfes (Taf. 30,425) sitzt im oberen Gefäßdrittel, wobei der Randdurchmesser – im Gegensatz zum doppelkonischen Knickwandkrug – in etwa dem maximalen Durchmesser des Gefäßes entspricht.
Der unter dem Rand ansetzende Bandhenkel und seine weite Mündung stellen ihn den unverzierten, flau s-profilierten Töpfen (Taf. 30,423.426) zur Seite. Analog den bisher beschriebenen Töpfen ist auch bei dem knickwandprofilierten Topf (Taf. 30,425) zu vermuten, dass die Henkelösen paarweise gegenständig am Gefäß angebracht waren.

Knickwandprofilierte, fingertupfenverzierte Töpfe (Form 11)
Das Formprinzip der Knickwandprofilierung tritt an einer Reihe fingertupfenverzierter Töpfe (Taf. 37,563.564.568; 38,571) auf. Die Fingertupfenzier liegt mit einer Ausnahme (Taf. 37,563) auf dem Gefäßumbruch und betont dadurch die Profilierung des Topfes. Der Gefäßindex setzt die Form von knickwandprofilierten Flaschen ab.
Die Wandstärken zwischen 6 und 8 mm bewegen sich ebenso wie die Größen mit Randdurchmessern um 165 bis 200 mm im mittleren Bereich.
Schlickrauung oder verstrichene Oberflächen in Verbindung mit beige Farbtönen, unterschiedlichen Tonqualitäten und anhaftenden Kochresten weisen die Töpfe dem Kochgeschirr zu.
Schlickauftrag am Gefäßkörper und Knubben am Gefäßumbruch sind eher zweckdienlich denn dekorativ zu bewerten.

Große, knickwandprofilierte Töpfe (Form 12)
Die beiden knickwandprofilierten Töpfe (Taf. 46, 676.681) gehören zu den großen Gefäßen mit Randdurchmessern von 270 und 345 mm, wobei der Wandknick mehr oder weniger kräftig ausgeprägt sein kann. Die weitmundige Gefäßform mit 7 und 9 mm Wandstärke und Indizes von 0,79 und 0,83 wirkt aufgrund der abschätzbaren geringen Gefäßhöhe gedrungen.[351] Die Abgrenzung dieser Form sowohl gegenüber Schüsseln aufgrund der geringen Gefäßhöhe und Weitmundigkeit als auch gegenüber flaschenförmigen Gefäßen fällt aufgrund der verschiedenen Indizes klar aus (Tab. 7).
Der Wandknick auf halber Gefäßhöhe wird durch eine aufgesetzte oder herausmodellierte Fingertupfenleiste und darin integrierten Grifflappen plastisch betont. Die leistenverzierten Töpfe sind grobtonig und entweder vollständig oder unterhalb der horizontalen Leiste schlickgeraut.

Bauchige Töpfe mit Schulterkehlung (Form 13)
Die bauchige Topfform (Taf. 28,404) liegt nur einfach als Gefäßfragment vor und ist den mehrfach vertretenen, meist stempelverzierten bauchigen Töpfen, Gefäßform 9, aus Schicht B ähnlich (Taf. 5, 60.62.63), deren Schultern ebenfalls eine leichte Kehlung aufweisen.
Das weitmundige Gefäß mittlerer Tonqualität kann aufgrund des Indexes um 0,75 grob als Topf angesprochen werden.

Töpfe mit steiler Halszone und kurzer, abgesetzter Schulter (Form 14)
Töpfe der Form 14 (Taf. 29,410.414; 43,642) sind dreifach belegt, wobei nur an zwei Fragmenten auch der Rand vorhanden ist. Die Gefäße sind durch einen langen, fast zylindrisch aufstrebenden Hals gekennzeichnet, der an der Schulter kurz und scharf zum Gefäßumbruch ausbiegt. Die Ausprägung des Gefäßkörpers bleibt unbekannt. Durch die Vorgabe des Profils sind die Steilhalsgefäße mit Randdurchmessern von 150 und 180 mm relativ weitmundig (Index 0,83) und dadurch den Töpfen zuzurechnen. Tonqualität, Wandstärke (6 bzw. 9 mm) und Oberflächenbehandlung sind größenabhängig. Das kleinere, unverzierte, feintonigere Gefäß (Taf. 29,414) steht einem größeren, grobtonigen und leistenverzierten Topf (Taf. 43,642) gegenüber, dessen Oberfläche am Hals verstrichen ist und unterhalb der Leiste Schlickrauung aufweist. Die herausmodellierte Leiste selbst sitzt am Gefäßumbruch und betont dadurch die Profilierung.
Während der leistenverzierte Topf (Taf. 43,642) durch anhaftende Krusten dem Kochgeschirr zugeordnet werden kann, bleibt die Funktion der übrigen Töpfe der Form 14 unklar.

---

351 Der Topf Taf. 46,676 besitzt einen Index Randdurchmesser/Gefäßhöhe von 1,2.

FG/FNr	0/8 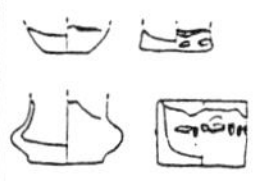	I/1 	I/2 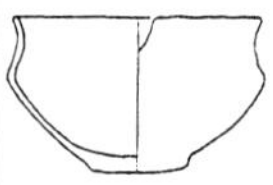	I/3 	III/10 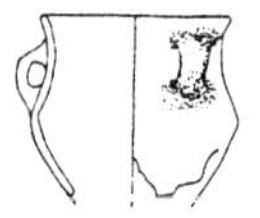	III/9 	II/7 
HR							••
HuR					•	•••	
Hö							
Appl	•		••				
SR				••			
Dm/Lb		•					
FTE/h	•						
FTE/R							
TL/h	•						
F-Zier		•					
E-Zier	•						
L-Zier	•						

FG/FNr	II/6 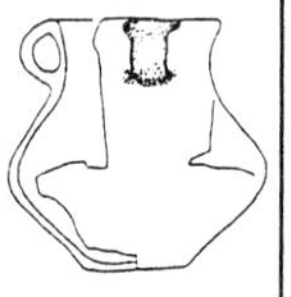	II/4 	II/5 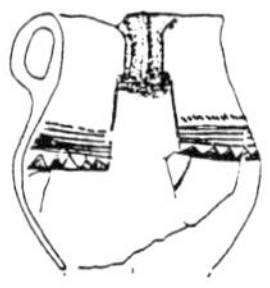	IV/21 	IV/26 	III/19 	IV/22 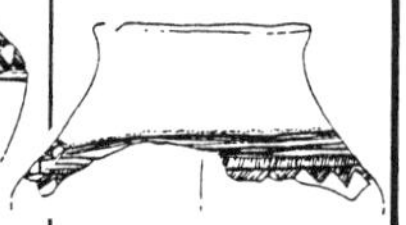
HR	•	••	•••••				
Hö							•
Appl							•
SR					••		
Lb		••					
Lb/Ksts		•••••					
Dm				•	••••	•••	
Dm/Lb		••••••					•
ZiZa				••			
Fusti				•			
Dm/Ksts			••				•
TL/dpl							•
F-Zier		•••••••••• ••	••••	•••	•••	•••	•••
E-Zier							
L-Zier							•

Abb. 106: Keramik aus Schicht C. Verteilung der Verzierungsarten an den Gefäßformen der Feinkeramik. Die Ziffernfolge über der Abbildung bezeichnet Formgruppe (FG) und Gefäßform (FNr) (Abk. Kap. 16.1.2.2 S. 288; Kap. 16.1.2.3.4 S. 289).

FG/FNr	III/13	III/11	IV/20	IV/23	III/16	III/14
Knb		••	•	•	•••	
FTE/h		••••	•	••	••••	
FTE/R					••	
FTE/h+v				•	•	
TL/h			•		••	•
L/glatt					•	
F-Zier						
E-Zier		••••	•	•••	•••••	
L-Zier			•			•

FG/FNr	III/15	III/12	III/18	III/17	IV/24	IV/25
HuR					•	
Hö						•
Knb	•••	•	•			
TL/h	••	••		•		
FTE/R				••		
FTE/h	•					
TL/mh			••			
TL/h+v				•		
L/Dhkst						•
FNE/fl					•	
F-Zier						
E-Zier	•					
L-Zier	•••	••	••	••		•
Fl-Zier					•	

Töpfe mit kurzer, geschweifter Schulter und langem, konischem Gefäßkörper (Form 15).
Aus Schicht C sind drei Töpfe mit kurzer Schulter (Taf. 39,592; 44.652.658) vorhanden, von denen zwei mit fast vollständigem Profil erhalten sind (Taf. 39,592; 44,658). Diese s-profilierte Form ist im Bereich mittlerer bis großer Gefäße vertreten. Ihre Randdurchmesser streuen zwischen 185 und 215 mm. Ihre Wandstärken sind größenabhängig und liegen zwischen 5,5 und 8 mm. Die Form ist gekennzeich-

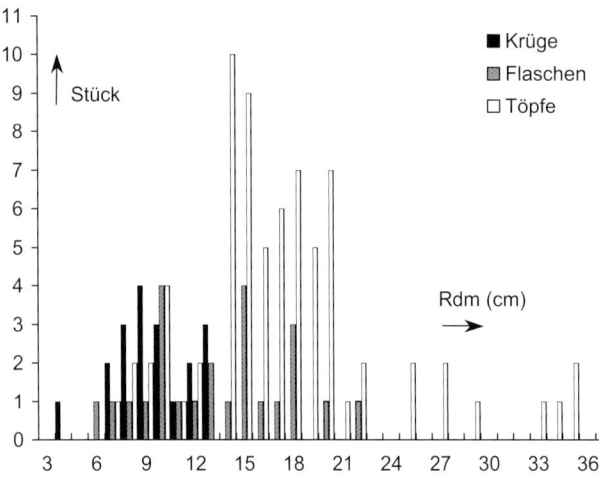

Abb. 107: Keramik aus Schicht C. Randdurchmesser der Krüge, Flaschen und Töpfe.

net durch ein markantes S-Profil, dessen Gefäßumbruch im oberen Profildrittel liegt. Der Weitmundigkeit der Töpfe entsprechend liegt der Index zwischen 0,75 und 0,82. Der konische Gefäßkörper, der zwei Drittel der Gefäßhöhe einnimmt, verleiht der Form eine gewisse Eleganz.

Die charakteristische Gefäßaufteilung lässt ein typisches Muster des Gefäßaufbaus erkennen und distanziert diese Gefäßform klar von flau profilierten Töpfen. Die geglättete Oberfläche im Halsbereich und der schlickgeraute Gefäßkörper scheinen charakteristisch zu sein. Der Schlickauftrag kann in horizontalen oder vertikalen Bahnen verstrichen sein. Gefäßkörper und oberer Bereich sind durch eine

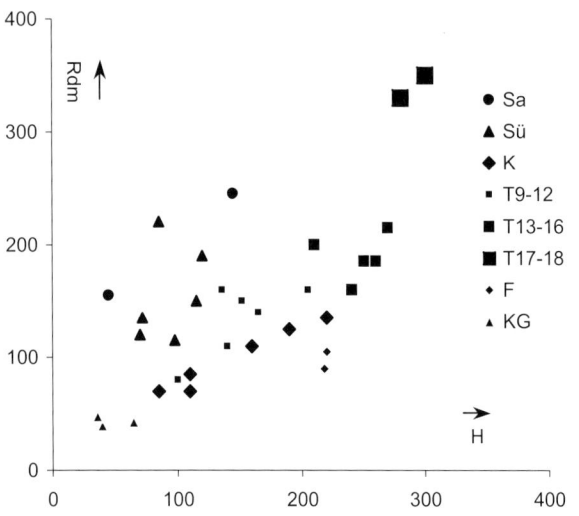

Abb. 108: Keramik aus Schicht C. Gefäßindizes Randdurchmesser/Gefäßhöhe (Rdm/H). Sa Schalen, Sü Schüsseln, K Krüge, T Töpfe (Form 9–18, s. Kap. 16.1.2.3.4 S. 289), F Flaschen, KG Kleingefäße.

auf der Schulter horizontal umlaufende Tupfenleiste oder eine horizontale Fingertupfenreihe getrennt. Die in die Zierzone integrierten Knubben sind vermutlich zwei- bis vierfach paarweise gegenständig angebracht.

S-profilierte Töpfe (Form 16)
Unter den s-profilierten Töpfen (Taf. 31,430; 37,561.562.566; 38,570.573.576.578; 43,649) sind zehn weitmundige, schwach profilierte Formen zusammengefasst, deren Indizes zwischen 0,72 und 0,87 entsprechend ihrer unterschiedlich ausgeprägten Profilierung schwanken. Am Gefäßaufbau ist kein ausgesprochen typisches Prinzip zu erkennen. Die Randdurchmesser liegen zwischen 140 und 200 mm im mittleren Bereich der vorhandenen Bandbreite bei Wandstärken von 6 bis 9 mm. Bei überwiegend grober Tonqualität sind sowohl schlickgeraute als auch geglättete Oberflächen vorhanden. Die s-profilierten Töpfe sind, im Gegensatz zu den knickwandprofilierten Töpfen ähnlicher Größe, über dem Gefäßumbruch meist mit einer horizontalen Fingertupfenreihe, seltener mit einer aufgesetzten Fingertupfenleiste verziert (Abb. 110). Die Verzierung durch eingezapfte Knubben auf der Schulter ist singulär (Taf. 31,430) und darüber hinaus nur noch bei einem engmundigen Gefäß (Taf. 31,442) vorhanden. Sie dürften dem engmundigen Gefäß entsprechend vierfach auf der Schulter angebracht gewesen sein.
Der Schlickauftrag und die in die horizontale Zierreihe integrierten Knubben dürften der besseren Handhabung der Töpfe gedient haben. Die Knubben stehen 16–19 mm über die Gefäßwand. Die Töpfe der Form 16 gehören zur mittleren Größenklasse der Töpfe.

Weitmundige Töpfe mit langem, konischem Gefäßkörper (Form 17)
Die angesprochene Form (Taf. 48,695; 49,697) ist nur einfach nahezu vollständig belegt und schließt an die Töpfe mit kurzer Schulter an. Im Gegensatz zu diesen ist Form 17 nur schwach profiliert (Index 0,95). Der weitmundige Topf unterscheidet sich durch seinen wesentlich größeren Mündungsdurchmesser (380 mm) von den kleineren Töpfen mit kurzer Schulter. Die Wandstärke liegt seiner Dimensionierung entsprechend bei 11 mm. Die Randlippe ist mit Fingertupfen verziert und dicht unter dem Rand sitzt eine aufgesetzte Fingertupfenleiste, an welche eine weitere Fingertupfenleiste senkrecht nach unten anschließt. Vermutlich verband die vertikale Leiste zwei Horizontalleisten. Der gesamte Gefäßkörper ist grob geschlickert. Die Randscherbe

eines großen Topfes mit aufgesetzter Fingertupfenleiste am Hals und Fingertupfen auf der Randlippe (Taf. 48,695) gehört mit einiger Wahrscheinlichkeit derselben Form an.

Schwach profilierte Töpfe (Form 18)
Die schwach profilierten, weitmundigen Töpfe (Taf. 40,601.603; 48,694.696) mit Indizes zwischen 0,91 und 1 sind durch ihre breite Form und eine deutlich konvexe Einziehung der Gefäßwand zum Boden hin charakterisiert. Die in etwa abschätzbare Gefäßhöhe dürfte den Randdurchmesser übertreffen. Form 18 liegt in zwei verschiedenen Größenklassen vor. Die großen Exemplare (Taf. 48,694.696) weisen bei mittlerer bis grober Magerung Wandstärken von 10–11 mm auf. Der Gefäßkörper ist ganzflächig schlickgeraut und mit zwei horizontalen Fingertupfenleisten verziert. Die Leisten sitzen in der Mitte bzw. im unteren Drittel des Gefäßkörpers und dicht unter dem Rand.

Die kleineren Vertreter der Form 18 sind über oder am Bauchumbruch mit einer glatten aufgesetzten Leiste oder einer Fingertupfenreihe verziert. Die Oberfläche ist verstrichen und teilweise unterhalb der Zierzone schlickgeraut (Taf. 40,603). Ruß- und Krustenreste weisen die Töpfe der Formen 17 und 18 dem Kochgeschirr zu.

7.2.4.7 Formgruppe 4, engmundige Gefäßformen

Unter dieser Formgruppe sind Gefäße zusammengefasst, die keiner Grundform angehören. Ihre Indizes streuen zwischen 0,38 und 0,62.

Zylinderhalsgefäße (Form 19)
Die Zylinderhalsgefäße (Taf. 19,217; 20,234; 21,248) unterscheiden sich von den doppelkonischen Krü-

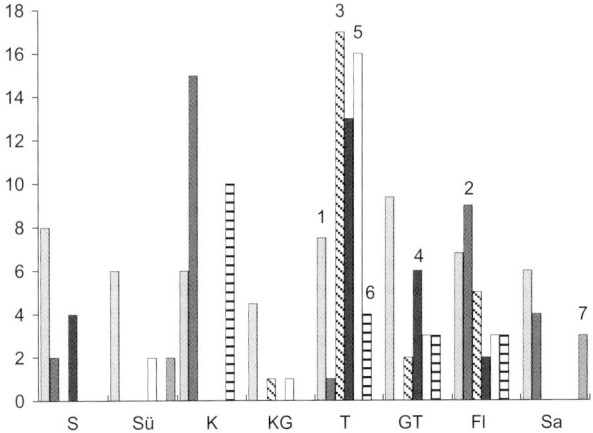

Abb. 110: Keramik aus Schicht C. Verteilung der Verzierungsarten und der mittleren Wandstärken auf die Gefäßformen nach Stückzahlen. 1 mittlere Wandstärke, 2 feine Zier, 3 Eindruckzier, 4 Leistenzier, 5 Knubben/Applikationen, 6 Henkel, 7 Schlitzränder (s. Kap. 16.1.2.3.4 S. 289).

gen (Form 5) hauptsächlich durch ihre Größe und die Proportionierung ihres Gefäßaufbaus. Die Halszone ist verhältnismäßig kurz, ihr Gefäßumbruch sitzt in etwa in der Gefäßmitte. Die Randdurchmessern liegen zwischen 115 und 150 mm. Die Gefäßform, die mit drei Exemplaren vertreten ist, bewegt sich einheitlich in einer Größenklasse mit Wandstärken von 6,5 bis 9 mm und einem Gefäßindex von 6,2 bis 6,3. Letztere liegen also im Bereich der Krugindizes. Üblicherweise ist die Schulterzone der Zylinderhalsgefäße bis zum Wandknick in einer horizontal angeordneten Musterzone ritz-, rillen- und kornstichverziert. Die Funktion der feintonigen Keramik ist unklar.

Kegelhalsgefäße mit steilem Rand (Form 20)
Die in zwei Exemplaren vertretene Form 20 (Taf. 37,565; 43,640) ist durch ihren niedrigen Index engmundigen Gefäßen zuzuordnen. Die grobtonigen Gefäße sind am Bauchknick oder am scharfen Gefäßumbruch leisten- oder fingertupfenverziert, wodurch eine plastische Betonung des Gefäßumbruchs erreicht wird.

Bauchige Gefäße mit abgesetzter oder gekehlter Schulter (Form 21)
Stark profilierte Gefäße (Taf. 22,254.256.258) sind im Keramikspektrum von Schicht C selten vertreten. Von drei Wandscherben besitzen zwei eine deutlich abgesetzte Schulter. Aus den erhaltenen Scherben lässt sich mit einiger Wahrscheinlichkeit eine gedrungene Gefäßform mit abschätzbarem Gefäßindex um 0,5 ableiten. Die horizontale Zierzone der ausschließlich ritz-, rillen- und kornstichver-

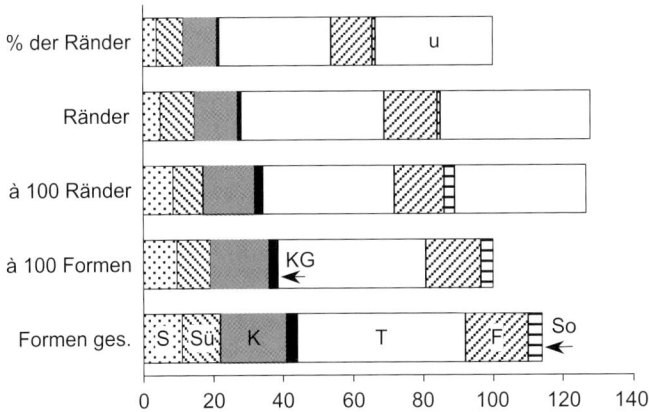

Abb. 109: Keramik aus Schicht C. Anteile der Formgruppen am Gefäßspektrum. S Schalen, Sü Schüsseln, K Krüge, KG Kleingefäße, T Töpfe, F Flaschen, So sonstige, u unbestimmte Ränder.

zierten Gefäßfragmente befindet sich auf der Schulter und auf dem Gefäßkörper am Umbruch. Die auffallend starke Profilierung wird durch die außergewöhnliche Position der Zierzone am Gefäßumbruch (Taf. 22,256) sowie die in Furchenstichtechnik ausgeführte Zier unterstrichen (Taf. 22,254). Auffallend ist weiterhin das im Spektrum selten vertretene Zickzackmuster und die grobe Tonqualität bei feiner Verzierung (Taf. 22,254.258).

Engmundige Gefäße mit langer Schulter (Form 22)
Die fünf erkennbaren Gefäßfragmente engmundiger Gefäße mit langer Schulter (Taf. 20,228; 22,262; 23,287; 31,442; 45,669) sind nur bis zum Gefäßumbruch erhalten, so dass eine Beurteilung der Gesamtprofilierung nicht möglich ist. Charakteristisch für diese Form ist sowohl die lange Schulterpartie als auch der runde Gefäßumbruch.
Die Zierzone befindet sich, soweit dies aufgrund der vorhandenen Scherben beurteilbar ist, auf der Schulter und reicht bis zum Gefäßumbruch. Die Ziervarianten reichen von Ritz-, Rillen-, Einstich- und Kornstichzier bis hin zu eingezapften Knubben und aufgesetzten Fingertupfenleisten.
Die auf der Schulter platzierten Knubben sind aufgrund ihrer Position am Gefäß für praktische Zwecke ungeeignet und daher dekorativ aufzufassen. Die wohl vierfach gegenständig angebrachten Knubben sind durch eine leichte Kehlung auf der Schulter miteinander verbunden.
Mit einer Ausnahme (Taf. 45,669) sind die Gefäße feintonig und besitzen geglättete Oberflächen. Das leistenverzierte Gefäß unterscheidet sich durch in Bahnen verstrichenen Schlickauftrag unter der Doppelleiste und grobe Tonqualität. Die Verwendung als Kochgeschirr ist nur für dieses gröber gearbeitete und leistenverzierte Gefäß belegt.

Flaschenförmige Gefäße (Form 23)
Flaschenförmige Gefäße (Taf. 39,581.582.585) mit weichem S-Profil sind dreifach belegt. Der Gefäßumbruch liegt etwa auf halber Gefäßhöhe bei Indizes zwischen 0,5 und 0,6. Die eher grob gearbeiteten Flaschen sind auf der Schulter und zum Teil auch auf dem Rand (Taf. 39,581) mit einer horizontal umlaufenden Fingertupfenreihe verziert, die durch vertikale Tupfenreihen mit dem Rand verbunden sein können (Taf. 39,581).

Bauchige, engmundige Gefäße mit gekehlter Schulter (Form 24)
Nur einfach vertreten ist ein engmundiges Gefäß (Taf. 40,606) mit deutlich gekehlter, hochgezogener Schulter, dessen Gefäßumbruch im oberen Gefäßdrittel liegt. Das flachbodige Gefäß mit mittlerer Magerung und Wandstärke (6 mm) ist formal deutlich einem leistenverzierten, bauchigen Topf (Taf. 41,612) und den ritzverzierten, bauchigen Gefäßen mit gekehlter Schulter ähnlich (Taf. 22,254.256.258) und gehört mit einem Index von 0,38 zur Gruppe der engmundigen Gefäße.
Der geglättete Gefäßkörper ist unter der Schulterkehlung flächig mit seitwärts in die Gefäßwand gedrückten Fingernagelabdrücken verziert, so dass am Rand der Eindrücke kleine Wülste entstanden. Auf der Schulter sitzen zwei gegenständig angebrachte Henkelösen. In Form und Zier vergleichbar sind Urnen aus Bestattungen der Hügelgräberkultur auf der Schwäbischen Alb.[352]

Große, bauchige, engmundige Gefäße (Form 25)
Große, bauchige Gefäße mit Mündungsdurchmessern um 400 mm (Taf. 41,612) sind durch eine ergänzbare Wandscherbe einfach vertreten. Die Gesamtform ist durch ein vergleichbares Gefäß vom Schlossberg bei Landsberg a. Lech[353] erschließbar. Der fast kugelige Gefäßkörper und die damit verbundene enge Mündung mit einem abschätzbaren Index um 0,4 ordnen das Gefäß den engmundigen Formen zu. Die Gefäßschulter ist durch eine aufgesetzte Leiste mit Doppelhalbkreisstempeln verziert. Die Oberfläche ist über der Leiste geglättet und darunter von pastosem Schlickauftrag bedeckt. Die in die Leiste integrierte, vermutlich ursprünglich zwei- bis vierfach vorhandenen Henkelösen dürften zum Aufhängen des Gefäßes gedient haben.

Engmundige knickwandprofilierte Gefäße mit kurzer Schulter (Form 26)
Die Gefäßform ist in gut ansprechbarer Form einfach vertreten (Taf. 18,210). Das feintonige Gefäßfragment ist über dem Wandknick horizontal ritzverziert.
Die zeichnerische Ergänzung zu einem vollständigen Gefäßprofil lässt auf die Form einer engmundigen, hohen Knickwandschüssel schließen. Unter Form 26 sind weitere Scherben zusammengefasst (Taf. 18,212; 19,219.221), die Schlitzränder besitzen und teilweise ritzverziert (Taf. 18,212) sind. Ihr Profil ist aus den Scherben nicht sicher zu rekonstruieren, mit einiger Wahrscheinlichkeit gehören sie zu den hohen Schüsseln der Form 26.

---

352 Vgl. Pirling u. a., Schwäbische Alb Taf. 31,B; zur Verzierung vgl. G. Kraft, Funde aus einer Kiesgrube bei Welschingen (Hegau). Bad. Fundber. H. 7, 1927, 211–213.
353 Koschick, Oberbayern Taf. 23,5.

7.2.4.8 Anteile der Formen am Formenspektrum

Die einzelnen Gefäßformen, die durch ihren Gefäßindex gruppiert wurden, sind mit unterschiedlichen Anteilen im Formenspektrum vertreten (Tab. 9). Die Töpfe kommen, in Relation zur Gesamtzahl der Ränder, mit 32% am häufigsten vor, gefolgt von engmundigen Gefäßen mit 11,71%, Krügen mit 9,37% und Schalen und Schüsseln mit je 8,59%. Die Kleingefäße und sonstigen Formen, die durch ihren Index nicht klar zuordenbar sind, liegen bei 0,78%. Die restlichen knapp 30% entfallen auf Ränder, die der Form nach nicht zugeordnet werden können (Abb. 109).

Die Anteile der Formgruppen sind mit Vorsicht zu verwenden, da der Statistik geringe Stückzahlen zugrunde liegen. Vor allem im Bereich der kleineren Größenklassen sind die einzelnen Gefäßgruppen zum Teil weniger klar voneinander zu trennen.

7.2.4.9 Verzierung und Tonqualität der Formgruppen

Mit wenigen Ausnahmen beschränkt sich die feine Verzierung[354] auf geglättete, schwarze bis dunkelbeige und fein gemagerte Keramik; hier fehlen Kochspuren in Form von Krusten und Rußresten. Diese Beobachtung ist unabhängig von der jeweiligen Formgruppe, gilt also für engmundige Gefäße wie für Schalen und Krüge.

Die feine Zier ist auf die Formen 4 und 5 der Krüge, auf die Formen 19, 21 und 22 der engmundigen Gefäße, auf die Schalen, Form 2, und auf Form 26 beschränkt (Abb. 106). Der einzige fein verzierte Topf der Form 9 (Taf. 40,602) fällt auch durch seine flächig angebrachte vertikale Rillenzier und seine glatte Leiste aus dem Rahmen der für Schicht C üblichen Zier. Die groben Zierarten[355] bleiben auf Schalen, Töpfe und engmundige Gefäße beschränkt (Abb. 110). Große Töpfe sind ausschließlich leistenverziert, bei engmundigen Gefäßen bleibt die grobe Zier auf die Formen 20, 22 und 25 beschränkt (Abb. 110). Die grob verzierten Formen besitzen mittlere bis grobe Tonqualität und sind verstrichen oder schlickgeraut. Die Trennung der Gefäßoberfläche in geschlickerten Gefäßkörper und verstrichene oder geglättete Halszone ist in Bezug auf die Gefäßformen verhältnismäßig selten. Sie bleibt hauptsächlich auf Töpfe und engmundige Gefäße der Formen 11, 15 und 16 beschränkt.

Die großen Töpfe zeichnen sich durch Schlickrauung, die den ganzen Gefäßkörper überzieht, und zwei horizontal umlaufende Leisten aus, von denen eine dicht unter dem Rand sitzt. Fingertupfeneindrücke sind bei großen Töpfen nur auf der Randlippe und auf Leisten belegt (Abb. 110). Demgegenüber sind die kleineren Töpfe mit Randdurchmessern zwischen 130 und 220 mm, hauptsächlich die Formen 11, 15 und 16, überwiegend mit einer horizontalen Fingertupfenreihe verziert (Abb. 110), die direkt auf der Gefäßwand angebracht wurde. Horizontale Leisten sind an mittleren und kleinen Töpfen seltener vorhanden. Die einfach angebrachten horizontalen Fingertupfenreihen oder -leisten sitzen immer auf der Schulter oder am Bauchknick (Abb. 110).

Die Töpfe der Form 9 sind, von drei Ausnahmen (Taf. 37.559; 40,602; 42,630) abgesehen, unverziert (Abb. 106). Hier sind unter dem Rand angebrachte Henkelösen, die gegenständig in die Gefäßwand eingezapft sind, geläufig. Die kleinen knickwandprofilierten Töpfe der Form 10 sind der Form 9 anzuschließen (Abb. 106). Im Gegensatz zu grob verzierten Töpfen sind die Töpfe der Form 9 fein gemagert und geglättet.

Flaschenförmige, bauchige Gefäßformen fallen häufig durch außergewöhnliche Verzierungen auf. War dies schon bei der fein verzierten Form 21 (Taf. 22,254) durch die in Furchenstichtechnik ausgeführte Verzierung der Fall, so treten bei Form 24 und 25 flächig schräg eingedrückte Fingernageleindrücke und eine mit Doppelhalbkreisen gestempelte Leiste, kombiniert mit darin integrierten Henkelösen, auf (Abb. 110).

Einfach vorhanden ist die Verzierung mit Doppelleiste und integrierter Öse auf dem engmundigen Gefäß der Form 22.

7.2.4.10 Funktion und funktionale Bestandteile der Gefäße

Die grob verzierten Gefäße, Töpfe, engmundigen Formen und Schalen gehören mehrheitlich zum Kochgeschirr. Sie besitzen mittlere bis grobe Tonqualität und eine wenig sorgfältig behandelte Oberfläche. Die raue Oberfläche der Grobkeramik dürfte der besseren Handhabung der Gefäße gedient haben. Die kleinen unverzierten oder mit Henkelösen versehenen Töpfe sind aufgrund ihrer besseren Tonqualität von grob verzierten Töpfen zu unterscheiden. Wenn ihnen auch mehrfach Kochreste anhaften, muss auch ihre Benutzung als Trinkgeschirr in Betracht gezogen werden. Von auffallend grober Qualität sind mehrheitlich die Schalen, deren Benutzung als Kochgeschirr ebenfalls belegt ist.

---

354 Darunter werden Ritz-, Rillen-, Kornstich- und Einstichzier verstanden.

355 Eindruck- und Leistenzier sind meist mit Knubben bzw. Handhaben kombiniert.

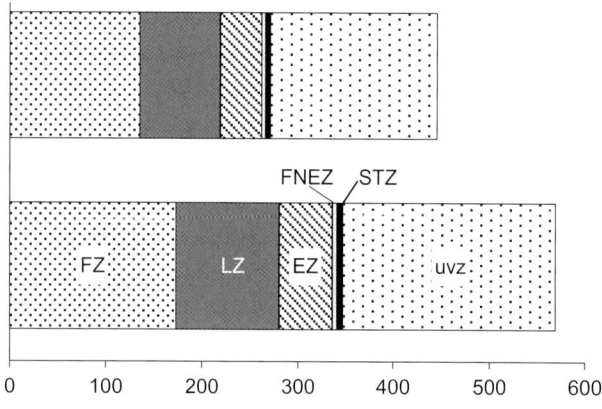

Abb. 111: Keramik aus Schicht C. Anteile verzierter und unverzierter Scherben, absolut und bezogen auf 100 Randscherben (Abk. Kap. 16.1.2.2 S. 288).

An Krügen und Schüsseln fehlen Hinweise auf ihre Verwendung. Rein formal sind sie dem Trinkgeschirr zuzuweisen. Engmundige Gefäße dürften hauptsächlich als Flüssigkeitsbehälter gedient haben, da aufgrund der engen Mündung darin abgefüllte Flüssigkeiten weniger schnell verdunsten. Große Vorratsbehälter, wie sie etwa aus der späten Bronzezeit bekannt sind, fehlen im Keramikspektrum aus Schicht C.

Knubben, Henkel und Henkelösen sind meist als funktionale Bestandteile zu sehen. Sie dienten zur Handhabung der Gefäße. Henkelösen wurden möglicherweise zum Aufhängen der Gefäße benutzt.

An Schlitzen unter dem Rand ließen sich Gefäße ebenfalls aufhängen. Allerdings können sie auch zum Bespannen mit Tierhäuten gedient haben. Bei den Schlitzrandgefäßen handelt es sich also möglicherweise um Handtrommeln.

7.2.4.11 Randformen

Zur Beurteilung der Randausformung liegen insgesamt 209 Randscherben vor, von denen 124 zu Rändern rundergänzt werden konnten. Die Variationsbreite reicht von relativ dünn ausgezogenen, runden Rändern bis hin zu Blockrändern[356] (Abb. 103). Den größten Anteil (170 Stück) nehmen die abgerundeten Ränder ein. Demgegenüber stehen 39 einfach horizontal abgestrichene Randscherben. Der Abstrich ist unregelmäßig und zum Teil verwaschen. Spitz ausgezogene und nur schwach gezipfelte Ränder sind jeweils einfach belegt.

Die verschiedenen Randformen sind teilweise auf bestimmte Gefäßformen beschränkt. Runde Randlippen sind durchgehend an allen Gefäßformen vorhanden. Demgegenüber sind Blockränder und abgestrichene Ränder nur an Töpfen, Schalen und Gefäßen mit konischem oder zylinderförmigem Hals anzutreffen.

Mit Ausnahme der Ränder an Flaschen und Gefäßen mit konischem Hals sind die Ränder nach außen schwingend und dadurch trichterförmig. Extrem stark ausgezogene Randformen bleiben auf ein Krugfragment (Taf. 31,437) und einen Topfrand (Taf. 31,444) beschränkt.

Trichterränder mit geradem Hals und Knick zur Schulterzone hin kommen ebenfalls sehr selten vor, ohne jedoch auf eine bestimmte Gefäßform beschränkt zu sein (Taf. 28,405; 29,410.414; 32,454; 43,642).

Einfach belegt ist ein Trichterrand (Taf. 18,202), der zur bauchigen Schulter hin umknickt. Zwei weiteren Trichterrändern (Taf. 32,447; 47,682) fehlt dieser deutliche Umbruch und der anschließende bauchig gewölbte Gefäßkörper. Da das Randstück 202 nur bis knapp unter den Gefäßumbruch erhalten ist, kann nicht entschieden werden, ob eine niedrige oder hohe Gefäßform vorliegt. Die grobtonige Scherbe könnte sowohl von einer Schüssel als auch von einem Topf stammen.

Eine verhältnismäßig geringe Anzahl von Topfrändern ist durch Fingertupfen und Fingernagelkerben verziert (Taf. 42,625.632.635.637). Die übrigen getupften oder gekerbten Randscherben (Taf. 42,626–628.630.631.633.636) lassen sich keiner Form oder Formgruppe klar zuweisen.

Die typischen Schlitzränder, die mehrfach als Bestandteil der Keramik „vom Ende der Frühbronzezeit"[357] bzw. der älteren Mittelbronzezeit[358] herausgestellt worden sind, liegen im Keramikkomplex von Schicht C fünffach vor. Die dicht unter dem Rand horizontal angebrachten Schlitze stehen in teilweise engem Abstand zueinander. Schlitzränder sind in Schicht C auf Schüsseln und engmundige Gefäße beschränkt. In bayerischen Fundkomplexen sind demgegenüber Schlitzränder an Schalen zu beobachten.[359]

7.2.4.12 Bodenformen

Obwohl das Keramikmaterial von Schicht C keinen stark zerscherbten Eindruck macht, sind doch die wenigsten Gefäßteile mit zuweisbaren oder anpassbaren Bodenscherben in Verbindung zu bringen. Dies mag mit einer besonderen Bruchempfindlichkeit der Gefäße an der Nahtstelle zwischen Gefäßwand und Gefäßboden begründet sein, die mögli-

---

356 Vgl. Kap. 7.2.4.20 zur Aufbautechnik. Blockränder entstehen u. U. beim Herstellen der Töpfe, wenn der Gefäßaufbau vom Rand her erfolgt. Die Blockrandbildung würde aus der Auflage auf der Töpferscheibe resultieren.
357 Hundt, Heubach 36; 38 Karte 3.
358 Gersbach, Esslingen 244; 248 Abb. 11.
359 Hundt, Malching 46; 53 Abb. 3.

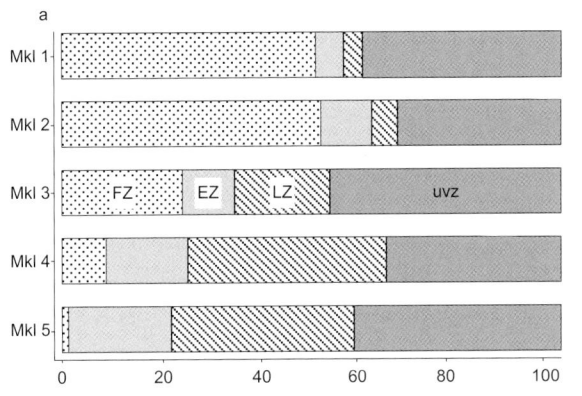
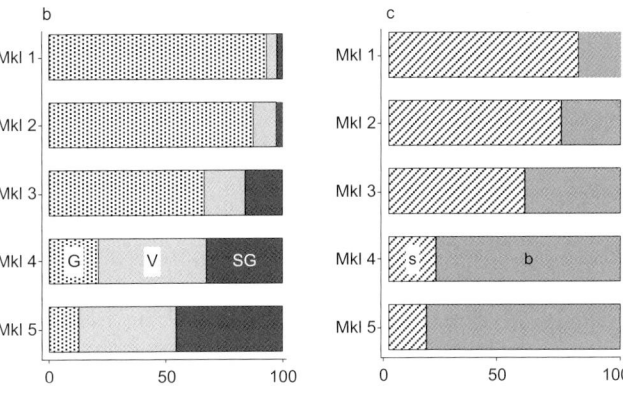

Abb. 112: Keramik aus Schicht C. Häufigkeiten von Zier (1), Oberflächenbehandlung (2a) und Farbe (2b) in Abhängigkeit von den Magerungsklassen (Mkl) 1–5. G Geglättet, V verstrichen, SG schlickgerauht, s schwarze Oberflächenfarbe, b braune Oberflächenfarbe (übrige Abk. Kap. 16.1.2.2 S. 288).

cherweise aufgrund der Technik, die Gefäßböden einzusetzen,[360] zu schwer anpassbaren Bruchflächen führt. Gesamthaft reicht dies zur Begründung des Sachverhalts nicht aus, da auch einige Böden mit aufgehender Wandung vorhanden sind. Vielleicht liegen die fehlenden Böden einfach noch in nicht ausgegrabenen Bereichen.

Die Bodenformung reicht von abgeflachten Böden bis zu abgesetzten Standböden, Standringböden und Bodenformen mit Omphalos.

Die abgeflachten Böden und Flachböden ohne Ausziehung (Taf. 19,220; 34,497) dürften vor allem doppelkonischen Krügen oder kleinen unverzierten Töpfen zuzuordnen sein (Taf. 19,214; 20,235). Zumindest gehören sie zu Gefäßen feiner bis mittlerer Tonqualität.

Flachböden mit Ausziehung (Taf. 35,520.524.526; 38,574.575) sind demgegenüber den Töpfen unterschiedlicher Profilierung zuzurechnen. Grobe Tonqualität und Oberflächenbehandlung sprechen für diese Annahme, die nur durch ein Beispiel (Taf. 49,697) gestützt werden kann.

Weitaus seltener vertreten sind Böden mit Omphalos (Taf. 23,267) und Standringböden (Taf. 23,269. 288.289; 30,427; 34,497). Welcher Gefäßform die Böden mit Omphalos zuzuordnen sind, muss zunächst offen bleiben.

Die Standringböden gehören zumindest teilweise zu Töpfen mittlerer Größe, wie dies durch einen Topf mit Henkelösen belegt werden kann (Taf. 30,427).

7.2.4.13 Verzierungen

Der vorliegende Keramikkomplex zeichnet sich durch einen hohen Anteil verzierter Tonware aus. Knapp über die Hälfte der abgebildeten Keramik ist verziert (Abb. 111).[361]

Die Verzierungsarten können in grobe und feine Verzierungen unterteilt werden, was etwa plastischer und eingetiefter Zier entspricht. Fingertupfenreihen und Fingernageleindruckzier werden aufgrund ihrer groben Ausführung und Ähnlichkeit mit Tupfenleisten als eingetiefte Zier zur groben Verzierung gezählt.

Die feintonige Keramik der Magerungsklassen 1 und 2, die fast ausschließlich geglättete und schwarze bis dunkelbeige Oberfläche aufweist, ist überwiegend fein verziert. Die Keramik der groben Magerungsklassen 4 und 5 weisen gegenteilige Merkmalskombinationen auf (Abb. 112).

Die Verzierungen sind offensichtlich an Keramik mit entsprechender Magerung, Oberfläche und Farbe gekoppelt.

7.2.4.14 Feine Zier

Zur feinen Zier zählen Kornstich-, Ritz-, Rillen-, Einstich- und Stempelzier. Sie umfasst das gesamte Spektrum der eingetieften Zier mit Ausnahme der Fingertupfen- und Fingernageleindruckzier.

Die Verzierungen sind in den ungebrannten, noch weichen Ton[362] gestempelt, gestochen oder geritzt und anschließend mit einer weißen Paste[363] ausgefüllt worden, so dass ein weißes Muster auf schwarzem, geglätteten Tongrund ursprünglich das Ausse-

---

360 Vgl. zur Herstellung „eingesetzte Böden" Kap. 6.1.4.12 u. 6.1.4.20 zu den Bodenformen und zur Aufbautechnik der Keramik aus Schicht C.

361 Je nach Parameter schwankt der Anteil verzierter Keramik: 60% der abgebildeten Keramik, 52% der rundergänzten Scherben sind verziert.

362 Erkennbar an kleinen Wülsten entlang von Ritzlinien und glatten Kanten bei Einstichen und Stempeleindrücken, im Gegensatz zur Ritzzier, die nach dem Brand angebracht wurde, z.B. Lutzengüetle Keramik; s. Schlichtherle, Hornstaad-Hörnle 143; 149.

363 Vgl. z.B. Hundt, Heubach 29. – E. Keefer, Hochdorf II, eine jungsteinzeitliche Siedlung der Schussenrieder Kultur. Forsch. u. Ber. Vor- u. Frühgesch. Baden-Württemberg 27 (Stuttgart 1988) 79 mit Anm. 135.

Abb. 113: Keramik aus Schicht C. Beispiele eingetieft feiner Zier, zum Teil mit Resten weißer Inkrustation.

hen der Feinkeramik bestimmt hat (Abb. 113). Die fein verzierte Keramik könnte deshalb als weiß verzierte, schwarzgrundige Ware bezeichnet werden.

Die Zierzone der fein verzierten Tonware sitzt mit wenigen Ausnahmen auf der Gefäßschulter bis zum Gefäßumbruch oder Bauchknick (Abb. 114; 115). Eine Schale (Taf. 17,189) ist randständig und vertikal ritzverziert.

Unterhalb der Schulterkehlung, auf dem Gefäßbauch, sind engmundige Gefäße (Taf. 22,254.256) verziert, deren außergewöhnliche Profilierung[364] dadurch unterstrichen wird. Ebenso fällt eine bis zum Boden verzierte Scherbe (Taf. 23,286) aus dem Rahmen. Sie stammt vermutlich von einem kleinen Topf mit flächiger vertikaler Ritz- oder Rillenzier.[365]
Die geläufigen Ziermuster bauen auf seitenparallel schraffierten Dreiecken und horizontalen Ritzlinien oder Linienbündeln auf. Aus der Kombination dieser geometrischen Grundeinheiten resultieren horizontal angeordnete Zierzonen, deren obere oder untere Begrenzung teilweise durch Einstich- oder Kornstichreihen gesäumt ist (Abb. 114; 115). Die Stichreihen können dabei ein- oder mehrfach auftreten. Seltener wird die Grundanordnung des Musters durch Leiterbänder (Taf. 19,220; 22,262; 25,337) oder abschnittsweise metopenartig angeordnete Leiterbänder (Taf. 20,234), die in Kornstichtechnik ausgeführt sind, (Abb. 114; 115) ergänzt. Die Musterzone ist überwiegend durch eine Kombination aus Dreiecken und horizontalen Linien oder von horizontalen Linienbündeln mit Kornstichsäumung (Abb. 114) ausgefüllt. Der Kornstich kann dabei schräg-vertikal oder horizontal ausgeführt und unterschiedlich stark eingetieft sein. Auf einigen Scherben ist der Kornstich besonders fein gestochen (Taf. 21,243.247; 25,314.315.319).

Das kornstichgesäumte Linienbündel bleibt auf kleine Krüge beschränkt (Form 4), während die reine, nicht gesäumte, horizontal angeordnete Dreieckzier ausschließlich an engmundigen Gefäßen (Formgruppe IV) und Krügen (Form 4 und 5) sowie einem Schlitzrandgefäß (Taf. 18,212) anzutreffen ist (Abb. 106). Die horizontal orientierte Ritzzier ist bei Krügen nur in der Henkelzone vertikal unterbrochen, während bei engmundigen Gefäßen vertikale Zierzonen in die horizontalen Muster ohne Henkel eingeschaltet sind. Kornstichgesäumte oder einstichgesäumte Dreiecksmuster und horizontale Linienbündel ohne Kornstichsäumung sind innerhalb der eingetieften Zier selten anzutreffen.

Als besondere Variante der einfachen Dreiecksmuster darf das ausgesparte Winkelband oder Zickzackmuster betrachtet werden.[366] Dieses Muster ist für Schicht C dreizehnfach belegt und kommt auf engmundigen (Taf. 22,254.256) und knickwandprofilierten Gefäßen (Taf. 22,257) vor sowie auf Gefäßen mit steilem Kegelhals (Taf. 22,255).

Ein weiteres selteneres Motiv ist das Sanduhrmuster (Taf. 25,313.317.318), welches keiner Gefäßform zugeordnet werden kann. Das Fragment eines eiförmigen Töpfchens oder Kruges trägt ein in breiten, flachen Rillen ausgeführtes Gittermuster (Taf. 22,263). Sowohl die Art der Rillen als auch das Muster sind singulär im Spektrum der eingetieften Zier von Schicht C.

Desgleichen einfach vorhanden ist eine kleine, flächig kornstichverzierte Scherbe (Taf. 24,293), deren Musteranordnung unklar ist. Selten sind darüber hinaus Kornstichmuster in Form von mehreren Leiterbändern übereinander (Taf. 25,328.332) oder kombinierte Kornstichreihen (Taf. 25,330).

Nur unvollständig als Muster erhalten sind einstichgefüllte, meist geschachtelte Dreiecke mit geschwungener Linienführung.[367] Die Einstiche sind grob und unregelmäßig ausgeführt und nicht zu vergleichen mit den fein gestochenen Dreiecken der Keramik aus Schicht B.[368] Die gestochenen Dreiecke sind sechsfach belegt, ohne jedoch einer bestimmten Gefäßform zuweisbar zu sein (Abb. 114).

---

364 S. Kap. 7.2.4.2 zu den Gefäßformen der Keramik aus Schicht C.
365 Vgl. Taf. 40,602; Keefer, Forschner 48f. Abb. 7,1. Häufig vom runden Berg bei Urach und vom Kirchberg bei Reusten bekannt; s. Stadelmann, Runder Berg Taf. 14,138–143; Kimmig, Reusten Taf. 36,12–20.
366 Vgl. Hundt, Heubach 34 Karte 1.
367 Vgl. Ebd. Taf. 13,23; Kraft (Anm. 352) Taf. 37,7.
368 Hundt, Malching Karte 4.

Abb. 114: Keramik aus Schicht C. Musterkatalog der eingetieften feinen Zier. Die Muster sind unvollständig erhalten und bis auf die Abbildung links oben alle auf der Gefäßschulter angebracht.

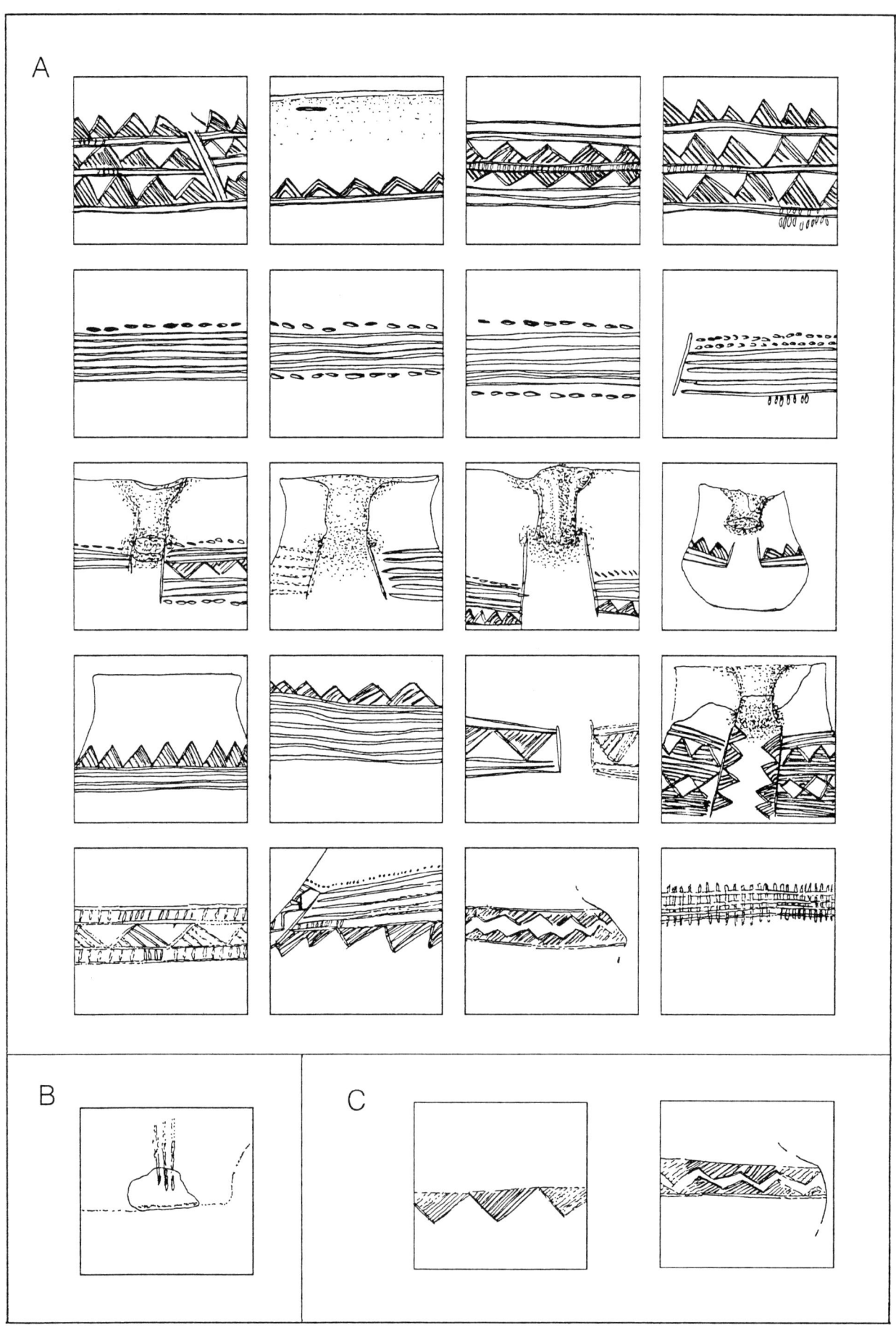

Abb. 115: Keramik aus Schicht C. A Musterkatalog vollständig erhaltener Muster der eingetieften feinen Zier; die Zier befindet sich durchweg auf der Gefäßschulter. B Unvollständige Zier am Gefäßboden. C Vollständige Muster unterhalb des Schulterumbruchs.

Neben dominanter Stich- und Ritztechnik sind an wenigen Scherben Stempel- (Taf. 22,254; 25,324) und Furchenstichtechnik belegt (Taf. 25,325; 26,355). Als eine Variante der Stichsäumung kann die Säumung durch eine Stempelreihe angesehen werden (Taf. 25,324; 26,355). Neben scharf konturierten, dreieckigen Stempelabdruckreihen liegen weitere stempelverzierte Scherben (Taf. 40,604.607.610) mit unterschiedlichen Stempelabdrücken vor.

Der v-förmige Stempelabdruck auf einer Wandscherbe (Taf. 40,610) als Abdruck eines Röhrenknochens fällt bezüglich des verwendeten Stempels am klarsten aus. Längliche Stempelabdrücke finden sich auf einer Scherbe (Taf. 40,607) und auf einem kleinen, eiförmigen Topf (Taf. 60,942), der allerdings nicht stratifiziert ist. Der zweizinkige Stempel an einer Randscherbe (Taf. 40,604) ist undeutlich ausgeprägt, so dass auf keinen Gegenstand geschlossen werden kann, der hier als Stempel benutzt worden ist.

Die Ausführung von Ritzlinien in Furchenstichtechnik ist zweifach vertreten. Sie findet sich an einer einzelnen Scherbe (Taf. 25,325) und einem engmundigen Gefäß, eingebunden in ein Muster mit ausgespartem Winkelband (Taf. 22,254).

In drei Fällen ist ritzverzierte Keramik mit plastischen Zierelementen verbunden. Verhältnismäßig fein modellierte, aufgesetzte, glatte Leisten (Taf. 27,369),[369] eine Applikation (Taf. 26,348) und das Fragment einer Delle (Taf. 24,296) sind in ein Dreiecksmuster integriert bzw. über kornstichgesäumten Ritzlinien angebracht.

Insgesamt überwiegen bei der gestochenen und in den weichen Ton eingeritzten Zier horizontal orientierte Dreiecksmuster ohne Kornstichsäumung und kornstichgesäumte horizontale Linienbündel. Ein relativ hoher Anteil entfällt darüber hinaus auf das so genannte ausgesparte Winkelband. Alle anderen Ziertechniken, Muster und Musteranordnungen spielen eine untergeordnete Rolle (Tab. 10).

7.2.4.15 Grobe Zier, Henkel und Knubben

An grober Zier liegen hauptsächlich einfache, horizontal umlaufende Fingertupfenreihen und aufgesetzte Leisten in verschiedenen Varianten vor (Abb. 116; 111 unten). In die Zierreihen sind Henkelösen (Taf. 41,612; 45,669)[370] und Knubben (Taf. 39,592; 44,658) integriert (Abb. 118). Ihre zwei- oder vierfache gegenständige Stellung ist selten belegt.[371]

Die Leistenzier kann in aufgesetzte und herausmodellierte Leisten unterschieden werden. An abgeplatzten Leistenteilen oder im Bruch lassen sich aufgesetzte Leisten erkennen. Während herausmodellierte Leisten homogene Bruchflächen aufweisen, setzen sich aufgesetzte Leisten an der Nahtstelle zur Gefäßwand durch kleine Absätze und unterschiedliche Konsistenz oft von dieser ab. Sicher sind aufgesetzte Leisten durch teilweise abgeplatzte Leistenfragmente (Taf. 45,670; 46,679; 47,692) oder vollständig von der Gefäßwand abgelöste Leistenteile (Taf. 41,613.615) nachzuweisen.

Die aufgesetzten Tonwülste sind auf ihrer Rückseite mit Fingernagelkniffen versehen (Taf. 41,615). Die Kniffe wurden vermutlich eingedrückt, um eine bessere Anhaftung der Leisten auf der Gefäßwand zu erreichen.

Die aufgesetzten Leisten überragen die Gefäßwand um bis zu 10 mm und sind im Durchschnitt weiter überstehend als herausmodellierte Leisten (Tab. 7). Durchschnittlich überragen die aufgesetzten Leisten die Gefäßwand um 5,2 mm, wobei die Grenzwerte bei 2 mm und 10 mm liegen.

Die Leistenzier bleibt ausnahmslos auf Schalen, Töpfe und große, engmundige Gefäße beschränkt, wobei die besetzten Zierzonen formspezifisch sind. Die Töpfe und engmundigen Gefäße mittlerer Grö-

Tabelle 10: Bodman-Schachen I. Keramik der Schicht C. Die Häufigkeiten der verschiedenen Muster im Spektrum der feinen eingetieften Zier.

Dreieckmuster mit horizontalen Linien	44
Dreiecksmuster mit horizontalen Linien, kornstichgesäumt	9
Linienbündel	3
Linienbündel, kornstichgesäumt	25
Zickzackmuster	13
Leiterbandsäumung	10
Sanduhrmuster	3
Einstichmuster	5
Einstichsäumung	3
Ritzlinien mit plastischer Zier	2
Gittermuster	3
Schlitzrand mit Dreieckszier	1
Kornstich, flächig	1
Furchenstichtechnik	1
Stempeltechnik	3

---

369 Vgl. Fischer, Bleiche Taf. 12,7, identische Zier.
370 Vgl. dazu Kimmig, Reusten 33f. Die Henkel der Keramik aus Schicht C sind analog Kimmig in Henkel und Henkelösen gegliedert, Henkelösen entsprechen Kimmigs Schlaufen.
371 Taf. 31,442 kann vierfach gegenständig ergänzt werden, Taf. 30,426 belegt zweifach gegenständige Henkelösen. Weitere Beispiele im Sinne eines Zeitstils, s. Ruoff, Frühbronzezeitliche Funde Taf. 13; Kimmig, Reusten 33. Die hier von Kimmig vorgeschlagene Bevorzugung von Knubben in Gitterleisten kann nicht bestätigt werden, sie finden sich im Keramikspektrum von Schicht C in einfachen Horizontalleisten ebenso oft integriert.

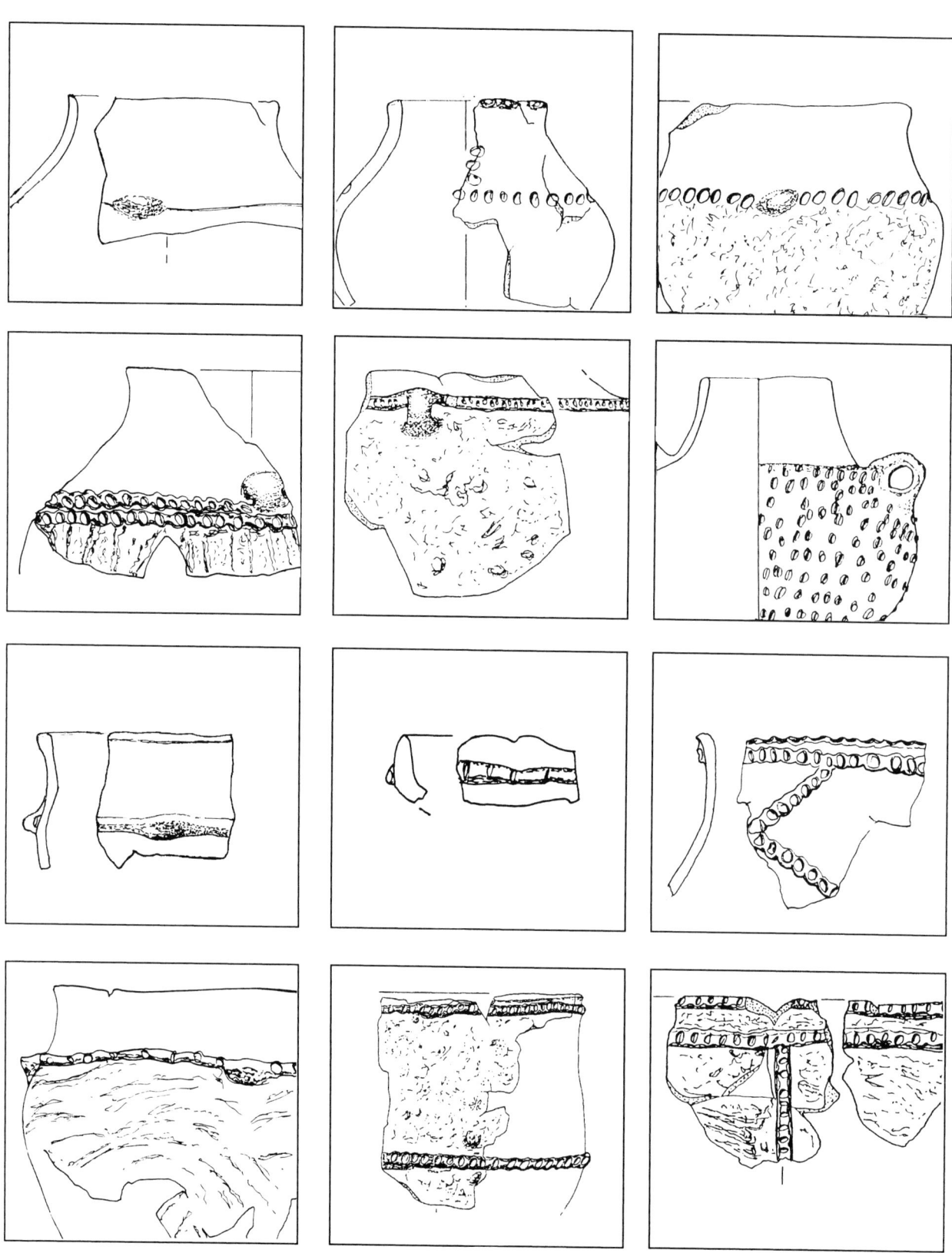

Abb. 116: Keramik aus Schicht C. Beispiele plastischer und eingetieft grober Zier.

ße besitzen einfach horizontal umlaufende Tupfen- oder Kerbleisten mit integrierten Knubben, die sich am Bauchknick (Taf. 43,640.642) oder auf der Schulter befinden. Große, engmundige Gefäße besitzen auf der Schulter einfache (Taf. 41,612) oder doppelte (Taf. 45,669) Leisten, an welchen Henkel-

ösen ansetzen (Taf. 41,612; 45,669). Doppelleisten, die von Henkelösen überspannt werden, fehlen im Spektrum von Schicht C.³⁷²
Große Töpfe setzen sich deutlich von engmundigen Gefäßen und mittleren Töpfen durch ihre formspezifische Zier ab. Die großen Töpfe besitzen eine Leiste direkt unter dem Rand (Taf. 49,697) und weitere Leisten am Gefäßkörper (Taf. 48,694.696). Sie sind also mindestens mit zwei horizontalen Leisten besetzt. An der Horizontalleiste oder am fingertupften Rand hängen vertikale Leisten (Taf. 49, 697).³⁷³ Randscherben mit dieser Leistenzier können deshalb mit einiger Sicherheit den großen Töpfen zugewiesen werden. Die Leistenposition direkt unter dem Rand ist im nicht rundergänzbaren Scherbenmaterial siebzehnfach vorhanden und damit relativ häufig (z.B. Taf. 47,684–686. 688.692). Mehrfach umlaufende Leisten (Taf. 47,692; 48, 694.696) sowie Doppelleisten (Taf. 41,617; 45,669) und gekreuzte Leisten, darunter das Fragment eines so genannten Andreaskreuzes (Taf. 41,615.618.624), sind selten. Die Masse der Leisten (101 Stück) ist tupfen- bzw. fingertupfenverziert, ein kleiner Rest wurde mit schmalen Gegenständen gekerbt (Tab. 11). Doppelhalbkreisgestempelte (Taf. 41,612) und glatte Leisten (Taf. 40,601.602) sind ein- bzw. zweifach vorhanden. Beide Leistenarten sind zur Diskussion der relativen Chronologie wiederholt herangezogen worden. Der Doppelhalbkreisstempel wurde einleuchtend als Abdruck eines gekerbten Pfeilschaftendes interpretiert.³⁷⁴ Durch diese Interpretation des Stempels wird seine zeitlich eng umgrenzte Verwendung unwahrscheinlich, seine weite räumliche Verbreitung hingegen erklärbar. Auffallend häufig sind in einfachen horizontalen Reihen eingedrückte Fingertupfen, welche auf Töpfe, engmundige Gefäße und Kleingefäße beschränkt bleiben (Abb. 110).
Überwiegend eindruckverziert sind Töpfe mittlerer Größe (Taf. 37,562; 38,570.573.576.578; 40,603;

Abb. 117: Keramik aus Schicht C. Spektrum der plastischen Zier, Knubben und eingetieften groben Zier.

Abb. 110). Die Zier ist analog den s-profilierten, leistenverzierten Töpfen (Taf. 43,649) auf der Gefäßschulter angebracht, während knickwandprofilierte Formen am Wandknick zur Betonung der Gefäßprofilierung getupft sind (Taf. 37,564.568;38,571).
Die großen Töpfe (Taf. 49,695.697), ein kleiner Topf (Taf. 42,638) und Topfränder mittlerer Größe (Taf. 42,625.632.635.637) besitzen Fingertupfen nur auf dem Rand. Darüber hinaus sind Fingertupfen und Kerben auf dem Rand an einer ganzen Reihe von Randscherben belegt (Abb. 116; Taf. 42, 626. 628.630.631.633.636). Die eindruckverzierten, flaschenförmigen Gefäße, sind je nach Profilierung am Bauchknick (Taf. 37,565) oder auf der Schulter (Taf. 39,581.585) verziert. Singulär ist eine senkrechte Fingertupfenreihe an einem engmundigen Gefäß mit fingergetupftem Rand (Taf. 39,581).
Die flächige Eindruckzier kommt demgegenüber in geringer Anzahl nur vierfach belegt vor. Bei dieser Zier sind Fingerkuppen bzw. Fingernägel schräg seitwärts in den weichen Ton gedrückt, so dass ein kleiner Wulst am Rande des Eindrucks entsteht (Taf. 36,541; 40,606.608.609.611). Die flächige Eindruckzier kann im Formenspektrum an einem engmundigen Gefäß belegt werden (Abb. 117 re. oben; Taf. 40,606). Form und Zier verweisen auf Funde der Hügelgräberkultur der Schwäbischen Alb³⁷⁵ und wirken im Kontext von Schicht C fremdartig.
Mit wenigen Ausnahmen (Taf. 31,430.442; 40,600) sind Knubben an Leisten oder Fingertupfenreihen gebunden und bilden mit ihnen eine Zier- oder

Tabelle 11: Bodman-Schachen I. Keramik der Schicht C. Häufigkeiten der verschiedenen Leistenzierarten und -techniken.

Fingertupfen/Tupfenleisten	101
Glatte Leisten	3
Kerbleisten	2
Stempelleisten	1
Doppelleisten	2
Gitterleisten	3
Mehrfachleisten	3
Leisten unter dem Rand	19
Aufgesetzte Leisten	90
Herausmodellierte Leisten	19

---

372 Kimmig, Reusten 34 mit Anm. 149. Das Fehlen von Töpfen des Typus Degernau im Keramikspektrum von Schicht C hat vermutlich chorologische und chronologische Ursachen.
373 Nachweislich nur einfach, vermutlich jedoch ursprünglich vier- bis fünffach am Gefäßkörper vorhanden.
374 Hundt, Heubach 38 mit Abb. 4; ders., Malching 52; 54 Abb. 5; 6.
375 Pirling u.a., Schwäbische Alb, z.B. Taf. 24,B; 31,B.

Abb. 118: Keramik aus Schicht C. Profil- Rand- und Wandscherben mit Zierproben fein eingetiefter und plastisch grober Zier. Die flächig eindruckverzierte Amphore rechts oben (Taf. 40,606) ist restauriert und rundergänzt.

Funktionseinheit. Mehrere Knubben an einem Gefäß können nur einmal (Taf. 29,412) belegt werden. Es ist jedoch aufgrund einiger Parallelen (s. o.) davon auszugehen, dass diese meist mehrfach am Gefäß angebracht waren.

Knubben kommen in oval, spitz zulaufender (Taf. 29,412) und lappenförmig, flach ausgezogener (Taf. 38,573; 49,702) Form vor. Die Knubben sind (Taf. 35,513), meist als Bestandteil einer Leiste, aufgesetzt oder eingezapft (Taf. 31,430; 49,699). Letztere Befestigungstechnik dürfte auch bei Knubben vorliegen, die in Fingertupfenreihen integriert sind. Die Knubben selbst sind teilweise durch eine Delle auf ihrer Spitze ornamentiert (Taf. 49,703).

Applikationen sind nur an Schüsseln (Taf. 18, 206.207) vorhanden. Sie sind weniger hervorstehend als Knubben und ohne praktischen Nutzen für die Handhabung eines Gefäßes.

Auf mittlere Töpfe und Krüge beschränkt bleiben Henkel[376], die in Fragmenten und Ansätzen dreiunddreißigfach belegt sind. Die Henkelösen[377] der engmundigen Gefäße sind dabei nicht mitberücksichtigt. Die Henkel sind charakteristischerweise oft leicht schräg angebracht und an ihrem oberen Ende etwas breiter als am unteren (Taf. 30,417.425). Die randständigen Henkel der Krüge sind bandförmig und nicht eingezapft, soweit dies an gebrochenen Henkeln und Wandansatzstücken ersichtlich ist (Taf. 19,214.216; 21,242.246).

Ein zweifach gesattelter Henkel (Taf. 21,249) ist formal die Ausnahme im Keramikspektrum von Schicht C. Ein vergleichbarer Henkel stammt aus dem Keramikmaterial der „Siedlung Forschner".[378]

Im Gegensatz zu den randständigen Krughenkeln scheinen die unterrandständigen Henkel an ihrem unteren Ende eingezapft gewesen zu sein (Abb. 119; Taf. 30,419.422.427).

---

376 Henkel als Bezeichnung für einen praktisch zu durchfassenden Griff eines Gefäßes.
377 Henkelösen dienen dem Aufhängen von Gefäßen, vgl. „Schlaufen" bei Kimmig, Reusten 33f.
378 Vgl. Keefer, Mittelbronzezeitliche Funde 47 Abb. 4,7.

7.2.4.16 Größenklassen

Die Differenzierung der Größenklassen ließ sich durch die graphische Darstellung der Indizes Rdm./Mdm. (Abb. 105) ermitteln. In allen Gefäßgruppen zeichnen sich verschiedene Größenklassen ab. Die Randdurchmesser bewegen sich zwischen 4 und 40 cm.

Mit Randdurchmessern von 4 bis 5 cm setzen sich die Kleingefäße von den übrigen Formgruppen deutlich ab. Die Töpfe lassen sich anhand der Randdurchmesser in drei Größenklassen aufteilen. Die kleinste Größenklasse liegt zwischen Randdurchmessern von 7 und 11 cm. In dieser Klasse befinden sich ausschließlich Gefäße der Form 9. Trotz ihrer geringen Größe haften Kochreste an den Töpfen. Diese Töpfe mit kleinem Volumen könnten Kindern zum spielerischen Kochen gedient haben und stehen möglicherweise den Kleingefäßen funktional nahe.

Die Töpfe mittlerer Größe mit Randdurchmessern zwischen 13 cm und 22 cm umfassen vor allem die Töpfe mit einfach umlaufenden Fingertupfenreihen und -leisten auf der Schulter sowie die unverzierten Töpfe mit Henkelösen. Die mittleren Töpfe besitzen, soweit dies aufgrund der wenigen ermittelbaren Gefäßhöhen beurteilbar ist, einen Index H./Rdm.[379] von 1 bis 1,5 (Abb. 108).

Die Zäsur zwischen den Randdurchmessern mittlerer und kleiner Töpfe fällt nicht sehr deutlich aus, die Abgrenzung zu den großen Töpfen ist dagegen eindeutiger (Abb. 109; 115). Im Bereich zwischen 22 cm und 30 cm, im Größenbereich zwischen den mittleren und großen Töpfen, liegen insgesamt nur vier Randdurchmesser.

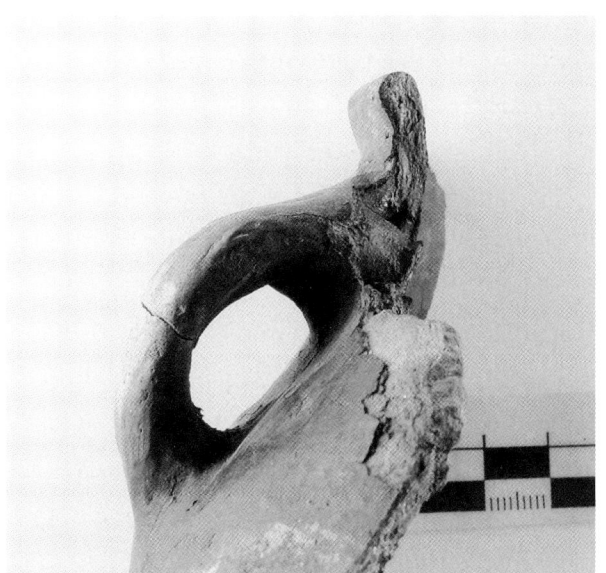

Abb. 119: Schicht C. An seinem oberen Ende eingezapfter Henkel (Taf. 30, 425).

Die großen Töpfe setzen sich mit Durchmessern über 30 cm von den mittleren Töpfen gut ab. Sie sind gedrungen (Taf. 48,694), wobei der Randdurchmesser größer ist als die Gefäßhöhe, und als hohe Formen (Taf. 49,697) vorhanden. Bei Letzteren ist der Randdurchmesser kleiner als die Gefäßhöhe.

Die Trennung der Krüge von den Töpfen allein durch den Gefäßindex fällt, vor allem im Bereich der Krüge bis 9 cm Randdurchmesser, schwer (Abb. 105). Nur die unterschiedliche Keramikqualität der Krüge und Töpfe sowie der randständige Henkel an den Krügen erlauben eine klare Abtrennung.

Die Streuung der Randdurchmesser kleinerer Krüge im Bereich von 4 bis 9 cm ordnet diese den kleinen Töpfen und Kleingefäßen zu (Abb. 105). Aufgrund der geringen Gesamtzahl ist eine Abgrenzung der kleinen Krügen von den großen Krügen um 13 bis 14 cm Randdurchmesser undeutlich. Ein doppelkonischer Krug (Taf. 19,214) setzt sich am unteren Ende der Skala deutlich ab und liegt im Bereich der Kleingefäße.[380]

Die Randdurchmesser der Flaschen und engmundigen Gefäße streuen zwischen 6 und 17 cm. Klare Trennlinien innerhalb dieser Größen sind nicht auszumachen. Gerade bei engmundigen Gefäßen ist der Randdurchmesser ohne Gefäßhöhe und Maximaldurchmesser wenig aussagekräftig. Unter Berücksichtigung der Maximaldurchmesser setzen sich die Gefäße der Form 22 nach oben hin undeutlich etwas ab. Ansonsten streuen die engmundigen Gefäße im Bereich der mittleren bis kleinen Größenklassen.

Die Schalen weisen Randdurchmesser zwischen 15 und 24 cm auf und befinden sich damit im mittleren Bereich der Gefäßgrößen bis an dessen oberen Grenze (Abb. 105). Da nur fünf Ränder vorliegen, kann eine Differenzierung in Größenklassen nicht vorgenommen werden.

Etwas besser sind die Schüsseln differenzierbar, ihre Randdurchmesser bewegen sich hauptsächlich zwischen 10 und 14 cm. Eine Schüssel mit 21 cm Randdurchmesser vertritt vielleicht neben den Schüsseln mittlerer Größe eine große Schüsselform.

Die Durchmesser der Gefäße bewegen sich zwischen 8 und 23 cm. Aus diesem Größenbereich heraus fallen nur die großen Töpfe und die Kleingefäße. Aufgrund dieser Streuung muss damit gerechnet werden, dass verschiedene Gefäßformen dieselben Funktionen innehatten.

---

379 Gefäßhöhe/Randdurchmesser.
380 Im Indexdiagramm wurde der Krug als Kleingefäß kartiert und taucht daher nicht mit der Krugsignatur in der Graphik auf.

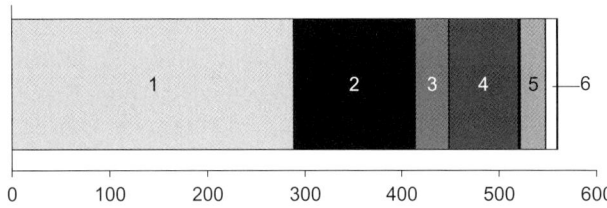

Abb. 120: Keramik aus Schicht C. Häufigkeit der Magerungsarten, absolut. 1 Quarzgrus, 2 Steingrus, 3 Quarz/Steingrus, 4 Sand, 5 Quarzgrus u. a., 6 Steingrus u. a.

7.2.4.17 Wandstärken

Die Wandstärken der Gefäße sind bei einer Bandbreite von 3–12 mm weit gehend größenabhängig. Die Wandung der Schalen ist mit gemittelten 8 mm im Verhältnis zu ihrer Größe überdurchschnittlich dick. Die übrigen durchschnittlichen Wandstärken schwanken zwischen 5,6 mm für die Schüsseln und 10 mm für die großen Töpfe und liegen für die Kleingefäße mit Werten um 4,8 mm erwartungsgemäß niedrig.

Die Summenkurve der Wandstärken der Keramik von Schicht C ist nahezu deckungsgleich mit der Kurve der Keramik aus Schicht B (Abb. 99). Eine ähnliche oder fast identische Herstellungstechnik der Keramik aus Schicht B und C dürfte dieser Summenkurve zugrunde liegen.

Der steile Kurvenverlauf zeigt eine Massierung der Wandstärken zwischen 5,5 mm und 8 mm und damit eine geringe Varianz der Wandstärken bei der Masse der Keramik. Sie liegt unter der durchschnittlichen Wandstärke der frühbronzezeitlichen Keramik von Zürich-Mozartstrasse (6–7 mm).[381]

7.2.4.18 Magerung

Die Keramik wurde mit fünf recht unterschiedlichen organischen und anorganischen Zusätzen gemagert. Überwiegend wurden Quarze und quarzhaltiges Gestein zerstoßen und dem aufbereiteten Ton in Grusform beigemengt (Abb. 120).[382] Daneben fanden Sand, Schamotte, organische Magerungsmittel[383] und Steinchen verschiedener Korngrößen Verwendung. Die Tonware ist oft mit mehreren Magerungsmitteln versetzt. Der Anteil der gemischt gemagerten Keramik schwankt, bezogen auf die Gesamtzahl der abgebildeten Keramik von Schicht C (564 Stück), von 11,3% bei der fein gemagerten Ware bis 27% und 28% bei der grob bzw. mittel bis grob gemagerten Keramik. Die fein gemagerte Keramik zeichnet sich durch die Reinheit der Magerung aus.

Die Quarzgrusmagerung ist in allen Korngrößen mit Ausnahme der gröbsten Fraktion das dominierende Magerungsmittel (Abb. 121; 122). Sie ist bei der feinen und feinen bis mittleren Tonware[384] am häufigsten vertreten (Abb. 121). Hier ist von einer bewussten Selektion des Gesteins auszugehen, das zu Magerungsgrus verarbeitet wurde. Insbesondere feintonige Keramik ist mit einem Anteil von 14,7% sandgemagert. Die verschiedentlich für Keramik der jüngeren Frühbronzezeit als typisch herausgestellte sandige Magerung[385] liegt damit auch bei der Keramik aus Schicht C vor.

Mit der Vergröberung der Tonqualität nimmt der Anteil der reinen Quarzgrusmagerung ab, vor allem Steingrus bzw. eine Mischung aus Stein- und Quarzgrus wurde verwendet. Eine Auswahl bestimmter Gesteinsarten für die gröbere Magerung ist nicht ersichtlich. Die übrigen Magerungsarten zusammengenommen haben einen durchschnittlichen Anteil von 7% an der gesamten Tonware und spielen eine untergeordnete Rolle.

Die Magerungsmittel der Magerungsnebenkomponente verteilen sich auf die Magerungsklassen, ähnlich wie die Hauptkomponenten (Abb. 123).

7.2.4.19 Oberflächenbehandlung

Die Keramik von Schicht C weist im Grunde drei verschiedene Qualitäten der Oberflächenbehandlung auf: Glättung, Verstrich und Schlickrauung. Die Anteile der verschiedenen Oberflächenbehandlungen entsprechen etwa den Anteilen der Fein- und Grobkeramik in den Kategorien der eingetieft verzierten und unverzierte Keramik einerseits und leistenverzierten Keramik andererseits.[386]

Darüber hinaus ist fingertupfenverzierte und leistenverzierte Keramik des Öfteren über der Zierreihe verstrichen oder geglättet und darunter schlickgeraut. Diese Trennung der Oberflächenbehandlung durch eine Zierreihe ist nur an Töpfen und engmundigen Gefäßen mittlerer Größe vorhanden.[387] Der Tonschlicker dürfte vor dem Brand in der Regel mit der Hand aufgetragen worden sein;

---

381 Vgl. Gross u. a., Zürich „Mozartstrasse" 93 f.
382 Zur Herkunft des Tons vgl. Kap. 7.2.1.2 zur nichtmetrischen Erfassung der Keramik.
383 Gemeint sind Druschreste und Getreidekörner, die schwarze Hohlräume im gebrannten Ton hinterlassen. Der erkennbare Abdruck eines Getreidekorns ist nur einfach belegt, s. Taf. 33, 479.
384 In reiner Form, oft mit Sand vermengt, ist Quarzgrusmagerung meist an ritz- und stichverzierter Keramik anzutreffen, insbesondere an doppelkonischen Krügen.
385 Kimmig, Reusten 85 f.
386 Vgl. Kap. 7.2.4.13 zu den Verzierungen der Keramik aus Schicht C.
387 Kimmig, Reusten 32 stellt an der Reustener „Wirtschaftsware" diese Art der Oberflächenbehandlung fest. Die durch ihn verwendete Bezeichnung „Aufrauung" ist irreführend, da es sich um ein Auftragen von Tonschlicker handelt. Vergleichbare Oberflächenbehandlungen sind von jüngerer Pfyner und Michelsberger Keramik des Jungneolithikums bekannt.

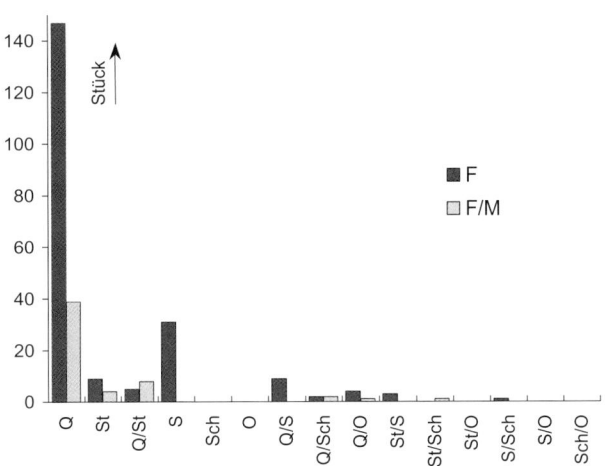

Abb. 121: Keramik aus Schicht C. Häufigkeit der Magerungsmittel innerhalb der feinen bis mittleren Magerung (Magerungsklassen 1–2; Abk. Kap. 16.1.2.4 S. 289).

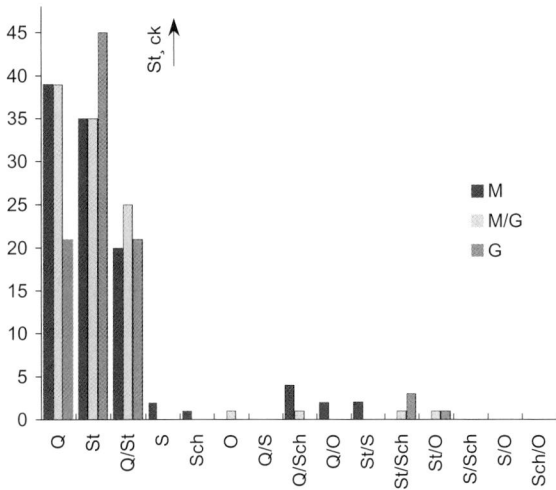

Abb. 122: Keramik aus Schicht C. Häufigkeit der Magerungsmittel innerhalb der mittleren bis groben Tonqualität (Magerungsklassen 3–5; Abk. Kap. 16.1.2.4 S. 289).

vereinzelt wurde der Schlickauftrag als Zierelement eingesetzt, indem er in horizontalen oder vertikalen Bahnen verstrichen wurde (Abb. 117 unten li.).[388] Geglättete Oberflächen sind meist an unverzierten oder fein verzierten Gefäßen anzutreffen. An wenigen Scherben sind Glättspuren in Form von seichten Riefen und flachen Kanten vorhanden. Sie lassen auf die Verwendung von spatelförmigen Glättgeräten schließen (Taf. 17,182; 18,212; 31,436.442).

7.2.4.20 Zur Aufbautechnik

Die Keramik aus Schicht C lieferte nur wenige Hinweise zur Töpfertechnik. Die meist hart gebrannte Keramik ist nur selten an den Nahtstellen der zusammengefügten Toneinheiten auseinander gebrochen. Die Toneinheiten, aus denen die Gefäße aufgebaut wurden, sind daher kaum mehr über derlei „Sollbruchstellen" identifizierbar. Nur wenige Wandscherben besitzen solche Nahtstellen. (Taf. 31,444; 34,491; 42,634). Sie verlaufen an derselben Scherbe horizontal und vertikal, so dass in diesem Falle die Keramik wohl in so genannter Lappentechnik aufgebaut wurde.

Die Wulsttechnik kann nicht nachgewiesen werden, aufgrund der insgesamt seltenen Belege zum Keramikaufbau kann sie aber auch nicht ausgeschlossen werden. Die gröbere Keramik wurde wohl meist vom Boden zum Rand hin aufgebaut, dies dürfte durch Flachböden belegt sein, deren Oberfläche an der Unterseite nicht nachbehandelt wurde (Taf. 33,485–487). Eine töpfertechnische Eigenart der Keramik aus Schicht C sind Böden, die von der Gefäßwand überlappt werden (Taf. 33,467.471a.477) und deshalb offenbar nach dem Aufbau der Gefäß-

wand vom Rand her eingesetzt wurden. Diese Gefäße wurden demnach vom Rand zum Gefäßboden hin aufgebaut.

Mittelbare Indizien zur Töpfertechnik lassen sich aus den üblicherweise relativchronologisch interpretierten Blockrandbildungen[389] oder unregelmäßig abgestrichenen Rändern erschließen. Möglicherweise resultieren diese Randformen teilweise daher, dass Gefäße vom Rand zum Boden hin aufgebaut wurden. Das Gefäß wäre also mit dem Rand auf der Töpferunterlage gestanden. Horizontal abgestrichene Ränder wären demzufolge nichts Anderes als der vielleicht nachgearbeitete Abdruck der Töpferunterlage am Gefäßrand.

7.2.4.21 Farbe

Der Anteil orangeroter bis grauer Keramik ist mit insgesamt 28 Scherben sehr gering. Der Großteil der Keramik aus Schicht C dürfte deshalb sekundärer Hitzeeinwirkung, die wesentliche Farbveränderungen nach sich zieht, nicht ausgesetzt gewesen sein. Die Masse der Keramik bewegt sich in den Farbtönen schwarz (193 Stück), dunkelbeige (92 Stück) und beige (108 Stück), nur 26 Scherben besitzen braun gefärbte Oberflächen.

Die schwarzen Scherben gehören überwiegend der fein gemagerten Keramik an, die häufig eingetiefte Zier aufweist und geglättete Oberflächen besitzt. Die feintonige, im Bruch meist graue Keramik wurde absichtlich in reduzierendem Milieu schwarz ge-

---

388 Besonders deutlich Taf. 45,669.
389 Kimmig, Reusten 32 mit Anm. 136; dies gilt natürlich nur für horizontal orientierte Blockränder.

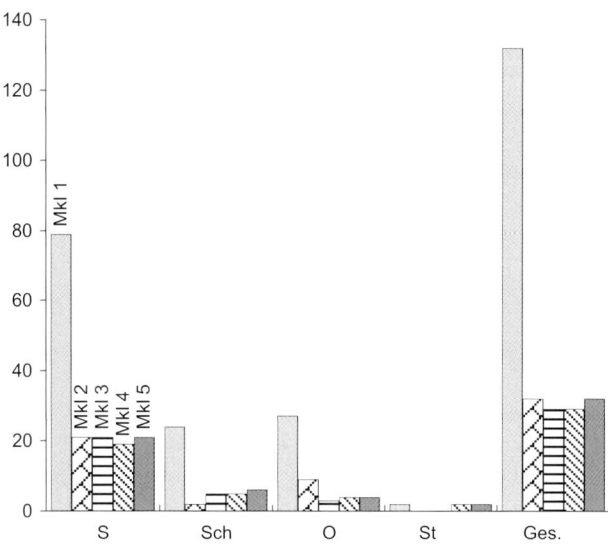

Abb. 123: Keramik aus Schicht C. Häufigkeit der Magerungsnebenkomponenten innerhalb der Magerungsklassen (Mkl; zu den vgl. Abk. Kap. 16.1.2.4 S. 289).

färbt, da nur im Kontrast zur schwarzen Oberfläche die weiß inkrustierte Ritz- und Stichzier optimal zur Geltung kommt.

Beige gefärbte Oberflächen sind überwiegend auf die plastisch verzierte Grobkeramik beschränkt. Ein besonderer Reduktionsprozess zur Färbung der Oberfläche am Ende des Brennvorganges wurde der Gebrauchskeramik nicht zuteil.

Die dunkelbeige Farbtöne sind an plastisch und eingetieft verzierter Keramik anzutreffen. Die anhand der Munsell-Erdfarbtafeln ermittelten Farbwerte zeigen, dass die subjektive Farbansprache anhand der Farbtafeln fließende Übergänge von schwarz nach dunkelbeige und von dunkelbeige nach beige mit sich bringt.[390] Eine objektive Farbbeurteilung würde vermutlich die Farbkategorie dunkelbeige überwiegend in schwarz und beige aufteilen.

7.2.4.22 Zusammenfassung

Die Keramik aus Schicht C liegt in sehr gutem, wenig zerscherbtem und meist kantenscharfem Zustand vor, sie dürfte innerhalb kurzer Zeit abgelagert worden sein.[391]

Die Farbe der Keramik von Schicht C liegt zwischen schwarzen bis dunkelbeige Tönen bei der feinen Ware und bei beige Tönen bei der gröberen Ware. Braune Farbtöne sind selten, sekundär gebrannte und dadurch orange gefleckte Keramik ist nur in geringem Umfang vorhanden.

Die drei feineren Fraktionen der Magerungsklassen verteilen sich überwiegend auf unverzierte und eingetieft verzierte Keramik, während für plastisch verzierte und fingertupfenverzierte Töpfe die gröberen Fraktionen bevorzugt verwendet wurden.

Die Magerung besteht überwiegend aus Quarzgrus und einer Mischung aus Quarz- und Steingrus. Offenbar wurden Quarzite und quarzhaltige Gerölle ausgelesen, um aus ihnen den Magerungsgrus herzustellen. Daneben sind weitere Magerungsarten (Schamotte, organische Materialien, Steinchen) festzustellen, die seltener der Magerungshauptkomponente beigemengt wurden.

Charakteristisch ist die Magerung der feintonigen Ware mit Sand als Beimengung zur feinen Quarzgrusmagerung oder als Hauptmagerungsmittel.

Das Gefäßformenspektrum ist variantenreich und vielfältig. Den Hauptanteil nehmen die Töpfe[392] ein, gefolgt von Krügen, Schüsseln und Schalen, wobei der Anteil der leicht identifizierbaren Schalen ihrer leichten Erkennbarkeit wegen etwas zu hoch ausfallen dürfte (Abb. 109). Durch den Gefäßindex (Rdm./Mdm.) wurden die einzelnen Gefäßformen zu Formgruppen zusammengefasst und in verschiedene Größenklassen unterteilt.

Kleingefäße und große Töpfe setzen sich im Größenspektrum von den übrigen Formen ab, die sich im mittleren Größenbereich bewegen. Krüge und Schüsseln lassen sich in kleine und mittlere Größen aufgliedern.

Das Angebot der Gefäßverzierung ist ebenso reichhaltig wie das Formenspektrum. Generell sind grobe (plastische) und feine (eingetiefte) Zier voneinander zu unterscheiden. Die Fingertupfenzier und Fingernageleindruckzier wurde als eingetiefte Zier aufgrund der Ausführung ebenfalls zur groben Zier. Die feine Zier wird von Dreiecksmustern ohne Säumung und horizontalen Linienbündeln mit Kornstichsäumung beherrscht. Das Zickzackmuster spielt eine relativ bedeutende Rolle, während die Einstichzier nur in geringem Maße vorhanden ist. Die feine Zier bleibt mit wenigen Ausnahmen auf bauchige und doppelkonische Krüge sowie engmundige Gefäße beschränkt.[393]

Grobe Zierweisen finden sich, formspezifisch gewichtet, überwiegend auf Töpfen. Mittlere Töpfe sind fast ausschließlich mit einer horizontalen Fingertupfenreihe verziert, während große Töpfe zweifach angebrachte horizontale Leistenzier aufweisen. Überwiegend handelt es sich um einfache, aufge-

---

390 S. Farbschlüssel im Abbildungsteil.
391 Vgl. Kap. 3.3.2 u. 3.4.9 zur Interpretation der Profile und zur Fundverteilung und Schichtgenese von Schicht C.
392 Vgl. dazu Ruoff, Frühbronzezeitliche Funde 145 Abb. 177.
393 Dies stellte richtigerweise auch Hundt fest. Hundt, Heubach 29f.

setzte[394] Leisten mit Tupfen- oder Fingertupfeneindrücken. Herausmodellierte Leisten sowie gekreuzte, senkrechte und Doppelleisten sind äußerst selten. Die Eindruck- und Leistenzier ist meist mit Henkelösen, Knubben und Grifflappen kombiniert, die mehrfach am Gefäß angebracht sind.

Gemessen am Gesamtaufkommen der verzierten Keramik ergibt die Aufteilung der Verzierungen etwa 50% fein und 50% grob verzierte Tonware. Im Gesamtspektrum sind knapp 50% der Scherben unverziert. Diese entfallen hauptsächlich auf kleine Töpfe, deren Stellung bzgl. ihrer Qualität zwischen Grob- und Feinkeramik zu sehen ist.

Der Keramik von Schicht C kann insgesamt Zier- und Formfreude attestiert werden. Inwiefern durch ein solches Keramikinventar eine gesellschaftliche Konsolidierungsphase[395] zum Ausdruck kommt, bleibt unklar, solange die Konventionen, die zur Formgebung der Tonware führen, und die Tradierungsvorgänge, die die Weitergabe dieser Konventionen bestimmen, unbekannt sind.

7.2.5 Keramik von der Oberfläche

Die Keramikfunde, die im Laufe der Jahre meist vom Boot[396] aus mit Greifgeräten oder Schäufelchen vom Seegrund abgesammelt oder tauchend geborgen wurden,[397] werden zusammen mit den Oberflächenfunden aus den Tauchsondagen Bs 8 2–84 und Bs 8.6 besprochen. Ein Teil vor allem der in Tauchgängen geborgenen Keramik ist kantenscharf und dürfte aus den anstehenden Kulturschichten kommen. Leider ist nicht mehr rekonstruierbar, aus welcher Kulturschicht genau das Material stammt, so dass es zusammen mit der nicht stratifizierten Keramik von der Oberfläche untersucht wird.

Diese unstratifizierten Keramikfunde wurden nur den Erhaltungszustand und Ergänzungsgrad betreffend in die Gesamtstatistik miteinbezogen. Aufgrund der heterogenen Zusammensetzung des Lesefundmaterials erschien eine quantitative Auswertung der übrigen Merkmale nicht sinnvoll.

Das besondere Augenmerk richtet sich auf Merkmale, in der Hauptsache Form- und Zierelemente, der nicht stratifizierten Keramik, die in den Schichten A bis C fehlen und möglicherweise der dendrochronologisch jüngsten Bauphase (Schlagphase 3) angehören. Ältere Siedlungsphasen können für die Herkunft der Oberflächenfunde aufgrund der Baubefunde und Stratigraphie ausgeschlossen werden.

7.2.5.1 Umfang und Erhaltungszustand

Von der Oberfläche liegen insgesamt 50,2 kg Keramik vor. Davon sind 391 Scherben im Tafelteil abgebildet (Taf. 51–69). Die bislang nicht publizierten Altfunde kommen hinzu. Die Lesefunde, die ab 1990 hauptsächlich durch den Privatsammler H. Fiebelmann aufgesammelt wurden, konnten gesamthaft nicht mehr berücksichtigt werden. Wichtige Fundstücke wurden in die Auswertung allerdings noch miteinbezogen. Auf eine erneute Abbildung bereits publizierter Scherben wurde verzichtet.[398]

Die Keramik der Oberfläche weist durch ihre ungeschützte Ablagerung am Seegrund außerhalb jeglichen Schichtverbandes einen höheren Grad der Verrundung auf und ist häufiger kalkversintert als die Keramik aus den Kulturschichten. Der Anteil rundergänzbarer Scherben ist aufgrund des höheren Zerscherbungsgrades verhältnismäßig gering.[399]

7.2.5.2 Gefäßformen

Insgesamt konnten an 100 rundergänzten Scherben 21 Gefäßformen angesprochen werden, an 53 rundergänzten Randscherben ließ sich die Rand-/Halspartie beschreiben.

Das Formspektrum der Lesefunde beinhaltet alle Grundformen sowie Töpfe überwiegend mittlerer Größe (Taf. 59,915; 63,1000; 67,1073) und Kleingefäße (Taf. 53,759.776; Abb. 124).

Die Grundformen sind durch Krüge (Taf. 54,785; 68,1081), Tassen (Taf. 51,721; 52,741) und Becher (Taf. 68,1099; PBO 3223), Schalen (Taf. 68,1093.1098.1108) und Schüsseln (Taf. 51,724.729; 69,1105) vertreten.

Den größten Anteil am Formenspektrum besitzen die unverzierten kleinen bis mittleren Töpfe, die bauchig bis flau s-profiliert sind (Taf. 55,798.799.800; 69,1103.1109).

An fein verzierten Keramikformen liegen neben einer Reihe knickwandprofilierter Gefäßfragmente (Taf. 54,788.791.794.797) Schalen, Zylinderhalsgefäße, eiförmige Töpfchen, bauchige Töpfe mit Schulterkehlung, engmundige Gefäße mit langer Schulter und Krüge vor (Abb. 106). Das Formen-

---

394 Kimmig, Reusten 33 stellt für Kirchberg/Reusten ebenso überwiegend aufgesetzte Leisten fest.
395 Gross u. a., Zürich „Mozartstrasse" 97f.
396 Mündliche Mitt. P. Weber 1983.
397 Kimmig/Pinkas, Seehalde 201f. – Reinerth tauchte laut Auskunft Webers ebenfalls, ohne dass aus diesen Tauchaktionen Funde bekannt geworden sind; H. Schiele und P. Menzel in den 1970er-Jahren, zuletzt D. Allgaier und H. Koppmann 1982.
398 Vgl. Schumacher, Pfahlbauten 34 Taf. II,16; Kimmig/Pinkas, Seehalde 201f. Taf. 38; Aufdermauer, Bodman 3; 57ff. Taf. 11–13. Die von Kimmig/Pinkas und Aufdermauer abgebildete Keramik ist größtenteils identisch. Die publizierten Materialien sind bei der Auswertung berücksichtigt.
399 Aus Schicht C sind beispielsweise ca. doppelt so viele Scherben rundergänzbar wie bei der Oberflächenkeramik.

spektrum beinhaltet, mit wenigen Ausnahmen, hauptsächlich die bekannten Formen der Keramik aus den Schichten A bis C.

Durch die Gefäßform fallen lediglich eine Schale mit tief sitzendem Wandknick und leichter Kehlung (Taf. 68,1090)[400] sowie eine Flasche (Taf. 51,734) aus dem Rahmen des üblichen Formenspektrums von Bodman-Schachen I.

7.2.5.3 Boden- und Randformen

Gemessen am Gesamtspektrum der stratifiziert geborgenen Keramik weisen Boden-[401] und Randformen[402] keine Besonderheiten auf, ein stark omphaloider Boden (Taf. 53,762) fällt hier etwas aus dem Rahmen.

Die Ausformung der Halszone ist steil (Taf. 54,780; 66,1056; 68,1083) bis flach zylindrisch (Taf. 55,809; 58,873b; 68,1082).

7.2.5.4 Verzierungen

Die Verzierung der Keramik umspannt den üblichen Bogen der Ritz-, Stich- (Taf. 68, 1081–1086. 1093.1097) und Stempelzier (Taf. 51,732.733. 735–740), der von der stratifizierten Keramik geläufig ist. Hinzu kommen flächige Kornstichzier (Taf. 54,785; 61,948.949.952), in Bändern, zwischen und entlang von Ritzlinien gestochene Felder (Taf. 53,768–770),[403] flächige Stichzier(Taf. 65,1043), Ringstempel (Taf. 51,725–728; PBO 3214) und flächig vertikale Ritzzier (Taf. 68,1091.1092) sowie ein doppeltes Leiterband.[404]

Die Verzierung der gröberen Keramik durch einfach horizontal umlaufende, aufgesetzte Fingertupfenleisten auf dem Gefäßkörper oder unter dem Rand dominiert die übrigen Varianten der Leistenzier. Nur in geringem Umfang sind senkrechte (Taf. 52,744; 63,1015) und schräge (Taf. 52,745.746.748) oder glatte Leisten (Taf. 56,812.813; 65,1044) vertreten.

Eher selten treten Fingertupfenreihen in der Gefäßwand auf, die im Keramikspektrum aus Schicht C häufig vorkommen (Taf. 65,1052; 66,1061). Flächig in die Gefäßwand eingedrückte Fingertupfen (Taf. 66,1060) kommen an grober Zier hinzu.

7.2.5.5 Knubben und Henkel

Dem Keramikspektrum sind üblicherweise Knubben und Henkel geläufig, die sowohl in der Gefäßwand eingezapft (Taf. 53,767; 55,807) als auch aufgesetzt (Taf. 53,763)[405] sein können.[406] Aus dem Rahmen fallen in Gruppen auf die Gefäßwand gesetzte (?) (Taf. 56,823)[407] und gegliederte Applikationen (Taf. 69,1109).

7.2.6 Zur relativchronologischen Einordnung der Keramik von der Oberfläche

Die Oberflächenkeramik dürfte aufgrund der Zier und Formen überwiegend aus den Schichten B und C stammen.

In keiner Hinsicht ist die erwähnte Schale mit tief sitzendem Wandknick (Taf. 68,1090) dem bekannten Spektrum der Schichten A, B und C anzugliedern. Die Profilierung erinnert an Aunjetitzer Tassen; vergleichbare Formen stammen vom Runden Berg bei Urach[408] und aus der „Siedlung Forschner".[409] Aufgrund der relativchronologischen Beurteilung der genannten Fundkomplexe ist die Schale möglicherweise mit Schlagphase 3 in Verbindung zu bringen. Allerdings ist mit derartigen Aunjetitzer Profilen auch schon wesentlich früher zu rechnen.[410]

Das Oberteil eines Kruges (Taf. 54,785) mit steilem Rand und kornstichgefüllten Dreiecken, deren Reihe an der Henkelzone nicht unterbrochen wird, kann dem stratifizierten Keramikspektrum ebenso wenig angeschlossen werden.[411]

Im Zierrat der nicht stratifizierten Keramik von Bodman-Schachen I sind flächige Kornstich- und rahmenlose Einstichmuster, vertikale Ritzlinienfelder, flächige Fingertupfenzier und das Leiterbandmotiv vertreten. Sie fehlen im keramischen Fundstoff der Kulturschichten von Bodman-Schachen I. In Anlehnung an mittelbronzezeitliche Fundkomplexe[412] können flächige eingetiefte Verzierungen in der Masse relativchronologisch jünger gesehen wer-

---

400 Vgl. Fischer, Bleiche Taf. 15,1 (mit Omphalos); Stadelmann, Runder Berg Taf. 12,93–98 (Form 9).
401 In der Regel Flachböden, Taf. 52,747.749.750.753.756.758; 60,940.944.945; 66,1066–1071, daneben ein Standringboden, Taf. 60,941.
402 Die Ränder sind leicht ausschwingend bis senkrecht gestellt, runde Randformen überwiegen abgestrichene Ränder oder Blockränder, Taf. 58,872a–i.873a–e.874a–o; 59,907a–m.
403 Aufdermauer, Bodman Taf. 11,4.5.
404 Ebd. Taf. 11,1.
405 Vgl. Keramik Schicht C, Taf. 41,613.615, ebenfalls mit Fingernageleindrücken auf der Rückseite.
406 Knubben sind meist in Horizontalleisten oder Eindruckzierreihen integriert, z. B. Taf. 61,961; 65,1052; 66,1061, Henkel randständig an Tassen und Krügen, auf der Gefäßwand an unverzierten Töpfen, Schalen und Schüsseln angebracht (s. Formenspektrum der Oberflächenkeramik Abb. 124).
407 Vgl. Bodman-Weiler I, Taf. 74,1143.
408 Stadelmann, Runder Berg 18f. Taf. 12,93.94.
409 Keefer, Mittelbronzezeitliche Funde 47 Taf. 4,1–3.
410 Vgl. Kap. 12 zur absoluten Chronologie.
411 Vgl. bei Pirling u. a., Schwäbische Alb verschiedene Urnen und Krüge mit durchlaufender Zierzone.
412 Stadelmann, Runder Berg 22f.; Hochuli, Wäldi-Höhenrain 74f.; Keefer, Forschner 48 Abb. 7,1.2. Zu Leiterband und flächiger Fingertupfenzier s. Hundt, Heubach 33; 36. Als Beispiel flächigen Kornstichs s. Pirling u. a., Schwäbische Alb Taf. 6,X3.

den als in Muster eingebundene Zierweisen, die in Schicht C umfangreich vorhanden sind.⁴¹³ Diese flächigen Verzierungen fehlen in großem Umfang⁴¹⁴ aus Schicht C. Das gehäufte Auftreten der aufgezählten Ziermuster in Keramikspektren ist daher wohl jünger einzustufen als die Keramik aus Schicht C. Hierher gehört vermutlich auch der Krugrand mit kornstichgefüllten Dreiecken.

Die Betrachtung der Leistenzier lenkt die Aufmerksamkeit auf eine kleine Anzahl vertikal oder horizontal aufgesetzter, glatter Leisten mit flachem Querschnitt. Diese „rippenartigen", flachen Leisten sind hauptsächlich an Schalen anzutreffen (Taf. 56,812.813).⁴¹⁵

Vergleichbare vertikale Rippen (Taf. 35,528) sind vom Runden Berg bei Urach,⁴¹⁶ dem Schlossberg in Landsberg a. Lech⁴¹⁷ und dem Einsiedelbuckl bei Malching bekannt.⁴¹⁸ Die relativchronologische Einordnung⁴¹⁹ ermöglicht das vereinzelte Auftreten derartiger Leistenelemente in Schicht C, aber auch in jüngerem Kontext.⁴²⁰ Durch die Leistenelemente werden darüber hinaus Kontakte über das Voralpengebiet hinweg zu Fundprovinzen Österreichs und der Tschechoslowakei spürbar.⁴²¹

Singulär im Bestand der Oberflächenkeramik ist eine Randscherbe mit Fischgrätenmuster, die mit Keramik der Badener Kultur in Verbindung gebracht wurde.⁴²² Inwiefern Elemente der Badener Kultur in Südwestdeutschland Eingang gefunden haben, soll an dieser Stelle nicht diskutiert werden. Die Zuordnung der Scherbe von Bodman-Schachen I zur Badener Kultur muss aufgrund seiner Tonqualität⁴²³ und der gesicherten Herkunft aus dem Pfahlfeld von Bodman-Schachen I⁴²⁴ fraglich erscheinen. Ein Tassenfragment mit ähnlicher Zier aus einer Straubinger Siedlung⁴²⁵ kann dem Bodmaner Fund zur Seite gestellt werden. Es wird sich also eher um frühbronzezeitliche Keramik handeln.

Ein flaschenförmiges Gefäß (Taf. 51,734) mit gestochenen oder gestempelten,⁴²⁶ rahmenlosen Dreiecken und eine kleine Anzahl Scherben, die mit Ringstempeln verziert sind (Taf. 51,725–728), besitzen keine Entsprechungen im stratifizierten Fundstoff. Im Fundmaterial der „Siedlung Forschner"⁴²⁷ befinden sich ringstempelverzierte Scherben und ein ähnliches „rahmenloses" Muster an einer Flasche. Es könnte sich mit dieser Zier stilistisch um Keramikelemente der Mittelbronzezeit Südwestdeutschlands handeln.

Der verbleibende keramische Fundstoff von der Oberfläche von Bodman-Schachen I trägt die bekannten Züge der stratifizierten Keramik. Schicht A kann dabei ein Becher mit unterrandständigem Henkel (Taf. 68,1099) angeschlossen werden.

Mit einiger Sicherheit kann das Keramikspektrum auf typologischem Wege erweitert werden. Der Keramik aus Schicht B sind ausgezogene Ränder, ritz- und leistenverzierte Tassen (Taf. 51,721; 52,741) und feine Einstichzier (Taf. 51,719.720.729) zuzuordnen. Mit einiger Wahrscheinlichkeit sind überdies durchstochene, ausgezogene Ränder (Taf. 68,1088) und Ritzlinien mit Einstichenden (Taf. 51,721) ebenfalls der Keramik aus Schicht B anzuschließen. An grober Zier gehören flach getupfte Leisten ebenfalls zum Keramikspektrum aus Schicht B (Taf. 52, 741–746.748.751.752.754.755.757). Es handelt sich u. a. um eine senkrecht an einer horizontalen Tupfenleiste hängende Leiste (Taf. 52,744) und in flachem Winkel gekreuzte Tupfenleisten mit integrierten Knubben (Taf. 52,745.748). Der Formenschatz von Schicht B wird aufgrund der aufgezählten Zierelemente durch Schüsseln mit ausgezogenem Rand (Taf. 51,724.729) und einen Topf mit gekehlter Schulter (Taf. 69,1109) und darin integrierter, gegliederter Applikation ergänzt.

Das aufgezählte Zier- und Formengut ist von Straubinger Siedlungskeramik⁴²⁸ bekannt und erweitert das Spektrum Straubinger Komponenten im Keramikensemble von Schicht B.⁴²⁹ Die genannten Zierelemente und Formen müssen nicht zwingend auf Schicht B beschränkt bleiben. Generell sind diese Merkmale an der Keramik in Ablagerungen zu erwarten, die älter sind als Schicht C. Im umfangreichen Fundkomplex aus Schicht C fehlen an der Keramik jedenfalls Straubinger Stilmerkmale.

Die obere Kulturschicht ist durch eine ganze Reihe ritz- und kornstichverzierter Scherben sowie durch

---

413 Vgl. Schicht C, Musterkatalog der Ritz- und Kornstichzier (Abb. 104 u. 105).
414 Stadelmann, Runder Berg 23.
415 Aufdermauer, Bodman 59 Taf. 13,3.
416 Stadelmann, Runder Berg Taf. 14,119.120.
417 Koschick, Oberbayern Taf. 24,1.
418 Hundt, Malching 35 Abb. 1,6; 43 ff.
419 Ebd. 43 ff.
420 Vgl. Stadelmann, Runder Berg Taf. 14,119.120; Pirling u. a., Schwäbische Alb Taf. 26,F.
421 Dazu schon ausführlich Hundt, Malching 43 ff.
422 Maier, Keramik (Anm. 53) 155 ff. Taf. 14,1, identisch mit der Scherbe bei Aufdermauer, Bodman 59 Taf. 13,1.
423 Die Scherbe ist in der typischen Manier der jüngeren Frühbronzezeit sandgemagert.
424 Tauchgang Pinkas 1954. Die Funde dieses Tauchgangs wurden bei Kimmig/Pinkas, Seehalde 201 f. publiziert, allerdings ohne die fragliche „Badener" Scherbe. Insgesamt ist aus dem Pfahlfeld von Bodman-Schachen I bis jetzt keine neolithische Keramik bekannt geworden.
425 Hundt, Straubing Taf. 44,8.
426 Die angewandte Ziertechnik lässt sich aufgrund der flächigen Erosion der Scherben nicht mehr bestimmen.
427 Keefer, Forschner 50 Abb. 9.
428 Vgl. Kap. 7.2.3 zur Keramik aus Schicht B.
429 Vgl. Kap. 10 zur relativen Chronologie.

Scherben eines Topfes vertreten, der mit einer horizontal umlaufenden Fingertupfenreihe verziert ist (z. B. Taf. 55,802). Das Zier- und Formspektrum von Schicht C wird durch die Oberflächenkeramik nicht erweitert.

Wenige abweichende Formen lassen sich nicht mit Bestimmtheit dem stratifizierten Fundstoff zuweisen (Taf. 68,1098; 69,1004.1005.1008). Die Eingrenzung dieser Scherben auf die beiden oberen Kulturschichten von Bodman-Schachen I ist durch ihre Tonqualität wahrscheinlich.

7.2.7 Zur Frage einer vierten Kulturschicht aufgrund der Oberflächenkeramik

Die Betrachtung der einzelnen im Laufe der vergangenen Jahrzehnte geborgenen Keramikfunde von der Oberfläche von Bodman-Schachen I wirft die Frage nach einer ehemals vorhandenen vierten Kulturschicht auf, welche möglicherweise mit der jüngsten Schlagphase von Bodman-Schachen I zu synchronisieren wäre. Es fällt ins Auge, dass die in den 1950er- und 1960er-Jahren geborgene Keramik vom Spektrum der in den 1980er-Jahren abgesammelten Keramik abweicht. Nur eine ritzverzierte Scherbe (Taf. 65,1050) steht vier flächig verzierten Scherben und einem Rand mit Leiterbandornament gegenüber. Darüber hinaus entstammen zwei von fünf glatten Leisten früheren Aufsammlungen.

Der Grund für diese unterschiedliche Zusammensetzung der Altfundmaterialien und der in jüngster Zeit aufgesammelten Keramik ist vielleicht in einer vierten, über Schicht C gelegenen Kulturschicht zu suchen,[430] die inzwischen weit gehend der Erosion zum Opfer gefallen ist.

Die in Frage stehende Kulturschicht ließe sich aufgrund eines hohen Anteils sekundär gebrannter Keramik im Oberflächenfundmaterial als Brandschicht rekonstruieren. Gestützt wird diese Vermutung durch die erste Nachricht von der Ufersiedlung am Schachenhorn anlässlich ihrer Entdeckung durch Revierförster Ley um 1860. Dieser berichtet von verkohlten Balken und überwiegend rot gebrannter Keramik, die im Pfahlbau am Schachenhorn anzutreffen sei.[431]

Inwiefern die jüngste Schlagphase von Bodman-Schachen I diese Kulturschicht in absolutchronologischer Weise vertritt, kann nicht mehr nachvollzogen werden.[432]

7.2.7.1 Zusammenfassung

Die Keramik des Lesefundmaterials von Bodman-Schachen I setzt sich aus Vertretern der drei vorhandenen Kulturschichten zusammen, beinhaltet aber auch Formen und Zierelemente, die im Bestand der stratifizierten Keramik fehlen.

Der untersten Kulturschicht konnte mit einiger Sicherheit ein Becher zugewiesen werden. Der Keramik aus Schicht B konnten demgegenüber Schüsseln und Töpfe mit ausgezogenem Rand, flach getupfte Leisten, durchstochene Ränder und eine mit flach getupfter Leiste verzierte Tasse angeschlossen werden. Eine rillenbündelverzierte Tasse, deren Rillen an Einstichen enden, und fein einstichverzierte Scherben können ebenfalls Schicht B zugewiesen werden.

Eine große Anzahl typisch profilierter und verzierter Gefäße lassen sich der Keramik aus Schicht C anschließen, ohne dass dadurch das stratifiziert vorliegende Keramikspektrum erweitert wird. Unverzierte kleine und mittlere Töpfe sowie leistenverzierte Scherben entziehen sich im Wesentlichen einer bestimmten Zuordnung und können nur grob als zu einer der beiden oberen Kulturschichten gehörig angesprochen werden.

Eine ganze Reihe von Zierelementen und Formen schließlich scheinen in der Masse tendenziell jünger zu sein als Schicht C und könnten mit der jüngsten Schlagphase vom Schachenhorn in Verbindung stehen.

Vor allem flächige Ritz- und Kornstichmuster, glatte und rippenartige Leisten und flächige Stichmuster gehören dazu. Ein in Mustern einstich- (?) oder stempelverziertes (?), engmundiges Gefäß, eine Schale mit tief sitzendem Wandknick und ein Kegelhalsgefäß mit flächig kornstichverzierter Henkelzone könnten am Schachenhorn ebenfalls Vertreter eines jüngeren Keramikstils sein.

Die Lesefunde der 1950er- und 1960er-Jahre weisen durchweg andere Gewichtungen in Zier und Form auf. Möglicherweise stammen diese Funde aus einer Kulturschicht über Schicht C, die heute vollständig erodiert ist. Die häufig sekundär gebrannten Lesefunde und der erste Bericht anlässlich der Entdeckung von Bodman-Schachen I deuten auf die ehemalige Existenz einer Brandschicht hin.

---

430 Vgl. Kap. 3.2 u. 3.3 zu den Profilen und zu Schichtaufbau und Interpretation.
431 Ley, Bodman-Schachen 290 f.
432 Gross u. a., Zürich „Mozartstrasse" 75 f. Analog zu den Dendrodaten von Zürich-Mozartstrasse liegen weitere Schlagphasen zwischen 1600 und 1500 v. Chr. im Bereich des Möglichen und können für Bodman-Schachen I nicht ausgeschlossen werden (s. Gleichläufigkeit der Besiedlung an den Voralpenseen während der jüngeren Frühbronzezeit in Kap. 12.4 zu dendrochronologisch datierten Fundkomplexen der jüngeren Frühbronzezeit im Vergleich).

7.2.8 Die Entwicklung der Keramik von Bodman-Schachen I

In Anbetracht der unterschiedlichen Keramikmengen aus den Kulturschichten werden nur einzelne Merkmale ohne Berücksichtigung ihrer relativen Anteile verglichen.

Die Keramik der unteren Kulturschicht weist neben allgemein bronzezeitliche Keramikmerkmale, wie aufgesetzte Tupfenleisten, Grifflappen und Henkelösen, keine Gemeinsamkeiten mit der Tonware aus der darüber liegenden Schicht B auf. Hinsichtlich der Aufbereitung des Keramiktones sind keine gravierenden Unterschiede festzustellen. Als Magerungsmittel sind hauptsächlich Quarz- und Steingrus, gelegentlich auch organische Magerungsmittel und glimmerhaltiges Gestein dem Rohton beigemengt.

Die Oberflächenbehandlung der Keramik aus der unteren Kulturschicht kennt im Gegensatz zur Keramik aus Schicht B keine schlickgeraute, sondern nur verstrichene und geglättete Oberflächen. Die Gefäßformen besitzen wenig Ähnlichkeiten. Bis auf Schalen und steile, leicht nach außen gerichtete Ränder an den Töpfen können keine Gemeinsamkeiten an der äußeren Form der Keramik ausgemacht werden.[433] Generell macht die Keramik aus Schicht B einen vielfältigeren Eindruck als die eher uniforme Ausbildung der Gefäße aus der unteren Kulturschicht.

Zwischen der Keramik der Schichten A und B geben sich lediglich allgemeine Traditionsstränge zu erkennen, deren Ursprung in einigen Fällen im ausgehenden Neolithikum zu suchen sein wird.[434]

Die Unterschiede der Keramik aus Schicht B zum umfangreichen Keramikkomplex aus Schicht C sind ebenso markant wie ihre Gemeinsamkeiten. In technischer Hinsicht liegen keine großen Differenzen vor. Magerungsmittel, Tendenzen der Magerung in den Magerungsklassen sowie die Oberflächenbehandlung sind ähnlich. Bevorzugt wurde die Quarzgrusmagerung in allen Magerungsklassen verwendet, wobei die Steingrusmagerung an der gröberen Keramik häufiger vorkommt. Sand als Magerungsbeimengung ist bei beiden Keramikkomplexen anzutreffen. Die Wandstärkenverteilung ist, bei einer leichten Verfeinerung der Keramik von Schicht C, nahezu identisch.[435]

Wie schon bei Schicht A liegen die Gemeinsamkeiten zwischen der Keramik aus den Schichten B und C in aufgesetzten Tupfenleisten und häufig vorkommenden Knubben, Grifflappen und Henkelösen, die in horizontal umlaufende Tupfenleisten integriert sind. Neu hinzu kommt bei der Keramik von Schicht B und C die Oberflächenbehandlung durch den Auftrag von Tonschlicker. Dabei sind in Schicht B die Anteile der Oberflächenbehandlung durch zierreihenbezogenen Schlickauftrag und Schlickrauung insgesamt merklich höher.

Formenschatz und Zierstil der beiden Fundkomplexe unterscheiden sich deutlich, wenn auch mitunter Gemeinsamkeiten festzustellen sind. Eine gewisse Vorliebe für unterrandständige Leisten und Kerbleisten zeichnet sich für die Keramik der mittleren Kulturschicht ab. Die horizontal umlaufenden Leisten der mittelgroßen Töpfe von Schicht B sitzen dichter am Gefäßrand als bei Töpfen vergleichbarer Größe[436] aus Schicht C. Bei großen Töpfen verhält es sich genau umgekehrt.[437]

Die horizontal umlaufende Fingertupfenreihe, gewissermaßen als direkt in die Gefäßwand eingedrückte Variante der Leistenzier, kommt im Keramikkomplex von Schicht B nur einmal vor. Sie ist aber die hauptsächliche Zier auf Töpfen mittlerer Größe aus Schicht C.

Die größten Differenzen zwischen der Keramik der Schichten B und C treten bei der Betrachtung der so genannten feinen Zier.[438] Aus stratifiziertem Zusammenhang sind Ritz-, Rillen- und Einstichzier für Schicht B je einfach belegt, horizontal umlaufende Zylinderstempelreihen sind fünffach vorhanden. Dieser kleinen Anzahl an fein verzierter Keramik lassen sich mit guten Gründen[439] Ritzlinienbündel mit Einstichenden und fein gestochene Dreiecke aus der Masse der Oberflächenkeramik hinzufügen. Insgesamt nimmt sich die Mustervarianz und die Gesamtzahl der fein verzierten Keramik der mittleren Kulturschicht jedoch recht bescheiden aus. Der Umfang der fein verzierten Keramik aus Schicht C und die Vielfalt der Motive sowie die Erweiterung der Ziertechnik kontrastieren das dürftige Angebot an feiner Zier aus Schicht B.

Beiden Kulturschichten sind einstichgefüllte Dreiecke in allerdings qualitativ verschiedener Ausführung gemeinsam. Die mit feinen Einstichen gefüllten Dreiecke aus Schicht B sind mit einer Ritzlinie begrenzt, während die in groben Stichen ausgefüllten Dreiecke aus Schicht C zwei- bis dreifach gerahmt sind. In Schicht C kommen horizontal auf

---

433 Allgemein sind die Randbildungen steil und leicht nach außen gerichtet.
434 Vgl. z.B. Kimmig, Reusten 29ff., der die Wurzeln der Leistenzier im Bereich der Chamer Kultur sieht. Deutlicher noch die Gemeinsamkeiten mit Keramik der Glockenbecherkultur, z.B. eingezapfte Knubben und Henkel.
435 Vgl. Ruoff, Frühbronzezeitliche Funde 144ff.; Gross u.a., Zürich „Mozartstrasse" 93ff.
436 Vgl. Taf. 8,99.100 mit Taf. 38,576 und Taf. 39,592.
437 Vgl. Taf. 9,110 und Taf. 10,117 mit Taf. 48,696 und Taf. 49,697.
438 Ritz-, Rillen-, Einstich- und Kornstichzier sowie Stempelzier.
439 Vgl. Kap. 7.2.5 zur Keramik von der Oberfläche.

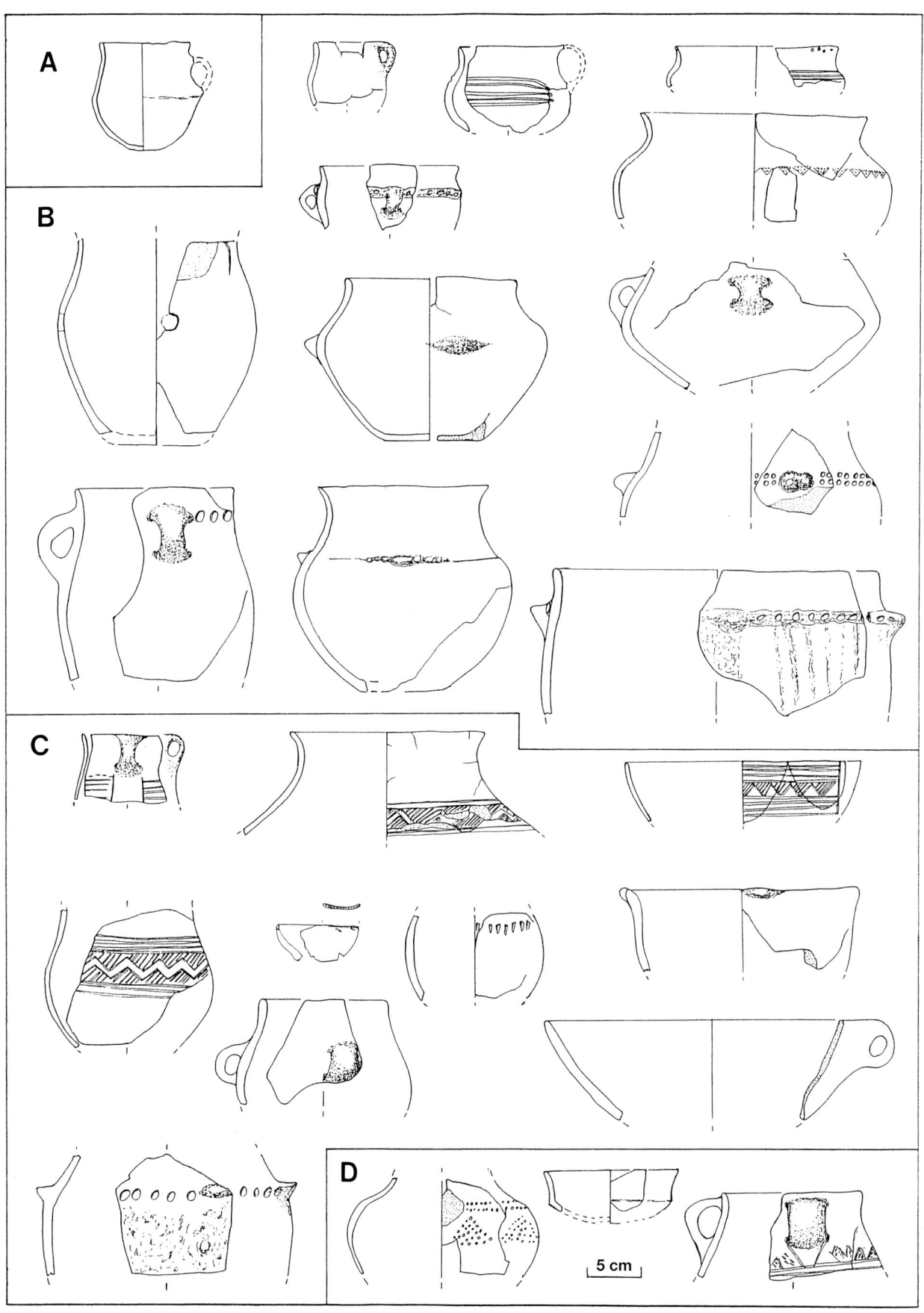

Abb. 124: Formenspektrum der nichtstratifizierten Keramik, getrennt nach vermuteter stratigraphischer Zugehörigkeit. A Schicht A, B Schicht B, C Schicht C, D stilistisch jüngere Keramik.

der Gefäßschulter sitzende Motivbänder neu hinzu, die aus geometrisch-linearen Grundeinheiten, dem seitenparallel schraffierten Dreieck und dem Linienbündel, zusammengesetzt sind. Neu ist auch die Verwendung des Kornstichs als Säumung bzw. zur Begrenzung der Dreiecksmuster. Bei aller Vielfalt der angebotenen Feinzier fehlen dennoch die Zylinderstempeleindrücke von Schicht B im Zierspektrum der oberen Kulturschicht.

Im Formenspektrum hat sich ein ähnlich kräftiger Wandel vollzogen, der sich nur auf Schüsseln, Schalen und eiförmigen kleinen Töpfe wenig auswirkt. Tendenziell sind die Topfprofile aus Schicht B gedrungener. Dies trifft, mit Ausnahme der Henkeltöpfe, auf alle Formen von Schicht B zu. Ansonsten werden die bauchigen Topfformen von Schicht B im Keramikspektrum von Schicht C durch verschieden stark s-profilierte Töpfe abgelöst. Generell nehmen knickwandprofilierte Gefäßformen zu.

Das Formenspektrum der Feinkeramik aus Schicht B und C ist sehr unterschiedlich. Anstelle der bauchigen oder scharf profilierten Tassen aus Schicht B treten in Schicht C bauchige oder knickwandprofilierte, doppelkonische Krüge verschiedener Größen. Flaschenartige Formen mit langer Schulterzone sind neben den Krügen die hauptsächlichen fein verzierten Gefäßformen aus Schicht C; im Formenspektrum von Schicht B sind sie nicht vorhanden. Die Randformen unterscheiden sich nur geringfügig. Leicht ausladende bis steile Ränder sind beiden Keramikspektren gemeinsam, wobei die Keramik aus Schicht C eher zu einer leichten S-Profilierung neigen. Stark ausgezogene Ränder sind typisch für Schicht B.

Die Entwicklung der Keramik von Schicht C aus dem Keramikbestand der Schicht B ist grundsätzlich vorstellbar. Möglicherweise gehören auch doppelkonische Krüge und in horizontalen Musterzonen geometrisch angeordnete Ritzzier in geringen Anteilen zum Keramikbestand der Schicht B. Sie könnten im vorhandenen Fundkomplex aufgrund seines geringen Umfangs fehlen. Formen wie der doppelkonische Krug oder die horizontale Ritzzier lassen sich allerdings schwerlich vom jetzigen Bestand der Keramik aus Schicht B ableiten. Stilistische Brüche betreffen v. a. die Feinkeramik, das mutmaßliche Trinkgeschirr.[440]

7.2.9 Die Keramikentwicklung im Lichte der absoluten Chronologie

Die absoluten Daten für die drei Kulturschichten von Bodman-Schachen I geben im Falle von Schicht A und B erwartungsgemäß eine angemessene zeitliche Distanz von mehr als 100 Jahren wieder.[441]

Dagegen wirft die absolute Datierung der Schichten B und C die Frage nach der Entwicklung und Herkunft der Keramik aus Schicht C auf, da lediglich eine Generation zwischen den Ablagerungen von Schichten B und C liegt. Im Falle einer kontinuierlichen Entwicklung vor Ort müsste sich die Keramikfazies von Schicht C innerhalb etwa 20 Jahren herausgebildet haben. Unter Berücksichtigung der Tatsache, dass die dünne Materialdecke der mittleren Kulturschicht das Fehlen der Feinkeramik in Zier- und Formausprägung von Schicht C teilweise erklärt, so sind doch keine mengenmäßigen Verschiebungen von großem Ausmaße durch eine Materialerweiterung der Keramik aus Schicht B zu erwarten. Schließlich verändert sich auch die Zier und Form der Grobkeramik nicht unerheblich zwischen den Schichten B und C und es fehlt die Zylinderstempelzier aus Schicht B im Keramikkomplex von Schicht C, dessen Umfang eine Erweiterung im Form- und Zierbestand kaum erwarten lässt.

Eine derartig schnelle Veränderung des Zierstils und der Gefäßformen kann kaum als kontinuierliche Entwicklung aufgefasst werden. Der schon eher bruchhafte Kontrast zwischen den beiden Keramikspektren, vor allem derjenigen der Feinkeramik, setzt äußere Einflüsse voraus, die sich in der raschen Veränderung der Keramikkonventionen niederschlagen. Diese Veränderungen im Keramikspektrum von Bodman-Schachen I werden wahrscheinlich von einer Siedlungskontinuität begleitet (Abb. 83),[442] die im Grunde voraussetzt, dass sich dieselben Leute innerhalb von ein bis zwei Generationen neuen Konventionen bei der Keramikherstellung zugewandt haben. Die Veränderungen können jedenfalls kaum auf einen Wechsel der in Bodman-Schachen I ansässigen Bevölkerung zurückgeführt werden.

Hinweise auf die Ursachen des abrupten Stilwechsels in Zier und Form der Feinkeramik sind spärlich. Möglicherweise verbirgt sich dahinter eine Verschiebung von Einflusszonen, die sich durch das Ausbleiben der Straubinger Keramik bemerkbar macht. Die Keramik, die Einflüsse aus dem Osten belegt, wird schließlich durch Ware abgelöst, die durch ihre Verbreitung als südwestdeutsche Keramikfazies ausgewiesen ist.[443]

---

440 Vgl. Köninger, Bodensee 111.
441 Vgl. Kap. 12 zur absoluten Chronologie.
442 Vgl. Kap. 4.6 u. 12.3.3 zur Baugeschichte von Bodman-Schachen I sowie zur Siedlungskontinuität aufgrund der dendrochronologischen Datierung.
443 Vgl. Kap. 11.5.3 zur Arboner Gruppe.

Abb. 125: Kugelkopfnadel aus Schicht C. Der Kopf der Bronzenadel ist auf Tonkern gegossen. Am Nadelschaft sind unter der Patina umlaufende Linien und stehende Dreiecken auszumachen. In Bereichen, in denen am Kopf die Seepatina abgeplatzt ist, sind fein eingravierte, schräg schraffierte Dreiecke sichtbar (Taf. 11,130). L. 24 cm.

7.2.10 Zur Herkunft der ritzverzierten Keramik von Schicht C aufgrund der absoluten Datierung

Anhaltspunkt zur Herkunft der mit geometrischen Mustern verzierten, knickwandprofilierten Keramik sind vorderhand durch Keramik der unteren Schichten D und E vom Padnal bei Savognin ansatzweise vorhanden.[444] Aufgrund der absoluten Daten der Bündner Siedlung auf dem Padnal[445] kann vermutet werden, dass die geometrisch ornamentierte Keramik hier schon früher in Gebrauch war als im Bodenseegebiet. Eine durch absolute Daten einigermaßen abgesicherte Herleitung ist bislang jedenfalls nur von hier möglich.[446] Die dreiecksverzierte Keramik vom Padnal, Horizont E, als Resultat einer Beeinflussung durch den „Straubinger Kreis"[447] zu sehen, dürfte aufgrund der absoluten Datierung dieser Keramik in Schicht C von Bodman-Schachen I eher unwahrscheinlich sein.[448]

7.3 Bronzefunde

7.3.1 Schicht C

Aus Schicht C stammen eine Kugelkopfnadel mit auf Tonkern gegossenem Kopf (Abb. 125; Taf. 11, 130) und ein Randleistenbeil vom Typus Langquaid I (Abb. 126; Taf. 11,131).[449] Sie ist am Kopf mit stehenden und hängenden Dreiecken verziert, die mit ihrer Basis durch zwei parallel umlaufende Linien getrennt aneinander stoßen. Die Zierzone setzt sich in umlaufenden Ritzlinien am Nadelschaft fort und wird nach unten durch zwei umlaufende Zickzacklinien begrenzt. Die Anzahl der Dreiecke am Nadelkopf kann nur geschätzt werden, da der größte Teil des Kugelkopfes von dunkelgrüner, violett schimmernder Patina bedeckt ist. Es handelt sich hierbei um typische Seepatina, die sich von der grünen Patinierung an Bronzen aus Mineralböden oder Mooren durch ihre dunkle, teils violette Färbung unterscheidet.

Die Ritzlinien an Kopf und Schaft der Nadel sind äußerst fein und müssen durch ein entsprechend spitzes und hartes Gerät eingraviert worden sein. Die direkte Herstellung der Zier im Gussverfahren kann ausgeschlossen werden.

Bei der Entnahme einer Metallprobe wurden Sand und Ton im offenbar hohlen Nadelkopf angebohrt, der Kugelkopf wurde also auf einen Tonkern gegossen. Die anfangs für eine „schräge Lochung" des Nadelkopfes gehaltene Mulde, die sich unter der Patina am Schaftansatz und auf dem Nadelkopf undeutlich abzeichnet, wird vermutlich durch einen im

---

444 Rageth, Resultate Padnal 88ff.
445 Ebd. 95f., zur Zierweise 79ff.
446 Allerdings sind keine Angaben zur mengenmäßigen Verteilung knickwandprofilierter und ritzverzierter Keramik anderer Graubündener Siedlungsstellen zu machen, einzelne Scherben wie z.B. von Caschligns/Cunter sind nur bedingt aussagekräftig; vgl. Nauli, Cunter 31.
447 Rageth, Resultate Padnal 88.
448 Vgl. Kap. 12.3.2.2 zur dendrochronologischen Datierung des südlichen Schichtbereiches von Schicht C.
449 Abels, Randleistenbeile 34f.

Nadelkopf steckenden Bronzestift verursacht, der den Tonkern beim Guss des Nadelkopfes festhielt. Der Guss auf Tonkern ist ein Verfahren, bei dem metallintensiver, massiver Vollguss vor allem bei größeren Gegenständen vermieden wird. Allzu viel Metall konnte allerdings beim Guss einer relativ kleinen Kugelkopfnadel nicht eingespart werden. Dieses anspruchsvolle Gussverfahren wurde wohl gewohnheitsgemäß angewandt und weist auf den generell hohen Standard der Bronzegusstechnik in der jüngeren Frühbronzezeit Südwestdeutschlands hin.[450]

Das Langquaid-Beil aus Schicht C ist kräftig patiniert und am ganzen Beilkörper von goldgelben Metallkrusten behaftet. Bei den Krusten handelt es sich wahrscheinlich um sulfidische Metallverbindungen hauptsächlich des Kupfers, deren Entstehung durch die Ablagerung des Beiles in faulschlammähnlichem, schwach schwefelsaurem Milieu erklärt werden kann.[451] Das Bronzebeil muss also geraume Zeit oder immer wieder unter Wasserbedeckung gelegen haben.[452]

Die beiden Bronzen passen gut zum relativchronologischen Ansatz „am Ende der Frühbronzezeit" bzw. in die jüngere Frühbronzezeit, der durch die Keramik vorgegeben wird.[453] Das Langquaid-Beil weist im relativchronologischem Sinne in die Stufe Christlein 4. Der auf Tonkern gegossenen Kugelkopfnadel vergleichbare Bronzenadeln fehlen aus Gräbern der Stufe Christlein 4. Die Kugelkopfnadeln mit massiv gegossenem Kopf der Stufe 4 werden aufgrund der einfacheren Gusstechnik relativchronologisch älter eingestuft als auf Tonkern gegossene Kugelkopfnadeln.

Die durch ihre Verzierung und Gusstechnik mit der Nadel von Schicht C verwandten Nadeln vom Typ Ilvesheim werden dagegen durch den meist gepunkteten Wellenschaft in jüngerem Zusammenhang gesehen.[454] Diese Tatsache kann im unterschiedlichen Alter von Siedlungen und Gräbern oder im Gebrauch von grabspezifischen Bronzeobjekten begründet sein. Letzteres findet durch die Tatsache Unterstützung, dass die auf Tonkern gegossenen Kugelkopfnadeln mehrheitlich aus Siedlungen stammen.[455]

7.3.2 Zur Verbreitung der Bronzefunde aus Schicht C

Bronzen sind im Gegensatz zu Keramik meist überaus weitläufige verbreitet. Das Verbreitungsgebiet einzelner Bronzeformen umschreibt dabei weniger Kulturgruppen in ihrer räumlichen Ausdehnung, sondern kennzeichnet eher Distributionsnetze von Werkstätten, also Werkstattkreise.

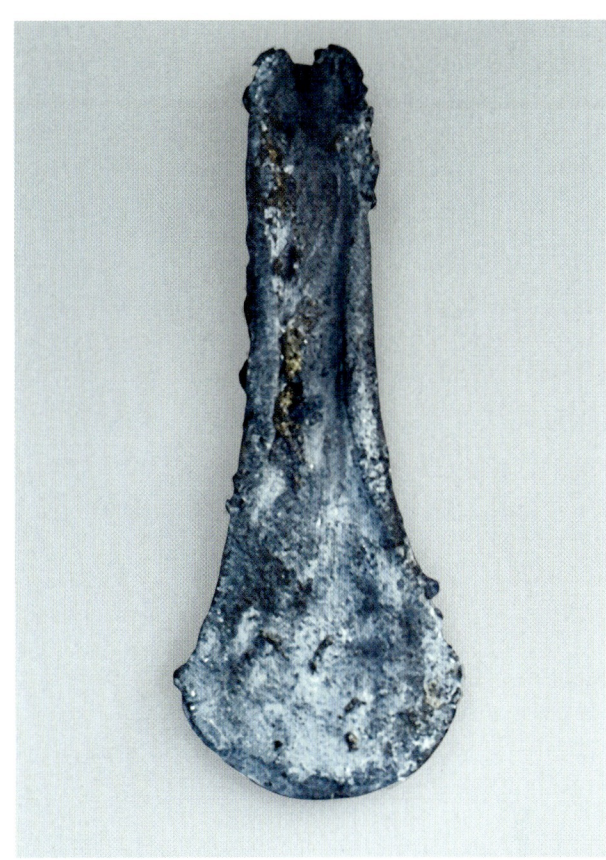

Abb. 126: Randleistenbeil vom Typ Lanquaid aus Schicht C (Taf. 11,131). Das stark patinierte Beil zeigt an Vorder- und Rückseite des Körpers goldgelbe sulfidische Kupferausblühungen. L. 19,5 cm.

Die Verbreitung der Beile des Langquaider Typs[456] beschränkt sich auf Süddeutschland bis zur Mainlinie und auf die Schweiz. Klar ausgespart bleibt das Verbreitungsgebiet der Aunjetitzer Kultur und der östlich angrenzenden Kulturräume in Österreich und der Slowakei. Die Beilform bleibt damit auf das Verbreitungsgebiet der nordalpinen Frühbronzezeit beschränkt.[457]

Anders verhält es sich mit der Verbreitung dreiecksverzierter, auf Tonkern gegossener Kugelkopfnadeln.

---

450 Vgl. Hundt, Oberitalien 160 ff.; ders., Nadelform 175 mit Anm 4.
451 Freundl. Mitt. von E. Pernicka, Technische Universität Bergakademie Freiberg/Sachsen.
452 Vgl. Kap. 3.3 zu Schichtaufbau und Interpretation von Bodman-Schachen I.
453 Vgl. verschiedene relativchronologische Ansätze, ausgehend von Reineckes Stufengliederung für den Fundbestand an Bronzen; z. B. Christlein, Flachgräberfelder 25 ff.; Ruckdeschl, Gräber 45 ff. 134 ff. 293 ff. 298 ff. Zur relativchronologischen Bewertung frühbronzezeitlicher Siedlungskeramik s. Dehn, Gaimersheim 1 ff.; Hundt, Heubach 27 ff.; Zeitler (Anm. 15) 65 ff.
454 Kubach, Nadeln 77 f.
455 Hundt, Nadelform 176, zur Verbreitung der auf Tonkern gegossenen Nadeln.
456 Abels, Randleistenbeile Taf. 48,B und 49,A.
457 Ebd. 97.

Im gesamten süddeutschen Raum und in der Schweiz können nur zwei einigermaßen vergleichbare Stücke namhaft gemacht werden. Es handelt sich um eine Nadel unbekannter Herkunft aus dem Wormser Museum[458] und eine Nadel von Graben bei Karlsruhe[459]. Die ebenfalls auf Tonkern gegossenen Nadeln unterscheiden sich durch einen 4- bis 8-kantigen Schaftoberteil bzw. eine etwas gedrückte Kopfform. Nach typologischen Kriterien sind beide Nadeln aufgrund dieser Merkmale etwas jünger einzustufen als die Nadeln aus Schicht C. Datierende Beifunde oder entsprechende Fundumstände fehlen bei beiden Fundstücken.

Eine weitere vergleichbare Nadel ist in aus dem Hortfund von Sittling bekannt geworden.[460] Aus dem knappen Text geht leider nicht hervor, ob der Nadelkopf auf Tonkern oder massiv gegossen ist. Der Vierkantschaft erinnert an die Nadeln vom Typ Ilvesheim bzw. Immendingen. Die Zusammensetzung des Sittlinger Hortfundes aus „Brucherzen" verweist an den Anfang der mittleren Bronzezeit.

Der östlichste Fundpunkt einer dreiecksverzierten Kugelkopfnadel liegt bei St. Peter in Österreich.[461] Der Grabfund wird dort in die jüngere Frühbronzezeit gesetzt. Im Unterschied zu der Nadel von Bodman-Schachen I besitzt die Linzer Nadel einen bronzegusstechnisch einfachen, massiv gegossenen Kopf.[462]

Mit fünf Exemplaren die größte Ansammlung von Nadeln mit Dreickszier und „hohl gegossenem" Kopf findet sich am Gardasee.[463] Die oberitalienischen Nadeln sind dünnwandig und lassen aufgrund der Zeichnungen die von Hans-Jürgen Hundt angedeutete „unregelmäßigen Öffnungen an Ober- und Unterseite" erkennen.[464]

Die Verbreitung der Nadel von Bodman-Schachen I C zeigt damit Bezüge über die Alpen hinweg zur Region um den Gardasee, die auch durch andere Funde aus Schicht C fassbar werden.[465] Ihr Verbreitungsschwerpunkt legt eine Produktionsstätte dieser Nadeln am Gardasee nahe. Bis auf das Exemplar von La Quercia, welches aus einer Schicht der jüngeren Frühbronzezeit stammt, sind die italienischen Fundstücke unstratifiziert, so dass nur ihre generelle Zuweisung zur Polada-Kultur nahe zu legen bleibt.[466] Der Verbindungsweg über die Reschenroute nach Graubünden ins Alpenrheintal bis zum Bodensee kann aufgrund zahlreicher Fundstellen im Alpenrheintal[467] und im Gardaseegebiet aus dem Ende der frühen Bronzezeit als wahrscheinlich gelten.[468] Das Gebiet der Schweiz, insbesondere das Schweizer Mittelland, bleibt, was diesen Nadeltyp betrifft, im Gegensatz zur Verbreitung der Langquaid-Beile fundfrei.

7.3.3 Nichtstratifizierte Bronzefunde von Bodman-Schachen I

7.3.3.1 Vorbemerkung

Die Mehrzahl der Bronzen von Bodman-Schachen I wurde ohne Schichtzusammenhang bei der systematischen Oberflächenaufnahme geborgen. Es handelt sich um vier Bronzemeißel (Taf. 50, 710–713), eine Dolchklinge (Taf. 50,716), ein Spiralende (Taf. 50,715) und eine Rollenkopfnadel (Taf. 50,714) mit tordiertem Schaft.

7.3.3.2 Bronzemeißel

Die Meißel vom Schachenhorn besitzen ein gerades, nicht verdicktes Mittelteil und sind den Meißelfunden von Arbon-Bleiche 2[469] und einem Meißel vom Kirchberg bei Reusten[470] vergleichbar. Die Länge der Bronzemeißel variiert sowohl am Schachenhorn wie auch in Arbon zwischen 5 und 12 cm. Die Gebrauchsgegenstände dürften mit dem runden Ende in Handschäftungen aus Holz[471] oder Knochen[472] gesteckt haben.

Im Fundmaterial von Ufersiedlungen mit Keramik der jüngeren Frühbronzezeit bis frühen Mittelbronzezeit[473] liegen diese Bronzemeißel häufig vor. Das Vorkommen der Meißel in Gräbern der Hügelgräberkultur der Schwäbischen Alb[474] und im Hort-

---

458 Kubach, Nadeln Taf. 3,45.
459 Hachmann, Ostseegebiet Taf. 47,28. Als Vergleichsstück ebd. Taf. 47,33.
460 M. M. Rind, Der frühbronzezeitliche Hortfund von Sittling, Stadt Neustadt a. d. Donau, Lkr. Kehlheim, Niederbayern. Arch. Jahr Bayern 1986, 54 Abb. 26,16.
461 H. Adler, Das urgeschichtliche Gräberfeld Linz-St. Peter. Linzer Arch. Forsch. 2 (Linz 1965) 47 Abb. 3.
462 Vgl. Hundt, Nadelform 175.
463 G. L. Carancini, Die Nadeln in Italien. PBF Abt. XIII, 2 (München 1975) 21, Taf. 31,901.906–908; 105,F; A. Aspes, La Quercia di Lazise, le ricerche e i materiali. In: C'Era una volta Lazise (Verona 1992) 72–81.
464 Hundt, Nadelform 176.
465 Vgl. Kap. 7.8.4.1 zur Verbreitung gemusterter Tonobjekte.
466 Vgl. Hundt, Oberitalien 173 ff.; zur Datierung der Nadel von La Quercia s. Aspes (Anm. 463) 72 ff.
467 Vonbank, Vorarlberger Rheintal 55 ff.; zuletzt Krause, Singen 215 Abb. 92; 239 mit Anm. 127.
468 Köninger/Schlichtherle, Foreign Elements 43–53.
469 Fischer, Bleiche Taf. 5,19–24.
470 Kimmig, Reusten Taf. 43,3; S. Junghans/E. Sangmeister/M. Schröder, Metallanalysen kupferzeitlicher und frühbronzezeitlicher Bodenfunde aus Europa. Studien zu den Anfängen der Metallurgie (SAM) 1 (Berlin 1960) Nr. 255.
471 Vgl. Mitt. Ant. Ges. Zürich 18, XXII, 2, Taf. IV,19. Mit Resten der Schäftung.
472 A. Gallay/G. Gallay, Le Jura et la séquence Néolithique récent-Bronze ancien. Arch. Suisse Anthr. Générale 33, 1968, Fig. 10,30.
473 Zum Beispiel Fischer, Bleiche Taf. 5,19–24 u. a. m.
474 Pirling u. a., Schwäbische Alb Taf. 3,G; 15,B3.

fund von Langquaid⁴⁷⁵ deuten ihre Nutzung über eine längere Zeitspanne hinweg an. Ihre Verbreitung⁴⁷⁶ reicht von Bayern bis nach Südfrankreich. Die stark gebrauchsorientierte einfache Form legt eine zeitlich nicht eng begrenzte Nutzung nahe.

7.3.3.3 Dolchklingen

Die Dolchklinge (Taf. 50,716) mit rundovalem Heftabschluss und flach dachförmigem Querschnitt gehört in den jüngeren Abschnitt der Frühbronzezeit und kann damit einer der jüngeren Siedlungen am Schachenhorn zugewiesen werden.⁴⁷⁷ Die Verzierung durch schneidenparallele Linien ist von Fundstücken der gesamten Schweiz und aus Ostfrankreich bekannt, so dass das Fundstück von Bodman-Schachen I den nördlichsten Fundpunkt dieser verzierten Dolchklingen markiert.⁴⁷⁸ Das Exemplar von Bodman-Schachen I ist dabei vergleichsweise klein und untypisch ausgeprägt. Vergleichbare Dolchklingen ohne Zier sind darüber hinaus von der Crestaulta in Graubünden⁴⁷⁹ und aus dem Alpenrheintal von Koblach-Bromern⁴⁸⁰ bekannt.

7.3.3.4 Spiralenden

Das Spiralende (Taf. 50,715) von Bodman-Schachen I stammt vermutlich von einem Armring mit gegensinnig eingedrehten Enden und gehört demnach ebenfalls grob in jüngerfrühbronzezeitlichen bis mittelbronzezeitlichen Zusammenhang.⁴⁸¹

7.3.3.5 Nadeln

Die Rollenkopfnadel mit tordiertem Vierkantschaft (Taf. 50,714) ist in der Mitte des Schaftes sekundär geknickt. In Südwestdeutschland liegen keine relativ datierbaren Nadeln dieses Typs vor. Rollenkopfnadeln mit tordiertem Vierkantschaft sind in der Schweiz aus Ufersiedlungen⁴⁸² der jüngeren Frühbronzezeit, aber auch aus Bestattungen bekannt.⁴⁸³ Sie können en gros der jüngeren Frühbronzezeit zugewiesen werden. Das stratifizierte Exemplar von Yverdon „Garage Martin" gehört aufgrund der mitgefundenen Keramik in ein Bronce ancien IV.⁴⁸⁴
Eine deutliche Massierung dieser Nadel ist am Bodenseeufer zu verzeichnen,⁴⁸⁵ so dass von einer typischen Nadel der jüngeren Frühbronzezeit der Bodenseepfahlbauten gesprochen werden kann. Die unscheinbare Rollennadel mit tordiertem Schaft nimmt darüber hinaus ein weitläufiges Verbreitungsgebiet für sich in Anspruch, welches von der Schweiz über die Oberpfalz,⁴⁸⁶ die Slowakei⁴⁸⁷ und den Ostalpenraum⁴⁸⁸ bis nach Italien⁴⁸⁹ reicht. Allerdings liegen aus den genannten Regionen jeweils nur wenige Exemplare vor. Übereinstimmend wird ihre relativchronologische Stellung, soweit dafür Indizien vorliegen, am Ende der frühen oder am Anfang der mittleren Bronzezeit gesehen.

7.3.4 Der Altfundbestand

7.3.4.1 Beile

Aus Altfundbeständen können weitere Bronzefunde sicher den Stationen am Schachenhorn zugewiesen werden. Im badischen Landesmuseum in Karlsruhe befindet sich ein Randleistenbeil⁴⁹⁰ vom Typ Bodensee, welches Björn-Uwe Abels der Lochhamstufe zuweist.⁴⁹¹ Ein weiteres parallelseitiges Randleistenbeil vom Schachenhorn vom Typ Nehren⁴⁹² gehört formenkundlich der mittleren Bronzezeit an (Taf. 50,718).

Die Verbreitung dieser Beile ist auf den südwestdeutschen/schweizerischen Raum beschränkt. Sie stammen, bis auf ein Exemplar von Meilen am Zürichsee, aus Ufersiedlungen des Bodensees. Ihre Herstellung im westlichen Bodenseegebiet ist nahe liegend.⁴⁹³

Aufgrund der relativchronologischen Einordnung der Beile kann keine mittelbronzezeitliche Ufersiedlung am Schachenhorn postuliert werden, da die relativchronologische Relevanz der Beile aus Grabfunden hervorgeht und, solange keine stratifizierten

---

475 Hachmann, Ostseegebiet Taf. 54,22–27.
476 Dazu J. L. Roudil, L'âge du Bronze en Languedoc oriental. Mém. Soc. Préhist. Française 10 (Paris 1972) 227 Fig. 93.
477 Christlein, Flachgräberfelder 29 Abb. 3,24; E. Sangmeister, Die Sonderstellung der schweizerischen Frühbronzezeit-Kultur. In: R. Degen/W. Drack/R Wyss (Hrsg.), Helvetia Antiqua. Festschr. Emil Vogt. Beitr. Prähist. u. Arch. Schweiz (Zürich 1966) 67. Der dachförmige Querschnitt und die schneidenparallele Verzierung sind auch den geschweiften Dolchklingen zueigen.
478 Gallay, Ende 130 Abb. 14.
479 W. Burkart, Crestaulta. Eine bronzezeitliche Hügelsiedlung bei Surin im Lugnez. Monogr. Ur- u. Frühgesch. Schweiz 5 (Basel 1946) Taf. 11,33.
480 Menghin, Vorarlberg 21; 57 Abb. 36,3.
481 Vgl. Hachmann, Ostseegebiet Taf. 54,29; Fischer, Bleiche Taf. 3,8.9; Gallay, Ende 122 Abb. 6,d.
482 In bemerkenswerter Häufung in Arbon vertreten.
483 Zum Beispiel Strahm, Frühe Bronzezeit 19 Abb. 18.1.
484 G. Kaenel, La fouille du „Garage Martin 1973". Cahiers Arch. Romande 8 (Lausanne 1976) 37f.
485 Vgl. Junghans, Nadeln 106ff.
486 Torbrügge, Oberpfalz 69 Taf. 29.8.
487 M. Novotná, Die Nadeln in der Slowakei. PBF Abt. XIII 6 (München1980) 29 Taf. 5,170.171.
488 J. Říhovský, Die Nadeln in Mähren und im Ostalpengebiet. PBF Abt. XIII 5 (München 1979) 144 mit Anm. 3 Taf. 45,1057–1060.
489 Carancini (Anm. 463) 113 Taf. 11,323–326.
490 Abels, Randleistenbeile Taf. 37,536, Inv.Nr. C 4127.
491 Ebd. 79.
492 Ebd. Taf. 31,446; 50,718; 68. Abels Typ Nehren, Var. C.
493 Ebd. 70; 79.

Exemplare aus Siedlungen vorliegen, auch darauf beschränkt bleiben sollte.

7.3.4.2 Messer

Das Fragment eines Bronzemessers vom Schachenhorn mit geradem Rücken und flach gehämmertem, kurzem Griffdorn stammt ebenfalls vom Schachenhorn (Taf. 50,717).

Messer dieser Form sind aus gesicherten Fundzusammenhängen nicht bekannt. Ähnliche Stücke, die am Messerrücken durch geometrische Ritzmuster verziert sind, stammen vom Hohentwiel,[494] vom Pfäffikersee (?),[495] aus Überlingen[496] und aus Sempach[497]. Sämtliche Messer sind ohne Befundzusammenhang, ihre Zugehörigkeit zur jüngeren Frühbronzezeit kann lediglich aus ebenso nicht stratifizierten Beifunden wahrscheinlich gemacht werden. Im Allgemeinen sind Messer in der Frühbronzezeit nicht geläufig. Möglicherweise handelt es sich auch um ein Messer der spätbronzezeitlichen Urnenfelderkultur.

7.3.4.3 Verschollene Bronzen

In frühen Veröffentlichungen wird eine ganze Anzahl weiterer Bronzen aus der Station am Schachenhorn aufgezählt. Die Datierung der Objekte anhand ihrer Beschreibung ist nur im Einzelfall möglich.[498] Spätbronzezeitliche Bronzeformen[499] und damit eine Ufersiedlung der späten Bronzezeit[500] im Bereich des Schachenhorns sind aufgrund der mittlerweile verschollenen Bronzefunde jedoch wahrscheinlich.[501]

7.4 Knochenartefakte

7.4.1 Schicht B/C

Knochengeräte sind im Fundspektrum von Bodman-Schachen I selten.

Eine knöcherne Pfeilspitze (Taf. 15,164), deren Spitze abgebrochen ist, wurde aus dem kolkartig gestörten Bereich um den Pfosten P 13-4 geborgen und ist mit einiger Sicherheit den Schichten B oder C zuzuweisen. Die Spitze besitzt einen flachen Querschnitt und ist aus einer Hirschrippe[502] gefertigt. Sie erinnert durch ihre gestielte und schlanke Form an Bronzepfeilspitzen.[503] Das Artefakt ist flächig, soweit erkennbar, beidseitig überschliffen und besitzt an der Verjüngung zum Schaft Schnittspuren.

Die Knochenpfeilspitze steht den Spitzen des Typs A nach Wolfgang Pape[504] am nächsten. Im Gegensatz zu diesen ist sie nicht geflügelt. Ihr Hauptverbreitungsgebiet liegt in Südfrankreich, weitere Exemplare stammen aus Nordspanien. Vom Hauptverbreitungsgebiet deutlich abgesetzt befindet sich im Alpenrheintal eine Häufung dieser Knochenpfeilspitzen mit flachem Querschnitt.[505] Sie stammen dort von den bekannten frühbronzezeitlichen Höhensiedlungen, dem Tummihügel bei Maladers, der Bürg bei Spiez, dem Padnal bei Savognin und dem Kadel bei Koblach. Ein der Form nach identisches Exemplar aus Grüngestein liegt von Bigarello, Mantova vor. Der nordöstlichste Fundpunkt wird durch die Spitze von Mantlach aus einem mittelbronzezeitlichen Hügelgrab markiert.[506]

Die flachen, geflügelten Knochenpfeilspitzen diesseits der Alpen dürften kaum mit den südfranzösischen Exemplaren in direktem Zusammenhang stehen. Die einfache funktionale Form spricht eher für autochthone Entstehungen dieser Spitzen in ihren jeweiligen Verbreitungsgebieten. Möglicherweise wurde die Form von Metallpfeilspitzen imitiert.[507]

Die stratifizierten, flachen, geflügelten Knochenspitzen stammen mehrheitlich aus frühbronzezeitlichem Kontext, die Spitze von Mantlach gehört zu einem mittelbronzezeitlichen Grabinventar. Sie umfassen demnach in Süddeutschland und im Alpenrheintal relativchronologisch zumindest die jüngere Frühbronzezeit und die Mittelbronzezeit.

Interessant ist die hauptsächliche Beschränkung dieser Knochenpfeilspitzen auf die Alpenrheinregion. Südlich der Alpen sind Knochenspitzen in frühbronzezeitlichen Fundkomplexen weitaus sel-

---

494 9. Pfahlbaubericht. Mitt. Ant. Ges. Zürich XXII, Heft 2, 1888.
495 2. Pfahlbaubericht. Mitt. Ant. Ges. Zürich XIII, Heft 3, 1860.
496 Schöbel, Hagnau und Unteruhldingen Taf. 23,15.
497 J. Bill, Sempach – ein Siedlungszentrum. Arch. Schweiz 11, 1988, 65 Abb. 2,4.
498 Tröltsch, Pfahlbauten 165. Die Bronzeklammern dürften urnenfelderzeitlich sein, häufig vorkommend in Unteruhldingen-Stollenwiesen (Uu) und Hagnau-Burg (Hg); vgl. Schöbel, Hagnau und Unteruhldingen Taf. 49; 82.
499 Schnarrenberger, Pfahlbauten 13.
500 Ha A und B nach Reinecke.
501 Vgl. Schöbel, Hagnau und Unteruhldingen 155.
502 Die osteologische Bearbeitung des Knochenmaterials von Bodman-Schachen I wurde von M. Kokabi, damals Landesdenkmalamt Baden-Württemberg, durchgeführt. Die Ergebnisse stellte er mir freundlicherweise zur Verfügung, wofür ich mich an dieser Stelle herzlich bedanken möchte.
503 Vgl. dazu die Bronzepfeilspitzen von Bodman-Weiler I, s. Taf. 70,1111a-b.
504 W. Pape, Au sujet de quelques pointes de flèches en os. In: H. Camps-Fabrer (Hrsg.), L'industrie en os et bois de cervidé durant le Néolithique et l'âge des Métaux. Deuxième réunion du groupe de travail No 3 sur l'industrie de l'os préhistorique, Saint-Germain en Laye 1980 (Paris 1982) 137f.
505 Ebd. 147.
506 Ebd. Fig. 9; 161ff.
507 Vgl. dazu ebd. 139.

tener, hier sind gehäuft Silexpfeilspitzen anzutreffen.[508] In Süddeutschland liegen meist Silex- und Bronzepfeilspitzen vor. Die Konzentration von flachen Knochenpfeilspitzen aus den Höhensiedlungen in der Alpenrheinregion ist möglicherweise auf ihre besondere Funktion zurückzuführen. Es handelt sich bei diesen flachen Spitzen um schneidende Exemplare mit Flügeln, die als Widerhaken zu sehen sind. Damit eignen sich diese Pfeilspitzen bei der Jagd auf Hochwild. Der Pfeil soll in diesem Fall möglichst tief in den Tierkörper eindringen, dort stecken bleiben und das Tier durch Blutverlust schwächen. Demgegenüber bewirken die im Querschnitt meist dickeren Silexpfeilspitze eine Schockwirkung und sind eher bei der Jagd auf Niederwild von Nutzen.

Die flachen Knochenpfeilspitzen sind von der Wirkung her den geflügelten Metallspitzen vergleichbar. Durch ihre schneidende Wirkung sind die flachen Pfeilspitzen auch als Waffen geeignet. Vielleicht stammt deswegen die überwiegende Anzahl dieser Pfeilspitzen aus Höhensiedlungen und aus einem Grab.

7.4.2 Schicht B

Aus der mittleren Kulturschicht liegen fünf weitere Knochenwerkzeuge vor.

Ein Gerät mit abgebrochener Arbeitskante (Taf. 15, 165)[509] ist aus einem Hirschmetatarsus hergestellt und dorsal sowie an seinen Schmalseiten überschliffen. Hirschmetatarsi wurden schon im Neolithikum wegen ihrer guten Spaltbarkeit entlang ihrer Längsachse zur Geräteherstellung bevorzugt verwendet.[510] Diese Materialkenntnis war offensichtlich auch in der jüngeren Frühbronzezeit noch vorhanden.

Ein weiteres Knochengerät (Taf. 15,166) wurde aus der rechten Elle eines Rothirsches gefertigt. Das Artefakt ist an allen vier Seiten distal überschliffen. Nutzungsbedingte Glättung oder Politur fehlt, so dass seine Funktion unklar bleibt. Das Olecranon des Knochengerätes ist am proximalen Ende, analog neolithischen Exemplaren, weggeschlagen,[511] weist darüber hinaus aber keine nutzungsbedingten Schlagspuren auf. Die beiden Knochengeräte können nicht näher klassifiziert werden,[512] da ihre distalen Enden abgebrochen sind.

Drei weitere Knochenartefakte sind den kleinen Meißeln (Taf. 15,167a.167b.163)[513] zuzuweisen. Ihre Zuordnung zu einem bestimmten Skelettteil einer Tierart ist nicht möglich. Durch ihre Lagerung im oberen Bereich der Kulturschicht sind die Knochenfunde teilweise oberflächlich angewittert. Ihre ursprünglich wohl vollständig überschliffene Oberfläche ist deshalb nur noch stellenweise vorhanden. Gebrauchsspuren, die auf die Verwendung der Artefakte schließen ließen, sind nicht mehr erkennbar.

7.4.3 Knochenmeißel im Kontext der jüngeren Frühbronzezeit

Knochenmeißel bzw. Knochengeräte mit querstehender Arbeitskante sind auch aus frühbronzezeitlichen Ufersiedlungen der Schweiz bekannt.[514] Die Knochenmeißel aus Schicht I von Zürich-Mozartstrasse sind von jungneolithischen Exemplaren nicht zu unterscheiden.[515] Demgegenüber verjüngen sich einige Knochengeräte mit querstehender Arbeitskante von Arbon-Bleiche 2 an ihren Längsseiten auf halber Höhe oder besitzen an gleicher Stelle Fortsätze. Diese Verjüngung der „Spatel"[516] erfüllt möglicherweise denselben Zweck wie die Löcher in Fellschabern der Pfyner Kultur aus Hirschgeweih.[517] Vielleicht handelt es sich bei den querschneidigen Arbeitsgeräten mit verjüngtem Schaft um eine bronzezeitliche Form von Fellschabern, die dazu benutzt wurden, Fleischreste von der Innenseite frisch abgezogener Felle zu schaben.[518] Sehr wahrscheinlich handelt es sich um ein typisches frühbronzezeitliches Knochenartefakt.

Generell sind Knochenwerkzeuge typologisch kaum der Frühbronzezeit zuzuordnen.[519] Die funk-

---

508 Rageth, Lago di Ledro Taf. 111,7–36.
509 Vgl. Schibler, Knochenartefakte 76 Taf. 50, Typ 4/6.
510 Vgl. H. P. Uerpmann, Zur Technologie neolithischer Knochenmeißel. Arch. Inf. 2/3, 1973/74, 138; Schibler, Knochenartefakte 28 Abb. 17.
511 Ebd. 26.
512 In Betracht kommen die Typen 14A nach Bleuer, Seeberg Burgäschisee-Süd 105 oder 1/5 bzw. 4/12 nach Schibler, Knochenartefakte 26; 76.
513 Bleuer, Seeberg Burgäschisee-Süd 119 Abb. 16,8.
514 Fischer, Bleiche Taf. 9,7.9; Gross u.a., Zürich „Mozartstrasse" Taf. 22,6.7.
515 Vgl. z.B. Bleuer, Seeberg Burgäschisee-Süd 113 Taf. 13,7 (Typ 20 B).
516 Fischer, Bleiche 34, im Gegensatz zu Schibler, der eine stumpfe Arbeitskante und Glättspuren zu Definitionskriterien macht.
517 Vgl. Winiger (Anm. 304) 46. Rekonstruktion nach E. Vogt, Das Problem des urgeschichtlichen Vergleichs. In: W. Drack/P. Fischer (Hrsg.), Beiträge zur Kulturgeschichte. Festschr. Reinhold Bosch (Aarau 1947) 44–57.
518 Ebd. Taf. 45,10–15. Die abgebildeten Pfyner Fellschaber sind im Gegensatz zu den Stücken aus Arbon meist aus Hirschgeweih und besitzen zwei Löcher.
519 Vgl. Ruoff, Frühbronzezeitliche Funde 148. Die Artefakte aus der Bleiche bei Arbon sind nur grob der Bronzezeit zuzuweisen, da die Siedlungsaktivitäten hier einen längeren Zeitraum innerhalb der Bronzezeit einnehmen können. Vgl. Struktur von Arbon, s. Hochuli, Arbon-Bleiche 38 Abb. 28a–c; s. in Kap. 5 zu weiteren Baubefunden aus Ufersiedlungen des Bodenseegebietes.

tionsbedingt oft wenig differenzierten Geräteformen sind vermutlich erst bei genügend hohen Artefaktzahlen in neolithische oder bronzezeitliche Werkzeuge zu unterscheiden, die aber fehlen für bronzezeitliche Siedlungen bislang vollständig. In gemischten Lesefundkomplexen „fehlen" bronzezeitliche Knochenartefakte hauptsächlich deswegen, weil der vorhandene Bestand an Knochenartefakten automatisch dem neolithischen Fundmaterial zugeschlagen wird.

Es ist bis jetzt daher nicht direkt nachzuweisen, wie intensiv die Nutzung von Knochen zur Geräteherstellung war, und nur im Einzelfall zu entscheiden, welche Gerätetypen für die Bronzezeit in Anspruch genommen werden können.

Insgesamt gesehen kommen Knochenartefakte in frühbronzezeitlichen Fundkomplexen regelhaft vor. Die Häufigkeit und Vielfalt der Knochenwerkzeuge ist im Gegensatz zum Jung- und Endneolithikum deutlich geringer. Die Auswahl des Rohmaterials verrät eine fundierte Materialkenntnis, was eine verbreitete Nutzung von Knochengeräten während der Frühbronzezeit wahrscheinlich macht.

Einige der Knochenwerkzeuge, so zum Beispiel Spitzen, wurden wohl teilweise durch Metallwerkzeuge ersetzt.

7.5 Geweihartefakte

7.5.1 Schicht C

Aus Schicht C stammt ein aus der Stangenbasis[520] eines Rothirschgeweihs hergestellter beillochgeschäfteter Geweihhammer[521] (Taf. 15,169).

Das im Milieu der Kulturschicht offenbar äußerlich angelöste Stück besitzt proximal ein ovalrechteckiges Schaftloch mit Schnittspuren am Rand, das Schaftloch wurde also durch Kerbung aus der Geweihstange herausgetrennt. Reste eines Weidenschaftes sind im Schaftloch erhalten geblieben. Am distalen Ende ist das Gerät an der Arbeitsfläche verwittert und dadurch eingetieft.

Weitere beillochgeschäftete Geweihgeräte (Taf. 15, 162.168) können Schicht C nur mittelbar zugeordnet werden. Sie fanden sich unter dem von Dieter Allgaier und Heinz Koppmann[522] unsystematisch, hauptsächlich aus Schicht C entnommenen Fundmaterial. Da an beiden Geweihhacken noch Kulturschichtreste hafteten, ist ihre Herkunft aus Schicht C als wahrscheinlich anzunehmen.

Beide Geweihgeräte sind aus der Stangenbasis gefertigt und besitzen vier- bis achteckige Schaftlöcher. In dem fragmentarisch erhaltenen Geweihartefakt (Taf. 15,168) steckt noch der Rest eines Eschenschaftes.

Die beiden Geweihgeräte sind ebenfalls in Kerbtechnik aus der Geweihstange herausgetrennt und nur an den Trennflächen etwas nachgeschliffen worden. Flächige Schliffspuren sind an keinem der Geweihgeräte vorhanden. Der beillochgeschäftete Hammer weist an der Schmalseite Kerben auf. Die Verarbeitung von Hirschgeweih innerhalb der Siedlung ist durch gekerbte Geweihstangenteile belegt. Gemessen an der geringen Größe der untersuchten Fläche ist die Anzahl der Geweihhacken verhältnismäßig hoch[523] und möglicherweise im Rahmen der hohen Anteile an Hirschknochen im Tierknochenspektrum zu sehen.[524] Stratifizierte Geweihhacken mit rechteckigem Schaftloch sind aus frühbronzezeitlichen Ufersiedlungen, aber auch aus Gräbern mehrfach belegt.[525] Verlässliche Kriterien, frühbronzezeitliche und neolithische Geweihhacken zu unterscheiden, sind noch nicht klar erkennbar.

7.6 Silexartefakte

Insgesamt liegen acht Silexgeräte[526] und ein Abschlag vor. Das Silexinventar stammt überwiegend von der Oberfläche und aus Schicht C, ein retuschierter Abschlag kommt aus Schicht A. Es handelt sich durchweg um Jurahornsteine. Die nächstgelegenen Vorkommen dieses Rohmaterials liegen ca. 10 km nordwestlich der Ufersiedlung bei Engen. Teilweise liegt auch leicht gebändertes, jaspisartiges Material vor. Das Rohmaterial könnte aus der weiteren Umgebung, der Hegau-Alb- oder der Weißjuraformation des Randen bei Schaffhausen stammen.[527] Hinweise auf Rohstoffquellen in weiterer Entfernung sind aus dem Material nicht ersichtlich,[528] es kann daher angenommen werden, dass die Rohstoffversorgung mit Silex in Eigenregie bewerkstelligt wurde.

---

520 Die Stangenbasis dürfte aus Gründen der hohen Belastbarkeit zur Fertigung ausgewählt worden sein. Vgl. dazu P. J. Suter, Die Hirschgeweihartefakte der Cortaillodschichten. Die neolithischen Ufersiedlungen von Twann 15 (Bern 1981) 55.
521 Vgl. zur Nomenklatur ebd. 66.
522 Die beiden Taucher hatten 1982 Kulturschichtabschnitte, hauptsächlich Schicht C, nach Funden durchwühlt.
523 Hochuli, Arbon-Bleiche 114.
524 Vgl. Kap. 7.11.2 u. 7.11.3 zu den Tierknochenfunden aus den Schichten B und C.
525 Fischer, Bleiche Taf. 9,11–13; Hochuli, Arbon-Bleiche 114; Gross u.a., Zürich „Mozartstrasse" Taf. 22,1–3.
526 Gemeint sind Silices ohne Quarzite oder ähnliche Materialien; vgl. dazu Schlichtherle, Hornstaad-Hörnle 102.
527 Vgl. ebd.
528 Ebd. 103 mit Anm. 202.

7.6.1 Schicht A

Aus Schicht A stammt ein sekundär schwarz gefärbt Kratzer (Taf. 14,160a) mit dorsalen Kantenretuschen am distalen Ende. Das Gerät ist abgebrochen. Von der Oberfläche stammt ein fast identische Gerät (Taf. 14,160b). Möglicherweise handelt es sich um ein für das Inventar aus Schicht A typisches Silexartefakt.

7.6.2 Schicht C

Aus Schicht C stammen an retuschierten Geräten ein Bohrer (Taf. 14,153), eine Pfeilspitze (Taf. 14,159a), ein Klingenkratzer (Taf.14,155) und ein Klingenfragment (Taf. 14,157).
Im Auflichtmikroskop sind am Silexbohrer nutzungsbedingte Verrundungen der Steilretuschen an der Spitze auszumachen.[529] Die etwas plump wirkende, gestielte Pfeilspitze (Taf. 14,159a) ist geflügelt und beidseitig flächig retuschiert. Gestielte und geflügelte Silexpfeilspitzen können zunächst nicht als typisch bronzezeitlich angesehen werden, da für das Endneolithikum des westlichen Bodensees[530] Silexpfeilspitzen dieser Form und Retusche in gleicher Weise belegt sind. Lediglich die etwas plumpe, dicke Ausführung unterscheidet die Pfeilspitze von Bodman-Schachen I von eleganter wirkenden, flachen, endneolithischen Pfeilspitzen. Weitere gestielte Pfeilspitzen mit dickem Querschnitt sind von Ludwigshafen-Seehalde[531] und der „Siedlung Forschner" bekannt.[532]
Die bronzezeitlichen Silexpfeilspitzen sind in gleicher Weise geschäftet wie die neolithischen Exemplare. Wie ein Neufund zeigt, wurde die Spitze mit Birkenpech in den gekerbten Holzschaft geklebt und der Schaft an diesem Ende mit Schnüren umwickelt. Die Wicklung wurde jedenfalls bei vorliegendem Beispiel mit Birkenrinde abgedeckt.[533]
Der Klingenkratzer aus der oberen Kulturschicht (Taf. 14,155) ist proximal und lateral kantenretuschiert. Anhaftende Birkenteerspuren bezeugen die ehemals vorhandene Schäftung des Gerätes.

7.6.3 Oberflächenfunde

Den stratifizierten Silices von Bodman-Schachen I können vier weitere Artefakte der Primärproduktion (Taf. 14,152.154.159b.160b)[534] und ein Abschlag (Taf. 14,156) von der Oberfläche zur Seite gestellt werden.
Bei Ersteren handelt es sich um zwei Klingen und ein Klingenfragment mit ventraler und dorsaler Gebrauchsretusche. Der Kratzer ist distal steil retuschiert und abgebrochen (s.o.). Der Abschlag besitzt ebenfalls Gebrauchsretuschen (Taf. 14,156).

---

529 Vgl. die Funktion von Dickenbännlispitzen ebd. 107ff.
530 Vgl. dazu Köninger, Bodensee 104; M. Kolb, Die Horgener Siedlungen in Sipplingen. Ergebnisse taucharchäologischer Untersuchungen in Sipplingen-Osthafen 1982–1987. Ungedr. Dissertation (Freiburg i. Br. 1993) Taf. 80,763.764.
531 Köninger, Bodensee 104f. Abb. 15,2.3.5.
532 Vgl. dazu W. Torke, Die Siedlung „Forschner", eine befestigte frühbronzezeitliche Station im Federseemoor bei Bad Buchau, Kreis Biberach. Arch. Ausgr. Baden-Württemberg 1988, 52 Abb. 32,1.
533 H. Luley, Reste bronzezeitlicher Bestattungen. Arch. Deutschland 1991, H. 2, 52–53.
534 Vgl. M. Uerpmann, Untersuchungen zur Technologie und Typologie neolithischer Feuersteingeräte. Tübinger Monogr. Urgesch. 2 (Tübingen 1976) 47 zum Begriff der Primärproduktion.

Abb. 127: Silexgeräte. 1–10 Ludwigshafen-Seehalde, Oberflächenfunde aus dem Bereich der frühbronzezeitlichen Kulturschichten. 11 Maurach-Ziegelhütte (Slg. K. Kiefer). 12 Allensbach-Strandbad.

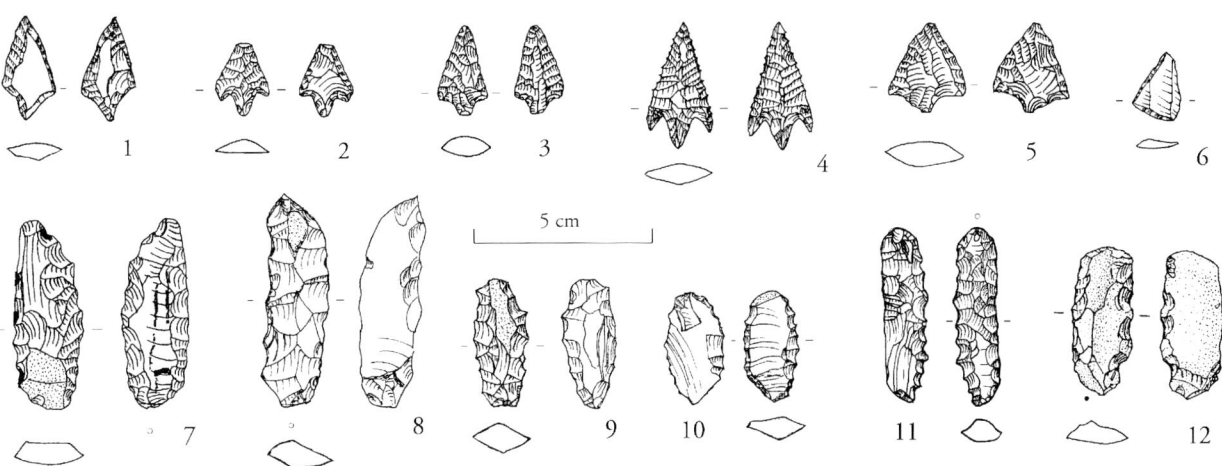

Wie bei allen transportfähigen, harten Oberflächenfunden, die typologisch nicht eindeutig eingestuft werden können, kann eine Zugehörigkeit der Silices zur Oberfläche der landseitig nahe gelegenen schnurkeramische Station Bodman-Schachen II nicht gänzlich ausgeschlossen werden. Eine eingehende Besprechung dieser Silices und ihre Diskussion in bronzezeitlichem Kontext unterbleibt deshalb.

7.6.4 Silexgeräte im Kontext der Früh- und Mittelbronzezeit

Silexgeräte sind vor allem im Kontext der frühen Bronzezeit zahlreich und regelhaft vorhanden.[535] Sowohl in Siedlungen der jüngeren Frühbronzezeit[536] als auch in Gräbern der mittleren Bronzezeit[537] Südwestdeutschlands sind Silices mehrfach belegt.

Aus Ludwigshafen-Seehalde liegt mittlerweile eine ganze Reihe von Silexartefakten vor (Abb. 127, 1–10), bis auf ein lateral retuschiertes Klingenfragment (Abb. 127,6) aus Schicht 11 stammen sie von der Oberfläche aus dem Bereich der Erosionskante von Schicht 11. Mit Ausnahme des stratifizierten Klingenfragments handelt es sich um Jurahornsteine. Sie sind überwiegend blaugrau bis schwarz patiniert und entziehen sich so einer näheren Rohmaterialuntersuchung. Kaum patiniert sind die Artefakte Abbildung 127 Nr. 5 und 7. Das amorphe Rohmaterial dürfte lokalen Lagerstätten entstammen. Das Material des retuschierten Klingenfragments ist dagegen braungrau durchscheinend und besitzt dunkelgraue Schlieren sowie feine, schwarze, punktförmige Einschlüsse. Die Herkunft des ortsfremden Rohmaterials ist unbekannt.[538]

An Artefakttypen liegen Geschossbewehrungen und Sichelklingen vor. Mit Ausnahme einer stratifizierten, querschneidigen Geschossbewehrung (Abb. 127,6) handelt es sich um gestielte Pfeilspitzen (Abb. 127,1–5), darunter befindet sich ein flächenretuschiertes Exemplar mit ausgeprägten Flügeln und gezähnelten Schneiden (Abb. 127,4). Vergleichbare Geschossbewehrungen sind vereinzelt im Fundmaterial der Seen des Salzkammerguts vorhanden,[539] häufiger aber sind Pfeilspitzen mit gezähnelten Schneiden offenbar im Kontext äneolithischer Gruppen in Südfrankreich[540] und – mit konkaver Basis – auch im Rahmen der mitteleuropäischen Glockenbecherkultur anzutreffen.[541]

Gestielte Pfeilspitzen sind im Kontext der Frühbronzezeit Süddeutschlands und der Schweiz weit verbreitet.[542] Im Einzelfall lassen sie sich aber kaum von endneolithischen Geschossbewehrungen dieser Form unterscheiden. Bronzepfeilspitzen treten erst in Siedlungen der späten Frühbronzezeit auf (Abb. 151,3).[543]

Gezähnte Klingen liegen am Bodenseeufer von Ludwigshafen-Seehalde (Abb. 127,7–10), Maurach-Ziegelhütte (Abb. 127,11) und Allensbach-Strandbad (Abb. 127,12) vor. Beidseitig vorhandene Birkenpechspuren belegen die Schäftung der gezähnten Klinge Abb. 127,7. In Süddeutschland und der Schweiz können gezähnte Klingen als typisch frühbronzezeitlich gelten.[544] Im nördlichen Alpenvorland lassen sich stark retuschierte bis gezähnte Typen von stark gezähnten Exemplaren unterscheiden.[545] Beide Varianten wurden mehrfach stratifiziert aus frühbronzezeitlichem Kontext geborgen, ihre chronologische Spannweite dürfte die gesamte Frühbronzezeit umfassen.[546]

Die Funktion der gezähnten „Sicheln" ist nicht vollkommen klar. Der mehrfach beobachtete Gebrauchsglanz weist einen Teil der gezähnten Klingen als Sicheln aus. Es handelt sich also möglicherweise um Einsätze von Kompositsicheln, wie sie aus Ufersiedlungen in Oberitalien belegt sind.[547]

Mehrfach beobachtet wurde an gezähnten Sicheln aus Oberschwaben matter Glanz bzw. Verrundungsspuren.[548] Mikroskopische Gebrauchsspurenanalysen an der gezähnten Sichel aus dem Keramikdepot von Enzersdorf/Fischa lassen vermuten, dass das Gerät zur Bearbeitung weicher, vermutlich

---

535 Vgl. dazu Conscience, Keramik 128; 130 Abb. 6,8.9; Köninger, Bodensee 104 f.
536 Gross u. a., Zürich „Mozartstrasse" Taf. 22,4.5; Conscience, Keramik 128; Köninger, Bodensee 104 f.
537 Pirling u. a., Schwäbische Alb Taf. 5,E2; 10,E11; 40,B1–7; 43,C4–5.
538 Vgl. dazu Schlichtherle, Mineralbodensiedlungen 51 f. Aus Nussdorf-Seehalde stammen mehr als ein Dutzend Silices, die diesem Rohmaterial zuzurechnen sind. Sie gehören dort eher in den endneolithischen Kontext der Horgener Kultur (Verbleib: Slg. E. Nell, Nussdorf).
539 Vgl. K. Willvonseder, Die jungsteinzeitlichen und bronzezeitlichen Pfahlbauten des Attersees in Oberösterreich. Mitt. Prähist. Komm. Österreich. Akad. Wiss. 11 u. 12 (Wien 1963–1968) 155 Taf. 14,6.10.11.
540 Uerpmann (Anm. 534) 154.
541 B. Othenin-Girard, Le Campaniforme d'Alle, Noir Bois (Jura, Suisse). Cahiers Arch. Jurassienne 7 (Porrentruy 1997) 111 ff. 115 Abb. 94.
542 Vgl. Gross u. a., Zürich „Mozartstrasse" Taf. 263,3–9; Ruckdeschl, Gräber 89; Wolf u. a. (Anm. 277) 30; 31 Fig. 24.
543 Vgl Conscience, Keramik 128; 130 Abb. 6,4.
544 Hochuli, Arbon-Bleiche 113; Köninger, Bodensee 104 f.
545 Zum Beispiel Ströbel, Feuersteingeräte 67 Abb. 13; vgl. dazu Schlichtherle, Erntegeräte 39; 40 Abb. 16.
546 Bayer. Vorgeschichtsbl. 33, 1968, 180; Nadler, Großes Schulerloch 59; 63 Abb. 28,2; Rieder (Anm. 281) 45; Krenn-Leeb, Enzersdorf 50 f. 54 Abb. 17.
547 R. Perini, Scavi archeologici nella zona palafitticola di Fiavé-Carera 2 (Trento 1987) 124 Taf. 12; 310 Fig. 140; 141.
548 Schlichtherle, Erntegeräte 29.

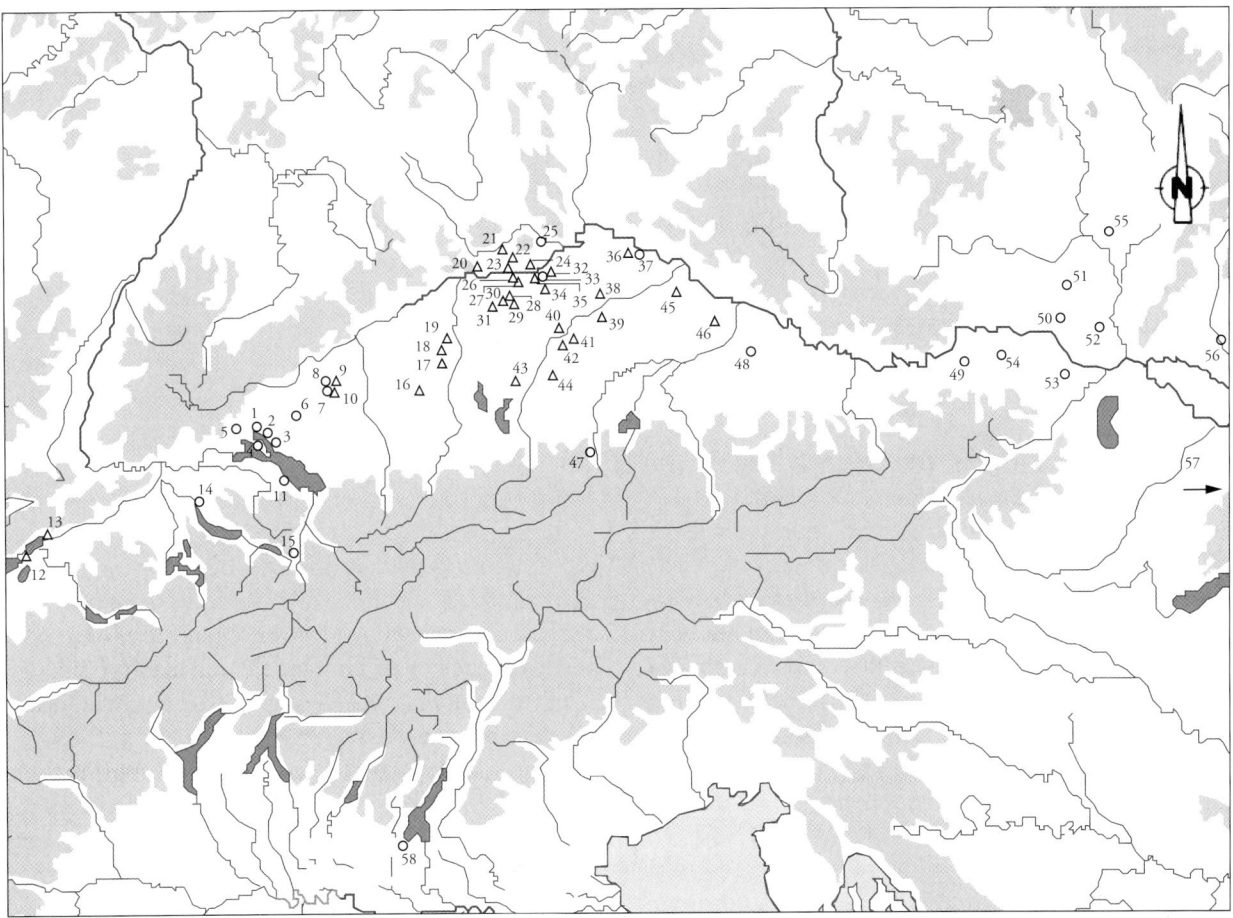

Abb. 128: Verbreitung stark retuschierter und stark gezähnter „Sichelsteine". Kartiert nach Köninger, Bodensee mit Ergänzungen. Fundortnachweis s. Kap. 16.2.3 (S. 297 f.). Kreise: stark retuschierte Stücke; Dreiecke: stark gezähnte Stücke.

pflanzlicher Materialien verwendet wurde[549] – es kommt möglicherweise also auch eine Verwendung im Rahmen der Textilproduktion in Betracht.

Die Verbreitung der stark retuschierten bis gezähnten Klingen umfassen das gesamte Verbreitungsgebiet frühbronzezeitlicher Sicheleinsätze entlang der Donau, sie sind aber hauptsächlich im Bereich der mittleren Donau und in Südwestdeutschland anzutreffen. Demgegenüber sind stark gezähnte Klingen hauptsächlich im bayerischen Donautal in der weiteren Umgebung von Ingolstadt verbreitet. Sie finden sich westlich davon vereinzelt auch in Oberschwaben und im Schweizer Mittelland (Abb. 128). Die weitläufige Verbreitung der gezähnten Sichelsteine kennzeichnet eine der Hauptkommunikationsachsen während der frühen Bronzezeit entlang der Donau und verbindet die donauländischen mit den nordalpinen Kulturgruppen. Auffallend ist dabei das Ausbleiben der gezähnten Silexklingen nördlich und südlich des Korridors, der sich vom Bodensee entlang der Donau durch das nördliche Alpenvorland bis nach Niederösterreich erstreckt.

Im Vergleich mit bronzezeitlichen Grabinventaren aus Hügelgräbern ergeben sich, was die Typen einzelner Silexartefakte betrifft, Unterschiede zu den Funden aus den Siedlungen. So kommen in den Hügelgräbern, im Gegensatz zu den gestielten Pfeilspitzen der Siedlungen, nur Pfeilspitzen mit gerader Basis vor.

Pfeilspitzen mit gekerbter Basis stammen aus Grab 3 des Hügels von Onstmettingen-Gockeler.[550] Das Inventar ist in seiner Zusammensetzung untypisch für die Grabausstattung der Hügelgräberkultur der Schwäbischen Alb, da es sich bis auf einen Bronzepfriem nur um Silexartefakte handelt. Unter den dortigen Funden befindet sich auch ein Silexdolch mit abgesetzter Griffzunge.[551] Ein ähnlich gearbeiteter beidseitig retuschierter Silexdolch fand sich in der früh- bis mittelbronzezeitlichen „Sied-

---

549 M. Dendarsky, Funktionsanalyse des Silexgerätes. In: Krenn-Leeb, Enzersdorf 52.
550 Pirling u. a., Schwäbische Alb Taf. 40,B1–7.
551 Ebd. Taf. 40,B7.

lung Forschner".[552] Silexdolche mit abgesetzter oder gekerbter Griffzunge liegen auch aus Bayern in begrenzter Anzahl vor.[553] Ebenso sind aus der Schweiz von Vinelz und von Treiten-Buechholz zwei Exemplare beidseitig stark retuschierter Silexdolche mit abgesetzter oder gekerbter Griffzunge bekannt.[554] Der Dolch von Treiten-Buechholz stammt aus einem Lesefundkomplex mit Funden der Frühbronzezeit.[555] Ein weiterer flächenretuschierter Silexdolch mit abgesetzter Griffzunge befindet sich im Altfundbestand von Meilen-Roorenhaab,[556] einer Pfahlbaustation am Zürichsee, die u. a. Siedlungsreste der späten Frühbronzezeit lieferte. Ein Einzelfundstück aus dem Wauwilermoos dürfte ebenfalls hierher gehören.[557]

Mit einiger Sicherheit sind die Dolche von Onstmettingen und aus der „Siedlung Forschner" der Früh- oder Mittelbronzezeit zuzuweisen. Die übrigen Dolche aus Süddeutschland wurden als Einzelfundstücke geborgen. Sie unterscheiden sich von endneolithischen Silexdolchen durch ihre kräftige, beidseitig flächige Retusche und die abgesetzte bzw. gekerbte Griffzunge. Ihre Zugehörigkeit zur Früh- bis Mittelbronzezeit ist in Süddeutschland dadurch wahrscheinlich, eine sichere Zuweisung in die Frühbronzezeit – wie jüngst vorgeschlagen[558] – scheint dagegen fraglich zu sein.[559] Die mutmaßlich bronzezeitlichen Silexdolche sind überwiegend aus ortsfremden Rohmaterialien gefertigt,[560] es handelt sich demnach um Importstücke. Die Herkunft des Rohmaterials wird z.T. in den Kreideformationen am Südrand der Alpen in Oberitalien vermutet. Die jüngst publizierten Dolchklingen von Wartau und Sargans in Kanton St. Gallen sollen ebenfalls aus diesem Rohmaterial gefertigt sein.[561]

In Oberitalien finden sich denn auch formal Vergleichsstücke zu den südwestdeutsch-schweizerischen Silexdolchen mit abgesetzter Griffzunge,[562] so dass eine mögliche Importquelle jenseits der Alpen vermutet werden darf.

Sichere Nachweise oberitalienischen Rohmaterials liegen aus der spätfrühbronzezeitlichen Ufersiedlung Wädenswil-Vorder Au vor, wo offenbar auch Rohmaterial aus Flintsbach-Hardt in Bayern belegt ist.[563] Dies, die querschneidige Geschossspitze aus ortsfremdem Rohmaterial unbekannter Provenienz von Schicht 11 in Ludwigshafen-Seehalde und die zahlreichen mutmaßlich früh- bis mittelbronzezeitlichen Importstücke belegen, dass Silex während nahezu der gesamten Frühbronzezeit ein wichtiger Werkstoff war. Gerätschaften aus Silex, wie Pfeilspitzen und Sicheln, wurden offenbar erst im Verlaufe der späten Frühbronzezeit durch Waffen- und Werkzeugtypen aus Bronze abgelöst.[564]

7.7 Felsgesteinartefakte

Mit Ausnahme der Silices sind hier sämtliche Gesteinsartefakte zusammengefasst. Sie sind, bis auf die „Hitzesteinen" aus Schicht C und ein Schleifsteinfragment aus Schicht B, unstratifiziert.

Die vorliegenden Geräte wurden aus Molassesandsteinbrocken, Geröllen und Kieselsteinen gefertigt. Das Rohmaterial dürfte überwiegend aus den anstehenden Molasseformationen und dem Geschiebe des Rheingletschers stammen und am Seeufer oder an aufgeschlossenen Moränen aufgesammelt worden sein.

7.7.1 Netzsenker

Unter den Oberflächenfunden befinden sich insgesamt zehn Netzsenker (Taf. 13,145.144). Sie sind aus flachen Kieseln gefertigt und an den Längsseiten gekerbt. Netzsenker finden sich an allen Uferabschnitten an der Oberfläche. Sie dienten wohl überwiegend zum Beschweren von Netzen,[565] z.T. aber auch von Reihenangeln, und waren bis in die Neuzeit in Gebrauch. Der prähistorische Kontext nicht stratifizierter Exemplare ist also unsicher.[566]

---

552 Keefer, Forschner 46 f. 49 Abb. 8,4 mit Anm. 17.
553 S. v. Schab, Die Pfahlbauten im Würmsee. Beitr. Anthr. u. Urgesch. Bayern 1, 1877, Taf. 1,j; Bayer. Vorgeschbl. 33, 1968, 140 ff. 169 Abb. 17,1.2.5.
554 E. Gross, Die Sammlung Hans Iseli in Lüscherz. Ufersiedlungen am Bielersee 3 (Bern 1991) Taf. 66,4. – Hafner, Frühe Bronzezeit Taf. 23,1.
555 Zum Beispiel das Fundstück von Treiten-Buechholz, BE; freundl. Mitt. A. Hafner, dem ich die Kenntnis des Stückes verdanke.
556 Hügi, Meilen-Rorenhaab 58 Taf. 37,535.
557 J. Speck, Zur Siedlungsgeschichte des Wauwilermoses. In: Die ersten Bauern. Pfahlbaufunde Europas 1. Schweiz (Zürich 1990) 266 Abb. 15.
558 S. Oberrath, Ein Beitrag zur Frühbronzezeit in Südwestdeutschland. Fundber. Baden-Württemberg 24, 2000, 196.
559 Der im Winter 2003 gemachte Neufund einer geschäfteten Dolchklinge aus südalpinem Kreidefeuerstein von Allensbach-Strandbad datiert in die späte Horgener Kultur (freundl. Mitt. H. Schlichtherle).
560 Vgl. Speck (Anm. 557) 266; Hafner, Frühe Bronzezeit 166; Hügi, Meilen-Rorenhaab 58.
561 M. Schindler, Zwei Dolche aus Monti Lessini-Silex von Sargans SG und Wartau SG-Azmoos. Jahrb. SGUF 84, 2001, 132–135.
562 Vgl. G. Säflund, Le terramare delle Province di Modena, Reggio Emilia, Parma, Piacenza. Skrifter Utgirna av Svenska Institutet i Rom VII (Lund/Leipzig 1939) Taf. 69,7; Rageth, Lago di Ledro Taf. 111,1.3.5.
563 Conscience, Keramik 128.
564 Vgl. dazu ebd. 128; 130 Abb. 6,3.4.
565 Schlichtherle, Hornstaad-Hörnle 121 ff.; J. Köninger, Bemerkungen zur vorgeschichtlichen Fischerei im westlichen Bodenseegebiet und in Oberschwaben. Nachrichtenbl. Arbeitskr. Unterwasserarch. 8, 2001, 68.
566 Ebd.

Abb. 129: Bodman-Schachen I, Hälfte eines pyritisierten Ammoniten (Taf: 14,158). Wie die beidseitig angefangene Bohrung zeigt, sollte aus dem Fossil ein Anhänger gefertigt werden. Maßstableiste 1 cm.

An den Netzsenkern von Bodman-Schachen I können zwei Größenklassen unterschieden werden, deren unterschiedliche Größen möglicherweise auf verschiedene Funktionen zurückzuführen ist.[567]

7.7.2 Klopfsteine

Eine weitere Artefaktgruppe bilden die so genannten Klopfsteine (Taf. 13,140.142). Insgesamt liegen vier Exemplare von der Oberfläche vor. An einem Stück (Taf. 13,142) haften an einer Seite Rußspuren, es muss also noch kurz vor der Bergung mit seiner Unterkante in einer Kulturschicht gelegen haben. Somit kann ein Schichtzusammenhang mit einer der frühbronzezeitlichen Kulturschichten hergestellt werden.

Den Klopfern sind gepickte Flächen und meist gegenüberliegende Dellen gemeinsam. Zwei Exemplare weisen auch Rillen auf und gehören damit zu den so genannten Kannelursteinen. Eine funktionale Interpretation dieser Kannelursteine bzw. mehrfach facettierten, gepickten Klopfer mit unregelmäßigem Umriss im Bereich der Metallbearbeitung wurde unlängst vorgenommen.[568] Die „Klopfer" von Bodman-Schachen I unterscheiden sich formal durch ihre unregelmäßige Kannelur von den regelmäßig „kannelierten" Exemplaren.

Der einzige mir bekannte stratifizierte Kannelurstein aus einer Ufersiedlung der jüngeren Frühbronzezeit nördlich der Alpen stammt aus Schicht 1 von Zürich-Mozartstrasse.[569] Weitere Kannelursteine, deren Zuweisung zur jüngeren Frühbronzezeit mit leichter Unsicherheit behaftet ist, sind von Arbon-Bleiche 2 bekannt.[570]

7.7.3 Schleifsteine

Aus Schicht B stammt ein kleines Schleifsteinfragment (Taf. 13,143). Das Gerät ist aus glimmerhaltigem grauem Sandstein gefertigt und besitzt an einer Seite Schleifspuren. Aus dem geringflächig vorhandenen, etwas verwaschenen Schliff lassen sich keine spezifischen Funktionen ableiten.

7.7.4 Beile

Steinbeile sind selten. Die genaue Umrissform eines Meißelfragments (Taf. 13,142) aus verwittertem Serpentinit ist nicht mehr rekonstruierbar. Das einzige vollständige kleine Steinbeil (Taf. 13,141) ist spitznackig, flächig überschliffen und aus Grüngestein hergestellt.

Dass Steinbeile in den Ufersiedlungen der jüngeren Frühbronzezeit öfters anzutreffen sind, zeigen die Funde von Arbon-Bleiche 2 und Zürich-Mozartstrasse.[571] Das Spektrum der Steinbeile reicht dabei von rechteckigen bis spitznackigen größeren Beilen bis zu kleinen Meißeln. Typisch frühbronzezeitliche Steinbeilformen sind nicht zu erkennen und höchstens von der Analyse größerer Fundkomplexe zu erwarten.

7.7.5 Schmuck

Aus Schicht C stammt die Hälfte eines pyritisierten Ammoniten (Abb. 129; Taf. 14,158). Der Ammonit besitzt an seiner Bruchstelle Reste eines Bohrloches, so dass anzunehmen ist, dass die fossilisierte Schnecke beim Durchbohren zerbrach. Aus dem matt golden glänzenden Objekt sollte demnach ein Schmuckanhänger gefertigt werden.

Der Ammonit dürfte aus Weißjuraformationen stammen, die unweit der Ufersiedlungen, in ca. 20 km Entfernung, bei Engen anstehen.[572]

7.7.6 Armschutzplatten

Im Sommer 1990 wurde bei einer Begehung der Flachwasserzone[573] am Schachenhorn in nächster Nähe der Grabungsschnitte von Bodman-Scha-

---

567 Schlichtherle, Hornstaad-Hörnle 123; ders., Bohrungen und Oberflächenbegehungen in der Ufersiedlung Hegne-Galgenacker, Kr. Konstanz. In: Siedlungsarchäologie im Alpenvorland II. Forsch. u. Ber. Vor- u. Frühgesch. Baden-Württemberg 37 (Stuttgart 1990) 187; 186 Abb. 6; 7.
568 F. Horst, Die jungbronzezeitlichen Kannelursteine des mitteleuropäischen Raumes – Werkzeuge für die Bronzebearbeitung? Helv. Arch. 17, 1986, 82–91 bes. 88.
569 Gross u. a., Zürich „Mozartstrasse" Taf. 24,12.
570 Fischer, Bleiche 14; 34 Taf. 8,2.3.
571 Ebd. Taf. 6,1–11; 7,1–7; Gross u. a., Zürich „Mozartstrasse" Taf. 24,1.2.
572 Freundl. Mitt. U. Leppig vom Geologischen Institut der Universität Freiburg.
573 Das Fundstück befindet sich in der Slg. M. Fiebelmann (Tuttlingen).

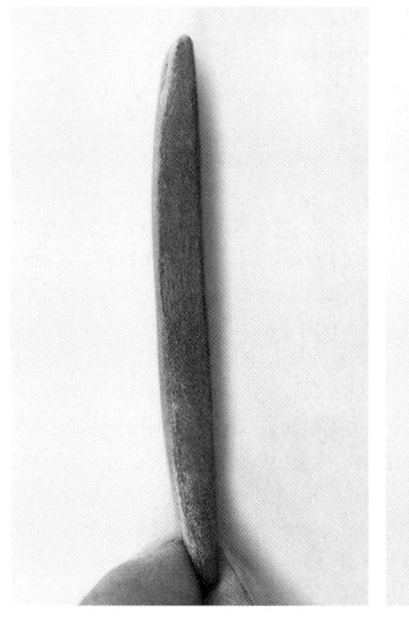

Abb. 130: Bodman-Schachen I, Oberfläche. Zweifach gelochte Armschutzplatte mit geschweiftem Umriss. M. 1:1.

chen I eine Armschutzplatte aus feinkristallinem Sandstein aufgelesen (Abb. 130).[574] Die Oberfläche der Bodmaner Armschutzplatte ist gut poliert, Schliffspuren sind auch unter dem Auflichtmikroskop nicht erkennbar, ebenso wenig können Gebrauchsspuren festgestellt werden.

Das Fundstück weist keine Spuren mechanischer Beanspruchung in Form von Verrundung oder sekundärem Schliff auf, so dass die Ausspülung aus dem Schichtverband erst kurz vor der Auffindung erfolgt sein kann. Zu vermuten ist, dass die Armschutzplatte im Sommer 1990 bei einem der Nordoststürme aus dem Schichtverband gelöst wurde. Die ungewöhnlich heftigen Erosionsvorgänge im Sommerhalbjahr waren durch den damals außerordentlich niedrigen Wasserstand möglich geworden. Die Armschutzplatte stammt also mit einiger Wahrscheinlichkeit aus einer der Kulturschichten am Schachenhorn und ist deshalb als Siedlungsfund zu klassifizieren.[575] Sie gehört zu den zweilöcherigen Typen mit geschweiftem Umriss, deren Löcher von beiden Seiten gebohrt sind und dadurch einen sanduhrförmigen Querschnitt aufweisen. Armschutzplatten dieser Form entsprechen Egon Sangmeisters Typ F[576] bzw. seiner Form 3[577].

Die Verwendung dieser Artefakte ist durch Befunde aus Gräbern hinlänglich belegt.[578] Eine mögliche Tragweise am Unterarm speziell zweilöcheriger Armschutzplatten ist durch den Befund von Mannheim-Ilvesheim angezeigt.[579] Zweilöcherige Platten sind demnach nicht zwingend als Daumenschutz zu betrachten.[580] Möglicherweise waren mehrere

„Pulsaderschienen"[581] auf Stoff oder Leder aufgenäht und dienten so dem Schutz des Unterarms vor einem Pfeilschuss. In diesem Zusammenhang sind die zu Befestigungszwecken eingezogenen Metalldrähte in den Löchern der Armschutzplatte von Emst zu sehen.[582] Praktischerweise dürfte die gewölbte Seite dabei nach außen und die flache Breitseite am Handgelenk nach innen orientiert gewesen sein.[583]

Die Materialbeschaffenheit der Armschutzplatten wird im Allgemeinen nur wenig präzise angegeben, so dass Sangmeister nur in grobem Raster Platten von eher roter von solchen eher grauer Gesteinsfarbe unterscheidet.[584] Darüber hinaus sind einige wenige Exemplare bekannt geworden, die aus Knochen gefertigt wurden.

7.7.6.1 Zur Verbreitung und relativen Chronologie von Armschutzplatten

Die Platte von Bodman-Schachen I gehört zu den aus Stein gefertigten Exemplaren. Sie ist aus fein-

---

574 Die Gesteinsbestimmung wurde mit Hilfe eines Auflichtmikroskops makroskopisch von W. Czygan vom Mineralogischen Institut der Universität Freiburg durchgeführt. Für seine Informationen bedanke ich mich an dieser Stelle freundlichst.
575 Weitere Armschutzplatten des Bodenseegebietes und aus dem Hegau bei Tröltsch, Pfahlbauten 71 Anm. 2. Allerdings ist ein Exemplar, dessen Existenz aus dem Tröltschen Text hervorgeht, ansonsten weder erwähnt noch abgebildet, das zweite Exemplar, die Armschutzplatte von Dingelsdorf, die mehrfach erwähnt wird, ist verschollen. Ihr Fundzusammenhang ist nicht zu rekonstruieren. Neben dem Bodmaner Exemplar liegen aus Pfahlbauten zwei weitere Armschutzplatten vor, deren Herkunft aus einer Ufersiedlung angenommen werden kann. Desgl. können Armschutzplatten von Höhen als Siedlungsfunde angesprochen werden, deren kultureller Kontext im Einzelnen unklar bleibt. Dazu P. Schröter/L. Wamser, Eine Etagen-Doppelbestattung der Glockenbecherkultur von Tückelhausen, Stadt Ochsenfurt/Unterfranken. Fundber. Hessen 19, 1979, 291. Zu Armschutzplatten aus Siedlungen s. E. Sangmeister, Zwei Neufunde der Glockenbecherkultur in Baden-Württemberg. Ein Beitrag zur Klassifizierung der Armschutzplatten in Mitteleuropa. Fundber. Baden-Württemberg 1, 1974, 144ff. Tab. 4a–g.
576 Ebd. 116 Abb. 8.
577 E. Sangmeister, Die schmalen Armschutzplatten. In: Studien aus Alteuropa I. Festschr. K. Tackenberg (Köln/Graz 1964) 93–122.
578 P. Schröter, Bemerkungen zur Glockenbecherkultur in Bayern (Ungedr. Diss. Univ. Tübingen 1974) 37ff. 36 Abb. 5.
579 H. P. Kraft, Ein reiches Grab der Frühbronzezeit von Ilvesheim, Lkrs. Mannheim. Arch. Nachr. Baden 8, 1972, 13–18; zur Tragweise bes. 16 Abb. 3.
580 Vgl. D. Schmudlach, Alladorf, Fundchronik für die Jahre 1963 und 1964. Bayer. Vorgeschbl. 33, 1968, 166.
581 In älterer Literatur verwendeter Begriff, z.B. Tröltsch, Pfahlbauten 71.
582 A. E. van Giffen, Die Bauart der Einzelgräber. Beitrag zur Kenntnis der älteren individuellen Grabhügelstrukturen in den Niederlanden. Mannus 45 (Leipzig 1930) 74f.
583 Zur Tragweise Schröter (Anm. 578) 39.
584 Sangmeister (Anm. 575) 114 mit Anm. 29.

kristallinem Sandstein hergestellt, dessen Herkunft aus paläozoischen Formationen Nordostfrankreichs, Belgiens oder dem rheinischen Schiefergebirge nahe liegt. Geringfügige Vorkommen dieses überprägten Sedimentgesteins im Bereich der Störungszone Badenweiler/Lenzkirch und im alpinen Raum sind als Herkunftsgebiete des Gesteins zumindest unwahrscheinlich.[585] Die dortigen Vorkommen sind wenig ausgedehnt und kaum zur Materialgewinnung geeignet.

Die schmalen Armschutzplatten sind verhältnismäßig weit verbreitet.[586] Fundhäufungen liegen aus der Provinz Gelderland in den Niederlanden und den Terramaren vor,[587] das Hauptverbreitungsgebiet dieses Typs liegt im Süden der Iberischen Halbinsel, wo sie sowohl im Kontext der Glockenbecherkultur als auch der Frühbronzezeit auftreten.[588] In den Niederlanden stammen sie aus Gräbern der Glockenbecherkultur.

Ein schmales Exemplar ohne Bohrungen kommt aus Schicht 1a/b von Zürich-Mozartstrasse und datiert deshalb dort in den älteren Abschnitt der Frühbronzezeit.[589]

Eine ganze Reihe weiterer Armschutzplatten dieses Typs stammt vom Lago di Ledro,[590] wo ihr stratigraphischer Kontext allerdings unklar geblieben ist.[591] Ihre Nutzung bis in die jüngere Frühbronzezeit ist jedenfalls auch hier nicht auszuschließen.

In Alladorf in Niederbayern ist eine Armschutzplatte diese Typs mit früh- bis mittelbronzezeitlicher Keramik aufgelesen worden. Auch hier ist ihre Verwendung bis in die jüngere Frühbronzezeit eher wahrscheinlich.[592]

Die Herkunft der zweilöcherigen Armschutzplatte von Apfelstetten auf der schwäbischen Alb ist unklar.[593] Ein weiteres Exemplar aus Grab 7 von Onstmettingen-Gockeler[594] datiert aufgrund der Beifunde in Stufe 1 nach Renate Pirling[595] und ist damit sicher bronzezeitlich.

Zweilöcherige Armschutzplatten mit geschweiftem Umriss waren demnach in ihrem Verbreitungsgebiet insgesamt bis in die frühe Bronzezeit in Gebrauch, in Süddeutschland muss mit einer Verwendung bis in die mittlere Bronzezeit[596] gerechnet werden.

7.8 Besondere Tonobjekte

Über die reichlich vorhandene Keramik hinaus liegen aus den Kulturschichten und von der Oberfläche weitere Fundobjekte vor, die ebenfalls aus gebranntem oder luftgetrocknetem Ton hergestellt sind.

7.8.1 Webgewichte

Aus der oberen Kulturschicht stammt das Fragment eines schwach gebrannten, oval kugelförmigen, verstrichenen Tonobjekts (Taf. 13,149) mit seitlichen Kerben, die wahrscheinlich zur Aufnahme einer Schnur gedacht waren und die sonst übliche Lochung ersetzten. Das Tonkugelfragment dürfte Teil eines Webgewichts sein. Zwei weitere Webgewichte mit zentraler Lochung und tonnenförmigem Umriss sind nicht stratifiziert (Taf. 65,1051.1055). Die Form ist im Kontext der jüngeren Frühbronzezeit geläufig.[597]

7.8.1.1 Zur Verbreitung und relativen Chronologie der tonnenförmigen Webgewichte

Aus den bronzezeitlichen Ufersiedlungen von Arbon-Bleiche 2[598] und Meilen-Schellen[599] sind ebenfalls tonnenförmige Webgewichte bekannt geworden. Im Unterschied zu den Objekten von Bodman-Schachen I sind diese an einer ihrer beiden Flachseiten mit Tupfen oder groben Einstichen verziert. Die stratifizierten Funde von Meilen-Schellen entstammen zusammen mit einem Keramikensemble einer Fundschicht, deren Ablagerungsbeginn zwischen 1650 und 1640 v. Chr.[600] angesetzt werden darf. Es ist deshalb zu vermuten, dass die Webgewichte von Bodman-Schachen I aus den Schichten B oder C stammen.

---

585 Freundl. Mitt. W. Czygan, Mineralogisches Institut der Universität Freiburg.
586 E. Sangmeister, Zwei Einzelfunde vom Breisacher Münsterberg. Arch. Nachr. Baden 17, 1976, 13–16; ders. (Anm. 577) 113 ff. 99 Abb. 4.
587 O. Cornaggia Castiglioni, Ricerce sulla problematica degli „pseudo-brassards" preistorici. Bull. Paletnologia Italiana 71/72, 1962/63, 31 ff., Liste mit weiteren Exemplaren. Die hier vertretene Auffassung, es handle sich bei den zweifach durchbohrten Platten um Anhänger, ist zumindest fraglich.
588 Ebd. 113 f.
589 Conscience, Neudatierung 150 f.; E. Gross/E. Bleuer/B. Hardmeyer/A. Rast-Eicher/Ch. Ritzmann/B. Ruckstuhl/U. Ruoff/J. Schibler, Zürich „Mozartstraße". Neolithische und bronzezeitliche Ufersiedlungen 2. Tafeln. Ber. Zürcher Denkmalpfl. Monogr. 17 (Zürich/Egg 1992) Taf. 297,24.
590 Rageth, Lago di Ledro 187 f. Taf. 108,1–10.
591 Ebd. 188. Rageth findet die Schichtzugehörigkeit der Objekte in den oberen Schichten des klassischen Polada „erstaunlich".
592 Vgl. Bayer. Vorgeschbl. 33, 1968, 166 Abb. 15.
593 Pirling u. a., Schwäbische Alb 37 Taf. 1,B3.
594 Ebd. 82 Taf. 42,A3.
595 Ebd. 24.
596 Vgl. ebd.
597 Hundt, Oberitalien 172.
598 Fischer, Bleiche Taf. 41,3.4.
599 Ruoff, Meilen-Schellen Taf. 7,1–3.
600 Ebd. 57.

Die Verbreitung der tonnenförmigen Webgewichte reicht von Mitteldeutschland bis Oberitalien.[601] Ihre Funktion ist unklar. Möglicherweise handelt es sich nicht oder nicht ausschließlich um Gewichte von Webstühlen. Vielleicht wurden sie auch beim Bronzeguss verwendet. Die regelhafte Vergesellschaftung von Tondüsen[602] und tonnenförmigen Webgewichten[603] sowie das „Schmiedemeistergrab" von Erfurt-Gipsersleben, in welchem Tondüsen und ein tonnenförmiges Tongewicht vergesellschaftet vorliegen,[604] lassen dies vermuten.

7.8.2 Gusstiegel

Von der Oberfläche (Abb. 131,1; Taf. 12,139) und aus Schicht C (Abb. 131,2; Taf. 12,135) liegen zwei handgroße, wannenförmige Gerätschaften vor, deren Funktion als Gusstiegel aus anhaftenden Metallresten an ihrer Innenseite erschlossen werden kann.[605] Die beiden in der Aufsicht ovalen Gusstiegel sind aus quarzgrusgemagertem Ton gefertigt und oberflächlich verstrichen. An ihrer spitz zulaufenden Schmalseite befindet sich eine Ausgussrinne. Sie belegen die Bronzeverarbeitung während der jüngeren Frühbronzezeit (Schicht C), wobei unklar ist, ob in den Gusstiegeln Bronze wiederaufgeschmolzen oder kleinere Kupfermengen mit Zinn legiert wurden.[606]

Der nicht stratifizierte Gusstiegel besitzt an der Unterseite zwei herausmodellierte Leisten (Abb. 131,1). An diesen konnte der Gusstiegel zwischen Hölzer geklemmt und so in heißem Zustand angefasst und geführt werden.[607] Vergleichbar ist ein Gusstiegel mit Griffleisten aus Troja III.[608] Unterschiedliche Datierungsansätze[609] und die große räumliche Distanz der Fundpunkte machen es jedoch unwahrscheinlich, dass die formale Ähnlichkeit auf Fernbeziehungen in die Ägäis verweist.

Vergleichbare Gusstiegel ohne Halteleisten sind dagegen aus Ufersiedlungen des Gardasees und, in großer Zahl, vom Lago di Ledro im Kontext der klassischen Polada-Kultur bekannt geworden (Abb. 165).[610] Die meisten Gusstiegel besitzen dort ein Schäftungsloch zur Aufnahme eines Holzgriffs[611] und unterscheiden sich dadurch von unseren Fundstücken. Besonders zwei spitzovale Gusstiegel mit Ausgussrinne vom Lago di Ledro und das Exemplar von Bor di Pacengo gleichen dem Tiegel aus Schicht C.[612]

Die Gusstiegel von Bodman-Schachen I und vom Lago di Ledro belegen Kontakte über die Alpen hinweg.[613] Sie repräsentieren ein bisher für die jüngere Frühbronzezeit nördlich der Alpen nicht belegtes Aufschmelzverfahren in kleinen Gusstiegeln. Aus der Pfyner Kultur und der Mondsee-Gruppe sind durch die dort geläufigen Gusstiegel für das Jungneolithikum vergleichbare Aufschmelzverfahren belegt.[614]

7.8.2.1 Funktionsweise der Gusstiegel

In Gusstiegeln können für Zinnbronzen ausreichende Schmelztemperaturen nur dann erreicht werden, wenn die Erhitzung von oben durchgeführt wird. Der tönerne Gusstiegel würde ansonsten noch vor dem Aufschmelzen des Metalls in Glasfluss übergehen.[615] Das Metall musste dabei mit Holzkohle bedeckt werden, um unter künstlicher Luftzufuhr durch ein Rohr mit Tondüsenaufsatz die nötige Hitze von etwa 1100 °C im Direktkontakt mit dem Metall erzeugen zu können. Die Rohre waren höchstwahrscheinlich an Blasebälge angeschlossen, da die zur Hitzeentwicklung erforderliche konstante Blasleistung aus der Lunge kaum über den erforderlichen Zeitraum von zumindest zehn Minuten ohne

---

601 Vgl. Müller, Aunjetitzer Kultur 115; 119 Abb. 5,5.
602 Zur Funktion vgl. Ebert, Reallexikon Bd. 2 Taf. 67a.
603 Müller, Aunjetitzer Kultur 107ff.
604 Ebd. 276.
605 Vgl. Rageth, Lago di Ledro 176, die Unsicherheit bzgl. der Funktion der Gusstiegel gleicher Form vom Lago di Ledro, die Rageth formuliert, kann damit ausgeräumt werden.
606 Die Legierung von Kupfer in Schmelztiegeln ist generell durch den Tiegel von Foraxi Nioi beim Nuragus in Sardinien belegt. Vgl. dazu Ch. Roden, Montanarchäologische Quellen des Ur- und Frühgeschichtlichen Zinnbergbaus in Europa. Der Anschnitt 37, 1985, 51 mit Anm. 14.
607 Vgl. zur Handhabung Ebert, Reallexikon Bd. 2 Taf. 67a. Die ägyptische Darstellung zeigt Gusstiegel, die von zwei Personen zwischen gebogene Hölzer geklemmt gehalten werden. In kleinerer Dimension dürfte die Darstellung auf die Gusstiegel von Bodman-Schachen I übertragbar sein.
608 Vgl. R. F. Tylecote, The Early History of Metallurgie in Europe (London/New York 1987) 185.
609 Ebd. 184.
610 B. Simeoni, Bor di Pacengo. In: „C'era una volta Lazise" (Verona 1992) 57 Abb. 5,3; A. Aspes, La Quercia di Lazise. Le ricerce e i materiali. In: „C'era una volta Lazise" (Verona 1992) 81 Abb. 11; L. Fasani, L'età del Bronzo in Europa e nella penisola italiana. In: A. Aspes (Hrsg.), Il Veneto nell'antichità. Preistoria e protostoria II (Verona 1984) 497; Rageth, Lago di Ledro Taf. 91. Überhaupt sind Belege zur Bronzegusstechnologie der jüngeren Frühbronzezeit selten. Gussformen bei M. Menke, Frühbronzezeitliche Gußformen aus Karlstein, Lkr. Berchtesgaden (Oberbayern). Jahrb. RGZM 15, 1968, 69–74. Taf. 20; 21; Fischer, Bleiche Taf. 41,5.
611 Rageth, Lago di Ledro 175.
612 Ebd. Taf. 91,1.2; Simeoni (Anm. 610).
613 Vgl. Köninger/Schlichtherle, Foreign Elements Abb. 5.
614 A. Rottländer/H. Schlichtherle, Gußtiegel der Pfyner Kultur in Südwestdeutschland. Fundber. Baden-Württemberg 7, 1982, 59–71.
615 Versuch E. Czarnowski und M. Kinski; freundl. Mitt. M. Kinski.

Abb. 131: Bodman-Schachen I, Wannenförmige Gusstiegel aus der Oberfläche (1) und aus Schicht C (2). Die Griffleisten an der Unterseite (1) dienten vermutlich der Handhabung des Tiegels.

Hyperventilationserscheinungen zu erbringen gewesen wäre.[616]

Die Gusstiegel eigneten sich mit einem Fassungsvermögen von etwa 50 cm³ nur zur Schmelze kleinerer Metallmengen. Die Schmelze eines Gusstiegels reicht beispielsweise nur knapp zum Gießen eines Randleistenbeiles. Das Metall für materialintensivere Gegenstände musste demnach in mehreren Gusstiegeln aufgeschmolzen werden, vorausgesetzt es gab nicht außerhalb der Siedlung Schmelzöfen, in denen größere Metallmengen geschmolzen werden konnten.

7.8.3 Tondüsen

Ebenfalls zum Bronzegusswerkzeug gehören die so genannten Tondüsen. Von Bodman-Schachen I liegt ein unstratifiziertes, erodiertes Exemplar (Taf. 69, 1101) vor. Die Tondüse ist konisch und besitzt eine gerade Durchlochung, das dickere Ende ist kerbverziert. Die Tondüsen sollten vermutlich verhindern, dass Blasebalgröhren an ihrem der Glut zugewandten Ende anbrannten (s. o.).[617] Die einfache und wenig variierende Form dürfte auf ihren funktionalen Charakter zurückzuführen sein.[618]

7.8.3.1 Verbreitung und relativchronologische Einordnung der Tondüsen

Tondüsen sind von Mitteldeutschland über das Karpatenbecken bis nach Ungarn, Österreich und Oberitalien weiträumig verbreitet. Relativchronologisch sind sie auf die jüngere Frühbronzezeit und ältere Mittelbronzezeit beschränkt.[619] Aus den Ufersiedlungen des Schweizer Mittellandes und der Nordostschweiz sind, mit Ausnahme von Arbon-Bleiche 2, keine Tondüsen bekannt geworden. Diesem Verbreitungsbild der Tondüsen liegen möglicherweise unterschiedliche Schmelzverfahren in Süddeutschland und der Schweiz zugrunde. Da auch in fundreichen Schweizer Frühbronzezeitsiedlungen bislang noch keine Gusstiegel gefunden werden konnten, liegt der Schluss nahe, dass hier die Weiterverarbeitung der Bronze entweder außerhalb der Siedlungen stattgefunden hat oder innerhalb der Siedlungen Schmelzverfahren angewandt wurden, die weder Gusstiegel noch Tondüse benötigten.

7.8.4 Gemusterte Tonobjekte

In der deutschsprachigen Literatur werden längliche gemusterte Tonobjekte aus bronzezeitlichem Zusammenhang als Brotlaibidole bezeichnet.[620] Von Bodman-Schachen I liegen zwei dieser Tonobjekte vor.

Aus Schicht C stammt ein fragmentarisch erhaltenes Brotlaibidol (Taf. 12,132). Ein weiteres, vollständiges Exemplar (Taf. 12,133) wurde 1990 im Pfahlfeld von Bodman-Schachen I im Flachwasserbereich aufgelesen.[621] Das Brotlaibidol fand sich nach Auskunft des Finders wenige Meter landwärts der Grabungsschnitte, die an Schnittverbauungen und belassenen Messschnüren leicht auszumachen sind. Die Oberfläche dieses Brotlaibidols ist, herausgelöst aus dem schützenden Schichtverband, durch die Bewegung am Seegrund etwas korrodiert. Aufgrund des nur leicht verrundeten Zustands des schwach gebrannten (s. u.) und daher verhältnismäßig weichen Gegenstands kann angenommen werden, dass das Tonobjekt am Seegrund nicht über weite Strecken transportiert wurde und bis zur Auffindung noch nicht allzu lange an der Oberfläche

---

616 Vgl. Ebert, Reallexikon Bd. 2 Taf. 67a. Die Zeit von 10 min und mehr geht aus einem Versuch von E. Czarnowski hervor; freundl. Mitt. E. Czarnowski.
617 Vgl. Ebert, Reallexikon Bd. 2 Taf. 67a.
618 Zu unterscheiden sind Tondüsen mit gekerbtem Ende von unverzierten Tondüsen ,und Tondüsen mit gerader Durchlochung von solchen mit einem Absatz in der Durchlochung. In der Hauptsache dürfte die absolute Größe, abhängig von der Funktion, ein Hauptunterscheidungsmerkmal sein. Vgl. dazu Müller, Aunjetitzer Kultur 115 ff.
619 Vgl. Točík, Veselom 237; Rageth, Lago di Ledro 177.
620 Weitere Bezeichnungen: Müller, Aunjetitzer Kultur 275 ff.: Pintadera vom Brotlaibtypus. – R. A. Maier, Gemusterte Tonobjekte in der Art der Mad'arovce- und Poladakultur aus Bronzezeitsiedlungen bei Freising im Isartal und Singen am Hohentwiel. Germania 57, 1979, 162–165: gemusterte Tonobjekte. – L. Fasani, Sul significato cronologico dei cosidetti „ogetti enigmatici" dell' eta del bronzo dell' Italia settentrionale. Mem. Mus. Civ. Storia Naturale Verona 18, 1970, 91–112: oggetti enigmatici.
621 Dem Besitzer, M. Fiebelmann, sei an dieser Stelle für die Überlassung des Fundstückes zur Publikation im Rahmen meiner Arbeit gedankt, desgl. H. Schlichtherle, dem ich die Kenntnis des Fundstückes verdanke.

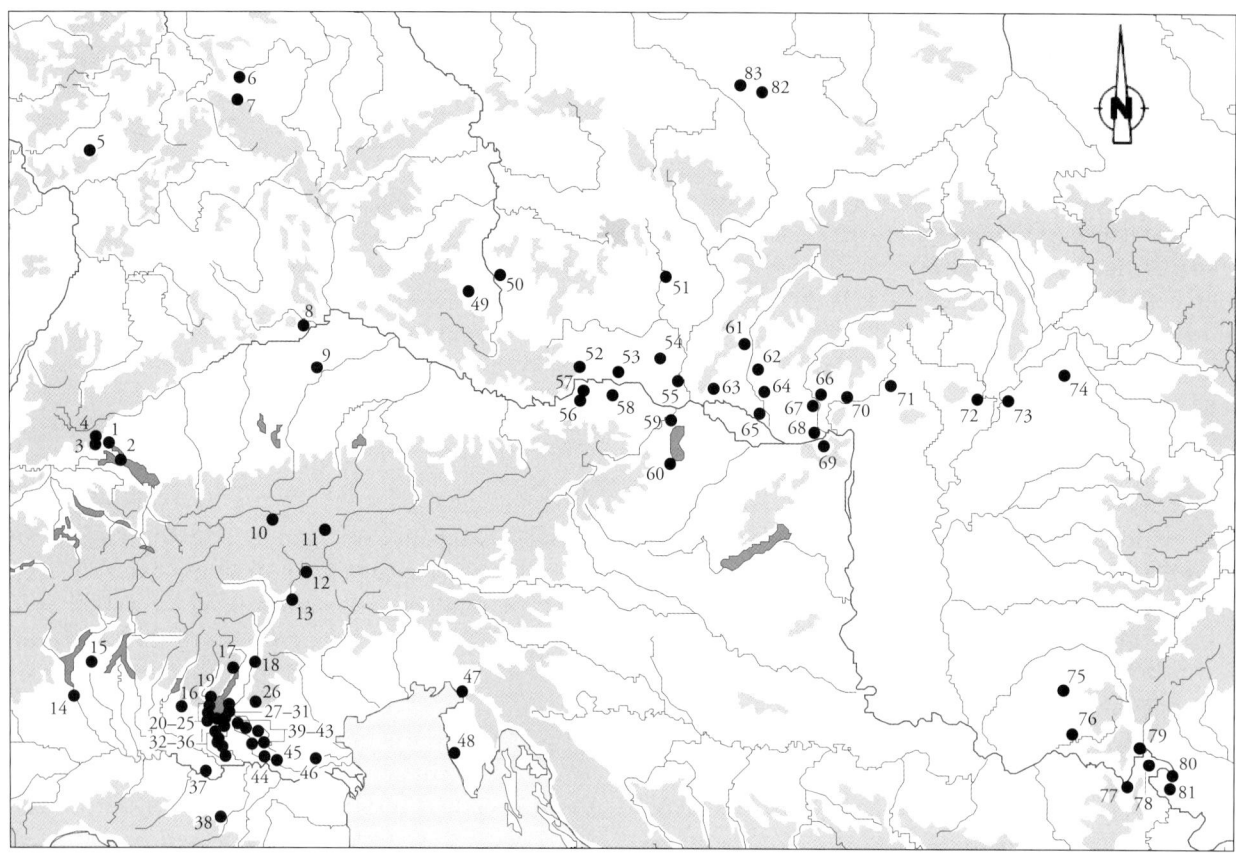

Abb. 132: Verbreitungskarte gemusterter Tonobjekte. Kartiert nach Köninger, Gemusterte Tonobjekte 433; ders., Bodensee 106 ff.; Rind, Frauenberg 89 ff.; Trnka, Brotlaibidolfund 89 ff. und weiteren eigenen Erhebungen. Fundortnachweis s. Kap. 16.2.4 (S. 298 f.)

gelegen hat. Die Fundsituation im südlichen Siedlungsareal von Bodman-Schachen I macht eine Herkunft des Lesefundes aus den dort vertretenen oberen Kulturschichten B und C und damit eine relativchronologische Stellung in der jüngeren Frühbronzezeit am wahrscheinlichsten.

Die beiden Brotlaibidole von Bodman-Schachen I sind aus geringfügig gemagertem Ton hergestellt und nur schwach gebrannt. Die Oberfläche des stratifizierten Brotlaibidols ist schwarz und geglättet, während der nicht stratifizierte Lesefund an seiner Oberfläche korrosionsbedingt grau ist. Die Breitseiten des etwa zur Hälfte erhaltenen Tonobjekts aus Schicht C sind mit Ritzlinien und je zwei säumenden, mittig gelegenen Einstichen „gemustert". Das vollständig erhaltene Fundstück gleicht dem stratifizierten Objekt aus Schicht C in allen wesentlichen Punkten, ist aber im Gegensatz zu diesem bei identischer Musterung nur einseitig verziert.

7.8.4.1 Zur Verbreitung gemusterter Tonobjekte

Gemusterte Tonobjekte sind weiträumig über Mittel-, Ost- und Südeuropa verbreitet. Aus 83 Fundorten sind bis heute 189 Objekte bekannt geworden, es sind damit seit 1998[622] 14 weitere Fundorte mit insgesamt 20 weiteren gemusterten Tonobjekten hinzugekommen. Sie stammen hauptsächlich aus Oberitalien, ergänzt durch einzelne Fundpunkte in Tschechien, der Slowakei, Istrien, am Bodensee und in Bayern.[623] Verbreitungsschwerpunkte lassen sich weiterhin in erster Linie an der mittleren Donau und in Oberitalien im Gardaseegebiet ausmachen, weitere Konzentrationen befinden sich an der unteren Donau um das „Eiserne Tor" und im westlichen Bodenseegebiet. Weniger deutlich fallen die Fundkonzentrationen an der oberen Theiß und in den

---

[622] Köninger, Gemusterte Tonobjekte 432 Tab. 1.
[623] Vgl. dazu M. Baioni/L. Seragnoli, Il territoria tra Roverbella e Castel d'Ario. In: D. Cocchi Genick (ed.), L'antica età del bronzo. Atti del Congresso di Viareggio, 1–12 Gennaio 1995 (Firenze 1996) 415 ff.; R. Morandi/A. Vigliardi/A. Zanini, Iconografia e arti decorative. In: D. Cocchi Genick (ed.), L'antica età del bronzo. Atti del Congresso di Viareggio, 1–12 Gennaio 1995 (Firenze 1996) 361 ff. 377 Abb. 7; J. Bartík, Dvorníky, Časť Posádka. Poloha-Podzámček. In: M. Ruttkay (Hrsg.), Archeológia na trase pylnovodu (Bratislava 1997) 109 ff.; Rind, Frauenberg 89 ff. 360 f.; Trnka, Brotlaibidolfund 89 ff.; Köninger, Bodensee 106 f. – Der Fundort Obermamau wird bei Köninger, Gemusterte Tonobjekte irrtümlich als Obermarnau geführt.

östlichen Zentralalpen aus (Abb. 132).[624] Außerhalb der Hauptverbreitungsgebiete erreichen gemusterte Tonobjekte in Deutschland nördlich des Mains die Wetterau und Thüringen und weiter im Osten Polen. Eine weitere Gruppierung deutet sich am Kaput Adriae in Istrien an (Abb. 132). Die bereits 1998 vorgeschlagene Gliederung der Tonobjekte in eine padanische, eine Bodensee-Hegau-, eine inneralpine und eine Theiß-Gruppe sowie je eine Gruppe an der mittleren und unteren Donau ist also möglicherweise um eine istrische Gruppe zu ergänzen.

Die Muster der Tonobjekte lassen sich in vier Gruppen gliedern, die sich erheblich voneinander unterscheiden.[625] Die padanische Gruppe setzt sich durch ihre außerordentliche Mustervielfalt von den übrigen regionalen Gruppierungen ab. Auffallend ist, dass die Muster der süddeutschen Objekte aus Bayern und der Bodensee-Hegau-Gruppe, die der jüngeren Frühbronzezeit angehören, einheitlich ausfallen. Die Muster bestehen aus Querlinien mit je zwei säumenden Einstichen, die einseitig oder beidseitig auf den Breitseiten der Objekte angebracht sind. Die Vermutung, es handele sich hier um ein spezifisch süddeutsches Muster, wurde durch den Fund vom Frauenberg oberhalb Kloster Weltenburg bestärkt.[626] Die beiden Tonscheiben der Bodensee-Hegau-Gruppe sind demgegenüber durch feine rechteckige, an Ritzlinien aufgereihte Eindrücke gemustert. Vor allem das Exemplar von Wallhausen besitzt durch seine geradezu filigrane Reliefierung der Eindrücke gute Vergleiche in Oberitalien.[627]

Soweit dies überprüfbar ist, stammen die gemusterten Tonobjekte aus Siedlungen; die Herkunft der rumänischen und jugoslawischen Objekte, die allesamt aus Gräbern stammen sollen, ist unsicher. Einzig das Brotlaibidol von Franzenhausen stammt im Kontext der Unterwölblinger Gruppe gesichert aus einem Grab.[628]

Die südwestdeutsche Fundprovinz im westlichen Bodenseegebiet umfasst die Funde von Bodman-Schachen I, Hilzingen[629] und Singen[630]. Eine Tonscheibe mit zentraler Lochung aus Walhausen, ein Altfund, auf den Verf. im Erlanger Institut für Ur- und Frühgeschichte stieß und der dem Singener Exemplar vergleichbar gemustert ist, ist den bekannten Funden hinzuzufügen (Abb. 133).[631] Das Fundstück von Hilzingen ist hier auszuschließen. Alle drei Objekte weichen allerdings von der typischen Brotlaibform ab.

Das Verbreitungsbild der gemusterten Tonobjekte (Abb. 132)[632] zeichnet die großen Kommunikationsachsen über die Alpen und nach Osten entlang der Donau nach. Vor allem die Brennerroute wird durch einige Neufunde gut markiert. Die Reschen-route ist durch Brotlaibidole nicht direkt, aber durch die Funde im Bodenseegebiet sehr gut indirekt zu belegen.[633] Durch den Fund von Weltenburg wird schließlich die Fundlücke zwischen Niederösterreich und Bodensee entlang der Donau etwas verringert. Die bayerischen Fundpunkte von Frauenberg und Domberg sind dabei als Verlängerung der Brennerroute nach Norden zur Donau hin aufzufassen. Schließlich sind durch die istrischen Funde Kontakte zwischen der mitteldanubischen Gruppe und der padanischen Gruppe entlang der Alpensüdseite angezeigt.[634]

7.8.4.2 Relativchronologische Einordnung und absolute Datierung der gemusterten Tonobjekte

In Süddeutschland sind gemusterte Tonobjekte aus der älteren sowie auch der jüngeren Frühbronzezeit belegt. Die scheibenförmigen Objekte von Singen und Wallhausen dürften der älteren Frühbronzezeit zuzurechnen sein,[635] während die Objekte von Bodman-Schachen I der Arboner Kultur und damit der jüngeren Frühbronzezeit zuweisbar sind. Die bayerischen Brotlaibidole gehören in die jüngere Frühbronzezeit, die durch die Keramikgruppe Sengkofen/Jellenkofen repräsentiert wird. Sie sind damit der jüngeren Straubinger Gruppe zuzurechnen.[636]

Die stratifizierten Brotlaibidole aus Österreich sind in Böheimkirchen mit der klassischen Phase der Böheimkircher Gruppe und Litzenkeramik vergesellschaftet,[637] das Grab von Franzenhausen dürfte der Unterwölbliger Gruppe angehören, die slowakischen Funde der klassischen Phase der Mad'arovce-

---

624 Zur Verbreitung s. J. Kneipp, Ein bronzezeitliches „Brotlaibidol" aus der Wetterau. Arch. Korrbl. 16, 1986, 409 Abb. 4; Köninger, Gemusterte Tonobjekte 429 ff. 433 Abb. 2; Rind, Frauenberg 89 ff.; Trnka, Brotlaibidolfund 89 ff.; Köninger, Bodensee 106 f.
625 Köninger, Gemusterte Tonobjekte 436 ff.
626 Vgl. Rind, Frauenberg 89 ff.
627 Vgl. ebd. 437 Abb. 5,9.14.
628 J.-W. Neugebauer/A. Gattringer, Die Kremser Schnellstraße. Fundber. Österreich 21, 1982, 64 f. Abb. 12 Fn.
629 Dieckmann, Hilzingen 56 Abb. 37.
630 F. Garscha, Hockergräber und Siedlung in Singen a. H., Gemarkung „auf dem Rain, ob den Reben". Bad. Fundber. II, H. 9, 1929–32, 325 Abb. 125k; Krause, Siedlungskeramik 67 ff. Abb. 2,1.
631 Köninger, Bodensee 106 f. Abb. 18.
632 Vgl auch Kartierungen bei dems., Gemusterte Tonobjekte 429 ff.; Rind, Frauenberg 89 ff.; Ergänzungen bei Trnka, Brotlaibidolfund 89 ff.
633 Vgl. Köninger, Gemusterte Tonobjekte 439; ders., Bodensee 106 f.; Krause, Siedlungskeramik 67 ff. Abb. 2,1; 5,1.
634 Vgl. Köninger, Gemusterte Tonobjekte 432 ff.
635 Vgl. ders., Bodensee 107 ff.
636 Vgl. Möslein, Keramik 87.
637 G. Trnka, „Brotlaibidole" in Österreich. Arch. Austriaca 66, 1982, 68.

Abb. 133: Wallhausen. Einseitig gemusterte Tonscheibe, wohl aus der Flachwasserzone (Slg. Inst. Ur- u. Frühgesch. Univ. Erlangen).

Kultur.[638] Sie stammen aus dem unteren bis oberen Bereich der Mad'arovceschicht von Nitriansky Hrádok-Zámeček und Veselé-Hradisko.[639] Aus Oberitalien ist nur ein einziges Exemplar einigermaßen gesichert stratifiziert.[640] Es stammt aus Schicht III, dem oberen Schichtbereich der Stratigraphie vom Lago di Ledro und gehört damit der klassischen Polada-Kultur an. Eine ganze Reihe weiterer Objekte wird der frühen bzw. frühen bis mittleren Bronzezeit zugewiesen, das Exemplar von Rubiera gehört bemerkenswerterweise in den Kontext der Glockenbecherkultur.[641]

Die Verknüpfung der Brotlaibidole mit der späten Aunjetitzer Kultur kann durch die Funde von Gräfentonna und Wandersleben aufgrund der Befundlage lediglich wahrscheinlich gemacht werden.[642] Die gemusterten Tonobjekte gehören demnach überwiegend in die jüngere Frühbronzezeit und in die mittlere Bronzezeit, wenige Exemplare datieren jünger. Die beiden scheibenförmigen Objekte sind der älteren Frühbronzezeit zuzuweisen.[643]

Die absolutchronologische Amplitude des gemusterten Tonobjekts ist beträchtlich und reicht vom 21. Jh. bis ins 16. Jh. v. Chr. Vor allem die oberitalienischen Stücke scheinen alt zu datieren.[644] Interessanterweise zeichnet sich zumindest ansatzweise ein hohes Alter der jüngeren Frühbronzezeit in Oberitalien ab. Die Dendrodaten aus dem Gardaseegebiet und aus den Terramaren weisen in das beginnende 2. Jt. v. Chr. Sie fallen damit in einen Zeitraum, der in Südwestdeutschland durch die ältere Frühbronzezeit belegt wird.

7.8.4.3 Funktion und Herkunft der gemusterten Tonobjekte

In Anbetracht der chronologischen Tiefe der gemusterten Tonobjekte und auch ihrer Verschiedenheit ist nicht unbedingt davon auszugehen, dass die unter den gemusterten Tonobjekten subsumierten Gegenstände – worunter sich ja auch steinerne Exemplare befinden – ausschließlich einem einzigen Zweck dienten.

Die Palette der vorgeschlagenen Funktionen ist

---

638 A. Točík, Nitriansky Hrádok-Zámeček, bronzezeitliche Ansiedlung der Mad'arovce-Kultur. Mat. Arch. Slov. 3 (Nitra 1981) Taf. 56,13; 63,8; 74,6; 76,14.
639 Točík, Veselom 162; 213 Taf. 61,15.
640 Rageth, Lago di Ledro 169 f. Taf. 87,3.
641 Zusammengefasst bei Köninger, Gemusterte Tonobjekte 443 Tab. 5.
642 Müller, Aunjetitzer Kultur 107 ff.
643 Köninger, Gemusterte Tonobjekte 442 ff.; ders., Bodensee 106 ff. Zur absoluten Chronologie s. ders., Gemusterte Tonobjekte 448 ff.
644 Ebd. 458 Abb. 14.

reichhaltig. Sie reicht, gestützt auf ethnographische Vergleiche, vom Hautstempel[645] bis zur Mustervorlage für Tatoos[646]. Darüber hinaus wurden sie mit dem Bernstein-,[647] Salz-[648] und Bronzehandel[649] oder mit prämonetären Zahlungsmitteln[650] in Verbindung gebracht. Ihr rätselhafter Charakter wirkt offenbar Phantasie anregend.
Nicht von der Hand zu weisen ist, dass die Herstellung der filigran gemusterten Objekte mit einiger Mühe verbunden war und offensichtlich Wert auf die unterschiedliche Gestaltung der einzelnen Eindrücke gelegt wurde. So sind alle zehn Eindrücke am Objekt von Wallhausen verschieden. Sie besitzen feine Vertiefungen unterschiedlicher Anzahl (Abb. 133).[651] Dies und zum Teil an Linien perlenartig aufgereihte Einstiche an oberitalienischen Objekten[652] erwecken den Eindruck, es handele sich um Notationen, deren Hintergrund uns verborgen bleibt. Die aus mehreren „Zeichen" aufgebauten Muster, wie sie die Fund von Antiquarium de Cavriana und Lucone aus dem Gardaseegebiet aufweisen,[653] deuten möglicherweise in eine ähnliche Richtung. Ähnlichkeiten mit mittelminoischen Stikto- und Arithmogrammen im Kontext der Linear a-Hieroglyphen sind jedenfalls vorhanden,[654] und auch die stäbchen- und medaillonförmigen Tonobjekte,[655] die die minoischen Hieroglyphen tragen, sind den gemusterten mitteleuropäischen Tonobjekten in Größe und Form vergleichbar. Falls diese also auf Anregungen aus der Ostägäis zurückzuführen sind, dürften sie nach Lage ihrer Verbreitung am ehesten auf dem Seewege hierher gelangt sein. Im Gegensatz zur Verbreitung neolithischer Pintaderas fehlen jedenfalls Funde vergleichbarer bronzezeitlicher „Tonstempel" auf dem Balkan. Sollte die skizzierte Vermutung substantiell stimmen, so sind die gemusterten Tonobjekte Belege für Kontakte des prähistorischen Europas mit einer frühen Schriftlichkeit des östlichen Mittelmeerraumes. Ursache und Motor eines solchen Kontaktes könnte der Zinnhandel gewesen sein.[656]

7.8.5 Tonspulen

Die Tonspule von der Oberfläche gehört zu den Tonobjekten, die nur leicht gebrannt wurden. Tonspulen sind in Siedlungen der jüngeren Frühbronzezeit[657] und der Urnenfelderkultur[658] vorhanden, wobei die Mehrzahl aus urnenfelderzeitlichem Zusammenhang stammt.[659]
Die leicht gebrannte Tonspule von Bodman-Schachen I dürfte aufgrund ihrer wenig erosionsbeständigen Materialbeschaffenheit noch nicht allzu lange aus dem Schichtverband gelöst worden sein und aller Wahrscheinlichkeit nach den Schichten B oder C zuzuweisen sein.
Die Verwendung der Tonspulen wird im Bereich der Textilverarbeitung als Fadenrolle oder Webgewicht zu suchen sein. Darüber hinaus sind verzierte Tonspulen, wie das Exemplar von Hilzingen belegt,[660] als Stempel funktional in die Nähe der Brotlaibidole zu rücken.

7.8.6 Tonscheiben mit zentraler Lochung

Von der Oberfläche stammt eine zur Hälfte erhaltene Tonscheibe (Taf. 65,1053). Sie ist nur wenig gebrannt und geringfügig gemagert, ihre Herkunft aus einer der Kulturschichten von Bodman-Schachen I ist daher anzunehmen.
Die Größe der Tonscheibe schließt die Zuordnung des Objekts zu den wesentlich kleineren Spinnwirteln aus. Zum Vergleich lassen sich eher Tonscheiben aus einem Grab (?) von Wandersleben heranziehen, die aufgrund ihrer nabenähnlichen Verdickung am zentralen Loch als Radmodelle angesprochen werden können.[661] Eine weitere Tonscheibe mit leichter Verdickung am zentral gelegenen Loch stammt aus einem Grubeninventar mit Keramik der jüngeren Frühbronzezeit von Jellenkofen in Niederbayern.[662] Die zur Hälfte erhaltene Ton-

---

645 Ebert, Reallexikon Bd. 10, 161; vgl. Köninger, Gemusterte Tonobjekte 431 f.
646 K. v. Kurzynski, „... und ihre Hosen nannten sie *bracas*". Textilfunde und Textiltechnologie der Hallstatt- und Latènezeit und ihr Kontext (Espelkamp 1996) 16 f.
647 G. Bandi, Über den Ursprung und die historischen Beziehungen der Tonstempel der bronzezeitlichen Gruppen Mad'arovce und Polada. Preist. Alpina 1974, 237 ff.
648 Rind, Frauenberg 98.
649 Dazu Kneipp (Anm. 624) 407 ff.; Trnka (Anm. 637); A. Jockenhövel, Bemerkungen zur Verbreitung der „älterbronzezeitlichen Tondüsen". Arch. Interregionalis 1983, 196–205.
650 Rind, Frauenberg 98.
651 Köninger, Bodensee 107 Abb. 18.
652 Ders., Gemusterte Tonobjekte 437 Abb. 5,5.8.10.
653 Vgl. Fasani (Anm. 620) 97 Abb. 6,4; 99 Abb. 8,5.
654 Vgl. J.-P. Olivier/L. Godart (avec la collaboration de J.-C. Poursat), Corpus hieroglyphicarum inscriptionum Cretae. Études Crétoises (École Française d'Athènes) 31 (Paris 1996) 400; 434 f.
655 Ebd. 92 ff. 100 ff.
656 Vgl. J. Maran, Kulturwandel auf dem griechischen Festland und den Kykladen im späten 3. Jt. v. Chr. Studien zu den kulturellen Verhältnissen in Südosteuropa und dem zentralen sowie östlichen Mittelmeerraum in der späten Kupfer- und frühen Bronzezeit. Arch. Nachrichtenbl. 1, 1996, 54.
657 Zum Beispiel Dieckmann, Hilzingen 56 Abb. 37; Točík, Veselom 185 Taf. 33,6; 190 Taf. 40,9.
658 Zum Beispiel Schöbel, Hagnau und Unteruhldingen Taf. 50,12–15.
659 Primas (Anm. 294) 80 ff.
660 Dieckmann, Hilzingen 56 Abb. 37.
661 Müller, Aunjetitzer Kultur 275 ff.
662 Engelhardt, Jellenkofen 48 ff. Abb. 20,4.

scheibe von etwa 6 cm Durchmesser besitzt ein in radialen Streifen angeordnetes Punktemuster, das durch Ritzlinien begrenzt ist. Aufgrund der speichenartigen Anordnung der Zierstreifen könnte es sich hier ebenfalls um ein Radmodell handeln.

Ein ähnliches, fingertupfenverziertes Scheibenfragment ohne nabenähnliche Verdickung stammt aus Arbon-Bleiche 2. Die Arboner Tonscheibe besitzt Ähnlichkeiten mit einem ebenso verzierten Radmodell der Tei-Gruppe aus Rumänien.[663] Die wesentlich weniger deutlich modellierte Tonscheibe von Bodman-Schachen I könnte in ähnlichem Zusammenhang gesehen werden und wäre so mit den bronzezeitlichen Radmodellen des Donauraumes in Beziehung zu setzen.

Weitere gelochte Tonscheiben, darunter ein einseitig gemustertes Exemplar, stammen aus Litzelstetten und Wallhausen.[664] Die auf der Schauseite schichtfrische Tonscheibe von Wallhausen ist zwar außen an der Lochung abgerieben, im Lumen selbst finden sich allerdings keine Abnutzungsspuren, die vorhanden sein müssten, wenn das Rad um eine Achse rotiert wäre. Falls es sich tatsächlich ehemals um das Rad eines Wagenmodells gehandelt habe sollte, so waren die Räder auf den Achsen keinesfalls beweglich angebracht.

7.8.7 Tonlöffel

Aus Schicht C (Taf. 12,136) und von der Oberfläche (Taf. 53,761) stammt je ein Tonlöffelfragment. Die tiefen, schöpferartigen Löffel sind gut gebrannt, an der Oberfläche geglättet und schwarz. Ihre Qualität entspricht derjenigen der Feinkeramik aus Schicht C. Die Funktion dieser Löffel dürfte im alltäglichen Hausgebrauch zu suchen sein.

Tonlöffel sind kein spezifisches Gerät der jüngeren Frühbronzezeit, sondern in jungneolithischem Kontext in Süddeutschland durchaus ebenso geläufig.[665] Die meisten jungneolithischen Exemplare, hauptsächlich im Michelsberger Kontext, sind in ihrer Ausführung etwas tiefer und mit einem hochgezogenen Griff versehen. Sie kommen dadurch eher Schöpfern als Löffeln nahe.

Die frühbronzezeitlichen Tonlöffel setzen sich durch ihre flachere Form von jungneolithischen Exemplaren formal etwas ab. Generelle Gültigkeit hat diese typologische Differenzierung jedoch nicht.[666]

7.8.8 Spinnwirtel

Im Sitzungssaal des Bodmaner Rathauses befindet sich unter den Funden der Sammlung Weber ein erodierter, leicht sekundär gebrannter Spinnwirtel mit spitzovalem Querschnitt (Taf. 13,148). Der Spinnwirtel wurde nach Auskunft Paul Webers am Schachenhorn im Bereich der frühbronzezeitlichen Ufersiedlungen gefunden.

Das Vorkommen von Spinnwirteln im südwestdeutsch-schweizerischen Raum ist, mit wenigen Ausnahmen, in aller Regel auf das Endneolithikum, insbesondere die Horgener Kultur beschränkt.[667] In der Urnenfelderzeit[668] sind Spinnwirtel in verzierter, meist hoher Form und mit eingezogener Unterseite geläufig, die sich auch anhand der Tonqualität von neolithischen Exemplaren absetzten lassen.

Der Spinnwirtel von Bodman-Schachen I kann kaum der Horgener Kultur zugeordnet werden, da dort keinerlei Hinweise auf eine Horgener Ufersiedlung vorliegen. Das Pfahlfeld der schnurkeramischen Siedlung von Bodman-Schachen II ist zu weit von der Fundstelle des Spinnwirtels entfernt, so dass ein möglicher schnurkeramischer Kontext ebenfalls entfällt.[669] Mit einiger Sicherheit kann also angenommen werden, dass der Spinnwirtel zu einer der frühbronzezeitlichen Siedlungen von Bodman-Schachen I gehört.

Sein Auftauchen im Zusammenhang der jüngeren Frühbronzezeit würde nicht vollständig überraschen, da in Arbon-Bleiche 2[670] und in einschlägigen Lesefundkomplexen, wie auf dem Kadel bei Koblach[671] oder auf dem Kirchberg bei Reusten[672], ebenfalls Spinnwirtel vertreten sind. Im Lesefundmaterial vom Kirchberg befinden sich allerdings auch endneolithische und urnenfelderzeitliche Funde, es kann daher also nicht ausgeschlossen werden, dass die Spinnwirtel dort dem endneolithischen oder urnenfelderzeitlichen Fundmaterial angehören.

---

663 Hochuli, Arbon-Bleiche 99.
664 Köninger, Bodensee 103 ff. Abb. 14; 18.
665 Zum Beispiel J. Lüning, Die Michelsberger Kultur. Ihre Funde in zeitlicher und räumlicher Gliederung. Ber. RGK 48, 1967, Taf. 21,1–5; 40,5–15; 58,1–3.27; Keefer (Anm. 363) 78 Taf. 4,20; 5,3; 13,17; 29,2; H. Müller-Karpe, Die spätneolithische Siedlung von Polling. Materialh. Bayer. Vorgesch. 17 (Kallmünz 1961) Taf. 14,12–16.
666 Vgl. dazu Gross u. a., Zürich „Mozartstrasse" Taf. 6,6.
667 Vgl. z. B. J. Köninger, Nußdorf-Strandbad – das Fundmaterial der Horgener Siedlung an der Liebesinsel, Überlingen-Nußdorf, Bodenseekreis. In: H. Schlichtherle/M. Strobel (Hrsg.), Aktuelles zu Horgen – Cham – Goldberg III – Schnurkeramik. Rundgespräch Hemmenhofen 26. Juni 1998. Hemmenhofener Skripte 1. Schr. (Freiburg. i. Br. 1999) 23; 29.
668 Gemeint ist Reinecke Ha A/B. Vgl. U. Ruoff, Stein- und bronzezeitliche Textilfunde aus dem Kanton Zürich. Helv. Arch. 12, 1981, 252–264.
669 Die Herkunft aus dem bronzezeitlichen Pfahlfeld ist nach mündl. Mitt. von P. Weber gesichert.
670 Hochuli, Arbon-Bleiche 99.
671 Fetz, Koblach-Kadel Taf. 103.2 (Ton); 128.2 (Stein).
672 Kimmig, Reusten Taf. 43.8–13.

7.8.9 Tonobjekte unbekannter Verwendung

Aus Schicht C liegt eine ganze Reihe von gebrannten Tonfragmenten vor, deren Verwendung bzw. Funktion nicht klar zu erschließen ist. Allen gemeinsam ist die Tatsache, dass sie aufgrund ihrer Krümmung und Form nicht zu Tongefäßen gehören können.

Kleine Tonwülste (Taf. 13,146.147) können von groben, nur auf einer Seite geglätteten und auf der anderen Seite mit einem Wulst versehenen Tonfragmenten (Taf. 12,137; 13,151) unterschieden werden. Die kleinen, leicht gebogenen Tonwülste mit dreieckigem Querschnitt sind möglicherweise Abfallprodukte der Töpferei, sie fielen vielleicht bei der Ausformung des Rohtons an. Hierfür spricht der nur luftgetrocknete Zustand dieser Tonwülste.[673]

Die gröberen Tonobjekte dagegen sind gebrannt und auffallenderweise nur auf der wulstabgewandten Seite geglättet. Vor allem die Wülste erinnern entfernt an den Gusstiegel mit Bodenleisten von Bodman-Schachen I (Taf. 12,139). Es könnte sich also um Gusstiegelfragmente handeln.

7.9 Holz- und Rindenartefakte

Gemessen am keramischen Fundaufkommen lieferte Bodman-Schachen I sehr wenige organische Fundmaterialien. Darunter befinden sich zwei Holzartefakte.

7.9.1 Holzschalen

Eine einfache Holzschale (Taf. 12,134)[674] unbekannter Holzart entstammt einem Pfahlverzug und kann nicht mehr eindeutig einer der drei Kulturschichten am Schachenhorn zugewiesen werden. Die Zugehörigkeit zu Schicht B oder C ist am wahrscheinlichsten.

Das Schalenfragment ist sorgfältig geglättet, primäre Bearbeitungsspuren sind nicht vorhanden.
Die Form des Gefäßes entspricht im Formenspektrum der Keramik von Schicht C den Schalen (Taf. 17,182.185).

7.9.2 Beilholme

Aus Schicht B stammt ein Beilholmfragment aus Eschenholz (Taf. 12,138). Am erhalten gebliebenen Umbruch des Knieholms kann mit einiger Sicherheit die ehemalige Lage im Baum ermittelt werden. Demnach sind der Holmgriff aus Stammholz und die zu rekonstruierende Schäftungsgabel zur Aufnahme eines Beiles aus einem abgehenden Ast gearbeitet.[675]

Die bisher wenigen bekannten Beilholme der Bronzezeit[676] und Schäftungshinweise[677] entstammen überwiegend der mittleren und späten Bronzezeit. Soweit dies im ersten Falle beurteilbar ist, handelt es sich immer um Knieholme mit Schäftungsgabel, also Holmschäftungen,[678] mit paralleler Beilschäftung.

Quergeschäftete Bronzebeile sind bis dato nicht bekannt geworden, es ist jedoch anzunehmen, dass auch bei Querschäftungen Knieholme in Verwendung waren.[679] Das Beil wurde in der Schäftungsgabel wohl durch Bronzedrahtwicklungen[680] befestigt, die Verwendung von Schnüren oder Birkenpech analog neolithischen Beilschäftungen ist nicht belegt.

Aus einer Solequelle in Bad Reichenhall wurde vor geraumer Zeit ein frühbronzezeitlicher Beilholm geborgen.[681] In der Gabel des 55 cm lange Knieholms steckt ein Bronzebeil, dessen typologische Ansprache aufgrund der publizierten Zeichnung nicht verlässlich vorgenommen werden kann. Mit Sicherheit handelt es sich um ein Randleistenbeil. Ein weiterer Beilholm aus Eschenholz, dessen Schäftungsgabel abgebrochen ist, stammt von Arbon-Bleiche 2.[682]

Eine verbindliche Schäftungsregel für Bronzebeile der Frühbronzezeit kann allein aufgrund der wenigen Beilholmfunde sicher nicht aufgestellt werden. Ausschlaggebend für die anzunehmende Knieholm-

---

673 Vgl Hochuli, Arbon-Bleiche 99.
674 Vgl. H.-J. Müller-Beck, Seeberg Burgäschisee-Süd. Holzgeräte und Holzbearbeitung. Acta Bernensia II,5 (Bern 1965) 155 Abb. 255.
675 Vgl. Winiger, Beil 182 Abb. 16,7–10; A. Billamboz /H. Schlichtherle, Les gaines de hache en bois de cerf dans le Néolithique du sud-ouest de l'Allemagne. Contribution à l'histoire de l'émmanchement de la hache au nord des Alpes. In: H. Camps-Fabrer (Hrsg.), L'industrie en os et bois de cervidés durant le Néolithique et l'âge de Métaux. Troisième réunion du group de travail no 3 sur l'industrie de l'os préhistorique, Aix-en-Provence, octobre 1983 (Paris 1985) 163–189.
676 9. Ber. Mitt. Ant. Ges. Zürich XXII, H. 2, 1888, Taf. XVII,18. – R. Wyss, Technik, Wirtschaft und Handel. Ur- u. Frühgesch. Arch. Schweiz III. Die Bronzezeit (Basel 1971) 136 Abb. 18,9. – Winiger, Beil 183 Abb. 17. – Hochuli, Arbon-Bleiche 115.
677 Dazu U. Wels-Weyrauch, Mittelbronzezeitliche Gräber in einem Hügel von Niederlauterbach. Arch. Jahr Bayern 1985, 51 Abb. 20,9. – G. Krahe, Das Grab eines Prominenten von Untermeitingen. Arch. Jahr Bayern 1989, 69 Abb. 38,12.
678 Winiger, Beil 167.
679 Ebd. 183.
680 Vgl. Wels-Weyrauch (Anm. 677) 51f. Abb. 20,9.
681 A. Aschl/D. Ellmers, Rosenheim, Chiemsee, Traunstein, Bad Reichenhall, Berchtesgaden. Führer zu vor- u. frühgesch. Denkmälern 19 (Mainz 1971) 142.
682 Hochuli, Arbon-Bleiche 115.

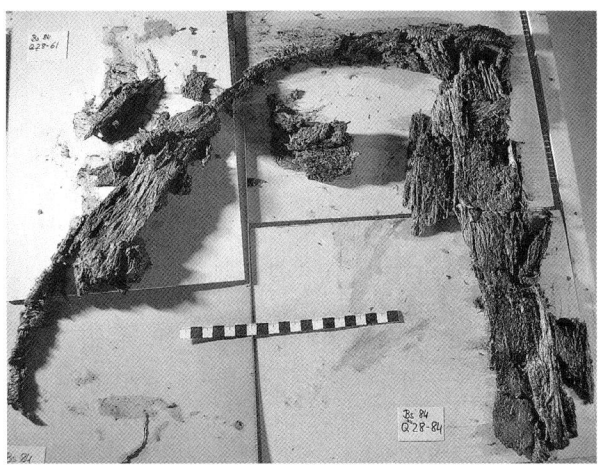

Abb. 134: Bodman-Schachen I, Schicht C. Fragmente eines Rindenbehälters in fundfrischem Zustand.

soluten Größe des Bodens, der den Bodendurchmesser der meisten neolithischen Exemplare um nahezu das Doppelte übersteigt. In ähnlicher Größenordnung bewegt sich allerdings ein jungneolithisches Exemplar aus Hornstaad-Hörnle I.[686] Die „Rindenschachteln" mit großem Durchmesser dienten vielleicht zum Warfeln von Getreide. Die Wandung dürfte deshalb nicht allzu hoch gewesen sein. Aus bronzezeitlichem Zusammenhang vergleichbare, jedoch aus Holz gefertigte Gefäße mit derselben Boden-Wandverbindung entstammen bronzezeitlichen Moorsiedlungen auf der Alpensüdseite.[687] Die technische Veränderung der Boden-Wandverbindung bei Rindengefäßen durch die Verwendung von Stiften und Spanholz ist durch Funde aus urnenfelderzeitlichen Ufersiedlungen belegt.[688] In welchen Abschnitt der Bronzezeit diese technische Neuerung fällt, ist noch unklar.[689]

7.10 Textilreste

Der Stratigraphie von Bodman-Schachen I entstammen nur wenige Textilfragmente. Aus der oberen Kulturschicht wurde das unverkohlte Fragment einer aus zwei Faserbündeln linksgedrehten Schnur (Taf. 14,161c)[690] und eines unverkohlten Zopfgeflechts (Taf. 14,161a)[691] geborgen, welches aus drei Schnüren zusammengeflochten ist. Die Faser, aus der die Schnüre hergestellt wurden, ließen sich nicht bestimmen. Es dürfte sich jedoch um Rindenbast

schäftung sind letztendlich die morphologischen Vorgaben der frühbronzezeitlichen Randleistenbeile. Die Schäftung in einem Keulenkopfholm o. Ä. wäre technisch wenig sinnvoll.
Frühbronzezeitliche Beilholme kommen im Verhältnis zu neolithischen extrem selten vor. Möglicherweise liegt dies an der geringeren Anzahl von frühbronzezeitlichen Kulturschichten in Ufer- und Moorsiedlungen generell. Vielleicht wurden aber auch Bronzebeile, zumindest was die Grobarbeiten betrifft, wo Beilholme am wahrscheinlichsten zu Bruch gehen, hauptsächlich außerhalb der Siedlungen bei Waldarbeiten benutzt. Dementsprechend gering ist die Wahrscheinlichkeit, dass ein Beilholm innerhalb einer Siedlung abgebrochen ist, in eine Kulturschicht gelangte und erhalten blieb.

7.9.3 Rindenbehälter

Das Bodenfragment eines Rindenbehälters (Abb. 134) mit einem rekonstruierten Durchmesser von ca. 52 cm stammt aus Schicht C. Die Rinde wurde kreisrund ausgeschnitten und mit der Bastseite nach oben als Boden eingesetzt. Die Wand des Gefäßes fehlt, kann aber aufgrund der Bastwicklung am Bodenrand, mit der ein Ast- bzw. Waldrebenstück[683] an dem Rindenboden befestigt wurde, analog vollständiger Rindenbehälter aus Schweizer Ufersiedlungen[684] annähernd rekonstruiert werden.
Die Boden-Wandverbindung des Bodmaner Fragments scheint an jung- und endneolithischen Rindengefäßen geläufig, soweit dies anhand der wenigen bekannten Fundobjekte beurteilt werden kann.[685] Der einzige Unterschied zu den meisten neolithischen Rindengefäßen liegt lediglich in der ab-

---

683 Vgl. zum Material R. Wyss, Das jungsteinzeitliche Jäger- und Bauerndorf von Egolzwil 5 im Wauwilermoos (Zürich 1976) 66 ff. – Wesselkamp, Organische Reste 24.
684 Vgl. ebd. 23 f. Taf. 21–23; 38.
685 Winiger, Beil 190. Insgesamt liegen aus Ufersiedlungen der Schweiz ca. 14 Exemplare vor. – Vgl Wyss (Anm. 683) 64; Wesselkamp, Organische Reste 23. Aus dem Bodenseegebiet kommen weitere Rindenbehälter von Sipplingen, Wangen (unpubl.) und Hornstaad Hörnle I hinzu; s. B. Dieckmann, Die neolithischen Ufersiedlungen von Hornstaad-Hörnle am Bodensee. Arch. Ausgr. Baden-Württemberg 1987, 48 Abb. 28.
686 Ebd.
687 R. Wyss, Kostbare Perlenkette als Zeuge ältesten Fernhandels in Zürich. Helvetia Arch. 12, 1981, 249.
688 Ebd. 242 ff.
689 Winiger, Beil 190. Winiger spricht kursorisch von „Bronzezeit".
690 Zur Begrifflichkeit links- bzw. rechtsgedrehte Schnur: E. Vogt, Geflechte und Gewebe der Steinzeit. Monogr. Ur- u. Frühgesch. Schweiz (Basel 1937) 49. Zur Drehrichtung von Schnüren und deren Entstehung: I. Schierer, Ein Webstuhlfund aus Gars-Thunau, Niederösterreich. Rekonstruktionsversuch und Funktionsanalyse. Arch. Austriaca 71, 1987, 85 Abb. 146.
691 Möglicherweise liegt auch eine zusammengedrehte Schnur vor, vgl. dazu Schlichtherle, Hornstaad-Hörnle Taf. 46,1056. Die Differenzierung fällt schwer, da das Bastmaterial oberflächlich stark zerfasert ist.

handeln. Wenig wahrscheinlich ist, dass Lein oder Brennnesselfasern zur Herstellung der Schnüre benutzt wurden.[692]

Aus der unteren Kulturschicht stammt schließlich ein verkohltes Zopfgeflecht aus drei Schnüren (Taf. 14,161b), welches von der Machart her mit dem Fragment aus Schicht C identisch ist.

Die Schnüre von Bodman-Schachen I unterscheiden sich kaum von neolithischen Exemplaren, eine besondere bronzezeitliche Herstellungstechnik ist nicht festzustellen.

Insgesamt ist der Nachweis frühbronzezeitlicher Textilien in Ufersiedlungen im nördlichen Alpenvorland selten. Eine mögliche Ursache ist vielleicht die vermehrte Nutzung von Schafwolle, deren Fasern aber nur unter ganz bestimmten Umständen erhaltungsfähig sind.[693]

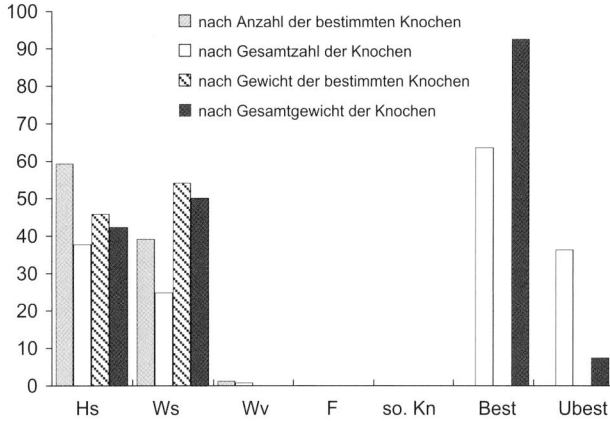

Abb. 135: Bodman-Schachen I, Tierknochenspektrum in Prozent nach Stückzahlen und Gewicht. Hs Haussäuger; Ws Wildsäuger; Wv Wildvögel; F Fische; so. Kn sonstige Knochen; Best bestimmbare Knochen; Ubest nicht bestimmbare Knochen.

7.11 Tierknochenfunde

7.11.1 Allgemeines und Methode

Im Verlauf der Kampagnen Bs 82–86 konnten ca. 1150 Tierknochenfragmente mit einem Gewicht von 11,585 kg geborgen werden. Bis auf zwölf Fragmente stammen die untersuchten und stratifizierten Tierknochen aus Fläche 2.[694] Die osteologischen Untersuchungen wurden durch Mostefa Kokabi durchgeführt.[695] 733 Knochen ließen sich einer Tierart zuordnen. Es handelt sich also um ein eher wenig umfangreiches Knochenmaterial, vor allem in Anbetracht der Tatsache, dass die Kochen aus drei Kulturschichten und von der Oberfläche stammen. Eine Auswertung der einzelnen stratifizierten Fundkomplexe nach untergeordneten Kriterien, etwa nach Geschlechtsdifferenzierung oder Schlachtalter, erschien aufgrund der kleinen Zahl nicht sinnvoll.

Die 417 nicht bestimmbaren Knochensplitter wiegen insgesamt nur 871 g, was 7,5% des Gesamtgewichts der Knochenfunde entspricht. Etwa ein Viertel der klein fragmentierten Knochen ist verkohlt oder kalziniert. Die Fragmentierung dieser empfindlichen Knochen beim Schlämmen der Kulturschichten ist nicht auszuschließen. Auf die Kartierung der nicht bestimmbaren Knochen[696] wurde deshalb verzichtet, weil es sich um sehr kleine Fragmente mit je einem Gewicht von durchschnittlich 2 g handelt. Die im Folgenden verwendeten Prozentzahlen beziehen sich also auf die bestimmbaren Knochen.

Die Knochenfragmente aus den Schichten B und C sind mit 219 und 288 bestimmbaren Bruchstücken statistisch relevant, zumindest was die hauptsächlich vorhandenen Tierarten und das Haus-Wildtierverhältnis betrifft.[697] Dasselbe gilt für die Knochenfunde von der Oberfläche. Aus Schicht A stammen nur fünf bestimmbare Knochen, so dass ihre statistische Auswertung entfallen muss.

Insgesamt liegt der Anteil der Haussäugerknochen nach Stückzahlen bei 59,3% gegenüber 39,25% Wildsäugerknochen und lediglich 1,3% Fisch- und Wildvogelknochen (Abb. 135). Das Verhältnis verlagert sich bei Betrachtung der Knochengewichte zugunsten des Wildtieranteils, was auf das hohe Fragmentgewicht der Rothirschknochen zurückzuführen ist (s. u.).

Die Knochenerhaltung war in allen Befunden gut, lediglich an der Schichtoberkante im Erosionsbereich sind erhaltungsbedingte Verluste an Knochensubstanz zu erwarten.

---

692 Vgl. Wesselkamp, Organische Reste 32 ff. Die Fäden und Schnüre sind hier überwiegend aus Baumbast gefertigt. Dazu Schlichtherle, Hornstaad-Hörnle 125.
693 W. v. Stokar, Spinnen und Weben bei den Germanen. Mannus 59 (Leipzig 1938) 7 f.
694 Zur Lage der Flächen vgl. Kap. 3.1 u. 3.2.1 sowie Abb. 9; 21.
695 M. Kokabi hat die Ergebnisse seiner Untersuchungen dankenswerterweise für die siedlungsarchäologische Auswertung zur Verfügung gestellt. Der metrische Teil der Untersuchungen ist einer eigenen Publikation vorbehalten und wurde hier nicht berücksichtigt.
696 417 Fragmente.
697 J. Schibler/P. J. Suter, Jagd und Viehzucht im schweizerischen Neolithikum. In: Die ersten Bauern. Pfahlbaufunde Europas 1. Schweiz (Zürich 1990) 91–104. Das Knochenaufkommen bewegt sich damit im Bereich der kleinen Fundkomplexe mit weniger als 500 bestimmbaren Knochen und über der Mindestzahl von 200 Knochen.

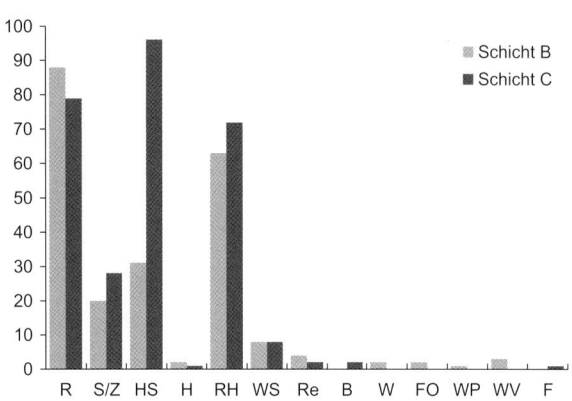
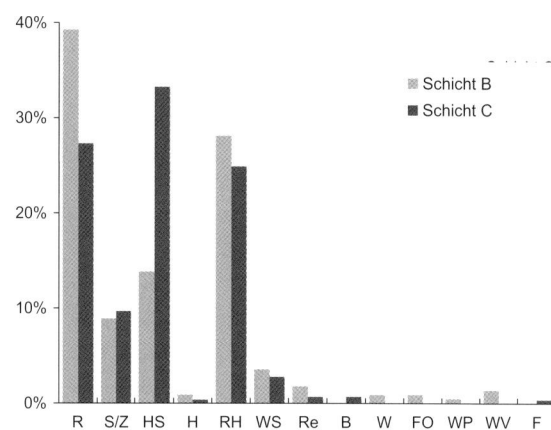

Abb. 136: Bodman-Schachen I, Häufigkeiten der Tierarten im Tierknochenspektrum der Schichten B und C nach Stückzahlen. 1 Anzahl. 2 Prozent. R Rind, S/Z Schaf/Ziege, HS Hausschwein, H Hund, RH Rothirsch, WS Wildschwein, Re Reh, B Biber, W Wolf, FO Fischotter, WP Wildpferd, WV Wildvogel, F Fisch.

7.11.2 Schicht B

Aus Schicht B stammen 219 Tierknochenfunde. Sie kommen mit Ausnahme von sechs bestimmbaren Knochen aus Fläche 2.

Die Knochenerhaltung in Schicht B ist, abgesehen von der Schichtoberkante, gut. Verluste an Tierknochen aufgrund der Erhaltungsbedingungen in der Kulturschicht sind daher nur in geringem Umfang zu erwarten.

Unter den bestimmbaren Knochen dominieren die Haussäuger weniger deutlich als dies hätte erwartet werden können.[698] Bei gesamthafter Betrachtung des Tierknochenspektrums sind nach Stückzahlen Knochen von Rind und Rothirsch mit 40,1% und 28,7% die am häufigsten vertretenen Säugerknochen (Abb. 136). Der Anteil an Rinderknochen entspricht in etwa den bekannt gewordenen Werten von Zürich-Mozartstrasse, Schicht 1, während die Hirschknochen die Werte von Zürich deutlich übersteigen. Die übrigen Haustierarten nehmen mit Werten zwischen 9 und 15% für Schaf/Ziege und das Hausschwein eine untergeordnete Rolle ein. Die Viehhaltung war also bei üblichen Anteilen an kleinen Hauswiederkäuern auf das Rind ausgerichtet.[699] Das Pferd ist nur einfach vertreten. Es ist jedoch nicht zu entschieden, ob von vor Ort gezüchteten Pferden ausgegangen werden kann oder ob es sich um den Import einzelner domestizierter Tiere handelt.[700]

Für die Fleischversorgung war das Rind mit einem Gewichtsanteilen der Rinderknochen um 75% das wichtigste Haustier.[701] Noch deutlicher ist die Dominanz des Rothirsches, dessen Knochengewicht bei 80% der Wildsäugerknochen liegt. Daneben sind Rehknochen mit 5% und Wildschweinknochen mit 10% wesentlich seltener.

Neben den genannten Wildarten sind noch Wolf-, Fischotter- und Wildvogelknochen vorhanden, deren Anteil an der Fleischversorgung eher unbedeutend gewesen sein dürfte. Im Spektrum der gejagten Tiere zeichnet sich ein Schwergewicht der waldspezifische Fauna ab.[702] Da umfassende Freiflächen aufgrund der Pollen- und Großrestanalyse angenommen werden können, kann die Wildfauna nicht als Zeiger eines wenig gerodeten Umlandes der Siedlung herangezogen werden. Vielmehr muss davon ausgegangen werden, dass Wildschwein, Hirsch und Reh gezielt gejagt wurden. Ob die hohen Anteile der Hirschknochen im Spektrum der Säugerknochen auf eine wirtschaftliche Krisensituation hinweisen, ist fraglich.[703] Die Klimadaten des 17. Jh. v. Chr.[704] und das Pollenstandarddiagramm des westlichen Bodenseegebietes[705] sprechen eher gegen eine solche Annahme.

Der Hirsch diente neben dem Hausrind als hauptsächlicher Fleischlieferant. Beide, Hirsch und Rind, nehmen je etwa 38% des bestimmbaren Knochen-

---

698 Vgl. Zürich-Mozartstrasse: Gross u. a., Zürich „Mozartstrasse" Abb. 216; 218.
699 M. Kokabi, Die Tierknochenfunde aus den neolithischen Ufersiedlungen am Bodensee – Versuch einer Rekonstruktion der einstigen Wirtschafts- und Umweltverhältnisse mit der Untersuchungsmethode der Osteologie. Arch. Nachr. Baden 38/39, 1987, 65.
700 So Schibler/Suter (Anm. 697) 102.
701 H. R. Stämpfli, Osteo-archäologische Untersuchungen des Tierknochenmaterials der spätneolithischen Siedlung Auvernier-La Saunerie nach den Grabungen 1964 und 1965 (Solothurn 1976) 131. Der Berechnung des Fleischgewichts liegt die Annahme zugrunde, dass das Knochengewicht etwa 7% des Lebendgewichtes eines Tieres beträgt.
702 Kokabi (Anm. 699) 66.
703 Vgl. Schibler/Studer, Haustierhaltung 174ff.
704 Vgl. Magny u. a., Klimaschwankungen 137.
705 Rösch, Veränderungen 164.

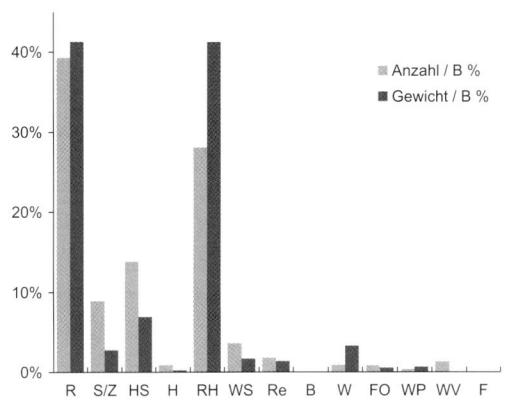

Abb. 137: Bodman-Schachen I, Schicht B. Prozentuale Anteile der Tierarten im Spektrum der bestimmten Tierknochen nach Stückzahl und Gewicht (n = 219; Abk. s. Abb. 135–136).

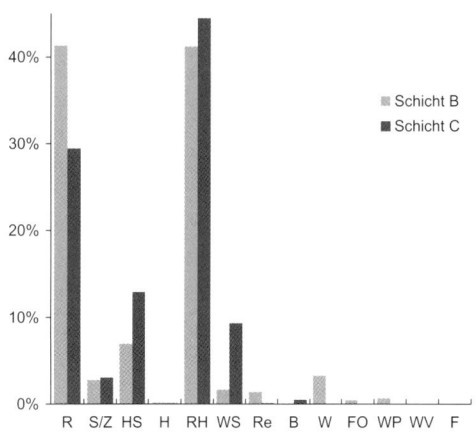

Abb. 138: Bodman-Schachen I, Schicht B und C. Prozentuale Anteile der Tierarten im Spektrum der bestimmten Tierknochen nach Gewicht (n = 508; Abk. s. Abb. 135–136).

gewichts von Schicht B ein. Das Haus-Wildtierverhältnis von Schicht B weist keinen bronzezeitlichen Charakter im Sinne eines erhöhten Haustieranteils auf, sondern spiegelt eher eine Dorfgemeinschaft mit recht ausgeprägten Jagdgepflogenheiten wieder. Das Rind wurde offenbar gegenüber dem anspruchsloseren Schwein bevorzugt als Haustier gehalten (Abb. 137).

7.11.3 Schicht C

Das Tierknochenmaterial aus der oberen Kulturschicht umfasst 288 bestimmte Knochenfragmente. Sie stammen mit Ausnahme eines Pferdeknochens allesamt aus Fläche 2.

Im Gegensatz zu Schicht B verliert das Rind zugunsten des Hausschweins an Bedeutung, während der Anteil von Schaf/Ziege mit 10% der Gesamtknochenzahl konstant bleibt (Abb. 138; 139). Die Tendenz zu abnehmender Rinderhaltung in der Siedlung der Schicht C kann deshalb im Ergebnis festgehalten werden. Die Gewichtsanteile der Rinderknochen weisen dem Rind eine immer noch gewichtige Rolle in der Versorgung der Siedler mit tierischem Eiweiß zu. Das Rind liefert mehr als die Hälfte der Fleischmenge, die von Haussäugern stammt. Hund und Pferd sind dagegen je einfach belegt und spielten hinsichtlich der Fleischversorgung wohl kaum eine gewichtige Rolle.

Die Wildsäuger werden vom Rothirsch dominiert. Wildschwein, Reh und Biber spielen mit 2,77% und je 0,7% eine untergeordnete Rolle. Der Schwerpunkt der Wildsäuger liegt wie in Schicht B bei der Waldfauna. Auch unter Berücksichtigung der Haussäuger ist der Rothirsch mit 42% des gesamten Knochengewichts der bedeutendste Fleischlieferant (Abb. 139).

Die Berechnung der Wild- und Haustieranteile anhand der Knochenanzahl ergibt dagegen ein Verhältnis von 70:30 zugunsten der Haussäuger, was auf die nur in geringem Maße fraktionierten Hirschknochen mit 20,1 g/Fragment zurückzuführen ist. Der Fisch spielt, dem Fundgut nach zu urteilen, als Nahrungsmittel eine untergeordnete Rolle. Das geringe Aufkommen an Fischresten kann allerdings ebenso an deren im Verhältnis zu anderen Tierknochen schlechteren Erhaltungschancen liegen. Obwohl das Knochenmaterial aus Schicht C etwas umfangreicher ist als das aus Schicht B, sind unter den Knochen von Schicht C weniger Wildtierarten vertreten. Offensichtlich wurde die Jagd auf weniger Tiere, vor allem auf den Rothirsch konzentriert.

7.11.4 Tierknochenspektren der Schichten B und C im Vergleich

Die Anteile von Wild- und Haustieren in den Schichten B und C bewegen sich in ähnlichen Größenordnungen. Die Einzelbetrachtung der verschiedenen Tierarten, bezogen auf die Gesamtzahl der Knochen, zeigt eine abnehmende Bedeutung des Rindes in Schicht C zugunsten des Hausschweins. Das einfacher zu haltende Schwein erfährt also in der jüngeren Siedlung eine deutliche Bevorzugung gegenüber dem Rind. Gründe für die gleich bleibenden Schaf/Ziegenanteile sind in einem gleich bleibenden Bedarf an Wolle oder Milch zu suchen.

Das Spektrum der Wildtierarten verarmt zunächst von Schicht B nach C, was möglicherweise auf eine gezielte Jagd vor allem auf den Hirsch und in zweiter Linie vielleicht auf das Wildschwein zurückzuführen ist. Die hohen Prozentzahlen für den Hirsch sind dabei kaum durch Schutzjagd zu begründen, eine verstärkt auf Feldbau ausgerichtete

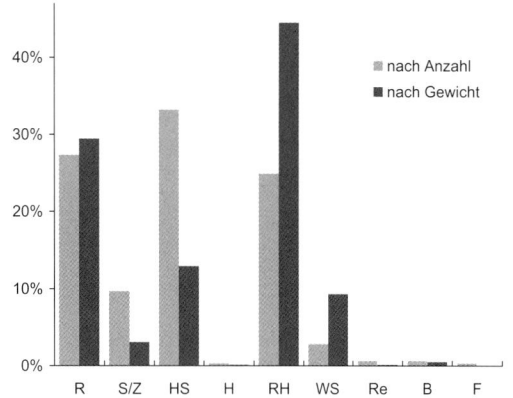

Abb. 139: Bodman-Schachen I, Schicht C. Prozentuale Anteile der Tierarten im Spektrum der bestimmten Tierknochen nach Stückzahl und Gewicht (n = 289; Abk. s. Abb. 135–136).

Wirtschaftsweise kann jedenfalls für Bodman-Schachen I nicht wahrscheinlich gemacht werden.[706] Der hohe Anteil des Hirsches im Wildsäugerspektrum dürfte also eher auf die Jagdbeute selbst zurückzuführen sein, die neben Fleisch, Fell und Sehnen auch das in der Bronzezeit häufig verarbeitete Hirschgeweih lieferte. Möglicherweise waren die Siedlungen am Schachenhorn ja sogar in gewisser Weise auf die Hirschjagd spezialisiert und befanden sich gerade deswegen am Rande der wildreichen Espasinger Niederung.

7.11.5 Verteilung und Häufigkeit der Tierknochenfunde – zur Methode

Die organischen Ablagerungen der Schichten B und C, aus denen die Tierknochenfunde stammen, sind im untersuchten Bereich an ihren Erosionskanten unterschiedlich mächtig. Die Knochen wurden deshalb pro Schichtvolumeneinheit kartiert.[707]

7.11.6 Tierknochen aus Schicht B in Fläche 2

Aus der mittleren Kulturschicht, die eine durchschnittliche Schichtdicke von ca. 5 cm aufweist, liegen in Fläche 2 aus 14 der 20 Schicht führenden Quadrate Knochenfunde vor. In diesen 14 Quadraten schwanken die Knochengewichte zwischen 17,8 g/dm³ und 0,31 g/dm³ bei einem durchschnittlichen Gewicht von 4,7 g/dm³.
Die Verteilung der Knochen in Fläche 2 besitzt deutliche Schwerpunkte (Abb. 43). Das Fundmaterial sollte demnach in wenig sortiertem Zustand vorliegen. Die Tierknochenhäufungen in Q 18, Q 20, Q 28 und Q 29 befinden sich knapp außerhalb der Erlenpalisade, die die Siedlung begrenzt.[708] Die Grenzen dieser Abfallstelle sind in der kleinen ge- grabenen Fläche nicht angeschnitten, ihre Zuordnung zu einem Hausstandort ist daher unsicher. Häufungen von Knochen bestimmter Tierarten liegen nicht vor. Die hauptsächlich nachgewiesenen Arten sind in jedem Quadrat vorhanden, während die selteneren Säugerknochen entsprechend der statistischen Wahrscheinlichkeit nur in den Quadraten mit größeren Knochenanhäufungen zu finden sind. Eine spezifische Verteilung nach Tierarten, die auf Zerlegplätze hindeuten würde, ist nicht festzustellen.

7.11.7 Tierknochen aus Schicht C in Fläche 2

Für die Tierknochenfunde der oberen Kulturschicht ergeben sich deutliche Konzentrationen bei einem durchschnittlichen Knochengewicht von 1,48 g/dm³ und einer Bandbreite zwischen 0,2 und 8,03 g/dm³ (Abb. 45). Auch für Schicht C kann aufgrund der Knochenverteilung von intakten Schichtverhältnissen ausgegangen werden. Die Knochen einzelner Tierarten sind abhängig von ihrer Häufigkeit in der gesamten Fläche gleichmäßig verteilt.
In Schicht B ist bei vergleichbaren Knochenkonzentrationen eine wesentlich höhere Knochendichte festzustellen, die bei vergleichbarer Tierknochenerhaltung auf eine eher bevorzugte Nutzung des Platzes zur Entsorgung des Knochenabfalls hindeutet.

7.11.8 Tierknochenspektren aus Ufersiedlungen der Frühbronzezeit im Vergleich

Vergleichbare frühbronzezeitliche Tierknochenspektren aus Seeufersiedlungen sowie aus Siedlungen auf mineralischem Grund sind verhältnismäßig selten.[709] In der etwas älteren Station Zürich-Mozartstrasse ist das Rind mit Abstand das häufigste Haustier, der Hirsch besitzt als wichtigstes Wildtier deutlich weniger Bedeutung für die Fleischversorgung.[710] Die Jagd scheint demnach in Zürich-Mozartstrasse eine untergeordnete Rolle zu spielen.
Die mit über 90% sehr hohen Anteile von Haussäugerknochen in der Ufersiedlung von Arbon-Bleiche 2,[711] allerdings auf der Grundlage von nur 173 be-

---

706 Vgl. dazu Kap. 14 zur Rekonstruktion von Umwelt und Wirtschaft der Siedlungen von Bodman-Schachen I.
707 Vgl. Gross u. a., Zürich „Mozartstrasse" 89.
708 Vgl. Kap. 4.4.4 zu den Bau- und Siedlungsstrukturen der Bauphase 2 (Erlenbauphase).
709 Zusammengestellt bei Schibler/Studer, Haustierhaltung 172 Abb. 65.
710 Vgl. J. Schibler, Die Knochenartefakte. In: Gross u. a., Zürich „Mozartstrasse" 167–176; 196 Abb. 216–219.
711 Fischer, Bleiche 15; Schibler/Studer, Haustierhaltung 172 Abb. 65.

stimmten Knochen erhoben, und die Ergebnisse der zoologischen Untersuchungen von Hochdorf-Baldegg⁷¹² kommen den Ergebnissen von Zürich-Mozartstrasse, Schicht 1, am nächsten. Die Tierknochenspektren der „Siedlung Forschner" und, stärker noch, von Meilen-Obermeilen und Hochdorf-Baldegg sind, was den Haus- und Wildtieranteil betrifft, den Verhältnissen von Bodman-Schachen I (Schicht B und C) ähnlich.⁷¹³ Der Fleischbedarf wurde auch dort zu erheblichen Anteilen durch Wildsäuger, hauptsächlich Hirsch, gedeckt. Zu beachten ist allerdings, dass es sich um Fundkomplexe handelt, die aufgrund der geringen Stückzahlen und Befundsituationen für wenig repräsentativ gehalten werden.⁷¹⁴

Gesamthaft sind die Tierknochenspektren von Bodman-Schachen I, und vielleicht auch diejenigen der übrigen Seeufersiedlungen in der Schweiz mit hohen Wildsäugeranteilen, eher als Ausnahmen zu sehen, will man die vorgefundenen Knochenspektren nicht der jeweiligen Quellensituation anlasten.⁷¹⁵

Im Falle von Bodman-Schachen I sollten in Anbetracht der Lage der Ufersiedlungen am Rande der Espasinger Niederung hohe Wildsäugeranteile jedenfalls nicht verwundern. Vor allem die nahe gelegenen Bachauen dürften wildreich gewesen sein. Zu überlegen wäre, ob am Schachenhorn nicht vielleicht gerade auch aus diesem Grunde in der frühen Bronzezeit gesiedelt wurde.

Indizien für eine wirtschaftliche Krise, die sich anhand erhöhter Wildtieranteile, insbesondere des Rothirsches, im Knochenspektrum bemerkbar machen sollen,⁷¹⁶ sind in Bodman-Schachen I kaum auszumachen. Die übrigen wirtschaftlich relevanten Indikatoren lassen eher das Gegenteil vermuten.⁷¹⁷

---

712 O. Tschumi, Urgeschichte der Schweiz 1 (Frauenfeld 1949) 330.
713 Schibler/Studer, Haustierhaltung 172 Abb. 65.
714 Ebd. 171 f.
715 Ebd. 176.
716 Ebd. 174; 176.
717 Vgl. Beitrag Frank in diesem Band; zum Klima Magny u. a., Klimaschwankungen 137.

8 Früh- und mittelbronzezeitliche Bronzefunde aus Ufersiedlungen des Bodensees und ihrer näheren Umgebung

Bronzenfunde sind aus frühbronzezeitlichen Ufersiedlungen des Bodensees eher selten.[718] Die Ausnahme ist die am Schweizer Bodenseeufer gelegenen Ufersiedlung Arbon-Bleiche 2. Von dort liegen insgesamt 91 Bronzen vor.[719] Im Einzelnen sind dies 36 Nadeln, vier massive, gegossene Armringe, drei Drahtarmringe, zwei Drahtfingerringe, zwei Spiralen, 13 Dolche, vier Bronzebeile, zwei Lanzenspitzen, zwei Pfeilspitzen, zwei fragliche Sichelfragmente (eine davon verschollen), zwei Angelhaken, sechs Pfrieme, zehn meißelartige Bronzen und drei kleine Bronzestücke. Hinzu kommen ein Kupferstück und eine verwitterte Sandsteingussform.[720] Bis auf die Arboner Bronzefunde und die Neufunde von Bodman-Schachen I ist die Herkunft der Bronzen unsicher. Sie stammen entweder vom Bodenseeufer oder dem angrenzenden Hinterland. Ein zuverlässiges Entscheidungskriterium zur Rekonstruktion ihrer Herkunft ist die Patinierung. Anhaftende Kalksinterkrusten weisen verlässlich auf die Herkunft der Fundstücke aus dem See hin.

Im Folgenden werden nur solche Bronzen als Fundstücke vom Bodenseeufer ausgewiesen, die eindeutig als solche durch ihre Patinierung oder entsprechende Fundmeldungen identifiziert werden können.

Die Ufersiedlung Arbon-Bleiche 2 lieferte mit 91 Fundobjekten das reichhaltigste Bronzeinventar, dessen Bestand das zu erwartenden Spektrum an Bronzen aus einer frühbronzezeitlichen Ufersiedlung des Bodensees weit gehend abdecken dürfte. Die relativchronologische Bewertung der Bronzen von Arbon-Bleiche 2 wurde bereits ausführlich vorgenommen, so dass an dieser Stelle darauf verzichtet werden kann.[721]

8.1 Nadeln

Überwiegend gehören die Nadeln des Bodenseegebietes im Rahmen der Stufengliederung der Bronzezeit im Sinne Paul Reineckes in die Stufe A2 und damit in den jüngeren Abschnitt der Frühbronzezeit. Unter den Nadeln von Arbon-Bleiche 2 finden sich einige Stücke, die auch am nördlichen Bodenseeufer in Altfundbeständen vereinzelt vertreten sind. Zunächst seien die Kugelkopfnadeln mit sphäroidem, durch Schrägstrichgruppen verziertem Kopf erwähnt,[722] deren Verbreitung und technische Besonderheiten von Hans-Jürgen Hundt eingehend besprochen worden sind.[723] Seine Fundliste kann durch ein weiteres Exemplar dieses Nadeltyps (Taf. 70,1112) von Überlingen am Bodensee ergänzt werden. Seine Herkunft ist anhand der Patinierung mit letzter Gewissheit nicht mehr zu erschließen. Vermutlich handelt es sich um einen Siedlungsfund, da die übrigen Nadeln dieses Typs ebenfalls aus Siedlungen stammen. Außerhalb des Bodenseegebietes ist mit Einschränkung eine Nadel vom Kadel bei Koblach im Alpenrheintal anzuschließen.[724] Ihr fehlt jedoch die Verzierung des Nadelkopfes durch Schrägstriche und die Lochung des Kopfes. Allerdings können Zier und Lochung unter der Patinierung verborgen sein. Aus der vorliegenden Zeichnung lassen sich diese Einzelheiten jedenfalls nicht herauslesen.

Von den insgesamt 19 Nadeln dieses Typs, deren Verbreitung von Südengland bis Norditalien reicht,[725] stammen immerhin fünf Exemplare von Arbon. Die Produktionsstätte dieser Nadeln oder zumindest die Herkunft des Prototyps ist hier zu vermuten.

Die Verbreitung der Nadel in den benachbarten Räumen des Bodensees folgt der Verbreitung der reich ritzverzierten nordalpinen Frühbronzezeitkeramik entlang den Flussläufen, ins Alpenrheintal

---

718 Die relativchronologische Beurteilung wurde, soweit möglich, anhand der Stufengliederung Reineckes und darauf basierenden Arbeiten vorgenommen. P. Reinecke, Zur Chronologie der zweiten Hälfte des Bronzealters. Correspondenzbl. Dt. Ges. Anthropologie, Ethnologie u. Urgesch. 33, 1902, 17–22; ders., Gliederung 43; Torbrügge, Oberpfalz 5 ff.; Abels, Randleistenbeile; Pirling u. a., Schwäbische Alb. Die Ansprache einzelner Bronzeformen und ihre relativchronologische Beurteilung ist allerdings mit dem vorhandenen typologischen Instrumentarium nicht zu leisten, da Bronzefunde aus Gräbern von denen der Siedlungen oft verschieden sind und „typische Bronzen" in den einzelnen Fundprovinzen ganz wegfallen oder zumindest selten sind.
719 Fischer, Bleiche Taf. 1–5,1–31; vollständig bei Hochuli, Arbon-Bleiche 99 ff. 299 ff. Taf. 83–86; 88,841–863.
720 Ebd. 109; 303 Taf. 87.
721 Fischer, Bleiche 16 ff.; Hochuli, Arbon-Bleiche 99 ff.
722 Fischer, Bleiche Taf. 4,6–9; Hochuli, Arbon-Bleiche 101 f.
723 Hundt, Nadelform 173 ff.; vgl. Hochuli, Arbon-Bleiche 101.
724 Fetz, Koblach-Kadel Taf. 2,3.
725 Hundt, Nadelform 176 ff.

und entlang von Hochrhein, Aare und Aabach nach Hochdorf/Baldegg in die Peripherie des Schweizer Mittellandes.[726] Im Süden erreicht die Verbreitung der Nadel Norditalien, im Westen das Wallis, im Norden erstreckt sie sich von Südengland bis Dänemark und Pommern.

Eine geographisch begrenztere Verbreitung besitzt die Nadel mit gelochter Schaftschwellung und weich keulenförmigem Kopf,[727] auf die ebenfalls Hundt aufmerksam gemacht hat.[728] Den vier bekannt gewordenen Exemplaren kann vom Bodensee (Taf. 70,1113) und aus dem Alpenrheintal[729] je ein weiteres Stück aus Altfundbeständen hinzugefügt werden.

Die Nadel von Seefelden am Nordufer des Überlinger Sees stammt aufgrund ihrer Patinierung vom Seeufer. Aus welcher Ufersiedlung im Bereich von Seefelden die Nadel kommt, ist unklar. Am wahrscheinlichsten verbirgt sich hinter der Fundortangabe „Seefelden" die Ufersiedlung von Maurach-Ziegelhütte.[730] Die Masse dieses Nadeltyps stammt wiederum von Arbon-Bleiche 2, wo ihre Herstellung deshalb wahrscheinlich ist. Ihre Verbreitung überschneidet sich am Rande des Schweizer Mittellandes in Baldegg und im Alpenrheintal mit derjenigen der zuvor besprochenen Kugelkopfnadel mit sphäroidem Kopf und mit dem Vorkommen nordalpiner Frühbronzezeitkeramik westlicher Ausprägung.[731] Weitere ähnliche Nadeln kommen aus den Westalpen, aus dem Aunjetitzer Bereich und aus dem Gardaseegebiet.[732]

Die weitläufigen Kontakte der Arboner Siedlung lassen sich auch an einer Hülsen- und einer Ringkopfnadel erkennen. Die Hülsenkopfnadel[733] von Arbon befindet sich am Westrand der donauabwärts und östlich gelegenen Hauptverbreitung des Nadeltyps.[734] Die Ringkopfnadel mit gelochtem Schaft ist dagegen hauptsächlich am Gardasee verbreitet.[735]

Die Bronzenadeln aus der Ufersiedlung von Unteruhldingen[736] sind, bis auf eine gelochte, massiv gegossene Kugelkopfnadel mit tordiertem Schaft (Taf. 71,1121), im Spektrum von Arbon-Bleiche 2 ebenfalls geläufig.[737]

Die Ösenkopfnadel von Unteruhldingen (Taf. 71, 1119)[738] verbindet mit den wesentlich kleineren mitteldeutschen und westschweizerischen Nadeln gleichen Typs nur die Form selbst. Sie kann deshalb relativchronologisch mit den mitteldeutschen und westschweizerischen Nadeln nicht gleichgesetzt werden. Die Aunjetitzer Form der Ösenkopfnadel ist abseits des ursprünglichen Verbreitungsgebietes[739] in der Westschweiz gut vertreten, so dass eine Eigenproduktion der Aunjetitzer Nadeln dort möglich erscheint. Den westschweizerischen Exemplaren kann eine kleine Ösenkopfnadeln von Welschingen im Hegau[740] angeschlossen werden, die vermutlich aus einer Bestattung stammt. Sie ist aufgrund der geographischen Distanzen eher im Kontext der Westschweizer Nadeln zu sehen.

Die gelochte Kugelkopfnadel von Unteruhldingen mit tordiertem Schaft und konzentrisch ritzverziertem Kopf (Taf. 71,1121)[741] stammt aufgrund ihrer Patinierung eher aus einem Grab- oder Hortfund. Sie erinnert stark an die Nadeln des Hortes von Langquaid,[742] die Reinecke zu Leittypen seiner Stufe A2 machte.

Mittelbronzezeitliche Nadeltypen sind seltener vorhanden. Es handelt sich im Einzelnen um zwei Nadeln des Typus Paarstadel aus Unteruhldingen,[743] zwei Lochhalsnadeln vom Mindelsee,[744] die allgemein zur Gruppe der verzierten Lochhalsnadeln zu zählen sind,[745] je eine Lochhalsnadel von Immenstaad (Taf. 70,1114) und von Welschingen (Taf. 73,1133) sowie Radnadeln von Welschingen (Taf. 73,1136.1137) und Dingelsdorf (Taf. 73,1134.1135). Hinzuzufügen ist der Fund einer Lochhalsnadel mit trompetenförmigem Kopf aus dem Bereich der äußeren Palisade der spätbronzezeitlichen Anlage von Unteruhldingen-Stollenwiesen.[746]

Die Lochhalsnadeln von Immenstaad und vom Mindelsee besitzen keine Seepatina. Möglicher-

---

726 Ebd. 175.
727 Ebd. 177, Terminus technicus nach Hundt.
728 Ebd.
729 J. Bill, Der Beginn der Bronzezeit im Fürstentum Liechtenstein. Helv. Arch. 9, 1978, 118.
730 Vgl. Köninger/Schlichtherle, Schnurkeramik 163 Abb. 11; 172.
731 Vgl. Kap. 11.5.2 u. 11.5.3 zur Verbreitung der Keramik der Schichten B und C und der Arboner Gruppe.
732 Hundt, Oberitalien 158 Fig. 14.
733 Fischer, Bleiche Taf. 4,16; Hochuli, Arbon-Bleiche 101.
734 Vgl. Hundt, Straubing 145 ff. 169, Karte 5.
735 Vgl. A. R. Kahm-Brochnow, Die Bronzenadeln in Bayern. Die früh- und hügelgräberbronzezeitlichen Nadeln mit Öse und Durchlochung (Bad Dürrheim 1988) Abb. 27.
736 Vgl. Junghans, Nadeln 107 Abb. 1,2.4.
737 Zur Verbreitung der Rollenkopfnadel mit tordiertem Schaft vgl. Kap. 7.3.3.5 zu den nichtstratifizierten Nadeln.
738 Die Nadel ist identisch mit den im Folgenden zitierten Abbildungen: Junghans, Nadeln Abb. 1,1; Tröltsch, Pfahlbauten 173 Nr. 385.
739 Vgl. Kahm-Brochnow (Anm. 735) Abb. 28–30; Kartierungen nach Hundt, Straubing 145 ff. – Rageth, Lago di Ledro 73 ff. – J. Bill, Die Glockenbecherkultur und die frühe Bronzezeit im französischen Rhonebecken und ihre Beziehungen zur Südwestschweiz (Basel 1973) Karte 14.
740 Wagner, Baden 14 Fig. 10.
741 Vgl. Junghans, Nadeln 107 Abb. 2,3.
742 Vgl. Hachmann, Ostseegebiet Taf. 54,8–16.
743 Kubach, Nadeln 85 ff. Taf. 87.
744 Vgl. Schnarrenberger, Pfahlbauten Taf. IV,33a–b.
745 Vgl. etwa Kahm-Brochnow (Anm. 735) Taf. 18–20 Abb. 41.
746 Schöbel, Unteruhldingen-Stollenwiesen 80 Abb. 30 Mitte; 81.

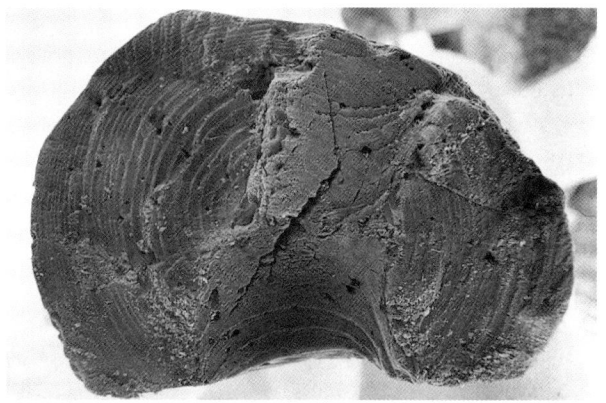

Abb. 140: Bodman-Schachen I, Bauphase 1, gelochte Pfähle P46-1 (oben) und P151-3 (unten) An der Basis der Lochung sind in der Aufsicht die Negative von Beilschneiden gut zu erkennen.

weise handelt es sich um Relikte mittelbronzezeitlicher Gräber oder um Einzel- bzw. Hortfunde. Die Lochhalsnadel von Welschingen dürfte aus einer zerstörten Gräbergruppe stammen, aus der auch die bereits erwähnte Ösenkopfnadel (s.o.) und zwei Radnadeln stammen.

Ebenso könnte es sich bei den paarig vorliegenden Lochhalsnadeln vom Typ Paarstadel aus Unteruhldingen und den Radnadeln aus Dingelsdorf[747] um Grabfunde handeln. Damit stammen die relativ chronologisch mittelbronzezeitlichen Nadeln des Bodenseegebietes überwiegend von mineralischem Grund und nicht aus Ufersiedlungen. Einzig der Neufund von Unteruhldingen-Stollenweisen kommt gesichert aus einer Ufersiedlung.

Die Radnadeln von Dingelsdorf besitzen an der „Außen- und Innenfelge" des Nadelkopfes Gussnahtreste. Eine Produktion der Nadeln vor Ort ist damit anzunehmen. Hierfür spricht neben dem gussfrischen Zustand der Stücke auch die im Verbreitungsgebiet singuläre Gestaltung der „Speichen" einer der beiden Nadeln (Taf. 73,1134).

Die Verbreitung der Radnadeln weist nach Nordwesten entlang von Hoch- und Oberrhein in ihr Hauptverbreitungsgebiet nach Hessen sowie donauaufwärts in die Oberpfalz und nach Böhmen bis in den mittleren Donauraum.[748]

Die Radnadeln sind damit ebenso großräumig verbreitet wie die Nadeln vom Typus Paarstadel, lediglich Bayern bleibt, was die Verbreitung der Radnadeln betrifft, weit gehend fundleer.[749]

Geographisch ist die Bodensee-Hegau-Gruppe der Radnadeln isoliert und ohne weiträumige Verbindungen nicht plausibel erklärbar.

8.2 Beile

Die frühbronzezeitlichen „Metallbeile" aus den Ufersiedlungen des Bodensees oder deren Umgebung erlauben eine grobe Differenzierung in Randleistenbeile aus legierter Zinnbronze und in Kupferbeile. Die Fundumstände und Fundart der Beile sind weit gehend unbekannt.

Die frühbronzezeitlichen Kupferbeile gehören zum Salezer Typ[750] (Taf. 72,1128; 73,1131.1132) und dürften aufgrund ihrer Patinierung sämtlich aus mineralischem Grund stammen. Salezer Beile stammen ausschließlich aus Horten oder treten als Einzelfunde in Erscheinung,[751] so dass eine Herkunft der Bodenseefunde aus Siedlungen zumindest überraschen würde. Ihrer vermutete Doppelfunktion, die letztlich auf ihre Form und Fundart zurückzuführen ist, verdanken sie auch die Bezeichnung „Salezer Beilbarren".[752]

---

747 Kubach, Nadeln 133, einfache Radnadel vom Typ Speyer. Taf. 73,1134, mit abweichender Innengestaltung des Nadelkopfes.
748 Kubach, Nadeln. 140ff. Taf. 90. Ihre Herkunft aus dem danubischen Raum muss offen bleiben.
749 L. Kreiner, Ein reiches Frauengrab der Bronzezeit aus Wallersdorf-Haunersdorf, Landkreis Dingolfing-Landau, Niederbayern. Arch. Jahr Bayern 1985, 54 Abb. 21. Kreiner legte das bisher einzige gesicherte Radnadelexemplar aus Bayern vor.
750 Vgl. Abels, Randleistenbeile 4ff.; zur Verbreitung im Bodenseegebiet Abb. 134.
751 Vgl. Abels, Randleistenbeile 4ff.; Krause, Singen 220.
752 Ebd. 219ff.

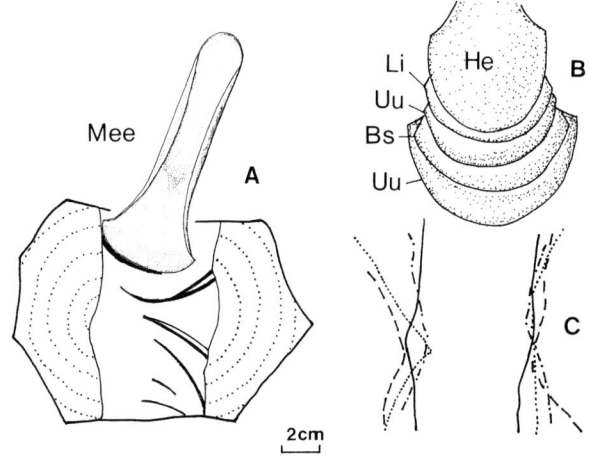

Abb. 141: Schneiden frühbronzezeitlicher Beilklingen und Querschnitte gelochter Pfähle der ersten Bauphase von Bodman-Schachen I. A Salezer Beil von Meersburg (Taf. 73,1131), an anpassendes Negativ in der Lochung von P41-2 (Haus 1.2) montiert. B Beilklingen aus Ufersiedlungen des Bodensees. C Querschnitte der ausgestemmten Lochungen; die Beilklingen sind offensichtlich breiter als die Lochungen. Bs Bodman-Schachen I, Schicht C (Taf. 11,131), He Hemmenhofen (Taf. 70,1116), Li Litzelstetten (Taf. 70,1117), Mee Meersburg (Taf. 73,1131), Uu Unteruhldingen (Taf. 71,1124).

Metallanalysen von Salezer Beilen lieferten Spurenelementkonzentrationen, die denen der Singener Metallartefakte sehr ähnlich sind, das Metall beider Artefaktgruppen dürfte daher von derselben Kupfererzlagerstätte stammen.[753] Einige Salezer Beile erbrachten aber auch abweichende Spurenelementkonzentrationen. Folglich käme nur ein Teil der Salezer Beile, eben derjenige aus Singener Metall, als Barren für die Singener Artefakte in Frage.

Der Fund eines spätbronzezeitlichen Barrens des Typs Singener Metall vom Montlinger Berg[754] zeigt überdies, dass Erzlagerstätten, offensichtlich auch solche mit Singener Metall, zu verschiedensten Zeiten ausgebeutet wurden und Metallsorten nicht unbedingt chronologische Relevanz besitzen müssen. Hinweise auf die Benutzung der Salezer Beile in Siedlungen lieferten Schlagmarken an Pfählen der 1. Siedlungsphase von Bodman-Schachen I (Abb. 140). Die Negative von Beilschneiden, die sich an stecken gebliebenen Beilhieben in der Lochung gelochter Pfähle abnehmen ließen, stimmen mit der Schneidenkrümmung Salezer Beile vom Bodensee gut überein. (Abb. 141,A). Während die Schneidenbreite der Salezer Beile in die Lochung passt, sind die Schneiden aller übrigen Beiltypen mit vergleichbarer Schneidenkrümmung breiter als die Lochung. Sie können deshalb zum Ausstemmen nicht benutzt worden sein. Die Schneidenkrümmung der übrigen schmaleren Beile weicht hingegen stark von den Schlagnegativen in den Durchlochungen ab (Abb. 141,B. C), sie kommen deshalb als Werkzeuge ebenfalls nicht in Frage. Es spricht also einiges dafür, dass Salezer Beile in der Siedlung von Schicht A in Gebrauch waren. Trifft dies zu, so ist der Beiltyp in einer Phase der älteren Frühbronzezeit belegt, die deutlich jünger datiert ist, als die Mehrzahl der Gräber von der Singener Nordstadtterrasse.[755]

Die Randleistenbeile aus legierter Zinnbronze von Hagnau (Taf. 70,1118),[756] Unteruhldingen (Taf. 71, 1123.1124),[757] Bodman-Schachen I (Taf. 50,718),[758] Litzelstetten (Taf. 70,1117), Hemmenhofen (Taf. 70, 1116) und Überlingen stammen vermutlich aus dem See und belegen relativchronologisch die Stufen Reinecke A2 bis C,[759] was aber nicht heißen muss, dass die Seeufer im Bereich der Flachwasserzone bis tief in die mittlere Bronzezeit besiedelt waren. Die chronologisch gedeutete Verschiedenheit der Beiltypen, könnte ebenso ihre unterschiedlichen Funktionen – Fällaxt, Breitbeil, Waffe etc. –, die Beile besitzen können,[760] reflektieren.[761]

14 Beiltypen, die in Süddeutschland verbreitet sind und deren relativchronologische Amplitude nach Björn-Uwe Abels[762] von der älteren Frühbronzezeit bis zur jüngeren Mittelbronzezeit reicht, wurden anhand ihrer Abmessungen und Gewichte daraufhin getestet (Abb. 142). Die Gewichte der Beile streuen zwischen 55 und 805 g. Sie verteilen sich spezifisch auf die Beiltypen, die ihrerseits wiederum bis auf wenige Ausnahmen fundartspezifisch sind. So sind beispielsweise für Langquaid-Beile mit zwei Ausnahmen nur Fundzusammenhänge in Siedlungen belegt. Das Gewicht der Beile liegt hauptsächlich zwischen 300 und 500 g bei durchschnittlich 8 cm breiten Schneiden. Die Beile vom Typus Nehren und Mägerkingen sind dagegen 130 bis 300 g schwer. Die Gewichte dieser Beile streuen überwiegend von 150 bis 200 g. Ihre Schneiden sind meist 3 bis 4 cm breit. Die im archäologischen Kontext geborgenen Beile vom Typ Mägerkingen und Nehren

---

753 Ebd. 225.
754 W. Fasnacht, Rezension von Krause, Singen. Jahrb. SGUF 76, 1993, 241.
755 Vgl. dazu Krause, Singen 175 ff.
756 Abels, Randleistenbeile 70 Taf. 33,470, Typ „Eschheim".
757 Ebd. 37 Taf. 18,263, Typ „Langquaid II"; 45 Taf. 23,324, Typ „Herbrechtingen"; 79,539, Typ „Bodensee".
758 Ebd. 66 Taf. 31,446, Typ „Nehren".
759 Vgl. ebd. Taf. 69, Stufenkorrelation Reinecke-Abels. Ein weiteres Bronzebeil mit oberständigen Randleisten vom Typ „Cressier", Var. D, in der Erlanger Institutssammlung soll von Maurach stammen; s. Köninger, Bodensee 98.
760 Abels, Randleistenbeile 91 ff.
761 Vgl. Winiger, Beil 167; hier wird analog in Arbeitsgeräte und „Streitäxte" unterschieden und damit chronologisch unabhängig differenziert.
762 Abels, Randleistenbeile.

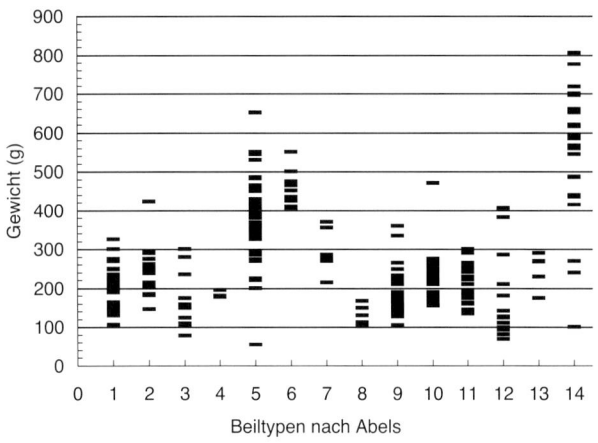

Abb. 142: Gewichte früh- und mittelbronzezeitlicher Beiltypen Südwestdeutschlands, Ostfrankreichs und der Schweiz. Typen nach Abels, Randleistenbeile: 1 Salez, 2 Griesheim, 3 Lausanne, 4 Buchau, 5 Langquaid, 6 Möhlin, 7 Herbrechtingen, 8 Ollon, 9 Cressier, 10 Mägerkingen, 11 Nehren, 12 Roseaux, 13 Bodensee, 14 Grenchen.

stammen mit einer Ausnahme aus Gräbern. Alle drei genannten Beiltypen sind zwischen 17 und 18 cm lang, wobei das Gewicht meist proportional zur Beillänge steigt. Es handelt sich also um gleichgroße Beiltypen, die sich durch ihr Gewicht und ihre Schneidenbreite unterscheiden. Die einheitlichen Maße und Gewichte der einzelnen Beiltypen sprechen dafür, dass es sich um echte Typen handelt. Aufgrund der Fundzusammenhänge dürfte es sich bei den Langquaid-Beilen um Arbeitsgeräte handeln, die schlankeren Beile der Typen Nehren und Mägerkingen sind dagegen eher als Waffen zu betrachten. Relativchronologisch gehören die Langquaid-Beile nach Reinecke in die Stufe A2, nach Abels in die Stufe Langquaid, der Typ Mägerkingen wird in die Stufe Lochham, bzw. Reinecke B1 gestellt und der Typ Nehren schließlich in die Stufe C, bzw. in die Stufe Waldshut-Weilimdorf nach Abels. Damit markieren in Südwestdeutschland Beile vermutlich unterschiedlicher Funktion und aus verschiedenen Fundzusammenhängen relativchronologisch unterschiedlichen Stufen. Es ist daher nicht auszuschließen, dass durch die typologische Klassifizierung ihre Funktionen erfasst wurde. Schlanke Beilformen, also Waffen aus Gräbern, fehlen möglicherweise deshalb im jüngeren Abschnitt der Frühbronzezeit Südwestdeutschlands, weil hier kaum Gräber vorhanden sind.

Bis jetzt liegen bis auf das Langquaid-Beil aus Schicht C keine absolut datierten Beile dieses Typs vor. Aufgrund der funktionsbestimmten Form ist eine große Formkonstanz dieses Arbeitsgerätes wahrscheinlich. Seine Existenz bis tief in die Mittelbronzezeit ist durchaus vorstellbar. Umgekehrt sind die Typen Nehren und Mägerkingen nicht auf die mittlere Bronzezeit zu beschränken, ihr Auftreten im Kontext der jüngeren Frühbronzezeit ist ebenso nicht auszuschließen. Dafür sprechen nicht zuletzt Funde dieser Beiltypen aus Ufersiedlungen des Bodensees.

8.3 Lanzen

Lanzenspitzen sind als Jagdgerät oder als Waffen einsetzbar[763] und kommen im Fundspektrum von Arbon-Bleiche 2 verziert und unverziert vor.[764] Die Schäftungstüllen der Geräte sind teils mit Reihen stehender, schräg schraffierter Dreiecke verziert. Das Dekor ist an Keramik der nordalpinen Frühbronzezeit westlicher Ausprägung und der Verzierung an Metallgegenständen der älteren Frühbronzezeit[765] geläufig, so dass ein traditionell frühbronzezeitlicher Kontext angenommen werden kann. Lanzenspitzen werden innerhalb der Frühbronzezeit als Beleg einer neuen Kampftechnik betrachtet[766] und sind vom Karpatenbecken bis ins Schweizer Mittelland verbreitet.[767]
Früh- bis mittelbronzezeitliche Lanzenspitzen sind von urnenfelderzeitlichen Lanzenspitzen typologisch kaum zu trennen,[768] der kulturelle Kontext der unverzierten Lanzenspitzen von Unteruhldingen ist daher unklar. Mit einiger Sicherheit lassen sich Lanzenspitzen mit Bogenmustern an der Tüllenbasis der Urnenfelderkultur zuordnen.[769]

8.4 Dolchklingen

Der Fund eine verzierten trianguläre Dolchklinge aus der Umgebung von Radolfzell ist im Bodenseegebiet singulär. Bis auf die Fundortangabe[770] sind keine weiteren Informationen zur Herkunft des Fundstücks bekannt, am ehesten stammt die Dolchklinge aus einem Grab oder Depot.

---

763 Vgl. dazu ebd. 93.
764 Fischer, Bleiche Taf. 3,3.4; Hochuli, Arbon-Bleiche 108.
765 Vgl. z.B. Krause, Singen Taf. 2,C4.D1.
766 M. Primas, Zur Informationsausbreitung im südlichen Mitteleuropa. Jahresber. Inst. Vorgesch. Univ. Frankfurt a. M. 1977, 166 ff.
767 Ebd. 167 Abb. 2.
768 Vgl. Dehn, Gaimersheim 174 ff. Taf. 5,1–4. Unverzierte Lanzenspitzen aus den Brucherzdepots von Bühl und Ackenbach belegen deren Vorkommen am Beginn der mittleren Bronzezeit, dazu ausführlich K. F. Rittershofer, Der Hortfund von Bühl und seine Beziehungen. Ber. RGK 64, 1983, 218.
769 Vgl. Th. Weidmann, Bronzegussformen des unteren Zürichseebeckens. Helvetia Arch. 12, 1981, 219 Abb. 2.
770 Bad. Fundber. 3, 1933–36, 38.

Die Dolchklinge gehört aufgrund ihrer schneidenparallelen Zier, dem großen Winkeldreieck auf der Klinge und dem halben Winkelkreuz[771] im Heftausschnitt zum Schweizer Typus[772] oder alpinen Typus[773] der Vollgriffdolche. Ähnlich verzierte Vollgriffdolchklingen sind vom Bois-de-Vaux, Lausanne,[774] und vom Depot von Ringolswil, Sigriswil,[775] bekannt geworden. Die Vorlage eines Altfundes aus dem vorigen Jahrhundert von Reutlingen ergänzt die bisher bekannten Exemplare dieses Dolchtyps.[776] Das Radolfzeller Exemplar liegt am Rande der Hauptverbreitung der Schweizer Dolche, die hauptsächlich in der Westschweiz und Oberitalien vorkommen. Relativchronologisch ist die Dolchklinge von Radolfzell in die jüngere Frühbronzezeit zu stellen.[777]

Weniger zu den Waffen und Statussymbolen als zu den Gebrauchsgegenständen zählen die kleinen Dolche aus den Ufersiedlungen des Bodensees. Von dort stammen gesichert 15 Dolche, von denen allein 13 in der Siedlung Arbon-Bleiche 2 gefunden wurden. Die Arboner Dolchklingen sind unverziert, ritzverziert[778] oder gehören zu den so genannten kannelierten Dolchen, deren Hauptverbreitungsgebiet die Schweiz umfasst.[779]

Die übrigen Bronzedolche des Bodenseegebietes kommen von Bodman-Schachen I[780] (Taf. 50,716) und Bodman-Weiler I (Taf. 70,1110). Die stark geschweifte Umrissform des Dolches von Bodman-Weiler I geht sehr wahrscheinlich auf häufiges Nachschleifen der Klinge zurück. Vergleichsstücke[781] der unverzierten, viernietigen Dolchklinge von Bodman Weiler I sind von Arbon-Bleiche 2,[782] von der Crestaulta[783] und von Koblach-Bromern[784] bekannt. Sie stehen der zierlichen Dolchform von Bodman-Weiler I formal am nächsten.

Weitere Bronzedolche stammen von mineralischem Grund. Ein zweinietiger Dolch mit dachförmigem Querschnitt (Taf. 72,1125) gehört typologisch bereits in die mittlere Bronzezeit.[785] Er wurde in einem Grab in Bodman „Im Weiler" unweit der frühbronzezeitlichen Ufersiedlungen geborgen.[786]

Zwei weitere Dolchklingen (Taf. 72,1126.1129) sollen von Möggingen am Mindelsee kommen. Eine der Klingen besitzt einen spitzen Heftabschluss (Taf. 72,1129) und ist formal einer weiteren Klinge unbekannter Herkunft aus dem Bodenseegebiet sehr ähnlich (Taf. 72,1130). Die Form der zweinietigen Dolchklingen mit spitzem Heftabschluss ist dabei für Südwestdeutschland eher ungewöhnlich. Die Dolchklinge von Vaduz, die Jakob Bill[787] in die Mittelbronzezeit stellt, verbindet die Funde von Möggingen über das Alpenrheintal mit Dolchen ähnlicher Form in Norditalien;[788] seltsamerweise sind die Mögginger Dolche aus nahezu unlegiertem oder nur schwach zinnlegiertem Kupfer gegossen. Es ist vorderhand aufgrund ihrer Metallzusammensetzung fraglich, wo die Dolche mit spitzem Heftabschluss chronologisch einzuordnen sind. Formal gehören sie in die Mittelbronzezeit.

Der viernietige Dolch von Möggingen (Taf. 72,1126) fügt sich gut ins vorgegebene Spektrum mittelbronzezeitlicher Dolchklingen ein.[789] Abweichend von den Dolch- bzw. Kurzschwertklingen[790] der Hügelgräber ist der Querschnitt der Klinge nicht dachförmig, sondern flach gewölbt. Diesen Querschnitt haben weitere Dolche bzw. Kurzschwertklingen von Konstanz-Staad (Taf. 70,1115) und Unteruhldingen (Taf. 71,1122) mit der viernietigen Klinge von Möggingen gemeinsam.

Relativchronologisch scheinen die älteren Dolchformen aus den Ufersiedlungen zu kommen, die jüngeren Exemplare liegen dagegen als Einzel- oder mutmaßliche Grabfunde aus dem Bodenseehinterland vor.

8.5 Pfeilspitzen

Aus Bodman-Weiler I stammen zwei Bronzepfeilspitzen (Taf. 70,1111a–b). Die Pfeilspitzen zeichnen sich durch einen Mittelgrat aus, der sich von den flachen Flügeln absetzt. Eine weitere, unstratifiziert Pfeilspitze ist von Egg-Obere Güll zu verzeichnen.[791]

---

771 Dazu Hachmann, Ostseegebiet 99f.
772 O. Uenze, Die frühbronzezeitlichen triangulären Vollgriffdolche. Vorgesch. Forsch. 11 (Berlin 1938) 29ff. Karte 8.
773 Bill (Anm. 739) 32f.
774 Abels, Randleistenbeile Taf. 58,5. Depot oder Grabfunde.
775 Ebd. Taf. 61,12.
776 R. Krause, Ein alter Grabfund der jüngeren Frühbronzezeit von Reutlingen. Fundber. Baden-Württemberg 13, 1988, 200ff. mit Verbreitungskarte Abb. 4.
777 Ebd. 206ff.
778 Vgl. Gallay, Ende 130 Abb. 14.
779 Ebd. 129 Abb. 13.
780 Vgl. Kap. 7.3.3.3 zu den nichtstratifizierten Dolchklingen.
781 Vgl. Rittershofer (Anm. 768) 213 Abb. 11; zur Verbreitung und Zeitstellung ebd.
782 Vgl. Fischer, Bleiche Taf. 1,7.
783 Vgl. Burkart, Crestaulta Abb. 33.
784 Vgl. Menghin, Vorarlberg 57 Abb. 36,3.
785 Vgl. z.B. Pirling u.a., Schwäbische Alb Taf. 6,L1.S.
786 S. Kap. 9 zum Bodmaner Gräberfeld „Im Weiler"; Fundortkatalog Nr. 36.
787 Vgl. Bill (Anm. 729) 118.
788 A. Aspes/L. Fasani/F. Gaggia, Palafitte: Mito e Realtà. Museo civico di storia naturale (Verona 1982) Fig. 54,3–6.
789 Pirling u.a., Schwäbische Alb Taf. 52,A2.
790 Aufgrund der Länge kann die Klinge von Möggingen (Taf. 72, 1126) auch als Kurzschwertklinge bezeichnet werden.
791 Köninger, Bodensee 98; 104.

Gestielte und geflügelte Bronzepfeilspitzen dieser Art sind am Bodensee noch von Arbon-Bleiche 2[792] bekannt. Weitere geflügelte Bronzepfeilspitzen mit Dorn stammen aus Hügelgräbern der Schwäbischen Alb.[793] Ihr Vorkommen zumindest in grob mittelbronzezeitlichem Zusammenhang kann relativchronologisch als gesichert betrachtet werden. Ihre Verbreitung in Südwestdeutschland setzt sich geographisch von der Verbreitung der Tüllenpfeilspitzen in den östlichen Provinzen der Hügelgräberkultur ab.[794]

Grundsätzlich ist das vorkommen gestielter Bronzepfeilspitzen in urnenfelderzeitlichem Zusammenhang nicht auszuschließen.[795]

8.6 Bronzemeißel

Die Bronzemeißel des Bodenseegebietes stammen von Arbon-Bleiche 2.[796] Sie werden dort als „Bronzestäbe mit spitz- bzw. meißelförmigem Ende" bezeichnet. Es dürfte sich in diesen Fällen tatsächlich um Meißel mit rundem Schäftungsende handeln. Die Verwendung eines Teils der insgesamt zehn stabförmigen Objekte ist dagegen fraglich.[797]

8.7 Bronzepfrieme

Den Bronzemeißeln[798] formal ähnlich sind Bronzepfrieme, deren Vorkommen am Schweizer Bodenseeufer,[799] in der Westschweiz,[800] im Jura,[801] in Südfrankreich[802] und am deutschen Bodenseeufer[803] belegt ist. Die Pfrieme unterscheiden sich von den Meißeln neben der funktionsbedingt verschiedenen Arbeitskante durch ihr rautenförmiges Mittelteil. Auf unterschiedliche Datierungsansätze der Pfrieme hat Gilbert Kaenel[804] aufmerksam gemacht. Während Alain Gallay eine Datierung ins Bronze ancien I in Erwägung zieht, entstammt das Exemplar der Garage Martin aus Schicht 2b bis 3, deren Funde Kaenel der Stufe Bronze ancien IV zuweist. Die Pfrieme scheinen hier offensichtlich länger in Gebrauch gewesen zu sein.

Mit Sicherheit können nur Kupfer- und Bronzepfrieme zeitlich voneinander abgesetzt werden.[805] Das Vorkommen der Bronzepfrieme bis in die mittlere Bronzezeit scheint zumindest in der Oberpfalz gewährleistet zu sein.[806] Auch ein späteres Vorkommen ist entsprechend der Einfachheit des Objekts und seiner vielseitigen Verwendbarkeit nicht auszuschließen.

Die Pfrieme mit Mittelschwellung wurden möglicherweise als Tatauiernadeln verwendet[807] und sind damit Teil bronzezeitlichen Toilettenbestecks. Besonders häufig liegen diese Tatauiernadeln aus dem Jura und dem Languedoc vor und lassen entsprechend auf eine Verbreitung vorgeschichtlicher Tatauiersitte in dieser Region schließen.[808] Die größeren Pfrieme sind darüber hinaus vermutlich auch anderweitig benutzt worden.[809]

8.8 Zusammenfassende Betrachtung

Der Bestand frühbronzezeitlicher Bronzen des Bodenseegebietes ist relativ klein und daher gut überschaubar.

Das Fundmaterial ist, mit Ausnahme der Neufunde von Bodman-Schachen IC, unstratifiziert, Fundzusammenhang und Fundumstände sind unklar. Die Herkunft der Funde, ob von mineralischem Grund oder von den Seeufern, ist z. T. anhand der Patinierung erkennbar.

Die Masse der Bronzen stammt aus der bekannten Siedlung Arbon-Bleiche 2. Ihr reicher Bestand an Bronzen in Verbindung mit dem an der Gesamtzahl gemessenen häufigen Vorkommen bestimmter Bronzenadeltypen macht die Herstellung dieser Nadeln in Arbon wahrscheinlich und kennzeichnet Arbon-Bleiche 2 als ein Zentrum der Bronzeproduktion am Bodensee während der Frühbronzezeit. Die Verbreitung der Kugelkopfnadeln und der Nadel mit weich keulenförmigem Kopf schließen das

---

792 Fischer, Bleiche Taf. 3,1–2; Hochuli, Arbon-Bleiche 108.
793 Pirling u. a., Schwäbische Alb Taf. 18,C17.18.E4; 28,K2.
794 Vgl. Rittershofer (Anm. 768) 228 ff.
795 Vgl. V. Rychner, L'âge du Bronze final à Auvernier (Lac du Neuchatel, Suisse). Typologie et chronologie des anciennes collections conservées en Suisse. Cahiers Arch. Romande 15 (Lausanne 1979) Taf. 128,14–22. Dies ist für Bodman-Weiler I von Bedeutung, da hier eine Ufersiedlung der Urnenfelderkultur dem Altfundbestand gemäß vermutet werden darf; vgl. dazu Schöbel, Hagnau und Unteruhldingen Taf. 21; 23; 24; dazu Abb. 46.
796 Hochuli, Arbon-Bleiche 109.
797 Vgl. ebd.
798 Vgl. Kap. 7.3.3 zu den nichtstratifizierte Bronzefunden von Bodman-Schachen I.
799 Fischer, Bleiche Taf. 5,26–30; Hochuli, Arbon-Bleiche 109.
800 Kaenel (Anm. 484) 37; 39 Fig. 24,2.
801 Gallay/Gallay (Anm 472) 71 Fig 21.
802 Roudil (Anm 476) 227 Fig 93.
803 Tröltsch, Pfahlbauten 169,318.325.326.328. Besonders 328 erinnert stark an südfranzösische Pfrieme aufgrund seines flach rechteckigen Querschnitts im Mittelteil.
804 Kaenel (Anm. 484) 37.
805 Dazu Ruckdeschl, Gräber 202 f.
806 Torbrügge, Oberpfalz 66 f. mit Anm.
807 Ebd. 66.
808 Vgl. Kimmig, Reusten 52 mit Anm. 267.
809 Dazu Krause, Singen 95.

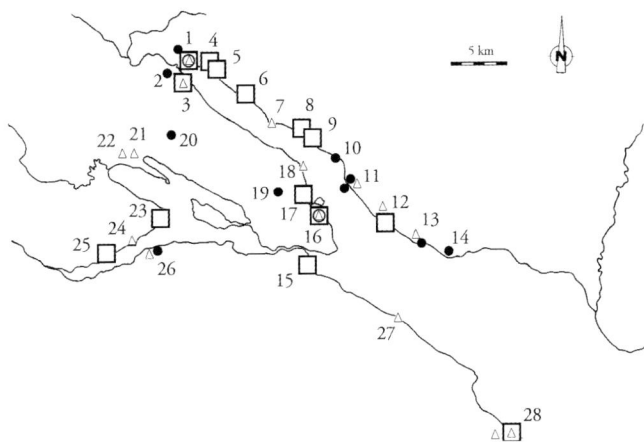

Abb. 143: Siedlungsbelege der jüngeren Frühbronzezeit am Bodenseeufer und Kartierung von Funden der jüngeren Frühbronzezeit und mittleren Bronzezeit im Bodenseegebiet. Quadrat: Keramik; Kreis: Dendrodatum; Dreieck: frühbronzezeitliche Bronzefunde; Punkt: mittelbronzezeitliche Bronzefunde. 1 Bodman-Schachen I, 2 Bodman „Im Weiler", 3 Bodman-Weiler I, 4 Ludwigshafen-Holzplatz, 5 Ludwigshafen-Seehalde, 6 Sipplingen-Osthafen, 7 Überlingen, 8 Nussdorf-Seehalde, 9 Nussdorf-Strandbad, 10 Maurach, 11 Unteruhldingen, 12 Haltnau, 13 Hagnau-Burg, 14 Immenstaad, 15 Konstanz-Rauenegg, 16 Egg-Obere Güll I, 17 Litzelstetten-Ebnewiesen, 18 Litzelstetten, 19 Dingelsdorf „Weiherried", 20 Möggingen, 21 Böhringen, 22 Radolfzell, 23 Hornstaad-Hörnle I, 24 Hemmenhofen, 25 Wangen, 26 Steckborn, 27 Güttingen, 28 Arbon-Bleiche 2. Kartiert nach Abels, Randleistenbeile; Köninger/Schlichtherle, Schnurkeramik; Krause, Beginn der Metallzeiten und weiteren eigenen Erhebungen.

Alpenrheintal und den Bodenseeraum sowie einzelne Kleinräume am Rande des Schweizer Mittellandes zusammen.

Das Spektrum der Nadeln aus den Seeufersiedlungen reicht relativchronologisch von der jüngeren Frühbronzezeit bis in die frühe Mittelbronzezeit, allerdings sind keine gesicherten stratigraphischen Zusammenhänge vorhanden, so dass über typologische Erwägungen hinaus keine weiteren Schlussfolgerungen möglich sind.

Die typologisch jüngsten Nadelformen des Bodensees, Lochhals- und Radnadeln, stammen mit Ausnahme der Nadeln von Arbon-Bleiche 2 und einem Neufund von Unteruhldingen aufgrund ihrer Patinierung nicht vom Seeufer (Abb. 143). Das meist paarige Auftreten der Nadeln in den Altfundbeständen verstärkt den Verdacht, dass sie aus mittelbronzezeitlichen Gräbern stammen. Das relativchronologische Verhältnis der vermuteten Grabfunde aus dem Hinterland des Bodensees und den Ufersiedlungen ist unklar.

Salezer Beile sind vorderhand die einzigen Metallartefakte aus dem Bodenseegebiet, die der älteren Frühbronzezeit zugewiesen werden können. Indizien zur Verwendung von Beilen mit einer Schneidenkrümmung, die den Salezer Beilen zueigen ist, finden sich an Holzbauelementen aus Bodman-Schachen I, Schicht A. Demnach kann auch während dieser, im Verhältnis zu den Singener Gräbern, jüngeren Siedlung der älteren Frühbronzezeit mit Beilen des Salezer Typs gerechnet werden.

Die übrigen Bronzebeile sind relativchronologisch der jüngeren Frühbronzezeit und der mittleren Bronzezeit zuzurechnen.

Bronzedolche sind in Ufersiedlungen des westlichen Bodenseeraumes durch Rillendolche oder kleine unverzierte Klingen vertreten. Parallelen finden sich im Alpenrheintal bis ins inneralpine Gebiet. Die verzierte, trianguläre Dolchklinge von Radolfzell gehört nach Otto Uenze zum Schweizer Typ. Ihr chronologisches Verhältnis zu den Ufersiedlungen von Bodman-Schachen I ist unklar. Unverzierte Dolchklingen aus dem direkten Bodenseehinterland, deren Länge vereinzelt an die von Kurzschwertern heranreicht, stammen wahrscheinlich aus Gräbern.

Die mittelbronzezeitlichen Bronzefunde stammen, mit Ausnahme der Beile und einer Lochhalsnadel von Unteruhldingen, überwiegend aus dem Hinterland des Bodensees, während die Bronzen der jüngeren Frühbronzezeit aus den Seeufersiedlungen kommen. Die Metallobjekte der älteren Frühbronzezeit, die Beile vom Salezer Typ, scheinen ebenfalls ausschließlich von mineralischem Grund zu stammen.

9 Das Bodmaner Gräberfeld „Im Weiler"

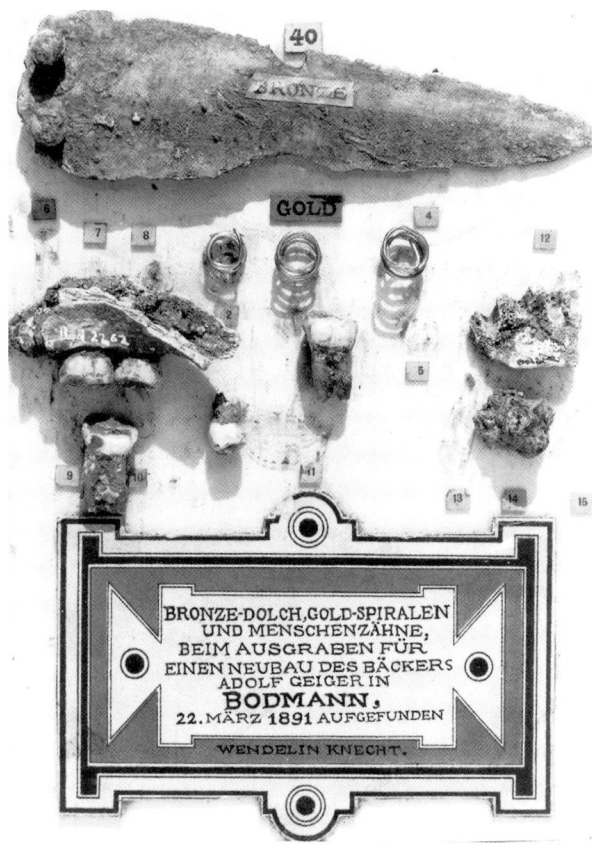

Abb. 144: Bodman „Im Weiler". Von Ludwig Leiner auf eine Glasplatte montierte Grabfunde aus dem Jahre 1891.

mit Sandsteinwacken, also nicht besonders zugerichteten Molassebrocken, umstellt bzw. mit -platten abgedeckt. Die Lage des Toten in gestreckter Hockerstellung ist für den Grabfund von 1954 wahrscheinlich. Die wenigen Indizien zum Befund der Gräber, die sich lediglich auf Inventarisierungsnotizen Ludwig Leiners, dem Gründer des Rosgartenmuseums in Konstanz, und Beobachtungen der von R. A. Maier befragten Bauarbeiter stützen können, sind insgesamt dürftig. Die übereinstimmende Beschreibung der Grabeinbauten erinnert an diejenigen der Gräber von der Singener Nordstadtterrasse.[813]

Die relativchronologische Einordnung der Bodmaner Gräber stützt sich auf wenige Fundstücke des 1891 von Wendelin Knecht aufgefundenen Grabes (Abb. 144). Bis heute erhalten geblieben ist eine zweinietige Bronzedolchklinge mit dachförmigem Querschnitt,[814] die typologisch dem älteren Abschnitt der mittleren Bronzezeit zuzurechnen ist.[815] Drei Goldspiralen,[816] die der relativchronologischen Einordnung des Bronzedolches angeschlossen werden können,[817] und wenige Zahn- und Unterkieferreste eines erwachsenen Individuums aus dieser Bestattung beschließen den erhalten gebliebenen Fundbestand der Bodmaner Gräber.[818]

Die ersten Fundmeldungen von bronzezeitlichen Gräbern im Ortskern von Bodman reichen in das Jahr 1891 zurück.[810] In der Folgezeit wurden weitere Gräber angegraben. Die Fundgeschichte zeichnete R. A. Maier anlässlich erneut angeschnittener Grablegen im Jahre 1954 nach der Befragung Beteiligter vor Ort auf.[811] Demnach befindet sich im Ortszentrum von Bodman südlich der Ortsstraße eine kleine Gräbergruppe. Zwischen 1891 und 1954 kamen demzufolge mindestens vier Gräber unter mehr als einem Meter Sedimentbedeckung bei Bauarbeiten zum Vorschein. Weitere Gräber, die weitgehend fundleer gewesen sein sollen, wurden während der Nachforschungen des Karlsruher Vorgeschichtsvereins angeschnitten.[812] Die Fundstellen streuen Ost-West auf ca. 40 m, in Nord-Süd-Richtung sind es mindestens 20 m.

Die Gräber, die 1891 und 1954 entdeckt wurden, waren, soweit dies nachgezeichnet werden kann,

---

810 Die Funde aus dem Jahre 1891 sind auf eine Glasplatte montiert und handschriftlich von L. Leiner etikettiert im Konstanzer Rosgartenmuseum erhalten geblieben (s. u.).
811 Fundbericht R. A. Maier 1954 (Ortsakte Bodman, LDA Freiburg). Die Fundstücke von 1954 wurden im Anwesen des Grafen von Bodman abgegeben, kurz darauf sind die Funde verschollen.
812 Ebd.; Wagner, Baden 52; Tröltsch, Pfahlbauten 201.
813 Krause, Singen 32 ff. Abb. 108–229. Vgl. dazu Aufdermauer, Bodman 44.
814 Ebd. 56 Taf. 10,4.
815 Vogt, Weiningen 42 Taf. 23,8; F. Holste, Hügelgräber von Lochham, BA. München. In: Marburger Studien. Festschr. für Gero Mehrhardt v. Bonegg (Darmstadt 1938) Taf. 25,13.16.
816 Ursprünglich handelte es sich wohl um zwei Goldspiralen, von denen eine zum Verkauf halbiert wurde. Möglicherweise wurden ursprünglich aus zwei Goldspiralen vier gemacht, von denen eine wiederum verschollen ist. Nur so ließe sich die Angabe von vier Goldspiralen bei Wagner erklären; Wagner, Baden 52; Fundbericht R. A. Maier 1954 (Ortsakte Bodman, LDA Freiburg).
817 Vogt, Weiningen 40 f. Taf. 11–13.
818 Die Goldspiralen wurden 1990 aus dem Ausstellungsraum des Rosgartenmuseums entwendet, so dass nunmehr nur die Bronzedolchklinge nebst einigen Kieferfragmenten aus den Bodmaner Gräbern vorhanden sind.

Im Unterschied zu den Goldfunden aus Hügelgräbern der Schwäbischen Alb[819] handelt es sich in Bodman zumindest im heutigen Zustand um einfache Drahtringe und nicht um doppelte Goldspiralen, so genannte Lockenspiralen.[820] Die Goldringe von Bodman sind besonders zu gewichten, da Goldfunde in Gräbern der frühen und mittleren Bronzezeit Süddeutschlands nur selten anzutreffen sind.[821] Demnach dürfte hier eher eine bedeutende Person bestattet worden sein.

Außer den erhaltenen Fundstücken liegen noch Beschreibungen von Fundstücken vor, die kurz nach ihrer Auffindung in einem Grab im Jahre 1954 durch unglückliche Umstände verschollen sind.[822] Als Grabbeigaben werden von den Entdeckern übereinstimmend ein Bronzedolch und eine Kugelkopfnadel mit säbelförmig gebogenem, verziertem Schaft und ritzverziertem Kopf angegeben.[823] Das Grab könnte aufgrund der Nadelbeschreibung an das Ende der Frühbronzezeit oder den Beginn der Mittelbronzezeit datieren.

Durch die Bodmaner Gräber deutet sich an, dass im westlichen Bodenseegebiet bis in die jüngere Frühbronzezeit in neolithisch/älterfrühbronzezeitlicher Tradition in Hockerlage bestattet wurde, wie dies auch für das jüngerfrühbronzezeitliche Grab von Reutlingen überliefert ist.[824] Auffallend ist die, gemessen an bayerischen und westschweizerischen Verhältnissen, generelle Armut an Gräbern der jüngeren Frühbronzezeit in Südwestdeutschland.[825]

Offensichtlich ist die in dieser Zeit übliche Bestattungsform archäologisch kaum fassbar.[826] Mit den Bestattungen von Reutlingen und Bodman dürfte demnach eine für diesen Raum eher untypische Bestattungsform der jüngeren Frühbronzezeit vorliegen.

Die Zugehörigkeit der Bodmaner Gräber zu den nahe gelegenen frühbronzezeitlichen Ufersiedlungen von Bodman-Weiler I ist fraglich, sie könnten ebenso gut zum mittelbronzezeitlichen Siedlungsplatz Bodman „Breite" gehören.[827]

---

819 A. Rieth, Die Vorgeschichte der Schwäbische Alb unter besonderer Berücksichtigung des Fundbestandes der mittleren Alb. Mannus 61 (Leipzig 1938) 147 ff.
820 Vgl. Vogt, Weiningen 40.
821 Vgl. ebd. Anm. 98; K. Schmotz, Goldgegenstände aus bronzezeitlichen Gräbern Niederbayerns. Arch. Jahr Bayern 1983, 51–52.
822 Fundbericht R. A. Maier 1954 (Ortsakte Bodman, LDA Freiburg).
823 Ebd. Der Beschreibung nach vergleichbare Fundstücke z. B. bei F. Holste, Die Bronzezeit in Süd- und Westdeutschland. In: E. Sprockhoff (Hrsg.), Handbuch der Urgeschichte Deutschlands 1 (Berlin 1953) Taf. 1,9; Hachmann, Ostseegebiet Taf. 56,21.
824 Vgl. J. v. Quillfeldt, Bronzezeitliche Bestattungen aus Poing, Lkr. Ebersberg, Obb. Arch. Jahr Bayern 1989, 61 f. Abb. 3; Krause (Anm. 776) 200 ff.
825 Vgl. Kartierung ders., Beginn der Metallzeiten 128 Abb. 9.
826 Dazu Oberrath (Anm. 558) 194 ff.; die Bestandserweiterung frühbronzezeitlicherer Grabfunde durch mittelbronzezeitliche Inventare der schwäbischen Alb scheint zumindest fraglich – ebd. 196 f.
827 Vgl. Schlichtherle, Mineralbodensiedlungen 61 ff.

10 Relative Chronologie

10.1 Schicht A

10.1.1 Relativchronologische Einordnung von Schicht A aufgrund der Stratigraphien am Bodensee

Schicht A liegt an der Basis der Stratigraphie von Bodman-Schachen I und wird durch Schichten der jüngeren Frühbronzezeit überlagert.[828] Sie ist dementsprechend jüngstens einer älteren Phase der jüngeren Frühbronzezeit zuzuordnen, die der in Schicht B vertretenen Phase vorausgeht.
Die frühbronzezeitliche Schicht von Ludwigshafen-Seehalde ist durch gehenkelte Becher und gelochte Pfähle[829] Schicht A anzuschließen. Sie befindet sich über einer Schicht der späten Schnurkeramik und unter einem Stratum der jüngeren Frühbronzezeit.[830] Für die Funde aus Schicht A ergibt sich dadurch eine relativchronologische Stellung zwischen später Schnurkeramik und jüngerer Frühbronzezeit.

10.1.2 Fundvergleich mit Glockenbecherfunden und frühbronzezeitlicher Siedlungskeramik

Die Keramik aus Schicht A wurde aufgrund ihrer offenkundigen formalen Ähnlichkeiten mit Glockenbecher- und frühbronzezeitlicher Keramik Süddeutschlands und der angrenzenden Gebiete verglichen. Siedlungsfunde wurden dabei bevorzugt berücksichtigt.
Von Siedlungsplätzen des Bodenseegebietes liegen nur wenige Scherben der Glockenbecherkultur vor. Es handelt sich um je eine verzierte Scherbe von Welschingen und vom Hohentwiel.[831] Von dort stammt auch das Fragment eines unverzierten Bechers, der in den Bechern von Schicht A beste Entsprechungen findet. Die Lesefunde lassen sich zwar stilistisch zuordnen, sind aber für die relativchronologische und kulturelle Einordnung der Funde aus Schicht A wenig hilfreich.
Weiteres Fundmaterial der Glockenbecherkultur stammt aus der direkten Nachbarschaft der Ufersiedlungen von Bodman-Schachen I aus einem Grab bei Wahlwies[832] und aus Gräbern bei Welschingen-Neuhausen.[833] Der in der Form ähnliche unverzierte Becher von Wahlwies ist im Gegensatz zu den Bechern aus Schicht A flachbodig und rot überfangen. Gut vergleichbar ist die Schüssel aus Grab I von Welschingen.[834] Die Glockenbecher aus der näheren Umgebung von Bodman-Schachen unterscheiden sich, abgesehen von der roten Färbung und Verzierung, durch ihre lichteren Henkel, deren Randständigkeit und ihre Flachböden von den Bechern aus Schicht A.
Die wenigen verbleibenden Glockenbecherscherben aus Siedlungen der Schweiz und Südwestdeutschlands stehen überwiegend in fraglichem Kontext der jüngeren Frühbronzezeit oder Schnurkeramik.[835] Einzig die Glockenbecherscherben von Wädenswil-Vorder Au stammen sicher aus einer schnurkeramischen Schicht.[836] Die Scherben sind kammstempelverziert und damit für den Fundvergleich mit den Funden aus Schicht A nicht geeignet. Sie scheinen wesentlich älter zu datieren.
Interessant sind Funde und Befunde aus dem Nördlinger Ries von der Fundstelle Nähermemmingen-Feldwiesäcker, wo in mehreren Ausgrabungskampagnen aus sechs Gruben Scherben der Glockenbecherkultur geborgen wurden.[837] Unter ihnen befinden sich ritzverzierte Scherben,[838] die der linienverzierten Randscherbe aus Schicht A nahe stehen (Taf. 1,3). Bemerkenswerterweise sind in die Gruben[839] Gräber der älteren Frühbronzezeit eingetieft,

---

828 Vgl. Kap. 3.2.3 zur den Profilen in Fläche 1.
829 Vgl. Kap. 4.2 zu den Bauhölzern in Schicht A.
830 Köninger, Bodensee 93 ff.
831 Kraft (Anm. 352) 213 Abb. 8; Biel, Höhensiedlungen 167. Die Glockenbecherscherbe vom Hohentwiel ist inzwischen verschollen; freundl. Mitt. S. Wilkie, Württembergisches Landesmuseum Stuttgart.
832 Wagner, Baden 69 Fig. 49,x.y; 71.
833 G. Kraft, Fundschau 1934/35. Jungsteinzeit (Siedlungen und Gräber). Bad. Fundber. 3, 1933–36, 351 f.
834 Ebd. 351 Abb. 156,c.
835 Kimmig, Reusten 26 f.; Strahm, Gliederung 151 Abb. 28,1–3; J. Bill, Der Glockenbecher aus Hochdorf-Baldegg. Helvetia Arch. 55/56, 1983, 167 ff.; E. H. Nielsen, Sutz-Rütte, Katalog der Alt- und Lesefunde der Station Sutz V. Ufersiedlungen am Bielersee 2 (Bern 1989) Taf. 28,15.
836 Eberschweiler, Zürichsee 45 ff. Abb. 10.
837 W. Dehn/E. Sangmeister, Die Steinzeit im Ries. Katalog der steinzeitlichen Altertümer im Museum Nördlingen. Materialh. Bayer. Vorgesch. 3 (Kallmünz 1954) 41 f.
838 Ebd. Taf. 14,14.19.
839 Ebd. 48 Taf. 15.

ohne diese zu stören. Die Glockenbecher-Gruben müssen also bei der Grablege der frühbronzezeitlichen Gräber noch kenntlich gewesen sein, so dass zwischen Auflassung der Gruben und Grablegung nur wenige Jahre oder Jahrzehnte verstrichen sein können. Im Nördlinger Ries scheinen also Glockenbecherkultur und ältere Frühbronzezeit zeitlich nicht allzu weit voneinander entfernt zu sein. Östlich vom Nördlinger Ries, in Niederbayern, sind Siedlungsfunde der Glockenbecherkultur verhältnismäßig häufig. Gemeinsamkeiten mit Bodman-Schachen I, Schicht A, lassen sich allgemein an der Leistenzier und an eingezapften Knubben ausmachen. Die Becher sind dort gedrungener und besitzen lichtere Henkel, die rand- oder knapp unterrandständig angebracht sind.[840]

Den Bechern aus Schicht A gut vergleichbar sind dagegen insbesondere schlauchförmige Krüge aus Straubinger Grubeninventaren, sie besitzen ebenfalls Henkelösen und abgerundete Böden (vgl. bes. Taf. 1,9).[841] Wahrscheinlich aus einem Grabe in Oberbayern bei Oberding[842] stammen vier Gefäße. Darunter befinden sich zwei Krüge,[843] die den Bechern aus Schicht A formal am nächsten stehen. Topfscherben mit aufgesetzten Leisten, Henkelösen und vor allem ein doppelkonischer Topf mit steiler Randlippe[844] aus der Umgebung der Bestattung – möglicherweise handelt es sich um Siedlungsfunde[845] – sind der Keramik aus Schicht A formal ebenso gut vergleichbar. Kulturell dürfte deshalb die Keramik aus Schicht A in frühbronzezeitlichem Kontext zu sehen sein. Stephan Möslein stellt die Becher von Bodman-Schachen IA seiner älterfrühbronzezeitlichen Keramikgruppe Burgweinting/Viecht zur Seite.[846]

Die Becher aus Schicht 1a/b von Zürich-Mozartstrasse[847] und die Lesefundkomplexe von Greifensee-Böschen und Greifensee-Starkstromkabel[848] dürften, ebenso wie die Funde aus den älteren Schichten von Cazis-Cresta[849] ebenfalls hierher gehören und relativchronologisch in die ältere Frühbronzezeit datieren.

10.1.3 Schlussfolgerungen aus der vergleichenden Betrachtung

Die ritzverzierte Randscherbe aus Schicht A findet ihre besten Entsprechungen im Grubeninventar der Glockenbecherkultur aus Nähermemmingen. Die Zierzone direkt unter dem Rand ist frühbronzezeitlicher Keramik allgemein fremd. Somit könnte es sich um das Fragment eines „echten" linienverzierten Glockenbecher handeln. Die „geschnittene" Linienzier unterscheidet sich von den in den weichen Ton geritzten Mustern an frühbronzezeitlicher Keramik, ist aber an Glockenbechern vorhanden (z. B. Becher von Worms-Herrnsheim, Landesmuseum Mainz).

Die unverzierten Becher aus Schicht A sind den unverzierten Henkelgefäßen des Typs Burgweinting/Viecht gut vergleichbar.[850] Sie sind charakteristisch für das Inventar aus Schicht A, welches kulturell in frühbronzezeitlichem Kontext zu sehen ist. Einflüsse der Glockenbecherkultur auf die formale und technische Ausprägung der Keramik von Schicht A sind dabei unverkennbar, was durch die Randscherbe eines möglicherweise „echten" linienverzierten Glockenbechers nachhaltigen unterstrichen wird. Dieser älterfrühbronzezeitlichen Siedlungskeramik lassen sich offenbar weitere Fundkomplexe vom Zürichsee und Greifensee sowie von der Cazis-Cresta im Alpenrheintal anschließen.

10.2 Schicht B

10.2.1 Relativchronologische Einordnung von Schicht B aufgrund der Stratigraphien am Bodensee

Die relativchronologische Einordnung von Schicht B ergibt sich aus der Stratigraphie von Bodman-Schachen I. Schicht B liegt über Schicht A, einer Schicht der älteren Frühbronzezeit, und unter Schicht C, einer Schicht der jüngeren Frühbronzezeit. Es handelt sich also mit Sicherheit um eine frühbronzezeitliche Ablagerung.

10.2.2 Vergleich mit Siedlungskeramik der jüngeren Frühbronzezeit

Der geringe Umfang der Keramik aus Schicht B würde die Möglichkeiten vergleichender Betrachtungen erheblich einschränken, wenn nicht der

---

840 Vgl. R. Christlein, Neue Funde der Glockenbecherkultur. Jahresber. Hist. Verein Straubing u. Umgebung 79, 1976, 35–76.
841 Christlein/Engelhardt, Altdorf 71 Abb. 53; Hundt, Straubing Taf. 18,3.4; 36,25.
842 Ruckdeschl, Gräber 17ff. Taf. 4,6.7.8.
843 Ebd. Taf. 4,7.8.
844 Ebd. Taf. 56.
845 Ebd. 17f.
846 Möslein, Keramik 44ff. 47 Abb. 3.
847 Conscience, Neudatierung 153 Abb. 6,1–3. Zur Neudatierung der Schicht vgl. E. Gross, Exkurs: Ein kritischer Blick zurück. Jahrb. SGUF 84, 2001, 154.
848 Conscience/Eberschweiler, Greifensee 139f. 140 Abb. 5,1; 6,1.3.5.6.9.
849 Ebd. 146 Anm. 14.
850 Möslein, Keramik 45 Abb. 1.

reichhaltige Fundkomplex aus Schicht C zu Hilfe genommen werden könnte. Mit einiger Sicherheit ist ja davon auszugehen, dass Keramikmerkmale aus Schicht B, die in Schicht C nicht vertreten sind, als typisch für Schicht B gelten können, vorausgesetzt, der Fundkomplex aus Schicht C beinhaltet im Wesentlichen das Zier- und Formspektrum der dort vertretenen Keramik. Typische Keramikformen und -zierelemente aus Schicht B sind feine Einstichzier, Tassen, ausgezogene und gelochte Ränder, Zylinderstempelzier und niedrige Topfformen mit dicht unterrandständigen, horizontal umlaufenden Leisten. Die genannten Form- und Zierelemente finden sich in den heterogenen Lesefundkomplexen Süddeutschlands wieder, die zur Definition der Keramikstufe A2/B1 herangezogen wurden.[851] Sie sind dort mit Form- und Zierelementen vergesellschaftet, die für Schicht C charakteristisch sind.[852] Interessanterweise treten typische Elemente der Keramik aus Schicht B auch in Straubinger Grubeninventaren auf. Es sind dies insbesondere feine Einstichzier, Zylinderstempelreihen und S-Profile mit ausgezogenen Rändern[853] sowie bauchige Gefäße mit leichter Schulterkehlung.[854] Das Inventar aus Schicht B steht damit in Bayern dem Inventar der Keramikgruppe Sengkofen/Jellenkofen nach Möslein nahe[855] und dürfte somit in die jüngere Frühbronzezeit datieren.

10.3 Schicht C

10.3.1 Relativchronologische Einordnung von Schicht C aufgrund der Stratigraphien des Bodenseegebietes und der Schweiz

Schicht C liegt über Schicht B, einer Schicht der jüngeren Frühbronzezeit (s. o.). Schicht C ist nur durch ein dünnes Seekreideband von Schicht B getrennt und demnach nur unwesentlich jünger als diese einzustufen. Aus wenigen frühbronzezeitlichen Stratigraphien in Schweizer Ufersiedlungen stammt vergleichbare Keramik. Die frühbronzezeitlichen Schichten von Baldegg und Wädenswil-Vorder Au liegen, getrennt durch Seekreideschichten, über schnurkeramischen Ablagerungen.[856]

10.3.2 Vergleich mit Siedlungskeramik der jüngeren Frühbronzezeit

Mit der Keramik aus Schicht C sind Fundensembles aus Höhlen, Ufer- und Höhensiedlungen vergleichbar. Es handelt sich überwiegend um Keramikkom-

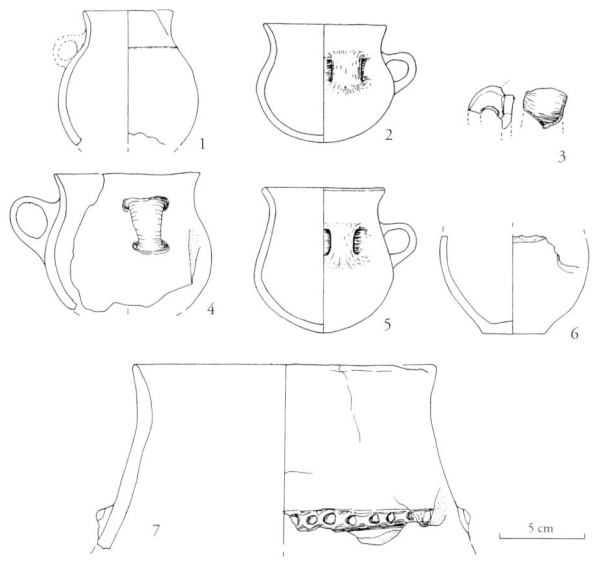

Abb. 145: Ludwigshafen-Seehalde, Schicht 10. Keramik.

plexe mit hohen Anteilen ritzverzierter Scherben, die in Süddeutschland, der Schweiz und dem Alpenrheintal verbreitet sind. Die Keramikstufe A2/B1 wurde formenkundlich auf der Basis dieser Fundkomplexe definiert,[857] der Fundkomplex aus Schicht C gehört also typologisch in die jüngere Frühbronzezeit und dort mutmaßlich in eine Spätphase. Die Laufzeit und damit die Konstanz der Keramik ist in Süddeutschland nicht abschätzbar. Der Keramikstil der reich ritzverzierten Ware wird bis in die mittlere Bronzezeit beibehalten, wobei sich die Ausführung der Zier und die Gefäßformen ändern (s. u.). Gleichzeitig dürfte die Keramik der Hügelgräberkultur in Gebrauch gewesen sein. Einzelne flächig verzierte Scherben und ein flaschenförmiges Gefäß aus Schicht C (Taf. 40,606.608–611), die stilistisch der Keramik der Hügelgräberkultur anzuschließen sind, sowie Kornstich- und Ritzzier an Keramik aus Hügelgräbern belegen die gegenseitige Beeinflussung der Keramikstile und sprechen für ihre partielle Gleichzeitigkeit.

---

851 Vgl. Hundt, Heubach 27 ff.; ders., Malching 33 ff.
852 Zum Beispiel Kimmig, Reusten Taf. 14–40; Hundt, Heubach Taf. 12; 13; Fischer, Bleiche Taf. 10–27; Dreiecksmuster und knickwandprofilierte Gefäßformen sind im Fundbestand von Schicht C vorhanden, zylinderstempelverzierte Keramik und feine Einstichzier entstammen dem Ziervorrat von Schicht B.
853 Vgl. Hundt, Straubing z. B. Taf. 18; 44.
854 Ebd. Taf. 29,31; 31,5.27.
855 Vgl. Möslein, Keramik 73 ff.
856 Vgl. Bosch (Anm. 186) 41 ff.; Strahm, Gliederung 12; Eberschweiler, Zürichsee 44.
857 Vgl. Hundt, Heubach 27 ff.; ders., Malching 33 ff.

10.4 Ludwigshafen-Seehalde, Schicht 10 und 11

Die Keramikinventare der Schichten 10 und 11 von Ludwigshafen-Seehalde ergänzen die in Bodman-Schachen I gefasste Keramikabfolge des Bodenseegebietes. Die etwas gedrungener wirkenden Becher aus Schicht 10 (Abb. 145) scheinen aufgrund ihrer formalen Nähe zu gehenkelten Glockenbechern typologisch etwas älter zu sein als die Funde aus Schicht A.[858]

Schicht 11 dürfte dagegen jünger als Schicht A aber deutlich älter als Schicht B von Bodman-Schachen I sein. Eine ganze Reihe von Indizien sprechen für diese relativchronologische Einordnungen des Inventars. Neben waldwirtschaftlichen Gesichtspunkten sind dies Gemeinsamkeiten mit der Keramik aus den Siedlungsstellen von der Singener Nordstadtterrasse.[859]

10.5 Zur relativen Chronologie der Keramik der jüngeren Frühbronzezeit in Süddeutschland

10.5.1 Vorbemerkungen zur halbquantitativen und quantitativen Analyse frühbronzezeitlicher Keramik

Im Folgenden werden Keramikkomplexe der Keramikstufe A2/B1 und Straubinger Siedlungskeramik aus Süddeutschland, Österreich und der Schweiz untersucht. Die Zieranteile pro Fundkomplex wurden zum einen quantitativ in Prozent pro Fundkomplex erhoben, zum anderen halbquantitativ betrachtet.

Die halbquantitative Untersuchung basiert auf der Auszählung der Keramik anhand der publizierten Abbildungen. Die Bewertung der angetroffenen Merkmale erfolgt in drei Kategorien, deren Vorgabe von der Gesamtfundzahl der einzelnen Fundkomplexe abhängt.

Fundkomplexe mit über zweihundert Keramikeinheiten werden in die drei Häufigkeitskategorien – Merkmal 1-fach, Merkmal 2- bis 5-fach, Merkmal mehr als 5-fach vorhanden – eingeteilt. Fundkomplexe unter 200 Fundeinheiten sind in der zweiten und dritten Kategorie schon mit dem 2- bis 3-fachen und mehr als 3-fachen Vorkommen eines Merkmals vertreten (Abb. 146).

Die Aufteilung erfolgte nach ersten Auszählversuchen, in denen sich zeigte, dass größere Fundkomplexe künstlich reduziert werden müssen, um einigermaßen mit den kleineren vergleichbar zu bleiben. Die Auswahl der betrachteten Merkmale richtet sich nach zwei Kriterien. Zunächst werden Zier- und Formmerkmale zur Bewertung herangezogen, die für die Schichten B und C als typisch gelten können, dazu kommen Merkmale, die in den betrachteten Fundkomplexen häufig auftauchen und entsprechend in der Diskussion zur Frühbronzezeitkeramik Beachtung fanden. In die Untersuchung miteinbezogen wurden die Fundkomplexe von Neuhausen a. d. Fildern, Meilen-Schellen, Straubing-Ziegelei Dendl, Straubing-Ziegelei Jungmaier, Arbon-Bleiche 2, Koblach-Kadel, Kirchberg bei Reusten, Feldafing-Roseninsel, Landsberg a. Lech und dem Runden Berg bei Urach (Abb. 146).[860]

Die quantitative Untersuchung der Zierarten (Abb. 147) basiert auf den zugänglichen Abbildungen und Beschreibungen (Publikationsstand 1992), das Qualifizierungsraster ist dementsprechend verhältnismäßig grob. Die Verzierungsarten wurden in die folgende sechs Kategorien unterschieden:

1. Fein verzierte Keramik: Ritz-, Einstich-, Kornstich- und Furchenstichzier, sofern sie nicht flächig ohne begrenztes Zierfeld angebracht ist.
2. Leistenverzierte Keramik: leistenverzierte Scherben ohne Berücksichtigung der Leistenzierart.
3. Eindruckverzierte Keramik: Eindruckzier in der Gefäßwandung, die nicht gestempelt und flächig angebracht ist.
4. Flächige Zier: ganzflächig angebrachte Verzierungen ohne Berücksichtigung der Ziertechnik.
5. Stempelzier: stempelverzierte Scherben mit Ausnahme gestempelter Leisten.
6. Unverzierten Keramik.

Die im Folgenden angegebenen Prozentzahlen beziehen sich auf die Gesamtzahl der abgebildeten Keramik pro Fundstelle. Das keramische Fundaufkommen der einzelnen Siedlungen ist mengenmäßig sehr unterschiedlich und bewegt sich zwischen 57 und 1090 Scherben. Die prozentualen Zieranteile der betrachteten Keramikkomplexe können im Einzelfall vom Zustandekommen und einer teils selektiv abgebildeten Fundauswahl geprägt sein. Kleinere Fundkomplexe sind schon bei geringer derartiger Selektion nachhaltiger verfälschbar als größere Fundkomplexe, da eine Scherbe mehr oder weniger sogleich Veränderungen im Prozentbereich verursachen kann. Problematisch sind in dieser Hinsicht die Fundkomplexe von Neuhausen a. d. F. mit 76

---
858 Köninger, Bodensee 107.
859 Ebd. 108 ff.
860 Lit. s. Fundstellenverzeichnis.

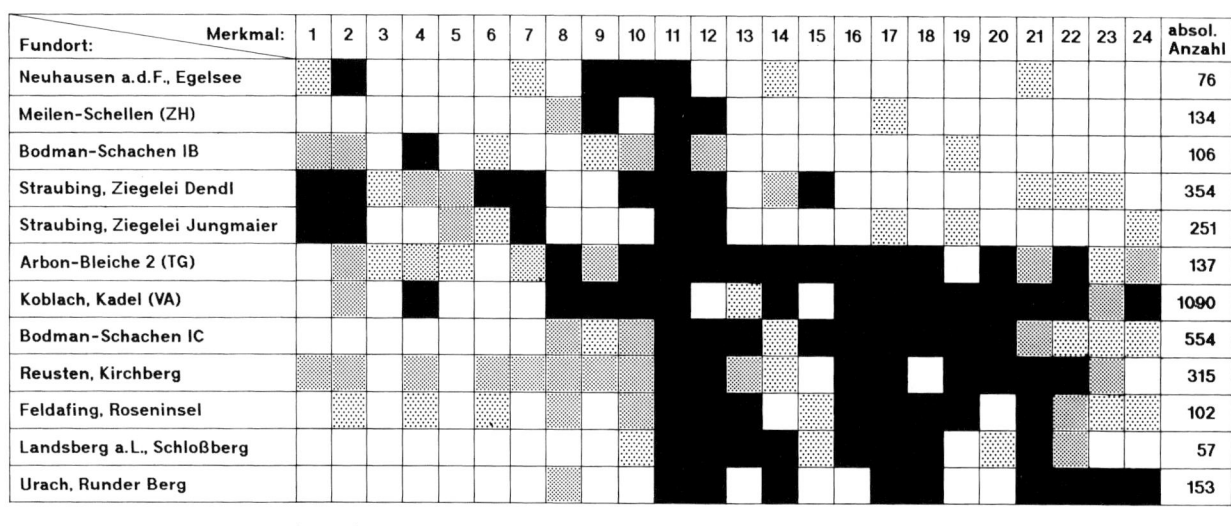

Legende:

1 Exemplar	
2–5 Exemplare (2–3 Exemplare)*	
> 5 Exemplare (> 3 Exemplare)	

* Die in Klammern gesetzte Anzahl gilt für Fundkomplexe < 200 abgebildeter Scherben

1 Tassen und schlauchförmige Krüge
2 Ausgezogener Rand
3 Ringstempel
4 Zylinderstempel
5 Horizontaler Henkel
6 Feine Einstichzier
7 Ritzlinienbündel auf Henkelhöhe
8 Kreuzleisten
9 Horizontale, schräge und vertikale Leisten kombiniert
10 Mehrfach horizontale Leisten
11 Einfache, horizontal umlaufende Leiste
12 Henkeltopf
13 Doppelkonischer Krug
14 Doppelhalbkreisstempel
15 Schlitzränder
16 Linienbündel mit Kornstichsäumung
17 Strichgefüllte Dreiecke
18 Ausgespartes Winkelband
19 Einfache Fingertupfenreihe
20 Grobe Einstichzier
21 Flächige Eindruck- und flächig-plastische Zier
22 Flächige Ritzzier
23 Flächige Kornstichzier
24 Leiterbandmuster

Abb. 146: Halbquantitative Untersuchung an Keramikkomplexen der jüngeren Frühbronzezeit Süddeutschlands und angrenzender Regionen.

und Landsberg a. Lech mit 57 Scherben. Selektiv abgebildet sind vermutlich die Funde von Landsberg a. Lech. Ohne Selektive Eingriffe sollten ab einer Anzahl von etwa einhundert Scherben Tendenzen bezüglich der Zusammensetzung der Zieranteile erkennbar werden.

10.5.2 Ergebnisse der halbquantitativen und quantitativen Analyse ausgewählter Keramikkomplexe der jüngeren Frühbronzezeit

Erwartungsgemäß finden sich, bis auf allgemein vertretene Komponenten wie einfach umlaufende Tupfenleisten, Doppelleisten oder Schalen und Henkeltöpfe, im Fundstoff der Schichten B und C keine Übereinstimmungen. Die Zusammensetzung der Keramik aus Schicht B und von Neuhausen a. d. F. ist teilweise identisch. Tassen und ausgezogene Ränder kommen in beiden Fundkomplexen vor. Die in Neuhausen häufig vertretenen Gitterleisten, die den schräg und horizontal angebrachten Leisten von Schicht B entsprechen, verbinden die Funde von Neuhausen a. d. F. und von Meilen-Schellen. Die gleich alten Dendrodaten von Meilen-Schellen und Schicht B stützen diese Verknüpfung.[861] Relativ hohe Gitterleistenanteile zeichnen die mit Schicht B parallelisierbaren Keramikkomplexe aus, ohne dass dies chronologisch von Bedeutung sein muss. Möglicherweise ist hier eine westschweizerische oder ostfranzösische Keramikkomponente auszumachen.[862]

Der übrige typische Fundstoff aus Schicht B fehlt in Meilen-Schellen.[863] Eine Eigenart der Keramik von Meilen-Schellen scheint der hohe Anteil glatter Leisten zu sein,[864] die vermutlich auf Einflüsse aus der inneralpinen Frühbronzezeit hinweisen,[865] die überdies durch eine Flügelnadel angezeigt werden.[866] Straubinger Elemente fehlen in der Keramik von Meilen-Schellen vollständig.

---

861 Vgl. Kap. 12.3.2.1 u. 12.4.2 zur absoluten Datierung von Schicht B sowie Meilen-Schellen.
862 Vgl. Kap. 12 zur absoluten Chronologie.
863 Vgl. Ruoff, Meilen-Schellen Taf. 1–7.
864 Vgl. Gross u. a., Zürich „Mozartstrasse" 147 Abb. 178; 179.
865 Rageth, Resultate Padnal 77ff.; vgl. W. Burkart/E. Vogt, Die bronzezeitliche Scheibennadel von Mutta bei Fellers (Kanton Graubünden). Zeitschr. Schweizer. Arch. u. Kunstgesch. 6, 1944, 65–74; vgl. Burkart, Crestaulta.
866 Conscience, Wädenswil-Vorder Au 186.

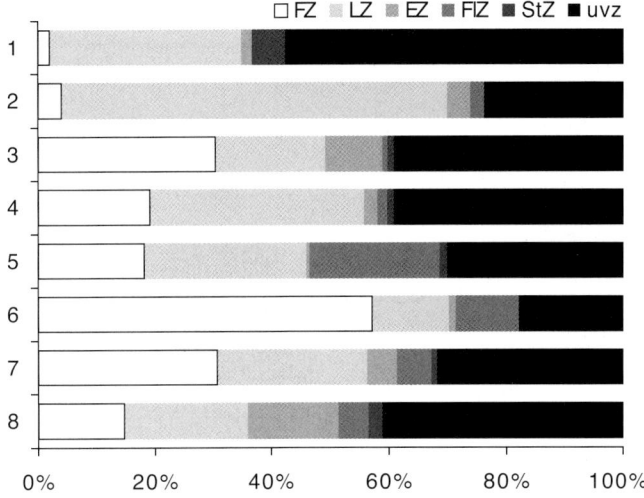

Abb. 147: Anteile grober und feiner Zier an Keramik der jüngeren Frühbronzezeit Süddeutschlands und Österreichs. 1 Bodman-Schachen I, Schicht B, 2 Neuhausen, 3 Bodman-Schachen I, Schicht C, 4 Kirchberg, 5 Urach, 6 Landsberg, 7 Starnberg, 8 Koblach. FZ feine Zier (Ritz-, Rillen-, Stich- und Kornstichzier), LZ Leistenzier, EZ Eindruckzier, FlZ flächige Zier, St Stempelzier, uvz unverziert.

Von den Keramikensembles ohne Dreiecksornamentik sind nur noch Straubinger Grubeninventare zu nennen, die der Keramik von Schicht B nahe stehen. Stellvertretend für die Straubinger Siedlungsfunde sind die Grubeninventare der Ziegelei Dendl[867] und Jungmeier[868] in die Auswertung miteinbezogen (Abb. 146). In den Straubinger Inventaren sind, bis auf die Zylinderstempelzier in den Jungmeierschen Grubeninventaren, alle typischen Merkmale vorhanden, die aus Schicht B bekannt sind. Im Inventar der Ziegelei Dendl kommen mit horizontalen Henkeln, Doppelhalbkreisstempeln und Schlitzschüsseln Merkmale hinzu, die im Keramikinventar von Schicht B, aber auch der Keramik der Siedlung Jungmeier fehlen, obwohl gerade diese in der Straubinger Gegend einen Verbreitungsschwerpunkt verzeichnen.[869] Vielleicht zeigt sich hier ansatzweise ein relativchronologischer Unterschied zwischen den einzelnen Straubinger Grubeninventaren und damit eine chronologische Differenzierung der Straubinger Siedlungskeramik.[870] Doppelhalbkreisstempel und Schlitzränder sind in Schicht C vertreten und demnach zumindest in Südwestdeutschland jünger anzusetzen als das Inventar aus Schicht B.

Die besprochenen, mit den Funden aus Schicht B vergleichbaren Keramikensembles, besitzen allesamt geringfügige Anteile an ritzverzierter Keramik. Im westlichen Verbreitungsgebiet der nordalpinen Frühbronzezeitkeramik dürften Keramikensembles dieser Zusammensetzung bei fehlender geometrisch angeordneter Ritzornamentik aufgrund der Stratigraphie von Bodman-Schachen I etwas älter sein als Fundkomplexe, die mit Schicht C vergleichbar sind.

Die Funde vom Kirchberg[871] und von Arbon-Bleiche 2[872] beinhalten in ihren Keramikspektren in geringer Anzahl typische Vertreter der Keramik aus Schicht B. Zylinderstempelzier,[873] Tassen mit Rillenbündel,[874] durchstochene Ränder[875] und fein gestochene, gefüllte Dreiecke[876] gehören hierher. Das Gros der Funde aus den genannten Fundplätzen ist dagegen Schicht C anzuschließen. Im Fundgut von Arbon-Bleiche 2 sind Straubinger Einflüsse zusätzlich durch einen Querhenkel greifbar.[877] Allerdings kann anhand der heterogenen Fundkomplexe von Arbon und vom Kirchberg nicht entschieden werden, inwiefern eine echte Vergesellschaftung Straubinger Scherben mit Keramik des dort mehrheitlich vorhandenen reich ritzverzierten Stils vorliegt oder gemäß der Stratigraphie von Bodman-Schachen I damit zwei aufeinander folgende Besiedlungsphasen angezeigt sind.

Die übrigen Fundkomplexe von Landsberg a. Lech,[878] Feldafing[879] und Koblach[880] sind, ohne Vertreter der Merkmale aus Schicht B,[881] durch doppelkonische Krüge, in Bändern auf der Schulter angebrachte geometrische Ornamente, Kornstichsäumung und das ausgesparte Winkelband Schicht C verbunden (Abb. 147). Der Anteil an Ritz- und Stichzier liegt um 40%, bei Anteilen flächendeckender Zierweise im 1%-Bereich. Die plastische Zier wird durch einfache, horizontal umlaufende Leisten dominiert. Einfach horizontal umlaufende Fingertupfenreihen kommen nur in Schicht C häufiger vor, sie scheinen lokal die Tupfenleisten zu ersetzen. Das Merkmalspektrum von Schicht C wird von den Funden vom Runden Berg bei Urach[882] nur noch tangiert. Hier dominiert die flächige Zier, die, vor-

---

867 Hundt, Straubing Taf. 17–24.
868 Ebd. Taf. 25,1.2.9–27; 26–35; 36,1–17.
869 Vgl. Hundt, Heubach 53 Abb. 3; 55 Abb. 7.
870 Zur Differenzierung frühbronzezeitlicher Siedlungskeramik in Südostbayern vgl. Möslein, Keramik 37 ff.
871 Kimmig, Reusten Taf. 14–39.
872 Fischer, Bleiche Taf. 10–27.
873 Kimmig, Reusten 29; von Kimmig als Kreisdellen bezeichnet.
874 Ebd. Taf. 35,11.12.
875 Ebd. Taf. 38,9.12.; Fischer, Bleiche Taf. 12,3.
876 Kimmig, Reusten Taf. 31,11.
877 Vgl. Hochuli, Arbon-Bleiche 227 Abb. 11,89.
878 Koschick, Oberbayern Taf. 22,3–5; 23–31; 32,1.2.
879 Ebd. Taf. 75–79; 80,1–5.
880 Fetz, Koblach-Kadel Taf. 3–116.
881 Die Zylinderstempel vom Kadel sind mit Vorsicht zu betrachten, da sie als Ziersäumung verwendet sind. Zeichnung und Beschreibung der Scherbe sind überdies undeutlich und daher nur unter Vorbehalt verwertbar.
882 Stadelmann, Runder Berg Taf. 2–15.

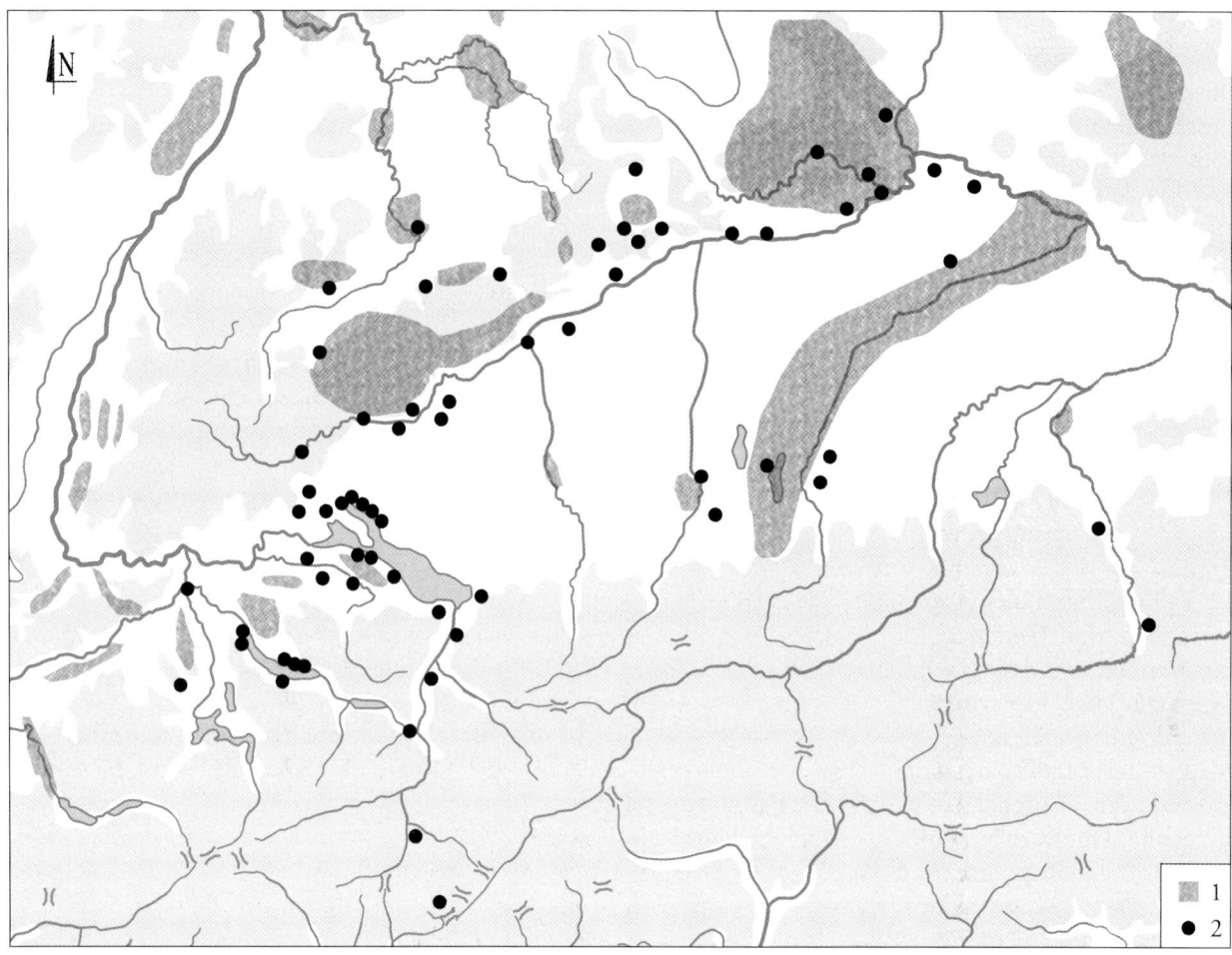

Abb. 148: Verbreitung der Hügelgräberkultur und der Arboner Gruppe in Süddeutschland und angrenzenden Regionen. In der Schweiz wurden mittelbronzezeitliche Fundstreuungen berücksichtigt. 1 Hügelgräberkultur, 2 Arboner Gruppe. Kartiert nach eigenen Erhebungen und nach Holste (Anm. 823); Torbrügge, Oberpfalz; K. Schmotz, Die vorgeschichtliche Besiedlung im Isarmündungsgebiet. Materialh. Bayer. Vorgesch. 50 (Kallmünz 1989); Reim, Mittlere Bronzezeit; Dehn, Gaimersheim; Hochuli, Wäldi-Höhenrain; Krumland, Siedlungskeramik.

wiegend in plastischer Ausführung, ebenso wie in der „Siedlung Forschner" häufig anzutreffen ist. Dort fehlen allerdings weit gehend flächendeckend ausgeführter Kornstich, Winkelbandmuster und Doppelhalbkreisstempel, Merkmale, die in der Keramik vom Runden Berg gut vertreten sind. Mit etwa 20% flächiger Zier bei gleichzeitig geringeren Anteilen an Ritz- und Stichzier setzt sich der Fundkomplex von Urach gut von Schicht C ab. Der Fundkomplex steht dadurch in der Tradition des reichen Stils, scheint typologisch aber etwas jünger zu sein.[883] In Fundkomplexen Oberbayerns und im Alpenrheintal lassen erhöhte Anteilen flächiger Zier ebenfalls jüngere Siedlungsphasen vermuten, da Anteile mittelbronzezeitlichen Zierstils und Formenguts nur geringfügig im Keramikspektrum aus Schicht C vorhanden sind.

Doppelhalbkreisstempel sind schließlich in allen besprochenen Keramikkomplexen des reichen Stils vertreten. Gehäuft und flächig ausgeführt kommen sie am Runden Berg bei Urach vor, so dass vermutet werden darf, dass im nördlichen Alpenvorland Doppelhalbkreisstempel in flächiger Ausführung innerhalb der Frühbronzezeit erst spät in Erscheinung treten.

10.6 Das relativchronologische Verhältnis der Hügelgräberkultur zur jüngeren Frühbronzezeit

Aus Südwestdeutschland liegt eine große Zahl an Funden der Hügelgräberkultur vor. Sie stammen überwiegend aus Gräbern, wobei die Zusammengehörigkeit der Grabinventare oft zweifelhaft ist.[884] Offenbar stammt das Gros der Funde überwiegend

---
883 Hochuli, Wäldi-Höhenrain 78 ff.
884 Pirling u. a., Schwäbische Alb 2 ff. 25.

aus einem Spülsaum am Siedlungsrand[885] und ist stratigraphisch nach Siedlungsphasen nicht zu trennen. Unter der Annahme, dass in den Vorberichten und Aufsätzen zum Fundmaterial der „Siedlung Forschner"[886] typisches Material abgebildet wurden, sind Henkeltöpfe und unter der Halszone flächig verzierte Gefäße regelhaft vorhanden.[887] Weiter liegen scharf profilierte Tassen, Amphoren, Doppelhenkel und ein zweifach gesattelter Henkel vor.[888] Bauchige Töpfe und Schüsseln mit einfach umlaufender Leiste vervollständigen das Form- und Zierspektrum.[889] Der Bronzebestand der „Siedlung Forschner" gehört relativchronologisch in die Anfangsphase der mittleren Bronzezeit und stützt die relativchronologische Datierung der vorgestellten Keramik.[890] Eine geringe Anzahl Scherben scheint älter zu sein.[891]

Im Keramikbestand aus Schicht C von Bodman-Schachen I sind Gefäßformen und Zierweisen, die im Fundmaterial der „Siedlung Forschner" auftreten, wenn auch in geringen Anteilen, ebenso vorhanden. Zu erwähnen ist ein doppelt gesattelter Henkel (Taf. 21,249), das Fragment eines flächig rillenverzierten Töpfchens (Taf. 40,602) und in erster Linie eine Amphore mit eingesattelter Schulter und flächiger Fingernagelzier auf dem Gefäßkörper (Taf. 40,606).[892] Weitere fingernagelverzierte Scherben (Taf. 40,608.609.611) ergänzen den Keramikbestand, der sich zwanglos mit dem Fundstoff der „Siedlung Forschner" vergleichen lässt.

In Inventaren aus Grabhügeln der Schwäbischen Alb lassen sich weitere Parallelen zur Keramik aus Schicht C durch flächige Fingernageleindruckzier und engmundige Gefäße mit gekehlter Schulter benennen.[893] Stilmerkmale der reich verzierten Keramik sind andererseits an einstich-, kornstich- und ritzverzierten Urnen aus Hügelgräbern auszumachen.[894] Zumindest die Keramik der Hügelgräberkultur, die an den Beginn der Mittelbronzezeit gesetzt wird, existierte demzufolge gleichzeitig mit Keramik des reichen Stils der jüngeren Frühbronzezeit Südwestdeutschlands (Abb. 148; s.o.).

---

885 Keefer, Forschner 45 mit Anm. 13.
886 Ders., Station Forschner 54ff.; ders., Mittelbronzezeitliche Funde 38ff.; ders., Keramik 75ff.
887 Ders., Station Forschner 60 Fig. 5,2.4.5; ders., Mittelbronzezeitliche Funde 47ff. Abb. 4–8. E. Keefer verdanke ich die Durchsicht der Keramik der „Siedlung Forschner". Demnach sind häufig flächige Muster vertreten, geometrisches Ritzdekor fehlt dagegen weitgehend.
888 Vgl. ders., Station Forschner 60 Fig. 5,1.3.6.7.
889 Ebd. 59.
890 Ebd. 58 Fig. 4,1–3.
891 Ders., Keramik 75 Abb. 1.
892 Ders., Forschner 48 Abb. 7,2.
893 Pirling u.a., Schwäbische Alb Taf. 6,X3 (mit abweichender Zier); 24,B; 31,B.
894 Ebd. Taf. 6,X3; 16,I1; 22,G16; 25,G3; 49,F.

11 Verbreitung der Keramik der Schichten A, B und C

11.1 Vorbemerkung

Die frühbronzezeitliche Besiedlung der Bodenseeufer war bis in die 1980er-Jahre weit gehend unbekannt geblieben und aus den spärlich vorhandenen Altfunden nur in Ansätzen zu erschließen. Eine erste Kartierung bronzezeitlicher Ufersiedlungen am Bodensee durch Helmut Schlichtherle[895] gibt den damaligen Kenntnisstand vor Aufnahme der Tauchsondagen am Schachenhorn wieder. Die zuvor gefertigten Verbreitungskarten einzelner Quellengattungen[896] oder Typen[897] berührten die Bodenseeufer nur am Rande und trugen kaum zur Kenntnis der frühbronzezeitlichen Besiedlung der Bodenseeufer bei.

Sichere Siedlungsbelege wie Keramik und dendrodatierte Pfähle waren erst seit den Sondagen des Landesdenkmalamtes Baden-Württemberg in nennenswertem Umfang vorhanden. Sie ermöglichten im Jahre 1990 eine erste umfassendere Kartierung frühbronzezeitlicher Ufersiedlungen,[898] die seither durch Neuentdeckungen und Recherchen in wiederentdeckten Altfundbeständen kontinuierlich ergänzt und erweitert werden konnte.[899]

Die Stratigraphie von Bodman-Schachen I schuf die Grundlage für ein nach den dortigen Schichtinventaren ausdifferenziertes Kartenbild, dem die Kartierung typischer Keramikformen und -zier zugrunde liegt. Besonders gut geeignet scheinen hier Becher, Tassen und Krüge in Verbindung mit ihrer Zier zu sein.[900] Änderungen des Trinkgeschirrs, vielleicht einhergehend mit veränderten Trinksitten und damit gesellschaftlichen Gepflogenheiten, fanden offenbar überregional statt und sind besser erkennbar als Veränderungen am übrigen Keramikbestand.

11.2 Die Verbreitung frühbronzezeitlicher Keramik in den Ufersiedlungen des Bodensees

11.2.1 Die Verbreitung der Keramik aus Schicht A

Die Verbreitung der Keramik aus Schicht A basiert auf der Kartierung der Becher mit schulterständiger Henkelöse. Die übrigen Gefäßformen und Zierweisen sind weniger spezifisch und daher unter den nicht stratifizierten Funden des Bodenseegebietes kaum mit der nötigen Sicherheit zu identifizieren. Die Durchsicht des Altfundbestandes lieferte Becher mit schulterständiger Henkelöse von Bodman-Weiler I (Taf. 74,1145.1146)[901] aus der Bodmaner Bucht und von Arbon-Bleiche 2[902] am Schweizer Bodenseeufer. Weitere Becher von etwas stärker gedrungener Form stammen aus Schicht 10 von Ludwigshafen-Seehalde.[903]

Mit dem Inventar aus Schicht A vergleichbare Keramik ist im Bereich der Bodmaner Bucht am Ende des Überlinger Sees konzentriert (Abb. 149). Die Funde von Arbon-Bleiche 2 belegen, dass die Siedlungsphase nicht auf die Bodmaner Bucht beschränkt bleibt, so dass von einer, wenn vielleicht auch dünnen, Belegung der Ufer des westlichen Bodensees im Verlauf der älteren Frühbronzezeit ausgegangen werden kann. Die zeitliche Tiefe der Siedlungsphase ist kaum abschätzbar und ohne Dendrodaten aus den einzelnen Stationen nur schwerlich zu ergründen.

11.2.2 Die „Bodmaner Fazies"

Mit der Keramik aus Schicht A konnte in Südwestdeutschland erstmals stratifiziertes Fundmaterial aus einer Siedlung der älteren Frühbronzezeit beschrieben werden. Verf. bezeichnet diese bislang nicht identifizierte Keramik der älteren Frühbronzezeit im Sinne eines Arbeitsbegriffes als „Bodma-

---

895 Schlichtherle, Bronzezeitliche Feuchtbodensiedlungen 22 Abb. 1.
896 F. Stein, Bronzezeitliche Hortfunde in Süddeutschland. Beiträge zur Interpretation einer Quellengattung. Saarbrücker Beitr. Altkde. 23 (Saarbrücken 1976).
897 Abels, Randleistenbeile Taf. 46,A; 49.
898 Erstmals wurde 1990 eine differenzierte Kartierung der frühbronzezeitlichen Funde aus Ufersiedlungen des Bodensees vorgelegt, s. Köninger/Schlichtherle, Schnurkeramik 149ff. 163 Abb. 11.
899 Zuletzt Köninger, Bodensee 93 Abb. 1.
900 Vgl. dazu Möslein, Keramik 88 Abb. 23; vgl. dazu auch Kap. 12.5 zur Stilentwicklung frühbronzezeitlicher Keramik.
901 Vermutlich sind die im Karlsruher Landesmuseum aufbewahrten Becher mit denen von Schumacher, Pfahlbauten Taf. II,7 und Wagner, Baden Fig. 31,b abgebildeten Gefäßen identisch.
902 Keller-Tarnuzzer, Arbon Abb. 3,X1055; Fischer, Bleiche Taf. 17,7.8; 31,1.2; die Zugehörigkeit von Taf. 17,1.2.6 ist fraglich. Kein Zweifel besteht jedoch bei den erstgenannten Bechern.
903 Köninger, Bodensee 97 Abb. 8; 98f.

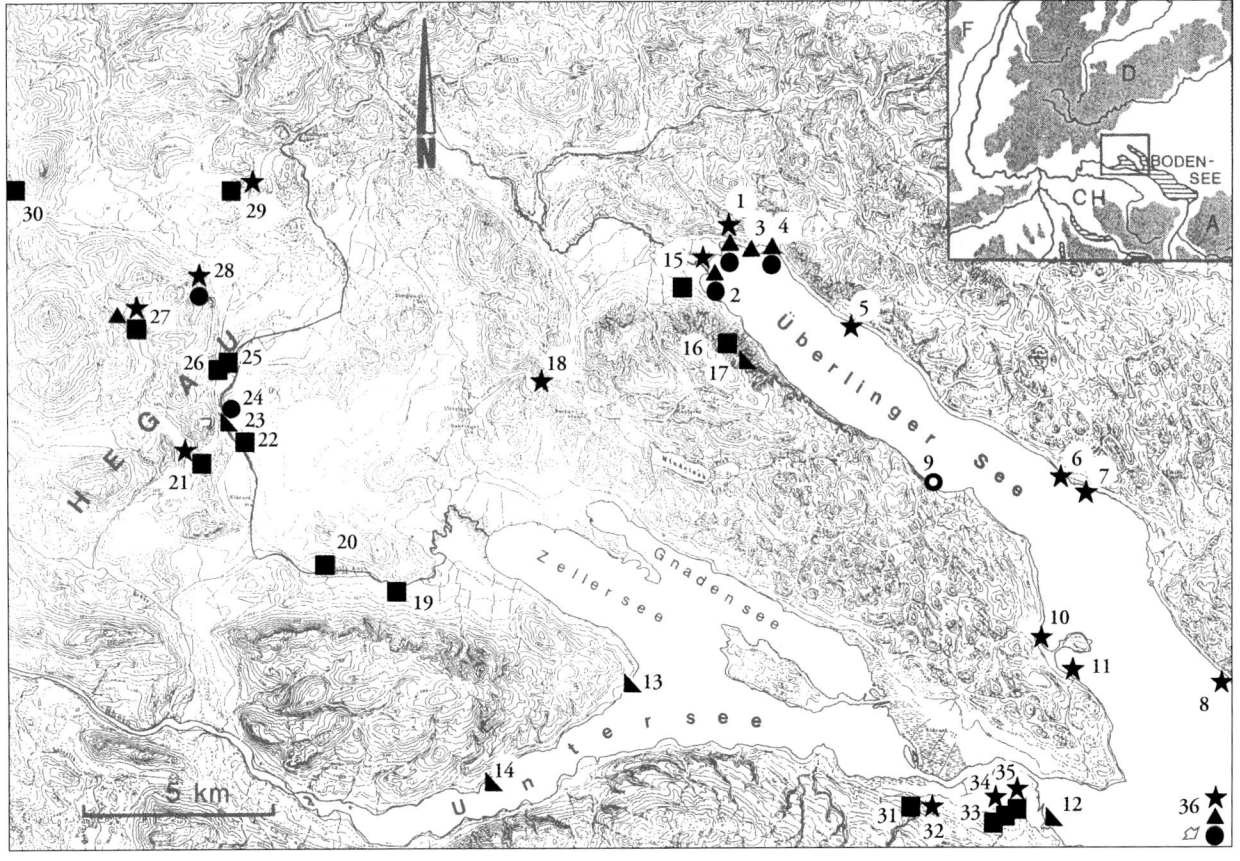

- ● Schicht A
- ▲ Schicht B
- ★ Schicht C
- ◣ nicht näher klassifizierbare frühbronzezeitliche Scherben
- ■ mittelbronzezeitliche Keramik
- ○ gemustertes Tonobjekt

Abb. 149: Verbreitung früh- und mittelbronzezeitlicher Keramik im westlichen Bodenseegebiet, differenziert aufgrund der Stratigraphie von Bodman-Schachen I. Kartiert nach eigenen Erhebungen und nach Schlichtherle, Mineralbodensiedlungen; Dieckmann, Hilzingen; ders., Rielasingen-Worblingen; Aufdermauer/Dieckmann (Anm. 283); Hopert, Mühlenzelge; Brestrich, Singen; Rigert, A7; Schlichtherle/Strobel, Ufersiedlungen – Höhensiedlungen. – Deutschland: 1 Bodman-Schachen I, 2 Bodman-Weiler I, 3 Ludwigshafen-Holzplatz, 4 Ludwigshafen-Seehalde, 5 Sipplingen-Osthafen, 6 Nussdorf-Seehalde, 7 Nussdorf-Strandbad, 8 Haltnau-Oberhof, 9 Wallhausen, 10 Litzelstetten-Ebnewiesen, 11 Egg-Obere Güll I, 12 Konstanz-Rauenegg, 13 Hornstaad-Hörnle I, 14 Wangen-Hinterhorn, 15 Bodman „Breite", 16 Bodman „Bodenburg", 17 Bodman „Hals", 18 Stahringen, 19 Bohlingen, 20 Rielasingen-Worblingen „Riedern", 21 Hilzingen „Unter Schoren", 22 Singen „Oberes Münchried", 23 Singen „Mühlenzelge", 24 Singen „Ob den Reben", 25 Singen „Ipfi", 26 Singen „Unter Wick", 27 Duchtlingen „Im Winkel", 28 Duchtlingen „Hohenkrähen", 29 Mühlhausen-Ehingen, 30 Hilzingen-Binningen „Hinter der Zehntscheuer" und „Ober Sand". – Schweiz: 31 Tägerwilen-Spueläcker, 32 Tägerwilen-ARA, 33 Tägerwilen-Im Ribi, 34 Tägerwilen-Hochstross, 35 Kreuzlingen-Töbeli, 36 Arbon-Bleiche II (TG).

ner Fazies". Es scheint am treffendsten zu sein, von Fazies zu sprechen, da damit zunächst nur der Fundstoff aus Schicht A umschrieben wird. Solange keine umfangreicheren stratifizierten Fundkomplexe aus Siedlungen der älteren Frühbronzezeit zur Verfügung stehen, scheint ein Arbeitsbegriff der vorgeschlagenen Art am zweckdienlichsten zu sein. Fundinventare der Bodmaner Fazies sind fast ausnahmslos anhand der charakteristischen Henkelbecher zu identifizieren Es scheint daher nützlich, die Henkelbecher der Bodmaner Fazies durch einen eigenen, sprachlich einfachen Terminus hervorzuheben. Verf. hält den Begriff „Becher vom Typ Bodman" oder schlicht „Bodmaner Becher" für geeignet.

11.2.3 Die Verbreitung der Keramik aus Schicht B

Am westlichen Bodensee finden sich vereinzelt Scherben, die der Keramik aus Schicht B angeschlossen werden können. Im umfangreichen Keramikinventar von Arbon-Bleiche 2 sind eine zylinderstempelverzierte Scherbe,[904] mit feinen Einstichen gefüllte Dreiecke[905] und die Scherbe eines ausgezogenen, fein durchlochten Randes[906] zu nennen. Gekreuzte Leisten sind ebenfalls in diesem Zu-

---

904 Fischer, Bleiche Taf. 34,6.
905 Ebd. Taf. 12,1a/b.
906 Ebd. Taf. 12,3.

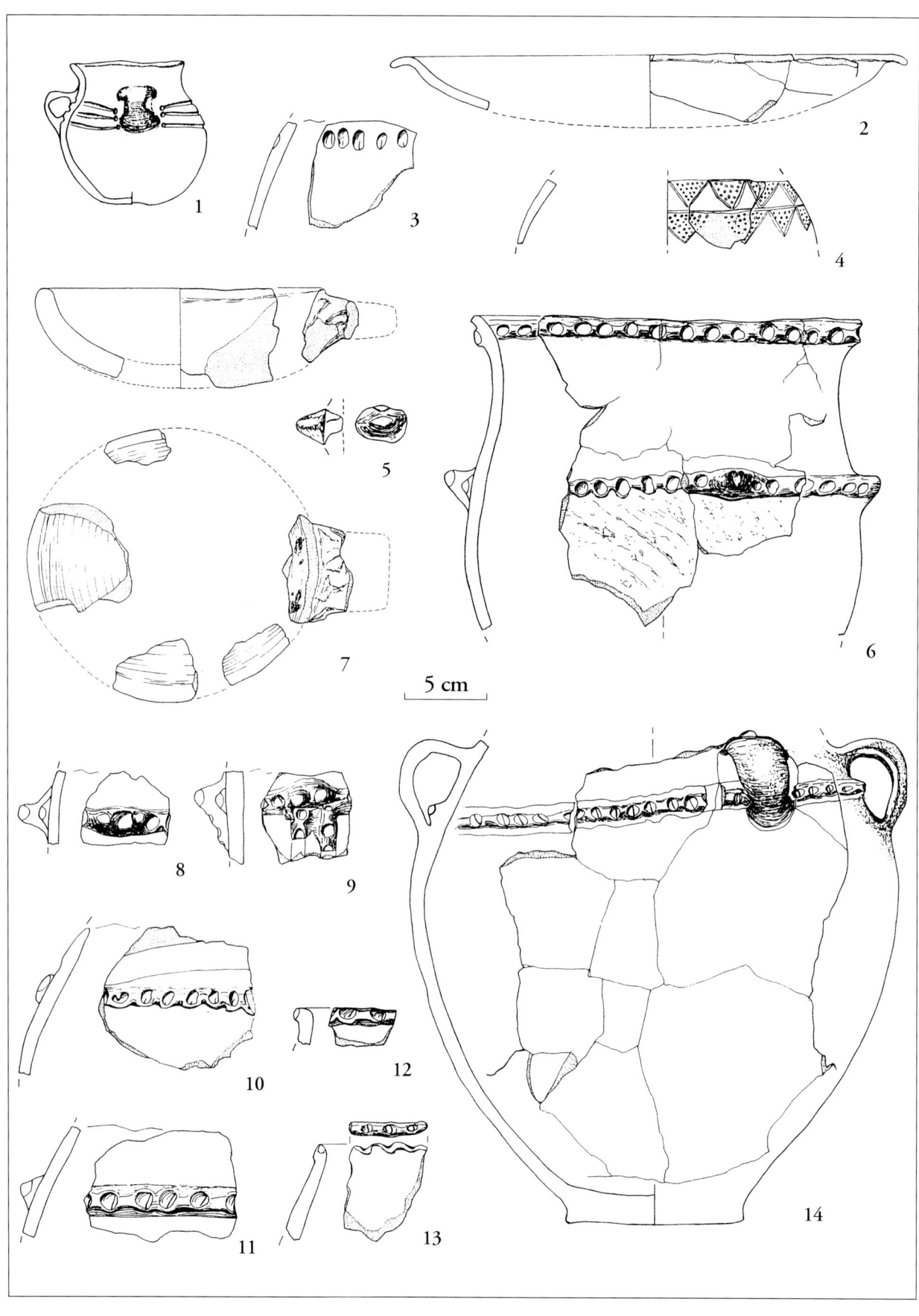

Abb. 150: Bodman-Weiler I. Keramik (1–6, 9–14) und Fragmente eines tönernen Gusstiegel mit Resten einer Handhabe (7) aus der frühbronzezeitlichen Kulturschicht (Befund 2).

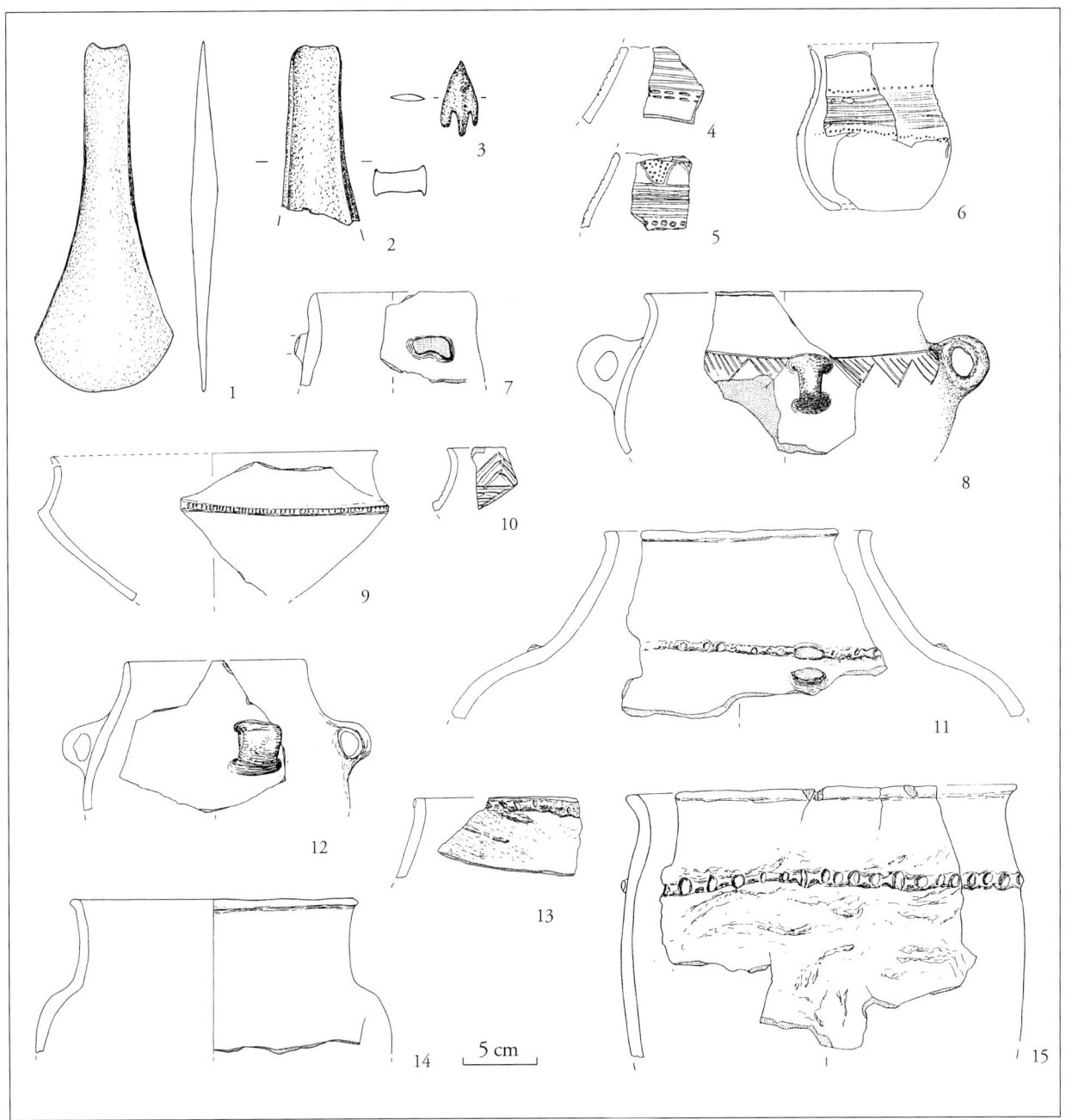

Abb. 151: Egg-Obere Güll I. Fundspektrum. 1–3 Bronze, 4–15 Keramik. Bis auf die unsicher stratifizierten Scherben 4 und 10 stammt die Keramik aus der frühbronzezeitlichen Kulturschicht (Befund 4). Die Bronzepfeilspitze 3 stammt von der Oberfläche, die Fundumstände des Randleistenbeiles 1 und des Bronzebeilfragmentes 2 sind unbekannt.

sammenhang zu sehen, sofern Applikationen oder Knubben darin integriert sind.[907]

Die aus Altfundbeständen stammende Frühbronzezeitkeramik von Bodman-Weiler I ist mit großer Wahrscheinlichkeit den Funden aus Schicht B anzuschließen. Zylinderstempelzier (Taf. 74,1147)[908] und Tassen mit randständigem Henkel (Taf. 74,1144)[909] sind jedenfalls nur von dort bekannt. Eine Randscherbe mit Applikation auf der Schulter (Taf. 74,1143) und eine Wandscherbe mit Henkel und Applikationen (Taf. 74,1149) gehören möglicherweise ebenfalls in diesen Kontext. Die mutmaßlich von Bodman stammende frühbronzezeitliche Keramik in der Sammlung des Instituts für Ur- und Frühgeschichte der Universität Erlangen ist teilweise ebenfalls hier anzuschließen; zu nennen sind

---

907 Ebd. Taf. 21,3.4.8, wobei 8 eher fraglich erscheint. Vgl. Taf. 52, 745.748, die aufgrund ihrer Leistenart und der einfach gedellten Knubbe Schicht B angeschlossen werden können. Vgl. dazu Kap. 7.2.5 zur Keramik von der Oberfläche.
908 Vgl. mit Taf. 5,53.57.60. Schicht B.
909 Vgl. mit Taf. 5,49.52. Schicht B.

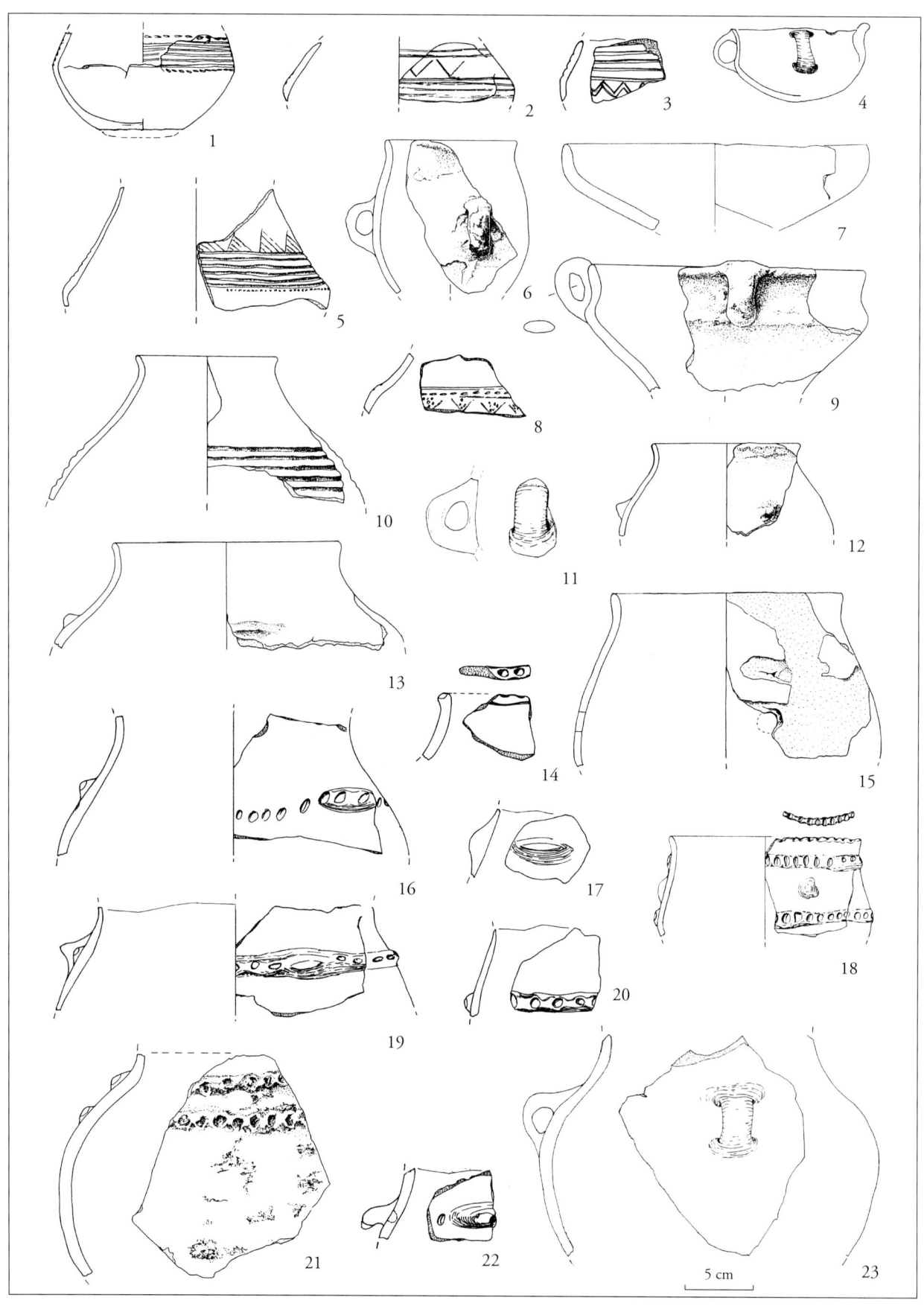

Abb. 152: Haltnau-Oberhof. Keramik vom seeseitigen Rand der Ufersiedlung. Die Scherben wurden unmittelbar im Bereich der seeseitig an der Oberfläche austretenden frühbronzezeitlichen Kulturschicht geborgen.

vor allem Scherben von Töpfen mittlerer Größe mit knapp unterrandständigen Leisten.[910] Aus den Sondagen im Spätwinter 1996 stammen aus einer 10 cm mächtigen Detritusschicht unter anderem ein leistenverzierter, bauchiger Topf (Abb. 150,13), eine flache Schale mit ausgezogenem Rand, eine so genannte Krempenrandschale (Abb. 150,1),[911] ein rillenverzierter Krug mit Einstichenden (Abb. 150,5),[912] gestochene Dreiecke (Abb. 150,4) und zweihöckrige, in Leistenwinkeln integrierte Knubben (Abb. 150,8). Straubinger Zierelemente und Formen sind in dem kleinen Fundensemble von Bodman-Weiler I also gut vertreten (Abb. 150,1.5.13).[913] Vergleichbares findet sich auch in Schicht B von Bodman-Schachen I wieder. Die Funde von Ludwigshafen-Holzplatz (Taf. 75,1157–1163)[914] sind sehr wahrscheinlich aufgrund eines niedrigen Topfes (Taf. 75,1163) und randständiger Tupfenleisten (Taf. 75,1159–1161) der Keramik von Schicht B anzuschließen.

Die Keramik aus Schicht 11 und von der Oberfläche von Ludwigshafen-Seehalde (Taf. 76,1172–1189; 77; 78) besitzt keine für die Keramik aus Schicht B typischen Formen oder Zierweisen.[915] Es fehlen aber Ritz- und Einstichzier. Das Inventar scheint durch die stratifizierte Keramik von Bodman-Schachen I nicht so recht greifbar zu sein und ist chronologisch vermutlich zwischen den Inventaren der Schichten A und B von Bodman-Schachen I anzusiedeln.[916]

11.2.4 Die Verbreitung der Keramik aus Schicht C

In horizontalen Musterzonen ritz- und kornstichverzierte Scherben liegen von Nußdorf-Seehalde (Taf. 75,1154), Nußdorf-Strandbad (Taf. 75,1164–1171), Sipplingen,[917] Egg-Obere Güll I (Taf. 75,1155.1156; Abb. 151,4–6.8.10), Haltnau-Oberhof (Abb. 152,1–3.5.8.10), Litzelstetten-Ebnewiesen[918] und mutmaßlich auch von Bodman-Weiler I vor (Abb. 153,8)[919]. Umfassendere Fundkomplexe stammen von Haltnau-Oberhof und von Egg-Obere Güll. In Bodman-Weiler, Sipplingen, Nußdorf und Litzelstetten sind es einzelne Scherben (Abb. 149).

Am Schweizer Ufer kommt der umfangreiche Fundkomplex von Arbon-Bleiche 2 hinzu,[920] dort besitzt die Keramik hohe Anteile an geometrisch ritz- und kornstichverzierten Scherben.[921] Gegenüber der Keramik aus Schicht B verteilen sich nun die Fundpunkte in loser Streuung am Ufer des Überlinger Sees und des Obersees (Abb. 149). Eindeutige Siedlungsbelege fehlen – wie dies auch für die älteren Siedlungsphasen der Fall ist – am Untersee. Das Bodenseeufer scheint nun besser belegt zu sein als in den Siedlungsphasen zuvor. Das Kartenbild ist geprägt von wenigen Siedlungen, die die Uferabschnitte oder Buchten des Überlinger Sees und des Obersees zu beherrschen scheinen. Sie beschränken sich, soweit dies im detaillierten Kartenbild bis jetzt zu überblicken ist und vorbehaltlich der allgemeinen Quellenlage, auf die beiden großen Seeteile des Bodensees, den Überlinger See und den Obersee. Erstaunlicherweise fällt am Untersee die auch an kleinen Scherben leicht identifizierbare ritzverzierte Keramik aus.

11.3 Die frühbronzezeitliche Besiedlung der Bodenseeufer

11.3.1 Vorbemerkung

Die frühbronzezeitliche Besiedlung der Bodenseeufer erschließt sich im Wesentlichen aus der Keramikkartierung. Durch Silices, Bronzen, nichtkeramische Tonobjekte und ^{14}C-datierte Pfähle lassen sich weitere Hinweise auf mögliche Siedlungsplätze gewinnen, wobei bisweilen unklar bleiben muss, ob dadurch tatsächlich Siedlungen angezeigt werden.

11.3.2 Siedlungslagen

Detaillierte Kenntnisse zur Lage frühbronzezeitlicher Ufersiedlungen liegen gesichert von insgesamt acht Stationen vor. Mit Ausnahme von Arbon-Bleiche 2 befinden sie sich am deutschen Bodenseeufer und konzentrieren sich vor allem in der Bodmaner Bucht (Abb. 149).

Die Lage der Siedlungsplätze ist offenbar weniger einheitlich als bislang vermutet.[922] Sie befinden sich in Buchten (Arbon-Bleiche 2), am Rande von Verlandungsebenen, an Flussdelten und Schüttungske-

---

910 Vgl. Köninger, Bodensee 102 Abb. 13,12.20.22.23.
911 Vgl. Möslein, Keramik 49.
912 Nach Möslein „Henkelgefäß vom Typ Sengkofen"; vgl. Möslein, Keramik 48; 49 Abb. 4.
913 Vgl. Hundt, Straubing Taf. 28,7.8.18–22; 34,1.16; 35,13.19; 36,25; Möslein, Keramik 48 ff., dort unter „Jüngere Frühbronzezeit, Keramikgruppe Sengkofen/Jellenkofen (Jüngere Straubinger Gruppe)" zusammengefasst.
914 Vgl. mit Taf. 9,110; 10,117.
915 Vgl. Köninger, Bodensee 98 ff. Abb. 9–11.
916 Vgl. Kap. 12.5 zur Stilentwicklung frühbronzezeitlicher Keramik.
917 Hundt, Heubach 31.
918 Köninger, Bodensee 103 Abb. 14,4; 104.
919 Ebd. 101 ff. Abb. 12–14.
920 Fischer, Bleiche.
921 Vgl. Ruoff, Frühbronzezeitliche Funde 144 ff.
922 Köninger (Anm. 257) 30.

geln von kleineren Bächen (Bodman, Ludwigshafen und Nußdorf), landseitig geschützt durch vorgelagerte Inseln (Egg-Obere Güll I), aber auch an geradlinig verlaufenden Uferabschnitten, wie dies neuerdings durch Haltnau Oberhof belegt ist. Die Siedlungsstellen liegen dabei oft auf Untiefen, die dem eigentlichen Ufer vorgelagert sind. In Ludwigshafen-Seehalde, Haltnau, aber auch Bodman-Weiler I scheint dies nicht der Fall gewesen zu sein, zumindest aber ist die Lage der Siedlungsstelle zum bronzezeitlichen Ufer unsicher. Eine schmale Flachwasser- und Uferzone sowie ein verhältnismäßig steil ansteigendes Hinterland sprechen gegen eine solche Siedlungstopographie in Haltnau-Oberhof. Vor allem die Befunde von Ludwigshafen und Haltnau machen deutlich, dass die Siedlungsareale an sehr unterschiedlichen Uferabschnitten mit verschieden ausgeprägter Morphologie der Flachwasserzone ausgewählt wurden. Die Wahl des Siedlungsplatzes erfolgte also auch nach Topographie unabhängigen Kriterien.

11.3.3 Zur Verbreitung frühbronzezeitlicher Ufersiedlungen am Bodensee

Sichere Nachweise der Bodmaner Fazies bleiben auf die Bodmaner Bucht und die Bucht von Arbon beschränkt. Inwiefern die anhand einer gemusterten Tonscheibe und ^{14}C-datierter Pfähle vermuteten Siedlungen von Wallhausen und Öhningen-Ohrkopf[923] ebenfalls dieser Besiedlungsphase angehören, ist vorderhand fraglich. In Erwägung gezogene chronologische Differenzen zwischen den Bechern von Bodman-Schachen IA und Ludwigshafen-Seehalde, Schicht 10, sprechen dafür, dass Siedlungsverlagerungen innerhalb der Bodmaner Bucht dem vorliegende Verbreitungsbild zumindest teilweise ursächlich zugrunde liegen.

Es ist unwahrscheinlich, dass die vorliegende Verbreitungskarte auch nur annähernd die tatsächliche Besiedlungsdichte am Bodenseeufer wiedergibt. Die Datierung der Pfähle von Öhningen-Ohrkopf macht deutlich, dass in den Pfahlfeldern des Bodensees weitere Siedlungsstellen des 19. bis 18. Jh. v. Chr. verborgen sein dürften. Die Kulturschichten scheinen generell als dünne, sandige Schichten ausgeprägt zu sein,[924] die selbst durch systematische Oberflächenaufnahmen nur schwer aufzufinden sind. Die vermutlich aufgrund fehlender Bauholzressourcen verwendeten weitringigen Weichhölzer dieser Siedlungen erschweren die Identifikation von Bauphasen dieses Zeitabschnitts durch dendroarchäologische Untersuchungen erheblich.

Siedlungsspuren der jüngeren Frühbronzezeit fehlen am Gnaden- und Zellersee sowie am Schweizer Ufer des Untersees weit gehend (Abb.154). Inwiefern der Fund einer gezähnten Silexklinge von Allensbach-Strandbad eine frühbronzezeitliche Siedlung markiert, ist unklar (Abb. 154,17). Am Überlinger See konzentrieren sich die Siedlungen an einzelnen Uferabschnitten. Im Bereich Nußdorf-Maurach-Unteruhldingen und um die Insel Mainau zeichnen sich deutlich Konzentrationen von Siedlungsbelegen und Einzelfunden ab. In langen Bahnen facettierte Pfahlspitzen – morphologisch der Frühbronzezeit zuzurechnen – aus der Station Mainau-Kuchel I,[925] an der Engstelle zwischen Ufer und Insel, gehören möglicherweise zu bronzezeitlichen Weg- oder Brückenkonstruktionen, die auf die Insel führten.

Interessanterweise ist die Verbreitung von Ufersiedlungen der späten Frühbronzezeit mit denjenigen der Schnurkeramik nahezu deckungsgleich (Abb. 154).[926] Aufgrund der dazwischenliegenden Zeitspanne von 800 bis 1000 Jahren wird ursächlich kaum eine kulturelle Kontinuität für diese Kongruenz im Verbreitungsbild verantwortlich zu machen sein. Eine mögliche Erklärung des festgestellten Kartenbildes liegt vielleicht in einer ähnlichen Wirtschaftsweise, gekennzeichnet durch Pflugackerbau und dauerhaft bewirtschaftete Ackerflächen, wie sie aufgrund botanischer Untersuchungen seit dem Endneolithikum wahrscheinlich gemacht werden können.[927]

Allerdings bleibt auch hier abzuwarten, in welcher Weise systematische Untersuchungen in einzelnen Stationen Veränderungen im Kartenbild bewirken werden. Zu bedenken ist, dass bis jetzt auch in Standardsiedelplätzen wie etwa im Bereich des Konstanzer Trichters nur vereinzelt Tauchprospektionen stattgefunden haben. Die Erfahrung der letzten beiden Jahrzehnte lehrt indes, dass sich mit jeder systematischen Untersuchung in den mehrfach belegten Pfahlbaustationen auch meist nahezu das gesamte Spektrum der bekannten Besiedlungsphasen zwischen Jungneolithikum und Spätbronzezeit einstellt.

---

923 Ders., Bodensee 97 f. 107.
924 Köninger, Obere Güll 68 f.; ders., Bodensee 94.
925 Vgl. Ebd. 111 ff. 113 Abb. 22.
926 Ebd.
927 D. Brombacher/J. Schibler, Wirtschaft. In: E. Stöckli/U. Niffeler/E. Gross-Klee (Hrsg.), Die Schweiz vom Paläolithikum bis zum frühen Mittelalter. SPM II. Neolithikum (Basel 1995) 92; Rösch, Veränderungen 182; Schlichtherle, Erntegeräte 41.

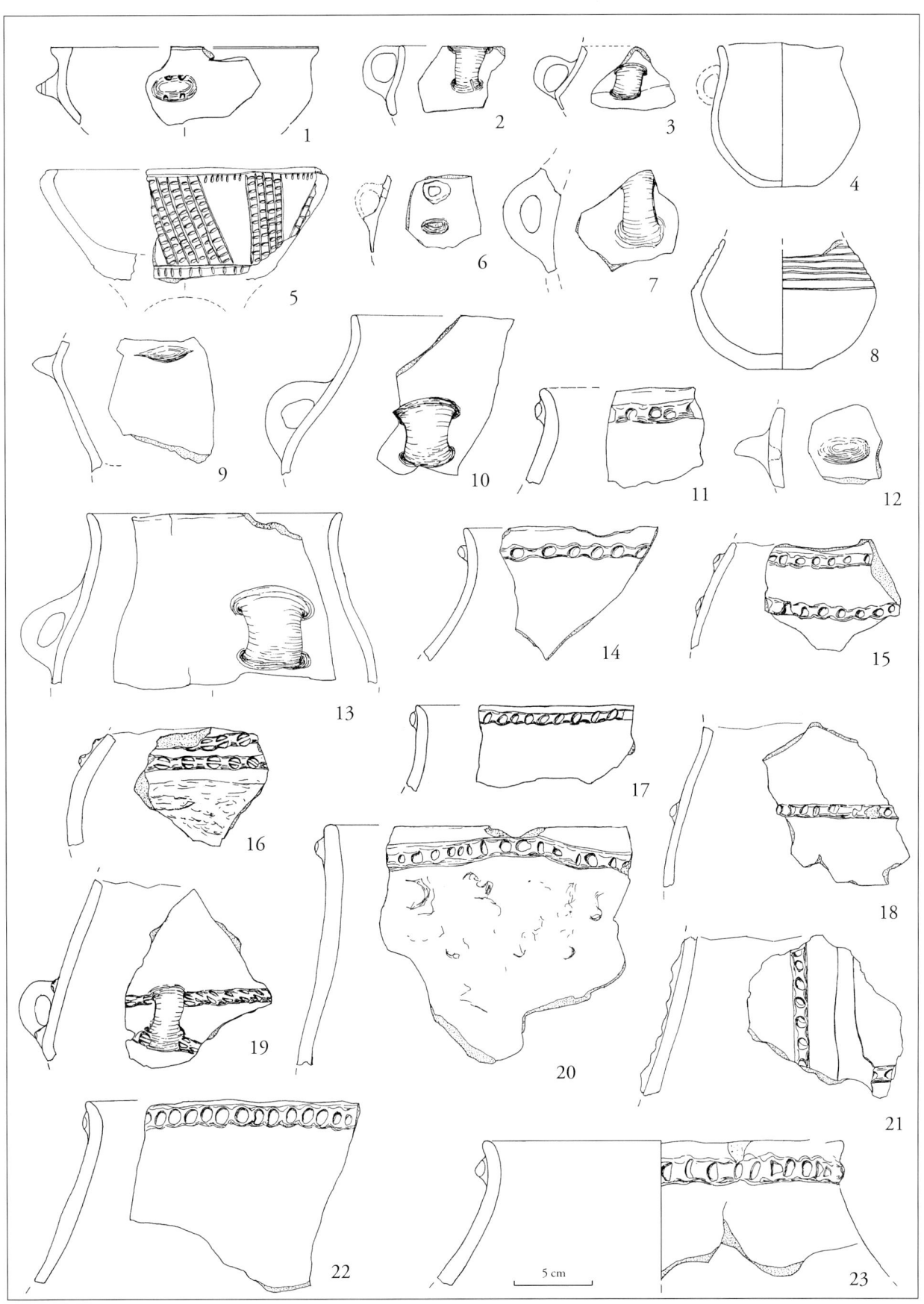

Abb. 153: Keramik mit Herkunftsangabe „Bodensee". Die Scherben stammen vermutlich aus der Ufersiedlung Bodman-Weiler (Slg. Inst. Ur- u. Frühgesch. Erlangen).

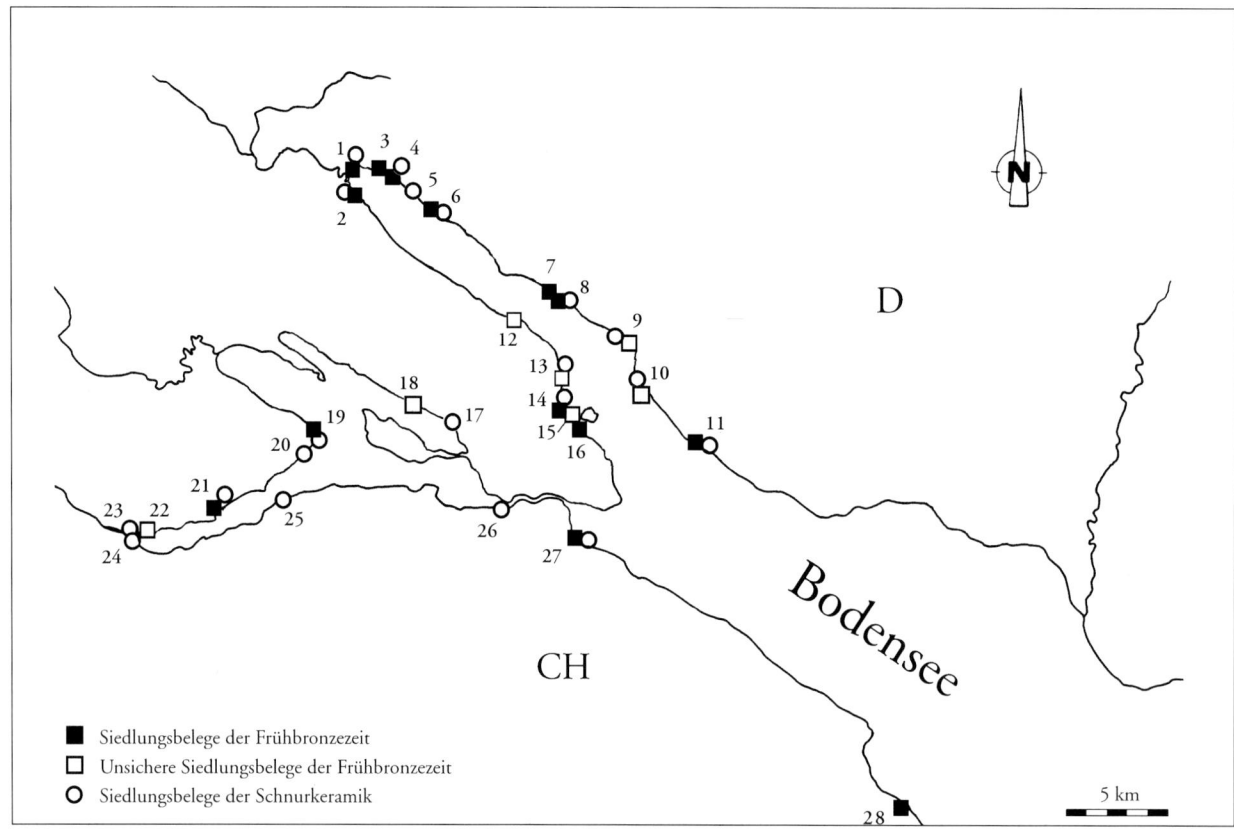

Abb. 154: Verbreitung frühbronzezeitlicher Ufersiedlungen am Bodensee und Siedlungsbelege der Schnurkeramik. 1 Bodman-Schachen I, 2 Bodman-Weiler I, 3 Ludwigshafen-Holzplatz, 4 Ludwigshafen-Seehalde, 5 Sipplingen-Brandäcker, 6 Sipplingen-Osthafen, 7 Nussdorf-Seehalde, 8 Nussdorf-Strandbad, 9 Maurach-Ziegelhütte, 10 Unteruhldingen, 11 Haltnau-Oberhof, 12 Wallhausen, 13 Litzelstetten (Station unbekannt), 14 Litzelstetten-Ebnewiesen, 15 Mainau-Kuchel I, 16 Egg-Obere Güll I, 17 Hegne-Galgenacker, 18 Allensbach-Strandbad, 19 Hornstaad-Hörnle I, 20 Hornstaad-Schlössle, 21 Wangen-Hinterhorn, 22 Öhningen-Ohrkopf, 23 Eschenz-Insel Werd, 24 Eschenz-Seeäcker, 25 Steckborn-Turgi, 26 Gottlieben, 27 Konstanz-Rauenegg, 28 Arbon-Bleiche II. Kartiert nach Köninger/Schlichtherle, Schnurkeramik 149ff.; Köninger, Ufersiedlungen; ders., Bodensee, mit Ergänzungen.

11.4 Die Verbreitung früh- bis mittelbronzezeitlicher Keramik im Bodenseegebiet und im Hegau

Fundstellen mit früh- bis mittelbronzezeitlicher Keramik befinden sich in einiger Zahl im westlich des Bodensees gelegenen Hegau. Aber auch am westlichen Bodensee und am Obersee sind Fundstellen auszumachen, die im direkt anschließenden ufernahen Hinterland liegen. Ebenfalls nur grob der jüngeren Frühbronzezeit oder bereits der mittleren Bronzezeit zuzuweisen ist die Keramik aus den Ufersiedlungen von Konstanz-Rauenegg (19; Taf. 74,1140–1142), Hornstaad-Hörnle I (21; Taf. 75,1150–1153) und Wangen-Hinterhorn (Taf. 74,1148; Abb. 149; 168,23).

Eine mit gekreuzten Leisten verzierte Randscherbe von Wangen sowie drei leistenverzierte Scherben von Konstanz-Rauenegg lassen sich nur grob der jüngere Frühbronzezeit zuordnen. Leistenzier und Doppelhalbkreisstempel weisen die Scherben von Hornstaad-Hörnle I in die jüngere Frühbronzezeit.

Für eine Datierung in die frühe Mittelbronzezeit spricht ihre Fundsituation auf dem heutigen Strandwall, wobei nicht auszuschließen ist, dass die verrundeten Scherben aus ursprünglich tiefer gelegenen Schichten ausgewaschen und durch Wellenschlag hierher befördert wurden.

Im Hegau findet sich im Singener Raum mit den Funden von Hilzingen „Unter Schoren" (52),[928] Singen „Ob den Reben" (56),[929] vom Hohenkrähen bei Duchtlingen (61),[930] von Hilzingen-Duchtlingen „Im Winkel" (60)[931] und Rielasingen-Worblingen „Riedern" (49)[932] eine Häufung von Fundstellen mit

---

[928] Dieckmann, Hilzingen 53ff. Die in Klammern gesetzte Ziffernfolge entspricht der Nummerierung im Fundortkatalog und auf der Verbreitungskarte Abb. 155. Die Fundpunkte 75–78 liegen südöstlich außerhalb des gewählten Kartenausschnitts.
[929] F. Garscha, Hockergräber und Siedlung in Singen a. H., Gemarkung „auf dem Rain, ob den Reben". Bad. Fundber. II, H. 9, 1929–32, 325ff. Abb. 125–127.
[930] Reichardt, Hohenkrähen.
[931] Dieckmann, Rielasingen-Worblingen 60 Abb. 30.
[932] Ebd. 56ff.

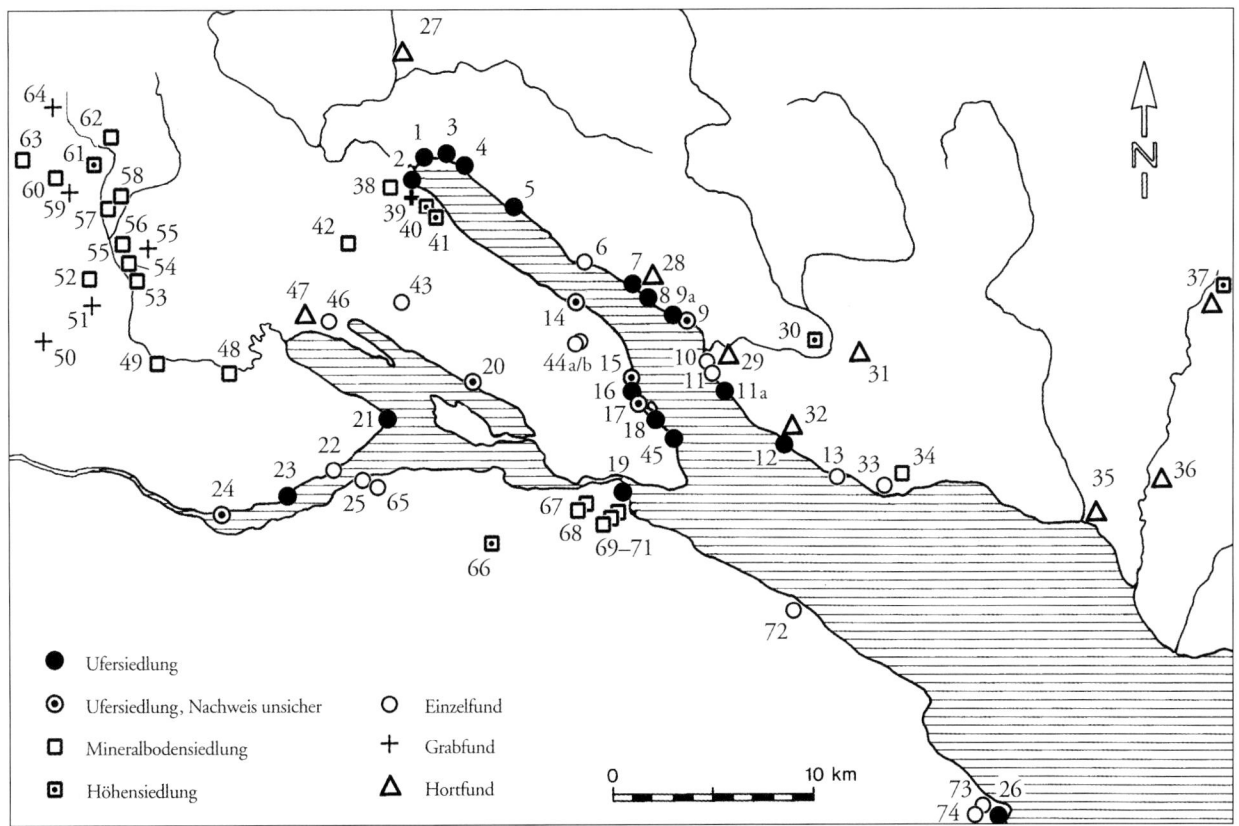

Abb. 155: Früh- und mittelbronzezeitliche Funde am westlichen Bodensee und im Hegau. Kartiert nach Krause, Beginn der Metallzeiten; Dieckmann, Hilzingen; ders., Rielasingen-Worblingen; Aufdermauer/Dieckmann (Anm. 283); Schlichtherle, Mineralbodensiedlungen; Hafner, Frühe Bronzezeit; Hopert, Mühlenzelge; Hopert u.a., Hals; Brestrich, Singen und eigenen Erhebungen. Fundortnachweis s. Kap. 16.3 (S. 299). Die Fundpunkte 76–78 liegen östlich des gewählten Kartenausschnittes.

bronzezeitlicher Keramik (Abb. 155). Die Scherben der neu entdeckten Fundstellen bei Hilzingen Duchtlingen im Winkel, Hilzingen „Unter Schoren" und Rielasingen-Worblingen „Riedern" entstammen Notbergungen.

Im Falle von Hilzingen lassen die Befundbeobachtungen eine Fundvermengung verschiedener prähistorischer Epochen nicht ausschließen.[933] Die Befundlage von Rielasingen-Worblingen „Riedern" scheint etwas besser zu sein, da im Fundhorizont bisher ausschließlich Keramik der mittleren Bronzezeit geborgen werden konnte. In Hilzingen-Duchtlingen dagegen stammen die Scherben aus dem Aushub.[934]

Die Funde von Hilzingen „Unter Schoren" erwecken durch einen hohen Anteil flächig ritz-, stempel- und eindruckverzierter Scherben einen relativchronologisch jungen Eindruck. Gute Vergleichsmöglichkeiten sind unter der Keramik vom Runden Berg bei Urach[935] oder der „Siedlung Forschner"[936] zu finden.

Die Fundstelle Stahringen vermittelt zwischen den Landschaften des Hegau und dem Überlinger See (Abb. 149,18; 155,42).[937] Der beim Kiesabbau zerstörte Fundplatz lieferte fünf leistenverzierte Scherben, ein Schalenfragment, den Boden eines Kleingefäßes und eine in Furchenstichtechnik verzierte Scherbe mit Sanduhrmuster. Das Keramikensemble gehört damit grob in die jüngere Frühbronzezeit und steht der Keramik aus Schicht C von Bodman-Schachen I nahe.

Die Funde aus den Fundstellen beim Gräberfeld von Singen (56)[938] sind mittlerweile vollständig vorgelegt.[939] Sie scheinen älter zu sein als die Funde der Schichten B und C und zumindest teilweise jünger als die Funde der Bodmaner Fazies.[940] Die Funde vom Hohenkrähen sind durch einfach umlaufende Fingertupfen- und Kerbleisten sowie wenige ritz-

---

[933] Vgl. ders., Hilzingen 57.
[934] Ders., Rielasingen-Worblingen, 59f.
[935] Stadelmann, Runder Berg Taf. 15,148–165.
[936] Keefer, Forschner 48 Abb. 7,1.2; ders., Station Forschner 60 Fig. 5,2.4.
[937] Aufdermauer/Dieckmann, Stahringen 51.
[938] Vgl. Garscha (Anm. 929) Abb. 12–127.
[939] Krause, Siedlungskeramik 67ff.
[940] Köninger, Bodensee 108ff.

verzierte Scherben der Keramik aus Schicht C anzuschließen.

Die Dichte an Fundstellen der jüngeren Frühbronzezeit und der älteren Mittelbronzezeit im Hegau hat im Laufe der letzten Jahre erheblich zugenommen. Demnach waren hier nicht nur die Höhen, sondern auch die Tallandschaften in das Siedelgeschehen miteinbezogen. Kontakte zwischen den Ufersiedlungen am Überlinger See und den Siedlungsstellen in der Singener Niederung und im Hegau dürften zumindest in der jüngeren Frühbronzezeit, wie dies die Fundstelle bei Stahringen belegt, über die Espasinger Niederung und den südlich daran anschließenden Taleinschnitt zwischen Homberg und Mühlberg, einer würmzeitliche Schmelzwasserabflussrinne des Rheingletschers, erfolgt sein.

In unmittelbarer Nachbarschaft der Seeufer sind spätestens ab der jüngeren Frühbronzezeit und während der mittleren Bronzezeit nun auch vereinzelt die Höhen besiedelt. Es sind dies die oberhalb Bodman gelegenen Höhensiedlungen „Bodenburg" (40) und „Hals" (41) sowie der Rorschacherberg bei Rorschach (77) am Schweizer Ufer des Obersee.[941] Westlich von Bodman kommt, oberhalb der 400 m Linie am Hangfuß des Bodanrück gelegen, die mittelbronzezeitliche Fundstelle „In der Breite" (38) hinzu.[942]

Insgesamt fünf bis dato nicht bekannte Fundstellen wurden auf der Schweizer Seite jüngst zwischen Kreuzlingen und Tägerwilen im Zuge eines Straßenbauprojektes angeschnitten (67–71).[943] Es handelt sich sowohl um Fundstellen der Mittel- als auch der Frühbronzezeit; unter Letzteren befindet sich offenbar auch eine Siedlung mit Keramik des reichen Stils (68).[944] Weitere frühbronzezeitlich belegte Siedlungsplätze liegen mit dem Rorschacherberg, Bodman „Hals" (41) und Bregenz „Kennelbacherstraße" (78) vor. Anhand der seenahen, auch frühbronzezeitlich belegten Siedlungsplätze in Hanglage und auf den Höhen zeichnet sich demnach nunmehr ein differenzierteres Siedlungsbild ab, als dies noch jüngst skizziert worden ist.[945] Es sind nämlich nicht nur mittelbronzezeitliche Siedlungsplätze angezeigt – wie bereits formuliert –, sondern auch solche der späten Frühbronzezeit; von einer Dynamik der Siedlungsverlagerung in hochwasserfreie Zonen, verursacht durch eine generelle Klimaverschlechterung, allein kann also nicht mehr gesprochen werden. Vielmehr dürfte ebenfalls in Erwägung zu ziehen sein, dass, unter Beibehaltung der seenahen Siedlungsstandorte sowohl auf den Höhen als auch an den Uferhängen, lediglich die Extremstandorte in der Flachwasserzone ge-

zwungenermaßen aufgegeben worden sind, während das Siedelgeschehen im ufernahen Hinterland sich kontinuierlich fortsetzte. Letztlich deutet sich damit aber nun auch im Verbreitungsbild früh- und mittelbronzezeitlicher Siedlungen an, was durch dendrochronologische und botanische Untersuchungen bereits erschlossen werden konnte,[946] nämlich eine verhältnismäßig dichte und spätestens mit der späten Frühbronzezeit auch kontinuierliche Besiedlung des Bodenseegebietes.

Durch die Neuentdeckungen bei Kreuzlingen und Tägerwilen zeigte sich überdies eindrücklich, dass tief greifende Baumaßnahmen wie Straßenbauprojekte, die das ufernahe Gelände und das anschließende Hinterland durchschneiden, bislang unbekannte Siedlungslandschaften erschließen können. Es muss also auch im direkten Hinterland der Bodenseeufer mit bronzezeitlichen Siedlungen gerechnet werden, die bis jetzt wohl aufgrund fehlender systematischer Beobachtung des fraglichen Terrains nur sehr selten belegt sind.

11.5 Die Verbreitung der Keramik von Bodman-Schachen I in Süddeutschland und den angrenzenden Regionen

11.5.1 Schicht A

Mit der Keramik aus Schicht A lassen sich einzelne Scherben und Gefäße vergleichen, die aus Lesefundkomplexen in Süddeutschland stammen. Die Scherben eines amphorenartigen Topfes von Singen, der aufgrund seiner doppelkonischen Profilierung den großen Töpfen aus Schicht A gleicht, stammt aus einem Grab.[947] Die räumliche Nähe zum älterfrühbronzezeitlichen Singener Gräberfeld sowie die Ähnlichkeit mit den Töpfen aus Schicht A macht seine Einordnung in die ältere Frühbronzezeit wahrscheinlich (s. o.). Unter den einschlägigen Siedlungsmaterialien vom Kirchberg bei Reusten befinden sich Scherben eines leistenverzierten, doppel-

---

[941] S. Fundortkatalog Nr. 32 u. 33; Fischer/Keller-Tarnuzzer, Funde 120f. Abb. 30.
[942] Schlichtherle, Mineralbodensiedlungen 61ff.
[943] Fundebericht 1997, Jahrb. SGUF 81, 1998, 272f. 276; Fundebericht 1999, Jahrb. SGUF 83, 2000, 208; 213f.
[944] Fundebericht 1997, Jahrb. SGUF 81, 1998, 276.
[945] Vgl Schlichtherle/Strobel, Ufersiedlungen – Höhensiedlungen 80f.
[946] Vgl. Rösch, Durchenbergried 55; A. Billamboz, Waldentwicklung unter Klima- und Menscheneinfluß in der Bronzezeit. In: Goldene Jahrhunderte. Die Bronzezeit in Südwestdeutschland. ALManach 2 (Stuttgart 1997) 53; zusammengefasst bei Schlichtherle/Strobel, Ufersiedlungen – Höhensiedlungen 79f.
[947] Krause, Singen Taf. 1,C101.

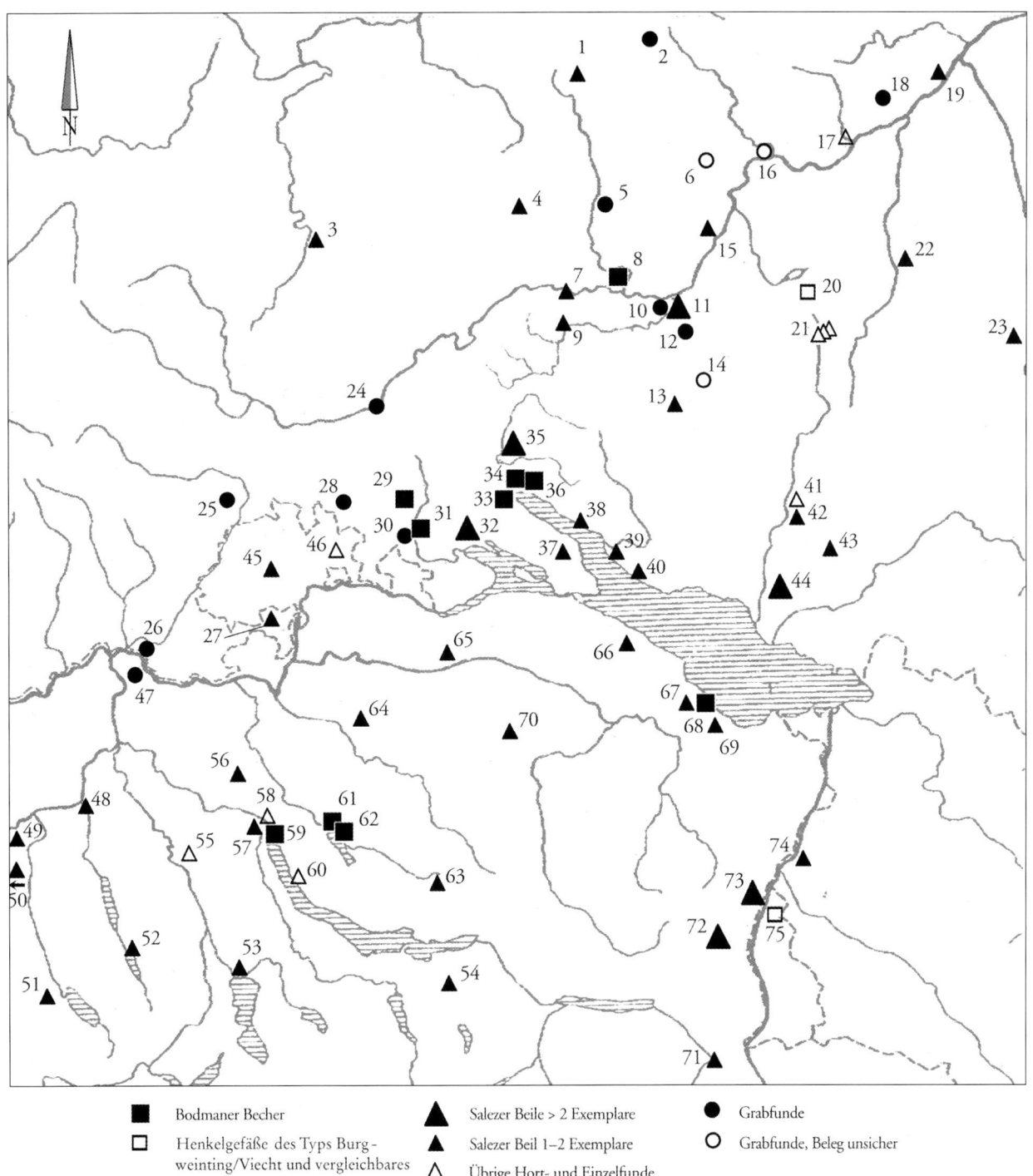

Abb. 156: Verbreitungskarte der älteren Frühbronzezeit in Südwestdeutschland und der angrenzenden Nord- und Ostschweiz. Kartiert nach Strahm, Frühe Bronzezeit; Krause, Singen 220f. – die Fundorte Gams-Gasenzen und Sennwald-Salez sind S. 221 auf Abb. 93 vertauscht, der Fundort Bronschhofen (SZ) ist nicht korrekt kartiert; Hafner, Frühe Bronzezeit 145; 224; Wahl/Wieland, Mengen; Dehn, Lausheim; Conscience/Eberschweiler, Greifensee 137 Abb. 1; Hochuli (Anm. 990) 139 Abb. 4; 144 Abb. 12 und eigenen Erhebungen. Fundortnachweis s. Kap. 16.2.2 (S. 296f.; 75 Schellenberg-Borscht/Fürstentum Liechtenstein).

konischen Topfes.[948] Im Gegensatz zu den Töpfen aus Schicht A sind die Scherben unter der Leiste jedoch schlickgeraut. Da weitere Scherben, die denen aus Schicht A anzuschließen wären, im recht umfangreichen Keramikbestand vom Kirchberg fehlen, ist der Nachweis einer Besiedlung in der älteren Frühbronzezeit fraglich.

Die mit glatten Leisten verzierten Scherben vom Typus Böckingen-Reusten,[949] für die Wolfgang Kimmig im weitesten Sinne auch frühbronzezeitli-

---

948 Kimmig, Reusten Taf. 14,3.
949 Ebd. 29 Taf. 13.

che Zusammenhänge nicht ausschließt, können den Funden aus Schicht A nicht zur Seite gestellt werden. Die glattleistige Ware gehört möglicherweise einer älteren Keramikfazies an, die in Südostbayern durch die Funde von Sand (Obj. 13/92) und Zuchering (Obj. 1116) belegt ist und dort einer ältesten Frühbronzezeit zugewiesen wird.[950] Vermutlich ebenfalls hier anzuschließen sind die Brunnenfunde von Wyhl im Oberrheingebiet.[951] Die Keramik steht in endneolithischer Tradition und weist Ähnlichkeiten mit der so genannten Glockenbecherbegleitkeramik auf.[952]

Den Bodmaner Bechern lassen sich demgegenüber Becher vom Hohenkrähen bei Duchtlingen[953] und vom Dettinger Berg bei Sigmaringen[954] anschließen. Die beiden Altfunde sind unstratifiziert und stammen aus Lesefundkomplexen mit Funden unterschiedlicher Zeitstellung.[955] Per Autopsie am Original ließ sich feststellen, dass der Becher vom Hohenkrähen auch in der Tonqualität mit den Bechern aus Schicht A übereinstimmt. Es dürfte sich in beiden Fällen um Siedlungsfunde von Höhen handeln. Die „Siedlung Forschner" im Federseeried hat ebenfalls Vergleichbares geliefert.[956] Aufgrund seiner trichterförmigen Profilierung und des verhältnismäßig großen Henkels ist das Becherfragment eher den Henkelgefäßen vom Typ Burgweinting/Viecht zur Seite zu stellen. In der Ostschweiz sind vom Zürichsee aus Schicht 1a/b der Mozartstrasse und vom Greifensee aus den Stationen Böschen und Starkstromkabel[957] drei weitere Fundpunkte zu verzeichnen, die mehrfach Becher der Bodmaner Art geliefert haben. Somit reicht das Verbreitungsgebiet der Bodmaner Fazies von der Ostschweiz über den westlichen Bodensee und das Hegau ins obere Donautal. Ihre Fundpunkte befinden sich an den Verbindungswegen, die durch das Kartenbild der Salezer Beile und der Gräber der älteren Frühbronzezeit in diesem Gebiet markiert werden (Abb. 156). Gemeinsam mit Gräbern und Salezer Beilen zeichnet sich zwischen Sigmaringen und Mengen an der oberen Donau eine verhältnismäßig dichte Fundstreuung der älteren Frühbronzezeit ab (Abb. 156). Dies und ein weit im Osten, bereits im bayerischen Donautal gelegener Fundpunkt weisen auf die Bedeutung der Donau als Kommunikationsachse auch während der älteren Frühbronzezeit hin. Überdies markieren die Fundpunkte im Einzugsgebiet der Ablach eine regional wohl bedeutende Verbindungsroute, die durch das Ablachtal nach Süden über die Stockacher Aach und die Espasinger Niederung an den Überlinger See führt. Mit der „Siedlung Forschner" ist das Federseegebiet und damit die verkehrsgeographisch äußerst bedeutsame Region belegt, die zwischen der nach Osten weisenden Donauroute und der über Schussen und Bodensee ins Alpenrheintal führenden, letztlich transalpinen Südroute vermittelt.[958]

Die älterfrühbronzezeitlichen Siedlungen mit Keramik der Bodmaner Fazies liegen innerhalb der Kernzone der Verbreitung der Salezer Beile und decken diese weit gehend zwischen Donau und Zürichsee ab (Abb. 156). Sie kommen daher als Verteiler innerhalb eines Metall-Distributionsnetzes in Frage, welches sich im Verbreitungsbild der Salezer Beilbarren zu erkennen gibt.

Neben Siedlungsbelegen aus den Seeufern mehren sich durch Bodmaner Becher nun auch Hinweise auf eine Besiedlung der Höhen auch schon im Verlaufe der älteren Frühbronzezeit, wenn vielleicht auch nur zu bestimmten Phasen. Jedenfalls kann dies in Südwestdeutschland nicht mehr grundsätzlich ausgeschlossen werden.[959]

11.5.2 Schicht B und C

Wie sich anhand der relativchronologischen Betrachtung zeigte, lassen sich durch die Inventare der Schichten B und C Komplexe der nordalpinen Frühbronzezeitkeramik in Südwestdeutschland differenzieren, wobei allein die Keramik aus Schicht B sowie die stratifizierte Keramik vergleichbarer Zusammensetzung aus Bodman-Weiler I Einflüsse aus dem Straubinger Kerngebiet erkennen ließen. Insofern war von der Kartierung der typischen Stil-

---

950 Möslein, Keramik 70; 71 Abb. 15.
951 Vgl. B. Grimmer-Dehn, Zu einigen Neufunden der frühen Bronzezeit aus dem Breisgau und dem Markgräflerland. In: B. Fritsch/M. Maute/I. Matuschik/J. Müller/C. Wolf (Hrsg.), Tradition und Innovation: Prähistorische Archäologie als historische Wissenschaft. Festschr. für Christian Strahm. Internat. Arch., Studia honoraria 3 (Rahden/Westf. 1998) 371–384.
952 Möslein, Keramik 70; M. Besse, Types et origines potentielles de la céramique d'accompagnement du Campaniforme en France. In: Mordant/Gaiffe (Hrsg.) (Anm. 20) 167–180, zitiert nach Grimmer-Dehn (Anm. 951) 377.
953 Reichardt, Hohenkrähen.
954 Rieth (Anm. 819) 39 Abb. 8,10; 217.
955 H. Schlichtherle, Der Hohenkrähen – eine vorgeschichtliche Höhensiedlung. Arch. Nachr. Baden 28, 1982, 5–11; Rieth (Anm. 819) 39 Abb. 8,10; 217; die dort vorgenommene Zuweisung zur Altheimer Kultur ist sicher nach heutigem Kenntnisstand nicht mehr aufrecht zu erhalten.
956 Keefer, Keramik 75 Abb. 1,1.
957 Conscience/Eberschweiler, Greifensee 139ff. 141 Abb. 5,1; 142 Abb. 6,1.3.5.6.9; Conscience, Neudatierung 150; 153 Abb. 6,1–3.
958 Vgl. Köninger/Schichtherle, Foreign Elements.
959 Vgl. dazu J. Biel, Die bronze- und urnenfelderzeitlichen Höhensiedlungen in Südwürttemberg. Arch. Korrbl. 10, 1980, 27. Biel schloss dies aufgrund der Lesefunde aus den Höhensiedlungen Württembergs aus; vgl. Willkomm (Anm. 299) 399ff.

merkmale der Keramik der Schichten B und C auch eine regionale Gliederung der alpinen Frühbronzezeitkeramik Süddeutschlands zu erwarten.

Die kartierten Vergleichsfunde wurden aus der Literatur, Stand 1990, entnommen,[960] ergänzt um Neufunde bis ins Jahr 2000. Kartiert wurden Funde, die durch Abbildungen oder eindeutige Beschreibungen sicher ansprechbar waren. Vor allem im bayerischen Raum kann die Kartierung nicht den Anspruch auf Vollständigkeit erheben, da an entlegener Stelle publiziertes Fundmaterial sicher nicht in vollem Umfang erfasst werden konnte. Es ist jedoch unwahrscheinlich, dass dadurch ganze Fundlandschaften übersehen wurden, insofern dürfte das entworfene Kartenbild dadurch in seiner wesentlichen Erscheinungsform kaum substantiell beeinträchtigt werden. Die kartierte Keramik stammt neben einigen Gruberinventaren überwiegend aus Lesefundkomplexen von Siedlungen. Hinzu kommen verhältnismäßig zahlreiche Funde aus Höhlen und wenige Grabfunde. Herkunft und Fundumstände gehen im Einzelnen aus Liste 1 hervor (s. Anhang). Stellvertretend für Inventare werden Henkelgefäße des Trinkgeschirrs kartiert, die sich als besonders signifikant erwiesen,[961] und typische Zierelemente. Es sind dies für die Keramik vom Typ Schicht B rillenverzierte Becher und Tassen sowie zylinderstempelverzierte Scherben, wodurch im Kartenbild zugleich Straubinger Einflüsse in Südwestdeutschland und die Verbreitung der Straubinger Gruppe selbst sichtbar wird.[962] Für Inventare des Typs Schicht C werden doppelkonische Krüge und auf der Schulter in geometrischen Mustern verzierte Keramik kartiert. Ganzflächig ritzverzierte und kornstichverzierte Keramik bleibt von der Kartierung ausgeschlossen, so dass das Risiko in Grenzen gehalten sein dürfte, dass typologisch jüngere Keramik das Kartenbild verfälscht.

Das eigentliche Verbreitungsgebiet der rillenverzierten Tassen und Krüge liegt um das Donauknie und ist wesentlich begrenzter, als das der ritzverzierten Keramik und der doppelkonischen Krüge (s. u.). Die Verbreitung ist mit wenigen Ausnahmen auf das Gebiet Niederbayerns östlich der Linie Isar-Regensburg (Abb. 157) beschränkt. Nach Süden streut sie bis in die Kupfererzlagerstätten Tirols bei Kufstein, im Westen finden sie sich im keramischen Fundbestand aus Ufersiedlungen des Bodenseegebietes, aber auch in der „Siedlung Forschner"[963] und auf Höhensiedlungen. Der Fund einer Tasse vom Typ Unterwölbling dürfte ebenfalls hierher gehören.[964] Die Keramik streut im Alpenrheintal nach Süden bemerkenswerterweise bis nach Graubünden (s. o.).[965] In verhältnismäßig großer Zahl finden sich Straubinger Elemente auf der auf halbem Wege im Alpenrheintal gelegenen Höhensiedlung Schellenberg-Borscht im Fürstentum Liechtenstein.[966]

Nach Norden hin befinden sich einzelne Scherben in Lesefundkomplexen am Nordrand der Schwäbischen Alb und auf den Fildern an der Peripherie des mittleren Neckarlandes (Abb. 157). Das Schweizer Mittelland bleibt demgegenüber fundfrei. Die Fundpunkte orientieren sich an den Flusssystemen, die als Hauptverbindungswege zu betrachten sind. Vereinzelt besetzt sind im Osten Albübergänge nach Norden. Besonders hervorzuheben ist, neben der Donau und dem mittleren Neckar, das Schussental mit seiner Fortsetzung im Süden, dem Alpenrheintal. Dort entlang streuen die Fundpunkte bis in die Gebiete der Kupfererzlagerstätten im Einzugsgebiet des Alpenrheins. Aufgrund ihrer Verbreitung darf vermutet werden, dass Straubinger Keramikelemente im Osten (Tirol) wie im Westen (Alpenrheintal) im Zuge der Metallurgie in diese von ihrem eigentlichen Verbreitungsgebiet in Niederbayern weit entfernt gelegenen Region gelangten. Während in der älteren Frühbronzezeit die Belegung der Höhen bis jetzt nur vereinzelt nachgewiesen werden kann, sind ab diesem Abschnitt der jüngeren Frühbronzezeit Siedlungsnachweise auf Höhen entlang den Hauptkommunikationsachsen gehäuft vorhanden. Zumindest einige der Höhensiedlung waren unbefestigt, oder ihre Befestigung ist zumindest fraglich.[967]

---

960 Folgende Zeitschriften wurden systematisch durchgearbeitet: Fundber. Schwaben; Bad. Fundber.; Fundber. Baden-Württemberg; Arch. Ausgr. Baden-Württemberg; Arch. Nachr. Baden; Bayer. Vorgeschbl., Ausgr. u. Funde Bayer. Schwaben, Unterfranken, Oberfranken, Bayern; Arch. Jahr Bayern; Jahresmitt. Naturhist. Ges. Nürnberg e.V.; Jahresmitt. Hist. Verein Straubing u. Umgebung; Mitt. Ant. Ges. Zürich, Ber. 1–12; Jahrb. SGU; Jahrb. SGUF; Jahresber. Schweizer. Landesmus.; Helvetia Arch.; Arch. Schweiz. Die Verwendung von Monographien geht aus der Fundortliste zur Verbreitungskarte hervor.
961 Vgl. Kap. 12.5 zur Stilentwicklung frühbronzezeitlicher Keramik.
962 Vgl. Kap. 11.2.3 zur Verbreitung der Keramik aus Schicht B; vgl dazu Keramikgruppe Sengkofen/Jellenkofen bei Möslein, Keramik 87 Abb. 22; 92.
963 Keefer, Keramik 75 ff. Abb. 1,2. In Anlehnung an die Keramikgruppe Sengkofen/Jellenkofen von Möslein wurde hier eine Schüssel mit Querhenkel berücksichtigt. Vgl Möslein, Keramik 48 ff. 73 ff. 74 Abb. 16.
964 Ade-Rademacher/Rademacher, Veitsberg Taf. 23,1.
965 Vgl. Kap. 10.2 zur relativen Chronologie der Keramik aus Schicht B.
966 Macynska, Schellenberg-Borscht 85 Taf. 2,3; 10,12; 19,3.14.
967 Rageth, Resultate Padnal 63 ff.; vgl. Rind, Frauenberg 345; Macynska, Schellenberg-Borscht 87; Murbach-Wende (Anm. 290) 117 f.

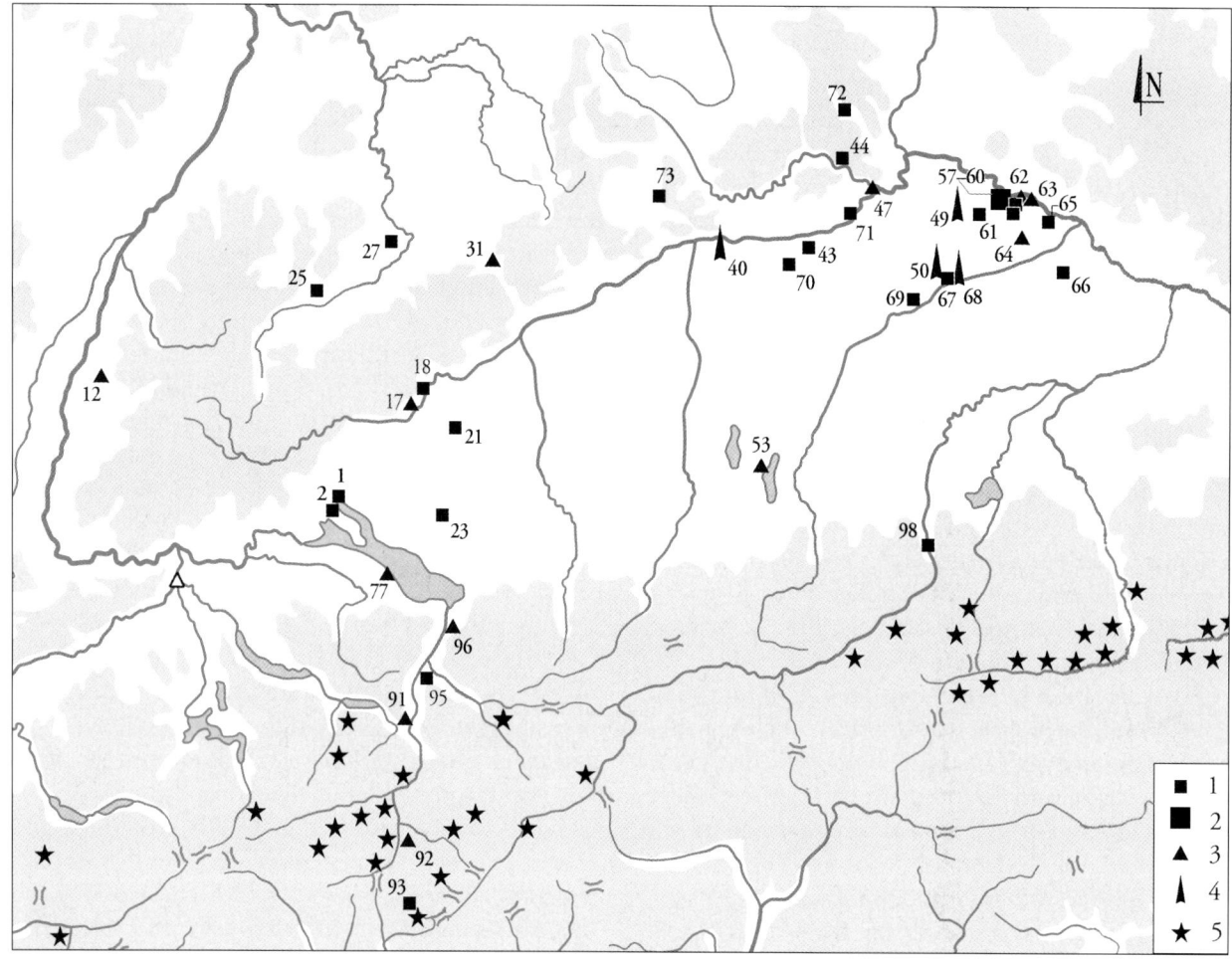

Abb. 157: Verbreitung Straubinger Keramik in Süddeutschland und angrenzenden Regionen. 1 Straubinger Henkelgefäße, überwiegend vom Typ Sengkofen (in der Siedlung Forschner [21] wird eine Schüssel des Typs Sengkofen/Jellenkofen kartiert). 2 Mehrere Exemplare. 3 Zylinderstempelverzierte Scherben, 4 Zusammenfunde von doppelkomischen Krügem und Straubinger Henkelgefäßen, 5 Kupfererzlagerstätte nach Krause, Singen. Fundortnachweis s. Kap. 16.2.1. (S. 290ff.).

Die Hauptverbreitungsgebiete der doppelkonischen Krüge und der Straubinger Henkelgefäße tangieren sich in Niederbayern. Die Verbreitung der Fundstellen mit doppelkonischen Krügen (Abb. 158) streut im gesamten nördlichen Alpenvorland bis zur Isar, die östlichsten Fundpunkte Sengkofen und Poing überschreiten diese nur geringfügig. Die Schweiz im Südwesten des Verbreitungsgebietes ist durch Funde aus dem Zürichsee und von Baldegg bis ins Berner Mittelland miteinbezogen, im Süden erreicht die Verbreitung im Alpenrheintal das Fürstentum Liechtenstein. Der nördlichste Fundpunkt liegt in Bayern bei Kallmünz in der südlichen Oberpfalz.

Die Fundpunkte in Süddeutschland reihen sich zwischen Ulm und Regensburg entlang der Donau. Nur die Funde von Heubach, vom Kirchberg bei Reusten und von Grünsfeldhausen überschreiten die Donau nach Norden, ansonsten bleibt das Gebiet nördlich der Donau fundfrei. Im Südwesten der Verbreitung doppelkonischer Krüge sind am Überlinger See und am Obersee Fundpunkte auszumachen. Kennzeichnend für das Verbreitungsbild kann – mit Ausnahme der Fundhäufung zwischen Lech und Isar, den Funden von Landsberg a. Lech, Roseninsel, Feldafing, Sengkofen und Poing – die Orientierung entlang der großen Flussläufe Donau, Rhein und Neckar gelten, die als Hauptverkehrswege die einzelnen Landschaften im nördlichen Voralpenland untereinander verbanden. Die Fundpunkte im Lech/Isargebiet dürften eine Kommunikationsachse markieren, die sich am weithin sichtbaren Alpenhauptkamm orientierte. Die Funde von der Höhle Haus bei Heubach sind wiederum am Nordrand der Alb gelegen, die über das Brenztal an dieser Stelle leicht zu überwinden ist und von der Donau aus nach Norden über die Fildern Anschluss an das mittlere Neckargebiet verschafft. Die etwas isoliert liegenden Schweizer Fundpunkte im Westen werden unter diesem Aspekt verständlicher, da sie sich an den vom Hochrheintal aus direkt

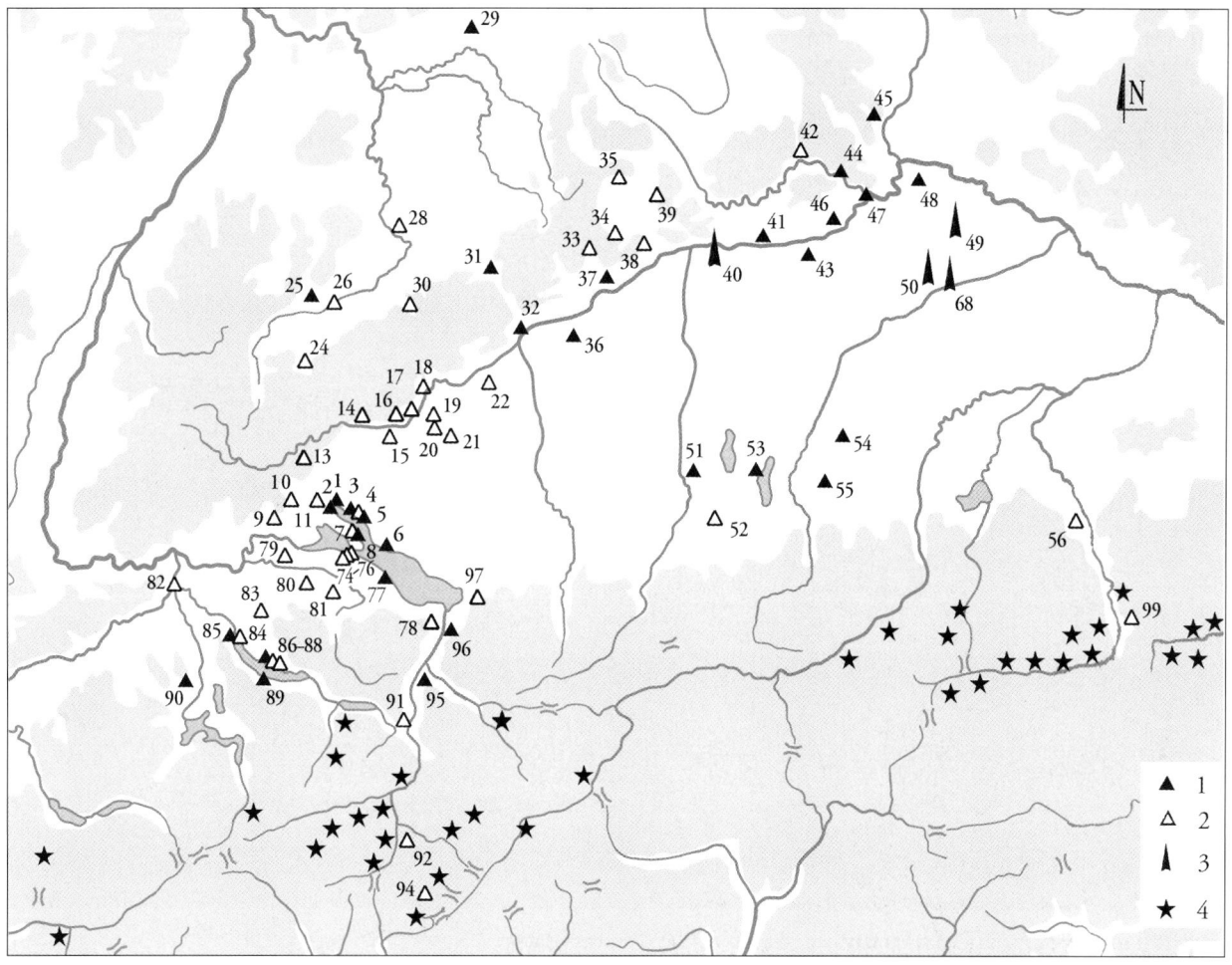

Abb. 158: Verbreitung Arboner Keramik in Süddeutschland und angrenzenden Regionen. 1 Doppelkonische Krüge. 2 In geometrischen Mustern ritzverzierte Keramik. 3 Zusammenfunde von doppelkonischen Krügen und Straubinger Henkelgefäßen. 4 Kupfererzlagerstätten nach Krause, Singen. Fundortnachweis s. Kap. 16.2.1 (S. 290ff.).

erreichbaren Flusssystemen von Aare und Reuss befinden.

Die Verbreitungskarte doppelkonischer Krüge wird durch die Kartierung dreiecksverzierter Scherben im östlichen Verbreitungsgebiet durch die Funde von Langacker bei Bad Reichenhall und vom Sinnhubschlößl bei Bischofshofen im Saalach/Salzachgebiet beträchtlich erweitert. Die beiden Fundpunkte lassen sich vielleicht als logische Fortsetzung der Funde aus dem Isar/Lechgebiet auffassen, die an einer gedachten, am Alpenhauptkamm orientierten Verbindungslinie liegen. Möglicherweise spielt auch der Forschungsstand in diesem Gebiet eine Rolle, da Bautätigkeit und Forschungsschwerpunkte doch eher im Isargebiet und im niederbayerischen Gäuboden liegen. Im Westen verdichtet sich durch die ritzverzierte Keramik das gewonnene Verbreitungsbild. Die neu hinzugekommenen Fundpunkte im Schweizer Mittelland liegen an Reuss, Aare und Limmat und in der Fortsetzung des Zürichseebeckens zwischen Walensee und Alpenrheintal, am Durchstich durch die Appenzeller und Glarner Alpen. Die Fundstreuung im Alpenrheintal erreicht mit den Funden von Cunter/Caschligns und Padnal bei Savognin ihre südlichste Ausdehnung. Die Funde vom Zürichseebecken sind also sowohl von Westen über das Hochrheintal und die Aare wie auch über das Alpenrheintal von Graubünden aus erklärbar. Eine weitere Ost-West-Verbindung zeichnet sich über das Thurtal zum Alpenrhein hin ab.

Am Bodensee selbst verdichtet sich das Kartenbild, das anhand der doppelkonischen Krüge gewonnen werden konnte, durch Fundpunkte bei Rohrschach am Rohrschacher Berg, bei Bregenz und mit fünf weiteren Fundstellen vor allem im westlichen Bodenseegebiet, wovon allein drei auf das Hegau entfallen. Mit vier weiteren Fundpunkten entlang der oberen Donau zwischen Tuttlingen und Ulm wird die Fundreihung doppelkonischer Krüge entlang der Donau in die Baar verlängert, die landschaftlich

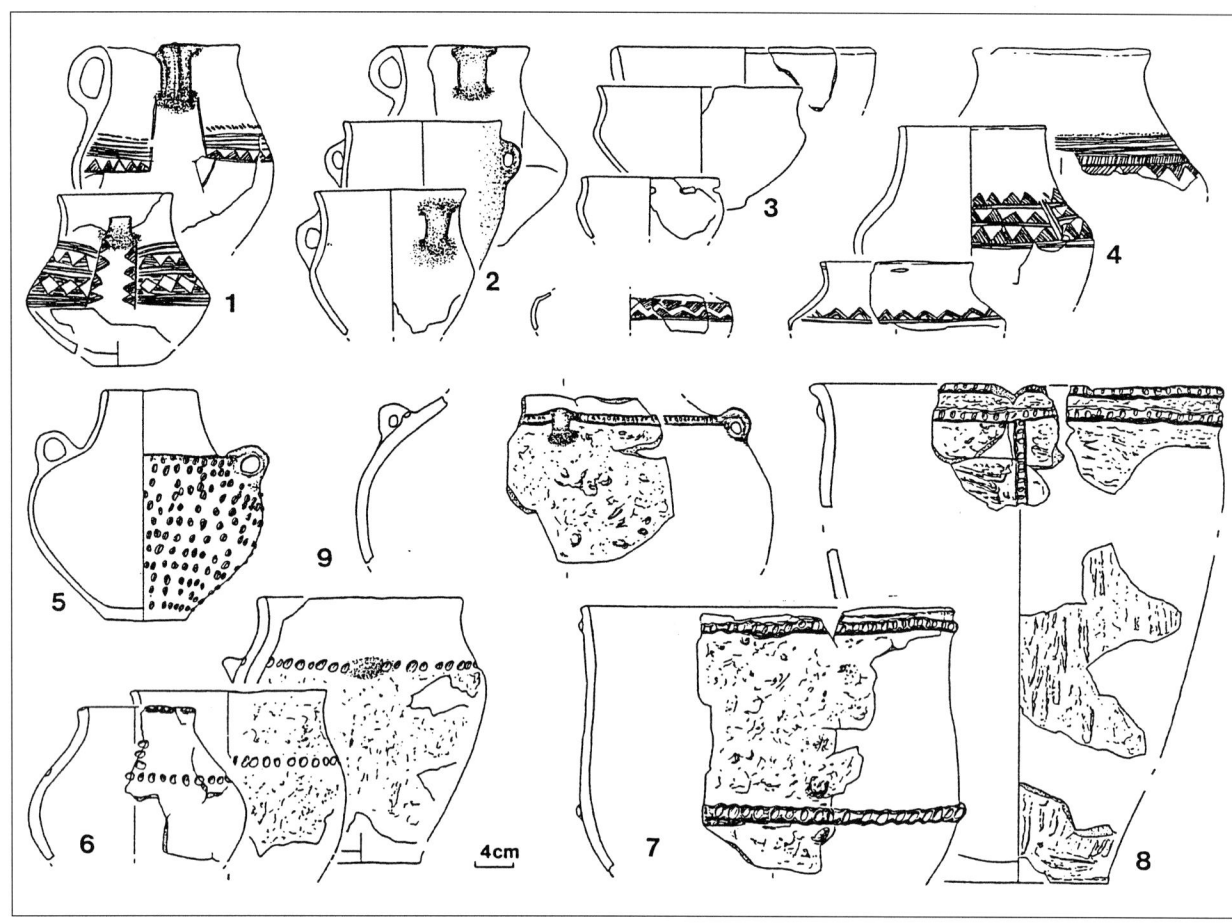

Abb. 159: Bodman-Schachen I, Schicht C. Keramikspektrum der Arboner Gruppe.

durch eine Anhöhe bei Engen von Hegau und Bodensee getrennt ist.
Nördlich der Donau vervollständigen am Westrand der Alb, im Nördlinger Ries, in der Oberpfalz und am mittleren Neckar vier weitere Fundstellen das gewonnene Verbreitungsbild der in Frage stehenden Keramik. Ihre Verbreitung verdeutlicht das durch die Kartierung der doppelkonischen Krüge bereits skizzierte Kartenbild, welches eine Orientierung an den großen Flusssystemen und am Alpenhauptkamm erkennen lässt. Verbreitungsschwerpunkt ist die obere Donau und das westliche Bodenseegebiet bis zum Zürichsee. Das Alpenrheintal begrenzt das südwestdeutsch-schweizerische Verbreitungsgebiet nach Osten. Bemerkenswerterweise werden die Verbreitungsgebiete der Hügelgräbergruppen Süddeutschlands weit gehend ausgespart (Abb. 148).[968] Die Kartierung gleicht damit dem Kartenbild endneolithischer Gruppen[969] und dem der älteren Frühbronzezeit. Sie unterscheidet sich aber deutlich von den eher wolkenförmigen, in einzelnen Landschaften verteilten Fundpunkten der Hügelgräbergruppen Süddeutschlands.[970]

Die Verbreitung der Keramik des reich verzierten Stils bis in die Gebiete der alpinen Kupferlagerstätten im Einzugsgebiet des Alpenrheintales im Westen bzw. im Saalach/Salzachgebiet im Osten und nördlich der Alpen entlang der dortigen Kommunikationsachsen ist evident. Sie gibt den Blick frei auf vielleicht ursächliche Zusammenhänge zwischen nordalpiner Frühbronzezeitkeramik westlicher Ausprägung und Systemen der Metalldistribution bzw. -gewinnung. Ebenso könnte die Belegung zentraler Höhensiedlungen im Alpenvorland und im Alpenrheintal möglicherweise dadurch eine Erklärung finden.

---

968 Vgl. Kap. 10.3.1 u. 10.6 zur relativchronologischen Einordnung von Schicht C sowie zum relativchronologischen Verhältnis der Hügelgräberkultur zur jüngeren Frühbronzezeit.
969 Vgl. H. Schlichtherle, Das Jung- und Endneolithikum in Baden-Württemberg. Zum Stand der Forschung aus siedlungsarchäologischer Sicht. In: D. Planck (Hrsg.), Archäologie in Württemberg. Ergebnisse und Perspektiven archäologischer Forschung von der Altsteinzeit bis zur Neuzeit (Stuttgart 1988) Abb. 5.
970 Vgl. Reim, Mittlere Bronzezeit 160 Abb. 12; 162 Abb. 13.

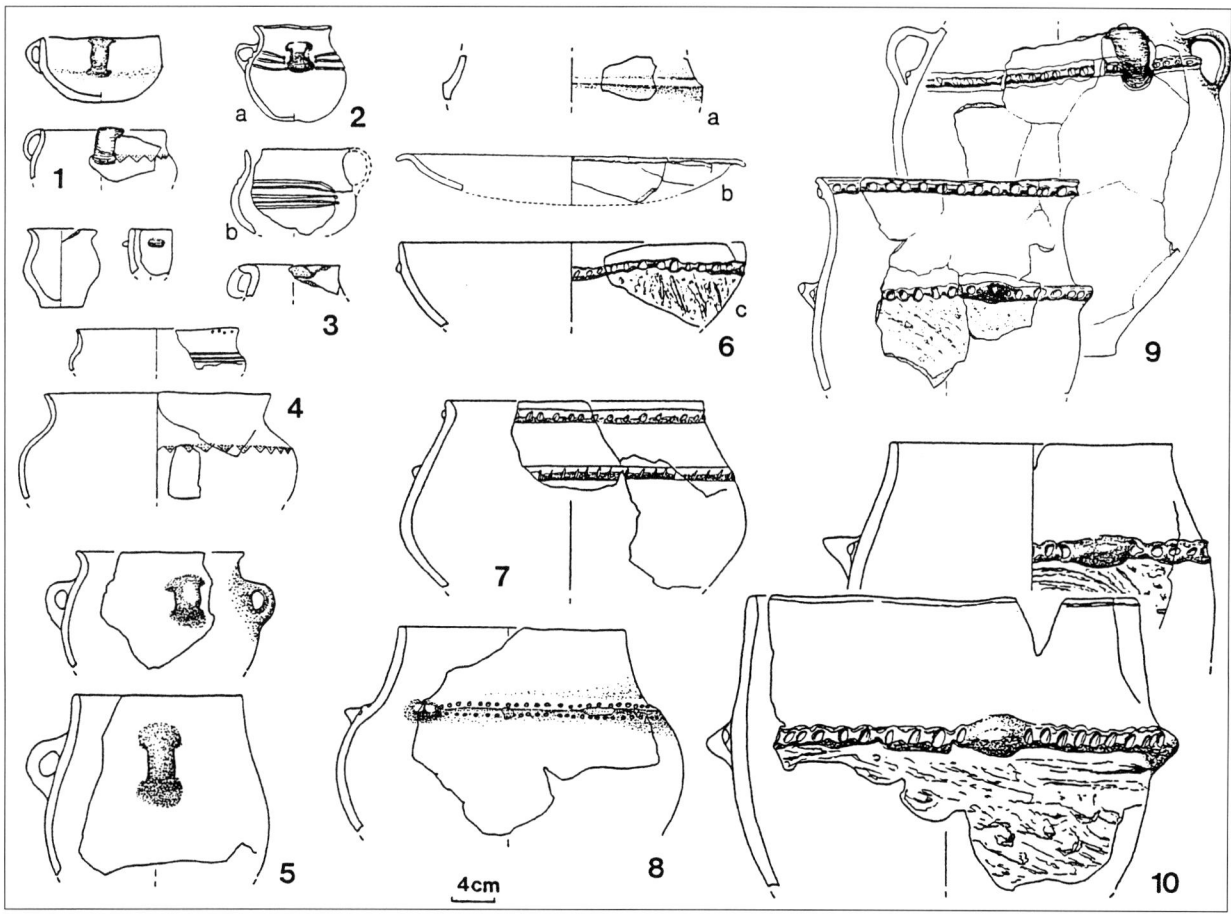

Abb. 160: Keramikspektrum der jüngeren Frühbronzezeit, wohl ältere Phase der Arboner Gruppe. Bodman-Schachen I, Schicht B: 1.2b.3–5.6a.c.7.8.10; Bodman-Weiler I, Befund 2: 2a.6b.9.

Die Keramik westlicher Ausprägung löst die Keramik Straubinger Prägung in Südwestdeutschland, aber auch in den peripher gelegenen inneralpinen Verbreitungsgebieten im Südwesten ab. Die strukturell gleichartige Verbreitung setzt zumindest ähnliche Mechanismen voraus, die zu ihrem Verbreitungsbild führten, und es liegt nahe, ursächlich Fernverbindungen dahinter zu vermuten. Motor dieser Kommunikationsachsen belegenden Orientierung könnte die angestrebte Kontrolle über Distributionsnetze gewesen sein, die im Rahmen der Metallurgie zu suchen das Kartenbild nahe legt.

11.5.3 Die Arboner Gruppe

In Süddeutschland zeichnen sich anhand der Kartierung spezifischer Henkelgefäße und Zier aus den Schichten B und C zwei räumlich gut voneinander abgegrenzte Fundprovinzen ab. Im südwestlichen Alpenvorland, mit Zentrum im westlichen Bodenseegebiet, wird die nordalpine Frühbronzezeitkeramik durch die Keramik aus Schicht C charakterisiert (Abb. 159). Im östlichen Bereich ist in Niederbayern und entlang der Isar Straubinger Siedlungskeramik verbreitet, deren Einflüsse an der Keramik aus Schicht B greifbar sind. Ihr Verbreitungsgebiet wird im Großen und Ganzen durch die Kartierung Straubinger Henkelgefäße umrissen. Weiter westlich, ab dem Donauknie und der oberen Isar, sind reich ritzverzierte Keramik und der doppelkonische Henkelkrug verbreitet.[971] Die beiden unterschiedlichen Keramikausprägungen erlauben es nicht mehr, schlechthin von „nordalpiner Frühbronzezeitkeramik" zu sprechen. Ihre räumliche Gliederung aufgrund der festgestellten stilistischen Unterschiede sollte auch in einer entsprechenden Begrifflichkeit zum Ausdruck kommen.[972]

Die westliche Gruppierung der nordalpinen Frühbronzezeitkeramik kann durch den stratifizierten Fundkomplex von Schicht C erfasst werden. Das

---

971 Vgl. dazu St. Möslein, Die Straubinger Gruppe – Zur Frühbronzezeit in Südostbayern. In: Eberschweiler u.a. (Hrsg.), Rundgespräch 17–30.
972 Vgl dazu schon Kimmig, Reusten 30.

Schichtinventar definiert die westliche Ausprägung der nordalpinen Frühbronzezeitkeramik, die aufgrund ihrer Verbreitungsschwerpunkte im westlichen Bodenseegebiet Verf. in Anlehnung an den umfangreichen und altbekannten Fundkomplex aus der Ufersiedlung von Arbon-Bleiche 2 unter dem Begriff der „Arboner Gruppe" (Arboner Kultur) zusammenfasst.[973]

Die Keramik aus Schicht B und die stratifizierte Keramik von Bodman-Weiler I (Befund 2) dürften eine ältere Phase der Arboner Gruppe markieren (Abb. 160). Während die reich ritzverzierte Phase einen jüngeren Abschnitt charakterisiert, der die Spätphase der frühen Bronzezeit zu kennzeichnen scheint, ist durch das Fundmaterial aus Schicht 11 von Ludwigshafen-Seehalde möglicherweise eine Frühphase der Arboner Gruppe/Kultur erfasst.[974]

---

[973] Vgl. Ch. Strahm, Zur Einführung. Das Forschungsvorhaben: „Siedlungsarchäologische Untersuchungen im Alpenvorland". Arch. Nachr. Baden 38/39, 1987, 9. Strahms Begriff der „Arbonkultur" (Arboner Kultur) dürfte inhaltlich mit dem der Arboner Gruppe übereinstimmen. Sie konnte bislang aufgrund der Quellenlage nicht näher definiert werden.

[974] Köninger, Bodensee 107ff. 110 Abb. 20.

12 Absolute Chronologie

12.1 Zur Bedeutung der absoluten Datierung

Die absolute Chronologie der mitteleuropäischen Frühbronzezeit basierte bis Ende der 1970er-Jahre auf Vergleichen mit Fundmaterialien aus dem ägäischen Raum, die ihrerseits wiederum durch historische Quellen absolut datiert waren.[975]

Das Gerüst der relativen Chronologie, die Stufengliederung früh- und mittelbronzezeitlicher Funde, entstand durch ihre typologische Klassifizierung, durch die Berücksichtigung von Fundvergesellschaftungen und Typenkombinationen.[976] Innerhalb des konventionellen relativchronologischen Datierungssystems ergaben sich dadurch allerdings Widersprüche,[977] die sich nur in Ansätzen befriedigend auflösen ließen. Mögliche Ursachen wie unterschiedliche Laufzeiten einzelner Bronzetypen und regional verschiedene Nutzungszeiträume weit verbreiteter Typen waren systemintern kaum zu isolieren und die daraus resultierenden Widersprüche ohne unabhängige Parameter von „außen" nicht befriedigend aufzulösen. Ebenso blieb die zeitliche Tiefe der einzelnen Stufen unklar. Überdies waren Funde aus Siedlungen, überwiegend Keramik, kaum durch das bestehende System der Stufengliederung, basierend auf Bronzen und Knochenschmuck bzw. -werkzeugen, zu „datieren".

Den Instrumenten der absoluten Datierung, ^{14}C-Methode und Dendrochronologie, ist es zu verdanken, dass dem archivarischen Ordnungsprinzip der Stufengliederung eine kalendarisch zeitliche Dimension hinzugefügt werden konnte, die es ermöglichte, auch Funde aus unterschiedlichen Quellengattungen zueinander in Beziehung zu setzen und materialunabhängig zeitlich zu ordnen.

12.2 Die Radiokarbondatierung von Bodman-Schachen I

12.2.1 Vorbemerkung

Die Hölzer aus Schicht A ließen sich aufgrund ihrer kurzen Jahrringfolgen mit nur wenig mehr als 30 Jahrringen dendrochronologisch nicht datieren. Zur absoluten Datierung wurde deshalb auf ^{14}C-Messungen zurückgegriffen.[978] Der ^{14}C-Datenblock der unteren Kulturschicht umfasst zehn Daten, zwei weitere Daten stammen aus Schicht C. Auf Daten aus Schicht B wurde verzichtet, da der durch Dendrodaten belegte zeitlich geringe Abstand zwischen den Schichten B und C unter der zu erwartenden Genauigkeit der ^{14}C-Daten liegen dürfte.[979]

Die ^{14}C-Proben wurden am Heidelberger Institut für Umweltphysik im Rahmen des Forschungsvorhabens „Radiometrische Altersbestimmung von Wasser und Sedimenten" der Heidelberger Akademie der Wissenschaften gemessen und nach Minze Stuiver und Paula J. Reimer kalibriert[980] und auch die Wahrscheinlichkeitswerte der Daten (Probabilitätsstreuung) nach Stuiver und Reimer ermittelt.[981]

12.2.2 Die Radiokarbondaten von Schicht A

Der Radiokarbongehalt wurde an acht verkohlten Getreideproben, einer Holzkohleprobe und einer Feuchtholzprobe gemessen. Die verkohlten Getreideproben aus dem Brandhorizont von Schicht A sollten aus einem Erntevorrat stammen und deshalb als einjähriges Probenmaterial zur ^{14}C-Datierung besonders geeignet sein. Neben einer Holzkohleprobe, also weniger kurzlebigem Material, wurde eine weitere Probe aus den äußeren Jahrringen des L-Holzes Bs 8.3 L 33-7 entnommen. Das Holz lag mit seiner Unterkante in Befund 6.1 und dürfte dem Versturz von Haus 1.2 zuzurechnen sein. Die Ergebnisse der Messungen können der nebenstehenden Tabelle entnommen werden.

---

975 Zusammengefasst bei Krause, Singen 145 ff. 167 ff.
976 Vgl. dazu Reinecke, Gliederung 43; Abels, Randleistenbeile; Pirling u. a., Schwäbische Alb; Christlein, Flachgräberfelder 25 ff.; Ruckdeschl, Gräber.
977 Vgl. Strahm, Frühe Bronzezeit 6 f.
978 Die ^{14}C-Messungen wurden am Institut für Umweltphysik der Universität Heidelberg durchgeführt. B. Kromer und M. Münich sei an dieser Stelle für die gute Zusammenarbeit herzlich gedankt.
979 Vgl. Kap. 12.3 zur dendrochronologischen Datierung von Bodman-Schachen I.
980 M. Stuiver/P. J. Reimer, Extended ^{14}C Data Base and Revised CALIB 3.0 ^{14}C Age Calibration Program. Radiocarbon 35, 1993, 215–230.
981 Ebd.

Probennummer	Material	¹⁴C-Alter BP	¹⁴C cal BC (1σ)
Hd 8551-8623	Holzkohle	3600±40 BP	2011 (1923) 1832
Hd 8552-8630	Getreide	3510±45 BP	1882 (1861, 1845, 1810, 1798, 1774) 1765
Hd 8554-8669	Holz	3580±45 BP	2008 (1918, 1900, 1888) 1827
Hd 8555-8670	Getreide	3800±50 BP	2396 (2202) 2072
Hd 14234-13920	Getreide	3365±35 BP	1689 (1683, 1671, 1657, 1653, 1624) 1533
Hd 14235-13964	Getreide	3500±30 BP	1877 (1857, 1851, 1807, 1803, 1772) 1738
Hd 14236-13885	Getreide	3565±30 BP	1923 (1883, 1836, 1834) 1784
Hd 14237-13888	Getreide	3535±30 BP	1916 (1877, 1841, 1829) 1771
Hd 14238-13965	Getreide	3420±25 BP	1738 (1725, 1712, 1691, 1665) 1638
Hd 14239-14416	Getreide	3545±40 BP	1920 (1879, 1839, 1831) 1772

Die kalibrierten ¹⁴C-Daten aus Schicht A streuen im Bereich zwischen 2396 v. Chr. und 1533 v. Chr. Die Summe der Probabilitätswerte aller Daten aus Schicht A liegt mit 90% Wahrscheinlichkeit zwischen 1944 und 1718 v. Chr., ihr Medianwert befindet sich um 1830 v. Chr. (Abb. 161).

Die Messwerte der Proben Hd 8555, 14234 und 14238 weichen von den Werten der übrigen sieben Proben ab. Die festgestellten Abweichungen sind erheblich und lassen sich insbesondere deshalb kaum erklären, weil zur Datierung zusammengebackenes Getreide aus der Brandschicht und damit kurzlebiges Probenmaterial verwendet wurde.

12.2.3 Datenvergleich und absolute Chronologie der älteren Frühbronzezeit in Süddeutschland

Die absolute Datierung der älteren Frühbronzezeit Südwestdeutschlands basiert auf Datenserien aus den Gräbern des Singener Gräberfeldes und aus den Gräbern des mittleren Neckarlandes. Die Daten wurden aus Proben von menschlichem Skelettmaterial gewonnen.[982] Mit Funden der älteren Frühbronzezeit ist in diesem Gebiet demnach vom 22./21. bis zum 18. Jahrhundert v. Chr. zu rechnen. Die kalibrierten ¹⁴C-Daten aus dem Singener Gräberfeld liegen in der Mehrzahl im 21./20. Jh. v. Chr., während sich die kalibrierten Daten aus Gräbern des mittleren Neckarlandes im Zeitraum zwischen 1950 und 1750 v. Chr. bewegen.[983]

Die ¹⁴C-Daten von Schicht A streuen mehrheitlich im 19. Jh. v. Chr. und damit in etwa im Bereich der ¹⁴C-Daten aus dem mittleren Neckarland. Der Singener Datenblock ist demgegenüber überwiegend älter, nur seine jüngsten Daten tangieren den Datensatz aus Schicht A (s.o.). Die räumliche Nähe von westlichem Bodensee und Singener Niederung und der Vergleich der ¹⁴C-Datensätze machen die kulturelle Zugehörigkeit der Siedlung von Bodman-Schachen I, Schicht A, zur Singener Kultur[984] wahrscheinlich, wenngleich direkte Fundvergleiche nicht möglich sind. Die Bodmaner Fazies ließe sich demnach anhand der absoluten Daten vorab als Teil der Singener Kultur begreifen, die bisher die ältere Frühbronzezeit im Arbeitsgebiet repräsentiert. Die Funde aus Schicht A gehören demnach aufgrund der absoluten Daten und auf der Basis der kulturell frühbronzezeitlichen Einordnung des Fundmaterials in den älteren Abschnitt der Frühbronzezeit Südwestdeutschlands. Die Daten für Bodman-Schachen IA liegen dabei im gesamten ¹⁴C-Datenspektrum aus Gräbern der älteren Frühbronzezeit in deren jüngerem Bereich.[985]

In Bayern sind absolute Daten der älteren Frühbronzezeit insbesondere aus Siedlungen äußerst selten. Neben wenigen Daten aus Gräbern[986] stammen aus der Abschnittsbefestigung von Mörnsheim auf der südlichen Frankenalb radiometrische Untersuchungen von drei Proben,[987] die vergleichbare Daten lieferten. Die ¹⁴C-Daten, die kalibriert zwischen 1860 und 1700 v. Chr. streuen, können allerdings nicht gesichert mit Fundmaterial verknüpft werden.[988]

Interessanterweise datieren ¹⁴C-Proben aus Tirol von Brixlegg und Wiesing, Becher vom Typ Burgweinting/Viecht der südostbayerischen Frühbronzezeit der älteren Straubinger Gruppe ins 20./19. und 19. Jh. v. Chr. und bestätigen somit absolutchronologisch das zunächst aufgrund des Fundvergleichs relativchronologisch angenommen ähnliche Alter der Becher vom Typ Burgweinting/Viecht und Bodman.[989]

---

982 Becker u.a., Absolute Chronologie 428ff.; Krause, Singen 175ff.; ders., Chronologie 73ff.
983 Becker u.a., Absolute Chronologie 430f.; Krause, Chronologie 76f.
984 Strahm (Anm. 973) 9. Der Begriff „Singener Kultur" wurde von Strahm im Zuge seiner Vorlesung zur Frühbronzezeit geprägt. Er beinhaltet die Funde der älteren Frühbronzezeit aus dem Bodensee-/Hegaugebiet. Die Singener Kultur ist abgesetzt von den übrigen Gruppen der älteren Frühbronzezeit zu betrachten. Vgl. dazu Krause, Beginn der Metallzeiten 115.
985 Vgl. ders., Chronologie 79; Hafner, Frühe Bronzezeit 169.
986 Krause, Singen 176; Möslein (Anm. 971) 19ff.
987 Willkomm (Anm. 299) 399ff.
988 Menke (Anm. 299) 378ff.
989 Vgl. Kap. 10.1.2 u. 10.1.3 zum Fundvergleich mit Glockenbecherfunden und frühbronzezeitlicher Siedlungskeramik sowie zur Schlussfolgerung aus der vergleichenden Betrachtung.

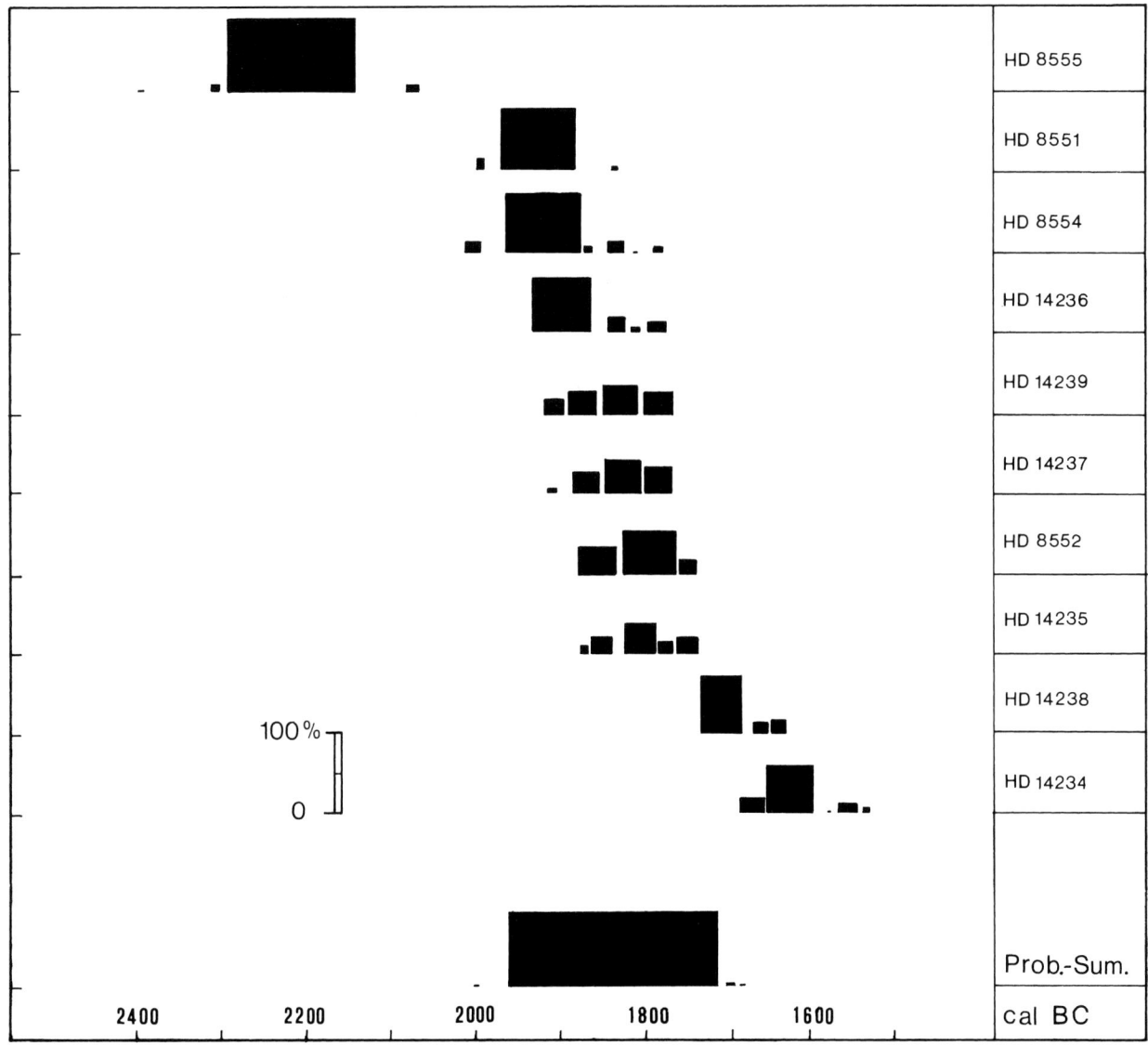

Abb. 161: ¹⁴C-Daten aus Schicht A, kalibriert nach Stuiver/Reimer (Anm. 980). Die Balkenabschnitte einer Zeile entsprechen einer Probe, die Höhe der einzelnen Balkenabschnitte ist entsprechend der Prozentskala ein Maß für die Wahrscheinlichkeit (Probabilität) eines Alterswertes in diesem Zeitbereich. HD 8552 = Kennnummer der Probe; Prob.-Sum. = Summe der Probabilitäten, d.h. Summe der Wahrscheinlichkeiten der Alterswerte.

Durch die südwestdeutschen ¹⁴C-Daten zur älteren Frühbronzezeit sowie die dendrochronologisch datierten Siedlungen der jüngeren Frühbronzezeit ist für die gesamte Frühbronzezeit eine Zeitspanne von etwa 600 Jahren zu veranschlagen. In Anbetracht dieses Zeitraums sind die frühbronzezeitlichen Funde, vor allem aus Siedlungen, aber auch aus Gräbern, äußerst spärlich. Die kulturelle Entwicklung während dieser vorgeschichtlichen Epoche kann daher, wenn überhaupt, nur in groben Zügen nachgezeichnet werden. Vor allem aber fehlt eine angemessen hohe Anzahl absoluter Daten als sichere Grundlage für eine umfassende absolutchronologische Ordnung des Fundstoffes.

12.2.4 Radiokarbondatierte Ufersiedlungen der älteren Frühbronzezeit in der Schweiz

Siedlungsnachweise der älteren Frühbronzezeit sind auch in der Schweiz eher selten.[990] Neben vereinzelten Belegen in der Westschweiz[991] sind in der Ostschweiz die neu entdeckten Ufersiedlungen

---

990 Vgl. St. Hochuli, Archäologische Belege der älteren Frühbronzezeit aus der Zentral- und Ostschweiz. In: Eberschweiler u.a. (Hrsg.), Rundgespräch 137; A. Hafner, Archäologische Belege der älteren Frühbronzezeit aus der Westschweiz. In: Eberschweiler u.a. (Hrsg.), Rundgespräch 156.
991 Wolf u.a. (Anm. 277) 22 ff. Fig. 18.

Greifensee-Böschen und Greifensee-Starkstromkabel hinzugekommen.⁹⁹² Aus beiden Ufersiedlungen stammen unstratifizierte Fundkomplexe mit randständig leistenverzierten, größeren Töpfen und kleinen bis mittleren Töpfen mit Knubben oder Henkelösen auf der Schulter.⁹⁹³ Ebenfalls vorhanden sind den Bodmaner Bechern vergleichbare Henkelgefäße, wobei der Mündungsdurchmesser der Becher von Greifensee-Böschen größer als seine Gefäßhöhe zu sein scheint. Er wirkt dadurch gedrungener als die Becher von Greifensee-Starkstromkabel.

Aus den Pfahlfeldern der Stationen am Greifensee wurden jeweils mehrere Pfähle verprobt, in der Hoffnung, frühbronzezeitliche ¹⁴C-Daten zu erhalten.⁹⁹⁴ Tatsächlich lieferten die Pfahlproben je Station drei frühbronzezeitlich Datierungen,⁹⁹⁵ die mit einem Schwerpunkt für Greifensee-Böschen im 21./20. Jh. v. Chr. und für Greifensee-Starkstromkabel im 20./19. Jh. v. Chr. liegen und damit zumindest Siedlungsaktivitäten auf der Strandplatte in der älteren Frühbronzezeit anzeigen. Bedauerlicherweise fehlen Befundzusammenhänge, die es erlauben würden, die ¹⁴C-Daten mit den frühbronzezeitlichem Funden zusammenzubringen. Vergleicht man das Fundmaterial jedoch mit den stratifizierten Funden des Bodensees von Ludwigshafen-Seehalde, Schicht 10, und Bodman-Schachen IA, so sind im Zier- und Formenspektrum doch einige Gemeinsamkeiten festzustellen. Die ¹⁴C-Daten könnten insofern also tatsächlich zum Fundmaterial gehören. Bemerkenswerterweise scheint auch am Greifensee der gedrungenere Becher aus der älteren der beiden Siedlungen zu stammen, wie dies auch für die Bodmaner Becher vom Bodensee erwogen wurde.⁹⁹⁶

Die Ähnlichkeit der Funde vom Greifensee mit den Funden aus Schicht 1a/b von Zürich-Mozartstrasse führte zur Überprüfung der Dendrodaten aus der Mozartstrasse durch sechs ¹⁴C-Datierungen.⁹⁹⁷ Demnach liegen die Datierungsansätze für Schicht 1 wesentlich höher als dies bislang aufgrund der irrtümlicherweise korrelierten Dendrodaten angenommen worden war. Die Schwellbalkensiedlung 1b datiert demnach ins 19. Jh. v. Chr., der darüber liegende Holzboden in die zweite Hälfte des 19. bzw. erste Hälfte des 18. Jh. v. Chr.⁹⁹⁸ Die bislang als sicher geltenden Dendrodaten von Zürich-Mozartstrasse, Schicht 1, die ins ausgehende 17. Jh. v. Chr. datierten und die letztlich zur Chronologie der frühbronzezeitlichen Ufersiedlungen eine lebhafte Debatte ausgelöst hatten, waren offenbar auf wenig sicherem Terrain gegründet.⁹⁹⁹ Damit scheint aber festzustehen, dass Schicht 1 der Mozartstrasse in die ältere Frühbronzezeit datiert. Die Vermutung, dass Funde und ¹⁴C-Daten aus den Stationen am Greifensee zusammengehören könnten, gewinnt damit wiederum einiges an Wahrscheinlichkeit hinzu.

12.2.5 Siedlungskeramik der älteren Frühbronzezeit und ihre absolute Datierung

Für die Ostschweiz und Südwestdeutschland zeichnet sich durch das Fundmaterial aus Ufersiedlungen eine Siedlungsware ab, die zwischen dem 21. und 19. Jh. v. Chr. datiert und damit der älteren Frühbronzezeit angehört. Es sind dies in erster Linie s-profilierte Becher der Bodmaner Art mit schulterständigen Henkelösen. Hinzu kommen Töpfe mit konischem Schulterbereich und auf der Schulter sitzenden, horizontal umlaufenden Leisten sowie schwach s-profilierte kleine und mittlere Töpfe mit Henkeln, Grifflappen und Knubben. Die Henkel sitzen dabei stets auf der Schulter oder am Gefäßumbruch.

Die im Züricher Material vorhandenen glatten Leisten fehlen in Bodman-Schachen IA möglicherweise aufgrund der dort geringen Gesamtzahl an Scherben und Gefäßeinheiten. Randständige Leisten und zweizipfelige Knubben sind dagegen im Kontext von Ludwigshafen-Seehalde, Schicht 11, vorhanden, die aus typologischen und stratigraphischen Gründen jünger sein sollte als die Keramik vom Greifensee.¹⁰⁰⁰ Es ist beim derzeitigen Kenntnisstand und der vorhandenen Quellenlage unklar, wie die Unterschiede der Inventare zu bewerten sind.

Die erwogenen Parallelen im Fundstoff zwischen den ostschweizerisch-südwestdeutschen Fundkomplexen und den westschweizerischen Inventaren des 21. bis 18. Jh. v. Chr.¹⁰⁰¹ – darunter auch die Funde aus der älteren Siedlung von Concise-sous-Colachoz – scheinen weniger überzeugend zu sein.

Im engeren Sinne lassen sich auch anhand der absoluten Daten den Funden der Bodmaner Fazies in der Ostschweiz die Funde vom Greifensee und von Zürich-Mozartstrasse, Schicht 1a/b, anschließen. Eine innere chronologische Gliederung der Kera-

---

992 Conscience/Eberschweiler, Greifensee 136 ff.
993 Ebd. 141 ff. Abb. 5–8.
994 Ebd. 138.
995 Ebd. 138 f.
996 Vgl. Kap. 10.4 zu Ludwigshafen-Seehalde; Köninger, Bodensee 107.
997 Conscience, Neudatierung 147 ff.
998 Ebd. 148 f.
999 Ebd. 150; vgl. dazu Gross (Anm. 847) 154 ff.
1000 Köninger, Bodensee 107 ff.
1001 Vgl. Conscience, Neudatierung 140.

mik des Bodmaner Typs ist aufgrund der Quellenlage kaum möglich. Möglicherweise war die Ware über mehrere Jahrhunderte – wie dies die ^{14}C-Daten andeuten – in kaum veränderter Form in Gebrauch.

12.2.6 Die Dendrodaten von Leubingen und Helmsdorf im Verhältnis zum ^{14}C-Datenblock aus Schicht A

Die gemessenen Hölzer aus den Gräbern von Leubingen und Helmsdorf stammen aus dem Kernholzbereich, Splintjahrringe und Waldkanten fehlen. Bei den angegebenen Dendrodaten um 1942±10 und 1840±10 v. Chr.[1002] handelt es sich demnach um so genannte FM-Daten,[1003] die die frühest mögliche Datierung der Hölzer angeben. FM-Daten errechnen sich dadurch, dass zum letzten erhaltenen Kernholz-Jahrring die in jedem Falle ausgebildeten und etwa 20 Jahre umfassenden Splintjahrringe dazugezählt werden.[1004] FM-Daten sind also termini ante quem non. Eine unbekannte Anzahl fehlender Jahrringen aus dem Kernholzbereich ist, je nach vorhandener Jahrringzahl, nur sehr grob abschätzbar.

Die vorgeschlagenen Datierungsansätze für Leubingen und Helmsdorf um 1800 und 1900 v. Chr. sind daher als Annahmen zu verstehen. Die tatsächlichen Fälldaten der datierten Eichen und damit letztendlich das absolute Datum des in Frage stehenden Fundzusammenhanges sind kaum, wie von Bernd Becker vorgenommen, durch Interpolation zu gewinnen. Da Eichen mehrere hundert Jahre alt werden können, ergibt sich potentiell eine erhebliche Zeitspanne, in welche die Fälldaten fallen können.

Das Wachstum der vorliegenden Eichenhölzer begann etwa im gleichen Zeitraum, ihre letzten erhaltenen Jahrringe liegen dennoch hundert Jahre auseinander.[1005] Die frühest mögliche Datierung beinhaltet damit eine recht große Zeitspanne für die Datierung der Aunjetitzer Gräber, wobei die natürliche Altersgrenze von Eichenbäumen in etwa den zu erwartenden zeitlichen Rahmen festlegt.

Unter der Annahme, die datierten Eichenbretter stammen von Bäumen, die nicht älter als 300 Jahre alt wurden, können die Fälldaten auf den Zeitraum von etwa 1950 bis 1750 v. Chr. eingegrenzt werden. Der wahrscheinliche Bereich der Fälldaten befindet sich damit im Zeitraum der ^{14}C-Daten aus Schicht A, also im älteren Abschnitt der südwestdeutschen Frühbronzezeit. Das Fundmaterial der Gräber von Leubingen und Helmsdorf gehört aber relativchronologisch aufgrund einer Ösenkopfnadel und einer Kleeblattnadel[1006] in die klassische Phase der Aunjetitzer Kultur, nach Paul Reinecke in die Stufe A2 und damit in den jüngeren Abschnitt der Frühbronzezeit. Für die jüngere Frühbronzezeit liegen damit für Süddeutschland und Mitteldeutschland unterschiedliche absolute Datierungsansätze vor. Im Aunjetitzer Bereich ist damit schon ein bis zwei Jahrhunderte früher mit regelhaftem Auftreten von gegossenen und zinnlegierten Metallobjekten und typischen A2 Formen zu rechnen als in Südwestdeutschland, wo dies erst ab dem 18. Jh. v. Chr. der Fall zu sein scheint. Im Gebiet der Aunjetitzer Kultur setzte demnach die technologische Entwicklung hin zum Bronzeguss und vor allem zur Zinnlegierung eher ein als in Süddeutschland. Damit zeichnet sich zwischen Mitteldeutschland und dem südwestdeutsch-schweizerischen Raum ein technologisches Gefälle im Rahmen der Metallurgie ab, d. h., in Mitteldeutschland setzt die jüngere Frühbronzezeit wesentlich früher ein als in Südwestdeutschland. Für den früheren Beginn der Frühbronzezeit in Mitteldeutschland und damit letztendlich für das kulturelle Gefälle zum südwestdeutsch-schweizerischen Raum ist möglicherweise die Nähe des Aunjetitzer Siedlungsgebietes zu Kupfererzlagerstätten und, was den jüngeren Abschnitt der Frühbronzezeit betrifft, zu Zinnlagerstätten im Bereich der Mittelgebirge verantwortlich zu machen.

Das festgestellte Gefälle wird erst detaillierter zu beschreiben sein, wenn die Fundgruppen der Frühbronzezeit aus den dazwischenliegenden Gebieten ebenfalls im absoluten Datenraster erfasst und damit vergleichbar geworden sind. Desiderate der Forschung sind hierbei vor allem absolute Daten aus Straubinger Siedlungskomplexen und aus frühbronzezeitlichen Gräbern Niederbayerns.

Am Beispiel der mitteldeutschen Gräber wird klar, dass während der Frühbronzezeit über weite Distanzen durch Fundvergleiche ohne absolute Datierungsansätze nur unter Vorbehalten prähistorische Kulturerscheinungen parallelisiert werden können. Offensichtlich liegen in den einzelnen Fundprovinzen sehr unterschiedliche, voneinander unabhängi-

---

[1002] Becker u. a., Absolute Chronologie 427. Es handelt sich um rekonstruierte frühestmögliche Daten. Die letzten gemessenen Jahrringe liegen bei 1962 und 1862 v. Chr.
[1003] FM = Früheste Möglichkeit, vgl. B. Becker, Die absolute Datierung von Pfahlbausiedlungen nördlich der Alpen im Jahrringkalender Mitteleuropas. In: Becker u. a., Dendrochronologie 27.
[1004] Ebd.
[1005] Becker u. a., Absolute Chronologie 427 Tab. 3.
[1006] H. Größler, Das Fürstengrab im großen Grabhügel am Paulusschachte bei Helmsdorf (im Seefelder Kreise). Jahresschr. Vorgesch. Sächs. Thüring. Länder 6, 1907, Taf. VI.

ge Entwicklungen vor, deren Dauer im Einzelnen nicht abschätzbar ist. Der kulturelle Kontext Mitteldeutschlands kann daher im Hinblick auf die absoluten Daten nicht auf Süddeutschland übertragen werden.[1007]

12.2.7 Das absolutchronologische Verhältnis von Schnurkeramik, Glockenbecherkultur und älterer Frühbronzezeit in Südwestdeutschland und der Schweiz

Das chronologische Verhältnis von Schnurkeramik und Frühbronzezeit in Südwestdeutschland und der Schweiz wurde in der Vergangenheit mehrfach diskutiert. Siegfried Junghans vertrat aufgrund ihrer Verbreitung in Südwestdeutschland die Auffassung, dass es sich um gleichzeitige Kulturgruppen handeln müsse.[1008] Ähnlichkeiten von Knochennadeln der Schnurkeramik und frühbronzezeitlichen Bronzenadeln im Westschweizer Fundmaterial veranlassten Christian Strahm,[1009] dort Kontakte zwischen frühbronzezeitlichen Gruppen und der Schnurkeramik anzunehmen. In Süddeutschland folgerte schließlich Wolfgang Pape aufgrund regelhafter Fundplatzgleichheit eine zeitliche Nähe der in Frage stehenden Kulturgruppen.[1010]

Neue Impulse brachte die absolute Datierung schnurkeramischer Ufersiedlungen sowie die relative dendrochronologische Datierung Lüscherzer und schnurkeramischer Ufersiedlungen der Westschweiz zueinander. Ulrich Ruoff hielt daraufhin die Gleichzeitigkeit schnurkeramischer Typen in der Westschweiz mit einer frühen Phase der Frühbronzezeit für sehr unwahrscheinlich.[1011]

Mit den ersten jahrgenauen Daten zur Schnurkeramik um 2650 v. Chr., deren Verknüpfung mit entsprechenden Schichten nur mittelbar belegt werden konnte, begründete Ruoff wiederum, „eine zeitliche Überlappung von Schnurkeramik und Frühbronzezeit sei höchst unwahrscheinlich"[1012], wobei offen blieb, welchen Abschnitt der Frühbronzezeit er damit meinte. Die ersten Dendrodaten von Fundkomplexen der jüngeren Frühbronzezeit um 1600 v. Chr.[1013] bestärkten zunächst den Eindruck, die von Strahm angenommenen Kontakte zwischen Frühbronzezeit und Schnurkeramik seien auszuschließen. Allerdings wurde mit den Daten um 2600 v. Chr. und um 1600 v. Chr. einerseits eine ältere Schnurkeramik datiert und andererseits zweifelsohne die jüngere Frühbronzezeit erfasst. Strahm verwies somit zurecht darauf, dass die zeitliche Lücke zwischen Schnurkeramik und jüngerer Frühbronzezeit anzusetzen sei.[1014]

Inzwischen wissen wir, dass am Bodensee,[1015] aber auch am Zürichsee[1016] mit Dendrodaten um 2420 v. Chr. bzw. 2450 v. Chr. die jüngere Schnurkeramik datiert wird. Dabei ist unklar, ob durch diese Dendrodaten tatsächlich die jüngste Schnurkeramik in den Ufersiedlungen erfasst wird. Dass dies nicht der Fall sein könnte, erschließen uns ^{14}C-Daten der schnurkeramischen Tauber-Gruppe. Die Daten aus dem Gräberfeld von Tauberbischofsheim-Impfingen streuen mehrheitlich zwischen 2200 und 1900 v. Chr.[1017] und sind jedenfalls deutlich jünger als die bislang jüngsten schnurkeramischen Daten aus Seeufersiedlungen des westlichen Bodenseegebietes. Zumindest in einzelnen Regionen Südwestdeutschlands existierten demnach Gruppen der Schnurkeramik bis ins 2. Jt. v. Chr.

Die absoluten Daten der Tauber-Gruppe von Tauberbischofsheim-Impfingen liegen im Bereich der ^{14}C-Daten der älteren Frühbronzezeit aus dem Neckarland[1018] und sind sogar noch etwas jünger als die ^{14}C-Daten von Singen.[1019] Kontaktmöglichkeiten zwischen Gruppen der älteren Frühbronzezeit und jüngeren Schnurkeramik liegen damit in Südwestdeutschland durchaus im Bereich des Möglichen. Das Weiterleben schnurkeramischer Traditionen in der älteren Frühbronzezeit bis in die jüngere Frühbronzezeit im 17. vorchristlichen Jahrhundert, wie dies Ähnlichkeiten am Westschweizer Fundmaterial nahe legten,[1020] ließe sich so zwanglos erklären.

1007 Ein ähnliches Gefälle zeichnet sich auch zwischen Oberitalien und Südwestdeutschland ab. Auch dort liegen die absoluten Daten der jüngeren Frühbronzezeit wesentlich höher als diejenigen aus Südwestdeutschland (vgl. Kap. 7.8.4.2 zur Datierung gemusterter Tonobjekte).
1008 Junghans (Anm. 14) 123.
1009 Strahm, Gliederung 153 ff.
1010 W. Pape, Bemerkungen zur relativen Chronologie des Endneolithikums am Beispiel Südwestdeutschlands und der Schweiz. Tübinger Monogr. Urgesch. 3 (Tübingen 1978) 107.
1011 U. Ruoff, Die schnurkeramischen Räder von Zürich Pressehaus. Arch. Korrbl. 8, 1978, 282.
1012 Ders., Neue dendrochronologische Daten aus der Ostschweiz. Zeitschr. Arch. u. Kunstgesch. 36, 1979, 96.
1013 Zusammengefasst bei Becker (Anm. 1003).
1014 Ch. Strahm, Chalkolithikum und Metallikum: Kupferzeit und frühe Bronzezeit in Südwestdeutschland und der Schweiz. Rassegna Arch. 7, 1988, 188.
1015 Billamboz (Anm. 169) 189 Tab. 1.
1016 Eberschweiler, Zürichsee 41 ff. 48.
1017 Vgl. V. Dresely/J. Müller, Die absolutchronologische Datierung der Schnurkeramik im Tauber- und im Mittelelbe-Saale-Gebiet. In: J. Czebreszuk/J. Müller (Hrsg.), Die absolute Chronologie in Mitteleuropa 3000–2000 v. Chr. Studien zur Archäologie in Ostmitteleuropa 1 (Poznan/Bamberg/Rahden/Westf. 2001) 289 ff.
1018 Krause, Chronologie 76 f.
1019 Vgl. Becker u. a., Absolute Chronologie 435 Abb. 4.
1020 Vgl. Strahm, Gliederung 154 Abb. 32,A. B; 155 Abb. 33.

Auf Kontakte zwischen Schnurkeramik und Glockenbecher weisen im Fundmaterial der schnurkeramischen Tauber-Gruppe flächendeckend verzierte Becher und Schalen hin.[1021] Hierfür sprechen auch „Fundvergesellschaftungen" im Sinne einer Fundplatzgleichheit aus Siedlungen und Gräbern in Süddeutschland[1022] und der Schweiz[1023].
Weitere Anhaltspunkte für eine gleichzeitige Existenz von Glockenbecherkultur und Schnurkeramik lieferten ^{14}C-Daten aus den Gräbern der Glockenbecherkultur von Ulm, Aldingen und Heilbronn-Klingenberg, die vom 24. bis ins 20. Jh. v. Chr. streuen.[1024] In etwa die gleiche Zeitspanne fallen die ^{14}C-Daten von Alle, Noir Bois, einer Siedlung der Glockenbecherkultur im Schweizer Jura.[1025]
Zweifelsfrei ist die Herkunft zweier Glockenbecher Scherben aus der schnurkeramischen Schicht KS 2 der Ufersiedlung Wädenswil-Vorder Au am Zürichsee belegt, deren Ablagerungsbeginn kurz vor 2571 v. Chr. datiert wird.[1026] Allerdings handelt es sich nach Ausweis der Schichtzusammensetzung und auch des Fundmaterials um ein aufgearbeitetes Schichtpaket, dessen Ablagerungsdauer aufgrund zusätzlich erhobener ^{14}C-Daten und weiterer dendrochronologisch datierter Pfähle, die allerdings nicht mit KS 2 verknüpft werden können, bis ins 25. Jh. v. Chr. vermutet wird.[1027] In jedem Falle sind in KS 2 von Wädenswil-Vorder Au Scherben der jüngeren Schnurkeramik mit kammstempelverzierten Scherben der Glockenbecherkultur vergesellschaftet, die ihrerseits typologisch keinesfalls die jüngste Phase der Glockenbecherkultur markieren.[1028]
Damit ist in Südwestdeutschland und der Schweiz vom 24. bis 22. Jh. v. Chr. eine komplizierte Konstellation wahrscheinlich geworden, in der Metall führende endneolithische Gruppen und Gruppen der älteren Frühbronzezeit gleichzeitig nebeneinander existierten. Eine vergleichbare Situation scheint sich in Mitteldeutschland zwischen 2400 und 2000 v. Chr. abzuzeichnen.[1029]

12.2.8 Die Radiokarbondaten aus Schicht C

Für die vergleichende ^{14}C-Datierung von Schicht C wurden zwei Proben gemessen. Sie stammen aus den äußersten fünf Jahrringen des dendrochronologisch mit Waldkante auf 1604 v. Chr. datierten Pfostens P10-1, der durch seinen Fleckling in Fläche 2 mit der Unterkante von Schicht C verknüpft werden kann, und von Holzkohlen aus Schicht C, die beim Schlämmen von Befund 2.1 aus Quadrat 20c ausgelesen wurden.[1030] Die Messungen lieferten folgende Werte:

Probennummer	Material	^{14}C-Alter BP	^{14}C cal BC (1σ)
Hd 8550-8623	Holzkohle	3470±50 BP	1875 (1765, 1764, 1741) 1664
Hd 8553-8668	Holz	3375±50 BP	1730 (1685, 1670, 1658, 1651, 1634) 1532

Das Holzkohledatum streut mit den höchsten Wahrscheinlichkeitswerten zwischen 1780 und 1722 v. Chr., sein höchster Probabilitätswert liegt bei 41%. Die heterogene Datenzusammensetzung dürfte auf das Ausgangsmaterial der Probe zurückzuführen sein. Die Holzprobe lieferte erwartungsgemäß präzisere Datierungswerte. Mit einer Probabilität von 71% liegt die höchste Datierungswahrscheinlichkeit zwischen 1692 und 1601 v. Chr. Der Medianwert der Daten liegt deutlich unter dem des Datenblocks aus Schicht A. Die Daten aus Schicht C lassen sich den ^{14}C-Daten aus Siedlungen der jüngeren Frühbron-

---

1021 V. Dresely, Zur Schnurkeramik im Taubertal. In: M. Buchvaldek/Chr. Strahm (Hrsg.), Die kontinentaleuropäischen Gruppen der Kultur mit Schnurkeramik. Schnurkeramiksymposium 1990. Praehistorica XIX (Prag 1992) 160.
1022 Zusammengestellt bei Pape (Anm. 1010) 102 ff.; dazu R. Krause, Ein neues Gräberfeld der älteren Frühbronzezeit von Remseck-Aldingen, Kreis Ludwigsburg. Arch. Ausgr. Baden-Württemberg 1987, 61.
1023 Strahm, Gliederung 151 Abb. 28; Nielsen (Anm. 835) Taf. 28,15.
1024 Krause, Chronologie 85.
1025 Othenin-Girard (Anm. 541) 138.
1026 Eberschweiler, Zürichsee 48.
1027 Ebd.; E. Groß-Klee, Glockenbecher: ihre Chronologie und ihr zeitliches Verhältnis zur Schnurkeramik aufgrund von C14-Daten. Jahrb. SGUF 82, 1999, 55–64.
1028 Vgl. ebd. 58 ff.
1029 J. Müller, Zur Radiokarbondatierung des Jung- bis Endneolithikums und der Frühbronzezeit im Mittelelbe-Saale-Gebiet (4100–1500 v. Chr.). In: Ders., Radiokarbonchronologie – Keramiktechnologie – Osteologie – Anthropologie – Raumanalysen. Beiträge zum Neolithikum und zur Frühbronzezeit im Mittelelbe-Saale-Gebiet. Ber. RGK 80, 1999, 63 ff. 77.
Die kritische Würdigung der ^{14}C-Datenserien der Frühbronzezeit aus Süddeutschland und aus der Schweiz durch M. Lichardus-Itten (M. Lichardus-Itten, L'âge du Bronze en France à 2300 avant J.-C.? Bull. Soc. Préhist. Française 96, 4, 1999, 563–568) geht zwangsläufig fehl bei dem Versuch, den Beginn der frühen Bronzezeit nach unten zu korrigieren. Dem Denken der Stufengliederung verhaftet, wonach Kulturen und einzelne Stufen der relativchronologischen Gliederung a priori nacheinander kommen, erliegt die Autorin der Versuchung, das Nebeneinander von endneolithischen und frühbronzezeitlichen Kulturgruppen in ein Nacheinander umzuwandeln, indem sie einzelne „passende" ^{14}C-Daten herausgreift und die statistisch begründete Gesamtwürdigung der ^{14}C-Datenserien in Zweifel zieht. Ebenso greift die Kritik an den als frühbronzezeitlich apostrophierten dendrodatierten Einbäumen aus dem Federseegebiet nicht wirklich, denn Spuren einer endneolithischen Besiedlung fehlen in Oberschwaben insgesamt; Andererseits sind zahlreiche Fundstellen der älteren Frühbronzezeit in Oberschwaben belegt, vgl. Abb. 149.
1030 Inventarnummer der Probe: Q20-1059.

zezeit wie etwa Hochdorf-Baldegg[1031] zwanglos anschließen,[1032] desgleichen sind sie mit ¹⁴C-Daten aus Horizont D vom Padnal vergleichbar,[1033] wenngleich dort eine gewisse Bandbreite des Datenspektrums, vermutlich aufgrund des heterogenen Charakters der datierten Holzkohlen, zu verzeichnen ist. In Hochdorf Baldegg finden absolute Daten im Fundmaterial ihre Entsprechungen.[1034]

Etwas schwieriger ist die Beurteilung der Funde vom Padnal, Horizont D.[1035] Dort kommen neben der für die Keramik beider Siedlungen typischen Dreiecks- und Leistenzier kurze Leistenelemente vor, die im Keramikinventar aus Schicht C fehlen.[1036] Inwiefern eine lokale Ausprägung der Leistenzier vorliegt und in welchem Umfang diese chronologisches Gewicht hat, kann nicht beurteilt werden, solange weitere absolut datierte Fundkomplexe ähnlicher Zusammensetzung aus Graubünden fehlen. Interessanterweise sind in Schicht D vom Padnal Ansa ad ascia-Henkel vorhanden.[1037] Sie stehen in deutlicher Beziehung zur südalpinen Frühbronzezeit, wo sie im Kontext der klassischen Polada-Kultur auftreten.

12.3 Die dendrochronologische Datierung von Bodman-Schachen I

12.3.1 Zum Stand der dendrochronologischen Untersuchungen in der Siedlung Bodman-Schachen I

Die Messung der Hölzer und ihre Datierung wurden von André Billamboz im Dendrochronologischen Labor des Landesdenkmalamtes Baden-Württemberg in Hemmenhofen durchgeführt.[1038] Beim derzeitigen Stand (2002) ist nach Billamboz folgende Datenbasis festzustellen:[1039]

Die Anzahl der analysierten Proben beläuft sich auf 318 Eichen, fünf Eschen, 32 Erlen und eine Ulme. Die dendrochronologische Untersuchung der Eichenhölzer lässt sich mit Verweis auf frühere Publikationen[1040] folgendermaßen zusammenfassen:
Die 286-jährige lokale Eichenchronologie Bs-m1 ist mit einer maximalen Belegung von 72 Proben im Zeitraum zwischen 1788 und 1507 v. Chr. mit dem süddeutschen Eichenjahrringkalender verknüpft.

Die abgeleiteten Schlagdaten lauten – hier nur Waldkantendatierungen (Güteklasse A/B):
W 1646, W 1644, W 1642–1640;
W 1618, W 1614, W 1611–1610, W 1604;
W 1593, W 1591;
W 1505–1503.

Folgende Schlagphasen sind festzustellen:
Schlagphase 1: W 1646–1640 v. Chr.
Schlagphase 2: W 1618–1591 v. Chr.
Schlagphase 3: W 1505–1503 v. Chr.

Für die ringarmen Eschen- und Erlenhölzer liegen noch keine sicheren Datierungen in nennenswertem Umfang vor. Die Untersuchung der Nicht-Eichenhölzer wird zusammen mit einer eingehenderen, CAD-unterstützten Auswertung der Baubefunde fortgesetzt. Die Ergebnisse bleiben Bestandteil einer künftigen Publikation, die weitere Siedlungsplätze (Ludwigshafen-Holzplatz, Ludwigshafen-Seehalde, Egg-Obere Güll I) berücksichtigen wird. Aufgrund der dendrotypologischen Analyse der Eichenhölzer konnten bereits im Vergleich mit gleichartigen Serien der „Siedlung Forschner" die ersten Modelle der frühbronzezeitlichen Waldwirtschaft vorgelegt werden.[1041] Hier wurde ersichtlich, inwieweit die damalige Waldentwicklung im Umfeld der Siedlungen unter dem menschlichen Einfluss stand. Nach einer Stockwaldphase in der zweiten Hälfte des 17. Jh. v. Chr., die durch die systematische Verwendung von rasch gewachsenen Junghölzern (Eiche und Erle in Bodman-Schachen I, Erle in der „Siedlung Forschner") zum Ausdruck kommt, lässt sich eine starke Auslichtung der Eichenbestände in der Endphase der Besiedlung um 1500 v. Chr. feststellen. Dies zeigt sich in diesem Fall durch die sparsame Nutzung bzw. starke Zerlegung von Althölzern.

1031 Strahm, Frühe Bronzezeit 11 ff.
1032 Bill (Anm. 835) 170; Grn-6906: 3430±35 BP und Grn-8843: 3400±55 BP.
1033 Rageth, Resultate Padnal 95 f.
1034 Strahm, Frühe Bronzezeit 12; Gallay, Ende 122 ff. Abb. 6–8. Freundl. Mitt. St. Hochuli, der die unveröffentlichten Funde von Hochdorf-Baldegg gesichtet und aufgenommen hat.
1035 Rageth, Resultate Padnal 76 f.
1036 Ebd. 79.
1037 Ebd.
1038 A. Billamboz danke ich für die zuvorkommende und vertrauensvolle Zusammenarbeit an dieser Stelle herzlichst.
1039 Freundl. Mitt. A. Billamboz im Sommer 2002.
1040 A. Billamboz/F. Herzig, Stand der Jahrringchronologien Oberschwabens und des Bodensees. In: Becker u. a., Dendrochronologie 30–35; A. Billamboz/B. Becker, Dendrochronologische Eckdaten der neolithischen Pfahlbausiedlungen Südwestdeutschlands. In: Becker u. a., Ufer- und Moorsiedlungen 80–97.
1041 Billamboz u. a. (Anm. 226) 51–78; A. Billamboz, Waldentwicklung unter Klima- und Menscheneinfluß in der Bronzezeit. In: Goldene Jahrhunderte. Die Bronzezeit in Südwestdeutschland. ALManach 2 (Stuttgart 1997) 52–53; A. Billamboz, Das Verhältnis des Menschen zu seiner Umwelt im Spiegelbild der archäologischen Fundhölzer und deren Jahresringe. Denkmalpfl. Baden-Württemberg 2, 1999, 68–75.

Diese Aspekte sind im Rahmen der kommenden Abschlusspublikation der „Siedlung Forschner" erneut bearbeitet worden.[1042] Gleiches gilt für die Auswertung der Jahrringdaten aus paläoklimatologischer und -ökologischer Sicht. Für die Belange eines breiteren Vergleiches in Raum und Zeit, der die gesamte Zeitspanne der metallzeitlichen Feuchtbodenbesiedlung im Raum Bodensee-Oberschwaben zwischen 2000 und 500 v. Chr. überspannt, wurden die datierten Eichenserien von Bodman-Schachen I zu einer synthetischen Darstellung herangezogen, welche auf Basis der dendrochronologischen Heterokonnexion die Wuchstendenzen und -merkmale verschiedener Holzarten der zonalen und azonalen Vegetation mitberücksichtigt.[1043]

12.3.2 Die absolute Datierung der Schichten B und C

Die Schichten B und C sind nur in geringer Ausdehnung erhalten, entsprechend gering ist die Anzahl datierter Pfähle aus diesem Bereich. Zur Datierung der Schichten wurden nur Pfähle verwendet, deren liegende Holzkonstruktionen im Schichtzusammenhang eine sichere Verbindung von Schicht und datiertem Pfahl erlauben. Die absoluten Datierungsansätze wurden anhand der Baueinheiten überprüft, in denen die datierten Pfähle integriert sind. Zur Datierung der Schichten B und C liegen die folgenden Befunde und Datierungsansätze vor.

12.3.2.1 Schicht B

Die mittlere Kulturschicht wird durch den Pfahl P 66-1 mit einem Splintgrenzdatum um 1643 v. Chr. datiert und kann dadurch mit der ersten Schlagphase verknüpft werden. Der Fleckling des Pfahles, L 66-1, liegt in der Seekreide über Schicht A; an seiner Unterkante ist keine der in diesem Bereich der Siedlung vertretenen Kulturschichten vorhanden. Schicht B endet wenig seewärts des Flecklings, so dass seine stratigraphische Position an deren Unterkante rekonstruiert werden kann. Das Dendrodatum von P 66-1 bezieht sich also auf die Unterkante von Schicht B. Sein Fälldatum ist um 1641/40 v. Chr. zu vermuten, da weitere sechs Pfähle mit Waldkante, die ebenfalls Grundriss 3.1 angehören, dieses Fälldatum aufweisen. Vier weitere Pfähle aus Grundriss 3.1, deren Flecklinge dieselbe Befundsituation aufweisen wie L 66-1, gehören ebenso in Schlagphase 1, sie datieren ohne Splintholzerhaltung mit ihren letzten Jahrringen in die Mitte des 17. Jh. und sichern so den durch P 66-1 gewonnenen Datierungsansatz für Schicht B ab. Im Bereich des zentralöstlichen Pfahlfeldes, aus dem die da-

Tabelle 12: Bodman-Schachen I. Korrelation der P- und L-Holz-Nummern dendrodatierter Flecklingskonstruktionen mit DC-Nummer und absolutem Datum. W Waldkantendatierung, S Splintgrenzendatierung, FM frühestmögliche Datierung (zur Datierung mit Splint und Kernholz vgl. Becker u. a., Dendrochronologie 27).

Pfahl Nr.	DC-Nr.	Datierung	Fleckling	Befund
P10-1	1	W-1604	L10-2	Schicht B oben
P13-1	33	FM-1612	L13-6	Schicht B oben
P16-1	35	S-1605	L16-1	Störung
P19-4	73	S-1609	L19-1	Schicht B oben
P20-1	30	FM-1610	L20-1	Schicht C unten
P24-3	27	W-1612	L24-5	Schicht B oben
P25-2	34	S-1608	L25-1	Schicht C unten
P44-1	40	FM-1661	L44-1	Bef. 5/ unter Schicht B
P48-1	56	FM-1659?	L48-1	Bef. 5/ unter Schicht B
P64-3	18	FM-1670	L64-3	Bef. 5/ unter Schicht B
P66-1	45	S-1635	L66-1	Bef. 5/ unter Schicht B
P68-1	26	FM-1648	L68-1	In Schicht A gedrückt
P93-1	46	S-1618	L93-1	Schicht B, in Bef. 5 gedrückt
P145-1	82	W-1591	L145-1	Bef. 3/ Schicht C unten
P147-1	83	S-1590	L147-1	Bef. 3/ Schicht C unten

tierten Pfähle stammen, begann die Ablagerung von Schicht B also frühestens nach 1641 v. Chr.
Im südlichen Pfahlfeld fehlen Befunde, die Schicht B mit dendrochronologisch datierten Pfählen verknüpfen würden. Schlagphase 1, die im südöstlichen Pfahlfeld mit Daten um 1641/40 v. Chr. vertreten ist, lieferte im südlichen Pfahlfeld Daten um 1644 v. Chr. Mit dem Beginn der Ablagerung von Schicht B ist hier also vielleicht schon etwas früher zu rechnen. Die Pfähle, die mit Waldkante um 1644 v. Chr. datieren, gehören möglicherweise zu einem Erlenzaun im südlichen Randbereich der Siedlung.
Die Dynamik der Bautätigkeiten kann anhand der geringen Anzahl datierter Hölzer nicht nachgezeichnet werden, sie lassen sich, gesichert durch Waldkantendaten, bis um 1640 v. Chr. verfolgen.

1042 A. Billamboz, Jahrringuntersuchungen in der Siedlung Forschner und weiteren bronze- und eisenzeitlichen Feuchtbodensiedlungen Südwestdeutschlands. Aussagen der angewandten Dendrochronologie in der Feuchtbodenarchäologie. Siedlungsarchäologie im Alpenvorland. Forsch. u. Ber. Vor- u. Frühgesch. Baden-Württemberg (Stuttgart, im Druck).
1043 Zu Ansatz und Methodik s. ebd.

Die Ablagerungsdauer von Schicht B wird zeitlich durch Dendrodaten von Pfählen begrenzt, deren Flecklinge auf Schicht B liegen und durch Schicht C überlagert werden (Tab. 12; 13).

12.3.2.2 Schicht C – südlicher Schichtbereich

Am Südrand des Pfahlfeldes, in der Zone der optimalen Erhaltung von Schicht C, liegt der Erlenfleckling L 24-1 mit seiner Unterkante in der an dieser Stelle relativ dünn ausgeprägten Schicht B, teilweise wird er durch die Unterkante von Schicht C überlagert. Der in den Fleckling eingezapfte Pfahl P 24-3 gehört in Grundriss 4.4 bzw. 4.5[1044] und wurde um 1612 v. Chr. gefällt.

Sechs weitere Flecklinge der Grundrisse 4.4 und 4.5, die L 24-1 morphologisch ähnlich sind, befinden sich ebenfalls an der Unterkante von Schicht C. Ihre Pfähle gehören dendrochronologisch in die zweite Schlagphase und datieren mit Splintgrenze und Waldkante zwischen 1610 und 1604 v. Chr. bzw. weisen frühest mögliche Datierungsansätze für diesen Zeitraum auf. Die Basis von Schicht C kann demnach ins letzte Jahrzehnt des 17. vorchristlichen Jahrhunderts datiert werden. Die frühest mögliche Datierung der Schichtbasis von Schicht C in ihrem südlichen Sedimentationsbereich mit einem terminus post quem um 1612 v. Chr. begrenzt die Sedimentationsdauer von Schicht B auf höchstens etwa 30 Jahre.

12.3.2.3 Schicht C – östlicher Schichtbereich

Die Unterkante von Schicht C wird im östlichen Schichtbereich durch den Fleckling L 145-1 markiert, dessen Pfahl mit Waldkante um 1591 v. Chr. datiert. Der Fleckling liegt mit seiner Unterkante nicht direkt auf Schicht B, sondern in der darüber liegenden Seekreide, die die Schichten B und C voneinander trennt. Im östlichen Schichtbereich war also spätestens um 1591 v. Chr. die Sedimentation von Schicht B mitsamt darüber liegender Seekreide abgeschlossen. Schicht C wurde hier also später als im zuvor besprochenen südlichen Sedimentationsbereich abgelagert. Möglicherweise vor 1591 v. Chr. abgelagerte Siedlungsabfälle der oberen Kulturschicht wurden offenbar in diesem seewärtigsten Siedlungsbereich vom See wieder ausgeräumt bevor der Fleckling L 145-1 hier an den Seegrund gelangte. Die Ablagerungsdauer der oberen Kulturschicht kann dendrochronologisch nicht präzise erfasst werden, durch die folgende, mit Schlagphase 3 dendrochronologisch belegte Bautätigkeit wird sie jedoch längstens auf den Zeitraum des 16. Jh. v. Chr. begrenzt. Aufgrund der um 1590 v. Chr. abbrechenden Bautätigkeit ist aber eher anzunehmen, dass die

Tabelle 13: Befundsituation dendrochronologisch datierter Flecklingskonstruktionen. Die absoluten Daten der dazugehörigen Pfähle s. Tab. 8.

DC-Nr.	L-Nr.	Befunde datierter Flecklinge und von Flecklingen datierter Pfähle
1	L10-2	Fleckling eindeutig von Bef. 2 überlagert, Bef. 4 wird nach unten verzogen. Der Fleckling ist eingesunken, die Schichtenfolge über ihm teilweise gestört.
33	L13-6	Fleckling leicht nach Westen verkippt. An seiner Südwestecke ist dadurch Bef. 4 über den Fleckling gedrückt, ansonsten liegt er auf Bef. 3. Bef. 2 liegt flächig auf ihm.
35	L16-1	Befundfolge über dem Fleckling gestört. Der Fleckling ist bis in Bef. 5 gedrückt.
73	L19-1	Fleckling in Q16 und Q18 randlich erfasst. Bef. 4 liegt unter dem Bauteil.
30	L20-1	Fleckling liegt auf Bef. 2.0 und 3.0 auf. Aufgrund seiner Verkippung nach Westen liegt seine Unterkante an seinem nördlichen Rand in Bef. 2. Bef. 2 überlagert ihn direkt.
27	L24-5	Unterkante des Flecklings liegt direkt auf Bef. 4.1. Bef. 3 lagert seitlich an das Bauholz an. Durch Bef. 2 wird der Fleckling unmittelbar überlagert.
34	L25-1	Eichenfleckling ist in Bef. 4 gedrückt. An seiner Unterkante befindet sich flächig Bef. 2.
40	L44-1	Fleckling liegt auf Bef. 5, drückt Bef. 5 in Bef. 6. Die darüber liegende Schichtenfolge fehlt.
56	L48-1	Bef. 6 wird von dem Fleckling nach unten gedrückt. Er liegt in Bef. 5. Die Schichtenfolge darüber fehlt an dieser Stelle.
18	L64-3	Bef. 5 wird in Bef. 6 gedrückt. Situation wie L44-1 und L48-1.
45	L66-1	Fleckling liegt in Bef. 5 und drückt diesen in Bef. 6. Situation wie DC 40, 56 und 18.

Ufersiedlung bereits wenige Jahre danach, also noch weit in der ersten Hälfte des 16. Jh., verlassen wurde.

12.3.2.4 Schlagphase 3

Die Dendrodaten der dritten Schlagphase liegen mit Waldkantendaten zwischen 1505 und 1503 v. Chr. Lediglich zwei Daten der Schlagphase besitzen Waldkanten, eine ganze Reihe weiterer Eichenpfähle mit Splintgrenzendaten gehört ebenfalls zur dritten Schlagphase.

Die jüngste Schlagphase ist keiner Kulturschicht zuzuweisen, ihre Pfähle stören regelhaft die drei vorhandenen Kulturschichten A bis C. Die Ablagerungsdauer von Schicht C wird damit durch Schlagphase 3 im Sinne eines terminus ante quem begrenzt. Spätestens um 1500 v. Chr. war also die Ablagerung von Schicht C abgeschlossen.

1044 S. Kap. 4.4.6 zu den Bau- und Siedlungsstrukturen der Bauphase 4.

12.3.3 Zur Siedlungskontinuität aufgrund der dendrochronologischen Datierung

Aufgrund der geringen Pfahldichte im Pfahlfeld von Bodman-Schachen I sind weitere Bauphasen zwischen den festgestellten Erlenbauphasen und den dendrochronologisch datierten Eichenbauphasen eher unwahrscheinlich.[1045] Allerdings ist in Anbetracht der geringen Anzahl an datierten Eichenpfählen kaum auszuschließen, dass weitere Schlagdaten zwischen den erfassten Hauptschlagphasen streuen. Dies könnte vor allem zwischen der ersten und zweiten Schlagphase mit einer maximalen Lücke von 22 Jahren zwischen den Daten mit Waldkante der Fall sein, wo Orientierung und Standorte der Häuser der zweiten und dritten Bauphase eine kontinuierliche Besiedlung vermuten lassen. Ob damit aber eine Siedlungskontinuität im Sinne einer Dauersiedlung anzunehmen sein wird, ist zweifelhaft. Zumindest dürfte es schwer fallen, Siedlungsunterbrechungen von einem oder von nur wenigen Jahren oder gar saisonaler Art nachzuweisen.

Die darauf folgende dendrochronologisch erfasste Datenlücke zwischen den Schlagphasen 2 und 3 umfasst ca. 85 Jahre. Sie gibt aller Wahrscheinlichkeit nach eine längerfristige Unterbrechung der Besiedlung wieder.

12.3.4 Zusammenfassung

Die dendrochronologische Untersuchung der Eichenhölzer von Bodman-Schachen I lieferte drei Schlagphasen. Die Schlagphasen 1 und 2 lassen sich mit den Schichten B und C verbinden, Schlagphase 3 kann keiner Kulturschicht zugeordnet werden.

Aus der Befundlage der datierten Pfähle resultieren für die einzelnen Bereiche der Schichten B und C verschiedene Datierungsansätze. Die Basis von Schicht B wurde im östlichen Siedlungsareal frühestens um 1641 v. Chr. abgelagert, im südöstlichen Bereich der Schichtausdehnung kann ihre Sedimentation schon ab 1644 v. Chr. erfolgt sein.

Die Ablagerung von Schicht B und der darüber liegenden Seekreide des Befundes 3 war im südöstlichen Siedlungsareal bis spätestens um 1612 v. Chr. abgeschlossen. In ihrem östlichen Randbereich waren Schicht B und Befund 3 bis spätestens um 1591 v. Chr. abgelagert. Die Entstehung von Schicht B und die mögliche Reduktion auf ihre heutige Mächtigkeit kann im südöstlichen Bereich auf etwa 30 Jahre begrenzt werden. Im peripher östlichen Bereich der Siedlung stehen für die Ablagerung von Schicht B und der hangenden Seekreide etwa 50 Jahre zur Verfügung. Die Basis von Schicht C wird im Südosten der Siedlung ins letzte Jahrzehnt des 17. Jh. v. Chr., frühestens aber um 1612 v. Chr. datiert. Im Osten des Schicht führenden Bereiches kann ihre Sedimentation erst ab 1591 v. Chr. nachgewiesen werden. Vermutlich noch in der ersten Hälfte des 16. Jh. v. Chr., spätestens aber um 1500 v. Chr. war die Ablagerung von Schicht C abgeschlossen.

Anhand der Waldkantendaten zeichnet sich zwischen den Schlagphasen 2 und 3 eine Unterbrechung der Besiedlung am Schachenhorn ab. Ein echter Siedlungsunterbruch zwischen Schlagphase 1 und 2, der mit der Aufgabe des Dorfes und seinem zeitweiligen Zerfall gleichzusetzen wäre, ist unter Berücksichtigung aller korrelierten Eichenpfähle, die ihre Endjahre kontinuierlich durchlaufen, eher unwahrscheinlich. Unter Berücksichtigung des vergleichsweise geringen Anteils korrelierter Pfähle ist eine Siedlungskontinuität, vielleicht mit kurzfristigen Siedlungsunterbrechungen – saisonal oder ein- bis zweijährig –, wahrscheinlich zu machen. Die erste und zweite Schlagphase dürfte deshalb derselben Besiedlungsphase angehören.

Zwischen 1591 v. Chr. und 1505 v. Chr. fehlen dendrochronologisch belegte Siedlungsaktivitäten. Der Hiatus der Endjahre zwischen den mit Waldkante datierten Pfählen der Schlagphasen 2 und 3 beträgt somit 86 Jahre, was eine echte Siedlungsunterbrechung widerspiegeln dürfte. Um 1503 v. Chr. bricht die dendrochronologisch nachgewiesene Bautätigkeit am Schachenhorn ab. Jüngere Besiedlungsphasen, die sich durch in Schicht C steckende Pfahlspitzen andeuten, konnten dendrochronologisch nicht nachgewiesen werden.

12.4 Dendrochronologisch datierte Fundkomplexe der jüngeren Frühbronzezeit im Vergleich

12.4.1 Vorbemerkung

Im nördlichen Alpenvorland von der Westschweiz bis nach Süddeutschland sind mittlerweile etwas mehr als 20 frühbronzezeitliche und mutmaßlich mittelbronzezeitliche Ufersiedlungen dendrochronologisch datiert (Abb. 162).[1046] In der Ostschweiz sind es allerdings lediglich zwei Ufersiedlungen, deren Dendrodaten sich sicher mit Kulturschichten und damit mit Fundinventaren verknüpfen lassen. Sie werden deshalb im Folgenden etwas ausführlicher besprochen.

1045 Vgl. Kap. 4.1 u. 4.6 zum Pfahlfeld und zur Baugeschichte von Bodman-Schachen I.
1046 Hurni/Wolf (Anm. 276) 174f. Abb. 10.

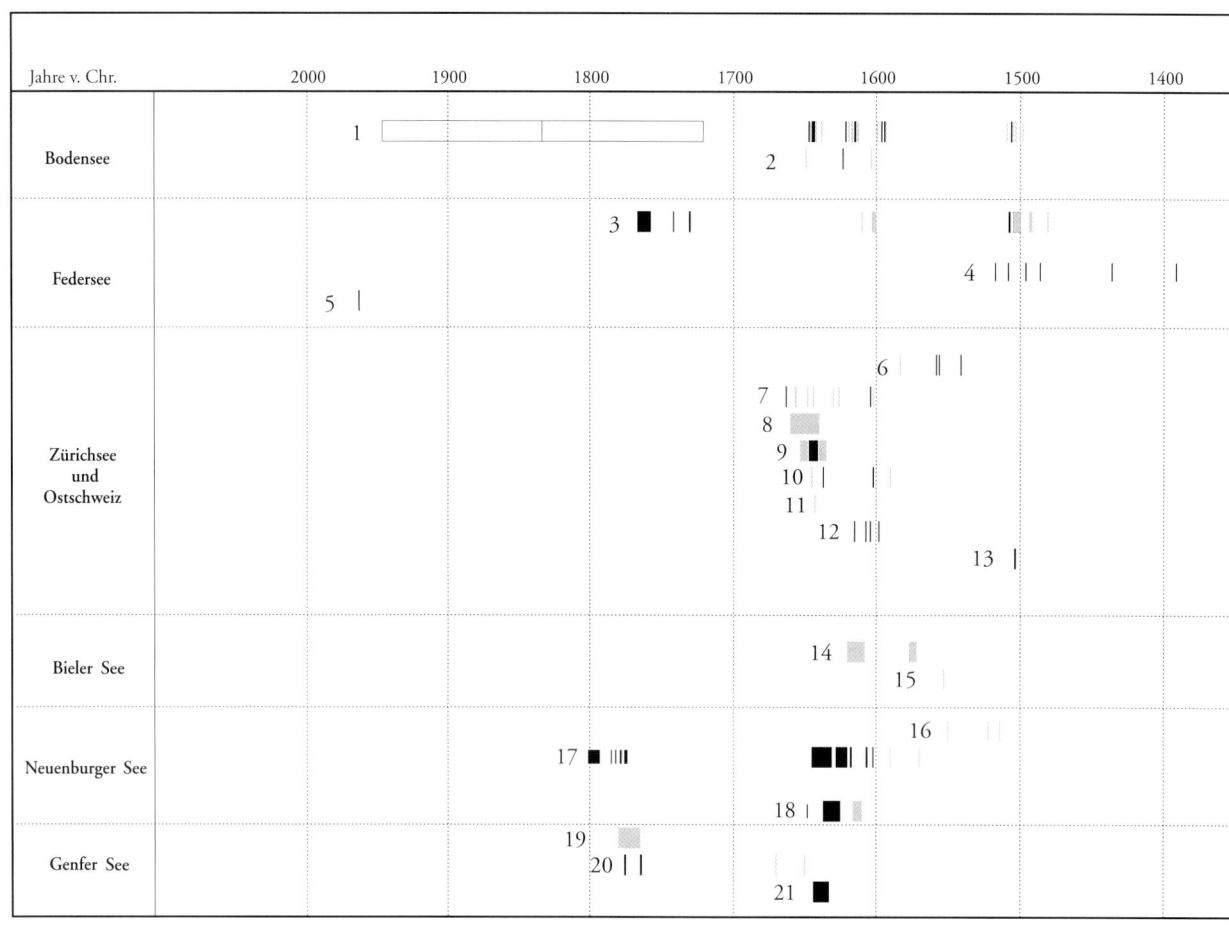

Abb. 162: Dendrochronologische Daten zur Frühbronzezeit aus Süddeutschland und aus der Schweiz. 1 Bodman-Schachen I, 2 Egg-Obere Güll I, 3 Bad Buchau, „Siedlung Forschner", 4 Bad-Buchau-Wuhrstraße, 5 Federsee, Einbaum 2, 6 Uerschhausen-Inseli, 7 Meilen, Obermeilen-Rorenhaab, 8 Zürich-Bauschanze, 9 Meilen-Schellen, 10 Meilen, Feldmeilen-Vorderfeld, 11 Uetikon-Schifflände, 12 Wädenswil-Vorder Au, 13 Zürich-Mozartstrasse, 14 Nidau „BKW", 15 Erlach-Heidenweg, 16 Yverdon „Garage Martin", 17 Concise-sous-Colachoz, 18 Auvernier-Tranché Tram, 19 Préverenges Est, 20 Morges-Les Roseaux, 21 Morges-La Poudrière. Quelle der südwestdeutschen Daten: Dendrochronologisches Labor des Landesdenkmalamtes Baden-Württemberg; die übrigen Daten sind kartiert nach Hurni/Wolf (Anm. 276) 174 Abb. 10. Weitere Literatur s. ebd. Die bei Hurni und Wolf mitberücksichtigten Kernholzdatierungen verunklaren das Gesamtbild, sie wurden hier deshalb nicht miteinbezogen.

12.4.2 Meilen-Schellen

Die ältere der beiden frühbronzezeitlichen Ufersiedlungen liegt am Nordufer des Zürichsees und wird dendrochronologisch in die Jahre 1644/43 v. Chr. datiert.[1047] Die Dendrodaten von Meilen-Schellen sind mit der frühbronzezeitlichen Kulturschicht durch Flecklinge gut verknüpft.[1048] Ihre Ablagerungsdauer erstreckt sich aufgrund der Befunde wahrscheinlich über eine nur kurze Zeitspanne und dürfte nach Einschätzung des Ausgräbers spätestens um 1600 v. Chr. abgeschlossen gewesen sein.[1049] Die Siedlung von Meilen-Schellen existierte also in etwa gleichzeitig mit Bodman-Schachen IB. Das stratifizierte Fundmaterial der beiden Ufersiedlungen ist damit zum Vergleich gut geeignet.

Im Formenspektrum der beiden Keramikkomplexe zeichnen sich deutliche Unterschiede ab. Knickwandprofilierte Formen sind in Meilen-Schellen gut vertreten,[1050] während sie im Material von Bodman-Schachen, Schicht B, nur eine untergeordnete Rolle spielen (Taf. 4,46.48). Die für das Inventar von Schicht B typischen Töpfe mit Schulterkehlung und Zylinderstempelzier fehlen in Meilen-Schellen. Gemeinsam ist beiden Keramikinventaren der hohe Anteil an Töpfen und der niedrige Anteil ritz- und stichverzierter Keramik (Abb. 163). Der stratigraphische Kontext einer Tasse aus dem Altfundbestand von Meilen-Schellen,[1051] vergleichbar mit den Funden aus Schicht B (Taf. 5,49.52), ist unklar. Ein-

---

1047 Ruoff, Meilen-Schellen 55 ff.
1048 Ebd. 51 ff.
1049 Ebd. 57.
1050 Ebd.; ders., Frühbronzezeitliche Funde 147.
1051 Strahm, Frühe Bronzezeit Abb. 11,5.

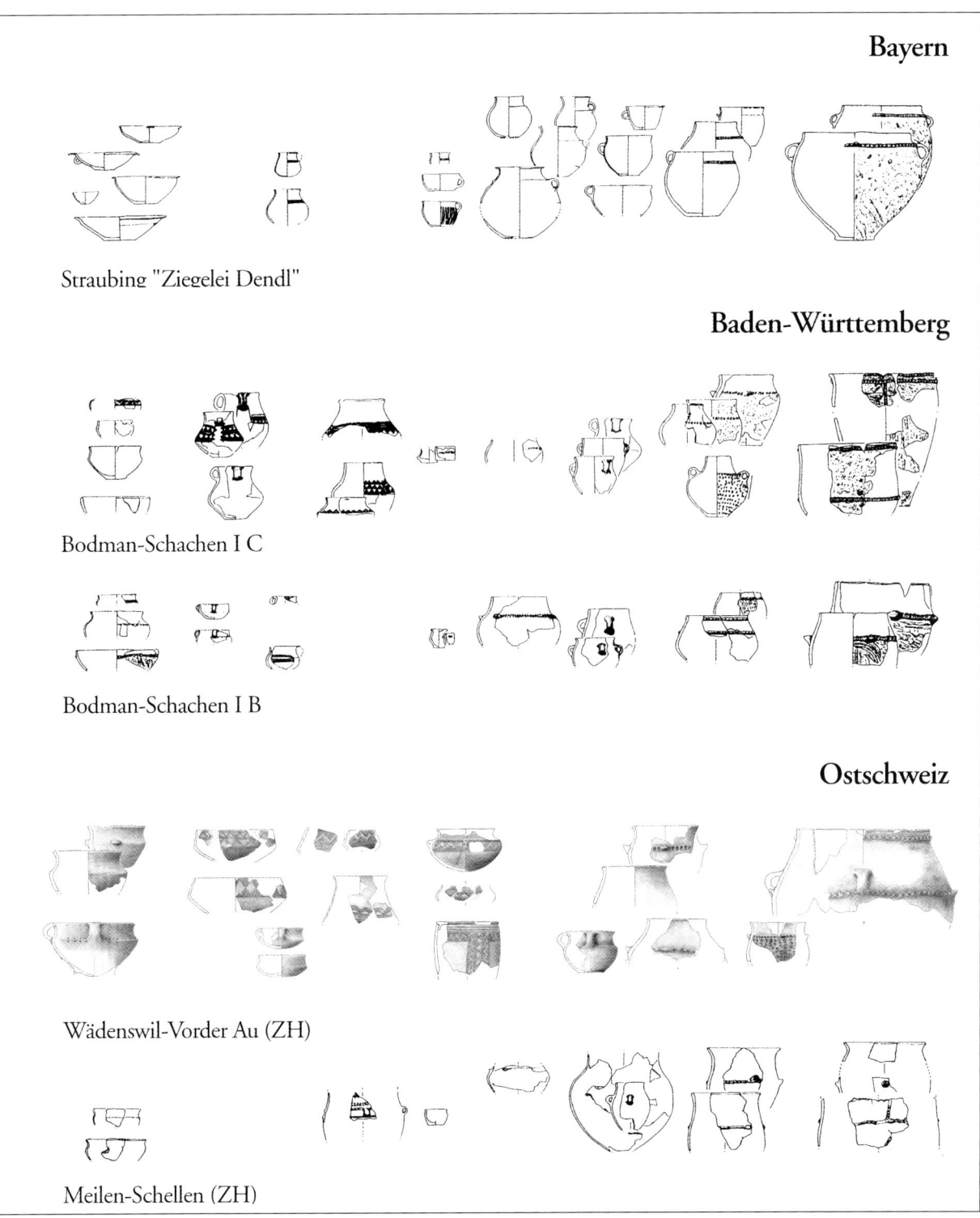

Abb. 163: Keramikspektren der jüngeren und späten Frühbronzezeit Süddeutschlands und der Schweiz nach eigenen Fundaufnahmen und nach Hundt, Straubing; Ruoff, Meilen-Schellen 51 ff.; Conscience, Wädenswil-Vorder Au 181 ff.

stichzier kommt in beiden Fundkomplexen vor, wobei nicht eindeutig ist, ob es sich in Meilen-Schellen um fein ausgeführte oder aber um grobe Einstiche handelt. Die Leistenzier der beiden Keramikkomplexe ist unterschiedlich. Den zahlreichen glatten Leisten von Meilen-Schellen[1052] kann kein entsprechendes Stück aus Schicht B gegenübergestellt werden. Einfach horizontal, dicht unter dem Rand umlaufende Tupfenleisten sind in beiden

---

1052 Ruoff, Meilen-Schellen Taf. 4,11–17; 5,1–22; 6,5.

Keramikinventaren vertreten[1053] (Taf. 9,111.112.114; 10,122–126). Vertikale Tupfenleisten sind aus Schicht B einfach vorhanden (Taf. 9,113), während sie in Meilen-Schellen häufig vorkommen.[1054] Mit einiger Wahrscheinlichkeit lassen sich aus dem nicht stratifizierten Keramikmaterial von Bodman-Schachen I Scherben mit Vertikalleisten und solche mit schrägen bzw. gekreuzten Leisten und integrierten Knubben den Funden aus Schicht B anschließen.[1055]

Gesamthaft betrachtet ist die Keramik der beiden, erwiesenermaßen zeitgleichen Fundkomplexe recht unterschiedlich ausgeprägt. Glatte Leisten sind für die Keramik aus Meilen-Schellen charakteristisch, gekreuzte und vertikale Leisten sind gut vertreten. In Schicht B dominieren die einfach horizontal umlaufenden Tupfenleisten. Zylinderverzierte Scherben mit Schulterkehlung fehlen in Meilen-Schellen. Neben den allgemein an frühbronzezeitlicher Keramik üblichen Leistenverzierungen und Topfformen lassen sich unterschiedliche Formen und Zierweisen erkennen, die in beiden Gebieten auf Einflüsse aus verschiedenen Richtungen schließen lassen. Die hohe Anzahl glatter Leisten im Fundmaterial von Meilen-Schellen sind möglicherweise auf inneralpine Einflüsse zurückzuführen,[1056] wobei glatte Leisten auch in der Westschweiz und Ostfrankreich geläufig sind.[1057] Eine bronzene Flügelnadel weist allerdings ebenfalls auf inneralpine Einflüsse im Fundmaterial von Meilen-Schellen hin.[1058] Senkrechte und gekreuzte Leisten mit integrierten Knubben sind im Fundmaterial von Morges les Roseaux am Genfersee häufig[1059] und deuten auf Westschweizer Einflüsse. Straubinger Keramikelemente, die in Schicht B gut fassbar sind, fehlen in Meilen-Schellen. Sie haben das Zürichseebecken offenbar nicht erreicht.

12.4.3 Wädenswil-Vorder Au

Die im Sommer 1996 entdeckte Ufersiedlung Wädenswil-Vorder Au befindet sich südöstlich der Halbinsel Au am Westufer des Zürichsees.[1060] Die frühbronzezeitliche Schicht KS 1, durch Seekreide getrennt über einer Schicht der jüngeren Schnurkeramik gelegen,[1061] lieferte erstmals aus dem Zürichseegebiet reich ritzverzierte Keramik aus gut stratifiziertem Kontext. Der Fundkomplex findet beste Entsprechungen in Schicht C von Bodman-Schachen I und gehört somit in den Kontext der jüngeren Arboner Kultur. Eine ganze Reihe von Eichenpfählen, deren Flecklinge in die Kulturschicht eingebettet waren, lieferten Waldkantendatierungen zwischen 1615 und 1598 v. Chr., so dass das Fundinventar von KS 1 mit den Dendrodaten sicher ver-

BC		Bodensee	Hegau		
1610	AK jünger	*Bodman-Schachen I C*	Duchtlingen Hilzingen Mühlhausen		*Arboner Kultur*
1640	AK älter	*Bodman-Schachen I B*			
1700					
1800	AK früh (?)	*(Ludwigshafen-Seehalde, Schicht 11)*	? *(Keramik Nordstadtterrasse)?*		
1900	BF	*Bodman-Schachen I A*			
		(Ludwigshafen-Seehalde, Schicht 10)			
2000				Gräberfeld Singen	*Singener Kultur*
2100		?			
2200					

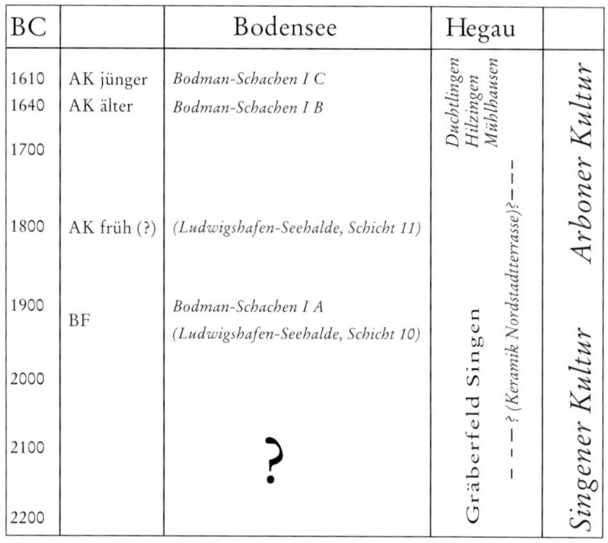

Abb. 164: Schematische Darstellung der chronologischen Abfolge frühbronzezeitlicher Fundinventare am Bodensee und im Hegau und ihre kulturelle Einordnung. Relativ datierte Fundkomplexe sind in Klammern gesetzt. AK: Arboner Kultur, BF: Bodmaner Fazies.

bunden werden kann. Damit gelang es, auch im Zürichseegebiet die Keramik des reichen Stils absolut zu datieren. Sie ist offenbar auch im Zürichseegebiet am Ende des 17. Jh. v. Chr. in Gebrauch und taucht auch dort, wie am Bodensee, unvermittelt, innerhalb von nur wenigen Jahrzehnten auf.

12.4.4 Die „Siedlung Forschner"

Die Hölzer aus der „Siedlung Forschner" im Federseeried lieferten Dendrodaten um 1760, 1730, 1600 und 1500 v. Chr.[1062] Die beiden jüngeren Schlagphasen datieren zeitgleich mit der zweiten und dritten Schlagphase von Bodman-Schachen I. Es sollte also auch Fundmaterial in der „Siedlung Forschner" vorhanden sein, welches zeitgleich mit Schicht C zu datieren ist. Typologisch lassen sich aus dem Fund-

---

1053 Ebd. Taf. 3,8–29.
1054 Ebd. 57.
1055 Vgl. dazu Kap. 7.2.5 zur Keramik von der Oberfläche.
1056 Vgl. dazu Rageth, Resultate Padnal 77 ff.; Burkart/Vogt (Anm. 865) 65 ff.; Jahrb. SGU 35, 1944, 43 ff.; Burkart, Crestaulta. Dagegen zieht Ruoff chronologische Ursachen in Erwägung – Ruoff, Meilen-Schellen 57.
1057 A. Gallay/G. Gallay, Die älterbronzezeitlichen Funde von Morges/Roseaux. Jahrb. SGUF 57, 1972/73, 91 ff.
1058 Vgl. Conscience, Wädenswil-Vorder Au 186.
1059 Vgl. dazu Gallay/Gallay (Anm. 1057) 85 ff.
1060 Conscience, Wädenswil-Vorder Au 181 ff.
1061 Eberschweiler, Zürichsee 44.
1062 Torke, Bauholzuntersuchung 52 ff.

material, welches aus einem Spülsaum stammt und daher aufgrund der Befundsituation mit den Dendrodaten nicht in Verbindung zu bringen ist,[1063] jedoch nur wenige Scherben aussondern, die sich dem reichen Stil anschließen lassen. Allerdings ist auch nicht unbedingt davon auszugehen, dass das Gros der Keramik, die stilistisch überwiegend mittelbronzezeitlich zu sein scheint, mit der Schlagphase um 1500 v. Chr. zu verknüpfen ist, denn auch im Fundmaterial von Bodman-Schachen I, Schicht C, befindet sich derart „mittelbronzezeitliche" Keramik. Es sind dies durch schräg eingedrückte Fingernägel flächig verzierte Scherben, ein ebenso verziertes flaschenförmiges Gefäß (Taf. 40,608.609.611.606) und ein kleiner Topf mit flächiger vertikaler Rillenzier (Taf. 40,602). Vergleichbare Keramik aus der „Siedlung Forschner"[1064] könnte demnach bereits zur Schlagphase um 1600 v. Chr. gehören. Aufgrund der Funde aus Schicht C existierte diese stilistisch mittelbronzezeitliche Keramik in Südwestdeutschland spätestens um 1600 v. Chr. und muss folglich auch in der „Siedlung Forschner" nicht zwingend mit den Dendrodaten um 1500 v. Chr. verknüpft werden. Vielmehr ist damit zu rechnen, dass der heterogene Fundkomplex der „Siedlung Forschner" und damit auch die typologisch „mittelbronzezeitliche" Keramik der „Siedlung Forschner" absolutchronologisch teilweise durch die Dendrodaten um 1600 v. Chr. datiert wird.

Mit großer Wahrscheinlichkeit sind dieser Schlagphase die wenigen Scherben des reichen Stils, eine s-profilierte Schüssel mit Querhenkel[1065] und eine Füßchenschale im Inventar der „Siedlung Forschner"[1066] zuzuweisen. Vergleichbares findet sich in Schicht C von Bodman-Schachen I bzw. im Kontext der Keramikgruppe Sengkofen/Jellenkofen Südostbayerns,[1067] die ihrerseits mit guten Gründen mit der Arboner Gruppe parallelisiert wird.[1068]

Der älteren Frühbronzezeit sind vermutlich ein Henkeltopf mit schräg horizontal aufgesetzter Tupfenleiste[1069] und Henkelgefäße[1070] zuzuweisen. Letztere treten in entsprechenden Inventaren Südostbayerns im Kontext der Keramikgruppe Burgweinting/Viecht auf und gehören dort zur älteren Straubinger Kultur.[1071]

Das typologisch ältere frühbronzezeitliche Fundmaterial dürfte daher etwas älter einzustufen sein als die 1. dendrochronologisch erfasste Siedlungsphase der „Forschner". Die dendrochronologisch festgestellten Siedlungsphasen und das Fundmaterial der Siedlung Forschner lassen somit eine gewisse Diskordanz erkennen und sind beim derzeitigen Kenntnisstand kaum in befriedigenderweise zueinander zu bringen.

12.5 Bemerkungen zu Stilentwicklungen frühbronzezeitlicher Keramik am Bodensee und in der Zentral- und Ostschweiz

Die Stilistische Entwicklung frühbronzezeitlicher Keramik im vorgegebenen Arbeitsgebiet ist anhand der Siedlungsfunde aus den Ufersiedlungen des Bodensees und der Schweiz nur lückenhaft darzustellen (Abb. 164; 165). Fundlücken versperren beim jetzigen Stand offenbar den Blick auf größere Abschnitte dieser Entwicklung.

Die zeitliche Abfolge der Inventare Ludwighafen-Seehalde, Schicht 10, – Bodman-Schachen IA der Bodmaner Fazies[1072] basiert auf typologischen Erwägungen, deren Stichhaltigkeit sich anhand absoluter Daten erst noch erweisen muss. Aufgrund der absoluten Daten aus dem Bodenseegebiet und der Region Zürichsee-Greifensee ist eine Zeitspanne von etwa 300 Jahren vom 21. bis ins 19. Jh. v. Chr. zu erwägen. Es folgen zwischen 1800 und 1650 v. Chr. etwa 150 Jahre, in denen aus Südwestdeutschland mit der „Siedlung Forschner" zwar Dendrodaten vorliegen, denen sich jedoch stratigraphisch gesichert keine Funde zuweisen lassen.[1073] Ein Becher vom Typ Burgweinting/Viecht und weitere Henkelgefäße[1074] könnten ebenfalls hierher gehören oder aber ins 20.–19. Jh. v. Chr. datieren.[1075]

Am Bodensee lassen sich möglicherweise die Funde aus Schicht 11 von Ludwigshafen-Seehalde dem 18. Jh. v. Chr. zuordnen,[1076] wobei sich zwischen den Funden der Bodmaner Fazies und Ludwigshafen-Seehalde, Schicht 11, lediglich allgemeine Gemeinsamkeiten feststellen lassen. Henkelösen auf der Schulter bei gleichzeitigem Fehlen von randständigen Henkeln und das weit gehende Ausblei-

---

1063 Keefer, Keramik; ders., Zum Fortgang der Untersuchungen in der bronzezeitlichen „Siedlung Forschner" bei Bad Buchau, Kreis Biberach. Arch. Ausgr. Baden-Württemberg 1984, 46–48.
1064 Ebd. 48 Abb. 5,3–6; 50 Abb. 7,2.
1065 Keefer, Keramik 75 Abb. 1,1.3.4; 78. Die Schüssel mit Querhenkel wird abweichend in die ältere Frühbronzezeit datiert. Zur Datierung s. Möslein, Keramik 73 ff. Abb. 16.
1066 Ausgestellt im Federseemuseum Bad Buchau.
1067 Möslein, Keramik 76 Abb. 17,19.
1068 Ebd. 87.
1069 Keefer, Mittelbronzezeitliche Funde, 44 ff. Abb. 8,5.
1070 Keefer, Keramik, 75 Abb. 1,1.3–4.
1071 Möslein, Keramik 44 ff. Abb. 1.
1072 Zur Definition s. Kap. 11.2.2 zur Verbreitung der „Bodmaner Fazies".
1073 Vgl. Keefer, Keramik 75 ff.
1074 Ebd. 75 Abb. 1,1.3.4.
1075 Vgl. zur absoluten Datierung in Bayern: Möslein (Anm. 971) 19 f. Tab. 1; ders. Keramik 96.
1076 Vgl. Köninger, Bodensee 108 ff.

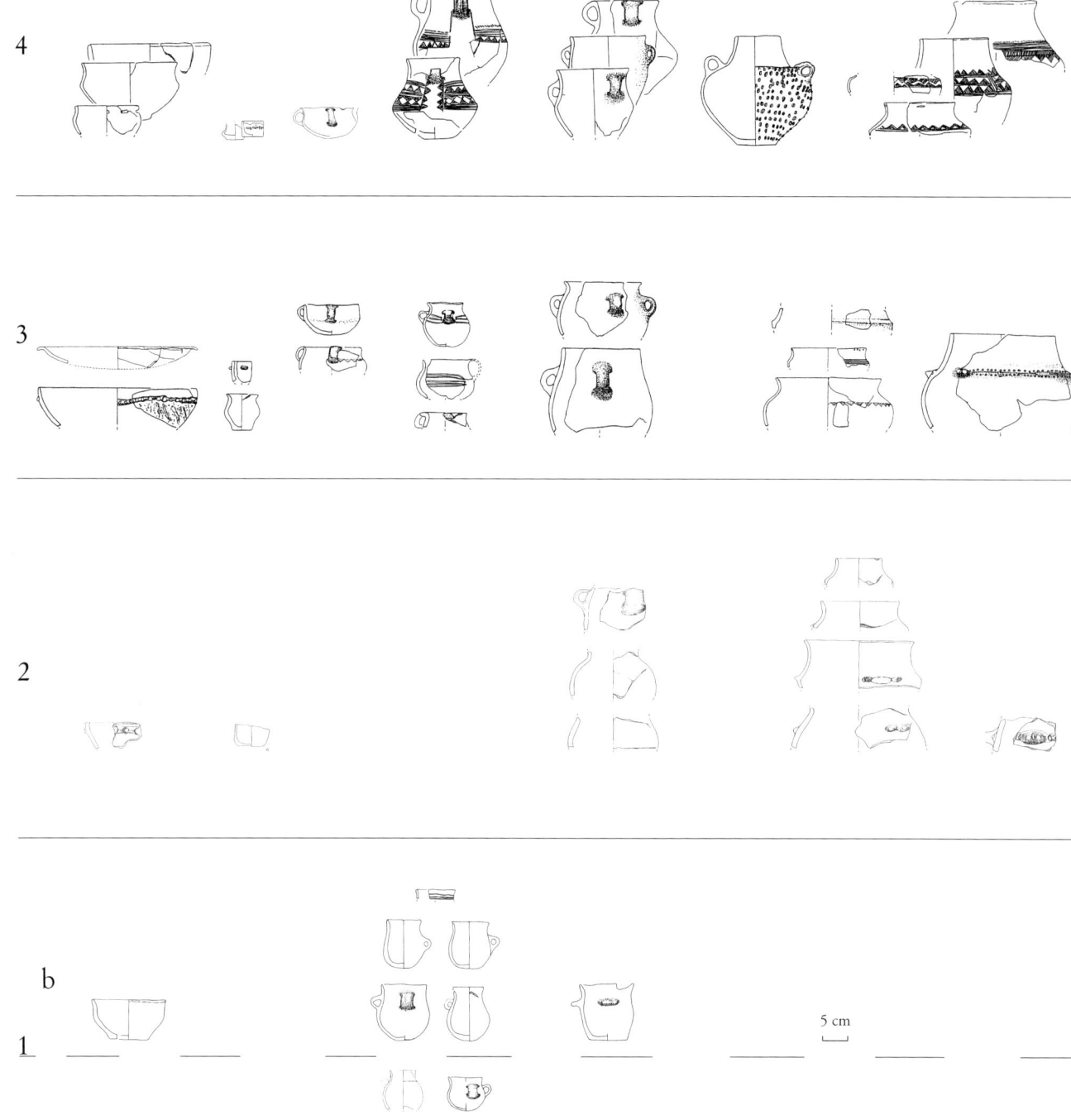

Abb. 165: Keramik aus Ufersiedlungen des Bodensees.
1 Bodmaner Fazies: a Ludwigshafen Seehalde, Schicht 10 und Oberfläche, b Bodman-Schachen I, Schicht A. 2 Frühe Arboner Kultur (?): Ludwigshafen-Seehalde, Schicht 11 und Oberfläche. 3 Ältere Arboner Kultur: Bodman-Schachen I, Schicht B und Bodman-Weiler I, Befund 2. 4 Jüngere Arboner Kultur: Bodman-Schachen I, Schicht C und Haltnau-Oberhof.

ben von eingetiefter Zier auf feiner Ware sind hier ebenso zu nennen wie zweihöckrige, in umlaufenden Tupfenleisten integrierte Knubben. Zweigipfelige Applikationen auf feiner Ware und randständige Leisten finden sich aber im Fundmaterial aus den Siedlungsstellen der Singener Nordstadtterrasse.[1077] Mit den Keramik der älteren Arboner Gruppe sind aus Schicht 11 Töpfe mit konischer Schulter und

---

1077 Vgl. Krause, Siedlungskeramik 71 Abb. 6,4.5.

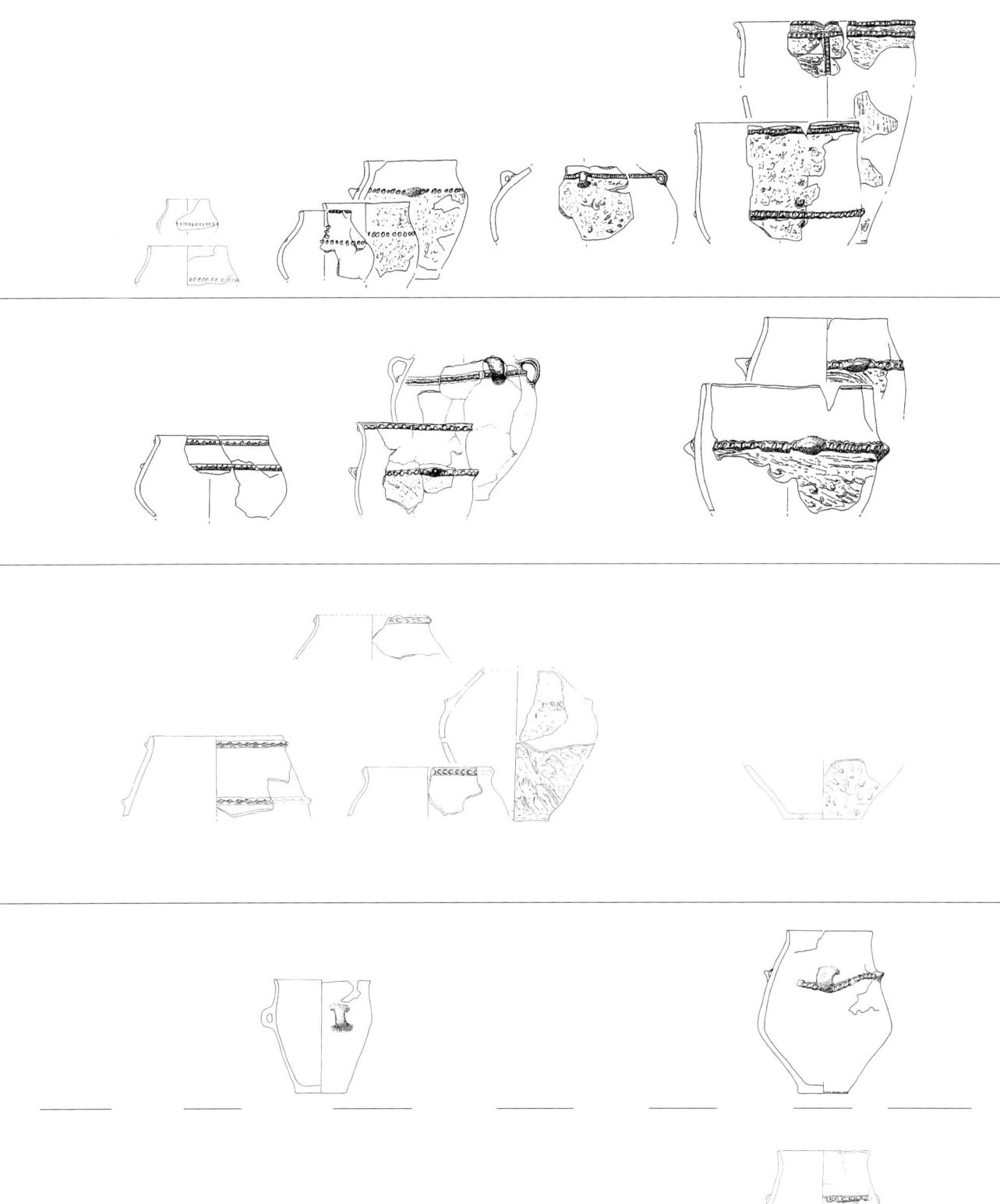

randständiger Leiste vergleichbar (Abb. 165). Beiden Fundkomplexen fehlt feine Einstichzier. Das Fundinventar aus Schicht 11 könnte also ein Bindeglied zwischen den Inventaren der Bodmaner Fazies und der älteren Arboner Gruppe sein,[1078] wobei vorderhand ungewiss bleibt, ob mit Schicht 11 eine frühe Ausprägung der Arboner Kultur vorliegt.[1079]

Die Entwicklung im 18. Jh. v. Chr. ginge demnach – sofern die chronologischen Einordnung des Inventars aus Schicht 11 als richtig erachtet wird – generell hin zu größerer Formenvielfalt. Dieser

---

1078 Vgl. Köninger, Bodensee 109 f.
1079 Ebd. 108 ff.

Trend setzt sich zwischen Ludwigshafen-Seehalde, Schicht 11, und den Funden der älteren Arboner Gruppe[1080] fort, wobei jetzt ab Mitte des 17. Jh. v. Chr. Straubinger Einflüsse deutlich hervortreten, verbunden mit feiner Einstichzier, Rillenzier mit Einstichenden, Krempenrandschalen und dem ersten Auftreten randständiger Henkel (Abb. 160). Eine stilistische Diskontinuität in der Keramikentwicklung, die bis zu diesem Zeitpunkt zwar lückenhaft aufzuzeigen ist, aber in groben Zügen doch kontinuierlich zu sein scheint, ist mit dem Auftreten der reich ritzverzierten Keramik – des reichen Stils – um 1620 v. Chr. festzustellen. Die reich ritzverzierte Keramik muss also innerhalb weniger Jahrzehnte eingeführt worden sein. Dies trifft für die Zürichseeregion ebenso zu wie für den Bodensee, wobei die Frage ungeklärt bleibt, ob am Zürichsee unterschiedliche Keramikstile am Ende des 17. Jh. gleichzeitig existierten, wie dies aufgrund der Fundkomplexe von Zürich-Mozartstrasse zunächst möglich erschien.[1081] Immerhin sind von Obermeilen-Rorenhaab Dendrodaten um 1600 v. Chr. vorhanden, ohne dass dort reich ritzverzierte Keramik bekannt geworden wäre.[1082] Das gleichzeitige Auftreten der Ware in beiden Regionen spricht jedenfalls dafür, dass äußere Faktoren hier zum Tragen gekommen sind.

Interessanterweise betrifft der Wechsel der Keramik zwischen den Inventaren der älteren und jüngeren Arboner Kultur hauptsächlich die feine Ware und damit im Grunde das Trinkgeschirr, während das Kochgeschirr durchaus im Rahmen einer kontinuierlichen Entwicklung gesehen werden kann (Abb. 165). Auffallend ist auch, dass damit die Straubinger Formen durch reich ritzverzierte Krug- und Schalenformen westlicher Prägung ersetzt werden. Auch in den Alpentälern – und zwar in den Ostalpen wie in den Zentralalpen – verschwindet die Keramik Straubinger Prägung und wird auch dort durch Arboner Keramik ersetzt. Eine Verschiebung von Einflusssphären, die aufgrund der Verbreitung der Keramik im Bereich der alpinen Erzlagerstätten mit der Metallgewinnung zusammenhängen könnte und die präziser zu umschreiben wir noch nicht in der Lage sind, dürfte hier greifbar zum Ausdruck kommen.[1083]

Die Nutzungsdauer der Keramik des reichen Stils ist unklar, aus dem 16. Jh. v. Chr. fehlen bislang absolutchronologisch datierte Keramikinventare. Wie sich an einzelnen Scherben, einem flächig mit Fingerzwicken verzierten Topf und ebenso verzierten Scherben aus Schicht C (Taf. 40,606–609.611) erkennen lässt, ist mit stilistisch mittelbronzezeitlicher Keramik am Bodensee bereits im Rahmen der jüngeren Arboner Kultur in der späten Frühbronzezeit zu rechnen. Die Verhältnisse in Oberschwaben sind wiederum undurchsichtig, mit flächig verzierter Keramik, wie sie von der „Siedlung Forschner" zahlreich vorhanden ist, dürfte aber auch hier bereits um 1600 v. Chr. zu rechnen sein.

12.6 Frühbronzezeitliche Ufersiedlungen des nördlichen Voralpenlandes im Spiegel der Dendrochronologie

Im Gegensatz zum älteren Abschnitt der Frühbronzezeit ist die jüngere Frühbronzezeit durch eine ganze Reihe von Dendrodaten absolutchronologisch datiert (Abb. 162).[1084] Vor allem die schweizerische und die südwestdeutsche Forschung sind bislang am Ausbau des Datennetzes der jüngeren Frühbronzezeit beteiligt. Die Verknüpfung der Dendrodaten aus Ufersiedlungen Südwestdeutschlands und der Schweiz mit der jüngeren Frühbronzezeit ist durch die Befunde und Funde von Meilen-Schellen, Wädenswil-Vorder Au und Bodman-Schachen I von der Mitte des 17. Jh. v. Chr. bis ins beginnende 16. Jh. v. Chr. abgesichert.

Durch das Datenraster der Schweiz und Südwestdeutschlands zeichnet sich eine fast synchrone Belegung der Ufer der vom Schmelzwasser aus den Alpen abhängigen Voralpenseen um die Mitte des 17. Jh. v. Chr. ab. Die Ufersiedlungen dieser Voralpenseen weisen überregional dieselben Belegungszeiten auf, so dass an regional unabhängige Faktoren gedacht werden muss, die für dieses Siedlungsverhalten verantwortlich zu machen sind. Es sind dies in erster Linie klimatische Veränderungen, die ursächlich in Frage kommen.[1085] Vor allem Seen, deren Wasserhaushalt vom Schmelzwasser aus den Al-

---

1080 Zur Definition s. Kap. 11.5.3 zur Verbreitung der Arboner Gruppe.
1081 Vgl. St. Hochuli/J. Köninger/U. Ruoff, Der absolutchronologische Rahmen der Frühbronzezeit in der Ostschweiz und in Südwestdeutschland. Arch. Korrbl. 24, 1994, 269–282.
1082 Conscience, Keramik 130. In der inzwischen erschienen Gesamtedition der Funde von Meilen-Rorenhaab wird eine geometrisch verzierte Scherbe mit geschacheltem Dreieck abgebildet und ausdrücklich als Ausnahme bezeichnet; s. Hügi, Meilen-Rorenhaab 50 Taf. 27,387.
1083 Vgl. Kap. 11.5 zur Verbreitung der Keramik aus Bodman-Schachen I.
1084 Vgl. dazu B. Becker/A. Billamboz/A. Egger/H. Gassmann/P. Orcel/Ch. Orcel/U. Ruoff, Dendrochronologie in der Ur- und Frühgeschichte. Antiqua 11 (Basel 1985); U. Ruoff/V. Rychner, Die Bronzezeit im schweizerischen Mittelland. In: Chronologie. Archäologische Daten der Schweiz. Antiqua 15 (Basel 1986) 73–79.
1085 Vgl. Jacomet (Anm. 125) Abb. 20.

pen abhängig ist, sind davon betroffen, da bei feuchterem, niederschlagsreicherem Klima die zur Besiedlung genutzte Flachwasserzone ständig unter hoher Wasserbedeckung gestanden haben dürfte. Falls dennoch an den Ufern gesiedelt wurde, so liegen die Siedlungen in Zeiten mit derartigen Wasserhochständen landwärts der heutigen Flachwasserzone. Nachweise für ein solches landwärtiges Ausweichen der Siedlungsstandorte, wie dies während der späten Urnenfelderzeit[1086] teilweise zu beobachten ist, liegen auch für die mittlere Bronzezeit vor.[1087]

Die frühbronzezeitliche Besiedlung der Seeufer fällt in eine ausgeprägte Wärmephase, die sich sowohl durch das Gletscherverhalten, als auch in der Rekonstruktion von tiefen Wasserständen der schmelzwasserabhängigen Voralpenseen nachvollziehen lässt.[1088] Der etwa gleichzeitige Abbruch der Ufersiedlungen könnte mit einem klimatischen Umschwung zusammenhängen, der etwa zu Beginn des 15. Jhs. v. Chr. angesetzt wird.[1089] Das nahezu gleichzeitige Einsetzen der Siedlungstätigkeiten an den Seeufern im Alpenvorland um 1650 v. Chr. im Subboreal kann dagegen durch Klimaveränderungen kaum erklärt werden. Ebenso sind die Synchronlagen der Siedlungsphasen um 1600 und 1500 v. Chr. nur schwer zu begründen (Abb. 162).[1090]

Die nachgewiesene Besiedlungsdauer in den einzelnen Siedlungsphasen beträgt in der Regel ein bis zwei Generationen, es handelt sich also um vergleichsweise kurzfristig angelegte Dörfer. Die Gründe dieser Besiedlungsdynamik sind unklar. Eine Siedlungsverlagerung aufgrund der Wirtschaftsweise, etwa einer verstärkten extensiven Viehwirtschaft, ist vorstellbar. Ebenso könnten kurzfristig ansteigende Seepegel die Bewohner gezwungen haben, ihre Dörfer zu verlassen.

1086 Vgl. Schöbel, Hagnau und Unteruhldingen 192.
1087 Vgl. Schichtherle, Mineralbodensiedlungen 63 f.
1088 Magny u. a., Klimaschwankungen 137.
1089 Vgl. Löbben-Klimaschwankung, Rösch, Durchenbergried 56; Magny u. a., Klimaschwankungen 138.
1090 Zusammengefasst dargestellt bei Keefer, Mittelbronzezeitliche Funde 44 Abb. 3; Liste 46; Becker u. a., Absolute Chronologie 426 Tab. 2.

13 Fernbeziehungen und Kommunikationsachsen

Vorgeschichtliche Fernbeziehungen und Kommunikationsachsen sind im Fundmaterial meist unschwer an so genannten Fremdelementen zu erkennen, sofern es sich um Formen handelt, die vom lokal üblichen Standard abweichen. Oder aber es sind Funde vorhanden, die ein weitläufiges Verbreitungsgebiet besitzen. Etwas komplizierter liegen die Dinge, wenn nicht die Form des Gegenstandes, sondern sein Chemismus ausschlaggebend für seine Beurteilung ist. Gemeinsam ist allen Fremdelementen, dass sie weitab ihres genuinen Verbreitungsgebietes aufgefunden wurden oder aus weit voneinander entfernt gelegenen Fundprovinzen stammen. Auf welchem Wege diese Fremdelemente in ihre Fundorte gelangten und wie dies geschah, ist eine der zentralen Fragen der Vorgeschichtsforschung, wenn es um frühe Kommunikationsachsen geht. Dass der Distribution eine Art Handel im heutigen Wortsinne zugrunde liegt, kann im Grunde von vorneherein ausgeschlossen werden. Hierzu fehlt in erster Linie ein monetärer Aspekt.[1091] Wohl eher ist Handel anzunehmen, der eine Warenproduktion voraussetzt und auf Warentausch basiert, wie die ethnologische Forschung dies zu definieren scheint.[1092] Sicher zu unterscheiden ist hier zwischen Fernhandel und regionalem Tausch, wobei die Art der Weitergabe zwischen einzelnen Regionen unklar ist. Metalldeponierungen lassen an Händler denken, die über weite Stecken ihr Handelsgut vertrieben. Die Weitergabe von Ideen, wie sie sich beispielsweise durch Konstruktionsdetails im Hausbau manifestiert, kann über kurze Distanzen weitergetragen und so von Ort zu Ort in weit entfernte Gegenden gelangt sein, aber auch das Wirken Einzelner ist hier in Betracht zu ziehen.

Funde der Frühbronzezeit regten seit jeher durch weitläufig verbreitete Fundgattungen – in der Regel Bronzen – die Beschäftigung mit frühen Tausch- und Handelssystemen an. Insbesondere aber konzentrierte sich die Forschung auf einzelne Funde, die Kontakte mit dem ostmediterranen Raum erahnen ließen und damit den bronzezeitlichen Kulturen Mittel- und Westeuropas Anschluss an die bereits „zivilisierten" Gesellschaften in der östlichen Ägäis verschafften. Es waren dies vor allem Fayence- und Bernsteinfunde – insbesondere die Bernsteinschieber – sowie einzelne Bronzeformen, die im Mittelpunkt der Diskussion standen.[1093] Mit der unabhängigen Datierung durch ^{14}C und Dendrochronologie erlahmte das Interesse an der auch nach absolutchronologischer Anbindung suchenden Erforschung der Kontakte in die östliche Ägäis. Verstärkt traten einzelne Fundgattungen in den Vordergrund, die ein mittel-osteuropäisches Kommunikationssystem und transalpine Beziehungen erkennen ließen.[1094] Funde und Befunde aus frühbronzezeitlichen Ufersiedlungen des Bodenseegebietes lieferten hier nun zahlreiche Hinweise auf Fernkontakte, die auf weitläufige Kommunikationssysteme des Bodenseegebietes in der Frühbronzezeit schließen lassen.

Für die ältere Frühbronzezeit lassen sich anhand der gelochten Pfähle aus Schicht A von Bodman-Schachen I möglicherweise transalpine Kontakte ins Gardaseegebiet belegen. Vergleichbare gelochte Pfähle mit pfahlrostartigen Konstruktionen liegen aus Fiavé vor.[1095] Eine gemusterte Tonscheibe von Wallhausen aus den Beständen der Sammlung des Instituts für Ur- und Frühgeschichte der Universität Erlangen richtet ebenfalls das Augenmerk auf transalpine Beziehungen während der älteren Frühbronzezeit.[1096] Von Singen im nahe gelegenen Hegau kommen das Fragment einer vergleichbar gemusterten Tonscheibe und ein Henkelfragment mit aufgesetzter und gedellter Knubbe hinzu, welches beste Vergleiche ebenfalls in Oberitalien besitzt.[1097] Die Randscherbe einer Tasse mit verwaschen erhalten gebliebenem Schulterabsatz aus Schicht 10 von Ludwigshafen-Seehalde, vergleichbar den Tassen der bayerischen Keramikgruppe Burgweinting/Viecht,[1098] belegt demgegenüber Ostkontakte über die Donauroute. Damit sind bereits die wesentlichen Kommunikationsachsen des Bodenseeraumes – über die Donau nach Osten und über den Al-

---

1091 B. Hänsel, Einführung. In: B. Hänsel (Hrsg.), Handel, Tausch und Verkehr im bronze- und früheisenzeitlichen Südosteuropa. Südosteuropa-Schriften 17, zugleich Prähistorische Archäologie in Südosteuropa 11 (München-Berlin 1995) 15.
1092 K. Hesse, Handel, Tausch und Prestigegüterwirtschaft in außereuropäischer Zivilisation. In: Hänsel (Hrsg.) (Anm. 1091) 31–38.
1093 Zusammengefasst bei Krause, Singen 145 ff.
1094 Zum Beispiel Hundt, Oberitalien 143 ff.; ders., Nadelform 173 ff.
1095 Köninger/Schlichtherle, Foreign Elements.
1096 Köninger, Bodensee 107 ff. 112.
1097 Vgl. Krause, Siedlungskeramik 69 f.
1098 Vgl. Möslein, Keramik 66.

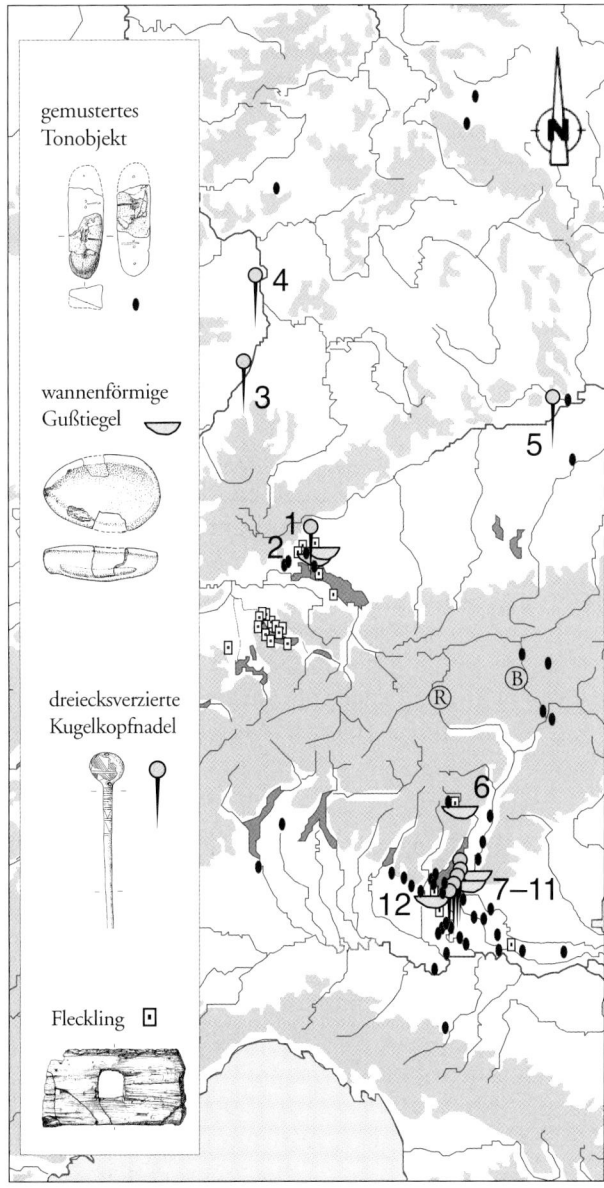

Abb. 166: Verbreitung frühbronzezeitlicher Fundtypen nördlich und südlich der Alpen. 1 Bodman-Schachen I, 2 Bodman-Weiler I, 3 Karlsruhe „Graben", 4 Worms, 5 Sittling, 6 Lago di Ledro, 7 Cisano, 8 La Quercia, 9 Bor di Pacengo, 10 Peschiera del Garda, 11 Peschiera del Bacino Marina, 12 Barche di Solferino. R = Reschenpass, R = Brennerpass.

penrhein nach Süden – umrissen, die bereits ab dem frühen Jungneolithikum greifbar sind und die sich auch im Fundmaterial der älteren Frühbronzezeit bemerkbar machen.[1099] Ein Beziehungsgefüge, welches auch nach Nordwesten ausgreift und welches Rüdiger Krause im Fundmaterial durch Atlantische Dolche des Singener Gräberfeldes zu fassen glaubte,[1100] ist im Fundgut der frühbronzezeitlichen Ufersiedlungen nicht zu erkennen.
Weitläufige Verbindungen sind insbesondere auch für die jüngere Frühbronzezeit belegt. Straubinger Formen, die im Rahmen der älteren Arboner Gruppe fassbar sind, belegen Kontakte entlang der Donau nach Osten. Eine Věteřor-Scherbe aus der Sammlung des Erlanger Instituts, deren Herkunft aus der Ufersiedlung von Bodman-Weiler zu vermuten ist, verweist ebenfalls auf die Donauroute.[1101] Im Fundgut aus Schicht C sind es die so genannten Brotlaibidole, die offenkundig weitläufige Fernbeziehungen signalisieren.[1102] Ihre Verbreitung[1103] und die einzelner Bronzeformen[1104] – als Produkte einzelner Werkstätten – zeigen während der jüngeren Frühbronzezeit ein weitläufiges Beziehungsgefüge Südwestdeutschlands nach Oberitalien, Mitteldeutschland und in die Slowakei. Vielfach wird dabei durch das Fundmaterial – dreiecksverzierte Kugelkopfnadeln, Gusstiegel, Flecklingskonstruktionen –, die Alpentransversale über das Alpenrheintal, den Reschen- und Julierpass ins Etschtal und von dort ins Gardaseegebiet – über die so genannte Reschenroute – belegt (Abb. 88; 166).[1105] Vereinzelte Funde von Ansa ad ascia-Henkeln auf Höhensiedlungen Graubündens liegen gewissermaßen als Bindeglieder auf halber Strecke.[1106] Die direkte Verbindung nach Süden über den Splügenpass ins Comerseegebiet ist im Fundmaterial dagegen selten nachzuweisen.

Neben den Fremdelementen ist es die Verbreitung der frühbronzezeitlichen Keramik selbst, deren Fundpunkte an den Hauptverbindungswegen entlang der großen Flusssysteme streuen und die ein auf weiträumige Verbindungen angelegtes Siedelsystem während der älteren und jüngeren Frühbronzezeit signalisiert. Dies hebt sich dadurch deutlich vom Kartenbild kleinräumig angesiedelter Gruppen des Jungneolithikums, aber auch von der flächigen Verbreitung der Hügelgräberkultur ab.
Das Fundmaterial markiert somit ein intensiv genutztes Distributionsnetz zwischen Bodensee- und Gardaseegebiet, wobei die Art der Weitergabe je nach Fundgattung sicher unterschiedlich zu beurteilen ist. Die nur schwach gebrannten Brotlaibidole werden kaum gegenständlich das Bodenseegebiet erreicht haben, vielmehr ist anzunehmen, dass die Idee,

---

1099 Vgl. Köninger/Schlichtherle, Foreign Elements; Köninger, Bodensee 112f.
1100 Krause, Singen 212.
1101 Köninger, Bodensee 103f.
1102 Vgl. Kap. 7.8.4 zu den gemusterten Tonobjekte.
1103 Köninger, Gemusterte Tonobjekte 429ff.
1104 Vgl. Kap. 7.3.2 zur Verbreitung der Bronzefunde aus Schicht C; außerdem Köninger/Schlichtherle, Foreign Elements.
1105 Ebd.
1106 Rageth, Resultate Padnal 79; Murbach-Wende (Anm. 290) 122 Abb. 9,6.

die zu ihrer Fertigung führte, hierher gelangte. Ähnliches mag für die Flecklinge und gelochten Pfähle gelten. Die Gusstiegel spiegeln wiederum vielleicht im Zuge eines Technologietransfers auch direkte Kontakte zwischen einzelnen Siedlungen wieder.[1107] Die Intensivierung der Beziehungen über die Alpen hinweg, die so im Jung- und Endneolithikum kaum zu belegen ist, wurde in der Frühbronzezeit vermutlich durch die Besiedlung der inneralpinen Gebiete im Zuge des Kupferbergbaus befördert.

Die anhand des Fundmaterials erkannten Fernbeziehungen unterstreichen ein offenbar in der Frühbronzezeit weitläufiges und stabiles Kommunikations- und Distributionsnetz, in welches Südwestdeutschland eingebunden war. Im Wesentlichen umfasst es das bereits von Hans-Jürgen Hundt beschriebene gleichschenklige Dreieck, das den östlichen Alpenbogen umschließt und in der Alpentransversalen durch das Alpenrheintal ihre nunmehr gut belegte Basis besitzt. Mit dem Ende der Frühbronzezeit scheint dieses Distributionsnetz zumindest vorrübergehend an Intensität zu verlieren. Belege eines transalpinen Beziehungsgefüges sind im Kontext der Hügelgräberkultur jedenfalls seltener auszumachen als im Rahmen der vorausgehenden Frühbronzezeit.

1107 Köninger/Schlichtherle, Foreign Elements.

14 Umwelt und Wirtschaft der Siedlungen von Bodman-Schachen I – ein Rekonstruktionsversuch

14.1 Einführung

Dem Versuch einer Rekonstruktion der Umweltverhältnissen und der Wirtschaftsweise der Ufersiedlungen von Bodman-Schachen I liegen die bereits vorgestellten archäologischen Befunde, allgemeine Kenntnisse der heutigen Topographie und naturwissenschaftliche Untersuchungen der Pflanzenreste und Tierknochen aus den Kulturschichten zugrunde.[1108]

Demzufolge beziehen sich die Rekonstruktionen auf die Besiedlungsphasen, die durch die Schichten A, B und C repräsentiert werden. Sie gelten für sämtliche Siedlungsphasen aller drei Schichten, wenn nicht ausdrücklich anderweitig Bezug genommen wird.

Die Ergebnisse der Makrorestanalyse sind Gegenstand eines eigenen Beitrages in diesem Band,[1109] sie sind an dieser Stelle deshalb im Wesentlichen nur kursorisch eingearbeitet.

14.2 Besiedlungszeitliche Wasserstände und Ufersituationen

Die besiedlungszeitlichen Wasserstände sind 2 bis 3 m unter der heutigen mittleren Wasserstandsmarke zu rekonstruieren.[1110] Die Siedlung von Schicht A dürfte in der Zone saisonaler Überschwemmungen gelegen haben, während die Strandplatte im Verlauf der jüngeren Siedlungen teilweise ganzjährig trocken fiel. Aus der Rekonstruktion der Wasserstände mit mittleren Pegelwerten um 393 m ü. NN und 392 m ü. NN resultiert die Existenz einer breiten Strandplatte zwischen Ufer und landwärtigem Siedlungsrand. Das besiedlungszeitliche Ufer dürfte an der Nord- und Ostseite dicht am seewärtigen Rand der Siedlungen verlaufen sein. Die Flachwasserzone, die sich heute östlich des Pfahlfeldes seewärts erstreckt, entstand erst nach Ablagerung von Schicht C und existierte damit so während der frühbronzezeitlichen Besiedlung am Schachenhorn also noch nicht.

Seekreideabbrüche und Rutschungen, die historisch belegt sind,[1111] sind am nordwestlichen Haldenabschnitt aufgrund des heutigen steilen Haldenverlaufs am so genannten Löchle wahrscheinlich. Die heutige Situation der Siedlungsreste im Norden des Pfahlfeldes im Haldenbereich setzt dementsprechend nicht zwingend die Besiedlung der Strandplatte bis an den Haldenrand voraus. Im Gegenzug sind an der windgeschützten Südseite der Siedlungsareale im Windschatten der am Schachenhorn besonders wirksamen Nordoststürme Sedimentakkumulationen zu erwarten, die den besiedlungszeitlichen Ufer- und Haldenverlauf an der Südseite der Siedlungen etwas landwärtiger vermuten lassen. Die Siedlungen von Bodman-Schachen I befanden sich demnach auf einem kleinen hornartigen Vorsprung der Strandplatte am Rande eines ehemaligen Mündungsdeltas (Abb. 167).[1112]

14.3 Besiedlungszeitliche Ufervegetation

Der heutige Verlauf des Erosionsufers dürfte kaum die besiedlungszeitliche Auwaldbegrenzung markieren. Kräftige Erosionsvorgänge haben einen halben bis einen Meter hohen Absatz am Ufer geschaffen, der sich jährlich weiter landwärts verschiebt. Zwischen heutigem Ufer- und Siedlungsplatz stockten vermutlich in Teilen der heutigen Flachwasserzone Gehölze der Weichholzaue. Das häufige Auftreten von Uferpionierpflanzen in der Großrestanalyse legt überdies den Schluss nahe, dass im direkten Umland der Siedlungen der Wald der Espasinger Niederung gerodet wurde und ständiger menschlicher Trittbelastung ausgesetzt war.

Die Weichholzaue wird seewärts von Röhricht- und Großseggengesellschaften abgelöst. Letztere sind durch die Großrest- und Pollenanalyse belegt. Anstelle der weit gehend schilf- und röhrichtfreien Ufer des Neolithikums tritt jetzt mit der Frühbronzezeit zum ersten Male eine, wenn auch spärliche,

---

1108 Frank, Makroreste; Liese-Kleiber, Pollenanalyse; dies., Getreidepollen (Anm. 81); Kokabi (Anm. 699); ders., Ergebnisse der osteologischen Untersuchungen an den Knochenfunden von Hornstaad im Vergleich zu anderen Feuchtbodenfundkomplexen Südwestdeutschlands. Ber. RGK 71, 1990, 145–160.
1109 Vgl. Beitrag Frank in diesem Band.
1110 Vgl. Kap. 3.5 zu den besiedlungszeitlichen Pegelständen.
1111 Erb u. a., Karte 82.
1112 Vgl. Kap. 1.4 u. 4.1.1 zur Lage von Bodman-Schachen I und benachbarter Siedlungen.

Röhricht- und Großseggengesellschaft.¹¹¹³ Kai Frank kann zusätzlich anhand der Makroreste eine kontinuierliche Zunahme dieser Ufervegetation von Schicht A nach C belegen.

Schilfrhizome belegen den ehemaligen Bewuchs der heutigen Flachwasserzone bis in den Pfahlfeldbereich. Ihr Alter kann nur schwerlich bestimmt werden, sowohl rezente als auch ältere Rhizome dürften darunter sein. Aufgrund der rekonstruierten Ufervegetation sind die frühbronzezeitlichen Siedlungen am Schachenhorn jenseits des Auwaldbereichs in einer lockeren Röhrichtvegetation oder seewärts davon auf der blanken Uferbank zu suchen.

Die potentiellen Mündungsbereiche der Stockacher Aach, das Aachhorn und das Schachenhorn, sind am heutigen Uferverlauf und an subaquatischen Tiefenlinien des Überlinger Sees zu erkennen.¹¹¹⁴

Das Schachenhorn selbst ist bis in den Bereich des frühbronzezeitlichen Pfahlfeldes aus Flusslehm aufgebaut und wird erst im seewärtigen Bereich des Pfahlfeldes von jüngeren Seekreiden überlagert.¹¹¹⁵

Die Mündung der Stockacher Aach lässt sich während und vor der Besiedlung von Bodman-Schachen IA aufgrund von Flussschwebablagerungen im Nordbereich des Pfahlfeldes rekonstruieren. Zu Zeiten der jüngeren Besiedlungsphasen sind keine fluviatilen Ablagerungen mehr in der Schichtenfolge anzutreffen, so dass eine Verlagerung der Aachmündung anzunehmen ist.

Entweder mündete sie nun dementsprechend weiter nördlich oder südlich innerhalb des gleichen Deltabereichs am Schachenhorn in den Überlinger See, oder sie verlagerte ihr Mündungsgebiet in den Bereich des heutigen Deltas am Aachhorn etwa 700 m

---

1113 Frank, Makroreste 180; Liese-Kleiber, Pollenanalyse 226.
1114 Erb u. a., Karte 80.
1115 Vgl. dazu ebd. 79 ff.

Abb. 167: Skizzenhafte Rekonstruktion der frühbronzezeitlichen Ufersiedlung von Bodman-Schachen I, Bauphase 3, und der Bodmaner Bucht nördlich des Schachenhorns aus der Feder H. Schlichtherles.

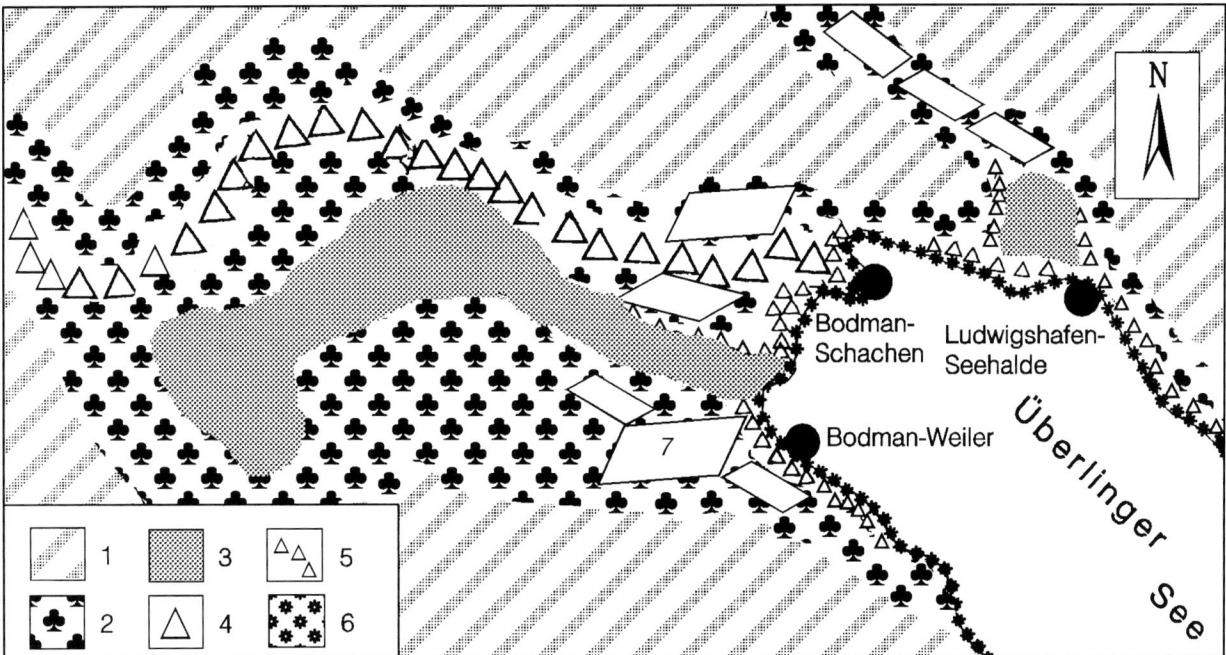

Abb. 168: Skizzenhaft in vereinfachender Weise dargestellter Rekonstruktionsversuch der Vegetation und Wirtschaftsflächen während der Frühbronzezeit in der Umgebung der Bodmaner Bucht anhand der Ergebnisse der Großrest- und Pollenanalyse sowie der naturräumlichen Voraussetzungen.

1 Buchenwälder. 2 Ulmen-Stieleichen-Mischwälder. 3 Sumpfige Niederung mit Bruchwaldbeständen. 4 Bachaue mit Erlenbeständen. 5 Hartholzaue mit Eichen- und Eschenbeständen (in Siedlungsnähe wohl aufgelichtet). 6 Weichholzaue mit Weiden-, Erlen- und Pappelgehölzen. 7 Potentielle Wirtschaftsflächen.

weiter nach Süden. Mit Sicherheit lag die älteste Besiedlung Bodman-Schachen IA aufgrund der Flussschwebablagerung in Schicht A im direkten Mündungsumfeld der ehemaligen Aach.[1116]

14.4 Waldvegetation

Die Waldvegetation des Hinterlandes dürfte zu Beginn der frühbronzezeitlichen Besiedlung am Schachenhorn kaum mehr geschlossen gewesen sein. Sie muss schon zumindest stellenweise durch Rodungen aufgelichtet gewesen sein.[1117]

Die durchweg weitringigen Eschenpfähle der ersten Bauphase sprechen für lichte Wuchsstandorte,[1118] die sich nur im Falle von Waldbränden, ausgelöst durch Blitzschlag, oder im Bereich trocken gefallener Deltasituationen auf natürliche Weise einstellen können. Ansonsten dürften durch die weitringigen Bauhölzer Rodungstätigkeiten angezeigt sein, die zeitlich vor Bodman-Schachen IA liegen.[1119]

Die besiedlungszeitliche Waldvegetation im Siedlungsumland ist anhand der vorliegenden Befunde und der Makrorestanalysen nur schwerlich zu ermitteln.[1120] Im Verbund mit der Pollenanalyse und der Holzartbestimmung bestätigen sich jedoch ähnliche Verhältnisse, wie sie die Rekonstruktion der potentiellen natürlichen Vegetation der Bodmaner

Bucht zeigen (Abb. 168).[1121] Eiche, Esche und Erle, die bevorzugt für Bauholz genutzten Gehölze, weisen auch im Pollendiagramm während der Besiedlung deutlich niedrigere Werte auf als in Zeiten der Nichtbesiedlung.

Die Vegetation im unmittelbaren Siedlungsumfeld lässt sich demnach mit einer schmalen Weichholzaue, einer Silberweiden-Schwarzpappelgesellschaft, am saisonal überschwemmten Ufer rekonstruieren. Die Espasinger Niederung hingegen dürfte aus einer standortabhängigen Mischung im direkten Umland der Siedlungen, dominiert von Bach-Eschenwäldern, Schwarzerlen-Eschenwäldern und im Hinterland vorzugsweise von Stileichen-Ulmenwäldern, bestanden haben.[1122] Die umliegenden

---

1116 Vgl. Kap. 3.3 zu Schichtaufbau und Interpretation.
1117 Vgl. St. Jacomet/Ch. Brombacher/M. Dick, Archäobotanik am Zürichsee. Ber. Zürcher Denkmalpfl. Monogr. 7 (Zürich 1989) 234. Im Zürichseebecken wird von einer ständigen Auflichtung der Wälder durch überwiegend kontinuierliche Besiedlung ausgegangen; dies dürfte auch in der dicht belegten Bucht von Bodman-Ludwigshafen der Fall sein.
1118 Dazu ausführlich A. Billamboz, Études dendrochronologiques des bois de construction des stations Forschner et Bodman-Schachen I. In: Billamboz u. a. (Anm. 226) 74.
1119 Vgl. Rösch, Veränderungen 164.
1120 Vgl. Frank, Makroreste 182.
1121 G. Lang, Die Vegetation des westlichen Bodenseegebietes. Pflanzensoziologie 17 (Jena 1973).
1122 Frank, Makroreste 68; Liese-Kleiber, Pollenanalyse 225.

Hänge der Stockacher Berge und des Bodanrück auf nicht vernässten Böden sind natürlicherweise im mittleren Subboreal von Buchenwäldern[1123] bedeckt gewesen, wenn auch im Pollenspektrum die Buche den Eichenmischwaldanteil nur wenig übertrifft.[1124] Dies mag mit einem erhöhten Aufkommen von Eichen in der Hartholzaue der Espasinger Niederung zusammenhängen.

Die Grenzen zwischen Hart- und Weichholzaue können im Einzelnen nicht bestimmt werden, da die Paläotopographie der Espasinger Niederung nur ungenügend bekannt ist.

14.5 Rodung und potentielle Nutzflächen

Rodungstätigkeiten und Einschläge in größerem Umfang zur Gewinnung geeigneter Anbauflächen im Hinterland der Siedlung und für den Bau der Häuser sind in den Pollen- und Großrestspektren gut zu fassen. Die durch die holzanatomische Untersuchung der Bauhölzer nachgewiesenen Holzarten verzeichnen auch im Baumpollenspektrum im Verlauf der Besiedlungsphasen einen merklichen Rückgang.[1125] Unter den Sämereien der Makroreste finden sich nur wenige Vertreter der Waldvegetation, was sich lediglich im Falle der Esche auf deren geringe Erhaltungsfähigkeit zurückführen ließe.

Von den Rodungsmaßnahmen waren, vom Pollenspektrum ausgehend, vor allem Erle, Buche, Eiche und Esche betroffen, die, mit Ausnahme der im Holzartenspektrum der Bauhölzer selten vertretenen Buche, etwa 90% des verbauten Holzes in den Siedlungen von Bodman-Schachen I stellen. Der festgestellte Wechsel im Bauholz von der Erle zur Eiche während der jüngeren Bauphasen 2 und 3 sowie die bevorzugte Nutzung der Esche während der ersten Bauphase machen zu Beginn der Besiedlung eine Rodungstätigkeit in den nahe liegenden Auewäldern wahrscheinlich. Die dadurch geschaffenen aufgelichteten Flächen dürften nach dem Fällen der restlichen Gehölze als potentielle Nutzflächen betrachtet worden sein. Rodungstätigkeiten in entfernteren Lagen, z.B. an den Hängen der Stockacher Berge, können allerdings aufgrund der im Bauholz fehlenden Buche allein nicht ausgeschlossen werden. Überwiegend war die Buche als Bauholz in den meisten Ufer- und Moorsiedlungen des südwestdeutschen Raumes wenig geschätzt. Der hohe Buchenanteil bei den L-Hölzern, insbesondere den Konstruktionselementen der frühbronzezeitlichen Ufersiedlung Zürich-Mozartstrasse mit 42%[1126] und den Pfählen aus der „Siedlung Forschner" mit 16%[1127] weicht von den üblichen Holzspektren ab.

Rodungstätigkeiten an den Hängen der Stockacher Berge könnten auch aufgrund des hohen Bauholzanteils der Eiche vermutet werden, da Stil- und Traubeneiche holzanatomisch nicht differenziert werden können.[1128]

Die Art der frühbronzezeitlichen Rodung und die daraus resultierenden Flächen dürften sich von denen des Neolithikums unterschieden haben. Im Gegensatz zu diesen muss mit weit gehend von Bäumen befreiten Flächen ausgegangen werden, wie dies nach Frank eine hohe Anzahl von Sämereien der Waldmantel- und Saumgesellschaften nahe legt.[1129]

14.6 Standort der Nutzflächen und Nutzflächenverlagerung

Die Standorte der Wirtschaftsflächen sind nach Frank aufgrund der Zeigerwerte der Getreideäcker- und Hackfruchtbegleiter in wasser- und nährstoffreicher Lage am Hangfuß der Stockacher Berge zu suchen.[1130] Aufgrund der rezenten Anbauverhältnisse muss jedoch auch das als fruchtbar geltende direkte Hinterland der Siedlungen als Wirtschaftsfläche in Betracht gezogen werden. Nach Aussage ortskundiger Bauern sind die Flächen unmittelbar am Ufer des Schachenhorns seit jeher unter dem Pflug und ihrer Fruchtbarkeit wegen bekannt. Ihre Nutzung war sogar bei Überschwemmungen möglich. Der kolluviale Untergrund verhinderte offenbar selbst das Einsinken von schwerem, stahlbereiftem Ackerbaugerät.[1131] Wie weit diese Bodenverhältnisse auch für die Frühbronzezeit gelten können, ist allerdings unklar, da der Entstehungszeitraum der tragenden Auelehme nur vermutet werden kann. Demnach dürfte spätestens im Mittelalter die heutige Auelehmmächtigkeit erreicht gewesen sein. Falls bereits neolithische Rodungstätigkeiten im Einzugsbereich der Espasinger Niederung die Bildung von Auelehmen bewirkten, so ist am Schachenhorn auch schon in der Frühbronzezeit in einiger Entfernung von der Stockacher Aach mit dem

---

1123 Vgl. Rösch, Durchenbergried 55.
1124 Liese-Kleiber, Pollenanalyse 225: Eichenmischwald 14%, Fagus 19%, Alnus 35%; Rösch, Durchenbergried 54f.
1125 Rösch, Veränderungen 182.
1126 Gross u.a., Zürich „Mozartstrasse" 78f. mit Tab. 10; 12 Abb. 116.
1127 Torke, Bauholzuntersuchung 56.
1128 Vgl. Schlichtherle, Hornstaad-Hörnle 151.
1129 Frank, Makroreste 193f.
1130 Ebd.
1131 Mündl. Auskunft H. Martin, Rathaus Bodman.

Anbau von Feldfrüchten oder mit Beweidung zu rechnen. Eine generelle Vernässung der Espasinger Niederung kann jedenfalls nicht ohne weiteres angenommen werden.[1132] Aufgrund der angenommenen Rodungen bzw. Holzeinschläge im direkten Siedlungsumfeld sind hier auch Nutzflächen zu vermuten. Die durch die Großrestanalyse nachgewiesenen Hackfruchtbeikräuter sprechen für weitere Ackerflächen am Rande der Talaue am Fuße der Stockacher Berge.[1133]

Vorwiegend in den jüngsten Proben der Makrorestanalyse fanden sich Getreidebeikräuter, die auf einen nährstoffarmen Grund der Getreidefelder schließen lassen.[1134] Teilweise müssen diese daher in den trockeneren und nährstoffärmeren oberen Hanglagen der Stockacher Berge gesucht werden. Es ist vorstellbar, dass vor allem die Bewohner der Siedlung von Schicht C von Bodman-Schachen I durch Devastierung der besseren Anbauflächen gezwungen waren, auf schlechtere, weniger ertragreiche Böden auszuweichen.

14.7 Rekonstruktion der Wirtschaftsform

In Anlehnung an Manfred Rösch[1135] schlägt Frank für Bodman-Schachen I eine zyklische Bewirtschaftung – Wald/Lichtung/Feld/Wiederbewaldung – auf kleinparzellierten Einheiten vor (s. o.). Ein derartiger Zyklus von 15 bis 20 Jahren sei für Bodman-Schachen I „aufgrund der Fundlisten durchaus denkbar."[1136] Diese Auffassung mag unter alleiniger Berücksichtigung der Großrestanalyse, die einen hohen Anteil an Sämereien der Waldmantel- und Saumgesellschaften ausweist, plausibel erscheinen. Das gehäufte Vorkommen dieser Pflanzen ist jedoch ebenso durch mehrere große Wirtschaftsflächen erklärbar, die beispielsweise, je nach Organisation innerhalb eines Dorfes, von Familienverbänden angelegt und gleichzeitig bewirtschaftet wurden.

Für länger bebaute großflächige Wirtschaftseinheiten sprechen die angebauten Getreidearten selbst. Der im Jungneolithikum bevorzugte anspruchsvolle Nacktweizen wird durch Spelzweizenarten und Hülsenfrüchtler in der Bronzezeit weit gehend abgelöst. Während Hülsenfrüchte im Großrestespektrum von Bodman-Schachen I fehlen, sind überwiegend Spelzweizenarten nachgewiesen. Letztere verbessern als Stickstoffsammler den Boden[1137] und sind dadurch für einen Anbau auf länger bewirtschafteten Flächen geeigneter.[1138]

Mit der Frühbronzezeit ist weiter mit dem Einsatz des Pfluges zu rechnen,[1139] dessen Nutzung größere Freiflächen bedingt. Das Fällen von Baumstämmen mit großem Durchmesser, das durch die Pfähle der jüngeren Siedlungen belegt werden kann, spricht für eine intensivere Art der Rodung. Baumruinen innerhalb gerodeter Flächen, die im Jungneolithikum angenommen werden können, dürften in der Frühbronzezeit eher die Ausnahme gewesen sein. Es ist also während der Frühbronzezeit eher mit länger bebauten Ackerflächen zu rechnen, die eine relativ stabile Kulturlandschaft mit beständig geöffneten Flächen herausbildeten.[1140]

Verstärkte Eingriffe in die Landschaft zeichnen sich im Pollenspektrum von Bodman-Schachen I durch einen erhöhte Wildgräseranteile ab.[1141] Dass Hirsepollen, die ebenfalls zum Wildgrastyp[1142] zählen, für die festgestellten Wildgräseranteile verantwortlich zu machen sind, ist unwahrscheinlich. In allen drei Kulturschichten fehlen auch im Spektrum der Makroreste Hirsenachweise. Zumindest im Brandhorizont der Schicht A sollte aber die Hirse in verkohltem Zustand nachzuweisen sein. Das Fehlen der Hirse im Spektrum der Makroreste spricht demnach gegen einen durch Hirse vorgetäuschten hohen Wildgräseranteil.

Die Nutzflächen, die im vorausgehenden Neolithikum in hohem Maße zum Anbau von Getreide und Hackbaufrüchten bestimmt waren, dürften also ab der Frühbronzezeit durch erhebliche Flächen erweitert worden sein, die der Weidewirtschaft dienten, auch wenn in Rechnung gestellt wird, dass die relative Zunahme der Poaceenanteile durch die Abnahme von Getreidepollen begünstigt wird.[1143] Auch die Untersuchung der Makroreste weist durch Pflanzenreste der trockenen bis mäßig feuchten Rasen, die mit steigender Tendenz in allen Schichten vorhanden sind, auf Nutzflächen der Weidewirt-

---

1132 Dagegen Frank, Makroreste 193.
1133 Ebd.
1134 Ebd.
1135 M. Rösch, Zur Umwelt und Wirtschaft des Jungneolithikums am Bodensee – Botanische Untersuchungen in Bodman-Blissenhalde. Arch. Nachr. Baden 38/39, 1987, 50f. mit Abb. 4.
1136 Frank, Makroreste 194.
1137 Schlichterle, Pfahlbauten 153.
1138 Rösch, Veränderungen 181.
1139 Vgl. R. Perini, Manufatti in legno dell'Età del Bronzo nelle Alpi meridionali. In: Die ersten Bauern. Pfahlbaufunde Europas 2. Einführung, Balkan und die angrenzenden Regionen der Schweiz (Zürich 1990) 260; Schibler/Studer, Haustierhaltung 174; Rösch, Veränderungen 180.
1140 Vgl. Schlichterle, Pfahlbauten 153 Abb. 12; U. Maier geht aufgrund der Makroreste von Hornstaad-Hörnle I dort im Kontext des Jungneolithikums ebenfalls von länger bewirtschafteten Ackerflächen aus (mündl. Mitt.).
1141 Liese-Kleiber, Getreidepollen (Anm. 81) 60 u. Anm 29.
1142 Ebd.
1143 Liese-Kleiber, Pollenanalyse 228.

schaft hin.[1144] Interessanterweise sind ganz überwiegend Pflanzen niedrigen bis mittelhohen Wuchses vorhanden, was auf eine extensive Weidewirtschaft deutet.[1145] Rösch geht aufgrund der Ergebnisse vom Durchenbergried sogar davon aus, dass das Landschaftsbild in dem Zeitraum, der die Schichten B und C betrifft, im Grad der Auflichtung der Wälder dem Mittelalter zu vergleichen sei.[1146] Hohe prozentuale Anteile von Rinderknochen im Spektrum der Haussäugerknochen aus den Schichten B und C stützen die Annahme einer extensiven Weidewirtschaft. Der höchste Rinderanteil in der mittleren Kulturschicht fällt dabei bemerkenswerterweise mit dem „gewissen Höhepunkt der Ausbreitung" von mäßig trockenen bis frischen Rasen zusammen, wie Frank dies festgestellt hat.[1147]

Aufgrund der Pollen-, Großreste- und osteologischen Untersuchungen ist ab der jüngeren Frühbronzezeit in Bodman-Schachen I eine Weidewirtschaft zu vermuten, die potentiell mit der Haltung größerer Viehbestände verbunden ist und so für das Endneolithikum bislang nicht nachgewiesen werden konnte.

Im Gegensatz zu Bodman-Schachen I fehlen für die Frühbronzezeitsiedlungen des unteren Zürichseebeckens Hinweise auf eine extensive Weidewirtschaft.[1148]

Der Fund eines Ochsenbeckens aus Schicht C kann überdies nicht nur als Beleg für Zugtiere oder eine aktive Zuchtauswahl, sondern auch indirekt als Indiz extensiver Beweidung gesehen werden. Nur unter Weidebedingungen extensiver Natur, sieht man von der Nutzung als Zugtier einmal ab, ist die Kastration eines Stieres zur Verhinderung so genannter Weideunfälle zugunsten der kontrollierten Zuchtwahl sinnvoll.

14.8 Pflanzliche Ernährungsgrundlagen

An pflanzlichen Nahrungsmitteln sind angebaute Kulturpflanzen und gesammelte Wildfrüchte nachgewiesen. Die belegten Getreidearten Getreide Dinkel, Emmer, Einkorn und Nacktweizen dürften nach Ausweis der Getreidebeikräuter im Winter angebauten worden sein.[1149] Der Dinkel tritt am Bodensee damit – nach vereinzelten Nachweisen in den endneolithische Schichten 14 und 15 von Sipplingen-Osthafen, die der jüngeren Horgener Kultur zuzuweisen sind – ab der älteren Frühbronzezeit (Schicht A) erstmals massiv in Erscheinung. Sein Auftreten ist ab der Frühbronzezeit auch am Zürichsee zu beobachten, während ältere Nachweise sporadisch zu sein scheinen.[1150]

Aus den Schichten B und C stammen nur wenige Getreidenachweise. Nachweise der in der Spätbronzezeit aufkommenden Hirse fehlen.[1151] Als Pflanzen zur Ölgewinnung sind Saatlein und Mohn vorhanden. Der Saatlein ist nur selten im Spektrum der Makroreste vertreten, Mohnnachweise liegen nur aus Schicht C vor. Leindotter fehlt demgegenüber, ebenso wie der Nachweis von Hülsenfrüchten, vermutlich aus Gründen ihrer Erhaltungsfähigkeit.[1152] Ein nicht unerheblicher Teil pflanzlicher Nahrung bestand wohl aus gesammelten Feldfrüchten, die in den Großrestproben und in der Fläche als Häufungen – Reste menschlicher Exkremente – beobachtet werden können. Die häufigen Nachweise sprechen für die gezielte Einbringung in die Siedlungen. Häufig kommen Brombeere, schwarze Holunder, Waldbeere, Hasel, Schlehe und Apfel im Spektrum der Makroreste vor.[1153]

Der häufige Nachweis der Sammelpflanzen in der Großrestanalyse und im Flächenbefund deuten auf eine nicht gering zu schätzende Rolle der Sammelfrüchte bei der Ernährung hin. Der von Rösch festgestellter genereller Trend zu hohen Kulturpflanzenanteilen in der Bronzezeit ist in den Pollen- und Großrestspektren von Bodman-Schachen I zumindest nicht signifikant.[1154]

14.9 Zur Vorratshaltung

Hinweise zur Bevorratung pflanzlicher Nahrungsmittel liegen nur für Schicht A vor. Sie kann dort durch Getreidehäufungen im Brandhorizont und die Konsistenz der verkohlten Getreideklumpen[1155] wahrscheinlich gemacht werden. Das Getreide wurde vermutlich gereinigt aufbewahrt.[1156] Die Verteilungen von ganzen Gefäßen und von Getreideanhäufungen stehen in direktem Bezug zueinander.

1144 Frank, Makroreste 186 f.
1145 Ebd.
1146 Rösch, Durchenbergried 55.
1147 Vgl. Beitrag Frank in diesem Band.
1148 Jacomet u. a. (Anm. 1117) 228 f.
1149 Frank, Makroreste 82; 172; 190.
1150 St. Jacomet, Veränderungen von Wirtschaft und Umwelt während des Spätneolithikums im westlichen Bodenseegebiet. Ergebnisse samenanalytischer Untersuchungen an einem Profilblock aus der Horgener Stratigraphie von Sipplingen-Osthafen. In: Siedlungsarchäologie im Alpenvorland II. Forsch. u. Ber. Vor- u. Frühgesch. Baden-Württemberg 37 (Stuttgart 1990) 316.
1151 Rösch, Veränderungen 172.
1152 Frank, Makroreste 173.
1153 Ebd.
1154 Rösch, Veränderungen 167 f.
1155 Frank, Makroreste 34.
1156 Ebd. 38.

Man gewinnt aufgrund der Getreidemassierung im Bereich zerscherbter Töpfe den Eindruck, dass das Getreide in den Töpfen aufbewahrt worden ist. Es dürfte sich demnach um verhältnismäßig geringe Getreidemengen handeln, die in den Gefäßen mit maximal sechs Litern Fassungsvermögen aufbewahrt wurden, was kaum einer für einen Winter ausreichenden Getreidebevorratung entspräche. Möglicherweise wurde das Getreide in Getreidespeichern außerhalb des Siedlungsareals gelagert, wo weniger feuchte Luftverhältnisse als im Bereich der Ufersiedlung selbst anzutreffen waren, aber auch die Lagerung weiterer Getreidevorräte in Textilbehältnissen oder Körben unter dem Dach wäre denkbar.[1157]

14.10 Tierische Ernährungsgrundlagen

Das Nahrungsaufkommen wird vervollständigt durch das Angebot an Fleisch, rekonstruierbar durch die Bestimmung der Knochenfunde aus den einzelnen Schichten, wobei nur aus den Schichten B und C genügend große Mengen verwertbarer Tierknochen vorliegen. Die Knochen sind meist aufgeschlagen und damit als Reste von Mahlzeiten zu identifizieren.

Der Bedarf an Fleisch wurde überraschenderweise in den Siedlungen der Schichten B und C zu etwa 50% von gejagtem Wild gedeckt, die Anteile der Haussäuger am Tierknochenspektrum sind relativ gering. Das Rind dominiert als Fleischlieferant die übrigen Haussäuger deutlich bei einer Abnahme von Schicht B nach C zugunsten des Hausschweins. Der gleichzeitige Rückgang des Rindes und von Pflanzenarten der mäßig trockenen bis frischen Rasen gegenüber Schicht B könnten in engem Zusammenhang stehen und eine zurückgehende Beweidung während Schicht C signalisieren.

14.11 Abschließende Betrachtung zur Wirtschaftsweise

Die Analyse der Holzarten, Makroreste und Pollen lässt eine grundlegende Veränderung in der Wirtschaftsweise der Frühbronzezeit gegenüber dem Jung- und Endneolithikum vermuten, die sich durch größere Nutzflächen und eine extensive Weidewirtschaft, die mit größeren Eingriffen in die Landschaft verbunden war, abzeichnet. Dennoch entspricht das für Bodman-Schachen I entworfene Bild noch nicht der bronzezeitlichen Wirtschaftsweise, die Rösch anhand urnenfelderzeitlicher Pollenspektren zu charakterisieren suchte.[1158] Die häufigen Nachweise von Sammelfrüchten und der hohe Anteil der Wildsäuger am Knochenspektrum weisen neolithische Züge in der Wirtschaftsweise der frühbronzezeitlichen Dörfer vom Schachenhorn auf. Klar bronzezeitliche Tendenzen zeigen sich offensichtlich in einer raumgreifenderen Veränderung der natürlichen Vegetation im Siedlungsumfeld und im Anbau von Wintergetreide, insbesondere Dinkel, das jetzt zum Hauptgetreide avanciert.[1159] Demgegenüber fehlen Hirse und Mohn, die in urnenfelderzeitlichen Pollenspektren aus Ufersiedlungen am Bodensee häufig belegt sind.[1160]

Aus den Ergebnissen der botanischen und zoologischen Untersuchungen lassen sich für die Siedlungen von Bodman-Schachen I keine im Verhältnis zu neolithischen Dorfgemeinschaften organisierteren Gesellschaftsformen ableiten, wie sie aufgrund der Metallproduktion für die Frühbronzezeit wiederholt postuliert worden sind.[1161] Die Umstellung einer rein reproduzierenden auf eine Überschuss produzierende Wirtschaftsweise kann aus dem botanischen und zoologischen Befunden für die Siedlungen von Bodman-Schachen I nicht zwingend herausgelesen werden. Sie ist lediglich als wahrscheinlich anzunehmen, da sicher Naturalien oder Eigenprodukte zur Verfügung stehen mussten, die geeignet waren, gegen Metall eingetauscht zu werden.

1157 St. Jacomet, Einige weitere Schlüsse aus den bronzezeitlichen Pflanzenspektren. In: Die Schweiz vom Paläolithikum bis zum frühen Mittelalter III. Bronzezeit (Basel 1998) 168.
1158 Rösch, Veränderungen 178.
1159 Ebd. 169; 172.
1160 Ebd.
1161 Strahm, Frühe Bronzezeit 20f.

15 Zusammenfassung – Résumé – Riassunto – Abstract

15.1 Zusammenfassung

In den Jahren 1982–1984 und 1986 führte das Landesdenkmalamt Baden-Württemberg in den frühbronzezeitlichen Ufersiedlungen von Bodman-Schachen I Tauchsondagen durch. Zahlreiche freigespülte Bauhölzer und im Erosionsbereich liegende Kulturschichten hatten die Untersuchungen notwendig gemacht. Vorliegende Arbeit befasst sich mit den Funden und Befunden der Tauchgrabungen am Schachenhorn.

In die Arbeit miteinbezogen wurden der frühbronzezeitliche Altfundbestand des Bodenseegebietes sowie das Fundmaterial und die Befunde aus Tauchsondagen des Landesdenkmalamtes Baden-Württemberg in weiteren frühbronzezeitlichen Ufersiedlungen des Überlinger Sees, die bis ins Jahr 2001 durchgeführt wurden. Die Leitung der Sondagen unter Wasser lag in den Händen des Verfassers.

Die Ufersiedlungen von Bodman-Schachen I liegen am so genannten Schachenhorn etwa 150 m vom Ufer entfernt dicht an der heutigen Halde. Das Schachenhorn, ein ehemaliges Mündungsdelta der Stockacher Aach, ist landseitig aus fluviatilen Sedimenten aufgebaut. An ihrem seewärtigen Rand werden diese durch Seekreide überlagert.

In zwei voneinander getrennt liegenden Grabungsflächen mit insgesamt 40 m² konnte eine dreischichtige Stratigraphie der frühen Bronzezeit aufgedeckt werden. Die Schichtenfolge befindet sich am seeseitigen Randbereich der Station. Die drei durch Seekreiden getrennten Kulturschichten A, B und C datieren in die ältere und jüngere bis späte Frühbronzezeit. Die Schichtenfolge gehört damit zu den auch überregional bedeutenden Bodenseestratigraphien. Während der Ablagerung der drei Kulturschichten dürfte das Siedlungsareal zumindest zeitweilig ohne Wasserbedeckung gewesen sein. Schicht A, im Wesentlichen eine Brandschicht, wird auf wasserfreiem, bodenfeuchtem Untergrund abgelagert worden sein, während eine nachbesiedlungszeitliche Wasserüberdeckung des Areals im Rahmen wohl sommerlicher Hochwasserstände konservierend wirkende Flusslehme mit sich brachte. Der besiedlungszeitliche mittlere Mittelwasserstand ist demzufolge bei etwa 393 m ü.NN zu rekonstruieren.

Die Schichten B und C dürften aufgrund dort aufgefundener Koprolithen in ihrem seewärtigen Areal auch während der Sommerhochwasser zumindest phasenweise trocken gelegen haben. Für die beiden oberen Kulturschichten resultiert daraus ein mittlerer Mittelwasserstand um etwa 392 m ü.NN. Vor allem nach Ablagerung von Schicht C dürften anhand der hangenden Seekreiden höhere Wasserstände zu rekonstruieren sein.

Die maximale Ausdehnung des Pfahlfeldes umfasst 2000 m² mit durchschnittlich 2,7 Pfählen pro Quadratmeter. Es ist verhältnismäßig licht überwiegend aus Eichen-, Eschen- und Erlenpfählen zusammengesetzt, die übrigen Holzarten sind selten vertreten und spielen zumindest für die frühbronzezeitliche Baugeschichte eine eher untergeordnete Rolle. Eschenrundlinge wurden in Schicht A, tangentiale Eichenspältlinge und Erlenrundlinge in Schicht B und radiale Eichenspältlinge in Schicht C verwendet. Schicht A lassen sich gelochte Eschen- und Eichenpfähle zuweisen. Die durch die Lochung gesteckten Haselstangen und zwei weitere unterlegte Haselprügel befanden sich an der Unterkante von Schicht A. Die Prügelkonstruktion war mit Waldrebenschlingen an den gelochten Pfählen festgebunden. Sie sollten, den Flecklingen der jüngeren Bauphasen vergleichbar, verhindern, dass die Pfähle unter der Gebäudelast im weichen Seegrund nachsanken. Zur Herstellung der Flecklinge wurde in sämtlichen belegten Bauphasen fast ausschließlich Erlenholz verwendet, was auf dessen besondere Eigenschaft, im Wasser auszuhärten, zurückzuführen sein dürfte.

Aufgrund der dendrochronologischen und holzanatomischen Untersuchung der Pfähle lassen sich fünf Bauphasen unterscheiden, die sich durch die stratigraphische Position der zugehörigen Flecklinge und angebundenen Prügelkonstruktionen wie folgt mit den Kulturschichten verbinden lassen:

Bauphase 1: Schicht A – gelochte Eschen- und Eichenpfähle, dendrochronologisch nicht datiert.

Bauphase 2: Schicht B (?) – Erlenrundlinge mit facettierten Flecklingen.

Bauphase 3: Schicht B – Eichenspältlinge und -kanthölzer mit facettierten Flecklingen, DC-Schlagphase 1.

Bauphase 4: Schicht C – Eichenspältlinge mit roh belassenen Flecklingen, DC-Schlagphase 2.

Bauphase 5: Keine Kulturschicht – Eichenspältlinge und -kanthölzer, teils unterschnitten, keine Flecklingsnachweise, DC-Schlagphase 3.
Folgende Siedlungsstrukturen ließen sich durch Holzanatomie und Dendrochronologie ermitteln:
Bauphase 1: Zwei ergänzbare Hausgrundrisse mit Grundflächen von etwa 24 m^2. Die zweischiffigen, wohl abgehoben zu rekonstruierenden Häuser besitzen an den Außenseiten und in der Firstflucht je drei gelochte Pfähle. In der rekonstruierten Hausinnenfläche von Grundriss 1.2 liegen Lehme, während Gefäße, Getreide und verkohlte Bauhölzer an den gedachten Außenwänden entlang streuen. Dabei konzentriert sich in Klumpen zusammengebackenes, verkohltes Getreide im Bereich der meist vollständig erhaltenen Töpfe.
Bauphase 2: Ein zweischiffiger Grundriss von 26 m^2 Grundfläche und eine Umzäunung an der Südseite des Pfahlfeldes sind klar erkennbar. Zwei weitere Grundrisse dieser Bauphase zeichnen sich durch Häufungen von Erlenpfählen ab.
Bauphase 3: Insgesamt vier Hausstandorte, darunter zwei zweischiffige Grundrisse, die in ihren Abmessungen denen der zweiten Bauphase gleichen.
Bauphase 4: Nachweis von insgesamt vier Hausstandorten. Die zweischiffigen Häuser erreichen maximal Grundflächen von etwa 30 m^2.
Bauphase 5: Aus der Kartierung der datierten Eichenpfähle resultiert ein dreischiffiger Grundriss mit einer Grundfläche von 42 m^2. Die Pfosten können in wand- und querriegeltragende Reihen unterteilt werden. Etwa fünf weitere Grundrisse sind durch die Oberflächenaufnahme erfasst.
Die Siedlungsgrößen nehmen von Bauphase 1 nach Bauphase 5 unter stetiger Ausdehnung der Siedlungsgrundflächen zu. Bauphase 1 beansprucht eine Siedlungsfläche von 600 m^2, die Bauphasen 2 und 3 nehmen etwa 1000 m^2 Grundfläche ein. Bauphase 4 erstreckt sich auf ca. 1200 m^2 und Bauphase 5 dehnt sich letztlich auf eine Fläche von 2000 m^2 aus. Die einzelnen Siedlungen bestanden aus fünf bis neun Häusern. Die Häuser sind dabei in unregelmäßigen Zeilen angeordnet.
Zum Vergleich geeignete frühbronzezeitliche Siedlungsstrukturen sind aus Süddeutschland und aus der Schweiz allgemein selten vorhanden und können, dendrochronologisch absolut datiert, nur von Meilen-Schellen, Wädenswil-Vorder Au und der „Siedlung Forschner" beigebracht werden. ^{14}C-datierte Anlagen sind vom Padnal und von der Cazis-Cresta in Graubünden sowie von Zürich-Mozartstrasse bekannt.
Die Ufersiedlungen der Schweiz zeigen überwiegend Reihenbebauung, während am Bodensee zeilige Bebauungen vorherrschen. Im Federseeried scheinen die Häuser der Moorsiedlungen sowohl in der frühen als auch in der späten Bronzezeit haufenförmig gruppiert zu sein. Hervorzuheben sind sowohl am Bodensee als auch im Federseeried stark befestigte Anlagen, die zumindest am Bodensee gleichzeitig mit offenen, unbefestigten Anlagen existierten. Dadurch geben sich möglicherweise erste Hinweise auf hierarchische Gliederungen innerhalb eines unbekannten frühbronzezeitlichen Siedlungsmusters zu erkennen. Hinzu kommen auf mineralischem Grund gehöftartige Großbauten und Höhensiedlungen, wobei die Innenbebauung der Höhensiedlungen weit gehend ungeklärt bleibt. Ihre Existenz ist sowohl für die ältere als auch jüngere Frühbronzezeit wahrscheinlich; spätestens mit der jüngeren Frühbronzezeit sind Höhensiedlungen nun auch im unmittelbaren Hinterland des Bodensees belegt.
Generell können neben verschiedenen Konstruktionsprinzipien der Häuser in den Mooren und an den Seeufern kleine dörfliche Anlagen mit 0,05–0,2 ha von befestigten größeren Siedlungen von 0,5 und mehr Hektar unterschieden werden. Die Siedlungen umfassen dabei zwischen 5–10 und 25–30 Häuser, wobei die Siedlungsareale durchwegs eng bebaut waren. Auf mineralischem Grund sind neben den Höhensiedlungen meist unbekannter Innenbebauung in Tallage kleinere Gebäudeeinheiten und Gehöfte mit Langbauten mittelneolithischer Größenordnung belegt. Letztere scheinen in der frühen und mittleren Bronzezeit Süddeutschlands charakteristisch zu sein. Hinter diesen unterschiedlichen Siedlungsstrukturen dürften sich qualitativ unterschiedliche Organisationsstrukturen der jeweiligen Siedelgemeinschaften verbergen. Unklar bleibt allerdings die Funktion der einzelnen Siedlungsformen in einem gemeinsamen Siedlungsmuster.
Das Fundaufkommen aus allen drei Kulturschichten von Bodman-Schachen I wird von der Keramik dominiert. Aus Schicht A liegen elf vollständige Gefäße, sechs Scherben und ein Silexartefakt vor. Das Formspektrum der Keramik wird von unverzierten Bechern (Bodmaner Bechern) und doppelkonischen, leistenverzierten Töpfen bestimmt. Daneben sind kleinere unverzierte Töpfe und eine Schüssel vorhanden. Das ritzverzierte Randstück eines Bechers rundet das Form- und Zierspektrum ab.
Aus Schicht B liegen 10,87 kg Keramik vor. Charakteristisch für die meist quarz- und steingrusegemagerte Keramik sind gedrungene, weitmundige Töpfe mit umlaufender Tupfenleiste und schlickgerauhtem Gefäßunterteil. Die Feinkeramik besitzt schwarze und geglättete Oberflächen. Typische

Formen sind bauchige Gefäße mit Schulterkehlung und Tassen. Die bauchigen Gefäße sind mit einfach oder doppelt horizontal umlaufenden Zylinderstempelreihen und darin integrierten zweihöckrigen Knubben verziert. Auf den Tassen sind hängende, mit feinen Einstichen verzierte Dreiecksbänder angebracht. Daneben sind Schalen, Schüsseln, doppelkonische Töpfe sowie unverzierte Töpfe mit unterrandständigen Henkeln belegt. Auffällig sind stark ausgezogene Ränder. Der Anteil feiner Zier ist insgesamt gering. Häufig vertreten ist demgegenüber die Leistenzier. Dem Formenspektrum können aufgrund feiner Einstichzier und flach gedellter Leisten mit einiger Wahrscheinlichkeit Schüsseln mit ausgezogenem Rand, gekreuzte Leisten mit darin integrierten Knubben und T-Ränder aus den Oberflächenfunden von Bodman-Schachen I angeschlossen werden. Wenige Knochenspitzen und -meißel sowie das Fragment eines Knieholms runden das Fundspektrum ab.

Aus Schicht C stammt mit 68,5 kg der umfangreichste stratifizierte Fundkomplex von Bodman-Schachen I. Sie unterscheidet sich in technischer Hinsicht kaum von der Keramik aus Schicht B, lediglich die verwendeten Magerungsarten sind vielfältiger. Das Formenspektrum wurde in 27 Formen beschrieben, die sich auf fünf Formgruppen verteilen. Neben Schüsseln, Schalen und Töpfen sind Krüge und engmundige Gefäße vertreten. Besonders typisch und uniform ausgeprägt ist der doppelkonische Krug.

Die feine Keramik mit geglätteten und schwarzen Oberflächen, darunter befinden sich u.a. die doppelkonischen und bauchigen Krüge, ist meist ritzverziert. Die Zier ist in den ungebrannten weichen Ton und horizontal umlaufend auf der Gefäßschulter angebracht. Die Muster sind aus geometrischen Grundeinheiten aufgebaut, an einigen wenigen Scherben sind die Muster in Furchenstichtechnik ausgeführt. Die Zierbänder sind bei den Krügen unter der Henkelzone unterbrochen und durch senkrechte Muster oder Linien begrenzt. Mehrfach sind die Zierzonen von Kornstich- oder Einstichreihen gesäumt. An grober Zier dominieren horizontal umlaufende Tupfenleisten und Fingertupfenreihen das Spektrum. Die Gefäßwandung der mittelgroßen Töpfe ist unter der Zierlinie schlickgeraut. Die großen Töpfe besitzen mehrere umlaufende Leisten sowie Vertikalleisten und sind am ganzen Gefäßkörper schlickgeraut. Typisch sind die in Leisten integrierten Knubben und Henkelösen. Eine geringe Anzahl Scherben ist flächig durch Fingernageleindrücke verziert.

Neben der Keramik stammen aus Schicht C einige wenige Silex- und Knochenartefakte. Hervorzuheben sind außerdem eine auf Tonkern gegossene Kugelkopfnadel, ein Randleistenbeil vom Typ Langquaid, ein wannenförmiger Gusstiegel und ein Brotlaibidol.

Aus den Altfundbeständen des Bodenseegebietes stammen nur wenige Bronzen, die typologisch der frühen bzw. mittleren Bronzezeit zugewiesen werden können. Ihre Fundzusammenhänge sind meist allein anhand ihrer Patinierung zu erschließen. Grabfunde liegen gesichert nur von Bodman vor. Aus dem Uferbereich stammen überwiegend die relativchronologisch jüngerfrühbronzezeitlichen Bronzen, während Bronzefunde der älteren Frühbronzezeit, zum Beispiel Randleistenbeile vom Typ Salez, aufgrund ihrer Mineralbodenpatina nicht aus den Ablagerungen der Flachwasserzone kommen können. Mittelbronzezeitliche Bronzefunde stammen überwiegend aus dem Hinterland des Bodensees und von den angrenzenden Höhenzügen. Dabei handelt es sich meist um Einzelfundstücke, deren Herkunft aus Gräbern zu vermuten ist. Das chronologische Verhältnis zwischen den Ufersiedlungen und den Bronzefunden aus dem Hinterland ist unklar. Lediglich im Falle der Gräber von Bodman könnte ein Zusammenhang mit den nahe gelegenen Ufersiedlungen von Bodman-Weiler I bestehen.

Die Keramikinventare aus den Kulturschichten von Bodman-Schachen I bilden das Grundgerüst einer frühbronzezeitlichen Chronotypologie des Bodenseegebietes.

Das Fundinventar aus Schicht A gehört in den älteren Abschnitt der frühen Bronzezeit. Gut vergleichbar sind Henkelgefäße vom Typ Burgweinting/Viecht, die in Bayern der älteren Straubinger Gruppe angehören. Ähnlichkeiten mit unverzierten Glockenbechern und insbesondere die rillenverzierte Randscherbe eines Bechers verweisen andererseits auf Einflüsse der Glockenbecherkultur.

Die Keramik aus Schicht A wird als Bodmaner Fazies bezeichnet, typisch sind die als „Bodmaner Becher" apostrophierten Henkelgefäße. Aufgrund der Stratigraphien von Bodman-Schachen I und Ludwigshafen-Seehalde muss die Bodmaner Fazies relativchronologisch jünger als die bislang jüngste Schnurkeramik des Bodenseegebietes und älter als die jüngere Frühbronzezeit sein.

Die Funde aus Schicht B gehören aufgrund der Stratigraphien von Bodman-Schachen I in eine Phase der Frühbronzezeit, die an der Keramik Straubinger Einflüsse erkennen lässt. Demgegenüber fehlen Straubinger Elemente im Fundinventar aus Schicht C, sie wird durch reich ritzverzierte Keramik, die Keramik des reichen Stils, gekennzeichnet. Elemente beider Inventare finden sich in der Keramikstufe A2/B1 wieder, welche bislang typologisch die frühbronzezeitlichen Keramikkomplexe Süddeutschlands zum Inhalt hatte. Sie kann daher durch die stratifizierten Inventare der Schichten B und C aufgelöst und substituiert werden.

Im Keramikinventar aus Schicht C befinden sich flächig verzierte Scherben und ein flaschenförmiges Gefäß, die sich den Keramikfunden aus der „Siedlung Forschner" und aus Gräbern der Hügelgräberkultur anschließen lassen. Die stilistisch mittelbronzezeitliche Keramik war demnach gleichzeitig mit Keramik der Arboner Gruppe (s. u.) und damit bereits während einer Spätphase der jüngeren Frühbronzezeit in Gebrauch.

Aufgrund der stratifizierten Keramikfunde von Bodman-Schachen I ließ sich eine chronologisch differenzierte Verbreitungskarte frühbronzezeitlicher und mittelbronzezeitlicher Keramik am Bodenseeufer und im angrenzenden Hegau entwerfen. Am Bodenseeufer liegt eine lockere Streuung der Fundpunkte vor. Vor allem Keramik des Typs Schicht C liegt aus einzelnen Buchten und Uferabschnitten gehäuft vor. Akkumulationen von Bodmaner Bechern (Schicht A) und Keramik des Typs Schicht B in der Bodmaner Bucht sind möglicherweise auf das Mobilitätsverhalten einzelner Siedlungsgemeinschaften zurückzuführen. Überhaupt scheint es aufgrund der selektiven Quellenlage kaum möglich, aus dem Kartenbild Rückschlüsse auf die tatsächliche Besiedlungsdichte an den Bodenseeufern während der Frühbronzezeit zu ziehen. Es ist allerdings hervorzuheben, dass sich Hinweise darauf häufen, dass auch das unmittelbare Hinterland des Bodensees ab der jüngeren Frühbronzezeit besiedelt war und sich die Siedlungen während der mittleren Bronzezeit wohl aufgrund höherer Pegelstände oberhalb der 400 m-Linie zu befinden scheinen. Während in der Frühbronzezeit die Landschaft um den Bodensee eher kontinuierliche besiedelt war, wurden Ufersiedlungen offenbar nur phasenweise in siedlungsgünstigen Zeiten bei entsprechend niedrigen Wasserständen angelegt.

Im Hegau liegen die früh- bis mittelbronzezeitlichen Siedlungsstellen im Bereich der Talauen. Für die jüngere und möglicherweise auch für die ältere Frühbronzezeit konnte dort die Besiedlung der Höhen wahrscheinlich gemacht werden.

Die Verbreitung der Bodmaner Becher umfasst in Südwestdeutschland das Gebiet südlich der Donau und reicht bis an den Zürichsee. Im Grunde wird dadurch das Kerngebiet der Verbreitung Salezer Beile wiedergegeben. Anhand der Metallfunde der älteren Frühbronzezeit und der Bodmaner Becher zeichnet sich somit das Verbreitungsgebiet einer Kulturgruppe ab, welche die Zentral- und Ostschweiz mit dem Alpenrheintal und Südwestdeutschland bis zur Donau hin umfasst und aufgrund einer nur spärlichen Quellenlage in dieser Klarheit bislang so kaum zu erkennen war.

Dank der stratifizierten Inventare der Schichten B und C ließ sich die nordalpine Frühbronzezeitkeramik in eine westliche und eine östliche Gruppierung unterteilen.

Ihre westliche Ausprägung wird durch die Keramik des reichen Stils charakterisiert, wie sie durch den stratifizierten Fundkomplex aus Schicht C herausgestellt werden konnte. Inventare mit Keramik des reichen Stils werden in Anlehnung an den umfangreichen Fundkomplex von Arbon-Bleiche 2 zur Arboner Gruppe zusammengefasst. Die bislang verwendeten, inhaltlich aber kaum näher beschriebenen Begriffe Arboner Kultur und Arbonkultur werden hier als inhaltlich gleichbedeutende Synonyme aufgefasst.

Die östliche Keramikausprägung wird durch Grubeninventare aus Siedlungen der Straubinger Kultur repräsentiert. Mit der Keramik aus Schicht B wurde möglicherweise eine ältere Phase der Arboner Gruppe erfasst, die durch Straubinger Einflüsse an der Keramik gekennzeichnet wird.

Das relativchronologische Verhältnis dieser beiden süddeutschen Keramikausprägungen zueinander ließ sich nicht exakt bestimmen. Zusammenfunde von Straubinger Krügen und doppelkonischen Krügen in Bayern belegen, dass die beiden Keramikstile zumindest kurzfristig gleichzeitig existierten.

Die reich ritzverzierte Keramik – Keramik des reichen Stils – streut entlang den großen Flussläufen in Süddeutschland und der Nordostschweiz sowie ins Alpenrheintal. Weitere Fundpunkten markieren eine parallel zum Alpenhauptkamm verlaufende Linie.

Sowohl Straubinger Keramikelemente als auch Keramik des reich verzierten Stils sind auffallenderweise bis in die Kupfererzlagerstätten des Alpenrheintales, aber auch der Ostalpen verbreitet. Mit dem Aufkommen des reichen Stils scheinen Straubinger Einflüsse aus den alpinen Kupfererzrevieren und aus Südwestdeutschland insgesamt zu verschwinden.

Das Hauptverbreitungsgebiet der Straubinger Siedlungskeramik in Bayern ist nahezu deckungsgleich mit der Verbreitung der Hügelgräberkultur, was möglicherweise ein zeitliches Nacheinander der frühbronzezeitlichen Straubinger Kultur und der Hügelgräberkultur anzeigt. Im Gegensatz dazu schließen sich die Verbreitung der Arboner Gruppe und der Hügelgräberkultur in Südwestdeutschland

269

weit gehend aus, was wiederum hier für ein zeitliches Nebeneinander der beiden Kulturgruppen spräche. Stilistisch mittelbronzezeitliche Scherben im Kontext der Arboner Gruppe weisen ebenfalls auf eine solche Koexistenz hin.

Die unabhängige Datierung der Schichtinventare erfolgte durch die Dendrochronologie und ^{14}C-Datierungen. Schicht A konnte durch zehn ^{14}C-Daten ins 19. Jh. v.Chr. datiert werden. Sie liegen damit im Bereich der ^{14}C-Daten aus Gräbern der älteren Frühbronzezeit des mittleren Neckarlandes. Das Fundmaterial aus Schicht A gehört demnach in die ältere Frühbronzezeit und ist damit als Bestandteil der Singener Kultur aufzufassen.

Die Gräber von Leubingen und Helmsdorf, deren Funde typologisch in die klassische Phase der Aunjetitzer Kultur gehören, sind durch Dendrodaten ebenfalls in diesen Zeitraum datiert. Dadurch ergeben sich für die ältere und jüngere Frühbronzezeit in Mittel- und Südwestdeutschland unterschiedliche absolute Zeitansätze.

Die dendrochronologisch datierten Schichten B und C gehören in die jüngere Frühbronzezeit. Die Schichtbasis von Schicht B ist auf 1643 bzw. 1640 v.Chr. datiert, für die Schichtbasis von Schicht C ließen sich Dendrodaten von 1612 bzw. 1604 und 1591 v.Chr. ermitteln. Die verschiedenen Datierungsansätze beruhen auf einer zeitlich versetzten Sedimentation der Schichten B und C im südlichen, nördlichen und zentralen Pfahlfeldbereich.

Eine weitere Schlagphase datiert um 1503 v.Chr. Kulturschichtreste, die mit dieser Schlagphase zu verbinden wären, fehlen.

Das absolutchronologische Verhältnis von älterer Frühbronzezeit, Schnurkeramik- und Glockenbecherkultur konnte aufgrund einiger ^{14}C-Daten aus Gräbern in Süddeutschland und aus Ufersiedlungen des Bodensees und des Zürichsees sowie der stratifizierten Glockenbecherscherben von Wädenswil-Vorder Au am Zürichsee diskutiert werden. Demnach ist in Südwestdeutschland und der Ostschweiz vom 24. bis zum 22. Jh. v.Chr. eine komplizierte Konstellation nicht auszuschließen, in der Metall führende endneolithische Gruppen und Gruppen der älteren Frühbronzezeit gleichzeitig nebeneinander existierten.

Im Rahmen der jüngeren Frühbronzezeit zeichnen sich anhand der absoluten Daten an den großen Voralpenseen der Schweiz und Südwestdeutschlands gleichzeitige Belegungsphasen ab. Bemerkenswert ist das gleichzeitige Einsetzen der Besiedlung in der Mitte des 17. Jh. v.Chr., das Abbrechen um 1600 v.Chr. und die erneute, ebenfalls nahezu gleichzeitig einsetzende Besiedlung um 1500 v.Chr.

Die auf ^{14}C-Daten basierende Vermutung, der überregionale Abbruch der Schlagdaten in den Ufersiedlungen um 1500 v.Chr. sei ursächlich auf klimatische Veränderungen – die so genannte Löbben-Schwankung – zurückzuführen, ließ sich durch neuerdings erhobene Dendrodaten an alpinen Zirben *(pinus cembra)* zur Datierung von Gletschervorstößen und -rückzugsphasen nicht erhärten. Die Löbben-Schwankung wird dort u.a. mit Gletschervorstößen um 1626 und 1558 v.Chr. in Verbindung gebracht, sie fiele damit in Phasen teils intensiver Siedlungstätigkeiten an der Ufern der großen voralpinen Seen. Ein ursächlicher Zusammenhang zwischen Siedelverhalten und klimatischem Wandel ist hier demnach nicht gegeben.

Aufgrund der Inventare aus den Stratigraphien von Bodman-Schachen I und Ludwigshafen-Seehalde ließen sich in Ansätzen Stilentwicklungen frühbronzezeitlicher Keramik für das Bodenseegebiet nachzeichnen, die vom 19. bis ins 16. Jh. v.Chr. reichen. Demnach erscheint eine Gliederung der Bodmaner Fazies anhand der Becherformen möglich; das Inventar aus Schicht 10 von Ludwigshafen-Seehalde könnte aufgrund der etwas stärker gedrungenen Becher älter sein als dasjenige aus Bodman-Schachen IA. Schicht 11 von Ludwigshafen-Seehalde wird zwischen den Inventaren der Schichten A und B von Bodman-Schachen I gesehen. Das Inventar wird u.a. durch Knickwandprofile, zweihöckrige Knubben und paarig auf der Schulter sitzende Applikationen charakterisiert. Letztere verbinden das Inventar mit den Siedlungsfunden von der Singener Nordstadtterrasse. Hinzu kommen randständige Leisten und konische Topfprofile. Was fehlt sind sämtliche Formen eingetiefter Zier. Inwiefern es sich hier um Keramik einer frühen Arboner Gruppe handelt, ist fraglich. Erst mit Inventaren der älteren Arboner Kultur des Typs Schicht B von Bodman-Schachen I treten Ritz- und Einstichzier auf. Die Topfformen wirken nun gedrungener und die Oberflächen der größeren Töpfe sind unter den Horizontalleisten mit Tonschlicker überzogen. Die nur um knapp zwei Jahrzehnte jünger datierte Keramik aus Schicht C besitzt bereits in vollem Umfang die Keramik des reichen Stils. Bei gleichzeitiger Siedlungskontinuität im weiteren Sinne scheint eine Entwicklung des Zierstils vor Ort kaum denkbar. Auffallenderweise betrifft dieser abrupte Stilwandel in der Hauptsache das Trinkgeschirr, während die gröbere Ware, das Kochzeug, durchaus im Rahmen einer kontinuierlichen Entwicklung gesehen werden kann.

Fernbeziehungen sind im Fundmaterial mehrfach belegt, die Kommunikationsachsen orientieren sich dabei an den großen Flusssystemen, aber auch am Alpenhauptkamm. Dies zeichnet sich im Kartenbild sowohl der älteren als auch der jüngeren Frühbronzezeit ab. Mehrfach konnte die Bedeutung der Alpentransversale via Alpenrheintal und Reschenpass ins Gardaseegebiet herausgestellt werden. Ein intensiv genutztes Distributionsnetz zwischen Gardasee- und Bodenseegebiet, das zum Austausch und zur Weitergabe von Ideen und Technologie genutzt wurde, ist an Fundstücken und Bauholzelementen abzulesen.

Abschließend wurde der Versuch unternommen, anhand der begleitenden naturwissenschaftlichen Untersuchungen Wirtschaftsweise und Umwelt der frühbronzezeitlichen Ufersiedlungen am Schachenhorn zu rekonstruieren.

Die Siedlungen befanden sich demnach an einem Flussdelta der Stockacher Aach und lagen offenbar weit in den See vorgeschoben am Rande einer weit gehend vegetationsfreien Strandplatte an der besiedlungszeitlichen Halde. Die festgestellten Ablagerungsverhältnisse der einzelnen Kulturschichten setzen dabei wesentlich niedrigere Wasserstände voraus, als dies heute der Fall ist.

Die potentiellen Ackerflächen lassen sich im direkten Hinterland am Schachenhorn, aber auch am weniger steil geneigten Hangfuß am Rande der Espasinger Niederung vermuten. Hinzu kommen erhebliche Flächen, die der Weidewirtschaft dienten. Dies und eher länger bebaute Ackerflächen dürften zur Herausbildung einer relativ stabilen Kulturlandschaft geführt haben.

Durch die Tauchsondagen von Bodman-Schachen I ließ sich die Quellensituation zum frühbronzezeitlichen Siedlungswesen am Bodensee erheblich verbessern. Eine Vielzahl an Einsichten und neuen Kenntnissen zum frühbronzezeitlichen Siedelgeschehen am Bodensee konnte gewonnen werden. Tauchsondagen in weiteren frühbronzezeitlichen Ufersiedlungen, aber auch Sondagen und Rettungsgrabungen auf mineralischem Grund in den direkt an den Bodensee angrenzenden Landschaften trugen in der Folgezeit erheblich zum Kenntnisstand frühbronzezeitlichen Siedlungswesens im Bodenseegebiet bei. Dass der Forschungsstand dennoch lückenhaft geblieben ist, mag teilweise quellenbedingt sein, sicher liegt es aber auch daran, dass der Kenntnisstand nahezu ausschließlich auf zufälligen Entdeckungen fußt und systematische Untersuchungen einzelner Landschaften, die sich mit Fragen des bronzezeitlichen Siedlungswesens befasst hätten, fehlen. Es wird aber in erster Linie von derart konzipierten Nachforschungen abhängen, ob die zahlreichen offenen Fragen zum bronzezeitlichen Siedelgeschehen am Bodensee und den ihn umgebenden Landschaften in naher Zukunft zumindest teilweise befriedigend zu beantworten sein werden.

15.2 Résumé

Dans les années 1982–84 et 1986, le Landesdenkmalamt Baden-Württemberg a effectué des fouilles subaquatiques dans les stations littorales de Bodman-Schachen, datées de l'âge du Bronze ancien. Les nombreux bois de construction dégagés par l'activité lacustre et les couches archéologiques menacées par l'érosion avaient rendu une intervention nécessaire. Le présent travail est consacré à l'étude du matériel et au contexte de fouille découvert en plongée sur le Schachenhorn.

Nous avons intégré dans cette étude les anciennes collections de la région du Bodensee relatives au Bronze ancien ainsi que le matériel et les contextes rencontrés dans les sondages opérés par le Landesdenkmalamt jusqu'en 2001 dans d'autres stations de l'Überlingersee. Les opérations subaquatiques ont été dirigées par l'auteur.

Les stations littorales de Bodman-Schachen I se situent au lieu-dit Schachenhorn, à peu près à 150 m de la rive, à proximité de la beine actuelle du lac. Le Schachenhorn, un ancien cône deltaïque de la Stockacher Aach, est formé côté terre de sédiments fluviatiles. Sur ses marges en direction du lac, ces derniers sont recouverts par la craie lacustre. Dans deux secteurs de fouille distincts d'une surface totale de 40 m² on a pu reconnaître une séquence stratigraphique composée de trois couches archéologiques datant du Bronze ancien. Cette séquence est située en bordure de station côté lac. Les trois couches A, B, C, séparées par un dépôt de craie, se rapportent respectivement aux phases première, récente et finale du Bronze ancien.

Cette séquence compte, au delà de la région également, parmi les plus importantes stratigraphies du Bodensee. Pendant la formation des trois couches archéologiques, l'aire d'habitat ne devait pas être, périodiquement tout du moins, recouverte par l'eau. La couche A, une couche d'incendie essentiellement, s'est déposée sur un substrat émergé mais de sol humide, tandis qu'un recouvrement postérieur du site par l'eau, sans doute au cours des hautes eaux estivales, a entraîné l'apport d'argiles fluviatiles favorables à la conservation des restes archéologiques. En fonction de ces observations, le niveau d'eau moyen au moment de l'occupation devait se situer vers 393 m (par rapport au niveau de la mer). En raison des coprolithes trouvés côté lac, la zone correspondante des couches B et C devait être émergée tout du moins épisodiquement et pendant les hautes eaux estivales également. Pour ces deux couches supérieures, on en déduit un niveau d'eau moyen de 392 m environ. C'est surtout après le dépôt de la couche C que l'on peut reconstruire des niveaux d'eau plus élevés en raison des dépôts de craie susjacents.

L'extension maximale du champ de pieux est de 2000 m^2, avec 2,7 pieux par m^2 en moyenne. De densité relative, il se compose principalement de pieux de chêne, frêne et aulne. Les autres essences sont rarement représentées et jouent un rôle plutôt secondaire dans l'histoire de la construction au Bronze ancien. Des rondins de frêne ont été utilisés dans la couche A, des pieux de chêne débités tangentiellement ainsi que des rondins d'aulne dans la couche B et des pieux de chêne fendus radialement dans la couche C. À la couche A correspondent des pieux de chêne et de frêne à mortaise. Des tiges de noisetier faisant office de tenons et reposant sur deux bâtons de même essence, ont été trouvées à la base de la couche A. Ce système de baguettes entrecroisées était fixé aux pieux à l'aide de vignes vierges entrelacées. Il devait, comme les semelles des phases plus récentes, empêcher que les pieux, sous le poids des constructions, s'enfoncent dans le substrat mou. Pour la fabrication des semelles, dans toutes les phases de construction observées, l'aulne a été utilisé exclusivement, ce qui est sans doute à mettre en relation avec la bonne résistance de cette essence en milieu aquatique.

En raison des analyses dendrochronologiques et des déterminations anatomiques des pieux on a pu mettre en évidence cinq phases de construction, qui, de par la position stratigraphique respective des semelles et des fixations à baguettes entrecroisées, se rattachent aux couches archéologiques de la façon suivante:

Phase de construction 1: Couche A. Pieux de chêne et de frêne à mortaise, non datés dendrochronologiquement.

Phase de construction 2: Couche B(?). Rondins d'aulne avec semelles facettées.

Phase de construction 3: Couche B. Pieux de chêne refendus ou de section quadrangulaire avec semelles facettées. Phase d'abattage 1.

Phase de construction 4: Couche C. Pieux de chêne refendus avec semelles brutes. Phase d'abattage 2.

Phase de construction 5: Couche archéologique absente. Pieux de chêne refendus ou de section quadrangulaire, dans le second cas en partie retaillés à la base. Pas de semelles attestées. Phase d'abattage 3.

Sur la base de la détermination anatomique et de la datation dendrochronologique, nous avons pu mettre en évidence les structures suivantes:

Phase de construction 1: deux structures de maisons plus ou moins complètes d'une surface de 24 m^2 environ. Les constructions à deux nefs, à plancher probablement rehaussé au-dessus du sol, comprenaient trois rangées de trois pieux, au niveau des parois latérales et sur la ligne de faîte. Selon notre reconstruction, la surface intérieure de la structure 1.2 est recouverte d'argile, tandis que les récipients de céramique, les céréales et les bois de construction carbonisés se situent le long des parois extérieures. Les céréales se concentrent principalement sous forme de boulettes carbonisées au niveau des vases céramiques, retrouvés pour la plupart sous leur forme complète.

Phase de construction 2: Une structure de maison à deux nefs d'une surface de 26 m^2 et une palissade sur le flanc sud du champ de pieux sont clairement identifiables. Deux autres structures sont attribuables à cette phase en raison de l'abondance des pieux d'aulne.

Phase de construction 3: Nous avons identifié quatre bâtiments, dont deux à deux nefs. Leurs dimensions sont identiques à celles de la phase de construction 2.

Phase de construction 4: Quatre constructions ont été reconnues. La surface de ces maisons à deux nefs n'excède pas 30 m^2.

Phase de construction 5: La répartition des pieux de chêne datés montre une structure de maison à trois nefs d'une surface de 42 m^2. Les poteaux sont disposés en rangées, latérales au niveau des cloisons et intérieures pour le support des entraits. Cinq autres structures se dégagent du relevé de surface du champ de pieux.

L'étendue de l'aire d'habitat, augmente de façon continue de la phase 1 à 5. Pour la phase 1, la superficie nécessaire était de 600 m^2 et pour les phases 2 et 3 de 1000 m^2 environ. Elle s'étend à 1200 m^2 pour la phase 4 et finalement à 2000 m^2 pour la phase 5. Les occupations respectives comprennent cinq à neuf maisons, alignées irrégulièrement.

Pour la comparaison, les structures d'habitat relatives au Bronze ancien sont rares dans le sud de l'Allemagne et en Suisse. Les seules datées dendrochronologiquement se rapportent aux stations de Meilen-Schellen, de Wädenswil-Vorder Au et de Buchau-"Siedlung Forschner". Des établissements datés par la méthode du radiocarbone sont également connus, dans les Grisons, à Padnal et à Cazis-Crestaulta, ainsi qu'à Zürich-Mozartstrasse.

Les stations littorales suisses montrent principalement une disposition des maisons en rangées parallèles, tandis que l'alignement sur pignon prévaut au Bodensee. Dans le marais du Federsee, les maisons, tant au Bronze ancien qu'au Bronze final, semblent davantage s'organiser sous forme de villages en tas *(Haufendorf)*. Au Federsee et au Bodensee, soulignons la présence d'établissements particulièrement fortifiés, qui tout du moins dans le second cas, coexistent avec des habitats ouverts. Nous avons là sans doute les premiers signes d'une hiérarchie dans un modèle d'occupation encore inconnu jusqu'à présent pour le Bronze ancien.

À cela s'ajoutent en milieu terrestre de grands bâtiments sous forme de fermes et des habitats de hauteur. Pour ces derniers, l'organisation architecturale intérieure reste pratiquement inconnue. Leur existence est probable dans les phases ancienne et récente du Bronze ancien. C'est au plus tard au cours de cette dernière que les habitats de hauteur sont attestés au Bodensee et dans son arrière-pays.

En général, outre les formes de constructions adoptées pour les maisons de tourbière et de bord de lac, nous pouvons distinguer d'une part une sorte de petits villages d'une superficie de 0,05 à 0,2 ha et d'autre part des sites fortifiés de plus grandes dimensions, atteignant un demi-hectare ou plus. La construction est généralement dense. Dans le premier cas, l'établissement comprend 5 à 10 maisons, dans le second, 25 à 30.

En plus des habitats de hauteur peu connus dans leur organisation architecturale intérieure, nous trouvons en milieu terrestre, dans les vallées, des bâtiments plus petits et des fermes dotées de maisons longues aux dimensions égales à celles du Néolithique moyen. Ces dernières semblent caractéristiques du Bronze ancien et moyen dans le sud de l'Allemagne. Ces variations structurelles de l'habitat recèlent probablement au plan qualitatif des divergences dans l'organisation sociale des communautés respectives. Toutefois, la fonction de ces différentes formes d'établissement à l'intérieur d'un système plus général reste à éclairer.

Dans les trois ensembles de Bodman-Schachen I, le matériel archéologique est dominé par la céramique. De la couche A proviennent 11 vases complets, 6 tessons et un artefact en silex. Le spectre des formes comprend des gobelets sans décor et des pots biconiques parés d'un cordon. Des pots plus petits non décorés et une coupe sont également présents. À cet ensemble de formes et de décors s'ajoute un tesson à bord gravé.

La couche B a livré 10,87 kg de céramique. Comme éléments caractéristiques de cette céramique, qui pour la plupart est dégraissée à l'aide de grains de quartz et de graviers, nous avons des pots à profil bombé et à large embouchure, à cordon continu à impressions et à base recouverte de barbotine. La céramique fine montre des surfaces noires et polies. Comme formes typiques, retenons les vases bombés à épaulement en gorge et des tasses. Les premiers portent une rangée continue, simple ou double, de cercles estampillés, à laquelle sont intégrés des mamelons doubles. Les tasses sont dotées de triangles disposés en bandes verticales et décorés au poinçon fin. En outre, il y a des coupes, des jattes, des vases biconiques et des pots non décorés avec des anses placées sous la lèvre. Comme caractère marquant, retenons les bords très évasés. La part du décor fin est en général réduite.

Celle du décor à cordons est en revanche bien représentée. A ce spectre de formes céramiques on peut sans doute ajouter, en raison du décor pointillé fin et des cordons aplatis, d'autres éléments ramassés en surface tels que des jattes à bord évasé, des cordons croisés porteurs de mamelons ainsi que des bords en forme de T. Le spectre des trouvailles est complété par quelques pointes et quelques ciseaux en os ainsi que par un fragment de manche coudé en bois.

Avec 68,5 kg, la céramique de la couche C représente le plus riche complexe stratifié de Bodman-Schachen I. Au plan technique, elle se différencie peu de celle de la couche B. Seuls les types de dégraissant utilisés sont plus variés. Le spectre céramique comprend 27 formes, qui se répartissent en cinq groupes. À côté des jattes, des coupes et des pots, on trouve des cruches et des vases à embouchure étroite. Comme élément typique et uniforme, retenons le vase biconique. La céramique fine, avec ses surfaces lisses et noires, particulièrement sur les cruches biconiques et bombées, est la plupart du temps décorée d'incisions. Ces dernières sont pratiquées dans l'argile mou, horizontalement en continu au niveau de l'épaulement. Les motifs sont constitués d'éléments géométriques. Sur quelques tessons, ils sont reproduits avec la technique du poinçon double *(Furchenstich)*. Les bandes de décor sur les cruches sont interrompues sous l'anse et délimitées par des motifs verticaux ou des lignes.

Dans plusieurs cas, les zones de décor sont bordées par des rangées de points au grain *(Kornstich)* et au poinçon simple *(Einstich)*. Le spectre du décor grossier est dominé par les cordons horizontaux imprimés en continu et les rangées d'impressions au doigt. La paroi des vases moyens est recouverte de barbotine en-dessous de la ligne de décor. Les gros vases possèdent plusieurs cordons continus et verticaux et sont complètement traités à la barbotine, Les mamelons rapportés sur les cordons et les anses en œillet sont des éléments typiques. Quelques tessons sont entièrement couverts d'impressions obliques à l'ongle. En plus de la céramique, la couche C a livré quelques artefacts de silex et en os. Soulignons la présence d'une épingle à tête globuleuse moulée sur un cylindre d'argile *(Tonkern)*, d'une hache à bords de type Landquaid , d'un creuset à fondre en demi-coque ainsi qu'une idole de Brotlaib.

Des anciennes collections du Bodensee, nous ne connaissons que quelques objets de bronze, typologiquement attribuables au Bronze ancien ou moyen. Dans la plupart des cas, leur contexte de découverte ne se laisse deviner que par leur patine. On peut ainsi assurer que des objets issus de tombes n'ont été découverts qu'à Bodman.

La grande part des objets de bronze attribuables en chronologie relative à une phase plutôt récente du Bronze ancien a été trouvée sur la zone littorale. En revanche, ceux de la phase ancienne, comme par exemple les haches à bords de type Salez, ne peuvent, en raison de leur patine acquise sur sol minéral, provenir directement du bord du lac. Le matériel daté du Bronze Moyen a été trouvé surtout dans l'arrière-pays du Bodensee et sur les hauteurs avoisinantes. Il s'agit le plus souvent de trouvailles isolées, probablement d'origine funéraire. Le rapport chronologique entre les stations littorales et les objets de bronze de l'arrière-pays n'est pas clair. Dans le seul cas des tombes de Bodman, une relation peut être établie avec les stations littorales voisines de Bodman-Weiler I.

Les inventaires céramiques des couches archéologiques de Bodman-Schachen forment l'ossature de la chronotypologie du Bronze ancien au Bodensee. Celui de la couche A date de la première phase du Bronze ancien. Un bon parallèle existe avec les vases à anse de type Burweinting/Viecht, qui en Bavière appartiennent au Straubing ancien. Des analogies avec des gobelets campaniformes non décorés et en particulier un bord de gobelet à décor rainuré évoquent d'autre part l'influence de la culture campaniforme. On a désigné la céramique de la couche A sous le nom de „faciès de Bodman", les vases à anse sous celui de „gobelets de Bodman". Sur la base des stratigraphies de Bodman-Schachen et de Ludwigshafen-Seehalde, le faciès de Bodman doit être relativement plus jeune que le Cordé le plus récent reconnu jusqu'à présent au Bodensee et plus vieux que la phase récente du Bronze ancien.

Le matériel de la couche B, sur la base de la stratigraphie de Bodman-Schachen I, appartient à une phase du Bronze ancien, qui laisse reconnaître sur la céramique des influences du groupe de Straubing. En revanche, les éléments de type Straubing manquent dans l'inventaire de la couche C. Ce dernier est caractérisé par une céramique intensément gravée, que l'on appelle la „céramique de style riche". Des éléments des deux inventaires B et C se retrouvent dans l'horizon A2/B1, dont le contenu typologique jusqu'à présent regroupait les complexes céramiques du Bronze ancien du sud de l'Allemagne. Ainsi, cet horizon peut être supprimé et substitué par les inventaires stratifiés des couches B et C. Dans celui de la couche C se trouvent des tessons au décor couvrant et un vase en forme de bouteille, éléments qui peuvent être raccordés au matériel céramique de la „Siedlung Forschner" et à celui des tombes de la culture des Tumulus. La céramique de style Bronze moyen était donc déjà utilisée parallèlement avec celle du groupe d'Arbon (voir ci-dessous) et, par le fait, pendant la phase finale du Bronze ancien.

Sur la base du matériel céramique stratifié de Bodman-Schachen I on a pu esquisser, avec une différenciation chronologique, une carte de répartition de la céramique du Bronze ancien et moyen pour les bords du Bodensee et la région voisine du Hegau. Sur les rives du lac, la répartition des points de trouvaille est clairsemée. C'est surtout la céramique typique de la couche C que l'on trouve en abondance dans les différentes baies ou sur d'autres portions du littoral. La fréquence des gobelets de Bodman (couche A) et de la céramique de type couche B dans la baie de Bodman est vraisemblablement due à la mobilité des communautés respectives. En tout cas, il semble impossible, en raison du caractère sélectif des sources, de tirer des conclusions de la carte de répartition en ce qui concerne la densité réelle de l'occupation des rives du Bodensee pendant le Bronze ancien.

Il faut cependant relever que les indices se multiplient, attestant l'occupation de l'arrière-pays immédiat du Bodensee dès la phase récente du Bronze ancien. De même, pendant le Bronze moyen, les stations semblent se trouver au-dessus de la ligne des 400m en raison du haut niveau du lac. Tandis que le Bronze ancien a connu une occupation plutôt continue du paysage local autour du Bodensee, les stations littorales n'ont été établies manifestement que par phases, dans des périodes favorables correspondant à un abaissement du niveau du lac.

Dans l'Hegau, les sites du Bronze ancien et moyen se trouvent en vallée. Pour les phases récente et éventuellement première du Bronze ancien, les hauteurs de cette région ont été vraisemblablement occupées.

La répartition des gobelets de Bodman recouvre le sud-ouest de l'Allemagne en deçà du Danube et s'étend jusqu'au lac de Zurich. En fait, on a ainsi une réplique du centre de répartition des haches de Salez. A l'aide du mobilier métallique de la première phase du Bronze ancien et des gobelets de Bodman, on peut ainsi définir la zone d'extension d'un groupe culturel, qui englobe la Suisse centrale et orientale – vallée alpine du Rhin comprise – et le sud-ouest de l'Allemagne jusqu'au Danube. Auparavant, en raison de sources lacunaires, ce groupe n'apparaissait pas aussi clairement.

Sur la base des inventaires stratifiés des couches B et C, on peut subdiviser la céramique du Bronze ancien au Nord des Alpes en deux groupes occidental et oriental. Son expression occidentale est caractérisée par la céramique de style riche, comme le montre l'ensemble de la couche C. Des inventaires de céramique de style riche sont définis sous la dénomination de „groupe d'Arbon" en référence à l'important complexe d'Arbon-Bleiche 2. Les deux concepts „Arboner Kultur" et „Arbonkultur", jusqu'ici employés mais sans définition précise, sont considérés ici comme synonymes et porteurs du même contenu.

Le courant oriental est représenté par des inventaires de fosses trouvés dans des habitats de la culture de Straubing. Avec le matériel de la couche B, on a vraisemblablement saisi une phase ancienne du groupe d'Arbon, qui se caractérise par des influences de la céramique de Straubing.

La relation chronologique de ces deux courants de production dans le sud de l'Allemagne ne peut être définie exactement. La présence simultanée des cruches de type Straubing et de cruches biconiques en Bavière prouvent que, pendant une courte durée tout du moins, ces deux styles ont coexisté.

La céramique richement gravée – correspondant au style riche – est répandue le long des grands cours d'eau dans le sud de l'Allemagne et dans le nord-est de la Suisse ainsi que dans la vallée alpine du Rhin. D'autre points de trouvaille marquent une ligne longeant la haute-chaîne des Alpes.

Il est remarquable de constater qu'aussi bien la céramique de type Straubing que celle de style riche se retrouvent jusque dans les gisements de minerai de la vallée alpine du Rhin et également dans ceux des Alpes orientales. Avec l'apparition du style riche, il semble que les influences de Straubing disparaissent des zones à gisement de cuivre dans les Alpes ainsi que du sud de l'Allemagne. En Bavière, l'extension principale de la céramique des habitats de Straubing recouvre pratiquement celle de la culture des Tumulus, ce qui montre probablement une suite chronologique de la culture Bronze ancien de Straubing à la culture des Tumulus. Au contraire, la répartition du groupe d'Arbon dans le sud-ouest de l'Allemagne diverge de celle de la culture des Tumulus, ce qui parlerait plutôt pour une juxtaposition des deux groupes au plan chronologique. Une telle situation est également soulignée au plan stylistique par la présence de tessons de style Bronze moyen dans le contexte du groupe d'Arbon.

La datation indépendante des inventaires stratigraphiques a été effectuée par la dendrochronologie et le radiocarbone. Celle de la couche A au 19ème siècle avant J. C. repose sur dix analyses radiométriques. Le champ de datation de ces dernières correspond ainsi à celui des dates radiocarbones effectuées sur les tombes du Bronze ancien du Neckar moyen. Par voie de conséquence, le mobilier de la couche A appartient à la première phase du Bronze ancien et nous pouvons par le fait le considérer comme partie intégrante de la culture de Singen.

Les tombes de Leubingen et Helmsdorf, dont le mobilier appartient typologiquement à la phase classique de la culture d'Unetice, sont également datées de cette période par la dendrochronologie. Il en résulte ainsi, en datation absolue, différentes positions pour la datation des phases première et récente dans le sud et le centre de l'Allemagne.

Les couches B et C, datées dendrochronologiquement, appartiennent à la phase récente du Bronze ancien. Les premières dates, en 1643 et 1640 avant J. C. se rapportent à la base de la couche B; elles se situent en 1612, 1604 et 1591 pour la partie inférieure de la couche C. Les différentes datations correspondent à un décalage chronologique de dépôt des couches au sud, au nord et au centre du champ de pieux. Une autre phase d'abattage se situe en 1503 avant J. C. La couche archéologique correspondante fait défaut.

Le rapport en chronologie absolue entre Bronze ancien, Cordé et Campaniforme a pu être discuté sur la base de quelques dates radiocarbones effectuées sur des tombes du sud de l'Allemagne ainsi que sur celles des stations littorales du Bodensee et du lac de Zurich tout en tenant compte des tessons de gobelets campaniformes trouvés en stratigraphie à Wädenswil-Vorder Au.

D'après ces données, on ne peut exclure, dans le sud de l'Allemagne et la Suisse orientale entre le 24ème et le 22ème avant J. C., une constellation complexe qui montrerait la coexistence de groupes du Néolithique final maîtrisant la métallurgie et de groupes du Bronze ancien. Durant le cours du Bronze ancien récent se dessinent à l'aide des dates absolues obtenues sur les grands lacs préalpins de la Suisse et du sud-ouest de l'Allemagne des phases d'occupation synchrone. Ce qui est remarquable c'est le quasi-synchronisme du début de l'occupation au milieu du 17ème siècle avant J. C. et de son interruption autour de 1500 avant J. C. L'hypothèse que, d'après les dates radiométriques, l'arrêt de l'activité constructrice dans les stations palafittiques soit le fait d'un changement climatique – connu sous le nom d'oscillation de Löbben – n'est pas confirmée par les données dendrochronologiques récemment acquises dans les Alpes sur l'arole (pinus cembra) pour la datation des avancées et des retraits glaciaires. L'oscillation de Löbben est mise en relation avec une nouvelle extension des glaciers vers 1626 et après 1558 avant J. C. et donc en partie avec des phases d'occupation intensive sur les bords des grands lacs préalpins. Un rapport de cause à effet entre le comportement de l'occupation humaine et le changement climatique n'est donc pas impérativement donné, mais serait plutôt à remettre en question.

Sur la base des inventaires stratifiés de Bodman-Schachen I et de Ludwigshafen-Seehalde on a pu suivre dans ses grandes lignes l'évolution des styles de la céramique du Bronze ancien dans la région du Bodensee, évolution qui s'étend du 19ème au 16ème siècle avant J. C. Ainsi, une classification du faciès de Bodman à l'aide des formes de gobelets paraît possible. L'inventaire de la couche 10 de Ludwigshafen-Seehalde pourrait, en raison du profil légèrement plus trapu des gobelets, être plus ancien que celui de Bodman-Schachen IA. L'inventaire de la couche 11 de Ludwigshafen-Seehalde est à situer entre ceux des couches A et B de Bodman-Schachen. Il est caractérisé entre autre par des profils carénés, des mamelons doubles et des applications en paires au niveau de l'épaulement. Ces dernières relient cet ensemble avec les trouvailles de la terrasse nord de Singen. À cela s'ajoutent des cordons au niveau du bord et des profils de pots coniques.

Toutes les formes à décor en profondeur font défaut. On peut se demander dans quelle mesure il s'agit ici de céramique d'un ensemble précoce de la culture d'Arbon. Le décor gravé et effectué au poinçon simple n'apparaît qu'avec les inventaires de l'Arbon ancien de type Bodman-Schachen couche B. Les formes de pots paraissent alors plus ramassées et la surface des plus grands récipients est recouverte de barbotine sous les cordons horizontaux. Le mobilier céramique de la couche C, plus récent de deux décennies seulement, possède déjà la céramique de style riche dans tout son registre intégral. Dans le cas d'une occupation synchrone et continue au sens large, une évolution locale des styles de décor semble peu probable. Il est frappant de voir que le changement stylistique brusque concerne avant tout les vases à boire tandis que la céramique plus grossière, la vaisselle, peut s'inscrire dans le cadre d'une évolution continue.

Sur plusieurs éléments du matériel, on a la preuve de relations lointaines, les axes de communication s'orientent dans ce cas le long des systèmes fluviaux, mais aussi en fonction de la chaîne alpine. Ceci se dégage des cartes de répartition et vaut pour les deux phases du Bronze ancien. Plusieurs fois, on a pu relever l'importance de la traversée des Alpes par la vallée du Rhin et le Reschenpass débouchant sur la région du lac de Garde. Certains éléments du mobilier et de la construction en bois indiquent la présence d'un réseau de distribution effectif entre les régions du lac de Garde et du Bodensee, réseau qui aurait servi à l'échange et à la transmission des idées et de la technologie.

Pour conclure on a tenté à l'aide d'analyses naturalistes de reconstruire les formes de l'économie et l'environnement des stations littorales du Bronze ancien sur le Schachenhorn.

D'après ces données, les habitats se trouvaient en bordure du delta fluviatile de la Stockacher Aach et manifestement en position fortement avancée sur le lac, sur les marges d'une plate-forme littorale pratiquement dépourvue de végétation et pour ainsi dire au niveau de la beine de l'époque. Les conditions de dépôts reconnues pour les différentes couches archéologiques supposent ici des niveaux de lac beaucoup plus bas qu'au stade actuel.

Les surfaces cultivables potentielles s'étendaient vraisemblablement sur l'arrière-pays immédiat du Schachenhorn, mais aussi sur les premières pentes douces des collines, qui bordent la dépression d'Espasingen. À cela s'ajoutent des surfaces considérables, qui servaient au pâturage du bétail. Cet ensemble, englobant des surfaces plutôt cultivées à long terme, a conduit probablement à la formation d'un terroir agricole relativement stable.

Grâce aux sondages subaquatiques de Bodman-Schachen I, les connaissances relatives à l'habitat Bronze ancien au Bodensee se sont beaucoup améliorées. Un grand nombre d'observations et de nouvelles données concernant le mode d'occupation de l'époque dans cette région a pu être acquis. Des sondages subaquatiques dans d'autres stations littorales du Bronze ancien, mais également des sondages et des fouilles de sauvetage en milieu terrestre dans la région avoisinante ont entre-temps largement contribué à la connaissance de l'occupation Bronze ancien au Bodensee. Que le stade de la recherche soit encore lacunaire, ceci peut être en partie dû à l'état des sources, mais sûrement au fait que la documentation repose essentiellement sur des découvertes fortuites et qu'il y a encore un manque de recherches systématiques effectuées sur des paysages choisis et ciblées sur l'approche du mode d'habitat au Bronze ancien. Ce sont avant tout de tels concepts de recherche qui vont permettre dans un proche avenir de fournir des éléments de réponse plus ou moins satisfaisants aux nombreuses questions restées ouvertes quant à l'histoire de l'occupation du Bodensee et des régions avoisinantes durant cette période.

(Traduction: Arielle et André Billamboz)

15.3 Riassunto

Fra il 1982 e il 1984 e nel 1986 gli insediamenti costieri della prima età del Bronzo di Bodman-Schachen I sono stati oggetto di sondaggi subacquei condotti dal Landesdenkmalamt Baden-Württemberg. Le ricerche si erano rese necessarie in seguito al dilavamento di numerosi legni da costruzione e al rischio dell'erosione di strati antropici. Il presente lavoro concerne i reperti e le osservazioni risultanti dagli scavi subacquei presso lo Schachenhorn.

Ai fini del lavoro è stato preso inoltre in considerazione il complesso dei precedenti reperti di prima età del Bronzo della regione del Lago di Costanza, come pure il materiale e le osservazioni derivanti da sondaggi subacquei condotti fino al 2001 dal Landesdenkmalamt Baden-Württemberg in altri insediamenti costieri del braccio lacustre di Überlingen. La direzione dei sondaggi subacquei era a carico dello scrivente.

Gli insediamenti costieri di Bodman-Schachen I si trovano presso il cosiddetto Schachenhorn, ad una distanza di circa 150 m dalla riva, molto vicino all'attuale declivio subacqueo. Lo Schachenhorn, un antico delta dello Stockacher Aach, è costituito dalla parte di terra di sedimenti fluviali. Dalla parte del lago questi sono ricoperti di gesso lacustre.

Nelle due aree separate, di complessivi 40 m², interessate dallo scavo è stato possibile mettere in luce una stratigrafia composta di tre strati riferibili alla prima età del Bronzo. La successione stratigrafica si riscontra presso il margine della stazione prospiciente il lago. I tre strati antropici A, B e C, divisi da gessi lacustri, si datano alla prima età del Bronzo antica e recente – tarda. La sequenza stratigrafica rientra perciò nell'ambito delle stratigrafie del Lago di Costanza di importanza anche sovraregionale. Durante la formazione dei tre stati antropici, l'area dell'insediamento dovette trovarsi, almeno temporaneamente, all'asciutto. Lo stato A, in gran parte uno strato di incendio, deve essersi deposto su un terreno umido, ma non coperto d'acqua, mentre un'inondazione dell'area successiva al periodo insediativo, probabilmente in conseguenza degli innalzamenti estivi del livello del lago, portò con sè argille fluviali dall'effetto conservante. Il livello medio del lago durante il periodo insediativo risulta perciò ricostruibile intorno ai 393 m s.l.m.

Il rinvenimento di coproliti nell'area prospiciente il lago degli strati B e C mostra che questi dovettero trovarsi all'asciutto, almeno a fasi alterne, anche durante il periodo di innalzamento dell'acqua estivo. Ne risulta per entrambi gli strati antropici un livello medio del lago di circa 392 m s.l.m.

Soprattutto per il periodo successivo alla deposizione dello strato C sembrano da ricostruirsi, sulla base della copertura di gessi lacustri, livelli dell'acqua più alti.

L'estensione massima della palificazione comprende 2000 m², con una media di 2,7 pali per metro quadrato. Relativamente rada, è formata, di pali di quercia, frassino e ontano. Altri tipi di legno sono più raramente rappresentati ed hanno, almeno per quanto riguarda la tecnica di costruzione della prima età del Bronzo, un ruolo secondario. Nello strato A furono utilizzati travi di frassino a sezione circolare, nello strato B assi di quercia tangenziali e travi a sezione circolare di ontano, nello stato C assi di quercia radiali.

Allo strato A si possono riferire pali forati di frassino e di quercia. Al margine inferiore dello strato A si sono rinvenute stanghe di nocciolo inserite nei fori ed altri due bastoni posti al disotto. Il complesso di bastoni era fissato mediante legacci di clematide ai pali forati. Serviva ad evitare, come i tralicci delle fasi di costruzione più recenti, che i pali, sotto il peso delle costruzioni, sprofondassero nel fondo molle del lago. Per la produzione dei tralicci risulta usato, in tutte le fasi di costruzione testimoniate, quasi esclusivamente legno di ontano, fatto probabilmente riconducibile alla sua proprietà di indurire nell'acqua.

In base alle analisi dendrocronologiche e di anatomia del legno eseguite sui pali si possono distinguere cinque fasi di costruzione che, per la posizione stratigrafica dei tralicci e dei complessi di bastoni

fissati con legacci, si collegano agli strati antropici nel modo seguente:
Fase di costruzione 1: strato A – pali forati di frassino e di quercia, non datati dendrocronologicamente.
Fase di costruzione 2: strato B (?) – travi a sezione circolare con tralicci sfaccettati.
Fase di costruzione 3: strato B – assi di quercia e travetti squadrati con tralicci sfaccettati, DC-fase di abbattimento 1.
Fase di costruzione 4: strato C – assi di quercia con tralicci grezzi, DC-fase di abbattimento 2.
Fase di costruzione 5: strato non antropico – assi e travetti squadrati di quercia, in parte inferiormente recisi, senza testimonianza di tralicci, DC-fase di abbattimento 3.

Grazie all'analisi dendrocronologica e di anatomia vegetale è stato possibile accertare le seguenti strutture insediative:
Fase di costruzione 1: perimetri ricostruibili di due case di circa 24 m² di superficie. Le abitazioni a due navate, probabilmente da ricostruirsi sopraelevate, presentano in corrispondenza di ciascuno dei lati esterni e della linea di colmo rispettivamente tre pali forati. Sulla superficie interna dell'abitazione ricostruibile in base al profilo 1.2 si trovano frammenti di argilla, mentre recipienti, cereali e legni carbonizzati relativi alla costruzione sono distribuiti lungo l'immaginaria linea delle pareti esterne. I resti di ammassi di cereali cotti insieme e carbonizzati si concentrano nell'area dei recipienti, i quali sono per lo più completamente conservati.
Fase di costruzione 2: si riconoscono chiaramente il perimetro di un'abitazione di 26 m² a due navate ed un recinto sul lato meridionale dell'area palificata. Altre due strutture riferibili a questa fase di costruzione vengono delineate da ammassi di pali di ontano.
Fase di costruzione 3: complessivamente quattro siti relativi ad abitazioni, di cui due con pianta a due navate, le cui misure eguagliano quelle della fase 2.
Fase di costruzione 4: sono testimoniati nel complesso quattro siti relativi ad abitazioni. Le case, a due navate, raggiungono una superficie massima di circa 30 m².
Fase di costruzione 5: in base alla carta di distribuzione dei pali di quercia datati risulta ricostruibile la pianta di un'abitazione a tre navate di 42 m² di superficie. I pali possono essere distinti in sostegni per le pareti e per le travi trasversali. Grazie alle riprese di superficie si possono cogliere all'incirca altre cinque strutture.

La grandezza degli insediamenti aumenta dalla fase di costruzione 1 alla 5, con l'aumento costante della superficie abitativa. La fase di costruzione 1 occupa una superficie insediativa di 600 m², le fasi di costruzione 2 e 3 comprendono circa 1000 m² di superficie. La fase di costruzione 4 si sviluppa su 1200 m² circa e la fase di costruzione 5 si estende infine su una superficie di 2000 m². I singoli insediamenti comprendevano da cinque a nove abitazioni disposte su allineamenti irregolari.

Strutture insediative di prima età del Bronzo idonee al confronto sono in genere raramente presenti nella Germania meridionale e in Svizzera e, con datazioni assolute su base dendrocronologica, possono essere prodotte solo da Meilen-Schellen, Wädenswil-Vorder Au e dall'insediamento di „Forschner". Impianti datati col metodo del radiocarbonio sono noti al Padnal e a Cazis-Cresta nei Grigioni nonché a Zurigo-Mozartstrasse.

Gli insediamenti costieri della Svizzera mostrano per lo più una disposizione degli edifici su file, mentre al Lago di Costanza predomina l'allineamento in righe. Al Federsee le abitazioni degli insediamenti in torbiera sembrano raggrupparsi, sia durante la prima, sia durante la tarda età del Bronzo, in nuclei irregolari. Degni di nota sono, sia al Lago di Costanza, sia al Federsee, impianti con imponenti fortificazioni che, almeno al Lago di Costanza, coesistono con insediamenti aperti, non fortificati. Questo permette forse di riconoscere un primo indizio di rapporto gerarchico nell'ambito del modello insediativo ancora sconosciuto di prima età del Bronzo.

A questi tipi di insediamenti si aggiungono, su terreno mineralizzato, grandi edifici a carattere rurale ed insediamenti di altura la cui struttura interna è tuttavia in gran parte ignota. La loro esistenza è verosimile sia per l'antica, sia per la recente prima età del Bronzo ed al più tardi durante la recente prima età del Bronzo gli insediamenti di altura sono effettivamente testimoniati anche nell'immediato retroterra del Lago di Costanza.

In genere, oltre ai diversi metodi di costruzione delle case su torbiera e sulle rive dei laghi, si possono distinguere piccoli impianti a carattere di villaggio di 0,05–0,2 ettari e insediamenti più grandi, fortificati, di 0,5 ettari o più. Gli insediamenti comprendono rispettivamente da 5 a 10 e da 25 a 30 abitazioni su aree insediative sempre densamente edificate.

Su terreno mineralizzato sono testimoniate, accanto agli insediamenti di altura a struttura interna spesso ignota, unità abitative minori di valle e complessi rurali con case lunghe di dimensioni simili a quelle del Neolitico medio. Queste ultime sembrano caratteristiche del Bronzo antico e medio della Germania meridionale. Dietro alle diverse strutture insediative si nascondono probabilmente strutture organizzative qualitativamente differenziate per le varie comunità di villaggio. Rimane tuttavia incerta la funzione delle diverse forme d'insediamento nell'ambito di un comune modello insediativo.

Il complesso di reperti proveniente da tutti e tre gli strati antropici di Bodman-Schachen I è dominato dalla ceramica. Dallo strato A provengono undici recipienti completi, sei frammenti ed un manufatto di selce. Il patrimonio formale della ceramica è dominato da bicchieri inornati e da olle biconiche decorate a cordoni. Sono inoltre presenti olle più piccole inornate e una ciotola. Il frammento di orlo decorato a incisione di un bicchiere completa il panorama di forme e decorazioni.

Dallo strato B provengono 10,87 kg di ceramica. Forme caratteristiche di questa ceramica, per lo più smagrita con quarzo e frammentini litici, sono olle schiacciate a bocca larga con cordone orizzontale a tacche e ventre inferiormente rusticato con argilla. La ceramica fine ha la superficie nera e lisciata. Forme tipiche sono i recipienti panciuti a gola sopra la spalla e le tazze. I recipienti panciuti sono ornati da una fila orizzontale semplice o doppia di impressioni a cilindro e doppie bugne integrate nel motivo decorativo. Sulle tazze sono tracciate file di triangoli pendenti decorati a fine punteggiatura. Inoltre si trovano scodelle, ciotole, olle biconiche e olle inornate con anse verticali sotto l'orlo. Notevole è la caratteristica del labbro fortemente estroverso. La percentuale delle decorazioni fini è nel complesso limitata. La decorazione a cordoni è invece di frequente rappresentata. Per la decorazione a fine punteggiatura e a cordoni con tacche poco profonde si possono con buona probabilità associare a questo patrimonio di forme anche le ciotole con labbro estroflesso, cordoni incrociati con bugne integrate e orlo ribattuto ritrovate in superficie a Bodman-Schachen I. Poche punte e scalpelli di osso nonché il frammento di un'immanicatura a gomito completano il panorama delle forme.

Dallo strato C proviene, con i suoi 68,5 kg, il più ampio complesso di reperti in contesto stratigrafico di Bodman-Schachen I. Dal punto di vista tecnico la ceramica non si differenzia molto da quella dello strato B, solo la varietà dei digrassanti è molto maggiore. Il patrimonio di forme si articola in 27 tipi suddivisibili in 5 gruppi. Accanto a ciotole, scodelle e olle sono rappresentati boccali e recipienti a bocca stretta.

Particolarmente tipici e standardizzati sono i boccali biconici.

La ceramica fine a superficie lisciata e nera, e soprattutto i boccali biconici e panciuti, è per lo più decorata a incisione. La decorazione è stata incisa sull'argilla ancora morbida in modo da formare una fascia orizzontale in corrispondenza della spalla dei recipienti. I motivi sono composti in base ad unità geometriche di base. Su pochi frammenti la decorazione è applicata ad impressioni di punti e linee (tecnica a *Furchenstich*). Le fasce decorative nei boccali si interrompono in corrispondenza delle anse e sono delimitate da motivi verticali o da linee. Spesso le fasce decorate sono orlate da file di piccole impressioni o di punti. Fra la decorazione grossolana predominano i cordoni orizzontali a tacche e le file di ditate. La parete dei recipienti di misura media è rusticata con argilla al disotto della fascia decorativa. I recipienti più grandi presentano diversi cordoni orizzontali e verticali e sono rusticati con argilla su tutta la parete. Tipiche sono le bugne integrate ai cordoni e le prese forate. Un numero limitato di frammenti è decorato ad unghiate oblique coprenti.

Oltre alla ceramica provengono dallo strato C pochi manufatti di selce e di osso.

Degno di nota è uno spillone a testa globulare fuso su nucleo di terracotta, un'ascia a margini rialzati tipo Langquaid, un crogiolo a coppa e un idolo del tipo *Brotlaibidol*.

Nel complesso dei materiali rinvenuti precedentemente nell'area del Lago di Costanza si trovano solo pochi oggetti di bronzo riferibili tipologicamente alla prima o alla media età del Bronzo. Il loro contesto di rinvenimento si può per lo più individuare soltanto in base alla patina. Reperti tombali certi provengono unicamente da Bodman.

Dall'area costiera deriva la maggior parte degli oggetti di bronzo databili per cronologia relativa alla recente prima età del Bronzo, mentre i reperti in bronzo dell'antica prima età del Bronzo, per esempio le asce a margini rialzato tipo Salez, per la caratteristica patina da terreno mineralizzato non possono venire direttamente dalla riva del lago. I reperti in bronzo della media età del Bronzo provengono prevalentemente dal retroterra del Lago di Costanza e dalle catene montuose circonvicine. Si tratta per lo più di reperti isolati per i quali si suppone un'origine tombale. Il rapporto cronologico fra gli insediamenti costieri e i reperti di bronzo del retroterra non è chiaro. Soltanto nel caso delle tombe di Bodman si potrebbe supporre un rapporto con gli insediamenti costieri vicini di Bodman-Weiler I.

L'inventario ceramico degli strati antropici di Bodman-Schachen I costituisce l'impalcatura di base di una cronotipologia della prima età del Bronzo del territorio del Lago di Costanza. L'inventario dei reperti dello strato A è riferibile al periodo più antico della prima età del Bronzo. Buoni confronti sono offerti dai recipienti ansati del tipo Burgweinting/Viecht che in Baviera appartengono al gruppo più antico di Straubing. Somiglianze con i bicchieri campaniformi non decorati e soprattutto il frammento di orlo decorato a incisioni di un bicchiere rimandano d'altra parte ad influssi della Cultura del Campaniforme.

La ceramica dello strato A è denominata „facies di Bodman" *(Bodmaner Fazies)* e i tipici recipienti ansati vengono chiamati boccali tipo Bodman. In base alle stratigrafie di Bodman-Schachen I e di Ludwigshafen-Seehalde la facies di Bodman deve essere, dal punto di vista della cronologia relativa, più recente della più recente Ceramica Cordata finora reperita nel territorio del Lago di Costanza e più antica della recente prima età del Bronzo.

I reperti dello strato B si riferiscono, in base alla stratigrafia di Bodman-Schachen I, ad una fase della prima età del Bronzo in cui sono riconoscibili influssi di Straubing sulla ceramica.

Gli elementi di Straubing mancano al contrario nell'inventario dei reperti dello strato C, caratterizzato da una ceramica riccamente decorata ad incisione, la „ceramica dello stile ricco" *(Keramik des reichen Stils)*. Elementi di entrambi gli inventari si ritrovano nella fase ceramica A2/B1, la quale finora comprendeva tipologicamente i complessi ceramici della prima età del Bronzo della Germania meridionale. Grazie agli inventari in contesto stratigrafico degli strati B e C questa fase può perciò essere suddivisa e sostituita. Nell'inventario della ceramica dello strato C si ritrovano frammenti a decorazione coprente ed un recipiente a bottiglia che si possono avvicinare ai reperti ceramici dell'insediamento „Forschner" e delle tombe della Cultura dei Tumuli. Questa ceramica, stilisticamente riferibile alla media età del Bronzo, era contemporanea alla ceramica del Gruppo di Arbon (v. sotto) e quindi già in uso durante una fase tarda della recente prima età del Bronzo.

In base ai reperti ceramici in contesto stratigrafico di Bodman-Schachen I si potrebbe tracciare una carta, differenziata cronologicamente, della distribuzione della ceramica della prima e della media età del Bronzo sulla riva del Lago di Costanza e nell'adiacente Hegau. Sulla riva del Lago di Costanza si riscontra una distribuzione sparsa dei siti di rinvenimento. Soprattutto la ceramica tipo strato C si accumula in singole insenature e su alcuni tratti di costa. Addensamenti di boccali tipo Bodman (strato A) e di ceramica tipo strato B nell'insenatura di Bodman sono probabilmente riconducibili alla mobilità di singole comunità insediative. A causa della caratteristica di casualità delle fonti non sembra comunque possibile trarre, in base al quadro fornito dalla carta, conclusioni riguardanti l'effettiva densità di popolazione sulle rive del Lago di Costanza durante la prima età del Bronzo.

Bisogna tuttavia sottolineare che a partire dalla recente prima età del Bronzo si accumulano gli indizi di occupazione dell'immediato retroterra del Lago di Costanza e che durante la media età del Bronzo gli insediamenti sembrano trovarsi, probabilmente a causa del livello del lago più elevato, al di sopra della linea dei 400 m. Mentre nell'antica età del Bronzo il territorio intorno al Lago di Costanza era continuativamente abitato, gli insediamenti costieri venivano impiantati evidentemente solo periodicamente, in momenti favorevoli all'insediamento, in presenza di un livello del lago corrispondentemente basso.

Nell'Hegau i siti insediativi della prima e della media età del Bronzo si trovano nell'area delle valli fluviali. Per la recente e forse anche per l'antica prima età del Bronzo si potrebbe supporre con una certa verosimiglianza l'occupazione delle alture locali.

La distribuzione dei boccali tipo Bodman interessa, nella Germania sud-occidentale, la regione a sud del Danubio ed arriva fino al Lago di Zurigo. Sostanzialmente essa ricalca il nucleo centrale della distribuzione delle asce tipo Salez. Grazie ai reperti metallici dell'antica prima età del Bronzo e ai boccali tipo Bodman viene quindi a delinearsi il territorio di diffusione di un gruppo culturale comprendente la Svizzera centrale e orientale con la valle del Reno alpino e la Germania sud-occidentale fino al Danubio, gruppo culturale che, a causa della scarsa consistenza delle fonti, non era finora riconoscibile con simile chiarezza.

In base agli inventari in contesto stratigrafico degli strati B e C è stato possibile suddividere la ceramica nordalpina della prima età del Bronzo in un raggruppamento occidentale ed uno orientale. L'aspetto occidentale è caratterizzato dalla ceramica dello stile ricco evidenziata dal complesso di materiali in contesto stratigrafico dello strato C. Gli inventari con ceramica dello stile ricco vengono compresi sotto il nome del „Gruppo di Arbon" che prende nome dall'abbondante complesso di materiali di Arbon-Bleiche 2. Le denominazioni finora utilizzate, ma contenutisticamente poco definite, di *Arboner Kultur* e *Arbonkultur* vengono intese qui come sinonimi pienamente corrispondenti.

L'aspetto orientale della ceramica viene rappresentato da inventari provenienti da fosse degli insediamenti della Cultura di Straubing. Con la ceramica dello strato B si coglie probabilmente una fase più antica del Gruppo di Arbon, la cui ceramica appare caratterizzata da influssi di Straubing.

Non è stato possibile determinare con precisione il rapporto di cronologia relativa dei due stili ceramici della Germania meridionale. Rinvenimenti congiunti di boccali tipo Straubing e di boccali biconici in Baviera provano che ambedue gli stili ceramici dovettero esistere, almeno per un breve periodo, contemporaneamente.

La ceramica riccamente decorata ad incisione – la ceramica dello stile ricco – si trova irregolarmente distribuita lungo il corso dei grandi fiumi della Germania meridionale e della Svizzera nord-orientale, come pure nella valle del Reno alpino. Altri siti di rinvenimento marcano una linea che corre parallela al crinale alpino principale.

Sia gli elementi ceramici tipo Straubing, sia la ceramica dello stile a ricca decorazione sono diffusi in maniera evidente fino ai giacimenti di rame del Reno alpino, ma anche delle Alpi orientali. Con il diffondersi dello stile ricco, gli influssi di Straubing sembrano sparire dalla regione dei giacimenti di rame delle Alpi e, nel complesso, dalla Germania sud-occidentale.

Il territorio principale di diffusione della ceramica tipo Straubing proveniente da insediamenti della Baviera corrisponde pressoché esattamente a quello della Cultura dei Tumuli, fatto che probabilmente indica un avvicendamento temporale alla Cultura di Straubing di prima età del Bronzo da parte della Cultura dei Tumuli. Al contrario, le aree di diffusione del Gruppo di Arbon e della Cultura dei Tumuli nella Germania sud-occidentale si escludono a vicenda pressoché completamente, elemento che sembra deporre a favore della coesistenza di ambedue i gruppi culturali. Frammenti stilisticamente riferibili alla media età del Bronzo nei contesti del Gruppo di Arbon sono egualmente indizio di questa coesistenza.

La datazione assoluta degli inventari degli strati è stata effettuata mediante dendrocronologia e metodo radiocarbonico. In base a dieci datazioni radiocarboniche lo strato A è stato datato nell'ambito del XIX secolo a. C. Queste datazioni si inseriscono nel quadro delle datazioni radiocarboniche effettuate su tombe dell'antica prima età del Bronzo della media regione del Neckar. Il materiale dello strato A è di conseguenza riferibile all'antica prima età del Bronzo e deve quindi essere inteso come riferibile alla Cultura di Singen.

Le tombe di Leubingen e di Helmsdorf, i cui reperti rinviano tipologicamente alla fase classica della Cultura di Aunjetitz, sono state egualmente datate, con metodo dendrocronologico, allo stesso periodo. Da ciò risultano per l'antica e la recente prima età del Bronzo della Germania centrale e sud-occidentale agganci di cronologia assoluta differenti.

Gli strati B e C, datati dendrocronologicamente, appartengono alla recente prima età del Bronzo. La base dello strato B è datata 1643 e 1640, mentre per la base dello strato C sono state ottenute datazioni dendrocronologiche al 1612, 1604 e 1591. I diversi risultati delle datazioni si basano sulla sedimentazione cronologicamente differenziata degli strati B e C nelle aree meridionale, settentrionale e centrale della palificazione. Un'ulteriore fase di abbattimento si data al 1503 a. C. Mancano però resti di strati antropici riferibili a tale fase di abbattimento.

Il rapporto di cronologia assoluta fra l'antica prima età del Bronzo, la Ceramica Cordata e la cultura del Campaniforme è stata discussa sulla base di alcune datazioni radiocarboniche effettuate su tombe della Germania meridionale e su insediamenti costieri del Lago di Costanza e del Lago di Zurigo, come pure dei frammenti di vaso campaniforme rinvenuti in strato a Wädenswil-Vorder Au al Lago di Zurigo. Secondo tale discussione non è da escludersi per la Germania sud-occidentale e per la Svizzera orientale fra il XXIV e il XXII secolo a. C. una situazione complicata in cui gruppi tardo-neolitici in possesso di metallo e gruppi dell'antica prima età del Bronzo coesistevano gli uni accanto agli altri.

Grazie alle datazioni assolute effettuate sui grandi laghi prealpini della Svizzera e della Germania sud-occidentale si sono potute delineare per la recente prima età del Bronzo fasi insediative cronologicamente corrispondenti. Degni di nota sono l'inizio pressoché contemporaneo degli insediamenti alla metà del XVII secolo a. C. e la loro interruzione, ancora una volta pressoché contemporanea, intorno al 1500 a. C. L'ipotesi, basata sulle datazioni radiocarboniche, secondo cui la causa dell'interruzione sovraregionale nelle datazioni dendrocronologiche negli insediamenti costieri intorno al 1500 a. C. sarebbe da ricondursi a mutamenti climatici – la cosiddetta oscillazione di Löbben – non ha potuto trovare conferma nelle datazioni dendrocronologiche recentemente effettuate su cembri alpini *(pinus cembra)* ai fini della datazione delle fasi di espansione e di regressione dei ghiacciai. L'oscillazione di Löbben viene messa qui in relazione a fasi di espansione dei ghiacciai databili intorno al 1626 e al 1558 a. C., e cade quindi in parte in fasi di intensa attività insediativa sulle rive dei grandi laghi prealpini. Una relazione di causa ed effetto fra mutamenti climatici e comportamenti insediativi non è perciò riscontrabile, ed appare anzi discutibile.

In base agli inventari delle stratigrafie di Bodman-Schachen I e di Ludwigshafen-Seehalde si è potuto incominciare a delineare gli sviluppi della ceramica della prima età del Bronzo nella regione del Lago di Costanza fra il XIX e il XVI secolo a. C. Sembra possibile una suddivisione della facies di Bodman in base alle forme dei boccali: l'inventario dello strato

10 di Ludwigshafen-Seehalde potrebbe essere, per i boccali un po' più schiacciati, più antica di quello di Bodman-Schachen IA. Lo strato 11 di Ludwigshafen-Seehalde viene considerato intermedio fra gli strati A e B di Bodman-Schachen I. L'inventario è caratterizzato da profili carenati, bugne doppie e coppie di applicazioni impostate sulla spalla. Queste ultime collegano lo stesso inventario con i rinvenimenti dall'insediamento di Singen-Nordstadtterrasse. Ad esse si aggiungono i cordoni all'orlo e i profili conici delle olle. Quello che manca sono tutte le forme di decorazione incisa o impressa. Non è chiaro fino a che punto si tratti qui della ceramica di un Gruppo di Arbon antico. Solo con gli inventari dell'antica Cultura di Arbon tipo strato B di Bodman-Schachen I compaiono le decorazioni a incisione e a punteggiatura. Le forme delle olle appaiono ora più schiacciate e la superficie dei recipienti più grandi è ricoperta, al disotto dei cordoni orizzontali, di uno strato di argilla. La ceramica dello strato C, più recente soltanto di poco meno di due decenni, comprende già pienamente la ceramica dello „stile ricco" *(reicher Stil)*. Nel caso di una contemporanea continuità insediativa in senso lato, non sembra ipotizzabile uno sviluppo locale dello stile decorativo. È evidente che tale improvviso mutamento di stile riguarda soprattutto il vasellame usato per bere, mentre la ceramica più grossolana, da cucina, può essere senza dubbio considerata nel quadro di uno sviluppo continuativo.

Rapporti a largo raggio sono più volte testimoniati fra il materiale: le direttrici di comunicazione si dispongono lungo i grandi sistemi fluviali, ma anche lungo il crinale alpino. Questo appare evidente dalle carte di distribuzione sia dell'antica, sia della recente prima età del Bronzo. Il significato della trasversale alpina che, attraverso la valle del Reno alpino e il passo di Resia, arriva al Lago di Garda è già stato più volte evidenziato. L'esistenza di una rete di distribuzione intensamente sfruttata fra la regione del Garda e quella del Lago di Costanza, che veniva utilizzata per lo scambio e la comunicazione di idee e di tecnologia, è riscontrabile nei reperti e negli elementi da costruzione in legno.

Infine è stato fatto il tentativo di ricostruire l'economia e l'ambiente degli insediamenti di prima età del Bronzo dello Schachenhorn in base alle analisi scientifiche che corredano il lavoro.

Gli insediamenti si trovavano dunque su un delta fluviale dello Stockacher Aach e giacevano evidentemente molto avanzati in direzione del lago, al margine di una piana costiera in gran parte priva di vegetazione, nei pressi del declivio subacqueo coevo agli insediamenti. Le condizioni di sedimentazione riscontrate per i singoli strati antropici presuppongono un livello molto più basso dell'acqua di quello odierno. Le potenziali aree agricole si possono supporre nell'immediato retroterra sullo Schachenhorn, ma anche in corrispondenza della base poco ripida del pendio al margine della conca di Espasingen. Si aggiungono aree di espansione notevole che servivano da pascolo. Queste e le superfici agricole probabilmente utilizzate a lungo sembrano aver condotto alla formazione di un paesaggio culturale relativamente stabile.

Grazie ai sondaggi subacquei di Bodman-Schachen I è stato possibile migliorare di molto la situazione delle fonti relative agli insediamenti della prima età del Bronzo al Lago di Costanza. Ne sono risultate numerose conoscenze e una comprensione più approfondita della storia dell'insediamento al Lago di Costanza. Sondaggi subacquei in altre località costiere d'insediamento della prima età del Bronzo, ma anche sondaggi e scavi di recupero sul terreno mineralizzato nelle aree direttamente adiacenti al Lago di Costanza hanno notevolmente contribuito nel tempo alla conoscenza del sistema insediativo nel territorio del Lago di Costanza. Lo stato tuttavia lacunoso della ricerca può forse essere in parte condizionato dal genere delle fonti, ma certamente dipende anche dal fatto che l'insieme dei dati si basa quasi esclusivamente su rinvenimenti casuali, mentre mancano ricerche sistematiche su singoli territori effettuate espressamente allo scopo di risolvere i problemi del sistema insediativo dell'età del Bronzo. Dipenderà però in primo luogo proprio da ricerche così concepite se sarà possibile in un prossimo futuro dare una risposta almeno parzialmente soddisfacente alle numerose questioni ancora aperte, relative alla storia insediativa del Lago di Costanza e della regione ad esso circostante.

(Traduzione: M. E. Tamburini-Müller)

15.4 Abstract

Between 1982–84 and again in 1986 the Landesdenkmalamt Baden-Württemberg carried out diving sondages in the Early Bronze Age lakeside dwelling of Bodman-Schachen I on Lake Constance (Bodensee). Numerous examples of building wood and cultural layers flushed free in an area of erosion made an examination necessary. Presented work deals with the finds and findings of the diving excavations at Schachenhorn.

Included in the work were the Early Bronze Age inventory of the Bodensee area and the finds and findings of the Landesdenkmalamt Baden-Württemberg carried out in further Early bronze age lakeside settlements of the Überlinger See up to 2001. The underwater sondages were conducted by the author. The lakeside settlements of Bodman-Schachen I are found on the Schachenhorn some 150 meters from the banks very close to the present day lake shelf *(Halde)*. On the landward side the Schachenhorn, a former delta of the Stocker Aach, is made of fluvial sediment , on the lakeward edge this is superposed by chalky layers *(Seekreide)*.

A three-layered stratigraphy of the Early Bronze Age was revealed in two separate excavation areas with a total area of 40 sq.m. The columnar sections are situated on the lakeward edge of the settlement. The three cultural layers A, B and C, separated by chalky layers, date from the early to the late phases of the Early Bronze Age. The columnar section is one of the most important stratigraphies even outside of the Bodensee region. During the formation of the three cultural layers the settlement area must, at least for some time, have been above water. Layer A, primarily a burnt layer, would have been formed on a waterfree, damp subsoil, but in the post settlement times there must have been a covering of water, probably during summer high water, which brought with it fluvial clay with all its conservational properties. The mean level of the lake at the time of the settlement, can be reconstructed at 393 m above sea level.

Layers B and C, on the basis of coprolites found there in the lakeward area, must have been, also during the summer high water time, periodically on dry land. The two upper layers were measured at about 392 m above sea level.

On the basis of the chalky layers, particularly after the deposition of Layer C, it is possible to deduce higher water levels.

The maximum area of the pile zone, at on average 2.7 piles per square meter, covers 2000 sq.m. It comprises mostly of oak, ash and alder piles, other kinds of wood are seldom represented and play, at least in the building history of the Early Bronze Age, a subsidiary role. Rounded ash piles were used in Layer A, tangential oak triangular piles and rounded alder piles in Layer B and radial triangular oak piles in Layer C.

Mortised ash and oak piles can be allotted to Layer A. Hazel dowellings, which had been pushed through the holes, and two further hazel shoots were found in the lower area of layer A. This anchoring construction was then bound to the bored piles with clematis twining. In much the same way as the squared anchoring boards *(Flecklinge)* of the later building phase, they were intended to prevent the piles from sinking, under the weight of the building, into the soft lake bed. Almost without exception alder was used in the making of anchoring boards in all documented building phases which can be attributed to its special property of hardening in water.

On the basis of dendrochronological and timber anatomological analyses of the piles five building phases can be discerned which through the stratigraphic position of the respective squared anchoring boards and attached dowelled construction can be allied to the cultural layers as follows:

Phase 1: Layer A – mortised ash and oak piles, not dated dendrochronologically.

Phase 2: Layer B (?) – alder piles with mortised anchoring boards.

Phase 3: Layer B – triangular and squared oak piles with square anchoring boards, DC-phase 1.

Phase 4: Layer C – triangular oak piles with rough square anchoring boards, DC-phase 2.

Phase 5: No cultural layer – triangular and squared oak piles and square, in parts uncut, no evidence of anchoring boards, DC- phase 3.

The following settlement structures can be ascertained using timber anatomy and dendrochronology:

Phase 1: Evidence of a total of at least five house sites. Two house ground-plans can be reconstructed covering an area of roughly 24 sq.m. The two-partitioned raised houses each have on their outer sides and ridge alignments three mortised piles. In the reconstructed interiors of the ground-plan 1.2 clay was found, while vessels, cereals and charred building timber was strewn along where the outer walls are thought to be. Lumps of baked and charred cereals were concentrated near the best preserved pots.

Phase 2: A two-partitioned ground-plan covering an area of 26 sq.m. and an enclosure on the southern side of the piled area are clearly recognisable. Two further ground-plans from this building phase are indicated by an accumulation of alder piles.

Phase 3: A total of four house sites, including two-partitioned ground-plans, their dimensions are comparable to phase 2.

Phase 4: Evidence of a total of four house sites. The two-partitioned houses cover a maximum area of 30 sq.m.

Phase 5: A survey of the dated oak piles resulted in the locating of a three-partitioned ground-plan covering an area of 42 sq.m. The posts could be classified into wall bearing and beam bearing rows. Some five further ground-plans were recorded during the surface survey.

The size of the settlement grows from Phase 1 to Phase 5 under the steady expansion of the settlement area. Building Phase 1 covers an area of 600 sq.m. Building Phases 2 and 3 occupy some 1000 sq.m. Building Phase 4 extends to roughly 1200 sq.m. and Building Phase 5 ultimately expands to an area of 2000 sq.m. The individual settlements consist of five to nine houses. The houses are arranged in irregular lines.

In south Germany and Switzerland comparable Early Bronze Age settlement structures are generally rare and dendrochronological absolute dating can only be obtained from Meilen-Schellen, Wädenswil-Vorder Au and „Siedlung Forschner". Known C14 dated constructions include Padnal and Cazis-Cresta in Graubünden and Zürich-Mozartstrasse on Lake Zürich.

The Swiss lake settlements tended to build in rows, while on the Bodensee building in lines predominated. In Federseeried the houses of the wetland settlement, both in the Early and Late Bronze Age, appear to be grouped in clusters. It is worth emphasising that at both Bodensee and Federseeried there are strongly defensive structures which at least at the Bodensee simultaneously co-exist with open, unfortified structures. Thus possibly the first evidence of a hierarchical organisation within an unknown Early Bronze Age settlement model.

There are, in addition to this, on mineral foundations, large farmhouse-like buildings and hilltop settlements, the interior layout of the hilltop settlements largely remains unclear. Their existence both in the early and late phases of the Early Bronze Age is probable; hilltop settlements are documented, at the latest in the early phase of the Early Bronze Age, in the immediate hinterland of the Bodensee.

Generally, in addition to the various construction principles of the houses in the wetlands and on the lakeside banks, differentiation can be made between the small village structures consisting of 0.05–0.2 hectares and the larger fortified settlements of 0.5 and above hectares. The settlements comprise of between 5–10 houses and 25–30 houses whereby the buildings in the settlement areas were consistently built at close quarters. On mineral foundations, in addition to the hilltop settlements with largely unknown interiors, there is evidence of smaller building units and farmyards with long houses of Middle Neolithic dimensions in the valley areas. The latter seem to be characteristic to south Germany in the Early and Middle Bronze Age. Behind the varying settlement structures qualatitive organisational structures of respective settlement communities may exist. The function of the individual settlement forms within the communal settlement pattern remains unclear.

The emergent finds from all three cultural layers at Bodman-Schachen I were dominated by ceramics. Eleven complete vessels, six shards and a silex artefact were found in Layer A. The shape spectrum of the ceramics ranged from undecorated beakers to biconical, sculpted band pots. Alongside of these were some smaller pots and a bowl. The shape and decoration range is rounded off by the incise decorated rim of a beaker.

Layer B revealed 10.87 kg. of ceramics. Characteristic of the mainly quartz and chert-fluxed ceramics are compact wide-mouthed pots with circular pricked mouldings and silt roughened lower parts. The fine wares have black and smoothed upper surfaces. Typical shapes are bellied vessels with grooves at the shoulder and cups. The bellied vessels are decorated with single or double horizontal circumferential cylinder stamp rows into which are integrated two-humped lugs. Pendant triangular bands, with fine pricked decorations, are affixed to the cups. Additionally there are dishes, bowls, biconical pots and undecorated pots with handles below the rim. Conspicuous are the strongly extended rims. Overall the proportion of finely decorated wares is slight. Sculpted band decorations, on the other hand, are more frequent. In all likelihood dishes with extended rims, with crossed mouldings with integrated lugs and T-rims can be added to the shape spectrum of the surface at Bodman-Schachen I on the strength of their fine groove decorations and flat dented mouldings. A few bone spikes and chisels as well as a fragment of Knieholm round off the range of finds.

The most substantial stratified find complex at Bodman-Schachen I with 68.5 kg. stemmed from Layer C. On the basis of technique it hardly differed from the ceramics from Layer B, merely that the kinds of fluxes used are more varied. The shape spectrum was classified in 27 forms which could be subdivided into five form groups. In addition to dishes, bowls and pots, there are beakers and narrow-mouthed vessels. Especially typical and uniformly distinctive is the biconical flagon.

The fine ceramics with smooth and blackened surfaces, in particular the biconical and bellied flagons, are mostly incise decorated. The incised decoration is mostly scratched into the soft clay and then applied to the vessels in hoizontal and circulatory bands at shoulder height. The patterns are made up of geometric elements. On a few of the shards the patterns are achieved using a furrow-stitch technique. The patterned bands on the flagons are interrupted below the handle region and are defined by vertical patterns or lines. Repeatedly the area of decoration is fringed with rows of corn dabs or single pricks. As far as coarser decoration is concerned the horizontal circular dabbed bands and finger dabbed rows dominate the range. The sides of the middle-sized pots are roughened with silt below the decorative line. The larger pots have more circular sculpted bands and vertical bands and whole vessel is silt roughened. Typical are the lugs and handle loops integrated into the bands. A small number of shards are plain and decorated with slanted fingernail impressions. In addition to the ceramics a few silex and bone artefacts were found in Layer C. Worth mentioning are a globe-headed pin cast on clay, a flanged axe (type Langquaid), a tub-shaped crucible and a brotlaibidol (a loaf idol).

There are only a few bronze artefacts in the inventory of old finds from the Bodensee area that can be classified typologically to the Early or Middle Bronze Age. The find contexts are indicated almost entirely on the basis of their patination. Only grave finds obtained from Bodman have been confirmed. Relative chronological bronze wares from the late phase of the Early Bronze Age predominantly stem from the bank area, while bronze finds from earlier phases of the Early Bronze Age, for example a Salez type flanged axe, on the basis of their mineral soil patina can not come directly from the lake banks. Middle Bronze Age bronze finds mainly come from the Bodensee's hinterland and from the neighbouring highlands. They are mostly individual items which can be assumed to have originated from graves. The chronological relationship between the lake settlements and the bronze artefacts from the hinterland remains unclear. Only in the case of the graves from Bodman could a connection exist to the nearby lake settlement of Bodman-Weiler I.

The inventory of ceramics from the cultural layers of Bodman-Schachen I constitute a basic structure of a chronotypology of the Bodensee area. The find inventory from Layer A belongs to the earlier phase of the Early Bronze Age. Comparable are the handled vessels of the Burgweinting/Viecht type which are associated with the older Straubinger group in Bavaria. Similarities with the undecorated bell beakers and above all the grooved rim shard of one beaker indicate on the other hand an influence of the Bell Beaker Culture.

The ceramics from Layer A are identified as 'Bodman Facies' (Bodmaner Fazies), the typical handled vessels were named Bodman Beakers. As a result of the stratigraphy of Bodman-Schachen I and Ludwigshafen-Seehalde the Bodman facies must be relative chronologically younger than the late corded ware ceramics from the Bodensee area and older than the late phase of Early Bronze Age.

The finds from Layer B belong, on the basis of the stratigraphy from Bodman-Schachen I, to a phase of the early Bronze Age which reveal, at least as far as the ceeramics are concerned, Straubing influences. Straubing elements are missing on the other hand from the inventory of Layer C, which are characterised by rich groove decorated ceramics – ceramics rich in style. Elements of both inventories are again to be found in the ceramic grades A2/B1, which up to now contained typologically the Early Bronze Age ceramic complex of south Germany. Therefore they can be crossed off the stratified inventories of Layer B and C and substituted. In the ceramic inventory from Layer C flat decorated shards and a bottle-shaped vessel were found which are associated with the ceramic finds from the „Siedlung Forschner" settlement and from the grave finds of the Tumulus Culture. The stylistically Middle Bronze Age ceramics were, accordingly, concurrent with the ceramics of the Arbon group (see below) and therefore already in use during a late phase of the Early Bronze Age.

A chronologically differentiated distribution map of the Early and Middle Bronze Age ceramics on the banks of the Bodensee and in neighbouring Hegau can be composed on the basis of the stratified ceramic finds at Bodman-Schachen I. On the banks of the Bodensee there is a loose scattering of find sites. Particularly ceramics of the Layer C type are well represented in individual inlets and sections of the banks. Clusters of Bodman beakers (Layer A) and ceramics of the Layer B type can possibly be ascribed to the mobility of individual settlement communities. It hardly seems possible at all, on the basis of the selective source locations to draw conclusions from the distribution map about the actual density of settlements on the banks of the Bodensee in the Early Bronze Age.

It is, admittedly, worth stressing that evidence is accumulating that the direct hinterland of the Bodensee was settled from the late phase Bronze Age and that the settlements during the Middle Bronze Age, as a consequence of the higher water levels, seemed to have been situated above the 400 m. mark. During the early Bronze Age the landscape around the Bodensee was continuously settled, whereas the lakeside settlements were apparently only created in phases when the low water levels made this practicable.

In Hegau the Early to Middle Bronze Age settlement sites lie in the area of the valley meadows. Settlement of the higher grounds here could be held as a probability in late phase and possibly also in the early phase of the Early Bronze Age.

The distribution of Bodman Beakers comprises, in southern Germany, the area south of the Danube and extends to the Zürichsee. The core region of distribution, basically, corresponds to that of the Salez axes. In the light of metal finds from the early phase of the Early Bronze Age and Bodman beakers, the distribution area of a cultural group emerges which comprises of central and eastern Switzerland including the Alpine Rhine valley and south west Germany up to the Danube. Clarity about this cultural group, has up until now, on account of the sparsity of source locations been difficult to substantiate.

By means of the stratified inventories of Layers B and C the north alpine Early Bronze Age ceramics can be classified into a western and an eastern grouping. Its western variation is characterised by ceramics „rich in style" as those from the find complex from Layer C turned out to be. Inventories containing ceramics „rich in style" were named „Arbon Group" after the most substantial find complex at Arbon-Bleiche 2. The eastern ceramic variation is represented by the pit inventories from the settlements of the Straubing culture. The ceramics from Layer B indicate a possible connection to an earlier phase of the Arbon Group which are characterised, as far as the ceramics are concerned, by Straubing influences.

The relative chronological relationship between the two south German ceramic variations cannot be exactly ascertained. Straubinger flagons and biconical flagons found together in Bavaria indicate that the two ceramic styles, at least for a short time, co-existed.

The rich groove decorated ceramics – ceramics rich in style – are strewn along the river courses in south Germany, north east Switzerland and the alpine Rhine valley. Further find sites follow a parallel line to the main alpine ridges. Elements of both, Straubing and rich groove decorated ceramics are strikingly widespread up to the copper ore deposits in the alpine Rhine valley and also in the eastern Alps. With the advent of the rich style the Straubing influences seem to totally disappear from the alpine copper ore areas and from south west Germany. The main distribution area of the Straubing settlement ceramics in Bavaria is almost exactly congruent with the distribution of the Tumulus Culture, which indicates a possible chronological succession of the Straubing culture through the Tumulus Culture. In contrast the distribution of the Arbon Group and the Tumulus Culture in south Germany are, by and large, incompatible, which in turn speaks for a co-existence of the two culture groups. Stylistically Middle Bronze Age shards in the context of the Arbon Group suggest such a co-existence.

An independent dating of the inventory took place using dendrochronology and C14 dating. Using ten C14 data Layer A could be dated to the 19th century BC. They lie then within the range of C14 data from the graves of the early phase of the early Bronze Age of middle Neckarland. The find material from Layer A belongs accordingly to the early phase of the early Bronze Age and can therefore be conceived as belonging to the inventory of the Singen culture. The graves at Leubingen and Helmsdorf, whose finds belong typologically to the classical phase of the Aunjetitz culture were also dated within this timeframe using dendrodata. Thus differing absolute time evaluations ensue for the early and later phases of the Early Bronze Age in middle and south west Germany.

The dendrochronologically dated Layers B and C belong to the late phase of the Early Bronze Age. The strata basis of Layer B is dated at 1643 respectively 1640 BC, and Layer C the dendrodata is ascertained at 1612 resp. 1604 and 1591 BC. The differing dating evaluations are based on offset sedimentation of Layers B and C in the sothern, northern and central pile areas. Further impact phase 5 is dated at 1503 BC, cultural layer remains which could be linked to this phase are missing.

The absolute chronological relationship of the early phase of the early Bronze Age, Corded Ware and Bell Beaker Cultures could be discussed as a result of C14 data from the graves in south Germany and the lakeside dwellings of the Bodensee and Zürichsee as well as the bell beaker shards from Wädenswil-Vorder Au on Zürichsee. Accordingly a complicated constellation in south west Germany and east Switzerland from the 24th to the 22nd century BC cannot be discounted in which metal using eneolithic groups co-existed with groups from the earlier phases of the Early Bronze Age.

Within the framework of the late phase of the early Bronze Age there appears to have been, on the basis of absolute data, simultaneous occupancy phases on the larger pre-alpine lakes of east Switzerland and south west Germany. Remarkable is the establishment of settlements in the mid 17th century BC, and again their almost simultaneous abandonment at around 1500 BC. The assumption, based on C14 data, that the nationwide abandonment of the lakeside settlements around 1500 BC could be accounted for by climatic changes – the so-called Löbben fluctuation – cannot be substantiated in general by the latest dendrodata from the alpine stone pines *(pinus cembra)* for the dating of glacial expansions and recessions. The early phases of the Löbben fluctuations have been associated there in connection with glacial expansions around 1626 and 1558 BC and thus in phases of intensive settlement activities on the banks of the larger pre-alpine lakes. A causative connection between the settlers actions and climatic changes cannot be accepted here.

On the basis of the inventory of the stratigraphy of Bodman-Schachen I and Ludwigshafen-Seehalde the developments in style of early Bronze Age ceramics can be traced in the Bodensee area ranging from the 19th century to the 16th century BC. According to this a classification of the Bodman facies by means of beaker shapes seems possible; the inventory of Layer 10 at Ludwigshafen-Seehalde could be, because of the somewhat compact beakers, older than those from Bodman-Schachen IA. Layer 11 at Ludwigshafen-Seehalde is considered to be between the inventories of Layers A and B at Bodman-Schachen I. The inventory is characterised, among other things by carinated profiles, two-humped lugs and twinned applications on the shoulder. The latter links the inventory to the settlement finds at Singen Nordstadtterrasse. Added to this are rimmed sculpted bands and conical pot profiles. What is missing are all forms of scored embellishments. The extent to which we are dealing here with ceramics of an earlier Arbon Group is questionable. Scored and pricked decorations do not appear until the inventory of the older Arbon Culture, Layer B type, at Bodman-Schachen I. The shapes of the pots now appear more compact and the surfaces of the larger pots are coated with slick below the horizontal bands. The ceramics from Layer C, only two decades younger, already exhibit the complete scope of ceramics „rich in style". With contemporaneous settlement continuity, in the broader sense, it is hardly conceivable that a development of decorative style took place on site. Strikingly this abrupt change in style mainly concerns drinking utensils, while the coarser wares – the cooking utensils, can to all intents and purposes, be viewed within the framework of a continuous development.

There is plenty of evidence in the find materials of long distance relations, the communication axes are concentrated along the larger river networks and also along the main alpine ridges. This can be traced on the illustrative data maps of both the early and late phases of the Early Bronze Age. The importance of the alpine transversal to the Gardasee region via the alpine Rhine valley and Reschen pass has often been highlighted. Artefacts and building wood elements indicate an intensively used distribution system between the Gardasee and Bodensee regions utilised for the exchange and the imparting of ideas and technology.

Finally an attempt was undertaken, on the basis of natural scientific experiments to reconstruct the economical means and the environment of the Early Bronze Age lakeside settlements at Schachenhorn. The settlements were situated at the fluvial delta of the Stockacher Aach and probably lay on the edge of a largely vegetation free tongue on the, at the time of the settlement, lacustrine slopes. The established deposital condition of the individual cultural layers implies a considerably lower water level than is the case today.

It is possible to imagine the potential arable areas in the direct hinterland at Schachenhorn, but also on the not so steep slopes of Hangfluss on the edge of the lowlands of Espasingen (Espasinger Niederung). In addition there are also considerable reaches that could have been used for pasture farming. These and the rather longer term tilled areas must have led to the development of a relatively stable cultural landscape.

The source situation of Early Bronze Age settlement systems on the Bodensee has considerably improved through the diving sondages at Bodman-Schachen I. A multitude of insights and new understanding about what happened at the settlements in the early Bronze Age on the Bodensee have been gained. Subsequently diving sondages at further Early Bronze Age settlements and also sondages and salvage excavations on mineral bases in the areas directly bordering on the Bodensee have significantly contributed to the knowledge about Early Bronze Age settlements in the Bodensee area. That the state of research remains fragmentary, may in part be due to the sources but certainly also lies with the fact that our understanding, almost without exception, rests upon chance discoveries and what is missing is a systematic examination of the individual landscapes related to questions about the early Bronze Age settlement structures. Primarily it will depend upon this kind of investigation as to whether the multitude of unanswered questions about Bronze Age settlements on the Bodensee and its surrounding countryside can be answered in the near future at least with some satisfaction.

(Translation: Jamie McIntosh)

16 Verzeichnisse, Fundortlisten und Fundortkatalog

16.1 Abkürzungsverzeichnisse

16.1.1 Allgemeine Abkürzungen

Q	Quadrat
Vq	Viertelquadrat
OK	Oberkante
UK	Unterkante
P-Holz	Pfosten
L-Holz	liegendes Holz
DC	durch das dendrochronologischen Labor Hemmenhofen vergebene Nummer

16.1.2 Abkürzungsverzeichnisse und Schüssel zur Keramik

16.1.2.1 Allgemeine Abkürzungen

FG	Formgruppe
FNr	Formnummer

16.1.2.2 Verzierung

16.1.2.2.1 Zusammenfassende Oberbegriffe

E-Z(ier)	Eindruckzier
F-Z(ier)	feine Zier, eingetieft
Fl-Z(ier)	flächige Eindruckzier
L-Z(ier)	Leistenzier
R/RZ	Ritz/Rillenzier

16.1.2.2.2 Ziertechniken und Zierarten

A/K	Applikation/Knubbe
AL	aufgesetzte Leiste
Appl	Applikation
DL	Doppelleiste
Dm	Dreiecksmuster
Dm/Ests	Dreiecksmuster, einstichgesäumt
Dm/Ksts	Dreiecksmuster, kornstichgesäumt
Dm/Lb	Dreiecksmuster und Linienbündel
Evz	Eindruckverziert
FNE/fl	Fingernageleindrücke, flächig
FNEZ	Fingernageleindruckzier
FT	Fingertupfenreihe
FTE/h	Fingertupfenreihe, horizontal umlaufend
FTE/R	Fingertupfen auf dem Rand
FTL	Fingertupfenleiste
Fusti	Furchenstichtechnik
Fvz	fein verziert
h+v	horizontal und vertikal
H	Henkel
HmL	herausmodellierte Leiste,
Hö	Henkelöse
HR	Henkel, randständig
HuR	Henkel unter dem Rand
KL	Kerbleiste
Knb	Knubbe
kst	kornstichgesäumt
L/DHkst	Doppelhalbkreisstempelleiste
L/glatt	Leiste, glatt
LaR	Leiste am Rand
Lb	Linienbündel
Lb/Ksts	Linienbündel/Kornstichsäumung
Lvz	leistenverziert
SR	Schlitzrand
Stvz	stempelverziert
STZ	Stempelzier
TL	Tupfenleiste
TL/dpl	Doppelleiste, getupft
TL/h	Tupfenleiste, horizontal
TL/mh	TL Tupfenleiste, mehrfach horizontal
uvz	unverziert
ZiZa	Zickzackmuster (Winkelband)
Zylstvz	zylinderstempelverziert

16.1.2.3 Gefäßformen

16.1.2.3.1 Allgemein

Fl	Flasche
GT	großer Topf
K	Krug
KG	Kleingefäß
S	Schale
So	sonstige Formen
Sü	Schüssel
T	Topf

16.1.2.3.2 Schicht A

1. Schalen (nicht vorhanden)
2. Schüsseln
3. Becher
4. weitmundige Töpfe, schwach s-profiliert
5. weitmundiger Topf, zum Boden hin deutlich eingezogen
6. doppelkonische Töpfe

16.1.2.3.3 Schicht B

1. Kleingefäße
2. Schalen
3. Knickwandschüsseln mit abgesetzter Schulter
4. Tassen
5. Krüge
6. eiförmige Töpfe
7. s-profilierte Töpfe mit ausgezogenem Rand
8. tonnenförmige Töpfe mittlerer Größe
9. bauchige Töpfe mit abgesetzter bis gekehlter Schulter
10. Töpfe mit steilem Rand und kurzem Kegelhals
11. doppelkonische niedrige Töpfe
12. bauchige Töpfe mit niedrigem Rand
13. tonnenförmige große Töpfe
14. geradwandige, wenig profilierte große Töpfe

16.1.2.3.4 Schicht C

Randformen

0.1 Topfränder mit teilweise verdicktem Rand
0.2 Kegelhals mit kurzem steilem Rand
0.3 Trichterrand mit Schulterknick
0.4 Kegelhals mit leichtem Trichterrand
0.5 Kegelhals, lang, steil, mit leicht trichterförmigem Rand
0.6 Topfränder mit Fingertupfen auf dem Rand

Gefäßformen

8 Kleingefäße

Formgruppe I

1 Schalen
2 Knickwandschüsseln
3 Schüssel, s-profiliert

Formgruppe II

4 Krüge, doppelkonisch, knickwandprofiliert
5 Krüge, bauchig, s-profiliert
6 Krüge, doppelkonisch, flau profiliert
7 Krüge, knickwandprofiliert

Formgruppe III

9 Töpfe, s-profiliert, tonnen- oder napfförmig
10 Töpfe, knickwandprofiliert, klein
11 Töpfe, knickwandprofiliert, Fingertupfenverzierte
12 Töpfe, knickwandprofiliert, groß
13 Töpfe, bauchig, mit Schulterkehlung
14 Töpfe mit steiler Halszone und kurzer abgesetzter Schulter
15 Töpfe mit kurzer geschweifter Schulter und langem konischem Gefäßkörper
16 Töpfe, s-profiliert
17 Töpfe, weitmundig, mit langem, konischem Gefäßkörper
18 Töpfe, niedrige, schwach profiliert

Formgruppe IV

19 Zylinderhalsgefäße
20 Kegelhalsgefäße mit steilem Rand
21 bauchige Gefäße mit abgesetzter oder gekehlter Schulter
22 engmundige Gefäße mit langer Schulter
23 flaschenförmige Gefäße
24 bauchige, engmundige Gefäße mit gekehlter Schulter
25 bauchige, engmundige Gefäße, groß
26 engmundige, knickwandprofilierte Gefäße mit kurzer Schulter

16.1.2.4 Magerungsmittel

G	Glimmer
NK	Nebenkomponente
O	Organisches
Q	Quarz
Qg	Quarzgrus
S	Sand
Sch	Schamotte
St	Steinchen
Stg	Steingrus

16.1.2.5 Tabellenschlüssel zum Keramikkatalog im Datensatz

Abk.	Spaltenbezeichnung	Schlüssel
Knr	Katalognummer	fortlaufend in arabischen Ziffern
EG	Ergänzungsgrad	1 Gefäßprofil erkennbar 2 rundergänzt
GT	Gefäßteil	1 Randscherbe 2 Wandscherbe 3 Bodenscherbe 4 Gefäßprofil erkennbar 5 Henkel 6 Knubbe, Applikation
Vz	eingetiefte Zier	1 Kornstichzier 2 Ritzzier 3 Rillenzier 4 Einstichzier 5 Zylinderstempelzier 6 Fingertupfenreihen 7 Fingernägel flächig schräg in die Gefäßwand gedrückt 8 Stempeleindrücke, unspezifiziert 9 Fingertupfen auf dem Rand
LT	Leistentechnik	1 aufgesetzt 2 herausmodelliert
LZ	Leistenzier	1 Fingertupfenleiste 2 Tupfenleiste, unspezifiziert 3 Kerbleiste 4 Stempelleiste 5 glatte Leiste
MK	Magerungsklasse	1 fein 12 fein bis mittel 2 mittel 23 mittel bis grob 3 grob
MKN	Magerungsklasse der Magerungsnebenkomponenten	s. MK
MA	Magerungsart	1 Quarzgrus 2 Steingrus 3 Steinchen 4 Sand 5 Schamotte 6 Organisches 7 Glimmer
MAN	Magerungsart der Magerungsnebenkomponenten	s. MA
OB	Oberflächenbehandlung	1 geglättet 2 verstrichen 3 schlickgeraut 4 geglättet, unter der Zier schlickgeraut 5 verstrichen, unter der Zier schlickgeraut

F	Farbe der Oberfläche[1162]		1 schwarz
			2 dunkelbeige
			3 beige
			4 hellbeige
			5 grau
			6 orangerot/ocker
			7 dunkelgrau
			8 braun
			9 hellbraun
Zus	Zustand		1 Kruste innen
			2 Ruß, Überlaufflecken außen
			3 sekundär gebrannt
			4 Kalksinter anhaftend
			5 Algen anhaftend
			6.1 leicht erodiert
			6.2 stark erodiert
			7 angewittert
			8 Reste weißer Inkrustation
Bes	Besonderes		G Glättspuren
			O Oberfläche abgeplatzt
			M Magerung sichtbar
			Ge Getreidekornabdruck
			B Boden unbehandelt
			Bv Boden verstrichen
			Be eingesetzter Boden
			L Lappentechnik
			Ra Rand abgestrichen
			S Schlitzrand
			F Furchenstichtechnik
			H Henkel
			A Applikation
			K Knubbe/Handhabe
			K2 Knubbe, zweihöckrig
			Ke eingezapfte Knubbe, sichtbar
			Zl Zapfloch für Knubbe oder Henkel, sichtbar
WS	Wandstärke		in mm
BS	Bodenstärke		in mm
Rdm	Randdurchmesser		in mm
Mdm	Maximaldurchmesser		in mm
Bdm	Bodendurchmesser		in mm
Gh	Gefäßhöhe		in mm
Ls	Leistenstärke		in mm
Ks	Knubbenstärke		in mm
Gf	Gefäßform		s. Kap. 16.1.2.3.2–4 (S. 272f.) Formschlüssel der Keramik pro Schicht
Ind	Gefäßindex		Rdm/Mdm in mm

[1162] Die Korrelation der Farben mit den Erdfarbtönen der Munsell Soil Color Chart s. Kap. 16.1.2.6 (s.o.). Farbschlüssel.

16.1.2.6 Farbschlüssel

Farbe	Nummer nach Munsell Soil Color Chart
Häufige Farbtöne	
Schwarz	2.5 YR 2.5/0 bis 3/1 hauptsächlich
	7.5 YR 3/1 bis 4/1 selten
	10 YR 3/1 selten
Dunkelbeige	10 YR 3/1 bis 4/2 hauptsächlich
	5 YR 3/1 bis 4/1 selten
Beige	10 YR 4/1 bis 6/2 hauptsächlich
	10 YR 6/4 bis 7/4 selten
	7.5 YR 5/2 selten
	5 YR 4/1 bis 5/2 selten
Hellbeige	10 YR 7/1 bis 7/2 hauptsächlich
	10 YR 7/3 bis 8/3 selten

Insgesamt selten vorkommende Farbtöne

Grau (weit gehend identisch mit Beigetönen.)	10 YR 5/1 bis 8/1
	7.5 YR 5/2
	2.5 YR 4/0, 6/0, 6/1

Dunkelgrau (in der Stichprobe nicht erfasst, insgesamt nur zweifach vertreten, wohl identisch mit Beigeton)

Ocker/ Orangerot	5 YR 5/1, 5/4, 6/1, 6/4, 7/6
Braun	7.5 YR 4/0, 5/0, 6/2, 6/3
	5 YR 3/1, 5/3

Hellbraun (einfach vertreten, anhand der Farbskala nicht von beige-grauen Farbtönen zu trennen)
10 YR 6/1

16.2 Fundortlisten

16.2.1 Fundortliste zu den Verbreitungskarten der Keramik der jüngeren Frühbronzezeit in Süddeutschland, der Nord- und Ostschweiz und im angrenzenden Österreich (Abb. 157; 158)

16.2.1.1 Deutschland

Baden-Württemberg

1 Bodman-Schachen I, Gde. Bodman-Ludwigshafen (Kr. Konstanz)

Ufersiedlung mit dreischichtiger Stratigraphie der älteren und jüngeren Frühbronzezeit. Die Schichten B und C datieren in die jüngere Frühbronzezeit. Schicht C: Fundkomplex mit reichlich ritzverzierter Keramik, darunter auch zahlreiche ritzverzierte Scherben sowie zehn doppelkonische Krüge mit Linienbündel, Kornstichsaum und Dreieckszier (Taf. 16–49); Lit.: Köninger/Schlichtherle, Schnurkeramik 164ff. Schicht B: Fundkomplex der jüngeren Frühbronzezeit mit zylinderstempelverzierten Scherben (Taf. 5,53.55.56.57.60.62.63) und feiner Ritz- und Einstichzier (Taf. 4–10); Lit.: Köninger/Schlichtherle, Schnurkeramik 164ff.

2 Bodman-Weiler I, Gde. Bodman-Ludwigshafen (Kr. Konstanz)

Ufersiedlung. Aus Altfundbeständen – wohl aus den Sondagen K. Schumachers im Februar 1898 – wenige Scherben der jüngeren und älteren Frühbronzezeit, darunter eine zylinderstempelverzierte Scherbe (Taf. 74,1147). Aus Sondierungen des Landesdenkmalamtes Baden-Württemberg im Jahre 1996 stammt ein kleines stratifiziertes Keramikinventar. Darunter befinden sich fein einstichverzierte Scherben und ein Rillenbecher mit gelochten Rillenenden (Abb. 150). In der Sammlung des Instituts für Ur- und Frühgeschichte der Universität Erlangen befindet sich unter mutmaßlich von Bodman-Weiler stammender Keramik ein rillenverzierter doppelkonischer Krug. Lit.: Köninger, Bodensee 102f. Abb. 13.

3 Sipplingen-Osthafen (Bodenseekreis)

Ufersiedlung. Wenige frühbronzezeitliche Scherben, darunter ein in Ritzmustern verzierter doppelkonischer Krug mit Kornstichsäumung. Lit.: Köninger/Schlichtherle, Schnurkeramik 172; Hundt, Heubach 31.

4 Nußdorf-Strandbad (Bodenseekreis)

Ufersiedlung. Kleines Keramikinventar, darunter eine rillenerzierte Wandscherbe, ein Topf mit schulterständigem Henkel (Taf. 76,1166–1171) sowie zwei ritz- und kornstichverzierte Scherben (Taf. 76,1164.1165). Slg. K. Kiefer sowie K. und P. Huhn.

5 Nußdorf-Seehalde (Bodenseekreis)

Ufersiedlung. Fragment eines doppelkonischen Kruges mit kornstichgesäumtem Linienbündel (Taf. 75,1154). Lit.: Köninger/Schlichtherle, Schnurkeramik 172.

6 Haltnau-Oberhof, Gde. Meersburg (Bodenseekreis)

Ufersiedlung. Aus der frühbronzezeitlichen Kulturschicht und ihrer direkten Umgebung Keramikinventar mit reich ritzverzierter Keramik, darunter auch mehrere Scherben von doppelkonischen Krügen. Lit.: Köninger, Bodensee 95; 101ff. Abb. 12.

7 Litzelstetten-Ebnewiesen II, Gde. Konstanz (Kr. Konstanz)

Ufersiedlung. Aus dem zentralsüdlichen Bereich der Ufersiedlung stammt, neben schnurkeramischen Scherben, eine stark profilierte ritzverzierte Scherbe. Lit.: Köninger, Bodensee 103f. Abb. 14,4.

8 Egg-Obere Güll, Stadt Konstanz (Kr. Konstanz)

Ufersiedlung. Neben wenigen Lesefunden aus den 1950er und 1970er-Jahren ein stratifiziertes Fundensemble mit ritz-, einstich- und kornstichverzierten Scherben, wohl auch von doppelkonischen Krügen. Slg. H. Maier, Slg. H. Schiele, LDA, Magazin Hemmenhofen. Lit.: Köninger, Obere Güll.

9 Hilzingen „Unter Schoren" (Kr. Konstanz)

Siedlung in Hanglage. Kleiner Scherbenkomplex mit Ritzzier, darunter ein zwischen schraffierten Dreiecken ausgespartes Winkelband. Lit.: Dieckmann, Hilzingen 54 Abb. 34; 56 Abb. 36.

10 Hohenkrähen, Duchtlingen, Gde. Hilzingen (Kr. Konstanz)

Höhensiedlung. In dem heterogenen Fundkomplex befindet sich eine kleine Anzahl ritzverzierter Scherben. Hegaumus. Singen. Lit.: Reichardt, Hohenkrähen.

11 Stahringen, Gde. Radolfzell (Kr. Konstanz)

Siedlung. Aus einer durch Kiesabbau zerstörten Fundstelle stammen neben eisenzeitlicher Keramik leistenverzierte Scherben und eine ritzverzierte Scherbe der jüngeren Arboner Kultur. Baubefunde waren nicht auszumachen. Lit.: Aufdermauer/Dieckmann, Stahringen.

12 Forchheim (Kr. Emmendingen)

Wohl Siedlung. Aus dem Areal westlich des Gewannes „Häfele" stammt eine zylinderstempelverzierte Randscherbe. Lit.: Bad. Fundber. 3, 1933–1936, 185.

13 Ludwigstal „Papiermühle", Gde. Tuttlingen (Kr. Tuttlingen)

Siedlung in Hanglage. Kleiner Scherbenkomplex mit ritzverziertem Anteil. Fundmeldung 1989, PBO-Hemmenhofen.

14 Falkensteinhöhle, Thiergarten, Gde. Beuron (Kr. Sigmaringen)

Höhle. Keramikkomplex mit ritzverzierten Scherben mit ausgespartem Winkelband. Lit.: Dehn, Gaimersheim 16.

15 Dietfurth, Gde. Inzigkofen (Kr. Sigmaringen)

Höhle. Kleines Keramikensemble, ritz- und einstichverziert. Lit.: H. W. Dämmer/H. Reim/W. Taute, Probegrabungen in der Burghöhle von Dietfurt im oberen Donautal. Fundber. Baden-Württemberg 1, 1974, 16 Abb. 10; 18 Abb. 11.

16 Göpfelsteinhöhle, Gde. Veringenstadt (Kr. Sigmaringen)

Höhle. Keramikkomplex mit ritzverzierten Scherben. Lit.: Dehn, Gaimersheim 16.

17 Mengen „Unter dem Zwerenweg" (Kr. Sigmaringen)

Siedlung. Umfangreicher Fundkomplex reich ritzverzierter Keramik, darunter auch eine zylinderstempelverzierte Scherbe. Lit.: J. Krumland, Die bronzezeitliche Siedlungskeramik zwischen Elsaß und Böhmen. Studien zur Formenkunde und Rekonstruktion der Besiedlungsgeschichte in Nord- und Südwürttemberg. Internat. Arch. 49 (Rahden/Westf. 1998) 204 Taf. 101–119.

18 Riedlingen (Kr. Biberach)

Siedlung. Frühbronzezeitliche Gruben in Hanglage dicht über der Talaue. Ein rillenverzierter Becher fand sich offenbar zusammen mit einer Schlitzschale mit t-förmig verdicktem Rand und einem Topf mit innen gedellter Knubbe in einer Grube deponiert. Lit.: A. Bräuning, Eine mittelalterliche Wüstung bei Riedlingen an der Donau, Kreis Biberach. Arch. Ausgr. Baden-Württemberg 1995, 140 Abb. 78.

19 Bussen, Offingen, Gde. Uttenweiler (Kr. Biberach)

Höhensiedlung. Überwiegend an den Hängen aufgelesene Keramik, wenige Scherben aus Fundamentgräben und kleinen Sondierschnitten H. Forschners aus den 1950er-Jahren. Einstich-, kornstich- und ritzverzierte Scherben. Lit.: Biel, Höhensiedlungen; J. Krumland, Die bronzezeitliche Siedlungskeramik zwischen Elsaß und Böhmen. Studien zur Formenkunde und Rekonstruktion der Besiedlungsgeschichte in Nord- und Südwürttemberg. Internat. Arch. 49 (Rahden/Westf. 1998) 200 Taf. 89 D; A. Gut, Die Sammlung Forschner und die weiteren archäologischen Sammlungsbestände im Braith-Mali-Museum Biberach (Stuttgart 2000) 56 f.; Schlichtherle/Strobel, Ufersiedlungen – Höhensiedlungen 82 Abb. 3; 85.

20 Moosburg (Kr. Biberach)

Moorsiedlung (?). Zwei ritzverzierte Scherben. Mündl. Mitteilung F. Herzig 1989.

21 „Siedlung Forschner", Gde. Bad Buchau (Kr. Biberach)

Moorsiedlung. Stark befestigte Anlage mit drei dendrochronologisch nachgewiesenen Siedlungsphasen. Aus den Forschungsgrabungen der 1980er-Jahre stammt ein umfangreicher Fundkomplex der frühen bis mittleren Bronzezeit. Das Fundmaterial ist stratigraphisch nicht nach Siedlungsphasen zu differenzieren. Unter dem umfangreichen Keramikinventar befindet sich wenig mehr als eine Hand voll ritz-, einstich- und kornstichverzierter Scherben. Ein Henkelgefäß mit ausladendem Rand ist den Henkelgefäßen des Typs Burgweinting/Viecht vergleichbar. Lit.: Keefer, Mittelbronzezeitliche Funde 38 ff. Abb. 4–8; Keefer, Keramik 75 ff. Abb. 1.

22 Achstetten (Kr. Ulm)

Siedlung in Tallage. Ritzverziertes Krugfragment aus einer Kiesgrube. Mitt. H. Schlichtherle 1990 (Fundmeldung O. Schips).

23 Veitsberg, Gde. Ravensburg (Kr. Ravensburg)

Höhensiedlung. Keramikensemble, stark fragmentiert, mit hohem Anteil flächig eindruckverzierter Scherben, darunter eine Tasse, Scherben eines Unterwölblinger Kruges und Scherbe eines einstichverzierten Kruges. Lit.: Ade-Rademacher/Rademacher, Veitsberg Taf. 23,1–3.

24 Lochenstein, Gde. Hausen a. T. (Kr. Balingen)

Höhensiedlung. Unter großem, hauptsächlich eisenzeitlichem Fundkomplex wenige frühbronzezeitliche Scherben mit Ritz- und Kornstichzier. Lit.: Biel, Höhensiedlungen Taf. 43,8–14; Fundber. Schwaben NF II, 1924, Taf. VII, li. zweite Scherbe von oben.

25 Kirchberg, Gde. Reusten (Kr. Tübingen)

Höhensiedlung. Großer Fundkomplex mit ritzverzierter Keramik, vier Fragmenten doppelkonischer Krüge mit kornstichgesäumtem Linienbündel, zwei Krugfragmenten mit henkelständigem Rillenbündel und Scherben mit Schulterkehlung und einfacher bzw. doppelter Zylinderstempelreihe. Lit.: Kimmig, Reusten 29 ff. Taf. 26,1; 29,3.11.12; 35,5.7.9.13.

26 Altingen, Gde. Ammerbuch (Kr. Tübingen)

Siedlung. Scherben aus einer grubenartigen Mulde, darunter eine mit Dreiecksmuster verzierte Wandscherbe. Lit.: Fundber. Baden-Württemberg 8, 1983, 170.

27 Neuhausen a. d. Fildern (Kr. Esslingen)

Siedlung. Umfangreiches Fundensemble aus einer Kulturschicht, darunter das Fragment eines Straubinger Kruges. Lit.: Fundber. Baden-Württemberg 5, 1980, 57 Taf. 78,1.

28 Esslingen a. N. „St. Dionysius" (Kr. Esslingen)

Siedlung in Tallage. Zwischen stark zerscherbter, meist leistenverzierter Keramik zwei ritz- und kornstichverzierte Scherben und Doppelhalbkreisstempel. Lit.: Gersbach, Esslingen 234 Abb. 7,13.16.18.

29 Grünsfeldhausen, Flur Hohekreuz „Große Grube", Gde. Grünsfeld (Main-Tauber-Kreis)

Siedlung. Überwiegend unverzierter Keramikkomplex; die fragliche Scherbe eines doppelkonischen Kruges ist ritz- und kornstichverziert. Lit.: M. Hoppe, Neue Siedlungsfunde der Bronze- und Eisenzeit aus dem Taubergrund. Fundber. Baden-Württemberg 7, 1982, 127 Abb. 25.4.

30 Runder Berg, Gde. Urach (Kr. Reutlingen)

Höhensiedlung. Umfangreicher Fundkomplex mit überwiegend flächig verzierter Keramik, darunter wenige Scherben mit Ritz- und Einstichzier und ausgespartem Winkelband. Lit.: Stadelmann, Runder Berg.

31 Höhle Haus, Gde. Heubach (Kr. Schwäbisch Gmünd)

Höhle. Kleiner Fundkomplex mit relativ hohem Anteil ritzverzierter Keramik, zwei doppelkonischen Krüge mit kornstichgesäumtem Linienbündel und zwei zylinderstempelverzierten Scherben. Lit.: Hundt, Heubach Taf. 12,1.4.8; 13,1.

32 Schloßberg, Ehrenstein, Gde. Blaustein (Kr. Ulm)

Höhensiedlung. Fundkomplex mit reichlich ritzverzierter Keramik. Neun doppelkonische Krüge mit Linienbündel und Kornstichsäumung, ein Exemplar mit gepunktetem Wellenband. Lit.: Hundt, Heubach Taf. 12,4.6; 13,19.29. Fundber. Schwaben NF 18, 1967, Taf. 73,21.22.

33 Herbrechtigen (Kr. Heidenheim)

Wohl Siedlung. Fundkomplex mit ritzverzierter Keramik. Lit.: Dehn, Gaimersheim 16.

34 Ipf, Gde. Bopfingen (Kr. Aalen)

Höhensiedlung. Unter spätbronze- und eisenzeitlichen Scherbenfunden Henkelbecher mit umlaufenden Schmalrillen und Scherben mit einstichgefüllten Dreiecken. Lit.: Bl. Schwäb. Albver. 23, 1911, 70 Abb. 28–29; Dehn, Gaimersheim 12; Biel, Höhensiedlungen 176 Liste VII Nr. 17.

35 Goldberg, Goldburghausen, Gde. Riesbürg (Kr. Aalen)

Höhensiedlung. Aus dezimiertem Keramikkomplex zumindest eine ritzverzierte Scherbe, Sanduhrmuster. Lit.: G. Bersu, Altheimer Wohnhäuser vom Goldberg. O. A. Neresheim, Württemberg. Germania 21, 1937, Taf. 30,13.

Bayern

36 Schloßberg, Gde. Reissensburg (Kr. Günzburg)

Höhensiedlung. Wenige Scherben der Frühbronzezeit, darunter eine rillenverzierte Scherbe mit Kornstichsäumung, wohl von einem doppelkonischen Krug. Lit.: A. Stroh, Katalog Günzburg. Die vorgeschichtlichen Funde und Fundstätten. Materialh. Bayer. Vorgesch. 2 (Kallmünz 1952) Taf. 10,5.

37 Wittislingen, Flur Papiermühle (Kr. Dillingen)
Siedlung. Mehrere Krüge, Bruchstück von gedrungener Henkeltasse mit scharfem Umbruch. Lit.: Bayer. Vorgeschbl. 1957, 169.

38 Hoppingen „Rollenberg" (Kr. Nördlingen)
Höhensiedlung. Fundkomplex mit ritz-, einstich- und kornstichverzierter Ware, Zickzackmuster, Doppelhalbkreisstempel. Lit.: Dehn, Gaimersheim 12.

39 Holzkirchen „Bruckfeld" und „Heide" (Kr. Nördlingen)
Siedlung. Unter Lesefundkomplex rillenverzierte Henkelbecher und einstichgefüllte Dreiecke neben leistenverzierten Scherben mit Doppelhalbkreisstempeln. Lit.: Dehn, Gaimersheim 12.

40 Rohrbach „Schindwinkel" (Kr. Neuburg a. d. Donau)
Siedlung. Aus einem „in den Boden eingeschnittenen Oval" Fundkomplex mit Straubinger Krügen, darunter ein doppelkonischer Krug mit Ritzzier, Doppelhalbkreisstempel. Lit.: Bayer. Vorgeschbl. 1938, 114.

41 Gaimersheim (Kr. Ingolstadt)
Siedlung. Kleiner Scherbenkomplex aus einer Grube, darunter ein doppelkonischer linienbündelverzierter Krug. Lit.: Dehn, Gaimersheim 4 Abb. 1,16.

42 Böming (Kr. Eichstätt)
Höhle an der Altmühl. Scherbenkomplex mit Ritz-, Einstich- und Kornstichzier, Doppelhalbkreisstempel. Lit.: Dehn, Gaimersheim 10 f. Taf. 2.

43 Manching (Kr. Ingolstadt)
Siedlung. Mindestens zwei frühbronzezeitliche Siedlungsstellen im Bereich des latènezeitlichen Oppidums. Unter der frühbronzezeitlichen Ware befindet sich ein doppelkonischer Krug mit Rillenbündel. Aus einer Grube stammt ein kleiner Scherbenkomplex mit leistenverzierter Ware, Doppelhalbkreisstempelzier und einer Rillentasse. Lit.: O. Rochna, Prähistorische Funde aus Manching, Ldkr. Ingolstadt. Germania 14, 1963, 92 ff.; N. Nierszery, Die bronzezeitlichen Grabfunde. In: F. Maier (Hrsg.), Ergebnisse der Ausgrabungen 1984–1987. Die Ausgrabungen in Manching 15 (Stuttgart 1992) 357 ff. Abb. 2,1.

44 Schulerloch, Gde. Neuessing (Kr. Kehlheim)
Höhle. Aus einer „Siedlungsschicht" stammen neben wenigen alt- und mittelneolithischen Scherben Bronze- und Knochenpfrieme sowie ein reichhaltiges Keramikinventar mit zahlreichen ritzverzierten Scherben „Rillenbechern", und doppelkonischen Krügen mit unterrandständigem Henkel. Ein Bodmaner Becher (Nadler Abb. 22,1) datiert abweichend in die ältere Frühbronzezeit. Lit.: Dehn, Gaimersheim 10; Nadler, Großes Schulerloch 47 ff. Abb. 20–23.

45 Schloßberg, Gde. Kallmünz (Kr. Burglengenfeld)
Höhensiedlung. Wenige Scherben der Frühbronzezeit, Scherbe eines ritz- und kornstichverzierten Kruges mit unterrandständigem Henkel. Lit.: H. Müller-Karpe, Funde von bayerischen Höhensiedlungen. Kat. Prähist. Staatsslg. 3 (Kallmünz/Opf. 1959) Taf. 5,5.

46 Kastelhäng-Höhle, Gde. Neuessing (Kr. Kehlheim)
Höhlenfunde. Von dort soll eine „Tasse" in der Prähist. Staatsslg. in München stammen. Lit.: Hundt, Heubach 31.

47 Frauenberg, Gde. Weltenburg (Kr. Kehlheim)
Höhensiedlung. Es sollen sich mehrere doppelkonische „Tassen" mit kornstichgesäumten Linienbündeln in der Klosterslg. in Weltenburg befinden, darunter auch eine Scherbe mit doppelter Zylinderstempelreihe. Weitere ritzverzierte Keramik und doppelkonische Krüge aus den Sondierschnitten von 1990–2000. Lit.: Dehn, Gaimersheim Taf. 1; Hundt, Heubach 31; M. M. Rind, Die Stellung des Weltenburger Frauenberges in der späten Frühbronzezeit. In: Eberschweiler u. a. (Hrsg.), Rundgespräch 33 Abb. 3,2–4.

48 Gebelkofen (Kr. Regensburg)
Siedlung. Kleiner Fundkomplex mit einem rillenverzierten, einstichgesäumten, doppelkonischen Krug. Lit.: Torbrügge, Oberpfalz Taf. 66,29.

49 Sengkofen (Kr. Regensburg)
Siedlung. Zwei bis drei Grubenkomplexe mit ca. 250 ergänzbaren Gefäßen. In Komplex A befindet sich neben ca. 20 „beutelförmigen ritzlinienverzierten Krügen" Straubinger Prägung ein doppelkonischer Krug mit Linienbündel. Lit.: H. Koschik, Siedlungskeramik aus Sengkofen. Bayer. Vorgeschbl. 40, 1975, 34 ff. 43 Abb. 8,7.

50 Jellenkofen, Gde. Ergoldsbach (Kr. Landshut)
Siedlung. Grube mit 136 kg Keramik, darunter „mehrere Knickwandkrüge", abgebildet ein doppelkonischer Krug mit Rillenbündel. Daneben auch Straubinger Krüge. Lit.: Engelhardt, Jellenkofen 49 Abb. 20,5.

51 Schloßberg, Stadt Landsberg a. Lech (Kr. Landsberg)
Höhensiedlung. Größerer Keramikkomplex mit neun doppelkonischen Krügen und reichlich ritzverziertem Material; die Krüge sind mit kornstichgesäumten Linienbündeln oder Dreiecksmustern verziert. Lit.: Fundchronik 1986, Bayer. Vorgeschbl. Beih. 2, 1988, 64 Abb. 45,3; Koschick, Oberbayern Taf. 29,2–9.

52 Friedberg-Ottmaring (Kr. Aichach-Friedberg)
Siedlung. Kleines Inventar mit ritz- und stichverzierter Keramik. Lit.: Bayer. Vorgeschbl. 55, 1990, Beih. 3, 39 Abb. 29,5.

53 Roseninsel, Gde. Feldafing (Kr. Starnberg)
Ufersiedlung in Insellage. Unter zahlreichen ritzverzierten Scherben fünf nahezu vollständige doppelkonische Krüge und eine kleine zylinderstempelverzierte Scherbe. Ein stratifizierter doppelkonischer Krug aus den Tauchsondagen 1986. Lit.: Koschick, Oberbayern Taf. 79,1.3–7;76,17; H. Be-

er, Unterwasserarchäologische Untersuchung bronzezeitlicher Siedlungsreste und eines Einbaumes in der Flachwasserzone der Roseninsel, Gde. Feldafing, Lkr. Starnberg, Obb. Arch. Jahr Bayern 1987, 60 Abb. 29.

54 Altenerding-Klettham, Gde. Erding (Kr. Ebersberg)
Siedlung. Grubeninhalt mit wenigen Scherben, darunter ein doppelkonischer Krug mit Rillenbündel und senkrechter Kornstichsäumung. Lit.: Fundchronik 1965–67, Bayer. Vorgeschbl. 1972, 123 Abb. 25,4.

55 Poing (Kr. Ebersberg)
Grab. Hockerbestattung mit kleinem doppelkonischem Krug mit kornstichgesäumtem Ritzlinienbündel. Lit.: Quillfeldt (Anm. 824) 62 Abb. 33,3.

56 Bad Reichenhall „Langacker"(Kr. Berchtesgadener Land)
Höhensiedlung (?). Fundkomplex mit ritzverzierter Keramik, ausgespartem Zickzackband und Doppelhalbkreisstempel. Lit.: Dehn, Gaimersheim 19.

57 Straubing „Ziegelei Dendl" (Kr. Straubing)
Siedlung. Umfangreicher Fundkomplex mit zwei zylinderstempelverzierten Scherben und mehreren Straubinger Henkelgefäßen. Lit.: Hundt, Straubing Taf. 25,10; 27,23; 32,18.39; 35,13.19.

58 Straubing „Ziegelei Ortler" (Kr. Straubing)
Siedlung. Kleines Keramikinventar mit einem Straubinger Krug. Lit.: Hundt, Heubach Taf. 25,6.

59 Straubing „Ostenfeld" (Kr. Straubing)
Siedlung. Kleines Keramikensemble mit Straubinger Krügen. Lit.: Hundt, Heubach Taf. 36,25; 37,11.20.

60 Straubing „Ziegelei Mayr" (Kr. Straubing)
Siedlung. Keramikinventar mit Straubinger Krügen. Lit.: Hundt, Heubach Taf. 40,3; 41,21.

61 Alburg „Lerchenhaid", Gde. Straubing (Kr. Straubing)
Siedlung. Kleines Keramikensemble mit Straubinger Krügen. Lit.: Hundt, Heubach Taf. 42,21; 43,7.

62 Geltolfing, Gde. Aiterhofen (Kr. Straubing)
Siedlung. Kleiner Keramikkomplex mit ritz- und einstichverzierten Straubinger Krügen und einer zylinderstempelverzierten Scherbe. Lit.: Hundt, Straubing Taf. 44,1–17.

63 Ittling (Kr. Straubing)
Siedlung. Kleiner Keramikkomplex mit Straubinger Krügen und einer Scherbe mit Schulterkehlung und Zylinderstempeleindrücken. Lit.: Hundt, Straubing Taf. 43,20.21; 44,5; 48,14.16.24.

64 Uttenhofen, Gde. Stephansposching (Kr. Deggendorf)
Siedlung. Aus einer Wohngrube Keramik, darunter ein schlauchförmiger Krug. Lit.: Bayer. Vorgeschbl. 11, 1933, 104; Dehn, Gaimersheim 8.

65 Oberschneiding „Steinrössläcker" (Kr. Straubing)
Siedlung. Unter Siedlungsresten der Oberlauterbacher und Münchshöfener Gruppe frühbronzezeitliche Keramik, darunter ein rillenverziertes Henkelgefäß mit einstichverzierten Dreiecken und eine Krempenrandschale. Lit.: Jahresber. Hist. Ver. Straubing 85, 1983, 19 Abb. 3,1–5.

66 Wallerfing (Kr. Deggendorf)
Siedlung. Großer Keramikkomplex aus ca. 30 Fundstellen einer Siedlung. Lit.: Bayer. Vorgeschbl. 37, 1972, 126 Abb. 26,3.

67 Höglberg (Kr. Landshut)
Siedlung. Wahrscheinlich „aus einem Wohnplatz" stammt ein schlauchförmiger Krug. Lit.: G. Behrens, Bronzezeit Süddeutschlands. Kat. RGZM 6 (Mainz 1916) 64 Nr. 11 Taf. 6,4.7.

68 Essenbach-Altheim „Altheimer Feld" (Kr. Landshut)
Siedlung. Aus hallstattzeitlicher Lesefundstelle frühbronzezeitliche Scherben, darunter drei rillenverzierte Henkelgefäße, eines davon mit Einstichenden und Knickwandprofil. Lit.: Bayer. Vorgeschbl. Beih. 8, 1995, 84f. Abb. 67,15–24.

69 Altdorf (Kr. Landshut)
Siedlung. Sechs rillenverzierte Henkelgefäße von zwei Siedlungsstellen aus drei verschiedenen „Erdkellern". Lit.: Christlein/Engelhardt, Altdorf 70f. Abb. 53.

70 Linnerberg, Gde. Aschelsried (Kr. Ingolstadt)
Siedlung. Von einem Siedlungsplatz mit Herdstelle am Osthang des Linnerberges unter Grobkeramik auch feine, rillenverzierte Ware. Lit.: Bayer. Vorgeschbl. 12, 1934, 99; Dehn, Gaimersheim 11.

71 Kasing (Kr. Ingolstadt)
Siedlung (?). Aus Hügel 9 des bronze- und eisenzeitlichen Gräberfeldes „auf der Leber" frühbronzezeitliche Streuscherben, darunter ein Henkelgefäß mit Horizontalrillen. Lit.: Dehn, Gaimersheim 10.

72 Velburg „St. Wolfgang" (Kr. Neumarkt)
Siedlung (?). Von der Gemarkung stammt ein schlauchförmiger Krug mit Rillenzier. Lit.: G. Behrens, Bronzezeit Süddeutschlands. Kat. RGZM 6 (Mainz 1916) 69 Nr. 22a Taf. 6,1.

73 Öttingen i. Bay. „Grafenfeld" (Kr. Donau-Ries)
Siedlung. Aus Eintiefungen in einer großen Grube, die 1988 bei Baumaßnahmen durchschnitten wurde, unverzierte und leistenverzierte Henkeltöpfe, Doppelhalbkreisstempel und die Randscherbe einer Krempenrandschale. Dabei ein Rillenbecher. Lit.: Bayer. Vorgeschbl. Beih. 4, 1991, 71ff. Abb. 41–43.

* Wenigumstadt, Gde. Großostheim (Kr. Obernburg)
Siedlung. Kleiner Scherbenkomplex aus schwarzer Verfärbung, darunter drei schlauchförmige Krüge. Lit.: Bayer. Vorgeschbl. 27, 1962, 192 Abb. 18,1–3.

16.2.1.2 Schweiz

74 Tägerwilen „ARA" (TG)

Siedlung (?) am Rande des Tägermooses. Aus Fundschicht u.a. ritzverzierte Keramik der späten Frühbronzezeit. Lit.: Rigert, A7 60 Abb. 56; 61; 84 Abb. 94.

75 Tägerwilen „Hochstross" (TG)

Siedlung auf einer flachen Moränenterrasse am Tägermoos. Bronzezeitliche Kulturschicht mit reich verzierter Keramik der späten Frühbronzezeit. Lit.: Jahrb. SGUF 81, 1998, 276; E. Rigert/Th. Stehrenberger/Ph. Rentzel/M. Joos, Dörfer oder Gehöfte der Bronze- und Eisenzeit. In: Rigert, A7 71–87.

76 Kreuzlingen „Töbeli" (TG)

Siedlung. Kulturschicht der Frühbronzezeit, ca. 15 cm mächtig und auf 30 bis 40 m in Grabenprofilen verfolgbar. Fundkonzentrationen von Keramik und Hitzesteinen. Ritzverzierte Keramik neben flächig verzierter Ware. Zwei ^{14}C-Daten aus der frühbronzezeitlichen Kulturschicht datieren in die Mitte des 17. Jh. v. Chr. Lit.: Jahrb. SGUF 81, 1998, 272f.; Rigert, A7 70, 151ff. Abb. 175–177.

77 Arbon-Bleiche (TG)

Ufersiedlung. Umfangreicher Fundkomplex mit hohem Anteil ritzverzierter Keramik. Mehrere doppelkonische Krüge. Lit.: Fischer, Bleiche Taf. 10,1a.1b.2a–c; Hochuli, Arbon-Bleiche.

78 Rorschach „Rorschacherberg" (SG)

Höhensiedlung. Fundkomplex, darunter eine Scherbe mit punktgefüllten Dreiecken und zwei Einstichreihen, keine schraffierten Dreiecke. Lit.: Fischer/Keller-Tarnuzzer, Funde 120 Abb. 30,2.

79 Uerschhausen-Inseli (TG)

Ufersiedlung. Lesefundkomplex aus dem Bereich der Insel aus dem See, vom Westufer und von der Halbinsel Horn. Möglicherweise handelt es sich um mehrere Siedlungen. Unter 89 katalogisierten Scherben befindet sich eine geringe Anzahl ritz- und kornstichverzierter Scherben, darunter auch ein ritzverzierter doppelkonischer Krug mit säumenden Zylinderstempeleindrücken. Lit.: A. Hasenfratz/M. Schnyder, Das Seebachtal. Eine archäologische und paläoökologische Bestandsaufnahme. Forsch. Seebachtal 1. Arch. Thurgau 4 (Frauenfeld 1998) 23 Abb. 14; 158; 160f.

80 Münchwilen „Toos-Waldi" (TG)

Höhensiedlung. Fundkomplex mit Ritz-, Einstich- und Kornstichzier, ausgespartem Zickzackband, teilweise in Furchenstichtechnik. Lit.: Z. Bürgi, Die prähistorische Besiedlung von Toos, Waldi. Arch. Schweiz 5, 1982, 85 Abb. 7.

81 Schweizersholz „Ruine Heuberg" (TG)

Höhensiedlung. Relativ umfangreiches Keramikensemble, darunter Scherben mit einstichgefülltem Dreieck. Lit.: Jahrb. SGUF 53, 1966/67, 110f. Taf. 35.

82 Untersiggental „Heidenküche" (AG)

Höhensiedlung. Wenig ritz- und einstichverzierte Scherben. Lit.: Vogt, Keramik 76ff. Abb. 2,8.9.

83 Neftenbach „Steinmöri" (ZH)

Siedlung. Aus einem römisch-prähistorischen Mischhorizont stammt frühbronzezeitliche Keramik, darunter ritz-, einstich- und kornstichverzierte Scherben. Lit.: C. Fischer, Die urgeschichtliche Besiedlung von Neftenbach. Arch. Kanton Zürich 1995–1996. Ber. Kantonsarch. Zürich 14, 1998, 184; 190f. Taf. 2,31.44.45.47.48–54; Conscience, Keramik 130.

84 Zürich-Bauschanze (ZH)

Ufersiedlung. Aus einem „Schwemmhorizont" wurden anlässlich einer Rettungsgrabung zahlreiche ritz-, einstich- und kornstichverzierte Scherben geborgen, darunter auch eine Scherbe mit Doppelhalbkreisstempel. Lit.: P. J. Suter, Zürich Bauschanze, Grabung 1983. Jahrb. SGUF 67, 1984, Abb. 7; Conscience, Keramik 130.

85 Zürich-Wollishofen/Haumesser (ZH)

Ufersiedlung. Neben weiteren frühbronzezeitlichen Scherben ein mit Dreiecken und ausgespartem Winkelband verzierter doppelkonischer Krug mit Doppelhenkel und Kornstichsäumung. Lit.: M. Primas, Urgeschichte des Zürichseegebietes im Überblick: Von der Steinzeit bis zur Früheisenzeit. Helvetia Arch. 45/48, 12/1981, 14 Abb. 15; Mitt. Ant. Ges. Zürich 22, 2, 1888, Taf. 8,11.

86 Meilen, Feldmeilen-Vorderfeld (ZH)

Ufersiedlung. Größerer Streufundkomplex, u.a. mit ritzverzierten Schalen und doppelkonischen Krügen. Lit.: Conscience, Keramik 130.

87 Meilen-Schellen (ZH)

Ufersiedlung. Unter den Alt- und Streufunden befindet sich eine kleine Anzahl stark erodierter ritzverzierter Scherben. Lit.: Conscience, Keramik 130.

88 Meilen, Obermeilen-Rorenhaab (ZH)

Ufersiedlung. Relativ umfangreiches, stratifiziertes Keramikinventar (100 Ränder). Darunter eine ritzverzierte Scherbe und eine einstich- und ritzverzierte Scherbe. Lit.: Hügi, Meilen Rorenhaab 48ff. Taf. 27,387; 30,447.

89 Wädenswil-Vorder Au (ZH)

Ufersiedlung. Stratifizierter, reich verzierter Fundkomplex mit zahlreichen ritzverzierten Scherben und doppelkonischen Krügen. Lit.: Conscience, Wädenswil-Vorder Au 182ff. Abb. 4; dies., Keramik 127ff. Abb. 5.

90 Hochdorf-Baldegg (LU)

Ufersiedlung. Fundkomplex mit ritzverzierter Keramik, darunter das Fragment eines doppelkonischen Kruges. Lit.: Strahm, Frühe Bronzezeit 12 Abb. 8.

91 Burghügel Gräpplang, Flums (SG)

Höhensiedlung. Fundensemble mit Randleistenbeil und Kugelkopfnadel. Unter ritzverzierter Keramik eine zylinderstempelverzierte Scherbe. Lit.: Jahrb. SGUF 53, 1966/67, 104f. Abb. 8,37.47–55.

92 Cunter-Caschligns (GR)

Höhensiedlung. Kleines Keramikensemble mit ritzverzierten Scherben, darunter drei Scherben eines Gefäßes mit Schulterkehlung und horizontal umlaufender Doppelreihe von Zylinderstempeln. Lit.: Nauli, Cunter 25ff. 31.

93 Cazis-Cresta (GR)

Höhensiedlung. Bedeutender und umfangreicher Fundkomplex der inneralpinen Früh- und Mittelbronzezeit, darunter ein Straubinger Krug. Lit.: J.Bill, Beiträge zur Frühbronzezeitforschung in der Schweiz. Zeitschr. Schweizer. Arch. u. Kunstgesch. 33, 1976, 77ff. 88 Abb.10; Murbach-Wende (Anm. 290) 117ff.

94 Savognin „Padnal" (GR)

Höhensiedlung. In den Horizonten D und E ritzverzierte Scherben in umfangreichem Fundkomplex. Lit.: Rageth, Resultate Padnal 76f. Abb 13.

16.2.1.3 Liechtenstein

95 Schellenberg-Borscht

Höhensiedlung. Umfangreicher Fundkomplex mit knickwandprofilierter, rillenverzierter Scherbe, die wohl von einem doppelkonischen Krug stammt, und weiteren ritz- und einstichverzierten Scherben. Ausladende Ränder und die Randscherbe eines Henkelgefäßes vergleichbar dem Typ Burgweinting/Viecht belegen Einflüsse der Straubinger Kultur. Lit.: H.Swozilek, Die vorgeschichtlichen Funde von Schellenberg Borscht (Fürstentum Liechtenstein). 3 Bde. Ungedruckte Dissertation, Innsbruck 1971, Abb. 103,5; Macynska, Schellenberg-Borscht Taf. 19,18–20; 30,14; 40,16.

16.2.1.4 Österreich

96 Koblach-Kadel (VA)

Höhensiedlung. Umfassender Fundkomplex, darunter mehrere ritzverzierte Scherben, zylinderstempelverzierte Scherben und ein knickwandprofilierter Krug. Lit.: Vonbank, Vorarlberger Rheintal 56 Abb.1,5; Fetz, Koblach-Kadel Taf. 43; 45; 46,1.

97 Bregenz „Kennelbacherstraße" (VA)

Siedlung. Kleiner Fundkomplex mit ritz- und einstichverzierter Scherbe. Lit.: Menghin, Vorarlberg 35ff.; L.Franz/ A.R. Naumann, Lexikon der ur- und frühgeschichtlichen Fundstätten Österreichs (Wien 1965) 175ff.

98 Kufstein „Tischoferhöhle" (TI)

Höhle. Fundkomplex mit Straubinger Krügen und einstichgefüllten Dreiecken. Lit.: M.Schlosser, Die Bären- oder Tischoferhöhle im Kaisertal bei Kufstein. Aus den Abhandl. Bayer. Akad. Wiss.II, 24, 2 (München 1909) 388–506 Fig. 8C,s; 9A,m.

99 Bischofshofen „Sinnhubschlößl" (SA)

Höhensiedlung. Umfangreicher Fundkomplex mit wenigen ritz- und kornstichverzierten Scherben, hauptsächlich schräg schraffierte Dreiecke. Lit.: M.Hell, Die altbronzezeitliche Ansiedlung am Sinnhubschlößl bei Bischofshofen in Salzburg. Arch. Austriaca 30, 1961, 31 Abb.8,5; 38 Abb.14,18.19.26.

16.2.2 Fundortliste zur Verbreitungskarte der älteren Frühbronzezeit in Südwestdeutschland, in der Nord- und Ostschweiz und im grenznahen Österreich (Abb.156)

Die in Klammern gesetzte Ziffernfolge entspricht der Nummerierung auf der Verbreitungskarte Abb.168.

16.2.2.1 Deutschland

1 Sonnenbühl-Erpfingen (Kr. Reutlingen)
2 Lichtenstein-Honau (Kr. Reutlingen)
3 Rottweil (Kr. Rottweil)
4 Strassberg (Zollernalbkreis)
5 Veringenstadt (Kr. Sigmaringen)
6 Hayingen-Ehrenfels (Kr. Reutlingen)
7 Inzigkofen-Vilsingen „Thiergarten" (Kr. Sigmaringen)
8 Sigmaringen, Dettinger Berg (Kr. Sigmaringen)
9 Meßkirch-Rohrdorf (Kr. Sigmaringen)
10 Mengen-Ennetach (Kr. Sigmaringen)
11 Mengen, Umgebung (Kr. Sigmaringen)
12 Hohentengen-Beizkofen (Kr. Sigmaringen)
13 Burgweiler (Kr. Sigmaringen)
14 Ostrach (Kr. Sigmaringen)
15 Riedlingen (Kr. Biberach)
16 Lauterbach (Alb-Donau-Kreis)
17 Ehingen-Berkach (Alb-Donau-Kreis)
18 Allmendingen-Schwörzkirch (Alb-Donau-Kreis)
19 Erbach (Alb-Donau-Kreis)
20 Siedlung Forschner, Bad Buchau (Kr. Biberach)
21 Bad Schussenried (Kr. Biberach)
22 Biberach (Kr. Biberach)
23 Tannheim (Kr. Biberach)
24 Immendingen (Kr. Tuttlingen)
25 Lausheim (Kr. Waldshut)
26 Kadelburg (Kr. Waldshut)
27 Jestetten (Kr. Waldshut)
28 Binningen (Kr. Konstanz)
29 Hohenkrähen, Hilzingen-Duchtlingen (Kr. Konstanz)
30 Singen a. Hohentwiel „Nordstadtterrasse" (Kr. Konstanz)
31 Singen a. Hohentwiel „Nordstadtterrasse" (Kr. Konstanz)
32 Böhringen „Rickelshausen" (Kr. Konstanz) (43)
33 Bodman-Weiler I (Kr. Konstanz) (2)
34 Bodman-Schachen I (Kr. Konstanz) (1)
35 Stockach-Hindelwangen (Kr. Konstanz) (27)
36 Ludwigshafen-Seehalde (Kr. Konstanz) (4)
37 Dettingen „Weiherried" (Kr. Konstanz) (44b)
38 Überlingen-Nußdorf (Bodenseekreis) (28)
39 Uhldingen-Mühlhofen (Bodenseekreis) (29)
40 Meersburg-Haltnau (Bodenseekreis) (32)
41 Ravensburg (Kr. Ravensburg)
42 Ravensburg (Kr. Ravensburg)
43 Bodnegg-Wollmarshofen (Kr. Ravensburg)
44 Meckenbeuren-Liebenau (Bodenseekreis)

16.2.2.2 Schweiz

45 Kanton Schaffhausen (SH)
46 Thayngen-Wippel (SH)
47 Zurzach-Schlosspark (AG)

48 Niederlenz-Bindfadenfabrik (AG)
49 Zofingen (AG)
50 Oensingen-Breitfeld (SO)
51 Wauwil-Bahnhof (LU)
52 Gelfingen-Tannegg (LU)
53 Zug-Sumpf (ZG)
54 Schübelbach (SZ)
55 Zufikon (ZH)
56 Regensdorf-Chatzensee (ZH)
57 Zürich (ZH)
58 Zürich-Wipkingen, Letten (ZH)
59 Zürich-Mozartstrasse 1a/b (ZH)
60 Erlenbach-Winkel (ZH)
61 Greifensee-Böschen (ZH)
62 Greifensee-Starkstromkabel (ZH)
63 Robenhausen (ZH)
64 Winterthur-Wülflingen (ZH)
65 Pfyn-Hinterried (TG)
66 Güttingen (TG)
67 Arbon (TG)
68 Arbon-Bleiche 2 (TG)
69 Goldach (SG)
70 Bronschhofen-Maugwil (SG)
71 Mels-Rosshel (SG)
72 Sennwald-Salez (SG)
73 Gams-Gasenzen (SG)

16.2.2.3 Österreich
74 Feldkirch (VA)

16.2.3 Fundortliste zu den Silexsicheln (Abb. 128)

16.2.3.1 Deutschland

Baden-Württemberg
1 Ludwigshafen-Seehalde, Gde. Bodman-Ludwigshafen (Kr. Konstanz) (Köninger, Bodensee Abb. 15,7–10).
2 Maurach-Ziegelhütte (Bodenseekreis) (Slg. K. Kiefer).
3 Überlingen (Bodenseekreis) (freundl. Mitt. H. Schlichtherle).
4 Allensbach-Strandbad (Kr. Konstanz) (freundl. Mitt. J. Fischer).
5 Singen a. Hohentwiel „Remishofstraße" (Schlichtherle, Erntegeräte 40 Abb. 16,9).
6 Ostrach „Lindenhof im Pfrunger Ried" (Kr. Sigmaringen) (Schlichtherle, Erntegeräte 40 Abb. 16,1–8).
7 „Siedlung Forschner", Gde. Bad Buchau (Kr. Biberach) (Schlichtherle, Erntegeräte 40 Abb. 16,12).
8 Ödenahlen (Kr. Biberach) (gezähnte Klinge, Lesefund aus mesolithischer Fundstelle – Fundstelle H. Reinerth Nr. 51 – Schlichtherle, Erntegeräte 39 f. Abb. 16,11).
9 Riedschachen, Gde. Bad Schussenried (Kr. Biberach) (Ströbel, Feuersteingeräte 67 Abb. 13; Schlichtherle, Erntegeräte 39 f. Abb. 16,13).
10 Henauhof-Hügel, Bad Buchau (Kr. Biberach) (Schlichtherle, Erntegeräte 39 f. Abb. 16,14).

Bayern
16 Schlingen (Kr. Kaufbeuren) (Bayer. Vorgeschbl. 33, 1968, 180).
17 Schwabmünchen „Äußerer Siebnerweg" (Kr. Augsburg) (Bayer. Vorgeschbl. 33, 1968, 180).
18 Bobingen „Acker des neuen Friedhofs" (Kr. Augsburg) (Bayer. Vorgeschbl. 33, 1968, 168).
19 Leitershofen „Weidach" (Kr. Augsburg) (Bayer. Vorgeschbl. 22, 1957, 120 f.; 33, 1968, 176).
20 Remertshofen (Kr. Neuburg-Schrobenhausen) (Bayer. Vorgeschbl. 33, 1968, 180).
21 Ochsenfeld „Tempelhof" (Kr. Eichstätt) (Bayer. Vorgeschbl. 33, 1968, 179).
22 Biesenhard „Schutterberg" (Kr. Eichstätt) (Bayer. Vorgeschbl. 33, 1968, 168).
23 Bergheim „Straßäcker" (Kr. Neuburg-Schrobenhausen) (Bayer. Vorgeschbl. 33, 1968, 168).
24 Dünzlau „Heindlmühle" (Kr. Ingolstadt) (Bayer. Vorgeschbl. 33, 1968, 173).
25 Essing „Großes Schulerloch" (Kr. Kehlheim) (Nadler, Großes Schulerloch 59; 63 Abb. 28,2).
26 Bruck „Hauptdüne Dachsbückel/Westliches Donaumoos" (Kr. Neuburg-Schrobenhausen) (Bayer. Vorgeschbl. 27, 1962, 127; 30, 1965, 155 ff.; 33, 1968, 169 ff. Abb. 19,4; 20,4).
27 Zell (Kr. Neuburg-Schrobenhausen) (Bayer. Vorgeschbl. 1968, 181).
28 Schorn (Kr. Neuburg-Schrobenhausen) (Bayer. Vorgeschbl. 33, 1968, 168).
29 Alteneich (Kr. Neuburg-Schrobenhausen) (Bayer. Vorgeschbl. 33, 1968, 168).
30 Berg im Gau „Donaumoos Südrand" (Kr. Neuburg-Schrobenhausen) (Bayer. Vorgeschbl. 1968, 170 ff. Abb. 18,1; 19,1; 20,3).
31 Malzhausen „Sandbuckel" (Kr. Neuburg-Schrobenhausen) (Bayer. Vorgeschbl. 33, 1968, 176 f.).
32 Zuchering (Kr. Ingolstadt) (Arch. Jahr Bayern 1990, 45 f. Abb. 17).
33 Karlskron „Östliches Donaumoos" (Kr. Neuburg-Schrobenhausen) (Bayer. Vorgeschbl. 33, 1968, 175; 172 Abb. 20,1.2).
34 Achshausen „Aschelsried" (Kr. Schrobenhausen) (Bayer. Vorgeschbl. 33, 1968, 166; 170 Abb. 18,4; 19,2).
35 Manching „beim Osttor" (Kr. Ingolstadt) (Bayer. Vorgeschbl. 33, 1968, 177 f.).
36 Alberg, Lerchenhaid „Am Scharrerfeld" (Kr. Straubing) (Bayer. Vorgeschbl. 33, 1968, 166).
37 Straubing „Ziegelei Jungmaier" (Hundt, Straubing 36 Taf. 19,31).
38 Essenbach-Oberwattenbach (Kr. Landshut) (Bayer. Vorgeschbl. Beih. 13, 2000, 61 Abb. 27,13).
39 Tiefenbach-Ast „Einfeld" (Kr. Landshut) (Bayer. Vorgeschbl. Beih. 7, 1994, 86 Abb. 65,6; 92; Beih. 9, 1996, 112 Abb. 100,15; 113 f.).
40 Oberhummel-Asenkofen (Kr. Freising) (Bayer. Vorgeschbl. 33, 1968, 178).
41 Oberding „wohl Erdinger Moos bei Franzheim" (Kr. Erding) (Bayer. Vorgeschbl. 33, 1968, 178).
42 Oberding „Milchstadtäcker" (Kr. Erding) (Bayer. Vorgeschbl. 33, 1968, 178).
43 Germering (Kr. Fürstenfeldbruck) (Bayer. Vorgeschbl. Beih. 9, 1996, 105 f. Abb. 93,2; 138).
44 Poing (Kr. Ebersberg) (Bayer. Vorgeschbl. Beih. 6, 1993, 50; 69 Abb. 39,3).
45 Wallerfing „Feld am Köllinger Weg" (Kr. Vilshofen) (Bayer. Vorgeschbl. 33, 1968, 181).

46 Reutern-Niederreutern „Eichethang/Steinfeld" (Kr. Griesbach i. Rottal) (Bayer. Vorgeschbl. 33, 1968, 180).

16.2.3.2 Schweiz
11 Arbon-Bleiche 2 (TG) (Hochuli, Arbon-Bleiche 113 Taf. 92,913).
12 Mörigen (BE) (Th. Ischer, Die Pfahlbauten des Bielersees [Biel 1928] 44 Abb. 15,1.3).
13 Lüscherz (BE) (Ebd. Abb. 15,2; Ströbel 1939, 67 Abb. 13).
14 Zürich-Mozartstrasse (ZH) (Gross u.a., Zürich „Mozartstrasse" Taf. 264,13–15).
15 Wartau, Ochsenberg (SG) (freundl. Mitt. A.-C. Conscience †).

16.2.3.3 Österreich
47 Tischoferhöhle (TI) (M. Schlosser, Die Bären- oder Tischoferhöhle im Kaisertal bei Kufstein. Aus den Abhandl. Bayer. Akad. Wiss. II, 24, 2 [München 1909] 485 Abb. 1a.b).
48 Salzburg-Maxglan (OÖ) (R. Pittioni, Urgeschichte des österreichischen Raumes [Wien 1954] Abb. 245,3.4.8).
49 Unterwinden bei St. Andrä, Bez. St. Pölten (NÖ) (K. Lippert, Eine frühbronzezeitliche Töpfergrube in Unterwinden bei St. Andrä an der Traisen, p. B. St. Pölten, NÖ. Arch. Austriaca 36, 1964, 11–23; 18 Taf. II,16a.b).
50 Böheimkirchen, Bez. St. Pölten (NÖ) (J.-W. Neugebauer, Böheimkirchen. Monographie des namengebenden Fundortes der Böheimkirchener Gruppe der Věteřov-Kultur. Arch. Austriaca 61/62, 1977, 82 Abb. 12 J,11.12; 83).
51 Enzersdorf a. d. Fischa, Bez. Bruck a. d. Leitha (NÖ) (Krenn-Leeb, Enzersdorf 50f. 54 Abb. 17 mit einem Beitrag von M. Dendarsky).
52 Waidendorf, Gde. Dürnkrut, Bez. Gänserndorf (NÖ) (St. Nebehay, Waidendorf. Fundber. Österreich 21, 1982, 242 Abb. 338).
53 Ziersdorf, Bez. Hollabrunn (NÖ) (G. Hasenhündl, Ziersdorf. Fundber. Österreich 37, 1998, 716f. Abb. 315; 316).
54 Windpassing, Gde. Grabern, Bez. Hellabrunn (NÖ) (W. Schön, Windpassing. Fundber. Österreich 22, 1983, 246 Abb. 237; 238).

16.2.3.4 Tschechische Republik
55 Budkovice, Bez. Brno-venkov (J. Ondraček/J. Stuchlíková, Die Siedlung in Budkovice und ihre Stellung im Rahmen der Věteřover Gruppe. Pamatky Arch. 79, 1988, 12 Abb. 4,2; 33).

16.2.3.5 Slowakische Republik
56 Nitrianský Hrádok-Zámeček, Bez. Nové Zámky (Točík, Veselom 240).

16.2.3.6 Ungarn
57 Türkeve-Terehalom (W. Meier-Arendt [Hrsg.], Bronzezeit in Ungarn. Forschungen in Tell-Siedlungen an Donau und Theiß [Frankfurt 1992] 193 Nr. 250).

16.2.3.7 Italien
58 Polada, Brescia, Lombardia (Munro, Stations lacustres 230 Fig. 68,20).

16.2.4 Fundortliste der gemusterten Tonobjekte (Abb. 132)

Die Fundortliste ist in alphabetischer Reihenfolge nach Herkunftsländern geordnet. Die in Klammern gesetzte Ziffernfolge entspricht der Nummerierung auf der Verbreitungskarte.

16.2.4.1 Deutschland
Bodman-Schachen I (Kr. Konstanz) (1)
Freising „Domberg" (Kr. Freising) (9)
Gräfentonna-Lohberg (Kr. Bad Langensalza) (6)
Hilzingen „Unter Schoren" (Kr. Konstanz) (4)
Singen „Nordstadtterrasse" (Kr. Konstanz) (3)
Steinfurth „Lehmkaute" (Wetteraukreis) (5)
Wallhausen (Kr. Konstanz) (2)
Wandersleben (Kr. Gotha) (7)
Frauenberg, Gde. Weltenburg (Kr. Kehlheim) (8)

16.2.4.2 Italien
Albanbühel, Bressanone, Bolzano, Alto Adige (13)
Bande di Cavriana, Mantova, Lombardia (24)
Barche di Solferino, Mantova, Lombardia (23)
Bellanda, Mantova, Veneto (36)
Bigarello, Veneto (43)
Bor di Pacengo, Verona, Veneto (30)
Borgo Sacco-Dosso Alto, Rovereto, Trento (18)
Bovolone-Palù Vecchio, Verona, Veneto (41)
Bovolone-Saccavezza, Verona, Veneto (40)
Cà Nuova di Cavaion, Verona, Veneto (27)
Castel d'Ario, Roverbella, Lombardia (34)
Castellaro Lagusello, Mantova, Lombardia (31)
Castelnovo Bariano-Canar di San Pietro Polesine, Rovigo (45)
Cataragna, Brescia, Lombardia (22)
Cavriana, Mantova, Lombardia (25)
Corte Vivaro, Verona, Veneto (46)
Grotta Gigante, Trieste, Friuli-Venezia Giulia (47)
Isolino Virginia, Piemont (15)
Isolone del Mincio, Mantova, Lombardia (35)
Lago di Ledro, Trentino (17)
Lavagnone, Brescia, Lombardia (20)
Lazise-La Quercia, Verona, Veneto (28)
Lucone di Polpenazze, Brescia, Lombardia (19)
Lugano Vecchia-Porto Galeazzi (Sirmione) Brescia, Lombardia (29)
Montalto di Nogara, Verona, Veneto (42)
Nössingbühel, Novacella, Bolzano, Alto Adige (12)
Ostiglia-Ara di Spin, Mantua, Lombardia (44)
Pestinari, Mantova, Veneto (39)
Polada, Brescia, Lombardia (21)
Pombia, Novara, Piemont (14)
Poviglio, Reggio Emilia (37)
Rubiera, Reggio (38)
S. Polo, Brescia, Lombardia (16)
Sassina di Arbizzano-Monte Sassine, Verona (26)
Sotciastel, Val Badia, Bolzano, Alto Adige (11)
Spineda, Mantova, Lombardia (33)
Villa Capella, Mantova, Lombardia (32)

16.2.4.3 Serbien
Banatska Palanka (76)
Kladovo (78)
Lepenski Vir (77)
Vršca-At (75)

16.2.4.4 Kroatien
Monkodonja, Rovini, Istrien (48)

16.2.4.5 Österreich
Absdorf, Bez. Tulln (NÖ) (53)
Böheimkirchen-Hochfeld, Bez. St. Pölten (NÖ) (58)
Franzhausen, Bez. St. Pölten (NÖ) (57)
Großhöflein-Föllik, Bez. Eisenstadt (BU) (59)
Gschleiersbühel, Gde. Matrei a. Brenner, Bez. Innsbrucker Land (TI) (10)
Nikitsch, Bez. Oberpullendorf (BU) (60)
Obermamau, Gde. Karlstetten, Bez. St. Pölten (NÖ) (56)
Schiltern-Burgstall, Bez. Krems (NÖ) (52)
Waidendorf-Buhuberg, Bez. Gänserndorf (NÖ) (55)
Windpassing-Westliches Bergfeld, Bez. Hollabrunn (NÖ) (54)

16.2.4.6 Polen
Biskupin (83)
Pilat-Oszcywil (82)

16.2.4.7 Rumänien
Derčida (74)
Orčova (79)
Ostrovul Mare-856. km (81)
Ostrovul Mare-Bivolarii (80)

16.2.4.8 Slowakische Republik
Cata, Bez. Levice? (68)
Dvorníky, Posádka, Bez. Trnava (62)
Hosté, Bez. Galanta (65)
Mad'arovce, Bez. Krupina (70)
Nitrianský Hrádok-Zámeček, Bez. Nové Zámky (64)
Šárovce, Bez. Levice (66)
Trnava, Bez. Trnava (63)
Veselé-Hradisko, Bez. Trnava (61)
Vráble, Bez. Nitra (67)
Westslowakei (*)

16.2.4.9 Tschechische Republik
Blučina-Cézavy, Bez. Brno-Land (51)
Hosty, Bez. Budějovice (50)
Radčice, Bez. Strakonice (49)

16.2.4.10 Ungarn
Füzesabony-Öregdomb (72)
Kisterenye-Harshegy (71)
Süttö Hoszuvölgy (69)
Tiszafüred-Asotthalom (73)

16.3 Fundortkatalog

Der Fundortkatalog enthält die früh- und mittelbronzezeitlichen Fundstellen am Bodensee und im Hegau. Mit einbezogen sind bedeutende Fundstellen des angrenzenden Hinterlandes. Sofern es sinnvoll erschien, wurden in Ausnahmefällen auch Hortfunde und Höhensiedlungen berücksichtigt, die vom Bodenseeufer etwas weiter entfernt liegen (Abb. 155).

Im ersten Abschnitt finden sich unter den Ziffern 1–26 die Fundstellen in der Flachwasserzone. Im zweiten Abschnitt sind unter den Ziffern 27–47 und 65–78 in knapper Form die seenahen Fundstellen und Fundplätze der anschließenden Landschaften zusammengestellt. Die Fundplätze des westlich an das Bodenseegebiet anschließenden Hegaus sind unter den Ziffern 48–64 aufgelistet.

Die Masse des Altfundmaterials besitzt in der Regel keine detaillierten Angaben zu Fundumständen und Fundort. Die Zuweisung der Herkunft der Funde aus der Flachwasserzone oder von mineralischem Grund erfolgte, soweit möglich, anhand anhaftender Sedimentreste und der Patinierung. Im Zweifelsfall wurden die Funde dem zweiten Abschnitt zugeschlagen, der die Funde aus dem ufernahen Bereich enthält.

Die Bezifferung der Fundstellen in der Flachwasserzone folgt, von der Bodmaner Bucht ausgehend, zunächst dem Nordufer des Überlinger Sees nach Westen und erreicht anschließend über dessen Südufer Konstanz. Die Fundorte an den im Südwesten gelegenen Seebecken sind von Osten nach Westen durchnummeriert, gefolgt von den Fundstellen am Schweizer Ufer. Die Fundstellen im zweiten Abschnitt sind von Westen nach Osten beziffert.

1 Bodman-Schachen I, Gde. Bodman-Ludwigshafen (Kr. Konstanz; Taf. 1–69,1–1109)

Ufersiedlung. Die Station ist Gegenstand vorliegender Arbeit. Auf eine Beschreibung im Fundortkatalog wird deshalb verzichtet. Lit.: Ley, Bodman-Schachen 290; Schnarrenberger, Pfahlbauten 9; 12f.; Schumacher, Pfahlbauten 34; Tröltsch, Pfahlbauten 165; Wagner, Baden 51; Munro, Stations lacustres 150; Kimmig/Pinkas, Seehalde 201f.; Abels, Randleistenbeile 78 Taf. 37,536; Aufdermauer, Bodman 42f.; Schlichterle, Bronzezeitliche Feuchtbodensiedlungen 22ff.; J. Köninger, La station littorale de Bodman-Schachen I à l'ouest du lac de Constance. In: A. Billamboz/E. Keefer/J. Köninger/W. Torke, La transition Bronze ancien-moyen dans le sud-ouest de l'Allemagne à l'exemple de deux stations de l'habitat palustre (Station Forschner, Federsee) et littoral (Bodman-Schachen I, Bodensee). In: Dynamique du Bronze moyen en Europe occidentale. Actes du 113e Congrès national des Sociétes savantes, Commission de Pré- et Protohistoire, Strasbourg 1988 (Paris 1989) 61–69; ders., La stratigraphie de Bodman-Schachen I dans le contexte Bronze ancien du sud de l'Allemagne. In: C. Mordant/O. Gaiffe (Hrsg.), Cultures et sociétés du Bronze en Europe. Actes du colloque „Fondament culturels, techiques, économiques et sociaux des débuts de l'âge du Bronze". 117e Congrès national des sociétés savantes, Clermont-Ferrand 1992 (Paris 1996) 239–250.

2 Bodman-Weiler I, Gde. Bodman-Ludwigshafen (Kr. Konstanz; Abb. 150; 153; Taf. 70,1110–1111b; 74,1143–1147.1149)

Ufersiedlung. Bereits vor 1854 erste Sammeltätigkeit des Bodmaner Forstverwalters Ley. In der Folge wurden die Pfahlbauten ausgebeutet. Erste systematische Nachforschungen fanden im Februar 1898 durch K. Schumacher statt. Neben ersten Profilaufnahmen ist aus den Sondagen Schumachers ein durch Flecklinge markierter Grundriss überliefert.

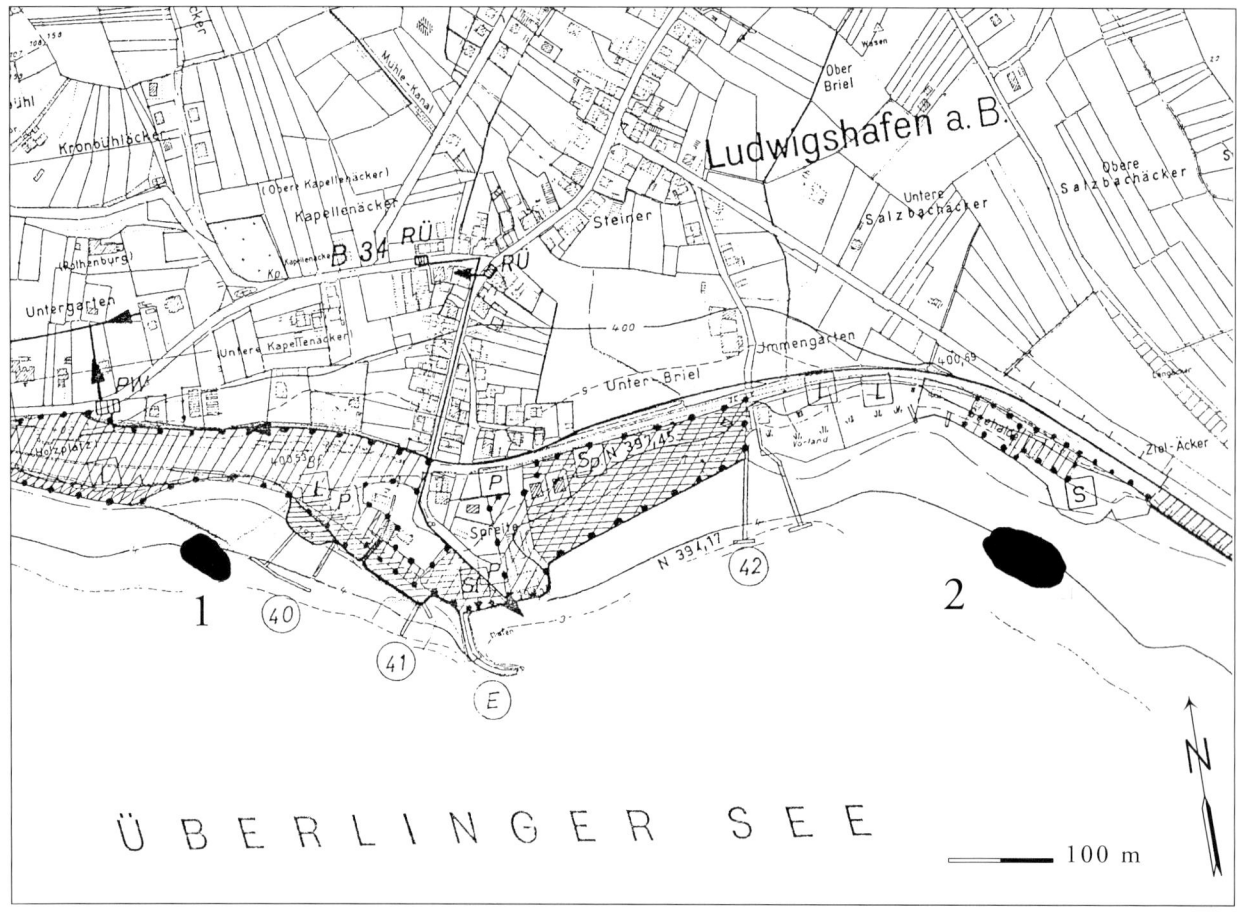

Abb. 169: Lage der frühbronzezeitlichen Ufersiedlungen von Ludwigshafen-Holzplatz (1) und Ludwigshafen Seehalde (2). Kartengrundlage: Bodenseeuferkarte M. 1:5000, Blatt 14.

In den 1960er- und 1970er-Jahren wurde die bis dato fundreichste Pfahlbaustation des Bodensees durch Ausbaggerungen entlang von Steganlagen stark in Mitleidenschaft gezogenen. Ersten Probegrabungen am Ufer bei winterlichen Niedrigwasserständen durch H. Schlichtherle folgten Tauchsondagen in den Jahren 1981–83, 1988, 1989 und 1994–97.

Im Westen der Station, im Strandbadbereich, konnte bei Niedrigwasser im Spätwinter 1996 eine frühbronzezeitliche Kulturschicht lokalisiert werden. Die 10 bis 15 cm mächtige Detritusschicht ist sandgebändert und durch Grabungslöcher gestört. Die angetroffene Kulturschicht befindet sich zwischen 394,15 und 394,4 m ü. NN.

Größe und Struktur der Anlage sind unbekannt. Die stratifizierte Keramik datiert in den älteren Abschnitt der Arboner Kultur.

Im Altfundbestand finden sich neben einzelnen Bronzen auch Bodmaner Becher. Ebenfalls von Bodman dürften die Bestände frühbronzezeitlicher Keramik in der Sammlung des Instituts für Ur- und Frühgeschichte der Universität Erlangen stammen. Darunter befindet sich Keramik der jüngeren Arboner Kultur. Wo sich die im Altfundmaterial angezeigten Ufersiedlungen der Bodmaner Fazies und der jüngeren Arboner Kultur befinden, ist unklar.

Lit.: Ley, Bodman-Schachen 289f.; Schnarrenberger, Pfahlbauten 8 ff. Taf. III; Schumacher, Pfahlbauten 27 ff. Taf. II; Tröltsch, Pfahlbauten 105; Wagner, Baden 51 f.; Munro, Stations lacustres 149; Abels, Randleistenbeile 66 Taf. 31,446; Schlichtherle, Bronzezeitliche Feuchtbodensiedlungen 21; Köninger, Ufersiedlungen 31 f. Abb. 34; ders., Bodensee 102 Abb. 13; 103 ff.

3 Ludwigshafen-Holzplatz, Gde. Bodman-Ludwigshafen (Kr. Konstanz; Abb. 169,1; Taf. 75,1157–1163)

Ufersiedlung. Eine am Ostrand der Station im Zuge der Tauchsondagen des Landesdenkmalamtes Baden-Württemberg 1982 identifizierte und der Frühbronzezeit zugewiesene Kulturschicht erwies sich bei erneuten Tauchsondierungen im Winter 2002 als endneolithisch. Sie gehört in den Kontext der Horgener Kultur. Seewärts einer weiteren Horgener Schicht konnte bei der neuerlichen Oberflächenaufnahme ein sandiges, wenige cm mächtiges Band mit eingelagerten Holzkohlen und Rindenfetzen entdeckt werden, welches mutmaßlich der Frühbronzezeit zuzuweisen ist. Sämtliche Kulturschichten sind in schmalen Streifen am seeseitigen Siedlungsrand erhalten und ziehen seewärts nach unten. Die vermutete frühbronzezeitliche Schicht liegt zwischen 393,3 und 393,0 m ü. NN.

Eichenpfähle morphologisch bronzezeitlichen Zuschnitts und die Ausdehnung der sandigen Kulturschicht deuten auf ein frühbronzezeitliches Siedlungsareal, welches etwa bis 60 m westlich des Jachthafens reicht. Der östliche Rand der frühbronzezeitlichen Anlage ist unklar. Die an der Halde gelegenen Siedlungsreste fielen dort der Hafenbaggerung zum Opfer.

Das spärliche Fundmaterial datiert in den jüngeren Abschnitt der Frühbronzezeit, vermutlich im Rahmen der älteren Arboner Kultur. Absolute Daten fehlen.
Lit.: Wagner, Baden 59; Schlichtherle, Siedlungsarchäologische Erforschung 229 Abb. 15; Köninger, Ufersiedlungen 29 Abb. 32; ders., Bodensee 93 Abb. 1.

4 Ludwigshafen-Seehalde, Gde. Bodman-Ludwigshafen (Kr. Konstanz; Abb. 127,1–10; 145; 169,2; Taf. 76,1172–1189; 77; 78)

Ufersiedlung. Im Verlauf der Tauchsondagen des Landesdenkmalamtes Baden-Württemberg von 1990 und 1991 sowie im Jahre 2001 konnte eine dreischichtige Stratigraphie der frühen Bronzezeit lokalisiert und in kleinen Sondierschnitten angegraben werden. Die Kulturschichten sind seeseitig in schmalen Streifen erhalten. Es handelt sich um gering mächtige, überwiegend lessivierte, sandige Schichten. Für die älteste Phase, Schicht 10, sind gelochte Erlenpfähle belegt, deren durchgesteckte Prügel (Hasel und Kernobstholz) durch Keile in der Lochung befestigt wurden. Ansatzweise sind anhand der gelochten Pfähle nord-süd-orientierte Hausgrundrisse von 5 m × 7 m zu erschließen. Für Schicht 11 sind Erlenflecklinge belegt, die durch Eschenkeile an ihren Pfosten fixiert wurden. Die uferparallele Ausdehnung der frühbronzezeitlichen Anlagen beträgt nach Ausweis der Kulturschichten mindestens 60 m. Die Kulturschichten liegen zwischen 393,8 und 393,5 m ü. NN.
Die Schichten 10 und 11 lieferten Keramik der Bodmaner Fazies und der frühen (?) Arboner Kultur, Schicht 12 blieb fundfrei. Bemerkenswert ist eine ganze Reihe von gezähnten Silexklingen, so genannten „Sichelsteinen".
Die Inventare ergänzen die Fundkomplexe der Stratigraphie von Bodman-Schachen I. Schicht 10 ist vermutlich älter als Schicht A von Bodman-Schachen I, Schicht 11 dürfte in die zeitliche Lücke zwischen den Schichten A und B von Bodman-Schachen I gehören. Absolute Daten liegen bislang nicht vor.
Lit.: H. Schlichtherle, Taucharchäologische Untersuchungen in der Ufersiedlung Ludwigshafen-Seehalde, Gemeinde

Abb. 170: Sipplingen-Osthafen (5). Oberflächenfunde, Keramik. Die Scherben stammen aus dem östlichen Drittel des Pfahlfeldes (Slg. K. Kiefer).

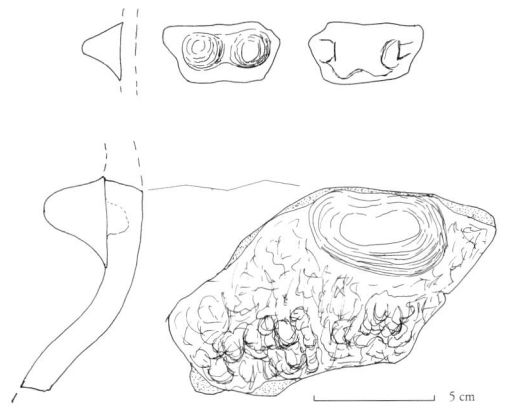

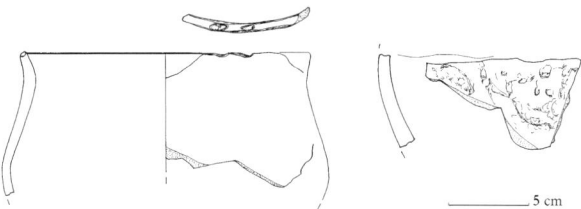

Abb. 171: Maurach-Maximilianshalde (9a). Oberflächenfunde, Keramik.

Bodman-Ludwigshafen, Kreis Konstanz. Arch. Ausgr. Baden-Württemberg 1991, 65–69; Köninger, Bodensee 98 ff.

5 Sipplingen-Osthafen (Bodenseekreis; Abb. 170)

Ufersiedlung. Ritz- und kornstichverzierte Scherbe wohl eines doppelkonischen Kruges. Der Neufund einer Wandscherbe mit schlickgerautem Gefäßkörper und Grifflappen sowie einer zweihöckrigen Knubbe in der Slg. K. Kiefer belegt Siedlungsreste der jüngeren Frühbronzezeit im Ostteil der Sipplinger Bucht. Die Scherben lassen auf Siedlungsphasen der mutmaßlich frühen und der jüngeren Arboner Kultur schließen.
Lit.: Hundt, Heubach 31; Köninger/Schlichtherle, Schnurkeramik 164 ff.; Köninger, Bodensee 93 ff.

6 Überlingen (Bodenseekreis; Taf. 70,1112)

Einzelfunde. Schräg gelochte Kugelkopfnadel, grün und weiß patiniert, wohl aus dem See. Genauere Herkunft unklar (Mus. Überlingen). Ein parallelseitiges Randleistenbeil vom Typ Mägerkingen soll ebenfalls von Überlingen stammen. Fundumstände unbekannt.
Lit.: Abels, Randleistenbeile 60 Taf. 28,401; Köninger/Schlichtherle, Schnurkeramik 172.

7 Nußdorf-Seehalde, Stadt Überlingen (Bodenseekreis; Taf. 75,1154)

Ufersiedlung. Die ritz- und kornstichverzierte Scherbe eines doppelkonischen Kruges aus der Sondage von 1982 dürfte aus einem Pfostenloch stammen.
Die Jahrringsequenz eines im seeseitigen Bereich des Pfahlfeldes 1985 beprobten Eichenpfahles (Ns85 P0-20; DC 31) ohne Splint liegt zwischen 1844 und 1722 v. Chr. Das frühest mögliche Datum der Kernholzprobe (FM) liegt rechnerisch bei 1702 v. Chr. (mündl. Mitt. A. Billamboz).
Lit.: H. Schlichtherle, Moor- und Seeufersiedlungen. Die Sondagen 1982 des „Projekts Bodensee-Oberschwaben". Arch. Ausgr. Baden-Württemberg 1982, 43; Köninger/Schlichtherle, Schnurkeramik 172.

8 Nußdorf-Strandbad, Stadt Überlingen (Bodenseekreis; Taf. 76,1164–1171)

Ufersiedlung. Ritzverzierte Scherben aus dem Bereich der jungneolithischen Ufersiedlungen. Ein Henkeltopf stammt von der Halde, wo lessivierte, möglicherweise bronzezeitliche Schichtreste lokalisiert werden konnten. Sie liegen zwischen 392,1 und 392,4 m ü. NN.
Lit.: Köninger/Schlichtherle, Schnurkeramik 172; dies., Nußdorf-Strandbad – Die Tauchsondagen 1992 und 1993 in der Horgener Siedlung westlich der Liebesinsel, Überlingen-Nußdorf, Bodenseekreis. Arch. Ausgr. Baden-Württemberg 1993, 77.

Abb. 172: Maurach. Bronzebeil mit oberständigen Randleisten, Typ Cressier, Var. D, nach Abels, Randleistenbeile (Slg. Institut Vor- u. Frühgeschichte der Universität Erlangen).

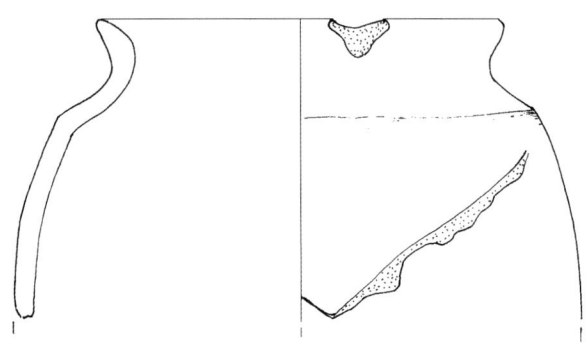

Abb. 173: Unteruhldingen-Bayenwiesen (11a). Keramik. Randscherbe aus einem Pfahlverzug im Osten der Station.

9a Maurach-Maximilianshalde, Gde. Uhldingen-Mühlhofen (Bodenseekreis; Abb. 155; 171)

Ufersiedlung. Im Zuge von Prospektionstauchgängen im Winter 2002/2003 entdeckte Ufersiedlung. In Haldennähe treten zwei lessivierte Kulturschichten an die Oberfläche des Seegrundes. Aus der unmittelbaren Nähe der landseitigen Erosionskante kommt eine schlickgeraute Wandscherbe. Aus der Oberfläche im landwärtigen Pfahlfeld stammt neben einigen Steinbeilen der fingergetupfte Rand eines bauchigen Topfes.
Lit.: Arch. Ausgr. Baden-Württemberg 2004 (im Druck).

9 Maurach-Ziegelhütte, Gde. Uhldingen-Mühlhofen (Bodenseekreis; Abb. 127,11; 155; 172; Taf. 70,1113)

Ufersiedlung (?). Unter der Bezeichnung „Seefelden" Nadel mit weich keulenförmigem Kopf (Mus. Überlingen). Mit Herkunft „Maurach" Randleistenbeil mit oberständigen Randleisten vom Typ Cressier, Seepatina und Kalksinter anhaftend (Slg. Inst. Vor- u. Frühgesch. der Universität Erlangen). Aus dem zentralen Bereich der Station, vor Obermaurach, stammt eine stark retuschierte Silexklinge (Slg. K. Kiefer).
Lit.: Köninger/Schlichtherle, Schnurkeramik 172; Köninger, Bodensee 98; 104 f. Abb. 15,11.

10 Unteruhldingen, Gde. Uhldingen-Mühlhofen (Bodenseekreis; Taf. 71,1119–1124)

Einzelfunde. Zwei kalkversinterte Randleistenbeile, eine Rollenkopfnadel mit tordiertem Schaft und eine Ösenkopfnadel im Altfundbestand mit Resten von Seepatina (Rosgartenmus. Konstanz, Württ. Landesmus. Stuttgart). Aus welcher der Unteruhldinger Stationen die Funde stammen und ihre Fundumstände sind unbekannt.
Lit.: Junghans, Nadeln 107 Abb. 1; 2; 4; Abels, Randleistenbeile 8 Nr. 80; 81 Taf. 5; 6; Kubach, Nadeln 85 ff. Taf. 87; Köninger/Schlichtherle, Schnurkeramik 172; Schöbel, Hagnau und Unteruhldingen 168 Taf. 26,1.2.

11 Unteruhldingen-Stollenwiesen, Gde. Uhldingen-Mühlhofen (Bodenseekreis)

Einzelfund. Lochhalsnadel mit trompetenförmigem Kopf. Die Nadel stammt von der äußeren Palisade der spätbronzezeitlichen Ufersiedlung und wurde 1998 bei Nachuntersuchungen von der Oberfläche geborgen.
Lit.: Schöbel, Unteruhldingen-Stollenwiesen 78–81.

11a Unteruhldingen-Bayenwiesen, Gde. Uhldingen-Mühlhofen (Bodenseekreis; Abb. 15; 173)

Ufersiedlung. Im Winter 2003/2004 im Verlaufe der systematischen Tauchprospektion des Uferabschnittes zwischen Unteruhldingen und Meersburg wurden mehrere Sondierschnitte im Bereich der überwiegend jung- und endneolithischen Ufersiedlungen angelegt. In Schnitt 3 im östlichen Teil der uferparallel etwa 650 m breiten Anlage fand sich in einem Pfahlverzug die Randscherbe eines kleinen Topfes mit abgesetzter Schulter. Bereits im Jahre 2002 hatte K. Kiefer im zentralen Teil des Siedlungsareales eine Randscherbe mit eingezapftem Henkel aufgelesen.

12 Haltnau-Oberhof, Gde. Meersburg (Bodenseekreis; Abb. 152; 174)

Ufersiedlung. Die Entdeckung der frühbronzezeitlichen Siedlungsreste gelang im Jahre 2000 im Zuge präventiver Prospektions- und Kontrolltauchgänge. Eine sandige Kulturschicht tritt seeseitig am Rande des geröllbedeckten Bereiches an die Oberfläche. Seewärts davon liegen auf 40 m freigespülte Bauhölzer an der Oberfläche. Die seeseitigen Siedlungsreste befinden sich zwischen 391,5 und 391,7 m ü. NN. Die Ausdehnung der Siedlung beträgt uferparallel mindestens 50 m. Das frühbronzezeitliche Pfahlfeld reicht bis an den etwa 45 m landwärts der Kulturschicht liegenden Uferdamm und setzt sich wohl darunter landwärts fort. Aus der Kulturschicht und aus ihrer direkten Umgebung stammt reich ritzverzierte Keramik der jüngeren Arboner Kultur. Ein Randleistenbeil im Altfundbestand hatte auf eine mögliche frühbronzezeitliche Anlage hingewiesen.

Eine im Jahre 2001 im Uferbereich im Flachwasser geborgene Pfahlspitze lieferte eine 82-jährige Jahrringfolge zwischen 1760 und 1678 v. Chr. Das frühest mögliche Datum der Kernholzprobe liegt rechnerisch damit bei 1658 v. Chr (mündl. Mitt. A. Billamboz).

Lit.: Wagner, Baden 75; Munro, Stations lacustres 156 f. Abb. 47,3.5.13; Köninger, Bodensee 95; 101 Abb. 12; 102 f.

13 Hagnau-Burg (Bodenseekreis; Taf. 70,1118)

Einzelfunde (?). Zwei Randleistenbeile, wohl aus der Ufersiedlung (Rosgartenmus. Konstanz) und ein Bronzebeil vom Typ Cressier.

Lit.: Tröltsch, Pfahlbauten 156 Abb. 275; 190; Munro, Stations lacustres 157 Abb. 47,1.2.; Abels, Randleistenbeile 54 Nr. 375; 70 Taf. 53,470; Schöbel, Hagnau und Unteruhldingen 186 Taf. 84,8.9.

14 Wallhausen, Stadt Konstanz (Kr. Konstanz; Abb. 133)

Ufersiedlung (?). In den Sammlungsbeständen des Instituts für Ur- und Frühgeschichte der Universität Erlangen befindet sich eine einseitig verzierte, zentral gelochte Tonscheibe. Ihre Herkunft aus einer Ufersiedlung ist aufgrund anhaftender Kalksinter- und Algenreste wahrscheinlich. Die Zier der Tonscheibe besteht aus zehn konzentrisch angeordneten Ritzlinien, die auf gleicher Höhe stempelartige Eindrücke besitzen. Die Scheibe kann den gemusterten Tonobjekten zur Seite gestellt werden, die als „oggetti enigmatici" oder auch als „Brotlaibidole" bezeichnet werden.

Lit.: Köninger, Gemusterte Tonobjekte 429 ff.; Köninger, Bodensee 106 f. Abb. 18.

15 Litzelstetten-Krähenhorn („Litzelstetten 3"), Stadt Konstanz (Kr. Konstanz; Taf. 70,1117)

Ufersiedlung (?). Randleistenbeil vom Seeufer (Pfahlbaumus. Unteruhldingen). Der frühbronzezeitliche Kontext einer Tonscheibe aus einer der Stationen von Litzelstetten ist unsicher (Slg. Inst. Vor.- u. Frühgesch. Erlangen).

Lit.: Abels, Randleistenbeile Taf. 38,537; Köninger, Bodensee 103 Abb. 14,5; 107.

16 Litzelstetten-Ebnewiesen II, Stadt Konstanz (Kr. Konstanz; Abb. 175,1)

Ufersiedlung. Aus dem Bereich der schnurkeramischen Ufersiedlung stammt eine rillenverzierte Scherbe (Slg. K. Kiefer).

Lit.: Köninger, Bodensee 103 f. Abb. 14,4.

17 Mainau-Kuchel I, Stadt Konstanz (Kr. Konstanz; Abb. 175,2)

Ufersiedlung (?). Im Areal westlich der Brücke, die zur Insel Mainau führt, konnten bei Niedrigwasser im Jahre 1996 in Bahnen facettierte Eschenpfähle geborgen werden. Ihr frühbronzezeitliches Alter ist aufgrund der Bearbeitungsspuren wahrscheinlich. Möglicherweise handelt es sich um Reste einer Brücke oder eines Weges auf die Insel.

Lit.: Köninger, Bodensee 111 f. 113 Abb. 22.

18 Egg-Obere Güll I, Stadt Konstanz (Kr. Konstanz; Abb. 151; 175,3; 176)

Ufersiedlung. Im Rahmen von Tauchsondagen des Landesdenkmalamtes Baden-Württemberg am Nordstrand der Insel Mainau gelang 1994 die Wiederauffindung und Lokalisierung der Ufersiedlung in der Güll, die zuvor durch wenige Scherben und Bronzen – darunter auch ein Randleistenbeil vom Typ Bodensee (s. Abels, Randleistenbeile 78 f.) – in den Sammlungen H. Hertlein, H. Schiele und H. Maier angezeigt war. Die Siedlung befindet sich im Bereich der Oberen Güll auf einer dem eigentlichen Ufer vorgelagerten Untiefe. Der landseitige Siedlungsbereich scheint vollständig erodiert. Eine Lagebeschreibung der Station aus dem Jahre 1898 (Ortsakten Konstanz, LDA Freiburg [freundl. Mitt. R. Dehn]; s. Köninger, Bodensee 96 Abb. 7) zeigt skizzenhaft landseitig auf die Untiefe führende Pfahlreihen, die den Siedlungszugang markieren dürften.

Im 1994 und 1995 untersuchten seewärtigen Bereich der Anlage ließen sich drei Hausstandorte nachweisen, die offenbar durch Flecklinge fundamentiert waren. Von außerordentlicher Bedeutung ist eine Holzwehrmauer aus bis zu 50 cm breiten Eichenbohlen. Die auf der Seeseite erhalten gebliebene Befestigung war auf ihrer Innenseite mit regelhaft stehenden Eichenspältlinge verbunden und offenbar mit einem Wehrgang ausgestattet. Die rekonstruierbare Höhe der Mauer über Grund liegt bei 3,5 bis 4 m. Ringsum erosiv gleichmäßig verjüngte Bohlenfragmente – wie dies an Hafenpfosten im Kontaktbereich Wasser-Luft zu beobachten ist – lassen vermuten, dass die Holzmauer zumindest zeitweise im Wasser stand. Nördlich der Holzmauer,

Abb. 174: Haltnau-Oberhof (12). Am seeseitigen Siedlungsrand freigespülte Bauhölzer bei der Aufnahme durch Taucher des Landesdenkmalamts.

Abb. 175: Lage der frühbronzezeitlichen Ufersiedlungen und Fundstellen von Litzelstetten-Ebnewiesen (1), Mainau-Kuchel I (2) und Egg-Obere Güll I (3). Kartengrundlage: Bodenseeuferkarte M. 1:5000, Blatt 10.

außerhalb der eigentlichen Siedlung, ist eine sandige Kulturschicht von wenigen Zentimetern Mächtigkeit erhalten geblieben (Abb. 176). Der Schichtkeil zieht seewärts nach unten. Die Schicht liegt zwischen 393,8 und 393,0 m ü. NN.
Die Dendrodaten der mehrphasigen Anlage liegen mit Waldkante bei 1621 und 1620 v. Chr. Splintgrenzendaten liegen zwischen 1640 und 1634 v. Chr. und bei 1602 v. Chr. (freundl. Mitt. A. Billamboz).
Das Fundmaterial aus der Kulturschicht und von der Oberfläche ist reich ritzverziert und damit der jüngeren Arboner Kultur zuzuweisen.
Lit.: Köninger/Schlichtherle, Schnurkeramik 171; Köninger, Obere Güll 65 ff.; ders., Ufersiedlungen 32 ff. Abb. 37; 40; 41; ders., Bodensee 111 f.

19 Konstanz-Rauenegg (Kr. Konstanz; Taf. 74,1140–1142)

Ufersiedlung. Wenige leistenverzierte Scherben, teilweise kalkversintert (Rosgartenmus. Konstanz).
Lit.: Köninger/Schlichtherle, Schnurkeramik 171.

20 Allensbach-Strandbad (Kr. Konstanz; Abb. 154,18)

Ufersiedlung (?). Unter den endneolithischen Funden der Horgener Kultur aus den Sondagen des Landedenkmalamtes

Abb. 176: Egg-Obere Güll I (18). Schnitt 11, Westprofil. Die stark sandige Kulturschicht der Frühbronzezeit (Befund 4.3) hebt sich farblich als dunkles Band von der umgebenden hellen Seekreide ab.

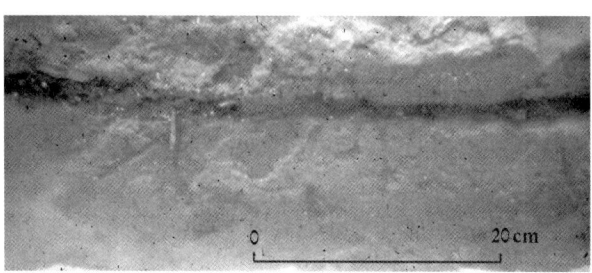

Baden-Württemberg von 1983 befindet sich eine stark retuschierte Silexklinge. Die Klinge stammt aus einem Reduktionshorizont.
Lit.: E. Czarnowski, Zwei Fundschichten der Horgener Kultur in der Ufersiedlung „Allensbach-Strandbad", Kreis Konstanz. Arch. Ausgr. Baden-Württemberg 1986, 36–40.

21 Hornstaad-Hörnle I, Gde. Gaienhofen (Kr. Konstanz; Taf. 75,1150–1153)

Ufersiedlung. Kleiner Scherbenkomplex vom Uferbereich (Slg. J. Lang).
Lit.: Köninger/Schlichtherle, Schnurkeramik 171.

22 Hemmenhofen, Station unbekannt, Gde. Gaienhofen (Kr. Konstanz; Taf. 70,1116)

Einzelfund. Randleistenbeil vom Ufer (Rosgartenmus. Konstanz), Fundumstände unbekannt.
Lit.: Köninger/Schlichtherle, Schnurkeramik 171.

23 Wangen-Hinterhorn, Gde. Öhningen (Kr. Konstanz; Taf. 74,1148)

Ufersiedlung. Wenige leistenverzierte Scherben (Bad. Landesmus. Karlsruhe), Fundumstände unbekannt.
Lit.: Wagner, Baden 35 f. Abb. 25b; Köninger/Schlichtherle, Schnurkeramik 171.

24 Öhningen-Ohrkopf (Kr. Konstanz)

Ufersiedlung (?). Anlässlich der Entnahme von Sedimentproben wurden im Bereich der Station im knietiefen Wasser Pfahlproben entnommen. Radiometrische Messungen ergab eine Datierungsspanne zwischen 1950 und 1750 BC cal.
Lit.: Köninger, Bodensee 97 f.

25 Steckborn (TG)

Einzelfund. Beil vom Typ Neyruz, an der Einmündung des Fennebaches in den See 1921 gefunden.

Lit.: Jahrb. SGUF 1921, 46; Keller-Tarnuzzer/Reinerth, Thurgau 200 Abb. 13,4; Abels, Randleistenbeile 13 Nr. 124.

26 Arbon-Bleiche II (TG)

Ufersiedlung. Namengebende Station der Arboner Kultur. Mehrphasige und mehrfach umzäunte Siedlungsanlage in der verlandeten Arboner Bucht. Die Pfahlbaustation wurde zwischen 1885 und 1991 wiederholt angegraben, Flächengrabungen fanden 1945 statt. Das Fundmaterial aus der vermutlich mehrschichtige Stratigraphie ist den einzelnen Kulturschichten oder feinen Bändchen innerhalb einer der Kulturschichten nicht mehr zuzuordnen. Die durchgehend erkannte Kulturschicht liegt zwischen 396 und 397 m ü. NN. Arbon-Bleiche II ist mit 5000 m² flächenmäßig die größte frühbronzezeitliche Ufersiedlung am Bodensee. Anhand der Pfahlpläne von 1945 ließen sich im Nachhinein Hausgrundrisse isolieren, die jedoch dendrochronologisch nicht mehr abzusichern sind.
Die Ufersiedlungen lieferten den umfangreichsten frühbronzezeitlichen Fundkomplex am Bodensee. Herausragend ist die große Anzahl an Bronzen.
Lit.: Keller-Tarnuzzer, Arbon 19 ff.; Fischer/Keller-Tarnuzzer, Funde 116 ff.; Fischer, Bleiche; Hochuli, Arbon-Bleiche.

27 Stockach-Hindelwangen (Kr. Konstanz)

Depotfund. Mehrere Dutzend Beile, in einem Tongefäß aufeinander geschichtet. Davon sind fünf Randleistenbeile vom Salezer Typ erhalten geblieben.
Lit.: Abels, Randleistenbeile 8 Nr. 65–69 Taf. 5; Krause, Beginn der Metallzeiten 138.

28 Überlingen-Nußdorf (Bodenseekreis)

Depotfund (?). Zwei Randleistenbeile vom Typ Salez aus dem Gebiet der Ufersiedlungen, Zugehörigkeit fraglich.
Lit.: Abels, Randleistenbeile 8 Nr. 72; 73.

29 Unteruhldingen, Gde. Uhldingen-Mühlhofen (Bodenseekreis; Taf. 71,1121.1122)

Aufgrund der hellgrünen Patinierung bzw. der Oberflächenbeschaffenheit wohl von mineralischem Grund stammen zwei Lochhalsnadeln vom Typ Paarstadel, eine Kugelkopfnadel mit massiv gegossenem, linienverziertem Kopf und tordiertem Schaft sowie eine Dolchklinge. Fundumstände unbekannt.
Lit.: Junghans, Nadeln 107 Abb. 1; 2; 4.

30 Heiligenberg „Alt-Heiligenberg"
(Bodenseekreis)

Höhensiedlung. Beim Wegebau wurden bronzezeitliche Scherben aufgelesen.
Lit.: G. Schöbel, Spuren einer mittelbronzezeitlichen Höhensiedlung auf Alt-Heiligenberg, Gemeinde Heiligenberg, Bodenseekreis. Plattform 7/8, 1998/99, 126 f.

31 Bermatingen (Bodenseekreis)

Depotfund. 1921 zwischen Bermatingen und Ittendorf im Bermatinger Unterwald beim Hof Unter Riedern gemachter Fund von 66 Spangenbarren. Gefunden beim Ausgraben einer Baumwurzel.
Lit.: Bad. Fundber. 1925–28, 303.

32 Meersburg-Haltnau (Bodenseekreis; Taf. 73,1131.1132)

Depotfund (?). Zwei Salezer Beile, Fundumstände unbekannt. Aufgrund der Patinierung von mineralischem Grund stammend.
Lit.: Krause, Beginn der Metallzeiten 135 Nr. 55; Abels, Randleistenbeile 7 Nr. 46; 56.

33 Immenstaad (Bodenseekreis; Taf. 70,1114)

Einzelfund (?). Lochhalsnadel, blassgrün patiniert, wohl von mineralischem Grund (Mus. Überlingen).
Lit.: Schöbel, Hagnau und Unteruhldingen 190 Taf. 102,2.

34 Immenstaad „Hubstöcken" (Bodenseekreis)

Siedlung. Oberflächenfundplatz. Kleiner Scherbenkomplex, darunter eine Scherbe mit flächendeckender Fingernageleindruckzier.
Lit.: H. Schlichtherle, Archäologische Funde von der Steinzeit bis zur Merowingerzeit. In: E. Schulz/E. Kuhn/W. Trogus (Hrsg.), Immenstaad – Geschichte einer Seegemeinde (Konstanz 1994) 34 f. Abb. 5,8.

35 Friedrichshafen (Bodenseekreis)

Depotfund. 47 Spangenbarren. Das Depot soll an der Straße „gegen Ravensburg" gefunden worden sein. Ankauf 1866 durch die Antiquarische Gesellschaft Zürich. Fundumstände unbekannt, Fundortangabe nicht unbedingt glaubwürdig.
Lit.: Fundber. Schwaben N. F. 9, 1938, 41; Krause, Beginn der Metallzeiten 133.

36 Meckenbeuren-Liebenau (Bodenseekreis)

Depotfund. Randleistenbeil vom Salezer Typ aus einem Depot von ehemals sieben Randleistenbeilen.
Lit.: Abels, Randleistenbeile 7 Nr. 55 Taf. 4,55; Krause, Beginn der Metallzeiten 135.

37 Ravensburg, Veitsberg (Kr. Ravensburg)

Höhensiedlung. Unter mittelalterlichem Fundkomplex und zahlreichen flächendeckend verzierten Scherben der mittleren Bronzezeit Scherben eines Unterwölblinger Kruges. Im Altfundbestand aus Ravensburg ohne nähere Fundortangabe ein Depotfund aus 30 Armspiralen und ein mutmaßliches weiteres Depot, bestehend aus einer Armspirale und einem Salezer Beil.
Lit.: Krause, Beginn der Metallzeiten 136; Ade-Rademacher/Rademacher, Veitsberg Taf. 23; Hafner, Frühe Bronzezeit 224.

38 Bodman „In der Breite",
Gde. Bodman-Ludwigshafen (Kr. Konstanz)

Siedlung. Erosionsrest eines Siedlungshorizontes mit schwachen Bebauungsspuren. Fundmaterial mit zahlreichen Hitzesteinen und Keramik der mittleren Bronzezeit.
Lit.: Schlichtherle, Mineralbodensiedlungen 61 ff.

39 Bodman „Im Weiler", Gde. Bodman-Ludwigshafen (Kr. Konstanz)

Grabfunde. Zwischen 1891 und 1954 wurden im Ortskern von Bodman bei Bauarbeiten mindestens drei Gräber angeschnitten. Ein weiteres Grab ist wahrscheinlich anzunehmen. Eine Nachgrabung soll nach der Entdeckung „von

Karlsruhe aus" initiiert worden sein. „Weitere aufgedeckte Gräber hätten nichts Wichtiges erbracht." Sowohl gestreckte als auch gehockte Totenhaltung ist überliefert. Die eingetieften Gräber waren offenbar von Molasseplatten umstellt und vermutlich auch abgedeckt.

Die Gräber dürfen, soweit sich dies rekonstruieren lässt, der frühen und mittleren Bronzezeit angehören. Bis auf eine 2-nietige Dolchklinge und menschliche Kieferbruchstücke aus dem 1891 aufgedeckten Grabe ist das Fundmaterial verschollen.

Lit.: Wagner, Baden 52; Aufdermauer, Bodman 44; 56 Taf. 10.4; Ortsakte Bodman, LDA Freiburg.

40 Bodman „Bodenburg", Gde. Bodman-Ludwigshafen (Kr. Konstanz)

Höhensiedlung. Durch A. Beck bei Begehungen und in Sondierschnitten 1941–1943 geborgenes, überwiegend spätbronzezeitliches Fundmaterial.

Lit.: Bad. Fundber. 17, 1941/47, 280 ff. Taf. 71; A. Beck, Die Bodenburg bei Bodman, eine Höhensiedlung der Spätbronzezeit. Vorzeit Bodensee 1957/58, H. 1–4, 29–41; Hopert u.a., Hals Abb. 21; Schlichtherle/Strobel, Ufersiedlungen – Höhensiedlungen 80 f. Abb. 1.

41 Bodman „Hals", Gde. Bodman-Ludwigshafen (Kr. Konstanz)

Höhensiedlung. Über dem Südufer des Überlinger Sees gelegene Fundstelle. Aus Schürfungen und Aufsammlungen seit den 1960er-Jahren umfangreicher Fundkomplex mit Funden von der Stichbandkeramik bis zum Spätmittelalter, darunter einige Scherben der frühen und mittleren Bronzezeit. Sicher mittelbronzezeitlich sind das Bodenfragment einer flächig kornstichverzierten Flasche, kerbschnittverzierte Ware und Blockränder (Hopert u.a., Hals 109 Abb.10,121.126.127. 122.137). Ränder flaschenartiger Gefäße dürften eher der späten Frühbronzezeit angehören, ebenso wie die Randscherben konischer oder leicht kalottenförmiger Schalen mit abgerundeter Randlippe; keulenförmige Ränder lassen sich demgegenüber kaum näher einordnen, sie sind unspezifisch und innerhalb der Frühbronzezeit ebenso geläufig. (Die herangezogene Datierung von Schicht C ist fälschlicherweise mit 1500 v. Chr. angegeben [Hopert u.a., Hals 108 ff.]. Ihre Schichtbasis datiert um 1610 v. Chr. bzw. um 1590 v. Chr. [vgl. Kap. 12 zur absoluten Chronologie].)

Lit.: Hopert u.a., Hals 108 ff. Abb. 10; Schlichtherle/Strobel, Ufersiedlungen – Höhensiedlungen 80 f. Abb. 1.

42 Stahringen (Kr. Konstanz)

Siedlung. Aus einer durch Kiesabbau zerstörten Fundstelle stammen neben eisenzeitlicher Keramik leistenverzierte Scherben und eine ritzverzierte Scherbe der jüngeren Arboner Kultur. Baubefunde waren nicht festzustellen.

Lit.: Aufdermauer/Dieckmann, Stahringen 51.

43 Möggingen „Mindelsee" (Kr. Konstanz; Taf. 72,1126.1129)

Einzelfunde. Dolchklingen und zwei verzierte Lochhalsnadeln, angeblich vom Mindelsee. Fundumstände unbekannt (Rosgartenmus. Konstanz).

Lit.: Schnarrenberger, Pfahlbauten Taf. 4,33a.b; Tröltsch, Pfahlbauten 178; Wagner, Baden 28; Munro, Stations lacustres 146 Abb. 44,2.3.

44a Dingelsdorf „Weiherried" (Kr. Konstanz)

Einzelfunde (?). Aus dem Weiherried zwischen Dingelsdorf und Wollmatingen stammen zwei Radnadeln (Rosgartenmus. Konstanz).

Lit.: Tröltsch, Pfahlbauten 171; 175 Abb. 424; 425; Wagner, Baden 18 Abb. 12.

44b Dettingen „Weiherried" (Kr. Konstanz)

Einzelfund. Randleistenbeil vom Typ Salez aus dem Weiherried.

Lit.: Bad. Fundber. 16, 1940, 14; Abels, Randleistenbeile 7 Nr. 44, Taf. 3.

45 Konstanz-Staad (Kr. Konstanz; Taf. 70,1115)

Einzelfund. Dolchklinge, genauere Herkunft unbekannt (Mus. Überlingen). Im Zuge von Prospektionstauchgängen durch Taucher des Landesdenkmalamtes Baden-Württemberg konnte im Winter 2003/2004 knapp östlich des Fährhafens ein Pfahlfeld lokalisiert werden. Unter spätbronzezeitlichen Scherben fand sich die Profilscherbe eines Topfes mit getupftem Rand und einer Fingertupfenreihe auf der Gefäßschulter (vgl. Taf. 37–39). Form und Zier datieren in die jüngere Frühbronzezeit. Die Scherbe stammt aus einer stark lessivierten braun gefärbten Kulturschicht (mündl. Mitt. W. Hohl).

Lit.: Köninger/Schlichtherle, Schnurkeramik 171; Schöbel, Hagnau und Unteruhldingen 155 f.

46 Radolfzell (Kr. Konstanz)

Einzelfund. Trianguläre Dolchklinge, dreiecksverziert vom Schweizer bzw. alpinen Typ. Fundumstände unbekannt.

Lit.: Bad. Fundber. 3, 1933–36, 38.

47 Böhringen „Rickelshausen", Gde. Radolfzell (Kr. Konstanz)

Depotfund. Acht Randleistenbeile vom Salezer Typ „von einer Wiese bei Böhringen".

Lit.: Abels, Randleistenbeile 5 Nr. 5–9.

48 Bohlingen (Kr. Konstanz)

Siedlung. Aus einer Baugrube stammt mittelbronzezeitliche Keramik (freundl. Mitt. B. Dieckmann).

49 Rielasingen-Worblingen „Riedern" (Kr. Konstanz)

Siedlung. Siedlungsreste in Tallage mit mittelbronzezeitlicher Keramik und zahlreichen zerplatzten Geröllen. Pfostenstellungen eines 2,5 m × 2,5 m großen Vierpfostenbaues und eine Sechspfostengruppe mit 2,5 m × 6 m Grundfläche.

Lit.: Dieckmann, Rielasingen-Worblingen 59.

50 Gottmadingen „Flassental" (Kr. Konstanz)

Grab. Dolchklinge und angeschmolzenes Bronzestück eines Schwertes (?), frühe Mittelbronzezeit.

Lit.: Brestrich, Singen 386.

51 Hilzingen „Döllenhau" (Kr. Konstanz)

Grab. Grabhügel, Bestattung mit Randleistenbeil, Rasiermesser und zwei rundstabigen Armringen. Zwei Bruchstücke von Armringen mit 4-kantigem Querschnitt.

Lit.: Bad. Fundber. 17, 1941–1947, 270 ff. Taf. 67A.

52 Hilzingen „Unter Schoren" (Kr. Konstanz)

Siedlung. In leichter Hanglage, im Zuge des Autobahnbaus flächig aufgedecktes Areal. Aus Pfostengruben und schwarzem humosem Bodenhorizont Keramik der frühen und mittleren Bronzezeit neben wenigen spätbronzezeitlichen und römischen Scherben. Kleine Vier- und Sechspfostenbauten.
Lit.: Dieckmann, Hilzingen 53 ff.; ders., Rielasingen-Worblingen 56 ff.

53 Singen „Oberes Münchried" (Kr. Konstanz)

Siedlung. Mittelbronzezeitliche Keramik.
Lit.: Brestrich, Singen 386.

54 Singen „Mühlenzelge" (Kr. Konstanz)

Siedlung. Unter eisenzeitlichen Befunden mittelbronzezeitliche Fundstellen.
Lit.: Hopert, Mühlenzelge 71.

55 Singen „Nordstadtterrasse" (Kr. Konstanz)

Umfangreiches Gräberfeld der älteren Frühbronzezeit.
Lit.: Krause, Singen.

56 Singen „Ob den Reben" (Kr. Konstanz)

Siedlung. In der direkten Nachbarschaft des Gräberfeldes auf der Nordstadtterrasse Siedlungsfunde der älteren Frühbronzezeit.
Lit.: Krause, Siedlungskeramik 67 ff.

57 Singen „Unter Wick" (Kr. Konstanz)

Siedlung. Mittelbronzezeitliche Keramik.
Lit.: Brestrich, Singen 386.

58 Singen „Ipfi" (Kr. Konstanz)

Siedlung. Mittelbronzezeitliche Keramik.
Lit.: Brestrich, Singen 386.

59 Hilzingen-Duchtlingen „Saffolderlohr-Hühneräcker" (Kr. Konstanz)

Grab. Unter Phonolithplatte Bestattung mit verzierter 4-nietiger Dolchklinge und zwei Lochhalsnadeln.
Lit.: Brestrich, Singen 386.

60 Hilzingen-Duchtlingen „Im Winkel" (Kr. Konstanz)

Siedlung. Tallage. Aus einer Baugrube früh- und mittelbronzezeitliche Keramik. Darunter eine zylinderstempelverzierte Scherbe.
Lit.: Dieckmann, Rielasingen-Worblingen 60 f. Abb. 30.

61 Hilzingen-Duchtlingen „Hohenkrähen" (Kr. Konstanz)

Höhensiedlung. Aus dem Hangschutt Keramik der älteren und jüngeren Frühbronzezeit.
Lit.: Reichardt, Hohenkrähen.

62 Mühlhausen-Ehingen (Kr. Konstanz)

Siedlung. Keramik der mittleren und frühen Bronzezeit. Mittelbronzezeitliche Großbauten.
Lit.: Dieckmann, Mühlhausen-Ehingen 75 ff.

63 Hilzingen-Binningen „Ober Sand" und „Hinter der Zehntscheuer" (Kr. Konstanz)

Siedlung. Wenige mittelbronzezeitliche Scherben.
Lit.: Brestrich, Singen 386; Fundber. Baden-Württemberg 1985, 483 Taf. 25,7.15; 26B.

64 Welschingen (Kr. Konstanz; Taf. 73,1133.1136.1137)

Grabfunde. Neben einer Lochhalsnadel und Radnadeln auch eine Ösenkopfnadel vom „Schützenbühl". Die Funde stammen wohl aus zerstörten Gräbern.
Lit.: Wagner, Baden 14 Abb. 10.

65 Steckborn (TG)

Einzelfund. Aus dem Areal zwischen Härdlistraße und Heidenmannskirchli stammt ein parallelseitiges Randleistenbeil vom Typ Nehren.
Lit.: Jahrb. SGUF 1938, 86; Abels, Randleistenbeile 67 Nr. 462 Taf. 32,462.

66 Wäldi-Höhenrain (TG)

Höhensiedlung. Umfangreicher mittelbronzezeitlicher und hallstattzeitlicher Fundkomplex aus wenig durch Befunde strukturierten Grabungsflächen. Das vermengt geborgene Fundmaterial wurde statistisch typologisch getrennt. Möglicherweise sind Grubenhäuser angedeutet.
Lit.: Hochuli, Wäldi-Höhenrain.

67 Tägerwilen „Spulacker" (TG)

Siedlung. Kulturschicht der späten Frühbronzezeit/frühen Mittelbronzezeit, durchsetzt mit verbrannten Steinen und Keramik. Keramik der frühen Mittelbronzezeit.
Lit.: Jahrb. SGUF 81, 1998, 276; 83, 2000, 213 f.; Rigert, A7 101.

68 Tägerwilen „ARA" (TG)

Fundstelle am Rande des Tägermooses. Aus der Fundschicht stammt unter anderem ritzverzierte Keramik der späten Frühbronzezeit.
Lit.: Rigert, A7 60 Abb. 56; 61; 84 Abb. 94.

69 Tägerwilen „Im Ribi" (TG)

Siedlung. Fundschicht mit zahlreicher Keramik und Fragmenten von gebranntem Lehm, wenige Hitzesteine. Keine Baustrukturen. Keramik der mittleren Bronzezeit.
Lit.: Jahrb. SGUF 83, 2000, 208; Rigert, A7 93; 84 Abb. 94.

70 Tägerwilen „Hochstross" (TG)

Siedlung. Auf einer flachen Moränenterrasse am Tägermoos. Bronzezeitliche Kulturschicht mit reich verzierter Keramik der späten Frühbronzezeit und Scherben der frühen Mittelbronzezeit. Mehrere Pfostengruben deuten die Wandflucht eines Großbaues an. ^{14}C-Daten aus dem untersten Bereich der Schicht datieren in die Mitte des 17. Jh. v. Chr. Proben aus der Schichtmitte datieren ins 14. und 15 Jh. v. Chr. Weitere ^{14}C-Proben liegen im 1. und 13. Jh. v. Chr.
Lit.: Jahrb. SGUF 81, 1998, 276; E. Rigert/Th. Stehrenberger/Ph. Rentzel/M. Joos, Dörfer oder Gehöfte der Bronze- und Eisenzeit. In: Rigert, A7 71–87; zur absoluten Datierung 82 f.

71 Kreuzlingen „Töbeli" (TG)

Siedlung. Kulturschicht der Frühbronzezeit, ca. 15 cm mächtig und auf 30–40 m in Grabenprofilen verfolgbar. Fundkonzentrationen von Keramik und Hitzesteinen. Ritzverzierte Keramik neben flächig verzierter Ware. Zwei ^{14}C-Daten aus der frühbronzezeitlichen Kulturschicht datieren in die Mitte des 17. Jh. v. Chr.
Lit.: Jahrb. SGUF 81, 1998, 272 f.; Rigert, A7 70; 151 ff. Abb. 175–177.

72 Güttingen (TG)

Einzelfund (?). Salezer Beil. Fundumstände unbekannt.
Lit.: Keller-Tarnuzzer/Reinerth, Thurgau 196; Abels, Randleistenbeile 9 Nr. 87.

73 Arbon (TG; Taf. 72,1128)

Dunkelgrün patiniertes Randleistenbeil vom Salezer Typ. Fundumstände unbekannt, wohl von mineralischem Grund (Rosgartenmus. Konstanz).
Lit.: Abels, Randleistenbeile 1 Nr. 1.

74 Roggwil (TG)

Einzelfund. Seit 1874 befindet sich im „Musée d'art et d'histoire Genève" ein Randleistenbeil mit halbkreisförmigem Blatt. Möglicherweise vom „Grenzbach gegen st. gallisch Berg" stammend.
Lit.: Keller-Tarnuzzer/Reinerth, Thurgau 198 Abb. 13,6.

75 Goldach (SG)

Einzelfund. 1888 aufgefundenes Salezer Beil. Fundumstände unbekannt.
Lit.: Abels, Randleistenbeile 6 Nr. 14.

76 Goldach „Mühlegut" (SG)

Siedlung. Mehrschichtige Stratigraphie der Bronzezeit, darunter auch mittelbronzezeitliche Ablagerungen. Steinrollierung ohne Baubefunde. Neben 400 kg prähistorischer Keramik Hitzesteine im Fundmaterial.
Lit.: Jahrb. SGUF 84, 2001, 210 f.

77 Rorschach „Rorschacher Berg" (SG)

Höhensiedlung. Keramik mit punktgefülltem Dreieck und zwei Einstichreihen.
Lit.: Fischer/Keller-Tarnuzzer, Funde 120; Abb. 30,2.

78 Bregenz „Kennelbacherstraße" (VA)

Siedlung. Am Westfuße des Gehardsberges auf der 430 m ü. NN gelegenen Ölrainterrasse Siedlungsreste mit Herdstelle unter römischer Kulturschicht in der Nähe des alten Bregenzer Aachlaufes. Kleiner Fundkomplex mit ritz- und einstichverzierter Scherbe.
Lit.: Menghin, Vorarlberg 35 ff.; L. Franz/A. R. Naumann, Lexikon der ur- und frühgeschichtlichen Fundstätten Österreichs (Wien 1965) 175 f.

16.4 Verzeichnis der abgekürzt zitierten Literatur

Abels, Randleistenbeile	B.-U. Abels, Die Randleistenbeile in Baden-Württemberg, dem Elsaß, der Franche Comté und der Schweiz. PBF IX 4 (München 1972).
Ade-Rademacher/Rademacher, Veitsberg	D. Ade-Rademacher/R. Rademacher, Der Veitsberg bei Ravensburg. Vorgeschichtliche Höhensiedlung und mittelalterlich-frühneuzeitliche Höhenburg. Forsch. u. Ber. Arch. des Mittelalters Baden-Württemberg 16 (Stuttgart 1993).
Aufdermauer, Bodman	J. Aufdermauer, Die vor- und frühgeschichtliche Besiedlung von Bodman vom Neolithikum bis zur alemannischen Landnahme. In: H. Berner (Hrsg.), Bodman: Dorf, Kaiserpfalz, Adel (Sigmaringen 1977) 33–64.
Aufdermauer/Dieckmann, Stahringen	J. Aufdermauer/B. Dieckmann, Eine bronze- und eisenzeitliche Siedlung in Stahringen, Kreis Konstanz. Arch. Ausgr. Baden-Württemberg 1984, 51.
Becker u. a., Dendrochronologie	B. Becker/A. Billamboz/A. Egger/H. Gassmann/P. Orcel/Ch. Orcel/U. Ruoff, Dendrochronologie in der Ur- und Frühgeschichte. Antiqua 11 (Basel 1985).
Becker u. a., Ufer- und Moorsiedlungen	B. Becker/A. Billamboz/B. Dieckmann/M. Kokabi/B. Kromer/H. Liese-Kleiber/M. Rösch/H. Schlichtherle/Chr. Strahm, Berichte zu Ufer- und Moorsiedlungen Südwestdeutschlands 2. Materialh. Vor- u. Frühgesch. Baden-Württemberg 7 (Stuttgart 1985).
Becker u. a., Absolute Chronologie	B. Becker/R. Krause/B. Kromer, Zur absoluten Chronologie der frühen Bronzezeit. Germania 67, 1989, 423–442.
Biel, Höhensiedlungen	J. Biel, Vorgeschichtliche Höhensiedlungen in Südwürttemberg-Hohenzollern. Forsch. u. Ber. Vor- u. Frühgesch. Baden-Württemberg 24 (Stuttgart 1987).
Bleuer, Seeberg Burgäschisee-Süd	E. Bleuer, Die Knochen- und Geweihartefakte der Siedlung Seeberg, Burgäschisee-Süd. Mit einem Beitrag von J. Schibler und H. R. Stampfli. In: E. Bleuer/B. Dubuis, Seeberg Burgäschisee-Süd. Die Knochen- und Geweihartefakte und die ergänzte Keramik. Acta Bernensia II,7 (Bern 1988) 13–178.
Brestrich, Singen	W. Brestrich, Die mittel- und spätbronzezeitlichen Grabfunde auf der Nordstadtterrasse von Singen am Hohentwiel. Grabfunde von Singen am Hohentwiel II. Forsch. u. Ber. Vor- u. Frühgesch. Baden-Württemberg 67 (Stuttgart 1998).

Burkart, Crestaulta	W. Burkart, Crestaulta. Eine bronzezeitliche Hügelsiedlung bei Surin im Lugnez. Monogr. Ur- u. Frühgesch. Schweiz 5 (Basel 1946).
Christlein, Flachgräberfelder	R. Christlein, Beiträge zur Stufengliederung der frühbronzezeitlichen Flachgräberfelder in Süddeutschland. Bayer. Vorgeschbl. 29, 1964, 25–63.
Christlein/Engelhardt, Altdorf	R. Christlein/B. Engelhardt, Keramik vom Ende der frühen Bronzezeit aus Siedlungen bei Altdorf, Landkreis Landshut, Niederbayern. Arch. Jahr Bayern 1980, 70–71.
Conscience, Keramik	A.-C. Conscience, Neue Erkenntnisse zur Entwicklung der frühbronzezeitlichen Keramik in der Region Zürich. In: Eberschweiler u.a. (Hrsg.), Rundgespräch 125–132.
Conscience, Neudatierung	A.-C. Conscience, Frühbronzezeitliche Uferdörfer aus Zürich-Mozartstrasse – eine folgenreiche Neudatierung. Mit einem Exkurs von E. Gross: Ein kritischer Blick zurück. Jahrb. SGUF 84, 2001, 147–157.
Conscience, Wädenswil-Vorder Au	A.-C. Conscience, Reichverzierte frühbronzezeitliche Keramik am Zürichsee – der Fundkomplex von Wädenswil-Vorder Au. Jahrb. SGUF 83, 2000, 181–190.
Conscience/Eberschweiler, Greifensee	A.-C. Conscience/B. Eberschweiler, Zwei bemerkenswerte Fundplätze der frühen Bronzezeit im Greifensee. Jahrb. SGUF 84, 2001, 136–146.
Dehn, Lausheim	R. Dehn, Frühbronzezeitliche Funde von Lausheim, Stadt Stuhlingen, Kreis Waldshut. Arch. Ausgr. Baden-Württemberg 2000, 47–49
Dehn, Gaimersheim	W. Dehn, Eine frühbronzezeitliche Siedlungsgrube bei Gaimersheim, Lkr. Ingolstadt, zur Siedlungskeramik des Straubinger Kreises. Bayer. Vorgeschbl. 18/19, 1951/52, 1–25.
Dieckmann, Hilzingen	B. Dieckmann, Eine Siedlung der ausgehenden Frühbronzezeit bei Hilzingen, Kr. Konstanz. Arch. Ausgr. Baden-Württemberg 1988, 53–58.
Dieckmann, Mühlhausen-Ehingen	B. Dieckmann, Mittelbronzezeitliche und frühmittelalterliche Siedlungsbefunde aus Mühlhausen-Ehingen, Kreis Konstanz. Arch. Ausgr. Baden-Württemberg 1995, 75–80.
Dieckmann, Rielasingen-Worblingen	B. Dieckmann, Sondagen in den mittelbronzezeitlichen Siedlungen von Hilzingen, Rielasingen-Worblingen und Hilzingen-Duchtlingen, Kreis Konstanz. Arch. Ausgr. Baden-Württemberg 1990, 56–62.
Eberschweiler, Zürichsee	B. Eberschweiler, Die jüngsten endneolithischen Ufersiedlungen am Zürichsee. Mit einem Exkurs von E. Gross-Klee, Glockenbecher: ihre Chronologie und ihr zeitliches Verhältnis zur Schnurkeramik aufgrund von ^{14}C-Daten. Jahrb. SGUF 82, 1999, 39–64.
Eberschweiler u.a. (Hrsg.), Rundgespräch	B. Eberschweiler/J. Köninger/H. Schlichtherle/Chr. Strahm (Hrsg.), Aktuelles zur Frühbronzezeit und frühen Mittelbronzezeit im nördlichen Alpenvorland. Rundgespräch Hemmenhofen 6. Mai 2000. Hemmenhofener Skripte 2 (Freiburg i. B. 2001).
Ebert, Reallexikon	M. Ebert (Hrsg.), Reallexikon der Vorgeschichte, 15 Bde. (Berlin 1924–1932).
Engelhardt, Jellenkofen	B. Engelhardt, Eine bronzezeitliche Grube von Jellenkofen, Gde. Ergoldsbach, Lkr. Landshut, Nb. Arch. Jahr Bayern 1984, 48–50.
Erb u.a., Karte	L. Erb/H. A. Haus/W. Rutte, Geologische Karte von Baden-Württemberg 1:25000, Erläuterungen zu Blatt 8120 Stockach (Stuttgart 1961).
Fetz, Koblach-Kadel	H. Fetz, Die urgeschichtliche Siedlung Koblach-Kadel im Vorarlberger Alpenrheintal. Ungedr. Diss. Univ. Innsbruck 1982.
Fischer, Bleiche	F. Fischer, Die frühbronzezeitliche Ansiedlung in der Bleiche bei Arbon TG. Schr. Ur- u. Frühgesch. Schweiz 17 (Basel 1971).
Fischer/Keller-Tarnuzzer, Funde	F. Fischer/K. Keller-Tarnuzzer, Rorschacherberg (Bez. Rorschach, St. Gallen). Wissenschaftlicher Teil. VIII. Funde die sich über mehrere Zeiträume erstrecken. Jahrb. SGU 43, 1953, 121–122.
Frank, Makroreste	K.-U. Frank, Untersuchung von botanischen Makroresten aus der archäologischen Tauchgrabung der Seeufersiedlungen „Bodman-Schachen" am nordwestlichen Bodensee unter besonderer Berücksichtigung der Morphologie und Anatomie der Wildpflanzenfunde (frühe bis mittlere Bronzezeit). Ungedruckte Diplomarbeit, Univ. Hohenheim 1989.
Gallay, Ende	G. Gallay, Das Ende der Frühbronzezeit im Schweizer Mittelland. Jahrb. SGUF 56, 1971, 115–138.
Gersbach, Esslingen	E. Gersbach, Ältermittelbronzezeitliche Siedlungskeramik von Esslingen am Neckar. Fundber. Baden-Württemberg 1, 1974, 226–250.

Gross u. a., Zürich „Mozartstrasse"	E. Gross/Chr. Brombacher/M. Dick/K. Diggelmann/B. Hardmeyer/R. Jagher/ Chr. Ritzmann/B. Ruckstuhl/U. Ruoff/J. Schibler/P. C. Vaughan/K. Wyprächtiger, Zürich „Mozartstrasse". Neolithische und bronzezeitliche Ufersiedlungen 1. Ber. Zürcher Denkmalpfl., Monogr. 4 (Zürich 1987).
Hachmann, Ostseegebiet	R. Hachmann, Die frühe Bronzezeit im westlichen Ostseegebiet und ihre mittel- und südosteuropäischen Beziehungen. Chronologische Untersuchungen. Beih. Atlas Urgesch. 16 (Hamburg 1957).
Hafner, Frühe Bronzezeit	A. Hafner, Die frühe Bronzezeit in der Westschweiz. Funde und Befunde aus Siedlungen, Gräbern und Horten der entwickelten Frühbronzezeit. Ufersiedlungen am Bielersee 5 (Bern 1995).
Hochuli, Arbon-Bleiche	St. Hochuli, Arbon-Bleiche. Die neolithischen und bronzezeitlichen Seeufersiedlungen. Arch. Thurgau 2 (Frauenfeld 1994).
Hochuli, Wäldi-Höhenrain	St. Hochuli, Wäldi-Höhenrain TG. Eine mittelbronze- und hallstattzeitliche Fundstelle. Antiqua 21 (Basel 1990).
Hopert, Mühlenzelgle	S. Hopert, Die vorgeschichtlichen Siedlungen im Gewann „Mühlenzelgle" in Singen am Hohentwiel. Materialh. Arch. 32 (Stuttgart 1995).
Hopert u. a., Hals	S. Hopert/H. Schlichtherle/G. Schöbel/H. Spatz/P. Walter, Der „Hals" bei Bodman. Eine Höhensiedlung auf dem Bodanrück und ihr Verhältnis zu den Ufersiedlungen des Bodensees. In: H. Küster/A. Lang/P. Schauer (Hrsg.), Archäologische Forschungen in urgeschichtlichen Siedlungslandschaften. Festschr. für Georg Kossack. Regensburger Beitr. z. Prähist. Arch. 5 (Regensburg 1998) 91–154.
Hügi, Meilen-Rorenhaab	U. Hügi, Seeufersiedlungen. Meilen Rorenhaab. Zürcher Arch. Heft 1 (Zürich und Egg 2000).
Hundt, Heubach	H. J. Hundt, Keramik aus dem Ende der frühen Bronzezeit von Heubach (Kr. Schwäbisch Gmünd) und Ehrenstein (Kr. Ulm). Fundber. Schwaben NF 14, 1957, 27–50.
Hundt, Malching	H. J. Hundt, Älterbronzezeitliche Keramik aus Malching, Ldkr. Griesbach. Bayer. Vorgeschbl. 27, 1962, 33–61.
Hundt, Nadelform	H. J. Hundt, Über eine Nadelform der ausgehenden frühen Bronzezeit der Schweiz. Helv. Arch. 14, 1983, 173–178.
Hundt, Oberitalien	H. J. Hundt, Donauländische Einflüsse in der frühen Bronzezeit Norditaliens. Preist. Alpina 10, 1974, 143–178.
Hundt, Straubing	H. J. Hundt, Katalog Straubing I. Die Funde der Glockenbecherkultur und der Straubinger Kultur. Materialh. Bayer. Vorgesch. 11 (Kallmünz 1958).
Hurni/Wolf, Concise	J.-P. Hurni/C. Wolf, Bauhölzer und Dorfstrukturen einer frühbronzezeitlichen Siedlung: das Fallbeispiel Concise (VD) am Neuenburgersee in der Westschweiz. In: Eberschweiler u. a. (Hrsg.), Rundgespräch 165–176.
Junghans, Nadeln	S. Junghans, Fünf unbekannte Nadeln der Kupfer- und Frühbronzezeit aus den Beständen des Württembergischen Landesmuseums. Fundber. Schwaben NF 15, 1959, 106–108.
Keefer, Forschner	E. Keefer, Die Bronzezeitliche „Siedlung Forschner" bei Bad Buchau, Kreis Biberach. 1. Vorbericht. In: Berichte zu Seeufer- und Moorsiedlungen Südwestdeutschlands 1. Materialh. Vor- u. Frühgesch. Baden-Württemberg 4 (Stuttgart 1984) 37–52.
Keefer, Keramik	E. Keefer, Die Siedlung Forschner am Federsee 1767 bis 1480 BC – Keramik aus drei Jahrhunderten? In: Eberschweiler u. a. (Hrsg.), Rundgespräch 75–78.
Keefer, Mittelbronzezeitliche Funde	E. Keefer, Die „Siedlung Forschner" am Federsee und ihre mittelbronzezeitlichen Funde. Ber. RGK 71, 1990, 38–51.
Keefer, Station Forschner	E. Keefer, La station Forschner. État de la recherche archéologique. In: A. Billamboz/E. Keefer/J. Köninger/W. Torke, La transition Bronze ancien-moyen dans le sud-ouest de l'Allemagne à l'exemple de deux stations de l'habitat palustre (Station Forschner, Federsee) et littoral (Bodman-Schachen I, Bodensee). In: Dynamique du Bronze moyen en Europe occidentale. Actes du 113e Congrès national des Sociétes savantes, Commission de Pré- et Protohistoire, Strasbourg 1988 (Paris 1989) 54–61.
Keller-Tarnuzzer, Arbon	K. Keller-Tarnuzzer, Arbon (Bez. Arbon, Thurgau): Pfahlbau Bleiche. B. Wissenschaftlicher Teil. I. Große Untersuchungen. Jahrb. SGU 36, 1945, 19–26.
Keller-Tarnuzzer/Reinerth, Thurgau	K. Keller-Tarnuzzer/H. Reinerth, Urgeschichte des Thurgaus (Frauenfeld 1925).
Kimmig, Reusten	W. Kimmig, Der Kirchberg bei Reusten. Urk. Vor- u. Frühgesch. Südwürttemberg-Hohenzollern 2 (Stuttgart 1966).

Kimmig/Pinkas, Seehalde	W. Kimmig/?. Pinkas, Bodman (Stockach), Seehalde östlich Mondäcker, Fundschau 1952-1953: Bronzezeit. Bad. Fundber. 20, 1956, 201–202.
Köninger, Bodensee	J. Köninger, Frühbronzezeitliche Ufersiedlungen am Bodensee. Neue Funde und Befunde aus Tauchsondagen und Nachforschungen in neuen und alten Sammlungsbeständen. In: Eberschweiler u. a. (Hrsg.), Rundgespräch 93–116.
Köninger, Gemusterte Tonobjekte	J. Köninger, Gemusterte Tonobjekte aus der Ufersiedlung Bodman-Schachen I – Zur Verbreitung und Chronologie der so genannten „Oggetti enigmatici". In: B. Fritsch/M. Maute/I. Matuschik/J. Müller/C. Wolf (Hrsg.), Tradition und Innovation: Prähistorische Archäologie als historische Wissenschaft. Festschr. für Christian Strahm. Internat. Arch., Studia honoraria 3 (Rahden/Westf. 1998) 429–468.
Köninger, Obere Güll	J. Köninger, Eine stark befestigte Pfahlbausiedlung der jüngeren Frühbronzezeit in der Oberen Güll bei Konstanz-Egg, Kreis Konstanz. Arch. Ausgr. Baden-Württemberg 1995, 65–73.
Köninger, Ufersiedlungen	J. Köninger, Ufersiedlungen der frühen Bronzezeit am Bodensee. In: H. Schlichtherle (Hrsg.), Pfahlbauten rund um die Alpen. Arch. Deutschland, Sonderh. (Stuttgart 1997) 29–35.
Köninger/Schlichtherle, Foreign Elements	J. Köninger/H. Schlichtherle, Foreign Elements in South-West German Lake-Dwellings. Transalpine Relations in the Late Neolithic and Early Bronze Ages. Preist. Alpina 35, 1999, 43–53.
Köninger/Schlichtherle, Schnurkeramik	J. Köninger/H. Schlichtherle, Zur Schnurkeramik und Frühbronzezeit am Bodensee. Fundber. Baden-Württemberg 15, 1990, 149–173.
Koschick, Oberbayern	H. Koschick, Die Bronzezeit im südwestlichen Oberbayern. Materialh. Bayer. Vorgesch. 20 (Kallmünz 1981).
Krause, Beginn der Metallzeiten	R. Krause, Der Beginn der Metallzeiten. Vom Kupfer zur Bronze. In: D. Planck (Hrsg.), Archäologie in Württemberg. Ergebnisse und Perspektiven archäologischer Forschung von der Altsteinzeit bis zur Neuzeit (Stuttgart 1988) 111–139.
Krause, Chronologie	R. Krause, Zur Chronologie der frühen und mittleren Bronzezeit Süddeutschlands, der Schweiz und Österreichs. In: Absolute Chronology. Archaeological Europe 2500–500 BC. Acta Arch. 67, Suppl. 1 (Kopenhagen 1996) 73–86.
Krause, Siedlungskeramik	R. Krause, Siedlungskeramik der älteren Frühbronzezeit von Singen am Hohentwiel (Baden-Württemberg). In: Eberschweiler u. a. (Hrsg.), Rundgespräch 67–74.
Krause, Singen	R. Krause, Die endneolithischen und frühbronzezeitlichen Gräber der Nordstadtterrasse von Singen am Hohentwiel. Forsch. u. Ber. Vor- u. Frühgesch. Baden-Württemberg 32 (Stuttgart 1988).
Krenn-Leeb, Enzersdorf	A. Krenn-Leeb, Ein Keramikdepotfund der Leithaprodersdorf-Gruppe aus Enzersdorf an der Fischa, NÖ. In: A. Krenn-Leeb/J.-W. Neugebauer (Hrsg.), Depotfunde der Bronzezeit im mittleren Donauraum. Arch. Österreichs, Sonderausgabe 9/10, 1998/99, 46–68.
Krumland, Siedlungskeramik	J. Krumland, Die bronzezeitliche Siedlungskeramik zwischen Elsaß nd Böhmen. Studien zur Formenkunde und Rekonstruktion der Besiedlungsgeschichte in Nord- und Südwürttemberg. Internat. Arch. 49 (Rahden/Westf. 1998).
Kubach, Nadeln	W. Kubach, Die Nadeln in Hessen und Rheinhessen. PBF Abt. XIII 3 (München 1977).
Ley, Bodman-Schachen	A. Ley, Bodman-Schachen. Mitt. Ant. Ges. Zürich 15, H. 7, 1866, 289–290.
Liese-Kleiber, Pollenanalyse	H. Liese-Kleiber, Pollenanalysen in urgeschichtlichen Ufersiedlungen. Vergleich von Untersuchungen am westlichen Bodensee und Neuenburger See. In: Becker u. a., Ufer- und Moorsiedlungen 200–240.
Macynska, Schellenberg-Borscht	M. Macynska, Schellenberg-Borscht. Ein Prähistorischer Siedlungsplatz im Fürstentum Liechtenstein. Befunde – Keramik – Metallfunde (Vaduz 1999).
Magny u. a., Klimaschwankungen	M. Magny/Ch, Maise/St. Jacomet/C. A. Burga, Klimaschwankungen im Verlauf der Bronzezeit. In: Die Schweiz vom Paläolithikum bis zum frühen Mittelalter III. Bronzezeit (Basel 1998) 137–140.
Menghin, Vorarlberg	O. Menghin, Die vorgeschichtlichen Funde Vorarlbergs. Österr. Kunsttopographie XXVII (Baden/Wien 1937).
Möslein, Keramik	St. Möslein, Die Straubinger Gruppe der donauländischen Frühbronzezeit – frühbronzezeitliche Keramik aus Südostbayern und ihre Bedeutung für die chronologische und regionale Gliederung der frühen Bronzezeit in Südbayern. Ber. Bayer. Bodendenkmalpfl. 38, 1997, 37–106.
Müller, Aunjetitzer Kultur	D. Müller, Die späte Aunjetitzer Kultur des Saalegebietes im Spannungsfeld des Südostens Europas. Jahresschr. Mitteldt. Vorgesch. 65, 1982, 107–127.

Munro, Stations lacustres	R. Munro, Les stations lacustres d'Europe aux âges de la Pierre et du Bronze (Paris 1908).
Nadler, Großes Schulerloch	M. Nadler, Die neolithischen und bronzezeitlichen Funde aus dem Großen Schulerloch. In: E. u. H. Gruber (Hrsg.), Das Große Schulerloch. Die Tropfsteinhöhle im Altmühltal (Essing 1984) 47–67.
Nauli, Cunter	S. Nauli, Eine bronzezeitliche Anlage in Cunter, Caschligns. Helv. Arch. 8, 1977, 29–34.
Ostendorp, Allensbach-Strandbad	W. Ostendorp, Zur Stratigraphie und Sedimentpetrographie der Station Allensbach-Strandbad: Profilsäule E 6. In: Siedlungsarchäologie im Alpenvorland II. Forsch. u. Ber. Vor- u. Frühgesch. Baden-Württemberg 37 (Stuttgart 1990) 75–89.
Pirling u.a., Schwäbische Alb	R. Pirling/U. Wels-Weyrauch/H. Zürn, Die mittlere Bronzezeit auf der Schwäbischen Alb. PBF XX 3 (München 1980).
Rageth, Lago di Ledro	J. Rageth, Der Lago di Ledro im Trentino. Ber. RGK 55, 1974, 73–259.
Rageth, Resultate Padnal	J. Rageth, Die wichtigsten Resultate der Ausgrabungen in der bronzezeitlichen Siedlung auf dem Padnal bei Savognin (Oberhalbstein GR). Jahrb. SGUF 69, 1986, 63–103.
Reichardt, Hohenkrähen	S. Reichardt, Die urgeschichtliche Besiedlung des Hohenkrähen bei Duchtlingen im Hegau. Ungedr. Magisterarbeit Univ. Freiburg i. Br. 1992.
Reim, Mittlere Bronzezeit	H. Reim, Die mittlere Bronzezeit in Württemberg, Geschichte und Ergebnisse der Forschung zu den Stufen B und C. In: D. Planck (Hrsg), Archäologie in Württemberg. Ergebnisse und Perspektiven archäologischer Forschung von der Altsteinzeit bis zur Neuzeit (Stuttgart 1988) 141–169.
Reinecke, Gliederung	P. Reinecke, Zur chronologischen Gliederung der süddeutschen Bronzezeit. Germania 8, 1924, 43–44.
Rigert, A7	E. Rigert, A7 – Ausfahrt Archäologie. Prospektion und Grabungen im Abschnitt Schwaderloh-Landesgrenze. Arch. Thurgau 10 (Frauenfeld 2001).
Rind, Frauenberg	M. M. Rind, Der Frauenberg oberhalb Kloster Weltenburg. Höhenbefestigungen der Bronze- und Urnenfelderzeit. Regensburger Beitr. Prähist. Arch 6 (Regensburg/Bonn 1999).
Rösch, Durchenbergried	M. Rösch, Vegetationsgeschichtliche Untersuchungen im Durchenbergried. In: Siedlungsarchäologie im Alpenvorland II. Forsch. u. Ber. Vor- u. Frühgesch. Baden-Württemberg 37 (Stuttgart 1990) 9–64.
Rösch, Veränderungen	M. Rösch, Veränderungen von Wirtschaft und Umwelt während Neolithikum und Bronzezeit am Bodensee. Ber. RGK 71, 1990, 161–186.
Ruckdeschl, Gräber	W. Ruckdeschl, Die frühbronzezeitlichen Gräber Südbayerns. Ein Beitrag zur Kenntnis der Straubinger Kultur. Antiquitas 11 (Bonn 1978).
Ruoff, Frühbronzezeitliche Funde	U. Ruoff, Die frühbronzezeitlichen Funde. In: Gross u.a., Zürich „Mozartstraße" 144–149.
Ruoff, Meilen-Schellen	U. Ruoff, Die frühbronzezeitlichen Ufersiedlung in Meilen-Schellen, Kanton Zürich, Tauchausgrabung 1985. Jahrb. SGUF 70, 1987, 51–64.
Schibler, Knochenartefakte	J. Schibler, Typologische Untersuchungen der cortaillodzeitlichen Knochenartefakte. Die neolithischen Ufersiedlungen von Twann 17 (Bern 1981).
Schibler/Studer, Haustierhaltung	J. Schibler/J. Studer, Haustierhaltung und Jagd während der Bronzezeit in der Schweiz. In: St. Hochuli/U. Niffeler/V. Rychner (Hrsg.), Die Schweiz vom Paläolithikum bis zum frühen Mittelalter III. Bronzezeit (Basel 1998) 171–191.
Schlichtherle, Bronzezeitliche Feuchtbodensiedlungen	H. Schlichtherle, Bronzezeitliche Feuchtbodensiedlungen in Südwestdeutschland. Erste Schritte einer systematischen Bestandsaufnahme. Arch. Korrbl. 11, 1981, 21–27.
Schlichtherle, Erntegeräte	H. Schlichtherle, Jungsteinzeitliche Erntegeräte am Bodensee. Plattform, Zeitschr. Ver. Pfahlbau- u. Heimatkunde Unteruhldingen 1, 1992, 24–44.
Schlichtherle, Hornstaad-Hörnle	H. Schlichtherle, Die Sondagen 1973–1978 in den Ufersiedlungen Hornstaad-Hörnle I. Befunde und Funde zum frühen Jungneolithikum am westlichen Bodensee. Siedlungsarchäologie im Alpenvorland I. Forsch. u. Ber. Vor- u. Frühgesch. Baden-Württemberg 36 (Stuttgart 1990).
Schlichtherle, Mineralbodensiedlungen	H. Schlichtherle, Eine Mineralbodensiedlung der Mittelbronzezeit in Bodman, Gde. Ludwigshafen, Kreis Konstanz. Arch. Ausgr. 1994, 61–65.
Schlichtherle, Pfahlbauten	H. Schlichtherle, Pfahlbauten: Die frühe Besiedlung des Alpenvorlandes. In: Verständliche Forschung. Siedlungen der Steinzeit. Spektrum der Wissenschaft 6, 1989, 72–85.

Schlichtherle, Prähistorische Ufersiedlungen	H. Schlichtherle, Prähistorische Ufersiedlungen am Bodensee. Eine Einführung in naturräumliche Gegebenheiten und archäologische Quellen. In: Becker u. a., Ufer- und Moorsiedlungen 9–45.
Schlichtherle, Siedlungsarchäologische Erforschung	H. Schlichtherle, Aspekte der siedlungsarchäologischen Erforschung von Neolithikum und Bronzezeit im südwestlichen Alpenvorland. Ber. RGK 71, 1990, 208–244.
Schlichtherle/Strobel, Ufersiedlungen – Höhensiedlungen	H. Schlichtherle/M. Strobel, Ufersiedlungen – Höhensiedlungen. Extremfälle unbekannter Siedlungsmuster der Früh- und Mittelbronzezeit im südwestdeutschen Alpenvorland. Eberschweiler u. a. (Hrsg.), Rundgespräch 79–92.
Schnarrenberger, Pfahlbauten	W. Schnarrenberger, Die Pfahlbauten des Bodensees. Beil. Jahresber. Großherzogl. Bad. Gymnasium Konstanz 1890–91 (Konstanz 1891).
Schöbel, Hagnau und Unteruhldingen	G. Schöbel, Die Spätbronzezeit am nordwestlichen Bodensee. Taucharchäologische Untersuchungen in Hagnau und Unteruhldingen. Siedlungsarchäologie im Alpenvorland IV. Forsch. u. Ber. Vor- u. Frühgesch. Baden-Württemberg 47 (Stuttgart 1996).
Schöbel, Unteruhldingen-Stollenwiesen	G. Schöbel, Nachuntersuchungen in der spätbronzezeitlichen Ufersiedlung Unteruhldingen-Stollenwiesen, Bodenseekreis. Arch. Ausgr. Baden-Württemberg 1998, 78–81.
Schumacher, Pfahlbauten	K. Schumacher, Untersuchungen von Pfahlbauten des Bodensees. Veröffentl. Großherzogl. Bad. Slg. Altertums- u. Völkerkunde Karlsruhe 2 (Karlsruhe 1899) 27–38.
Stadelmann, Runder Berg	J. Stadelmann, Der Runde Berg bei Urach. 4. Funde der vorgeschichtlichen Perioden aus den Ausgrabungen 1967–1974. Komm. Alemann. Altkde. 7 (Sigmaringen 1981).
Strahm, Frühe Bronzezeit	Ch. Strahm, Die frühe Bronzezeit im Mittelland und Jura. Ur- u. Frühgesch. Arch. Schweiz III. Die Bronzezeit (Basel 1971) 5–26.
Strahm, Gliederung	Ch. Strahm, Die Gliederung der schnurkeramischen Kultur in der Schweiz. Acta Bernensia VI (Bern 1971).
Ströbel, Feuersteingeräte	R. Ströbel, Die Feuersteingeräte der Pfahlbaukultur. Mannus 66 (Leipzig 1939).
Točík, Veselom	A. Točík, Opevnendá osada z doby bronzoves vo veselom (Eine befestigte bronzezeitliche Ansiedlung in Veselé). Arch. Slovaca 5 (Bratislava 1964).
Torbrügge, Oberpfalz	W. Torbrügge, Die Bronzezeit in der Oberpfalz. Materialh. Bayer. Vorgesch. 13 (Kallmünz 1959).
Torke, Bauholzuntersuchung	W. Torke, Abschlußbericht zu den Ausgrabungen in der „Siedlung Forschner" und Ergebnisse der Bauholzuntersuchung. Ber. RGK 71, 1990, 52–57.
Trnka, Brotlaibidolfund	G. Trnka, Ein Brotlaibidolfund aus Obermamau in Niederösterreich. Acta Hist. et Museologica Silesianae Opaviensis 5, 2000, 89–94.
Tröltsch, Pfahlbauten	E. v. Tröltsch, Die Pfahlbauten des Bodenseegebietes (Stuttgart 1902).
Vogt, Keramik	E. Vogt, Frühbronzezeitliche Keramik. Schweiz. Landesmus. Jahresber. 45, 1936, 76–82.
Vogt, Pfahlbaustudien	E. Vogt, Pfahlbaustudien. In: W. Guyan (Hrsg.), Das Pfahlbauproblem. Monogr. Ur- u. Frühgesch. Schweiz 11 (Basel 1955) 119–219.
Vogt, Weiningen	E. Vogt, Die bronzezeitlichen Grabhügel von Weiningen (Kt. Zürich). Zeitschr. Schweizer. Arch. u. Kunstgesch. 10, 1948/49, 28–42.
Vonbank, Vorarlberger Rheintal	E. Vonbank, Frühbronzezeitliche Siedlungsfunde im Vorarlberger Rheintal. In: R. Degen/W. Drack/R Wyss (Hrsg.), Helvetia Antiqua. Festschr. Emil Vogt. Beitr. Prähist. u. Arch. Schweiz (Zürich 1966) 55–58.
Wagner, Baden	E. Wagner, Fundstätten und Funde im Großherzogtum Baden. Erster Teil: Das Badische Oberland (Tübingen 1908).
Wahl/Wieland, Mengen	J. Wahl/G. Wieland, Ein frühbronzezeitliches Grab im Bereich der keltischen Viereckschanze „Am Scheerer Weg" bei Mengen-Ennetach, Kreis Sigmaringen. Arch. Ausgr. Baden-Württemberg 1998, 69–71
Wesselkamp, Organische Reste	G. Wesselkamp, Die organischen Reste der Cortaillod-Schichten. Die neolithischen Ufersiedlungen von Twann 5 (Bern 1980).
Winiger, Beil	J. Winiger, Ein Beitrag zur Geschichte des Beiles. In: Züricher Seeufersiedlungen. Von der Pfahlbauromantik zur modernen Forschung. Helvetia Arch. 12, 1981, 161–188.

17 Fundkatalog

17.1 Vorbemerkungen

Der Fundkatalog enthält die Funde von Bodman-Schachen I aus den Tauchsondagen 1982–1984 und 1986 sowie Altfundbestände aus dem Badischen Landesmuseum in Karlsruhe, dem Württembergischen Landesmuseum in Stuttgart, dem Rosgartenmuseum in Konstanz, dem Allensbacher Heimatmuseum und dem Museum von Überlingen. Hinzu kommen Funde aus den Privatsammlungen von P. Weber, H. Gieß, H. Hertlein, H. Maier, K. und P. Huhn, J. Lang, K. Kiefer und M. Fiebelmann. Die Funde sind nach Schichteinheiten und Fundgattung geordnet. Die im Quadratmeterraster abgesammelte Keramik aus den Tauchsondagen ist im Katalog den weniger genau lokalisierbaren Keramikfunden aus Sammlungen vorangestellt.

Der Katalogtext beschränkt sich auf diejenigen Merkmale der Fundstücke, die aus den Fundzeichnung im Tafelteil nicht hervorgehen. Dabei handelt es sich für die Keramik um folgenden Merkmale, die in der angegebenen Reihenfolge in Kurzbeschreibungen zusammengefasst sind: Gefäßteil, Verzierung, Magerungsklasse, Magerungsmittel, Oberflächenbehandlung, Farbe, Besonderheiten, Inventarnummer, feinstratigraphische Einheit und Tafelverweis. Die an der Keramik rekonstruierten Maße sind im Katalog nicht mitangegeben; sie sind Bestandteil der statistischen Auswertung und im Datensatz zu finden (S. 109ff. Tab. 7). Die Schichtbezeichnungen, die während den Sondagen verwendet wurden, entsprechen den in der Auswertung vergebenen Schichtbezeichnungen A, B und C wie folgt:

Schicht A	Bef. 6.0–6.x
Schicht B	Bef. 4.0–4.x
Schicht C	Bef. 2.0–2.x
Ohne Schichtzusammenhang	Bef. 0

Die Inventarnummer entspricht der jeweiligen Fundnummer des Landesdenkmalamtes, mit welcher die Funde angeschrieben sind. Aus der Fundnummer geht die Herkunft eines Fundes im Grabungsareal von Bodman-Schachen I und das Jahr der Sondage, in dem der Fund gemacht wurde, hervor (z. B. Bs 83 Q 25-4 = Einzelfund mit der Nummer 4 von Bodman-Schachen I aus Quadrat 25 der Sondage 1983). Funde, die aus dem Schlämmsieb geborgen wurden, erhielten Nummern ab 1001 fortlaufend (z. B. Bs 83 Q 25-1056). Die im Katalog mitaufgenommenen Funde von Bodman-Schachen I aus Sammlungen und Museen (s. o.) sind mit den dortigen Inventarnummern versehen. Funde, die außerhalb des Grabungsrasters gefunden wurden, erhielten durchlaufende 0-Nummern (z. B. Bs 83 0-320). Die Inventarnummern aus den ersten Tauchgängen der Jahre 1981 und 1982 wurden teilweise hinter der Jahreszahl durch ein großes T gekennzeichnet. Funde ohne Nummern, die bereits im Inventar des Landesdenkmalamtes aufgenommen worden sind, wurden mit PBO-Nummern versehen (z. B. PBO 1456).

Im Anschluss an die Funde von Bodman-Schachen I sind – nach Fundgattung geordnet – die Funde der frühen und mittleren Bronzezeit des westlichen Bodenseegebietes aufgenommen. Der gesamte Fundkatalog und Tafelteil ist fortlaufend, der Anordnung im Tafelteil entsprechend, durchnummeriert. Die Funde aus den Privatsammlungen befinden sich weiterhin in Privatbesitz.

17.2 Abkürzungen und Signaturen

17.2.1 Im Katalog verwendete Abkürzungen

LDA	Landesdenkmalamt
PBO	Pfahlbauarchäologie Bodensee-Oberschwaben
Slg.	Sammlung
Mus.	Museum
HDM	Nummer der Metallanalyse des Max Planck Instituts für Kernphysik Heidelberg
SAM	Analysennummer des Stuttgarter Metallanalysenprojekts
Bef.	Befund
L.	Länge
B.	Breite
FO	Fundort
Ges.B.	Gesamtbreite
Gew.	Gewicht
Inv.	Inventar

Bez. Bezeichnung
OK Oberkante
UK Unterkante

17.2.2 Im Tafelteil verwendete Signaturen

Keramik
— Rand orientierbar
– – – Rand unsicher orientiert
⁓ Scherbe nicht orientierbar
⋯ Bruchfläche

Silex
● Lage des erhaltenen Schlagpunktes
○ Lage des Schlagpunktes rekonstruierbar
▨ Cortex

Felsgestein/Knochen
▨ Richtung von Schleifspuren

17.3 Die Funde

17.3.1 Bodman-Schachen I, Gde. Bodman-Ludwigshafen (Kr. Konstanz) (Taf. 1–69, 1–1109)

17.3.1.1 Schicht A – Keramik (Taf. 1–3)

1 Becher mit Henkelöse. Wenig feine Quarzgrusmagerung, geglättet, hellbeige. Glättspuren, außen wenig Ruß und Kalksinter. – Bs 82 Q63-2, Bef. 6.1 (Taf. 1).
2 Becher mit Henkelöse. Wenig feine Quarzgrusmagerung, geglättet, hellbeige. Glättspuren, außen wenig Ruß und Kalksinter. – Bs 84 Q63-1, Bef. 6.1 (Taf. 1).
3 Randscherbe eines nur linienverzierten Glockenbechers (?). Ritzverziert, wenig feine Quarzgrusmagerung sichtbar, glimmerhaltig, geglättet, beige bis orange. Sekundär gebrannt, Glättspuren. – Bs 86 Q42-2, Bef. 6.1 (Taf. 1).
4 Randscherbe. Grobe Quarzgrusmagerung, wenig mittlere organische Magerung, verstrichen, grau. Magerung sichtbar, Kalksinter. – Bs 86 Q93-5, Bef. 6.1 (Taf. 1).
5 Wandscherbe mit Bodenansatz. Grobe Quarzgrusmagerung mit groben Steinchen, verstrichen, orange, schwarz gefleckt. Magerung sichtbar, leicht erodiert, Algenreste. – Bs 86 Q93-9, Bef. 6.1 (Taf. 1).
6 Topf mit Grifflappen. Grobe Quarzgrusmagerung, verstrichen, beige bis grau. Außen stellenweise angewittert, Kalksinter, Magerung sichtbar. – Bs 86 Q41-3, Bef. 5.3–6.2 (Taf. 1).
7 Schüssel, Profilscherbe. Mittlere und grobe Quarz- und Steingrusmagerung mit groben Steinchen, geglättet, grau und schwarz. Sekundär gebrannt, außen und innen Kalksinter. – Bs 86 Q42-1, Bef. 5.1–6.1 (Taf. 1).
8 Becher mit Henkelöse. Feine und mittlere Quarzgrusmagerung, wenig grober Steingrus, beige bis orange. Boden unbehandelt, Magerung sichtbar, außen Rußflecken und Kalksinter, innen dicke Kruste. – Bs 82 Q31-10, Bef. 5–6.1 (Taf. 1).
9 Becher, Profilscherbe. Wenig feine Quarzgrusmagerung und organische Magerung sichtbar, glimmerhaltig, geglättet, dunkelbeige. Glättspuren. – Bs 86 Q41-6, Q42-5, Bef. 6.1–6.2 (Taf. 1).
10 Becher mit Henkelöse. Keine Magerung sichtbar, glimmerhaltig, sehr hart gebrannt, geglättet, hellbeige. Schwarz durch sekundären Brand, Kalksinter, innen Kruste. – Bs 86 Q218-1, Bef. 6.1 (Taf. 1).
11 Doppelkonischer Topf mit aufgesetzter Fingertupfenleiste, darin integriert Knubbe und Henkelöse. Grobe Quarzgrusmagerung, wenig grober Steingrus, glimmerhaltig, verstrichen, beige bis orange. Magerung sichtbar, Rußflecken und Kalksinter, Oberfläche stellenweise abgeplatzt, innen Ruß- und Krustenrest, sekundär gebrannt. – Bs 82 Q32-1, -9–13, -22, -24, Bef. 5, 6.1 (Taf. 2).
12 Topf mit Henkelöse. Grobe Quarzgrusmagerung mit wenig grobem Steingrus, verstrichen, beige bis orange. Boden unbehandelt, Magerung sichtbar, außen Rußflecken und Kalksinter, innen Kalksinter, sekundär gebrannt. – Bs 82 Q34-3, Bef. 5 OK–6.1 UK (Taf. 2).
13 Wandscherbe mit aufgesetzter Fingertupfenleiste und integrierter Knubbe. Grobe Quarz- und Steingrusmagerung, verstrichen, beige und orange. – Bs 83 Q144-0-9, Bef. 6 (Taf. 2).
14 Wandscherbe mit aufgesetzter Fingertupfenleiste. Grobe Quarz- und Steingrusmagerung mit wenig groben Steinchen, verstrichen, grau. Innen Rußfleck. – Bs 86 Q41-6, Bef. 6.2 (Taf. 2).
15 Wandscherbe mit aufgesetzter Fingertupfenleiste. Grobe Steingrusmagerung, verstrichen, beige. Außen Krustenrest, innen Kruste und Kalksinter. – Bs 86 Q42-4, 41-1001, Bef. 6.1 (Taf. 2).
16 Doppelkonischer Topf aus vielen Rand, Wand und Bodenstücken rundergänzt, mit aufgesetzter Fingertupfenleiste und darin ansetzender Henkelöse, grobe Steingrusmagerung, verstrichen, beige bis orange. Magerung sichtbar, Kalksinter. – Bs 84 Q63-6, Bef. 6.1 (Taf. 3).
17 Doppelkonischer Topf mit aufgesetzter Fingertupfenleiste, integrierter Knubbe und Henkelöse, aus vielen Rand-, Wand- und Bodenstücken ergänzt. Grobe Steinchen und Steingrusmagerung, verstrichen, grau und orange. Magerung sichtbar, sekundär gebrannt. – Bs 84 Q64-8, Bef. 6 (Taf. 3).

17.3.1.2 Schicht B – Keramik (Taf. 4–10)

30 Randscherbe eines kleinen Töpfchens, fingertupfenverziert. Wenig feine Quarzgrusmagerung sichtbar, sandig, verstrichen, beige. Außen etwas erodiert, innen dicke Kruste. – Bs 84 Q29-32, Bef. 3–4 (Taf. 4).
31 Randscherbe mit Fingertupfen auf dem Rand. Mittlere und grobe Quarz- und Steingrusmagerung, verstrichen, schwarz. – Bs 86 Q206-1026, Bef. 4.1 (Taf. 4).
32 Kleingefäß, Profilscherbchen mit Griffläppchen. Feine und grobe Quarzgrusmagerung, verstrichen, hellbeige. – Bs 83 Q142-8, Bef. 4 (Taf. 4).
33 Wandscherbe rillenverziert, feine und wenig mittlere Quarzgrusmagerung, geglättet, schwarz. – Bs 84 Q25-1014, Bef. 4 (Taf. 4).
34 Miniaturgefäß, Bodenscherbe mit Wandansatz. Feine, wenig sichtbare Glimmersandmagerung, grob geglättet,

schwarz. Grob gearbeitete Form. – Bs 84 Q27-2, Bef. 4.1 (Taf. 4).
35 Wandscherbe. Feine und wenig mittlere Quarzgrusmagerung, geglättet, dunkelbeige. – Bs 84 Q18-45, Bef. 4.0 (Taf. 4).
36 Wandscherbe mit Knubbe. Mittlere Steingrusmagerung, geglättet, dunkelbeige. – Bs 83 Q13-1048, Bef. 4 (Taf. 4).
37 Kleingefäß, Profilscherbe in zwei Teilen. Feine, sandige Quarzgrusmagerung, wenig mittlerer Quarzgrus, geglättet, schwarz. – Bs 84 Q29-45, -1001, Bef. 4.0, 4.1(Taf. 4).
38 Flachboden, Bodenscherbe. Feine und mittlere Quarzgrusmagerung, geglättet, dunkelbeige. Boden unbehandelt. – Bs 84 Q18-1028, Bef. 4.0 (Taf. 4).
39 Randscherbe mit aufgesetzter Kerbleiste. Mittlere Quarz- und grobe Steingrusmagerung, geglättet, schwarz. Außen Überlaufflecken. – Bs 83 Q13-1067, Bef. 4 (Taf. 4).
40 Randscherbe mit aufgesetzter Fingertupfenleiste. Geglättet (?), feine Quarzgrusmagerung, wenig mittlere Quarzgrusmagerung sichtbar, beige bis schwarz. Außen erodiert. – Bs 83 Q24-1136, Bef. 4.1 (Taf. 4).
41 Kleingefäß, Wandscherbe mit Bodenansatz. Feine und wenig mittlere Quarzgrusmagerung, sandig, geglättet, schwarz. – Bs 83 Q20-1054, Bef. 4 (Taf. 4).
42a Randscherbe. Feine bis mittlere Steingrusmagerung, geglättet, beige. Außen Rußflecken. – Bs 84 Q18-43, Bef. 3.0–4.0 (Taf. 4).
42b Randscherbe. Feine Quarzgrus- und grobe Steingrusmagerung, geglättet, beige. – Bs 84 Q25-37, Bef. 4.2 (Taf. 4).
42c Randscherbe. Feine Quarz- und Glimmermagerung, grau. Flächig verrollt. – Bs 84 Q18-20, Bef. 3.0–4.0 (Taf. 4).
42d Randscherbe. Feine Quarzgrusmagerung, glimmerhaltig, geglättet, schwarz. – Bs 84 Q25-1019, Bef. 4 (Taf. 4).
42e Randscherbe. Feine, sandige Quarzgrusmagerung, geglättet, schwarz. – Bs 84 Q25-19, Bef. 4.1 (Taf. 4).
42f Randscherbe. Feine Sandmagerung, geglättet, schwarz. – Bs 84 Q25-18, Bef. 4.1(Taf. 4).
43 Wandscherbe eines kleinen Töpfchens. Feine und wenig mittlere Quarzgrusmagerung, geglättet, dunkelbeige bis schwarz. Kanten leicht erodiert. – Bs 86 Q93-1001, Bef. 4 (Taf. 4).
44a Randscherbe. Grobe Steingrusmagerung, verstrichen, beige. Rand horizontal abgestrichen, sekundär gebrannt. – Bs 84 Q27-27, Bef. 4.0 (Taf. 4).
44b Randscherbe. Mittlere Quarzgrusmagerung, wenig grober Steingrus, geglättet, beige. Außen Überlaufflecken. – Bs 84 Q11-80, Bef. 4.0 (Taf. 4).
44c Randscherbe. Mittlere und grobe Steingrusmagerung, feiner Quarzgrus, geglättet, dunkelbeige. – Bs 84 Q25-13, Bef. 3–4 (Taf. 4).
44d Randscherbe. Feine und mittlere Quarzgrusmagerung, geglättet, schwarz. – Bs 84 Q25-45, Bef. 4.2 (Taf. 4).
44e Randscherbe. Feine Quarzgrusmagerung, sandig, geglättet, beige. – Bs 84 Q28-1068/II, Bef. 4.1 (Taf. 4).
45 Flachboden. Feine Quarzgrusmagerung, innen verstrichen, außen unbehandelt, dunkelbeige. – Bs 84 Q27-10, Bef. 4.1 (Taf. 4).
46 Wandscherbe einer Schüssel mit abgesetzter Schulter. Feine und wenig mittlere Quarzgrusmagerung, sandig, geglättet, schwarz. – Bs 84 Q26-4, Bef. 4.0 (Taf. 4).
47 Bodenscherbe. Feine Quarzgrusmagerung, sandig, wenig mittlere Schamottemagerung, verstrichen, beige. Außen Rußflecken und flächig angewittert. – Bs 84 Q25-11, -1027, 26-13, Bef. 4, 4.1 (Taf. 4).

48 Wandscherbe einer Schüssel mit abgesetzter Schulter. Feine Quarzgrusmagerung, geglättet, schwarz. – Bs 84 Q18-49/I, Bef. 4.0 (Taf. 4).
49 Tasse mit Bandhenkel, Randscherbe. Grobe Steingrusmagerung mit Steinchen, sandig, geglättet, dunkelbeige. Magerung sichtbar. – Bs 86 Q62-1, Bef. 4.1 (Taf. 5).
50 Randscherbe mit Bandhenkelfragment. Feiner und mittlerer Quarzgrus und grobe Stein- und Quarzgrusmagerung, glimmerhaltig, verstrichen, beige. Außen rußschwarz, sekundär gebrannt. – Bs 86 Q333-1984, Bef. 4 (Taf. 5).
51 Randscherbe eines Kruges mit Henkelansatz. Feine und wenig grobe Quarzgrusmagerung, sandig, geglättet, beige. – Bs 84 Q29-34, Bef. 4.0 (Taf. 5).
52 Tasse mit Bandhenkel und abgesetzter Schulter, Rand- und Wandscherben, einstich- und ritzverziert. Feine Quarzgrusmagerung, sandig, geglättet, schwarz. – Bs 83 Q93-2, -3, Bs 86 Q93-2, Bef. 4, 4.1 (Taf. 5).
53 Wandscherbe mit abgesetzter Schulter, zylinderstempelverziert. Feine und mittlere Quarzgrusmagerung, sandig, geglättet, hellbeige. – Bs 86 Q206-4, Bef. 4.1 (Taf. 5).
54 Randscherbe. Feine bis mittlere Glimmermagerung, geglättet, beige bis hellbraun. – Bs 84 Q25-20, Bef. 4.1 (Taf. 5).
55 Randscherbe. Wenig feine Quarzgrusmagerung sichtbar, geglättet, schwarz. – Bs 83 Q13-44, 0-429, Bef. 4.0 (Taf. 5).
56 Wandscherbe, zylinderstempelverziert. Feine und wenig grobe Quarzgrusmagerung, geglättet, schwarz. – Bs 84 Q27-34, Bef. 4.0 (Taf. 5).
57 Wandscherbe mit abgesetzter Schulter, zylindergestempelt. Mittlere Quarzgrusmagerung und feine Schamottemagerung, geglättet, hellbraun. Innen etwas erodiert. – Bs 84 Q26-5, Bef. 4.0 (Taf. 5).
58 Randscherbe. Wenig feine Quarzmagerung sichtbar, glimmerhaltig, geglättet, schwarz. Außen etwas Ruß. – Bs 83 Q13-43, Bef. 3.1–4.0 (Taf. 5).
59 Randscherbe. Wenig feine Quarzgrusmagerung sichtbar, sandig, sehr gut geglättet, glänzend, schwarz. – Bs 84 Q18-51, -55, Bef. 4.1 (Taf. 5).
60 Rand- u. Wandscherben eines Topfes mit abgesetzter Schulter, zylinderstempelverziert. Mittlere und wenig grobe Quarzgrusmagerung, glimmerhaltig, geglättet, beige bis grau. Sekundär gebrannt, außen etwas angewittert. – Bs 83 Q20-48, Bs 84 Q28-111, Bef. 4, 4.1 (Taf. 5).
61 Rand- und Wandscherben eines Topfes. Grobe Quarzgrusmagerung, geglättet, beige und schwarz. Leicht erodiert, Glättspuren sichtbar. – Bs 83 0-429, Bef. 4 (Taf. 5).
62 Wandscherben eines bauchiges Gefäßes, zylinderstempelverziert. Feine und wenig mittlere Quarzgrusmagerung, geglättet, schwarz. – Bs 84 Q25-9, 27-29, Bef. 4.1 (Taf. 5).
63 Rand- und Wandscherben eines Topfes mit abgesetzter Schulter, in zwei Reihen zylinderstempelverziert, darin integriert zweihöckerige Knubbe. Feine und mittlere Quarzgrusmagerung, sandig, wenig mittlere organische Magerung, geglättet, schwarz. Außen teilweise flächig angewittert. – Bs 86 Q206-1001, 208-14, 332-57, Bef. 4.0, 4.0–5.0, 4 (Taf. 5).
64 Grifflappen mit Fingertupfen am Rand, Zapfen. Mittlere Steingrusmagerung, schlick-geraut, grau- bis orangerot, schwarze Flecken. Sekundär gebrannt. – Bs 83 Q13-18, Bef. 4 (Taf. 5).
65 Wandscherbe mit eingezapfter Knubbe. Grobe Steingrusmagerung, graubeige, orange gefleckt. Flächig stark erodiert, sekundär gebrannt. – Bs 84 Q26-19 Bef. 4.1 (Taf. 5).
66 Wandscherbe mit eingezapfter Knubbe. Feine und wenig

mittlere Quarzgrusmagerung, geglättet, beige bis schwarz. Leicht erodiert. – Bs 84 Q18-1032, Bef. 4.1 (Taf. 5).
67 Randscherben eines kleinen Topfes. Feine Quarzgrusmagerung, geglättet, beige bis hellbraun. Außen erodiert. – Bs 84 Q25-31, 27-42, Bef. 4.1 (Taf. 6) (vermutlich dazugehörig: Bs 84 Q25-12, -37, 27-12, Bef. 4.1).
68 Randscherbe. Feine und grobe Quarzgrusmagerung, sandig, geglättet, schwarz. – Bs 84 Q25-1018, Bef. 4 (Taf. 6).
69 Randscherben eines Topfes. Grobe Steingrusmagerung, geglättet, schwarz. Leicht erodiert. – Bs 83 Q11-52, Bef. 4.0 (Taf. 6).
70 Randscherbe. Mittlere und grobe Steingrusmagerung mit wenig grobem Schamotte, glimmerhaltig, geglättet, beige. Außen Ruß- und Überlaufflecken, innen Kruste. – Bs 83 Q20-1044, Bef. 4.1 (Taf. 6).
71 Randscherbe eines Topfes. Mittlere Steingrusmagerung, verstrichen, schlickgeraut, grau, orange gefleckt. Sekundär gebrannt. – Bs 83 Q13-1052, -1058, -1068, Bef. 4 (Taf. 6).
72 Boden- und Wandscherbe. Grobe Quarz- und Steingrusmagerung, sandig, beige. Flächig erodiert. – Bs 86 Q62-5, Bef. 4 (Taf. 6).
73 Flachboden, Boden- und Wandscherben. Grobe Steingrus- und mittlere Schamottemagerung, geglättet, dunkelbeige. – Bs 84 Q27-1, Bef. 4.1 (Taf. 6).
74 Boden- und Wandscherben. Mittlere und grobe Quarzgrusmagerung, geglättet, schlickgeraut, hellbraun bis beige. Boden unbehandelt. – Bs 84 Q25-35, Bef. 4.1 (Taf. 6).
75 Wandscherben mit Bodenansatz. Grobe Quarzgrusmagerung, geglättet, stellenweise verstrichen, dunkelbeige. Außen Rußflecken, innen angewittert. – Bs 84 Q29-48, Bef. 4.0 (Taf. 6).
76 Randscherbe eines Topfes mit ausgezogenem Rand und Henkelöse. Mittlere und wenig grobe Quarz- und Steingrusmagerung, sandig, geglättet, beige bis schwarz. Flächig erodiert, Magerung sichtbar. – Bs 86 Q332-56, Bef. 4 (Taf 6).
77 Flachboden und Gefäßunterteil. Feine und mittlere Quarzgrusmagerung, verstrichen, beige. Außen erodiert. – Bs 84 Q25-1, Bef. 4.0 (Taf. 6).
78 Wandscherben mit Bodenansatz. Feine Quarzgrusmagerung, geglättet, beige. Außen Rußflecken, innen Krustenreste, Boden unbehandelt. – Bs 84 Q107-1, Bef. 4.0 (Taf. 6).
79 Rand- und Wandscherben eines Topfes mit Henkelöse. Mittlere und grobe Quarz- und Steingrusmagerung, geglättet, dunkelbeige. Magerung sichtbar. – Bs 84 Q16-13, -14, Bef. 4.1, 4.2 (Taf. 6).
80 Randscherbe. Mittlere und grobe Steingrus- und feine Schamottemagerung, geglättet, grau bis schwarzgrau. Außen Überlaufflecken, ausgeglüht, Rand horizontal abgestrichen. – Bs 83 Q13-19, -21, Bef. 3–4,0 (Taf. 7).
81 Randscherbe mit aufgesetzter Tupfenleiste. Grobe Quarzgrusmagerung, glimmerhaltig, verstrichen, schlickgeraut, dunkelbeige. – Bs 84 Q18-47, Bef. 4.0 (Taf. 7).
82 Wandscherbe. Feine Quarzgrusmagerung, wenig grobe Schamotte, geglättet, schwarz. – Bs 84 Q27-37, Bef. 4.0 (Taf. 7).
83 Wandscherbe mit Knubbe. Grobe Steingrusmagerung, beige. Flächig stark erodiert. – Bs 84 Q26-13, Bef. 4.1 (Taf. 7).
84 Wandscherbe mit ovaler Knubbe. Mittlere und grobe Stein- und Quarzgrusmagerung, geglättet, schlickgeraut, beige. Kruste. – Bs 83 Q20-1055, Bef. 4 (Taf. 7).
85 Wandscherbe mit herausmodellierter Kerbleiste. Mittlere und wenig grobe Steingrusmagerung, schlickgeraut, beige. Außen Rußflecken. – Bs 84 Q26-6, Bef. 4.0 (Taf. 7).

86 Wandscherbe mit aufgesetzter Fingertupfenleiste. Mittlere und grobe Quarz- und Steingrusmagerung, verstrichen, schlickgeraut, beige. – Bs 84 Q18-57, Bef. 4.1 (Taf. 7).
87 Flachboden, Bodenscherbe. Mittlere und grobe Steingrusmagerung, verstrichen, beige. – Bs 86 Q62-4, Bef. 4 (Taf. 7).
88 Wandscherbe mit aufgesetzter Kerbleiste, mittlere Quarzgrusmagerung, wenig Schamotte sichtbar, geglättet, schwarz. Außen Überlaufflecken. – Bs 84 Q27-35, Bef. 4.1 (Taf. 7).
89 Wandscherbe mit aufgesetzter Fingertupfenleiste, feine Quarz- und wenig grobe Steingrusmagerung, verstrichen, schlickgeraut, beige. Flächig erodiert. – Bs 86 Q205-1004, Bef. 4.0 (Taf. 7).
90 Boden- und Wandscherbe. Mittlere und wenig grobe Quarzgrusmagerung, verstrichen, beige. Außen Rußflecken, Boden unbehandelt. – Bs 82 Q11-73, Bef. 4.0 (Taf. 7).
91 Standringboden, Bodenscherbe. Feine Quarzgrusmagerung, wenig Steingrus, sandig, geglättet, beige. Außen Algen. – Bs 83 Q141-6, Bef. 4 (Taf. 7).
92 Wandscherbe mit Bodenansatz. Grobe Steingrus- und wenig Schamottemagerung, verstrichen, beige. Außen Rußfleck, innen Kruste, Boden verstrichen. – Bs 86 Q62-2, Bef. 4 (Taf. 7).
93 Bodenscherbe. Mittlere und grobe Steingrusmagerung, verstrichen, dunkelbeige. Innen Kruste. – Bs 84 Q27-8, Bef. 4.0 (Taf. 7).
94 Wandscherbe mit Zapfloch. Mittlere und grobe Steingrusmagerung, schlickgeraut, grau. Außen leicht angewittert, innen Krustenreste. – Bs 84 Q27-28, Bef. 4.1 (Taf. 7).
95 Wandscherben mit Zapfloch. Feine, sandige Quarzgrusmagerung, geglättet, beige bis grau. – Bs 84 Q25-33, -37; 26-1024, Bef. 4.1, 4.2, 4.3 (Taf. 7).
96 Wandscherbe mit aufgesetzter Fingertupfenleiste. Feine und mittlere Quarzgrusmagerung, geglättet, pastoser, in vertikalen Bahnen verstrichener Schlickauftrag, beige und schwarz. Rußflecken. – Bs 84 Q18-74, Bef. 4.1 (Taf. 8).
97 Randscherbe eines kleinen Topfes mit aufgesetzter, flächiger Fingertupfenleiste,. Grobe Steingrusmagerung, schlickgeraut, grau. Sekundär gebrannt. – Bs 83 Q20-49, Bef. 4 (Taf. 8).
98 Wandscherbe mit aufgesetzter, zweifacher Kerbleiste und darin ansetzender Henkelöse. Feine und mittlere Quarz- und grobe Steingrusmagerung, sandig, geglättet und grob schlickgeraut, dunkelbeige. Außen flächig Überlaufkruste, Algen. – Bs 83 Q141-1, Bef. 4 (Taf. 8).
99 Randscherbe eines weitmundigen Topfes mit herausmodellierter Fingertupfenleiste. Mittlere und wenig grobe Quarz- und Steingrusmagerung, geglättet und schlickgeraut, beige bis grau. Krustenreste. – Bs 83 Q11-71, Bef. 4 (Taf. 8).
100 Randscherbe mit aufgesetzten Kerbleisten. Mittlere Quarz- und grobe Steingrusmagerung, sandig, geglättet und schlickgeraut, schwarz. Außen Kruste, Leisten mit stumpfem, flachem Stempel gekerbt. – Bs 84 Q16-15, Bef. 4 (Taf. 8).
101 Bauchiger Topf mit kurzer Halszone und herausmodellierter Fingertupfenleiste. Verstrichen und schlickgeraut, beige bis hellbraun, schwarz gefleckt. Außen Rußreste, leicht erodiert. – Bs 83 Q24-42, Bef. 4.0 (Taf. 8).
102 Randscherbe einer Schale mit Knubbe und aufgesetzter Fingertupfenleiste. Feine Quarzgrusmagerung, wenig grober Quarzgrus, sandig, verstrichen, beige bis grau. Außen Algen. – Bs 83 Q141-2, Bef. 4 (Taf. 8).
103 Wandscherbe mit aufgesetzter Kerbleiste. Feine bis mittlere Steingrusmagerung, feine Schamotte, über der Zier-

317

leiste geglättet, darunter fein schlickgeraut, vertikal verstrichen. – Bs 84 Q18-75, Bef. 4.2 (Taf. 8).

104 Wandscherbe mit herausgedrückter Kerbleiste. Feine und mittlere Stein- und Quarzgrusmagerung, schlickgeraut, beige und schwarz. Außen Überlaufflecken, innen Krustenreste. – Bs 83 Q13-26, -47, Bef. 4/4.0 (Taf. 8).

105 Rand- und Wandscherbe einer Schale. Feine Quarzgrusmagerung, geglättet, schwarz bis beige. Leicht erodiert, außen Algen. – Bs 83 0-422, -428, Bef. 4 (Taf. 8).

106 Wandscherbe mit aufgesetzter (?) Fingertupfenleiste. Mittlere Steingrusmagerung, geglättet, unter der Leiste schlickgeraut, dunkelbeige. – Bs 84 Q28-1004, Bef. 4.0 (Taf. 8).

107 Wandscherbe mit herausmodellierter Fingertupfenleiste. Mittlere und grobe Quarz- und Steingrusmagerung, verstrichen, beige. – Bs 84 Q28-1067, Bef. 4.1 (Taf. 8).

108 Randscherbe einer Schale mit herausmodellierter Fingertupfenleiste. Feine Quarzgrusmagerung, glimmerhaltig, verstrichen, unter der Leiste fein schlickgeraut, beige. Außen Rußfleck. – Bs 86 Q93-3, Bef. 4.1 (Taf. 8).

109 Schale, Randscherben mit Ansatz einer Applikation. Grobe Stein-/Quarzgrusmagerung, verstrichen, hellbeige bis grau. – Bs 84 Q28-126, Bef. 4.0 (Taf. 8).

110 Rand- und Wandscherben eines Topfes mit grober aufgesetzte Fingertupfenleiste und integrierter Knubbe. Grobe Steingrusmagerung, über der Leiste verstrichen, darunter pastose Schlickrauung, beige bis grau. – Bs 83 Q23-32, Bs 84 Q28-123, 29-47, -68, Bef. 4, 4.0, 4.0–4.1 (Taf. 9).

111 Randscherbe mit aufgesetzter Fingertupfenleiste. Feine und wenig mittlere Quarzgrusmagerung, verstrichen, dunkelbeige. Leicht erodiert. – Bs 86 Q206-1034, Bef. 4 (Taf. 9).

112 Wandscherbe mit herausmodellierter Fingertupfenleiste. Grobe Quarzgrusmagerung, sandig, geglättet, unter der Leiste schlickgeraut, dunkelbeige. Außen Rußflecken. – Bs 86 Q206-1020, Bef. 4.1 (Taf. 9).

113 Wandscherbe mit aufgesetzter Fingertupfenleiste und daran ansetzender Henkelöse. Grobe Steingrusmagerung, verstrichen, dunkelbeige. – Bs 84 Q144-4, Bef. 4 (Taf. 9).

114 Doppelkonischer Topf, Rand- und Wandscherben mit einer aufgesetzter Kerbleiste und einer aufgesetzten Fingertupfenleiste. Mittlere und grobe Steingrusmagerung, glimmerhaltig, verstrichen, beige bis schwarz. Sekundär gebrannt, außen Überlaufkruste, etwas Algen, innen Kalksinter und Algen. – Bs 83 Q135-5, -9, Bef 4.0 (Taf. 9).

115 Wandscherbe mit grober, aufgesetzter Fingertupfenleiste, darunter schlickgeraut, dunkelbeige und grau. Sekundär gebrannt. – Bs 84 Q25-44, Bef. 4.2 (Taf. 9).

116 Wandscherbe mit herausmodellierter Fingertupfenleiste, mittlere und wenig grobe Quarzgrusmagerung, geglättet, beige. Außen Rußflecken. – Bs 84 Q18 52, Bef. 4.2 (Taf. 9).

117 Rand- und Wandscherben eines Topfes mit aufgesetzter Fingertupfenleiste und darin integrierter Knubbe. Mittlere und grobe Stein- und Quarzgrusmagerung, verstrichen, darunter schlickgeraut, darunter bogenförmig und vertikal verstrichen, beige. Außen Ruß- und Überlaufflecken, innen Krustenreste. – Bs 83 Q24-48, -50, -72, Bef. 4.0 (Taf. 10).

118 Wandscherbe mit Knubbe. Feine und mittlere Stein-/Quarzgrusmagerung, Halszone geglättet, Gefäßbauch fein schlickgeraut, schwarzgrau. Außen Rußflecken. – Bs 84 Q18-70, Bef. 4.1 (Taf. 10).

119 Wandscherbe eines Topfes mit aufgesetzter Fingertupfenleiste. Grobe Quarzgrusmagerung, geglättet, unter der Leiste schlickgeraut, pastos, beige. Magerung sichtbar, außen Rußflecken Kruste. – Bs 86 Q93-1003, -1006, Bef. 4 (Taf. 10).

120 Wandscherbe mit aufgesetzter grober Fingertupfenleiste. Grobe Steingrus- und Steinchenmagerung, über der Leiste verstrichen, darunter schlickgeraut, in horizontalen Bahnen verstrichen, braun bis grau. Außen Überlaufflecken, innen Krustenreste, sekundär gebrannt. – Bs 83 Q20-27, Bef. 4 (Taf. 10).

121 Wandscherbe mit herausmodellierter Fingertupfenleiste. Feine Quarzgrusmagerung, glimmerhaltig, verstrichen, unter der Leiste fein schlickgeraut, beige. Außen Rußflecken. – Bs 86 Q93-1002, Bef. 4 (Taf. 10).

122 Randscherbe mit zwei aufgesetzten Fingertupfenleisten und integriertem Grifflappen. Mittlere und grobe Steingrusmagerung, schlickgeraut, beige bis schwarz. Außen Überlaufflecken und Ruß, innen Kruste. – Bs 83 Q13-40, Bef. 4 (Taf. 10).

123 Wandscherbe mit herausmodellierter Fingertupfenleiste. Grobe Quarzgrusmagerung, verstrichen, hellbeige bis grau. Magerung an der Oberfläche sichtbar. – Bs 83 Q20-1051, Bef. 4 (Taf. 10).

124 Randscherbe mit aufgesetzter Fingertupfenleiste. Grobe Quarzgrusmagerung, geglättet, dunkelbeige. Etwas erodiert. – Bs 84 Q26-18, Bef. 4.1 (Taf. 10).

125 Randscherbe mit aufgesetzter Fingertupfenleiste. Feine und wenig mittlere Quarz- und Steingrusmagerung, verstrichen, grau. – Bs 83 Q13-46, Bef. 4.0 (Taf. 10).

126 Randscherbe mit herausmodellierter Fingertupfenleiste. Mittlere Quarzgrusmagerung, sandig, wenig grobe Steingrusmagerung, geglättet, schwarz. Außen Glättspuren, Überlaufflecken. – Bs 84 Q29-36, Bef. 4.0 (Taf. 10).

17.3.1.3 Schicht C – Bronzen (Taf. 11)

130 Kugelkopfnadel mit schräg im Kopf steckender Niete, am Kopf und am Schaft ritzverziert. Kopf auf Tonkern gegossen, flächig patiniert, Seepatina. Das Ornament tritt am Kopf an einer Stelle abgeplatzter Patina deutlich hervor, am Schaft unter Patina undeutlich. L. 240 mm, Gew. 47 g. – Bs 83 Q23-11, HDM 445, Bef. 2.5–2.6 (Taf. 11).

131 Randleistenbeil vom Typ Langquaid. Gut ausgeprägte, massive Randleisten. Leicht facettiert, flächig patiniert, Seepatina, goldgelbe Kupfersulfidausblühungen. L. 195 mm, Gew. 652 g, B. Schneide 79 mm. – Bs 83 Q11-17, HDM 436, Bef. 2.1 OK (Taf. 11).

17.3.1.4 Schicht B, C und Oberflächenfunde (Taf. 12–15)

Tonobjekte (Taf. 12; 13,132–133.135–137.139.143.146–149. 151), Holzobjekte (Taf. 12,134.138), Silexartefakte (Taf. 14, 152–157.159.160), Felsgesteinobjekte (Taf. 13,140–145.150. 158), Textilien (Taf. 14,161), Geweihartefakte (Taf. 15,162. 168.169) und Knochenartefakte (Taf. 15,163–167)

132 Gemustertes Tonobjekt, „Brotlaibidol". Stark zur Hälfte erhalten, beidseitig ritz- und einstichverziert, ungemagerter Rohton, luftgetrocknet, geglättet, schwarz. – Bs 86 Q208-17, Bef. 2.2–2.4 (Taf. 12).

133 Gemustertes Tonobjekt, „Brotlaibidol". Auf der Ober-

seite einstich- und ritzlinienverziert, feintonig grau, schwach gebrannt. Leicht korrodiert. – PBO 3229 (Taf. 12).

134 Holzschale aus einer Erlenmaserknolle. Flächig angewittert. – Bs 84 Q16 11, Bef. 2–4 (Taf. 12).

135 Gusstiegel, oval mit Ausguss. Feine Quarzgrusmagerung, wenig grober Steingrus, sandig, wenig grobe organische Magerung und Schamotte, verstrichen, beige bis grau. – Bs 84 Q29-1, Bef. 1.1/2.1 (Taf. 12).

136 Tonlöffel, an der Handhabe abgebrochen. Feine Sandmagerung, geglättet, schwarz. Oberfläche stellenweise abgeplatzt. – Bs 86 Q205-4, Bef. 2.0 (Taf. 12).

137 Gusstiegelfragment (?), Bodenstück mit Leiste. Grobe Steingrusmagerung, verstrichen, beige. Außen Rußfleck. – Bs 86 Q333-1017, Bef. 2.5–2.6 (Taf. 12).

138 Beilholm, Knieholmfragment – vermutlich einer Klemmschäftung – aus Eichenholz. Flächig facettiert, am Ansatz der Schäftung erodiert. – Bs 84 Q26-3, Bef. 4.0–4.1 (Taf. 12).

139 Gusstiegel, langoval, mit Ausguss und Halteleisten an der Unterseite. Mittlere Quarzgrusmagerung, wenig grober Steingrus, geglättet, beige, orange und schwarz gefleckt. Flächig leicht erodiert, innen Metallreste, veralgt. – Bs 83 Q92-0-2, 94-0-1, Bef. 0 (Taf. 12).

140 Klopfer aus einem Geröll mit flächig Schlagspuren und Kannelur. – Bs 86 Q205-0-1, Bef. 0 (Taf. 13).

141 Steinbeil aus Grüngestein, spitznackig. Vollschliff. – PBO 3228, Bef. 0 (Taf. 13).

142 Steinbeilfragment aus Serpentingestein. Vollschliff. Kalksinter. – Bs 86 Q231-0, Bef. 0 (Taf. 13).

143 Schleifsteinfragment aus Sandstein. Glimmerhaltig, einseitig Schliffspuren. – Bs 86 Q206-1003, Bef. 4.0 (Taf. 13).

144 Netzsenker, wie Kat.-Nr. 149. – Bs 86 Q429-0, Bef. 0 (Taf. 13).

145 Netzsenker aus flachem Kieselstein, an den Längsseiten gekerbt. – Bs 84 Q282-0-3, Bef. 0 (Taf. 13).

146 Tonobjekt, wie Kat.-Nr. 147. – Bs 84 Q55-0-10, Bef. 0 (Taf. 13).

147 Tonobjekt. Grobe Steingrusmagerung, verstrichen, dunkelbeige. Unterseite unbehandelt, Magerung sichtbar. – Bs 86 Q332-1181, -1046, Bef. 2 (Taf. 13).

148 Spinnwirtel. Mittlere Steingrusmagerung, sandig, wenig Schamotte, hellgrau. Abgerollt, leicht sekundär gebrannt (Taf. 13). – Bs 387 Slg. Rathaussaal Bodman (Taf. 13).

149 Webgewicht mit ovalem Querschnitt und Kerbe zur Aufnahme einer Halteschnur. Luftgetrockneter Rohton mit wenig feinem Quarzgrus, verstrichen, beige. – Bs 86 Q332-28, Bef. 2.3 (Taf. 13).

150 Klopfer aus einem Geröll, mit Dellen und flächig Schlagspuren. Kalksinter und Rußreste anhaftend. – Bs 86 Q42-0-4, Bef. 0 (Taf. 13).

151 Gusstiegelfragment ? Grobe Quarz- und Steingrusmagerung, verstrichen, beige. Rußreste. – Bs 86 Q333-23, Bef. 2.1 (Taf. 13).

152 Silexklinge. Kernstück, bifazial kantenretuschiert, teilweise ausgesplittert, distal abgebrochen, schwarz. Färbung sekundär. – Bs 84 Q121-13, Bef. 0 (Taf. 14).

153 Bohrer an Silexklinge. Dorsal kantenretuschiert, schwarz. An der Spitze Gebrauchsspuren, Färbung sekundär. Wohl Jurahornstein. – Bs 83 Q24-9, Bef. 2.2 (Taf. 14).

154 Silexklinge. Dorsal Gebrauchsretuschen, mit Cortexresten, dunkelbraun bis schwarz. Kalksinter. – Bs 86 Q195-0, Bef. 0 (Taf. 14).

155 Silexklinge, Klingenkratzer. Dorsal Gebrauchsretuschen, braun und schwarz. Ventral Birkenteerreste. – Bs 83 Q23-34, Bef. 2.2–2.4 (Taf. 14).

156 Silexabschlag. Dorsale Gebrauchsretuschen, mit Cortexresten, schwarz. Kalksinter. – Bs 86 Q284-0, Bef. 0 (Taf. 14).

157 Silexklinge, Fragment. Dorsale Steil- und Gebrauchsretuschen, hellgrau. – Bs 86 Q206-1005, Bef. 2.0 (Taf. 14).

158 Ammonit, zur Hälfte erhalten, pyritisiert, mit Resten einer zweiseitigen Bohrung. – Bs 84 Q22-1063, Bef. 2.1 (Taf. 14).

159a Pfeilspitze, geflügelt mit Dorn. Bifazial kantenretuschiert, weiß. Wohl Jurahornstein. – Bs 86 Q206-1, Bef. 2.1 (Taf. 14).

159b Silexklingenfragment. Dorsal Gebrauchsretuschen, schwarz. Kalksinter. – Bs 86 Q208-0-3, Bef. 0 (Taf. 14).

160a Silexklinge, Klingenkratzer. Distal kantenretuschiert, distal abgebrochen, schwarz. Färbung sekundär. – Bs 83 Q43-1, Bef. 6 (Taf. 14).

160b Silexabschlag, Kratzer, wie Kat.-Nr. 148. – Bs 82 0-403, Bef. 0 (Taf. 14).

161a Schnurfragment, geflochten. Zopf aus drei Schnüren, Bast(?)fasern. B. insgesamt 11,2 mm, B. der Einzelschnur 4,2 mm. – Bs 84 Q22-105, Bef. 2.1 (Taf. 14).

161b Schnurfragment, geflochten. Zopf aus drei Schnüren, Bast(?)fasern. Verkohlt. B. insgesamt 9,7 mm, B. der Einzelschnur 4,8 mm. – Bs 84 × 647/y 508, Bef. 6 (Taf. 14).

161c Schnurfragment, rechtsgedreht. – Bs 83 Q23-1253, Bef. 2.3/2.4 (Taf. 14).

162 Geweihhacke aus der rechten Geweihstange mit rechteckigem Schaftloch. Schnittspuren an Ei und Augspross. Am Hackenende verrundet. – Bs 82 0-320, Bef. 0 (Taf. 15).

163 Knochenspatel, wie 166a. – Bs 83 Q13-17, Bef. 4.0/4.1 (Taf. 15).

164 Knochenpfeilspitze mit Dorn. Flächig beidseitig überschliffen. Spitze abgebrochen. Rothirsch, Costa. – Bs 83 Q13-1066, Bef. 2–4 (Taf. 15).

165 Knochenspitze. Am distalen Teil seitlich Schliffspuren. Abgebrochen. Rothirsch, Metatarsus. – Bs 84 Q24-52, Bef. 4.0 (Taf. 15).

166 Knochenspitze. Flächig überschliffen. Rothirsch, Metatarsus. – Bs 84 Q18-44, Bef. 4.1 (Taf. 15).

167a Knochenspatel. Dorsal flächig überschliffen. – Bs 84 Q20-1005, Bef. 4.1 (Taf. 15).

167b Knochenspatel, wie 166a. Flächig angewittert. – Bs 84 Q25-3, Bef. 4.0 (Taf. 15).

168 Geweihhacke (?), Fragment, aus rechter Hirschgeweihstange, mit achtkantigem Schaftloch. Flächig erodiert. Schaftfragment aus Eschenholz erhalten. – Bs 82 0-321, Bef. 0 (Taf. 15).

169 Beillochgeschäftete Fassung aus rechter Hirschgeweihstange, mit rechteckig ovalem Schaftloch und langovaler Tülle. Kulturschichtbedingt angewittert. Schaftfragment aus einem Weidenast erhalten. – Bs 84 Q29-8, Bef. 2,5–3.0 (Taf. 15).

17.3.1.5 Schicht C – Keramik (Taf. 16–49)

170 Flachboden eines Kleingefäßes. Feine Quarzgrusmagerung, sandig, beige bis grau. Flächig erodiert, sekundär gebrannt. – Bs 86 Q332-1215, Bef. 2.3 (Taf. 16).

171 Flachboden eines Kleingefäßes. Wenig feine Quarzgrusmagerung sichtbar, hellgrau. Tongrundig, flächig erodiert. – Bs 83 Q23-1052, Bef. 2.3 (Taf. 16).

172 Kleingefäß, scharf s-profiliert. Feine Quarzgrusmagerung, sandig, geglättet, schwarz. – Bs 83 Q23-2, Bef. 2.2–2.4 (Taf. 16).

173 Kleingefäß mit Fingertupfenreihe und darin integrierter Knubbe. Wenig mittlere Quarzgrusmagerung, sandig, beige. – Bs 84 Q28-100, Bef. 2.2–2.4 (Taf. 16).

174 Kleiner Topf, Fragmente. Feine und wenig mittlere Quarzgrusmagerung, geglättet, dunkelbeige bis schwarz. Außen Ruß, Krustenreste. – Bs 83 Q23-1286, -1274, -1407, -1423, -1449, Bef. 2.5/2.6, 2.2–2.4 (Taf. 16).

175 Kleiner Topf, Randscherben. Feine Quarzgrusmagerung mit wenig groben Steinchen, geglättet, beige. – Bs 84 Q28-51, Bef. 2.1 (Taf. 16).

176 Kleiner Krug mit Bandhenkel, Rand- und Bodenfragmente. Feine und mittlere Quarzgrusmagerung, verstrichen, beige. Flächig erodiert. – Bs 84 Q28-24, Bef. 2.0 (Taf. 16).

177 Randscherbe eines knickwandprofilierten Kruges mit Bandhenkel. Feine und wenig mittlere Quarzgrusmagerung, wenig feine Schamotte, geglättet, dunkelbeige. – Bs 83 Q11-11, -24, 13-6, -8 dazugehörig?, Bef. 2.1/2.2–2.4, 2.1 (Taf. 16).

178 Randscherbe einer kleinen Schüssel. Feine Quarzgrusmagerung, wenig grober Steingrus, geglättet, schwarz. Stellenweise erodiert. – Bs 83 Q13-8, dazu Bs 82 Q13-6 (nicht anpassend), Bef. 2.1 (Taf. 16).

179 Rand- und Wandscherben eines kleinen knickwandprofilierten Topfes. Feine Quarzgrusmagerung, verstrichen, hellbeige. Außen Rußflecken, Krustenreste. – Bs 83 Q22-112, -142, Bef. 2.1 (Taf. 16).

180 Schüssel. Feine Quarzgrusmagerung, sandig, geglättet, beige bis dunkelbeige. – Bs 84 Q29-7, Bef. 2.1–2.5 (Taf. 16).

181 Randscherbe eines kleinen Topfes. Feine Quarzgrusmagerung, verstrichen, beige. Außen Ruß, Kruste. – Bs 83 Q23-1037, Bef. 2.3 (Taf. 16).

182 Randscherbe einer Schale. Feine Quarzgrusmagerung, sandig, wenig grober Quarzgrus, geglättet, beige. Rand horizontal abgestrichen, außen flächig Rußreste, Glättspuren deutlich. – Bs 83 Q11-1005, Bef. 2.2–2.4 (Taf. 17).

183 Randscherbe einer Schale, stempelverziert. Feine Quarzgrus- und grobe Steingrusmagerung, geglättet, dunkelbeige. – Bs 84 Q23-1507, Bef. 2.3–2.4 (Taf. 17).

184 Randscherbe einer flachen Schale. Mittlere und grobe Quarzgrusmagerung, verstrichen, schwarz. Magerung sichtbar. – Bs 86 Q333-24, Bef. 2.1 (Taf. 17).

185 Randscherbe einer Schale. Mittlere Quarzgrusmagerung, geglättet, dunkelbeige. – Bs 83 Q23-1374, Bef. 2.5–2.6 (Taf. 17).

186 Randscherbe einer Schale, rillenverziert. Mittlere bis grobe Steingrusmagerung, grau. Flächig erodiert. – Bs 84 Q16-1015, Bef. 2–4 (Taf. 17).

187 Randscherbe einer Schale. Mittlere, wenig grobe Stein- und Quarzgrusmagerung, verstrichen, schwarz. – Bs 84 Q28-81, Bef. 2.1 (Taf. 17).

188 Randscherbe mit Bandhenkel. Feine und grobe Quarzgrusmagerung, wenig feine organische Magerung, sandig, geglättet, schwarz. Oberfläche stellenweise abgeplatzt. – Bs 86 Q208-1153, Bef. 2.1 (Taf. 17).

189 Randscherbe einer Schale, ritzverziert. Mittlere und wenig grobe Steingrusmagerung, geglättet, teilweise verstrichen, beige bis schwarz. Außen rußschwarz, innen Kruste. – Bs 86 Q332-37, Bef. 2.3 UK (Taf. 17).

190 Randscherbe einer Schale mit aufgesetzter Fingertupfenleiste. Mittlere Quarz- und Steingrusmagerung, verstrichen, hellbeige bis grau. – Bs 86 Q333-1204, Bef. 2.2–2.4 (Taf. 17).

191 Randscherbe einer Schale mit aufgesetzter Kerbleiste. Mittlere und grobe Quarzgrusmagerung, verstrichen, schwarz. – Bs 83 Q22-97, Bef. 2 (Taf. 17).

192 Randscherbe einer Schale mit aufgesetzter Fingertupfenleiste. Grobe Steingrusmagerung, verstrichen, beige. – Bs 83 Q23-1042, Bef. 2.3 (Taf. 17).

193 Randscherbe einer Schale. Mittlere und grobe Steingrusmagerung mit feiner organischer Magerung, geglättet, beige bis dunkelbeige. Magerung sichtbar, Glättspuren. – Bs 86 Q333-1985, Bef. 2.3 (Taf. 17).

194 Randscherbe einer Schale mit aufgesetzter Tupfenleiste und darin integrierter Knubbe. Grobe Stein- und Quarzgrusmagerung, verstrichen, beige. – Bs 83 Q23-1441, Bef. 2.5–2.6 (Taf. 17).

195 Randscherbe einer Schale. Mittlere und grobe Steingrusmagerung, verstrichen, dunkelgrau. – Bs 82 Q21-1038, Bef. 2 (Taf. 17).

196 Randscherbe mit langovaler Knubbe. Feine Quarzgrus- sowie mittlere und grobe Steingrusmagerung, verstrichen, unter dem Wandknick schlickgeraut, dunkelbeige und schwarz. Magerung sichtbar. – Bs 86 Q332-50, Bef. 2.3 (Taf. 17).

197 Kleiner Topf. Feine Quarzgrusmagerung, wenig mittlere organische Magerung, verstrichen, beige. Außen Rußflecken, innen stellenweise abgeplatzte Oberfläche, Boden unbehandelt. – Bs 86 Q333-2032, -2033, Bef. 2.3 (Taf. 17).

198 Kleiner Topf mit Knubbe. Mittlere Quarzgrusmagerung, verstrichen, beige. Flächig erodiert. – Bs 83 Q20-3, Bef. 2.1 (Taf. 17).

199 Randscherbe einer Schüssel. Feine Quarzgrusmagerung, sandig, glimmerhaltig, geglättet, schwarz. Glättspuren. – Bs 86 Q333-1065, Bef. 2.1 (Taf. 18).

200 Randscherbe. Feine, sandige Quarzgrusmagerung, wenig mittlere Schamottemagerung, geglättet, schwarz. – Bs 83 Q23-1341/II, Bef. 2.3 (Taf. 18).

201 Randscherbe einer Schüssel. Feine und mittlere Quarz- und Steingrusmagerung, geglättet, schwarz. – Bs 86 Q11-22, Bef. 2.1 (Taf. 18).

202 Randscherbe. Grobe und feine Quarzgrusmagerung, verstrichen, beige. Magerung sichtbar. – Bs 86 Q332-1206, Bef. 2.3 (Taf. 18).

203 Randscherbe einer Schüssel. Feine und mittlere Quarzgrusmagerung, glimmerhaltig, geglättet, dunkelbeige. Magerung sichtbar. – Bs 83 Q333-1223, Bef. 2.2/2.4 (Taf. 18).

204 Schüssel. Mittlere und wenig grobe Quarzgrusmagerung, glimmerhaltig, geglättet, schwarz. Innen Kruste, Magerung sichtbar, Glättspuren sichtbar. – Bs 83 Q23-16, Bef. 2.3 (Taf. 18).

205 Randscherbe einer Schüssel. Feine und mittlere Quarzgrusmagerung, glimmerhaltig, geglättet, dunkelbeige. Magerung sichtbar. – Bs 86 Q332-29, -1003, dazu -1018, -1044, -1099, -1118, -1229, -1259 (nicht anpassend), Bef. 2.0–2.3, 2.3 (Taf. 18).

206 Schüssel mit aufgesetzter Knubbe. Grobe Quarzgrusmagerung, verstrichen, beige. Außen Rußflecken. – Bs 83 Q23-14/I, Bef. 2.3 (Taf. 18).

207 Randscherben einer Schüssel mit hochgezogener Applikation. Mittlere Steingrus- und wenig Schamottemagerung, geglättet, schwarz. Magerung sichtbar. – Bs 83 Q23-39, -1100, Bef. 2.2–2.4 (Taf. 18).

208 Schlitzrand. Mittlere und feine Steingrus- und Schamottemagerung, geglättet, dunkelbeige. – Bs 86 Q23 1110/I, Bef. 2.3 (Taf. 18).

209 Wandscherbe einer Schlitzrandschüssel. Feine Quarzgrus- und Sandmagerung, glimmerhaltig, geglättet, dunkelbeige. – Bs 86 Q205-2, Bef. 2.0 (Taf. 18).
210 Schlitzrandscherbe bis zum Gefäßumbruch, ritzverziert. Wenig feine Steingrusmagerung sichtbar, geglättet, schwarz. Über der Zierzone poliert. – Bs 84 Q28-134, Bef. 2.1 (Taf. 18).
211 Randscherbe mit Schlitz. Feine Sand- und Schamottemagerung, geglättet, schwarz. – Bs 83 Q23-1430/I, Bef. 2.5/2.6 (Taf. 18).
212 Wandscherben eines Schlitzrandgefäßes, rillen- und ritzverziert, mit Resten weißer Inkrustation. Feine und wenig mittlere Stein- und Quarzgrusmagerung, sandig, geglättet, schwarz. Glättspuren. – Bs 86 Q332-39, -47, dazu Bs 86 Q332-1151, -1212, -1221 (nicht anpassend), Bef. 2.3, 2.3 UK, 2.5 OK (Taf. 18).
213 Randscherbe einer Schlitzrandschüssel. Wenig feine Quarzgrusmagerung, sandig, geglättet, schwarz. – Bs 83 Q208-1280, Bef. 2.1 (Taf. 18).
214 Krug mit Bandhenkel, ritzverziert. Feine Quarzgrusmagerung, geglättet, schwarz. Leicht erodiert. – Bs 83 Q23-12, Bef. 2.2–2.4 (Taf. 19).
215 Randscherbe eines Kruges, ritzverziert, mit Resten weißer Inkrustation. Wenig feine Quarzgrusmagerung sichtbar, sandig, geglättet, schwarz. – Bs 83 Q22-71, -79, Bef. 2.1, 2.1 OK (Taf. 19).
216 Krug mit Bandhenkel, ritzverziert. Feine Quarzgrusmagerung, sandig, geglättet, schwarz. – Bs 83 Q22-81, Bef. 2.2–2.4 (Taf. 19).
217 Mehrere Rand- und Wandscherben eines doppelkonischen Gefäßes, kornstich- und ritzverziert, mit Resten weißer Inkrustation. Feine Quarzgrusmagerung, sandig, geglättet, schwarz. – Bs 83 Q22-10, Bef. 2.1 (Taf. 19).
218 Randscherbe, ritzverziert. Sand- und wenig mittlere Schamottemagerung, geglättet, schwarz. – Bs 84 Q28-75, -93, Bef. 2.3–2.4 (Taf. 19).
219 Boden- und Wandscherben eines knickwandprofilierten Gefäßes, ritzverziert. Mittlere Quarzgrusmagerung, geglättet, schwarz. Sekundär gebrannt, schwarz gepunktete Oberfläche. – Bs 83 Q23-4, -45, -1034, -1407, Bef. 2.4, 2.2–2.4/2.3 (Taf. 19).
220 Boden- und Wandscherben eines knickwandprofilierten Gefäßes, rillen- und ritzverziert. Feine Quarzgrusmagerung, wenig mittlerer Quarzgrus, geglättet, schwarz. Innen angewittert. – Bs 86 Q333-8, -9, -36, -1022, -1960, Bef. 2.1 (Taf. 19).
221 Wandscherbe eines knickwandprofilierten Gefäßes, ritzverziert. Wenig mittlere Quarz- und grobe Steingrusmagerung, sandig, geglättet, dunkelbeige. – Bs 86 Q333-17, Bef. 2.1 (Taf. 19).
222 Wandscherbe, kornstich- und ritzverziert. Feine glimmerhaltige Sandmagerung, geglättet, schwarz. – Bs 83 Q23-96, Bef. 2.3 (Taf. 20).
223 Wandscherbe, kornstich- und ritzverziert, mit Resten weißer Inkrustation. Feine bis mittlere Quarzgrusmagerung, sandig, geglättet, hellbeige bis grau. Innen Oberfläche stellenweise abgeplatzt. – Bs 86 Q333-50, Bef. 2.1/2.3 (Taf. 20).
224 Wandscherbe, kornstich- und ritzverziert. Feine Quarzgrus- und Sandmagerung, geglättet, schwarz. – Bs 83 Q23-1113, Bef. 2.3 (Taf. 20).
225 Wandscherbe eines doppelkonischen Gefäßes, ritz- und kornstichverziert. Sand- und wenig feine Steingrusmagerung, geglättet, schwarz. – Bs 82 Q12-1004, Bef. 2.4 (Taf. 20).
226 Wandscherbe eines doppelkonischen Gefäßes, ritzverziert. Wenig mittlere Quarzgrusmagerung, sandig, geglättet, schwarz. – Bs 83 Q23-1367, Bef. 2.5/2.6 (Taf. 20).
227 Wandscherbe, doppelkonisch, scharf profiliert, rillen- und ritzverziert, mit drei Durchstichen. Feine Quarzgrusmagerung, sandig, glimmerhaltig, wenig feine organische Magerung, geglättet, schwarz. – Bs 86 Q332-34, -1165, Bef. 2.3/2.5 (Taf. 20).
228 Wandscherbe, kornstich- und ritzverziert. Feine und mittlere Quarzgrusmagerung und wenig feine organische Magerung, geglättet, beige bis schwarz. Innen Oberfläche abgeplatzt. – Bs 86 Q332-19, Bef. 2.3 (Taf. 20).
229 Wandscherbe, doppelkonisch, ritzverziert. Wenig feine Quarzgrusmagerung sichtbar, glimmerhaltig, geglättet, schwarz. – Bs 84 Q18-41, Bs 83 Q24-1004, Bef. 2.1–2.2 (Taf. 20).
230 Wandscherbe, kornstich- und ritzverziert, mit Resten weißer Inkrustation. Feine Quarzgrusmagerung, sandig, mit wenig grobem Schamotte, geglättet, schwarz. – Bs 86 Q333-41, Bef. 2.1 UK (Taf. 20).
231 Wandscherbe, doppelkonisch, ritzverziert. Feine Sandmagerung, geglättet, schwarz. – Bs 83 Q23-1409, -1415, Bef. 2 (Taf. 20).
232 Wandscherbe, kornstich-, rillen- und ritzverziert. Feine Quarzgrusmagerung, sandig, geglättet, schwarz. – Bs 86 Q208-9, Bef. 2.3 (Taf. 20).
233 Wandscherbe, doppelkonisch, kornstich- und ritzverziert. Feine Quarzgrusmagerung, sandig, geglättet, schwarz. – Bs 84 Q28-1064, Bef. 2.4 (Taf. 20).
234 Wandscherben, kornstich- und ritzverziert. Feine sandige Quarzgrusmagerung, geglättet, schwarz mit beigefarbenen Flecken. – Bs 83 Q23-1032, -1259, Bef. 2.3 (Taf. 20).
235 Doppelkonischer Krug, Rand- und Bodenscherben, kornstich- und ritzverziert. Mittlere Quarzgrusmagerung, geglättet, dunkelbeige. – Bs 83 Q23-13, Bef. 2.3 (Taf. 20).
236 Wandscherbe, kornstich- und ritzverziert. Feine glimmerhaltige Sandmagerung, mit wenig grober organischer Magerung, geglättet, schwarz. – Bs 83 Q20-1066, Bef. 2 (Taf. 21).
237 Randscherbe, ritzverziert, mit Bandhenkel. Mittlere Stein-/Quarzgrusmagerung, wenig feine Schamotte, geglättet, schwarz. – Bs 83 Q23-1502, Bef. 2.3–2.4 (Taf. 21).
238 Krug, Profilscherbe mit Bandhenkel, rillenverziert, mit Resten weißer Inkrustation. Feine Quarzgrusmagerung, sandig, wenig mittlerer Quarzgrus und Schamotte, geglättet, dunkelbeige und schwarz. – Bs 86 Q333-7, Bef. 2.1 (Taf. 21).
239 Wandscherbe, ritzverziert. Feine und wenig grobe Quarzgrusmagerung, geglättet, schwarz. Außen leicht erodiert. – Bs 86 Q333-1039, -1963, Bef. 2.1 (Taf. 21).
240 Doppelkonische Wandscherbe, kornstich- und ritzverziert. Feine, wenig sichtbare Quarzgrusmagerung, geglättet, schwarz. – Bs 84 Q18-14, -28, Bef. 2.1/2.2 (Taf. 21).
241 Randscherbe mit Bandhenkel. Feine Quarzgrusmagerung, sandig, mit wenig mittlerer organischer Magerung, geglättet, schwarz. – Bs 86 Q333-2029, Bef. 2.3 (Taf. 21).
242 Krug, Rand- und Wandscherben mit Henkelansatz, kornstich- und ritzverziert. Feine und wenig mittlere Quarzgrusmagerung, sandig, geglättet, schwarz. Leicht erodiert. – Bs 86 Q206-1059, Bef. 2.1 (Taf. 21).
243 Wandscherbe, kornstich- und ritzverziert. Feine und wenig mittlere Quarzgrusmagerung, sandig, geglättet, schwarz. – Bs 86 Q332-1244, Bef. 2.2 (Taf. 21).
244 Krug, Randscherbe mit Bandhenkel, ritzverziert. Fei-

ne und mittlere Quarzgrusmagerung, sandig, geglättet, schwarz. – Bs 83 Q22-89, Bef. 2.1 (Taf. 21).
245 Wandscherbe, ritzverziert. Feine Quarzgrusmagerung, sandig, mittlere organische Magerung, glimmerhaltig, geglättet, schwarz. – Bs 86 Q332-1038, -1243, Bef. 2.2 (Taf. 21).
246 Randscherbe mit eingezapftem Henkel. Feine und mittlere Quarzgrusmagerung, geglättet, hellbeige und ocker. – Bs 83 Q23-6, Bef. 2.2–2.4 (Taf. 21).
247 Wandscherbe, fein kornstich- und ritzverziert. Feine und mittlere Quarzgrusmagerung mit mittlerer organischer Magerung, glimmerhaltig, geglättet, dunkelbeige. Magerung sichtbar. – Bs 86 Q333-30, Bef. 2.1 UK (Taf. 21).
248 Wandscherbe, rillen- und ritzverziert. Feine Quarzgrusmagerung, geglättet, schwarz. – Bs 84 Q29-41, Bef. 2.4 (Taf. 21).
249 Bauchiger Krug, Profilscherbe, kornstich-, ritz- und rillenverziert, mit Resten weißer Inkrustationspaste und profiliertem Bandhenkel. Feine und mittlere Quarzgrusmagerung, geglättet, schwarz. Kornstich fast durchgestochen. – Bs 83 Q23-28, -1035, -1264, -1327, -1547, -1569, 22-1151, 13-2, Bef. 2.3/2.4 (Taf. 21).
250 Wandscherbe, ritzverziert, mit Resten weißer Inkrustation. Feine bis grobe Steingrusmagerung, geglättet, schwarz. – Bs 83 Q22-170, -1017, Bef. 2/2.1 Uk (Taf. 22).
251 Wandscherbe, ritzverziert, mit Resten weißer Inkrustation. Feine Quarzgrusmagerung, sandig, glimmerhaltig, wenig grober Steingrus, geglättet, dunkelbeige bis schwarz. – Bs 86 Q333-5, Bef. 2.0 (Taf. 22).
252 Wandscherbe, ritzverziert, weiß inkrustiert. Feine glimmerhaltige Quarzgrusmagerung, geglättet, schwarz. – Bs 83 Q23-23, Bef. 2.2–2.4 (Taf. 22).
253 Wandscherbe, scharf profiliert, ritzverziert, weiße Inkrustationsreste erhalten. Feine Quarzgrus- und Sandmagerung, geglättet, beige mit schwarzen Flecken. – Bs 83 Q23-1296, Bef. 2.3 (Taf. 22).
254 Wandscherbe, furchenstich- und ritzverziert. Mittlere und wenig grobe Quarzgrusmagerung mit wenig mittlerem Schamotte, geglättet, beige bis grau. Angewittert, sekundär gebrannt (Taf. 22). – Bs 86 Q333-1078, Bef. 2.2–2.4.
255 Randscherbe, ritzverziert. Feine und mittlere Steingrus- und Glimmermagerung, sandig, geglättet, dunkelbeige. – Bs 83 Q23-1049, -1086, -1093, Bef. 2.3/2.4 (Taf. 22).
256 Wandscherbe mit Halskehlung, fein ritzverziert. Feine Quarzgrusmagerung, sandig, glimmerhaltig, wenig feine organische und mittlere Quarzgrusmagerung, geglättet, schwarz. Magerung sichtbar. – Bs 86 Q333-2045, Bef. 2.3 (Taf. 22).
257 Wandscherbe, kornstich-, rillen- und ritzverziert, mit Resten weißer Inkrustation. Feine und mittlere Quarzgrusmagerung, sandig, wenig feine organische Magerung, geglättet, schwarz. – Bs 86 Q333-1986, Bef. 2.1 (Taf. 22).
258 Wandscherbe, fein kornstich- und ritzverziert. Grobe Quarzgrusmagerung und wenig feine organische Magerung, sandig, geglättet, hellbeige. Flächig erodiert, Magerung sichtbar. – Bs 86 O 208-1200, Bef. 2.1 (Taf. 22).
259 Wandscherbe, ritzverziert, mit Resten weißer Inkrustation. Feine Quarzgrusmagerung, sandig, dunkelbeige. Innen flächig erodiert. – Bs 86 Q332-44, Bef. 2.3 (Taf. 22).
260 Randscherbe, einstich- und rillenverziert. Feine Quarzgrus- und wenig feine organische Magerung, geglättet, dunkelbeige. – Bs 86 Q41-5, Bef. 2 (Taf. 22).
261 Wandscherbe, ritzverziert, mit Resten weißer Inkrustation. Feine und mittlere Quarzgrusmagerung, sandig, glimmerhaltig, geglättet, schwarz. – Bs 86 Q333-1093, Bef. 2.2–2.4 (Taf. 22).
262 Rand- und Wandscherben eines engmundigen Topfes, stich- und ritzverziert. Feine, wenig mittlere Quarzgrus- und wenig mittlere Schamottemagerung, sandig, geglättet, dunkelbeige bis schwarz. – Bs 84 Q28-72, 29-4, -41, Bef. 2.1, 2.3/2.4 (Taf. 22).
263 Wandscherbe eines Töpfchens, ritzverziert. Feine Quarzgrusmagerung, glimmerhaltig, geglättet, schwarz. – Bs 84 Q28-101, -1048, Bef. 2.1–2.3 (Taf. 22).
264 Wandscherbe, rillen- und ritzverziert. Mittlere und grobe Steingrusmagerung, geglättet, hellbeige bis ocker. Innere Oberfläche abgeplatzt. – Bs 86 Q333-1031, Bef. 2.1 (Taf. 22).
265 Flachboden, leicht konkav, Bodenscherbe. Feine Quarzgrus- und Schamottemagerung, sandig, geglättet, schwarz. – Bs 83 Q24-1016, Bef. 2.2 (Taf. 23).
266 Wandscherbe mit aufgesetzten, glatten Leisten. Feine und wenig mittlere Quarzgrusmagerung, sandig, glimmerhaltig, geglättet, dunkelbeige bis schwarz. Oberfläche stellenweise abgeplatzt. – Bs 86 Q332-1207, Bef. 2.1 (Taf. 23).
267 Flachboden mit Omphalos, Bodenscherbe. Wenig mittlere Quarzgrusmagerung und organische Magerung, sandig, hellbeige bis grau. Flächig erodiert, sekundär gebrannt. – Bs 86 Q332-1230, Bef. 2.3 (Taf. 23).
268 Flachboden, Bodenscherbe. Mittlere und grobe Quarzgrusmagerung, geglättet, schwarz. Außen Boden erodiert, Magerung sichtbar. – Bs 83 Q13-1011/II, Bef. 2.1–2.4 (Taf. 23).
269 Bodenscherbe. Feine Quarzgrusmagerung, sandig, geglättet, schwarz. Außen etwas Kalksinter. – Bs 83 Q11-1002, Bef. 2.2–2.4 (Taf. 23).
270 Flachboden. Feine und wenig mittlere Quarzgrusmagerung, glimmerhaltig, geglättet, schwarz. – Bs 83 Q22-123, Bef. 2.1 (Taf. 23).
271 Kleingefäß, Wandscherben mit Bodenansatz. Feine Quarzgrusmagerung, wenig feine organische Magerung, geglättet, dunkelbeige bis schwarz. – Bs 86 Q208-1090, -1161, -1163, Bef. 2.2/2.3, 2.1 (Taf. 23).
272 Bodenscherbe. Mittlere Quarzgrusmagerung, geglättet, dunkelbeige bis schwarz. – Bs 83 Q23-1045, Bef. 2.3 (Taf. 23).
273 Wandscherbe mit Henkelöse, ritz- und stichverziert. Feine Quarzgrus- und wenig mittlere Schamottemagerung, vereinzelt Steinchen, geglättet, dunkelgrau bis hellbeige gefleckt. – Bs 83 Q23-7, Bef. 2.2–2.4 (Taf. 23).
274 Boden und Wandscherben, doppelkonisch. Feine Sandmagerung, kaum feiner Quarz oder Schamotte erkennbar, geglättet, schwarz. – Bs 83 Q23-110, -127, -1407, -1410, -1487, -1508, Bef. 2.2–2.4 (Taf. 23).
275 Wandscherbe, rillen- und ritzverziert. Mittlere Quarzgrusmagerung, sandig, wenig mittlerer Schamotte, geglättet, dunkelbeige bis schwarz. – Bs 86 Q333-1024, -1040, Bef. 2.1 (Taf. 23).
276 Wandscherbe, ritzverziert. Wenig mittlere Schamottemagerung sichtbar, sandig, geglättet, schwarz. – Bs 83 Q141-4, Bef. 2 (Taf. 23).
277 Randscherbe, ritz- und kornstichverziert. Feine Quarzgrusmagerung, geglättet, schwarz. – Bs 83 Q13-3, Bef. 2.0 (Taf. 23).
278 Wandscherbe, rillenverziert. Feine bis grobe Quarzgrusmagerung, sandig, hellbeige. Flächig erodiert. – Bs 86 Q332-1009, Bef. 2.3 (Taf. 23).

279 Wandscherbe, ritzverziert. Feine und wenig mittlere Quarzgrusmagerung, wenig grobe Schamotte, geglättet, dunkelbeige. – Bs 86 Q332-1280, Bef. 2.2 (Taf. 23).
280 Wandscherbe, rillen- und ritzverziert. Feine und mittlere Quarz- und Steingrusmagerung, sandig, geglättet, schwarz. – Bs 86 Q333-33, Bef. 2.1 UK (Taf. 23).
281 Wandscherbe, ritzverziert. Mittlere und grobe Quarzgrusmagerung mit wenig feiner organischer Magerung, geglättet, dunkelbeige. Außen leicht erodiert. – Bs 86 Q208-1119, Bef. 2.1 (Taf. 23).
282 Wandscherbe, ritzverziert. Feine und wenig mittlere Quarzgrusmagerung, geglättet, dunkelbeige. – Bs 82 Q21-26, Bef. 2 (Taf. 23).
283 Wandscherbe, ritzverziert. Feine Sandmagerung, glimmerhaltig, wenig mittlere Schamotte, geglättet, hell- bis dunkelbeige. Sekundär gebrannt. – Bs 86 Q333-1083, Bef. 2.2–2.4 (Taf. 23).
284 Wandscherbe, rillenverziert. Feine Quarzgrusmagerung, sandig, geglättet, schwarz. – Bs 86 Q333-2033/II, Bef. 2.3 (Taf. 23).
285 Wandscherbe, rillenverziert. Mittlere Quarzgrusmagerung, geglättet, dunkelbeige. – Bs 83 Q23-1027, Bef. 2.3 (Taf. 23).
286 Flachboden, rillenverziert. Mittlere Quarz- und grobe Steingrusmagerung, sandig, verstrichen, beige. Wahrscheinlich Boden von Napf. – Bs 86 Q332-38, -1081, Bef. 2.3 (Taf. 23).
287 Wandscherbe, ritzverziert. Feine Quarzgrusmagerung, geglättet, beige und schwarz. Sekundär gebrannt. – Bs 84 Q18-4, Bef. 2.4 (Taf. 23).
288 Boden mit Standring. Feine Quarzgrusmagerung, wenig feine organische Magerung, sandig, glimmerhaltig, geglättet, schwarz. – Bs 86 Q208-1283, Bef. 2.1 (Taf. 23).
289 Boden mit Standring. Feine Quarzgrusmagerung, wenig mittlerer Quarzgrus und organische Magerung, geglättet, dunkelbeige. Leicht erodiert, Oberfläche stellenweise abgeplatzt. – Bs 86 Q332-20, Bef. 2.3 (Taf. 23).
290 Wandscherbe, flächig einstich- und ritzverziert. Wenig mittlerer Quarzgrus sichtbar, geglättet, beige. – Bs 86 Q206-1057, Bef. 2.1 (Taf. 24).
291 Wandscherbe, einstich- und ritzverziert. Mittlere Steingrus- und Sandmagerung, geglättet, dunkelbeige. – Bs 83 Q23-1437, Bef. 2.5–2.6 (Taf. 24).
292 Wandscherbe, grob ritz- und stichverziert, weiße Inkrustationsreste. Feine und wenig mittlere Steingrusmagerung, geglättet, grau und schwarz. – Bs 82 Q21-1052, Bef. 2 (Taf. 24).
293 Wandscherbe, flächig kornstich- und ritzverziert. Feine Steingrus- und Sandmagerung, geglättet, schwarz. – Bs 83 Q23-1382, Bef. 2.2–2.4 (Taf. 24).
294 Wandscherbe, schräg einstich- und ritzverziert. Sandmagerung, geglättet, hellbeige. Innen erodiert. – Bs 86 Q332-1134, Bef. 2.2 (Taf. 24).
295 Wandscherbe, einstich- und ritzverziert, mit Resten weißer Inkrustation. Feine und mittlere Quarzgrusmagerung, geglättet, grau. Sekundär gebrannt. – Bs 86 Q332-1122, Bef. 2.3 (Taf. 24).
296 Wandscherbe, kornstich- und ritzverziert, mit kreisrunder Vertiefung. Wenig feine Quarzgrusmagerung sichtbar, sandig, geglättet, schwarz. – Bs 84 Q28-136, Bef. 2.0–2.1 (Taf. 24).
297 Wandscherbe, kornstich- und ritzverziert. Feine Steingrus- und Sandmagerung, geglättet, schwarz. – Bs 83 Q23-1073, Bef. 2.4 (Taf. 24).

298 Wandscherbe, kornstich- und ritzverziert, feine Quarzgrusmagerung und mittlere organische Magerung, geglättet, dunkelbeige. – Bs 86 Q208-1190, Bef. 2.1 (Taf. 24).
299 Wandscherbe, kornstich- und rillenverziert. Feine und wenig mittlere Quarzgrusmagerung, sandig, glimmerhaltig, geglättet, schwarz. – Bs 86 Q333-17, Bef. 2.1 (Taf. 24).
300 Wandscherbe, kornstich- und ritzverziert. Feine Quarzgrusmagerung, sandig mit feiner organischer Magerung, geglättet, beige bis grau – Bs 86 Q333-1221, Bef. 2.5 (Taf. 24).
301 Wandscherbe, ritzverziert. Mittlere und wenig grobe Quarzgrusmagerung, sandig, geglättet, schwarz. Magerung sichtbar, innen Oberfläche abgeplatzt. – Bs 86 Q332-1090, Bef. 2.3 (Taf. 24).
302 Wandscherbe, kornstich- und ritzverziert. Feine Quarzgrusmagerung, geglättet, dunkel- und hellbeige. Sekundär gebrannt, leicht erodiert. – Bs 86 Q208-15, Bef. 2.4 (Taf. 24).
303 Wandscherbe, kornstich- und ritzverziert. Feine Quarzgrusmagerung, sandig, geglättet, schwarz. – Bs 83 Q23-49, Bef. 2.2–2.4 (Taf. 24).
304 Wandscherbe, kornstich- und ritzverziert. Feine Quarzgrus- und organische Magerung, glimmerhaltig, geglättet, schwarz. – Bs 86 Q333-4, Bef. 2.0 (Taf. 24).
305 Wandscherben, kornstich- und ritzverziert. Feine und mittlere Quarzgrusmagerung und wenig feine organische Magerung, geglättet, dunkelbeige. Magerung sichtbar, innen Oberfläche abgeplatzt. – Bs 86 Q332-12, -1090, -1127, Bef. 2.2 (Taf. 24).
306 Wandscherbe, kornstich- und ritzverziert, inkrustiert. Feine, sandige Quarzgrusmagerung, wenig grobe Schamotte, geglättet, schwarz. – Bs 82 Q21-1021, -1040, Bs 83 O 24-26, Bs 86 Q333-2026, Bef. 2, 2.2, 2.3 (Taf. 24).
307 Wandscherbe, kornstich- und ritzverziert. Wenig feiner Quarzgrus sichtbar, wenig Schamotte und feine organische Magerung, sandig, geglättet, schwarz. – Bs 83 Q23-1434, Bef. 2.5/2.6 (Taf. 24).
308 Wandscherbe, kornstich- und ritzverziert. Feine Quarzgrus- und grobe Schamottemagerung, dunkelbeige. – Bs 86 Q208-1102, Bef. 2.2/2.3 (Taf. 24).
309 Wandscherbe, fein ritzverziert. Feine Quarzgrusmagerung, geglättet, schwarz. – Bs 82 Q21-1060, Bef. 2 (Taf. 24).
310 Wandscherbe, kornstich-, rillen- und ritzverziert. Feine und mittlere Quarzgrusmagerung, geglättet, dunkelbeige. – Bs 83 Q13-2, Bef. 2.0 (Taf. 24).
311 Wandscherbe, ritzverziert. Feine und wenig mittlere Quarzgrusmagerung, geglättet, schwarz. – Bs 86 Q332-1205, Bef. 2.3 (Taf. 24).
312 Wandscherbe, rillen- und ritzverziert, mit Resten weißer Inkrustation. Mittlere Steingrusmagerung, geglättet, schwarz. – Bs 83 Q23-1325, Bef. 2.3 (Taf. 24).
313 Wandscherbe, ritzverziert, weiß inkrustiert. Mittlere Steingrusmagerung mit etwas Sand, geglättet, schwarz. – Bs 83 Q23-1500, -1503, -1513, -1515, Bef. 2.3–2.4 (Taf. 25).
314 Wandscherbe, fein kornstichverziert. Feine Sandmagerung, geglättet, beige. Oberfläche innen abgeplatzt. – Bs 83 Q23-1083, Bef. 2.4 (Taf. 25).
315 Wandscherbe, fein kornstich- und ritzverziert. Feine Quarzgrusmagerung, sandig, glimmerhaltig, wenig mittlerer Steingrus, geglättet, dunkelbeige. – Bs 86 Q333-2005, Bef. 2.1 (Taf. 25).
316 Wandscherbe, ritzverziert, mit Resten weißer Inkrustation, geglättet, schwarz. – Bs 83 Q11-36, Bef. 2.2–2.4 (Taf. 25).

317 Wandscherbe, ritzverziert. Feine und wenig mittlere Quarzgrusmagerung, geglättet, schwarz. – Bs 83 Q22-1093, Bef. 2.1 (Taf. 25).
318 Wandscherbe, ritzverziert, mit Resten weißer Inkrustation. Feine Quarzgrusmagerung, geglättet, schwarz. – Bs 86 Q22-1060/II, Bef. 2.1 (Taf. 25).
319 Wandscherbe, fein kornstich- und ritzverziert. Feine Quarzgrus- und wenig mittlere Steingrusmagerung, glimmerhaltig, geglättet, beige. – Bs 83 Q333-1935, Bef. 2.0 (Taf. 25).
320 Wandscherbe, ritz- und kornstichverziert. Feine Quarzmagerung, geglättet, schwarz. – Bs 82 Q21-1064, Bef. 2 (Taf. 25).
321 Wandscherbe, ritzverziert. Feine Quarzgrusmagerung, mit organischer Magerung, geglättet, schwarz. Außen etwas erodiert. – Bs 82 Q10-1008, Bef. 2 (Taf. 25).
322 Wandscherbe, ritzverziert, mit Resten weißer Inkrustation. Feine, mittlere und wenig grobe Quarzgrusmagerung, sandig, geglättet, dunkelbeige. – Bs 86 Q333-1973, Bef. 2.0 (Taf. 25).
323 Wandscherbe, kornstich- und ritzverziert. Feine Quarzgrusmagerung, sandig, geglättet, schwarz. – Bs 84 Q28-1020, Bef. 2.1 (Taf. 25).
324 Wandscherbe, schrägstich- und ritzverziert. Feine Quarzgrusmagerung, sandig, geglättet, schwarz. – Bs 86 Q332-1113, Bef. 2.3 (Taf. 25).
325 Wandscherbe, in Furchenstichtechnik ritzverziert. Feine und wenig mittlere Quarzgrusmagerung, geglättet, schwarz. – Bs 86 Q208-1225, Bef. 2.1 (Taf. 25).
326 Wandscherbe, kornstich- und ritzverziert. Mittlere und wenig grobe Quarzgrusmagerung, geglättet, schwarz. – Bs 86 Q332-1245, Bef. 2.2 (Taf. 25).
327 Wandscherbe, ritzverziert, mit Resten weißer Inkrustation. Mittlere und wenig grobe Quarzgrusmagerung und wenig feiner Steingrus und organische Magerung, geglättet, beige bis dunkelbeige. – Bs 86 Q332-1248, Bef. 2.2 (Taf. 25).
328 Wandscherbe, kornstich- und ritzverziert. Feine und mittlere Steingrusmagerung mit etwas Glimmer, geglättet, schwarz. – Bs 84 Q18-5, Bef. 2.4 (Taf. 25).
329 Wandscherbe, kornstich- und ritzverziert, mit Resten weißer Inkrustation. Feine Quarzgrusmagerung, geglättet, schwarz. Oberfläche etwas erodiert. – Bs 83 Q23-111, Bef. 2.3 (Taf. 25).
330 Wandscherbe, kornstich- und ritzverziert. Feine Quarzgrusmagerung, sandig, geglättet, schwarz. – Bs 86 Q333-2035, Bef. 2.3 (Taf. 25).
331 Wandscherbe, ritzverziert. Feine Sandmagerung, geglättet, beige. – Bs 83 Q10-1005, Bef. 2 (Taf. 25).
332 Wandscherbe, kornstich- und ritzverziert. Mittlere Steingrusmagerung, geglättet, schwarz. – Bs 83 Q23-27, Bef. 2.4 (Taf. 25).
333 Wandscherbe, kornstich- und ritzverziert, mit Resten weißer Inkrustation. Mittlere Quarzgrusmagerung. – Bs 83 Q23-1497, Bef. 2.3–2.4 (Taf. 25).
334 Wandscherbe, kornstich- und ritzverziert, mit Resten weißer Inkrustation. Feine Quarzgrusmagerung, sandig, geglättet, schwarz. – Bs 84 Q22-28, Bef. 2.1 (Taf. 25).
335 Wandscherbe, mit Resten weißer Inkrustation. Feine und wenig mittlere Stein- und Quarzgrusmagerung, wenig grobe organische Magerung, geglättet, beige. Innen Oberfläche abgeplatzt, hellbeige. – Bs 86 Q333-31, Bef. 2.1 UK (Taf. 25).
336 Wandscherbe, kornstich- und ritzverziert. Feine Sand- und Glimmermagerung, geglättet, schwarz. – Bs 83 Q23-1488, Bef. 2.3–2.4 (Taf. 25).
337 Doppelkonisches Gefäß, Wandscherbe, kornstich- und ritzverziert. Wenig feine Quarzgrusmagerung sichtbar, sandig, geglättet, schwarz. – Bs 84 Q18-6/I, Bef. 2.4 (Taf. 25).
338 Wandscherbe, ritzverziert. Feine und mittlere Quarzgrusmagerung, sandig, geglättet, dunkelbeige. – Bs 86 Q332-51, Bef. 2.2 (Taf. 25).
339 Wandscherbe, kornstich- und ritzverziert. Feine Sand- und Quarzgrusmagerung, geglättet, schwarz. – Bs 83 Q23-1033, Bef. 2.3 (Taf. 26).
340 Wandscherbe, kornstich- und rillenverziert. Mittlere Quarzgrusmagerung, geglättet, dunkelbeige. Magerung sichtbar. – Bs 86 Q332-1249/I, Bef. 2.2 (Taf. 26).
341 Wandscherbe, kornstich- und ritzverziert. Sandmagerung, glimmerhaltig, geglättet, schwarz. – Bs 84 Q18-15, Bef. 2.4 (Taf. 26).
342 Wandscherbe, fein ritzverziert. Feine Quarzgrus- und organische Magerung, wenig mittlerer Steingrus, geglättet, dunkelbeige. Magerung sichtbar, innen leicht erodiert. – Bs 86 Q208-1046, Bef. 2.2/2.3 (Taf. 26).
343 Wandscherbe, rillen- und ritzverziert, mit drei Durchstichen. Feine Quarzgrusmagerung, sandig, glimmerhaltig, wenig feine organische Magerung, geglättet, schwarz. – Bs 86 Q332-1165, Bef. 2.5 (Taf. 26).
344 Wandscherbe, ritzverziert. Feine Quarzgrusmagerung, sandig, mit organischer Magerung, geglättet. – Bs 83 Q10-1004, Bef. 2 (Taf. 26).
345 Wandscherbe, kornstich- und ritzverziert, feine glimmerhaltige Sandmagerung, geglättet, dunkelbeige. – Bs 83 Q23-1087, Bef. 2.4 (Taf. 26).
346 Wandscherbe, ritzverziert. Mittlere Steingrusmagerung, geglättet, schwarz. – Bs 83 Q23-1492, Bef. 2.3–2.4 (Taf. 26).
347 Wandscherbe, kornstich- und ritzverziert. Feine Quarzgrusmagerung, glimmerhaltig, geglättet, schwarz. – Bs 83 Q23-126, Bef. 2.3 (Taf. 26).
348 Wandscherbe mit ovaler Knubbe, ritzverziert, mit Resten weißer Inkrustation. Feine Quarzgrus- und wenig mittlere organische Magerung, sandig, glimmerhaltig, geglättet, dunkelbeige. – Bs 86 Q333-2028, Bef. 2.3 (Taf. 26).
349 Wandscherbe, kornstich- und ritzverziert. Feine und mittlere Quarzgrusmagerung, geglättet. – Bs 86 Q332-1010, Bef. 2.3 (Taf. 26).
350 Wandscherbe, kornstich- und ritzverziert. Feine Sand- und Steingrusmagerung, geglättet. – Bs 82 Q12-1023, Bef. 2.2 (Taf. 26).
351 Wandscherbe, stempelverziert. Mittlere Steingrusmagerung, wenig Schamotte, geglättet, schwarz. – Bs 84 Q24-1021, Bef. 2.2 (Taf. 26).
352 Wandscherbe, kornstich- und ritzverziert. Feine Quarzgrusmagerung, sandig, geglättet, schwarz. – Bs 83 Q23-1420/I, Bef. 2.2–2.4 (Taf. 26).
353 Wandscherbe, klein, ritzverziert. Wenig feine Sand- und Glimmermagerung sichtbar, geglättet, beige. – Bs 84 Q28-1049, Bef. 2.1–2.3 (Taf. 26).
354 Wandscherbe, kornstich- und ritzverziert. Feine Quarzgrusmagerung, wenig mittlere organische Magerung, sandig, geglättet, schwarz. – Bs 83 Q10-1009, Bef. 2 (Taf. 26).
355 Wandscherbe, schrägstichverziert. Feine Quarzgrusmagerung, geglättet, schwarz. Oberfläche stellenweise abgeplatzt. – Bs 82 Q12-1042, Bef. 2 (Taf. 26).
356 Wandscherbe, grob kornstich- und rillenverziert, wenig feine Sand- und Glimmermagerung sichtbar, fein geglät-

tet, schwarz. – Bs 84 Q29-1020, Bef. 2–4 (aus einem Pfostenloch) (Taf. 26).

357 Wandscherbe, kornstich- und ritzverziert. Feine Quarzgrusmagerung, sandig, wenig grober Schamotte sichtbar, geglättet, schwarz. – Bs 86 Q332-1070, Bef. 2.2 (Taf. 26).

358 Wandscherbe, rillen- und ritzverziert. Feine und mittlere Quarzgrus- und organische Magerung, sandig, geglättet, schwarz. Innen leicht erodiert. – Bs 86 Q208-1131, -1132, Bef. 2.1 (Taf. 26).

359 Wandscherbe, ritzverziert. Feine Quarzgrusmagerung, geglättet, schwarz. – Bs 86 Q208-16, Bef. 2.3 (Taf. 26).

360 Wandscherbe, grob ritzverziert. Feine Steingrusmagerung, geglättet, schwarz. – Bs 82 Q21-1091, Bef. 2 (Taf. 26).

361 Wandscherbe, ritzverziert, mit Resten weißer Inkrustation. Feine und mittlere Quarzgrusmagerung, wenig grobe Schamotte, geglättet, schwarz. Innen Oberfläche abgeplatzt. – Bs 86 Q208-3, Bef. 2.1 (Taf. 26).

362 Wandscherbe, rillen- und ritzverziert, mit Henkelansatz (?). Feine und mittlere Quarzgrusmagerung, geglättet, schwarz. – Bs 86 Q333-14, Bef. 2.1 (Taf. 26).

363 Wandscherbe, ritzverziert, weiß inkrustiert. Feine bis mittlere Quarzgrusmagerung, sandig, geglättet, schwarz. – Bs 83 Q23-112, Bef. 2.3 (Taf. 26).

364 Wandscherbe, ritzverziert. Feine und mittlere Quarzgrusmagerung, sandig, geglättet, dunkelbeige. – Bs 83 Q22-1066/I, Bef. 2.1 (Taf. 27).

365 Wandscherbe, ritzverziert, mit Resten weißer Inkrustation. Feine Quarzgrusmagerung, wenig mittlerer Steingrus und feine organische Magerung, geglättet, schwarz. – Bs 86 Q332-1194, Bef. 2.4–2.5 (Taf. 27).

366 Wandscherbe, ritzverziert, mit Resten weißer Inkrustation. Feine Sandmagerung, glimmerhaltig, geglättet, dunkelbeige, schwarz. – Bs 83 Q23-1258, Bef. 2.3 (Taf. 27).

367 Wandscherbe, ritzverziert. Feine Quarzgrusmagerung und wenig grobe Schamotte, geglättet, schwarz. – Bs 84 Q22-1099, Bef. 2.1 (Taf. 27).

368 Wandscherbe, ritzverziert. Feine Quarzgrusmagerung, wenig feine organische Magerung, geglättet, dunkelbeige. – Bs 83 Q23-1278, Bef. 2.3–2.4 (Taf. 27).

369 Wandscherbe mit glatten Leisten, ritzverziert. Mittlere Quarzgrusmagerung, sandig, geglättet, schwarz. – Bs 86 Q208-4, Bef. 2.1 (Taf. 27).

370 Wandscherben, ritzverziert, mit glatten Leisten. Feine und mittlere Quarzgrusmagerung, wenig grober Steingrus, geglättet, beige-dunkelbeige. Innen erodiert. – Bs 86 Q332-1115, Bef. 2.3 (Taf. 27).

371 Wandscherbe, ritzverziert. Feine und mittlere Quarzgrusmagerung, wenig mittlere organische Magerung, sandig, geglättet, schwarz. Leicht erodiert. – Bs 86 Q208-1162, Bef. 2.1 (Taf. 27).

372 Wandscherbe, fein ritzverziert. Feine Quarzgrusmagerung, geglättet, dunkelbeige. Flächig erodiert. – Bs 86 Q206-1051, Bef. 2 (Taf. 27).

373 Wandscherbe, rillen- und ritzverziert. Feine Quarzgrusmagerung und wenig grober Quarzgrus, sandig, geglättet, dunkelbeige. – Bs 86 Q333-40, Bef. 2.1 (Taf. 27).

374 Schüssel mit abgesetzter Schulter, Wandscherbe. Fein ritzverziert, feine Sandmagerung, geglättet, schwarz. – Bs 83 Q23-1321, Bef. 2.3 (Taf. 27).

375 Wandscherbe, ritzverziert. Feine und mittlere Quarzgrusmagerung, wenig feine organische Magerung, sandig, geglättet, schwarz. – Bs 86 Q332-23, Bef. 2.3 (Taf. 27).

376 Wandscherbe, ritzverziert. Feine Sandmagerung, glimmerhaltig, geglättet, schwarz. – Bs 83 Q23-1335, Bef. 2.3 (Taf. 27).

377 Wandscherbe, rillen- und ritzverziert. Mittlere Sandmagerung, geglättet, beige bis schwarz. – Bs 83 Q23-14/I, Bef. 2.3 (Taf. 27).

378 Wandscherbe, ritz- und rillenverziert. Feine bis grobe Quarz-/Steingrusmagerung, sandig, geglättet, beige bis dunkelbeige. Außen Oberfläche teilweise abgeplatzt. – Bs 86 Q332-3, Bef. 2.1 (Taf. 27).

379 Wandscherbe, ritzverziert. Feine und mittlere Quarzgrusmagerung, geglättet, dunkelbeige. – Bs 84 Q18-1003, Bef. 2.1 (Taf. 27).

380 Wandscherbe, ritzverziert. Feine Quarzgrusmagerung, sandig, geglättet, schwarz. – Bs 82 Q11-39, Bef. 2.2–2.4 (Taf. 27).

381 Wandscherbe, ritzverziert. Mittlere und feine Steingrusmagerung, sandig, geglättet, schwarz. – Bs 83 Q23-1493, Bef. 2.3–2.4 (Taf. 27).

382 Wandscherbe, ritzverziert. Feine Glimmer- und Sandmagerung, geglättet, schwarz. – Bs 83 Q23-1391, Bef. 2.3–2.4 (Taf. 27).

383 Wandscherbe, ritzverziert. Feine Quarzgrus- und Sandmagerung, geglättet, schwarz. – Bs 83 Q23-19, Bef. 2.5–2.6 (Taf. 27).

384 Wandscherbe, rillenverziert, mit Resten weißer Inkrustation. Mittlere Steingrusmagerung, geglättet, schwarz. – Bs 83 Q23-97, Bef. 2.4–2.5 (Taf. 27).

385 Wandscherbe, ritzverziert. Feine Sandmagerung, geglättet, schwarz. – Bs 83 Q23-1547, Bef. 2.3–2.4 (Taf. 27).

386 Wandscherbe, ritzverziert. Mittlere Sand- und Steingrusmagerung, geglättet, schwarz. – Bs 83 Q23-1319, Bef. 2.3 (Taf. 27).

387 Wandscherbe, ritzverziert. Feine, glimmerhaltige Sandmagerung, geglättet schwarz. leicht erodiert. – Bs 83 Q23-1087/I, Bef. 2.3 (Taf. 27).

388 Wandscherbe, ritzverziert. Feine Quarzgrusmagerung, sandig, geglättet, schwarz. – Bs 82 Q12-1005, Bef. 2 (Taf. 27).

389 Wandscherbe, ritzverziert. Mittlere Sand- und Glimmermagerung, vermutlich geglättet, beige. Oberfläche erodiert. – Bs 83 Q23-1071, Bef. 2.4 (Taf. 27).

390 Wandscherbe, ritzverziert. Mittlere Stein- und Quarzgrusmagerung, sandig, geglättet, dunkelbeige. – Bs 86 Q333-2013/II, Bef. 2.1 (Taf. 27).

391 Randscherbe, feine Sand- und Quarzgrusmagerung, geglättet, schwarz. – Bs 83 Q23-1496, Bef. 2.3–2.4 (Taf. 28).

392 Randscherbe. Feine und wenig mittlere Quarzgrusmagerung, wenig feine Schamotte, geglättet, schwarz. – Bs 83 Q23-48, Bef. 2.3 (Taf. 28).

393 Wandscherbe, ritzverziert. Feine Quarzgrusmagerung, sandig, geglättet, schwarz. – Bs 84 Q22-161, Bef. 2 (Taf. 28).

394 Randscherbe. Mittlere Quarzgrusmagerung, geglättet, schwarz. – Bs 83 Q23-132, Bef. 2.3 (Taf. 28).

395 Randscherbe eines weitmundigen Topfes. Feine Quarz-/Glimmermagerung und Schamotte, geglättet, schwarz. – Bs 84 Q16-1001, Bef. 2–4 (Taf. 28).

396 Randscherbe. Wenig feine Quarzgrusmagerung sichtbar, wenig mittlere Steingrusmagerung, geglättet, dunkelbeige. Außen flächig erodiert. – Bs 83 Q23-1053, Bef. 2.3 (Taf. 28).

397 Topf, Randscherbe. Mittlere Stein- und Quarzgrusmagerung, sandig, verstrichen, beige. Außen und innen Krustenreste. – Bs 86 Q332-1132, Bef. 2.1 (Taf. 28).

398 Randscherbe. Feine und mittlere Quarz- und Stein-

grusmagerung, geglättet, beige. – Bs 83 Q23-1012, Bef. 2.2 (Taf. 28).
399 Randscherbe, mittlere Steingrusmagerung, geglättet, beige. – Bs 83 Q23-45, -1034, -1407, -1531, Bef. 2.2–2.4, 2.3 (Taf. 28).
400 Randscherbe. Feine und mittlere Quarzgrusmagerung, geglättet, dunkelbeige. – Bs 86 Q208-1275, Bef. 2.1 (Taf. 28).
401 Randscherbe. Mittlere Quarz- und Steingrusmagerung, geglättet, dunkelbeige. – Bs 83 Q23-1413, Bef. 2.2–2.4 (Taf. 28).
402 Randscherbe, ritzverziert. Mittlere Quarzgrus- und Schamottemagerung, wohl geglättet, schwarz. Flächig erodiert. – Bs 83 Q23-17, Bef. 2.0 (Taf. 28).
403 Kegelhalsgefäß, Randscherbe, ritzverziert. Feine Steingrusmagerung, glimmerhaltig, geglättet, dunkelbeige. – Bs 84 Q28-80, Bef. 2.1 (Taf. 28).
404 Wandscherbe mit abgesetzter Schulter. Mittlere Quarz- und wenig Steingrusmagerung, glimmerhaltig, geglättet, schwarz. – Bs 82 Q10-1, Bef. 2 (Taf. 28).
405 Randscherbe. Mittlere und grobe Quarz- und Steingrusmagerung, sandig, verstrichen, geglättet, dunkelbeige und schwarz. Magerung sichtbar. – Bs 86 Q333-34/I, Bef. 2.1 UK (Taf. 28).
406 Bandhenkelfragment. Feine Quarzgrusmagerung, wenig grober Steingrus, geglättet, schwarz. Erodiert. – Bs 86 Q208-1189, Bef. 2.1 (Taf. 28).
407 Wandscherbe, Umbruch bis Bodenansatz. Mittlere bis grobe Steingrusmagerung, glimmerhaltig, feintonig, geglättet, schwarz. Angewittert. – Bs 84 Q29-64, Bef. 2.1 (Taf. 29).
408 Topf, Wand und Randscherbe. Mittlere Steingrusmagerung, wenig mittlere Schamottemagerung, geglättet, dunkelbeige. – Bs 83 Q23-14/II, Bef. 2.3/2.4 (Taf. 29).
409 Wandscherbe. Feine Quarzgrusmagerung, geglättet, schwarz. – Bs 84 Q28-1056, Bef. 2.5–2.6 (Taf. 29).
410 Wandscherbe. Feine Quarzgrusmagerung, sandig, geglättet, schwarz. – Bs 83 Q23-1279, Bef. 2 (Taf. 29).
411 Doppelkonische Wandscherbe. Grobe Steingrusmagerung, geglättet, dunkelbeige. Außen Rußflecken, leicht erodiert. – Bs 83 Q23-119, Bef. 2.3 (Taf. 29).
412 Randscherbe. Wenig feine Quarzgrus- und organische Magerung sichtbar, sandig, glimmerhaltig, geglättet, dunkelbeige. Flächig leicht erodiert. – Bs 86 Q333-2030, Bef. 2.3 (Taf. 29).
413 Doppelkonische Wandscherbe. Feine und wenig mittlere Quarzgrusmagerung, geglättet, dunkelbeige. – Bs 84 Q28-73, Bef. 2.3 (Taf. 29).
414 Randscherbe. Feine Quarzgrusmagerung, sandig, mittlere organische Magerung, geglättet, dunkelbeige. – Bs 83 Q11-6, Bef. 2.1 (Taf. 29).
415 Krug mit Bandhenkel. Feine und mittlere Quarz- und Steingrusmagerung, geglättet, dunkelbeige. Magerung sichtbar, leicht erodiert. – Bs 83 Q24-1, Bef. 2.1 (Taf. 29).
416 Topf, große Randscherbe. Mittlere und wenig grobe Quarzgrusmagerung, mittlere Schamottemagerung, geglättet, dunkelbeige bis schwarz. – Bs 83 Q24-37, Bef. 2.4 (Taf. 29).
417 Wandscherbe mit Ansatz einer Henkelöse. Mittlere und grobe Quarzgrusmagerung, verstrichen, dunkelbeige. Außen Rußflecken, Magerung sichtbar. – Bs 86 Q333-43, Bef. 2.5 (Taf. 30).
418 Bandhenkelfragment. Feine Quarz-, mittlere Steingrusmagerung und organische Magerung, geglättet, schwarz. – Bs 86 Q332-1190, Bef. 2.4/2.5 (Taf. 30).
419 Wandscherbe mit Henkelöse. Feine Quarzgrusmagerung, sandig, geglättet, schwarz. – Bs 83 Q23-1501, Bef. 2.3–2.4 (Taf. 30).
420 Bandhenkelfragment. Feine Quarzgrusmagerung, sandig, geglättet, dunkelbeige/schwarz. – Bs 86 Q332-1217, Bef. 2.3 (Taf. 30).
421 Bandhenkelfragment. Feine Quarzgrusmagerung, geglättet, dunkelbeige. Flächig erodiert. – Bs 84 Q26-1005, Bef. 2.4 (Taf. 30).
422 Bandhenkel mit Zapfen. Mittlere und wenig grobe Steingrusmagerung, verstrichen, braun bis grau. Leicht erodiert. – Bs 82 Q21-8/I, Bef. 2 (Taf. 30).
423 Randscherbe mit Henkelöse. Feine Quarz- und Steingrusmagerung, geglättet, grau und hellbraun. Flächig erodiert. – Bs 83 Q23-40, Bef. 2.3–2.4 (Taf. 30).
424 Bandhenkelfragment. Mittlere Steingrusmagerung, geglättet, schwarz. – Bs 83 Q23-1348, Bef. 2.3 (Taf. 30).
425 Henkeltopf, Profilscherbe mit Henkelöse, oben eingezapft. Feine Quarzgrusmagerung, wenig mittlere Schamottemagerung sichtbar, geglättet, schwarz. Oberfläche stellenweise abgeplatzt. – Bs 83 Q23-1, -8, -1025, -1111, -1407, Bef. 2.2–2.4, 2–3 (Taf. 30).
426 Topf mit zwei gegenständigen Henkelösen. Mittlere Schamotte- und feine Quarzgrusmagerung, geglättet, beige. Sekundär gebrannt, außen Rußreste und grau gefleckt. – Bs 83 Q23-1010, -1102, Bef. 2.2 (Taf. 30).
427 Topf, Rand-, Wand-, und Bodenscherben mit Standringboden. Mittlere Quarzgrusmagerung, wenig grober Steingrus, geglättet, beige. Braun gefleckt. – Bs 83 Q22-13, -60, -125, -157, -164, 23-1369, Bef. 2.1, 2.5–2.6 (Taf. 30).
428 Wandscherbe mit Henkelöse. Feine und mittlere Quarzgrusmagerung, sandig, wenig feiner Steingrus, geglättet, schwarz. – Bs 86 Q206-1060, Bef. 2.1 (Taf. 30).
429 Randscherbe. Feine und mittlere Stein- und Quarzgrusmagerung, geglättet, schwarz. – Bs 86 Q333-2047, Bef. 2.3 (Taf. 31).
430 Bauchiges Gefäß, Randscherbe mit eingezapfter Knubbe. Feine Quarzgrusmagerung mit wenig mittlerem Schamotte, geglättet, stellenweise verstrichen, beige bis dunkelbraun. Innen dicke Krustenreste. – Bs 86 Q332-18, Bef. 2.3 (Taf. 31).
431 Randscherbe. Feine Quarzgrusmagerung, sandig, wenig mittlere organische Magerung, glimmerhaltig, geglättet, dunkelbeige. – Bs 86 Q333-19, Bef. 2.1 (Taf. 31).
432 Randscherbe. Grobe Steingrusmagerung, verstrichen, braun bis beige.–Bs 83 Q23-1494, -1498, Bef. 2.3–2.4 (Taf. 31).
433 Randscherbe. Mittlere Quarzgrusmagerung, sandig, geglättet, dunkelbeige. – Bs 83 Q23-1387/I, Bef. 2.2–2.4 (Taf. 31).
434 Randscherbe. Feine Quarzgrusmagerung, wenig mittlere Schamotte- und organische Magerung, geglättet, schwarz. – Bs 86 Q333-16, Bef. 2.1 (Taf. 31).
435 Randscherbe. Grobe Steingrusmagerung, verstrichen, hellbeige. – Bs 83 Q23-1302, Bef. 2.3 (Taf. 31).
436 Randscherben. Feine Quarzgrusmagerung, sandig, mit wenig mittlerer organischer Magerung, geglättet, schwarz. Außen Glättspuren. – Bs 86 Q333-18, dazu -1003 (nicht anpassend), Bef. 2.1 (Taf. 31).
437 Randscherbe. Feine Sandmagerung, grau. Flächig stark erodiert. – Bs 82 Q12-1020, Bef. 2 (Taf. 31).
438 Randscherbe. Grobe Steingrusmagerung, geglättet, schwarz. Glättspuren sichtbar. – Bs 83 Q23-1036, Bef. 2.3 (Taf. 31).
439 Randscherbe eines bauchigen Topfes. Mittlere und

grobe Quarz- und Steingrusmagerung, glimmerhaltig, geglättet, schwarz. Glättspuren und Magerung sichtbar. – Bs 86 Q333-34/II, Bef. 2.1 UK (Taf. 31).
440 Randscherbe. Feine Sandmagerung, geglättet, dunkelbeige. Flächig erodiert. – Bs 83 Q22-1016, Bef. 2.1 (Taf. 31).
441a Bandhenkelfragment. Mittlere Steingrusmagerung, glimmerhaltig, geglättet, beige. – Bs 83 Q23-1103, Bef. 2.3 (Taf. 31).
441b Bandhenkelfragment, breit. Mittlere Quarzgrus- und wenig grobe Schamottemagerung, geglättet, schwarz. – Bs 83 Q23-125, Bef. 2–3 (Taf. 31).
442 Randscherben eines Topfes mit leicht gekehlter Schulter und zwei erhaltenen Knubben (vermutlich waren ehemals vier Knubben gegenständig am Gefäß angebracht). Feine Quarzgrusmagerung, sandig, glimmerhaltig, wenig mittlere Schamotte- und feine organische Magerung, geglättet, schwarz. Oberfläche innen abgeplatzt, Glättspuren. – Bs 86 Q333-2018, Bef. 2.3 (Taf. 31).
443 Henkelösenfragment. Mittlere Quarzgrusmagerung, geglättet, schwarz. – Bs 83 Q23-1122, Bef. 2.2 (Taf. 31).
444 Trichtertopf, Randscherbe. Grobe Stein- und Quarzgrusmagerung, geglättet, dunkelbeige bis schwarz. Lappentechnik, Glättspuren horizontal und vertikal. – Bs 83 Q11-33, Bef. 2.2–2.4 (Taf. 31).
445 Bandhenkelfragment. Mittlere Quarzgrusmagerung, geglättet, schwarz. – Bs 83 Q22-73, Bef. 2.1 (Taf. 31).
446 Trichterrandgefäß, Randscherbe, ritzverziert. Feine Quarzgrusmagerung, geglättet, schwarz. – Bs 83 Q22-90, Bef. 2.1 (Taf. 32).
447 Randscherbe. Feine, sandige Quarzgrusmagerung, glimmerhaltig, geglättet, schwarz. Rand vertikal abgestrichen. – Bs 83 Q23-1388, Bef. 2.2–2.4 (Taf. 32).
448 Randscherbe. Wenig feine Quarzgrusmagerung sichtbar, etwas feiner Glimmer, geglättet, schwarz. Leicht erodiert. – Bs 84 Q18-6/II, Bef. 2.4 (Taf. 32).
449 Randscherbe. Feine Quarzgrusmagerung, sandig, wenig sichtbar, geglättet (?), hellbeige. Flächig erodiert. – Bs 83 Q24-1012, Bef. 2.2 (Taf. 32).
450 Randscherbe. Mittlere Quarz- und Steingrusmagerung, geglättet, beige. – Bs 86 Q333-1993, Bef. 2.1–2.4 (Taf. 32).
451 Randscherbe. Mittlere und grobe Steingrusmagerung, geglättet, dunkelbeige. Oberfläche abgeplatzt. – Bs 83 Q22-78, Bef. 2.1 (Taf. 32).
452 Randscherben. Feine Quarzgrusmagerung, sandig, glimmerhaltig, geglättet, schwarz. – Bs 86 Q333-1936/1992, Bef. 2.0, 2.1/2.4 (Taf. 32).
453 Randscherbe. Mittlere Quarzgrus- und Schamottemagerung, geglättet, dunkelbeige. – Bs 83 Q22-41, Bef. 2.1 (Taf. 32).
454 Randscherbe. Feine, wenig mittlere Steingrusmagerung, geglättet, schwarz. Rand horizontal abgestrichen. – Bs 83 Q22-1067, Bef. 2.1 (Taf. 32).
455 Randscherben. Feine Quarzgrus-, wenig Schamotte- und grobe Steingrusmagerung, verstrichen, beige. – Bs 83 Q22-13, -1150, Bef. 2.1 (Taf. 32).
456 Randscherbe. Grobe Steingrusmagerung, geglättet, schwarz. Glättspuren sichtbar. – Bs 83 Q23-1036, Bef. 2.3 (Taf. 32).
457 Randscherben. Mittlere Steingrusmagerung, geglättet, dunkelbeige bis schwarz. Außen Oberfläche abgeplatzt. – Bs 83 Q23-1088, -1117, Bef. 2.3, 2.4 (Taf. 32).
458 Große Randscherbe eines Topfes. Mittlere und grobe Steingrusmagerung, schlickgeraut, hellbeige bis braun. Außen Rußflecken, Krustenreste. – Bs 83 Q23-4, Bef. 2.4 (Taf. 32).
459 Flachboden. Feine und mittlere Quarzgrus- und grobe Steingrusmagerung, verstrichen, hellbeige. Außen flächig erodiert, innen Kruste. – Bs 86 Q333-38, -104, Bef. 2.1 (Taf. 33).
460 Wandscherbe mit herausmodellierter Fingertupfenleiste. Mittlere und grobe Quarz- und Steingrusmagerung, hellbeige. Flächig erodiert, äußere Oberfläche erhalten. – Bs 86 Q333-2013/III, Bef. 2.1 (Taf. 33).
461 Wandscherbe mit aufgesetzter Fingertupfenleiste. Mittlere und grobe Stein- und Quarzgrusmagerung, sandig, verstrichen, hellbeige. – Bs 86 Q332-1120, Bef. 2.2 (Taf. 33).
462 Flachboden, Bodenscherbe. Feine Quarzgrus- und organische Magerung, geglättet, schwarz. Leicht erodiert. – Bs 86 Q333-1069, Bef. 2.1 (Taf. 33).
463 Wandscherbe mit grober Fingertupfenleiste. Grobe Steingrusmagerung, verstrichen, beige. – Bs 83 Q23-1085, Bef. 2.4 (Taf. 33).
464 Wandscherbe mit aufgesetzter Fingertupfenleiste. Mittlere und grobe Quarzgrusmagerung, verstrichen, beige. – Bs 83 Q23-1014, Bef. 2.2 (Taf. 33).
465 Wandscherbe mit aufgesetzter Fingertupfenleiste. Mittlere Stein- und Quarzgrusmagerung, geglättet, beige. – Bs 83 Q23-1061, Bef. 2.2 (Taf. 33).
466 Flachboden Bodenscherbe. Mittlerer und grober Steingrus und grobe Schamottemagerung, verstrichen, beige. – Bs 86 Q332-1014, Bef. 2.3 (Taf. 33).
467 Wandscherbe mit Bodenansatzwulst. Feine Sandmagerung, geglättet, schwarz. Boden an der Wulstgrenze abgeplatzt, eingesetzter Boden. – Bs 83 Q23-1393, Bef. 2.2–2.4 (Taf. 33).
468 Wandscherbe mit aufgesetzter Fingertupfenleiste. Mittlere Quarzgrusmagerung mit wenig mittlerer Schamotte, verstrichen, beige. – Bs 83 Q23-67/II, Bef. 2.2–2.5 (Taf. 33).
469 Wandscherbe mit grober aufgesetzter Fingertupfenleiste. Mittlere und wenig grobe Steingrusmagerung, verstrichen, grau. Erodiert. – Bs 83 Q20-56, Bef. 2 UK (Taf. 33).
470 Flachboden, leicht konvex gewölbt, Bodenscherben. Feine und mittlere Quarzgrusmagerung, sandig, wenig grober Steingrus, geglättet, dunkelbeige. – Bs 86 Q333-2033/I, Bef. 2.3 (Taf. 33).
471a Bodenscherbe. Grobe Steingrusmagerung, verstrichen, beige, Boden eingesetzt. – Bs 83 Q23-55, Bef. 2.2 (Taf. 33).
471b Bodenscherbe. Grobe Quarz- und Steingrusmagerung mit Schamotte, schlickgeraut, beige. Magerung sichtbar. – Bs 86 Q206-1052, Bef. 2 (Taf. 33).
472 Flachboden. Feine Quarzgrusmagerung, wenig mittlerer Quarzgrus und organische Magerung, verstrichen, dunkelbeige. Boden unbehandelt, außen Rußflecken, wenig Oberfläche abgeplatzt. – Bs 86 Q332-27/I, Bef. 2.3 (Taf. 33).
473 Flachboden. Grobe Steingrusmagerung mit etwas grober Schamotte, verstrichen, beige. Boden unbehandelt. – Bs 83 Q23-1047, Bef. 2.2 (Taf. 33).
474 Flachboden. Mittlere Quarzgrus- und Schamottemagerung, sandig, geglättet, beige. Bodenunterseite porös, unbehandelt, innen deutliche Verstrichspuren. – Bs 83 Q23-26, Bef. 2.4 (Taf. 33).
475 Flachboden. Mittlere und grobe Quarzgrusmagerung, verstrichen, beige bis grau. Sekundär gebrannt, etwas angewittert. – Bs 83 Q23-1048, Bef. 2.2–2.4 (Taf. 33).
476 Flachboden mit Wandansatz. Grobe Steingrusmagerung, grau, flächig erodiert, kalkversintert. – Bs 82 Q12-48, Bef. 2.3 (Taf. 33).

477 Bodenscherbe. Grobe Steingrusmagerung, verstrichen, beige. Boden eingesetzt. – Bs 83 Q23-1013, Bef. 2.2 (Taf. 33).
478 Flachboden, abgesetzt, Bodenscherbe. Grobe, glimmerige Steingrusmagerung, dunkelbeige. – Bs 83 Q24-1008, Bef. 2 (Taf. 33).
479 Flachboden, Bodenscherbe. Grobe Stein- und Quarzgrusmagerung, grobe Schamotte und vereinzelt organische Magerung (Reste eines Getreidekorns mit Spelzen), schlickgeraut, beige. Boden unbehandelt. – Bs 83 Q13-1003, Bef. 2.1 (Taf. 33).
480 Flachboden. Mittlere und grobe Stein- und Quarzgrusmagerung, verstrichen, beige. – Bs 86 Q333-2021, Bef. 2.3 (Taf. 33).
481 Wandscherbe mit aufgesetzter Fingertupfenleiste und darin integrierter Knubbe. Wenig mittlere und grobe Quarzgrusmagerung sichtbar, sandig, beige. Flächig erodiert. – Bs 86 Q208-1116, Bef. 2.1 (Taf. 33).
482 Wandscherbe, mit Fingertupfenverzierung und darin integrierter Knubbe. Mittlere und grobe Quarzgrusmagerung, verstrichen, beige bis braun. – Bs 83 Q22-91, Bef. 2.1 (Taf. 33).
483 Flachboden. Grobe Steingrusmagerung und etwas mittlerer Schamotte, verstrichen, beige. Außen Rußflecken, innen etwas Krustenreste. – Bs 83 Q23-1044, Bef. 2.2–2.4 (Taf. 33).
484 Flachboden. Feine und mittlere Quarzgrusmagerung, geglättet, schwarz. – Bs 83 Q23-5, Bef. 2.4 (Taf. 33).
485 Flachboden mit Gefäßwand, zwei Bodenscherben. Grobe Stein-/Quarzgrusmagerung, sandig, pastose Schlickrauung, vertikal und schräg verstrichen, hellbeige bis braun. Boden unbehandelt, sekundär gebrannt. – Bs 83 Q23-117, Bef. 2 (Taf. 33).
486 Flachboden. Feine Quarzgrusmagerung, sandig mit wenig feiner organischer Magerung, glimmerhaltig, geglättet, dunkelbeige. Boden unbehandelt. – Bs 86 Q333-2041, Bef. 2.3 (Taf. 33).
487 Flachboden. Grobe Quarz- und Steingrusmagerung, verstrichen, beige. Außen Seekreidereste, angewittert, Boden unbehandelt. – Bs 83 Q22-173, Bef. 2 UK (Taf. 33).
488 Wandscherbe mit Bodenansatz. Mittlere Steingrusmagerung, schlickgeraut, beige. Leicht erodiert. – Bs 83 Q23-1331, Bef. 2.3 (Taf. 33).
489 Wandscherbe mit Bodenansatz. Mittlere und grobe Steingrusmagerung, verstrichen, beige. – Bs 83 Q23-1528, -1541, Bef. 2.4 (Taf. 34).
490 Randscherbe mit aufgesetzter Fingertupfenleiste. Mittlere und grobe Quarzgrusmagerung mit wenig mittlerer organischer Magerung, verstrichen, beige. Außen Oberfläche stellenweise abgeplatzt, wenig Rußspuren. – Bs 86 Q208-1181, -1184, Bef. 2.1 (Taf. 34).
491 Flachboden. Grobe Quarzgrusmagerung, verstrichen, hellbraun bis beige. Außen flächig angewittert, Rußflecken, Tonlappengrenze an der Wandscherbe erkennbar. – Bs 83 Q22-111, Bef. 2.2 (Taf. 34).
492 Randscherbe mit aufgesetzter Fingertupfenleiste. Mittlere und grobe Steingrusmagerung, stellenweise schlickgeraut und verstrichen, hellbeige. Innen Kruste. – Bs 83 Q22-83, Bef. 2.1 OK (Taf. 34).
493 Flachboden. Feine Quarzgrusmagerung, sandig, verstrichen, beige. – Bs 83 Q23-1099/I, Bef. 2.3 (Taf. 34).
494 Flachboden mit Omphalos. Mittlere Steingrusmagerung, etwas Sand, geglättet, schwarz. Leicht erodiert. – Bs 82 Q12-1043, Bef. 2 (Taf. 34).

495 Flachboden. Feine und mittlere Quarzgrusmagerung, sandig, wenig feine organische Magerung und Schamotte, geglättet, schwarz. Boden unbehandelt, sekundär gebrannt. – Bs 83 Q13-14, Bef. 2 (Taf. 34).
496 Flachboden. Grobe Quarzgrusmagerung, sandig, verstrichen, beige. Hell gefleckt, außen Rußfleck. – Bs 83 Q23-1099/II, Bef. 2.3 (Taf. 34).
497 Flachboden. Feine Quarzgrusmagerung, wenig grober Steingrus, geglättet, dunkelbeige. – Bs 83 Q13-1011/I, Bef. 2.1–2.4 (Taf. 34).
498 Wandscherbe mit aufgesetzter Fingertupfenleiste. Grobe Quarzgrusmagerung, unter der Leiste schlickgeraut, über der Leiste verstrichen, dunkelbeige. Außen Ruß- und Überlaufflecken. – Bs 83 Q23-1095, Bef. 2.3 (Taf. 34).
499 Flachboden. Feine, sandige Quarzgrusmagerung wenig sichtbar, geglättet, schwarz bis dunkelbeige. Dunkelschwarz gefleckt. – Bs 83 Q23-95, Bef. 2.4/2.5 (Taf. 34).
500 Flachboden. Feine Quarzgrusmagerung, sandig, wenig feine organische Magerung, geglättet, beige. Boden unbehandelt, sekundär gebrannt, innen Krustenreste. – Bs 86 Q332-4, Bef. 2.2 (Taf. 34).
501 Wandscherbe mit Bodenansatz. Feine Quarzgrusmagerung, sandig, wenig mittlerer Schamotte, geglättet, beige. Außen flächig erodiert. – Bs 86 Q333-1087, Bef. 2.2/2.4 (Taf. 34).
502 Wandscherbe mit aufgesetzter Fingertupfenleiste. Grobe Steingrusmagerung, pastos schlickgeraut, beige. – Bs 84 Q18-22, -26, Bef. 2.1, 2.2 (Taf. 34).
503 Wandscherbe mit Bodenansatz. Feine Quarzgrusmagerung, geglättet, dunkelbeige. – Bs 83 Q23-1432, Bef. 2.5–2.6 (Taf. 34).
504 Boden-/Wandscherbe. Feine, sandige Quarzgrusmagerung, geglättet, beige bis schwarz. – Bs 83 Q23-26, -1337, Bef. 2.3 (Taf. 34).
505 Boden-/Wandscherbe. Feine Quarzgrusmagerung, sandig, verstrichen, beige. – Bs 83 Q23-1046, Bef. 2.3 (Taf. 35).
506 Wandscherbe mit aufgesetzter Fingertupfenleiste. Grobe Quarzgrusmagerung, verstrichen, beige. – Bs 83 Q22-25, Bef. 2.1 (Taf. 35).
507 Wandscherbe mit aufgesetzter Fingertupfenleiste. Mittlere und grobe Quarzgrusmagerung, verstrichen, beige. – Bs 83 Q23-67/I, Bef. 2.4–2.5 (Taf. 35).
508 Boden-/Wandscherbe. Feine Quarzgrusmagerung, geglättet, dunkelbeige bis schwarz. – Bs 83 Q20-55, Bef. 2 (Taf. 35).
509 Wandscherbe mit aufgesetzter Fingertupfenleiste, mittlere Stein- und Quarzgrusmagerung, verstrichen, beige. – Bs 83 Q23-1118, Bef. 2.3 (Taf. 35).
510 Wandscherbe mit aufgesetzter Fingertupfenleiste. Mittlere und grobe Quarzgrusmagerung, geglättet, beige. – Bs 83 Q13-1020, Bef. 2.5 (Taf. 35).
511 Wandscherbe mit aufgesetzter, grober Fingertupfenleiste. Mittlere Stein- und Quarzgrusmagerung, verstrichen, beige. – Bs 86 Q333-1035, Bef. 2.1 (Taf. 35).
512 Wandscherbe mit Bodenansatz. Mittlere Quarzgrus- und grobe Steingrusmagerung, verstrichen, dunkelbeige. Außen rußgeschwärzt, Magerung sichtbar. – Bs 83 Q22-139, Bef. 2.1 (Taf. 35).
513 Boden-/Wandscherbe. Feine und mittlere Quarzgrusmagerung, sandig, geglättet, beige bis schwarz. Sekundär gebrannt, leicht erodiert, außen Ruß. – Bs 86 Q333-2031, Bef. 2.3 (Taf. 35).
514 Boden-/Wandscherbe. Mittlere Steingrusmagerung, glimmerhaltig, sandig, verstrichen, braun und beige. Boden

erodiert, Kruste innen. – Bs 82 Q12-1026, -1032, Bef. 2 (Taf. 35).
515 Boden-/Wandscherbe. Wenig sichtbare feine Sandmagerung, sehr fein geglättet, schwarz. Innen Oberfläche abgeplatzt. – Bs 84 Q29-6, Bef. 2.1 (Taf. 35).
516 Flachboden. Feine Quarzgrusmagerung, sandig, verstrichen, beige. Bodenunterseite mit Abdrücken. – Bs 83 Q23-1043, Bef. 2.3 (Taf. 35).
517 Wandscherbe mit aufgesetzter Fingertupfenleiste. Sandmagerung, wenig mittlerer Steingrus sichtbar, verstrichen, dunkelbeige. Leicht erodiert. – Bs 86 Q208-18, Bef. 2.1 (Taf. 35).
518 Wandscherbe mit herausmodellierter, flacher Fingertupfenleiste. Grobe Steingrusmagerung, wenig mittlerer Schamotte, schlickgeraut, dunkelbeige. Außen Überlaufflecken. – Bs 82 Q11-1031, Bef. 2.3 (Taf. 35).
519 Wandscherbe mit Fingertupfenleistenrest. Grobe Steingrusmagerung, verstrichen, beige bis schwarz. – Bs 83 Q24-1014, Bef. 2.1–2.2 (Taf. 35).
520 Boden-/Wandscherbe. Mittlere und grobe Steingrusmagerung, verstrichen, hellbeige und beige. Sekundär gebrannt, außen leicht erodiert, innen etwas Seekreide anhaftend. – Bs 86 Q333-1983, Bef. 2.0 (Taf. 35).
521 Wandscherbe mit aufgesetzter Fingertupfenleiste. Grobe Quarz- und Steingrusmagerung, verstrichen, beige bis braun. Innen Kruste, leicht erodiert. – Bs 86 Q208-1207, Bef. 2.1 (Taf. 35).
522 Wandscherbe mit aufgesetzter Fingertupfenleiste. Grobe und mittlere Quarzgrusmagerung, sandig, glimmerhaltig, verstrichen, hellbeige. – Bs 86 Q332-1173, Bef. 2.3 (Taf. 35).
523 Wandscherbe mit herausmodellierter Fingertupfenleiste. Mittlere und grobe Stein und Quarzgrusmagerung, schlickgeraut und verstrichen, beige bis grau. Sekundär gebrannt, leicht erodiert. – Bs 86 Q333-1971, Bef. 2.1 (Taf. 35).
524 Wandscherben mit Bodenansatz. Mittlere Quarz- und Steingrusmagerung, verstrichen, beige. – Bs 83 Q23-1098, Bef. 2.3 (Taf. 35).
525 Bodenscherbe. Wenig sichtbare feine Quarzgrusmagerung, geglättet, beige. Krustenreste. – Bs 83 Q20-53, Bef. 2 (Taf. 35).
526 Bodenscherbe. Grobe Steingrusmagerung, sandig, verstrichen, beige bis braun. – Bs 83 Q23-115, Bef. 2.3 (Taf. 35).
527 Wandscherben. Grobe Quarz- und Steingrusmagerung, schlickgeraut, beige bis dunkelbraun. – Bs 83 Q23-1370, -1371, -1444, Bef. 2.5/2.6, 2.3, 2.5/2.6 (Taf. 36).
528a Randscherbe. Mittlere Steingrusmagerung, geglättet, beige. – Bs 86 Q332-1282, Bef. 2.2 (Taf. 36).
528b Randscherbe. Mittlere Quarzgrusmagerung, geglättet, dunkelbeige. – Bs 83 Q23-1110/II, Bef. 2.3 (Taf. 36).
528c Randscherbe. Mittlere und grobe Quarzgrusmagerung, verstrichen, beige. – Bs 83 Q23-1089, Bef. 2.4 (Taf. 36).
528d Randscherbe, mit Fingertupfen verziert. Feine und wenig mittlere Steingrusmagerung, geglättet, beige. – Bs 83 Q22-101, Bef. 2.1 (Taf. 36).
529a Randscherbe. Mittlere und grobe Quarz- und Steingrusmagerung, verstrichen, beige. – Bs 82 Q21-24, Bef. 2 (Taf. 36).
529b Randscherbe. Mittlere und grobe Quarzgrusmagerung, verstrichen, beige. – Bs 82 Q21-1037/II, Bef. 2 (Taf. 36).
529c Randscherbe. Mittlere Quarzgrusmagerung, geglättet, schwarz. – Bs 86 Q332-1192, Bef. 2 (Taf. 36).
529d Randscherbe. Wenig feine Quarzgrusmagerung, geglättet, schwarz. – Bs 82 Q21-1049, Bef. 2 (Taf. 36).

530 Randscherbe mit aufgesetzter Fingertupfenleiste. Verstrichen, beige. Leicht erodiert. – Bs 86 Q333-1, Bef. 2.0 (Taf. 36).
531 Wandscherbe mit aufgesetzter Fingertupfenleiste. Grobe Steingrusmagerung, geglättet, schwarz. Krustenreste. – Bs 83 Q23-94, Bef. 2 (Taf. 36).
532 Wandscherbe mit herausmodellierter Fingertupfenleiste. Mittlere Quarzgrusmagerung, geglättet, beige. – Bs 83 Q23-89, -1563, Bef. 2.4 (Taf. 36).
533 Wandscherbe mit herausmodellierter Tupfenleiste. Feine Sandmagerung, wenig Quarzgrus und organische Magerung sichtbar, geglättet, beige. Flächig erodiert. – Bs 86 Q208-1053, Bef. 2.2/2.3 (Taf. 36).
534 Wandscherbe mit aufgesetzter Fingertupfenleiste. Wenig feine Quarzgrusmagerung und organische Magerung, sandig, geglättet, hellbeige. Außen leicht erodiert. – Bs 86 Q332-1271, Bef. 2.1/2.2 (Taf. 36).
535 Wandscherbe mit aufgesetzter Fingertupfenleiste. Grobe Steingrusmagerung, grau. Flächig erodiert. – Bs 83 Q20-50, Bef. 2.1 (Taf. 36).
536a Randscherbe. Grobe Steingrusmagerung, verstrichen, beige. Außen Rußflecken. – Bs 83 Q11-83, Bef. 2 (Taf. 36).
536b Randscherbe. Feine bis grobe Quarz- und Steingrusmagerung, geglättet, dunkelbeige. – Bs 86 Q332-1080, Bef. 2.3 (Taf. 36).
536c Randscherbe. Grobe Quarzgrusmagerung, sandig, verstrichen, beige. Außen Rußflecken, Magerung sichtbar. – Bs 86 Q208-1203, Bef. 2.1 (Taf. 36).
536d Randscherbe. Mittlere und grobe Steingrusmagerung, verstrichen, schwarzbraun. – Bs 82 Q21-1039, Bef. 2 (Taf. 36).
536e Randscherbe. Mittlere und etwas grobe Steingrusmagerung, verstrichen, dunkelbeige bis schwarz. – Bs 83 Q22-124, Bef. 2.1 (Taf. 36).
537a Randscherbe. Grobe Steingrusmagerung, schlickgeraut, beige. Außen flächig dicke Überlaufflecken. – Bs 83 Q11-1051, Bef. 2.5 (Taf. 36).
537b Randscherbe. Mittlere und grobe Steingrusmagerung, wenig mittlere Schamotte, verstrichen, beige bis braun. – Bs 83 Q23-42, Bef. 2.2–2.4 (Taf. 36).
537c Randscherbe. Mittlere Quarzgrusmagerung, geglättet, beige bis schwarz. – Bs 83 Q23-1385, Bef. 2.3–2.4 (Taf. 36).
537d Randscherbe. Mittlere Quarzgrusmagerung, geglättet, dunkelbeige. – Bs 83 Q23-1116, Bef. 2.3 (Taf. 36).
537e Randscherbe. Grobe Steingrusmagerung, verstrichen, hellbeige. Sekundärer Brand. – Bs 82 Q21-1037/I, Bef. 2.3 (Taf. 36).
537f Randscherbe. Feine Quarz- und grobe Steingrusmagerung, schlickgeraut, beige. Außen rußschwarz und Kruste. – Bs 86 Q332-7, Bef. 2.3 (Taf. 36).
538 Wandscherbe mit herausmodellierter Fingertupfenleiste. Wenig feine Quarzgrusmagerung, geglättet, beige. – Bs 86 Q333-1086, Bef. 2.4 (Taf. 36).
539 Randscherbe, ritzverziert. Feine und mittlere Quarzgrusmagerung, geglättet, dunkelbeige bis schwarz. – Bs 86 Q332-1160, Bef. 2.3 (Taf. 36).
540 Randscherbe mit Fingertupfen auf dem Rand. Feine und mittlere Quarz- und Steingrusmagerung, verstrichen, beige. – Bs 83 Q23-1336, Bef. 2.4 (Taf. 36).
541 Wandscherbe mit flächigen, z. T. schräg gedrückten Fingereindrücken. Mittlere und grobe Steingrusmagerung, geglättet, braun bis beige. Schwarz gefleckt. – Bs 83 Q24-1039, Bef. 2.2 (Taf. 36).

542 Wandscherbe mit kreisrunder Vertiefung. Feine Quarzgrusmagerung, geglättet, dunkelbeige. – Bs 84 Q28-1024, Bef. 2.1 (Taf. 36).
543 Randscherbe mit herausmodellierter Tupfenleiste. Mittlere und grobe organische Magerung, verstrichen, beige. Magerung sichtbar. – Bs 86 Q208-1249, Bef. 2.4 (Taf. 36).
544 Randscherbe, fingernagelgekerbt und gezipfelt. Feine und mittlere Quarzgrusmagerung, geglättet, dunkelbeige. – Bs 83 Q23-105, -1105, Bef. 2.2 (Taf. 36).
545 Wandscherbe mit aufgesetzter Fingertupfenleiste und darin integrierter Knubbe. Mittlere Steingrusmagerung, verstrichen, beige. Außen Überlaufreste. – Bs 84 Q28-1045, Bef. 2.1–2.3 (Taf. 36).
546 Wandscherbe mit aufgesetzter Knubbe. Feine und mittlere Quarzgrusmagerung mit wenig feiner organischer Magerung, geglättet, dunkelbeige. – Bs 83 Q23-71, Bef. 2.4–2.5 (Taf. 36).
547 Knubbe. Feine Quarzgrusmagerung, sandig, beige. Flächig erodiert. – Bs 86 Q332-1189, Bef. 2.4/2.5 (Taf. 36).
548 Wandscherbe mit aufgesetzter Fingertupfenleiste. Mittlere Steingrusmagerung, geglättet, dunkelbeige. – Bs 83 Q23-1300, Bef. 2.3 (Taf. 36).
549 Wandscherbe, rillenverziert. Mittlere Steingrus- und wenig grobe Quarzgrusmagerung und organische Magerung, sandig, glimmerhaltig, geglättet, schwarz. – Bs 86 Q332-1202, Bef. 2.3 (Taf. 36).
550 Wandscherbe, rillenverziert. Mittlere und grobe Steingrusmagerung, dunkelbeige. Innen Kruste, Oberfläche abgeplatzt. – Bs 83 Q23-1059/1, Bef. 2.2 (Taf. 36).
551 Randscherbe mit Henkelansatz. Mittlere und grobe Steingrus- und Schamottemagerung, geglättet, schwarz. – Bs 83 Q23-124, Bef. 2.3 (Taf. 36).
552 Wandscherbe, ritzverziert. Feine Quarzgrusmagerung, sandig, wenig grobe Schamotte und mittlerer Quarzgrus, geglättet, schwarz. – Bs 83 Q23-1318, Bef. 2.3 (Taf. 36).
553 Wandscherbe, ritzverziert, mit Resten weißer Inkrustation. Feine, wenig sichtbare Sandmagerung, glimmerhaltig, geglättet, dunkelbeige bis schwarz. – Bs 84 Q29-1027, Bef. 2.1 (Taf. 36).
554 Bandhenkelfragment. Feine Quarzgrusmagerung, geglättet, dunkelbeige. Leicht erodiert. – Bs 83 Q23-129, Bef. 2.3 (Taf. 36).
555 Bandhenkelfragment. Feine Quarzgrusmagerung, geglättet, dunkelbeige bis schwarz. – Bs 83 Q23-1075, Bef. 2.4 (Taf. 36).
556 Bandhenkelfragment, flach. Feine Quarzgrusmagerung, dazu wenig grober und mittlerer Quarzgrus, sandig, geglättet, schwarz. – Bs 83 Q23-109, Bef. 2.3 (Taf. 36).
557 Randscherbe mit Henkelansatz. Grobe Steingrusmagerung, verstrichen, grau. Außen Rußflecken, sekundär gebrannt. – Bs 82 Q21-35, Bef. 2 (Taf. 36).
558 Topf, fingertupfenverziert. Feine Sandmagerung, wenig feiner Quarzgrus sichtbar, verstrichen, dunkelbeige. Außen Rußfleck, innen Krustenrest. – Bs 86 Q205-1001, Bef. 2.0 (Taf. 37).
559 Kleiner Topf, Randscherbe, fingertupfenverziert. Sandmagerung, glimmerhaltig, geglättet, beige bis grau. Flächig erodiert. – Bs 83 Q11-46, Bef. 2.5 (Taf. 37).
560 Wandscherben, fingertupfenverziert. Grobe Steingrusmagerung, geglättet, beige bis hellbeige. Außen Rußflecken. – Bs 83 Q22- 88, -1015, -1019, -1093, -1099, -1138, Bef. 2.1 (Taf. 37).
561 Randscherbe bis zum Bauchumbruch, fingertupfenverziert. Feine, sandige Quarzgrusmagerung, glimmerhaltig, geglättet, hellbeige bis grau. Flächig erodiert, sekundär gebrannt. – Bs 83 Q22-15, Bef. 2.1 (Taf. 37).
562 Randscherbe eines Topfes, fingertupfenverziert. Mittlere und wenig grobe Quarzgrusmagerung, glimmerhaltig, geglättet, beige. – Bs 84 Q28-132, Bef. 1.3–2.0 (Taf. 37).
563 Wandscherbe, fingertupfenverziert. Mittlere Quarzgrusmagerung, geglättet, beige. – Bs 83 Q23-1059/II, Bef. 2.2–2.4 (Taf. 37).
564 Randscherbe eines Topfes, fingertupfenverziert. Feine Quarzgrusmagerung, sandig, geglättet, stellenweise verstrichen, dunkelbeige. – Bs 83 Q22-86, Bef. 2.1 (Taf. 37).
565 Topf, Rand- und Wandscherbe, fingertupfenverziert. Fein steingrusgemagert, verstrichen, dunkelbeige. Außen Rußflecken. – Bs 82 Q21-1097, -1106, Bef. 2 (Taf. 37).
566 Randscherbe eines Topfes, fingertupfenverziert. Grobe Steingrusmagerung, verstrichen, dunkelbeige bis braun. Außen Rußflecken. – Bs 83 Q22-1133, Bef. 2.1 (Taf. 37).
567 Randscherbe, fingertupfenverziert. Grobe Steingrusmagerung, verstrichen, braun. Außen Überlaufflecken. – Bs 83 Q22-163, Bef. 2 (Taf. 37).
568 Rand- und Wandscherbe eines Topfes mit Fingertupfenzier. Grobe Steingrusmagerung, sandig, verstrichen, beige. Außen Überlaufflecken, innen Krustenreste, etwas Kalksinter. – Bs 83 Q23-1479, -1495, -1504, -1511, Bef. 2.3–2.4 (Taf. 37).
569 Wandscherbe, fingertupfenverziert. Grobe Stein-/Quarzgrusmagerung, über den Fingertupfen geglättet, stellenweise verstrichen, darunter schlickgeraut, dunkelbeige. – Bs 83 Q22-117, Bef. 2.1 (Taf. 37).
570 Rand- und Wandscherbe eines fingertupfenverzierten Topfes. Grobe Quarzgrusmagerung, glimmerhaltig, schlickgeraut, beige bis braun. – Bs 86 Q332-22, 333-2003, Bef. 2.1 (Taf. 38).
571 Wandscherbe eines Topfes mit Fingertupfenzier und darin integrierter Knubbe. Feine Quarzgrusmagerung, sandig, glimmerhaltig, verstrichen, unter der Leiste schlickgeraut, beige. Außen Rußflecken, innen Krustenreste. – Bs 86 Q332-15, Bef. 2.2 (Taf. 38).
572a Randscherbe. Mittlere Quarz- und Steingrusmagerung, verstrichen, beige. – Bs 84 Q27-1417, Bef. 2.2–2.4 (Taf. 38).
572b Randscherbe. Mittlere und grobe Quarzgrusmagerung, glimmerhaltig, verstrichen, beige. Kruste. – Bs 86 Q333-1201, Bef. 2.2–2.4 (Taf. 38).
572c Randscherbe. Mittlere bis grobe Steingrusmagerung, verstrichen, beige. – Bs 84 Q28-1009, Bef. 2.0 (Taf. 38).
572d Randscherbe. Wenig feine und mittlere Steingrus- und Quarzgrusmagerung, geglättet, beige. – Bs 84 Q28-1023, -1024, Bef. 2.1 (Taf. 38).
572e Randscherbe. Feine, sandige Quarzgrusmagerung, verstrichen, dunkelbeige. Außen Ruß, innen Krustenreste, Rand horizontal abgestrichen. – Bs 83 Q20-5, Bef. 2.1 (Taf. 38).
573 Randscherbe eines Topfes mit Fingertupfenzier und darin integrierter Knubbe. Grobe Quarzgrusmagerung, schlickgeraut, hellbeige bis beige. Außen Rußflecken, Magerung sichtbar, leicht erodiert, sekundär gebrannt. – Bs 86 Q333-42, -1075, Bef. 2.2/2.4, 2.1 UK (Taf. 38).
574 Flachboden. Grobe Stein- und Quarzgrusmagerung, schlickgeraut, in vertikalen Bahnen verstrichen, beige. Boden unbehandelt, innen Kruste. – Bs 86 Q208-1250, Bef. 2.4 (Taf. 38).

575 Flachboden mit Wandstücken. Mittlere und grobe Steingrusmagerung, schlickgeraut, grau. Boden leicht erodiert. – Bs 82 Q12-52, -1018, -1034, -1036, -1112, -1115, Bef. 2 (Taf. 38).

576 Randscherbe eines Topfes, fingertupfenverziert. Mittlere bis grobe Stein- und Quarzgrusmagerung, schlickgeraut, beige. – Bs 84 Q28-83, Bef. 2.1–2.3 (Taf. 38).

577 Wandscherbe mit Bodenansatz. Mittlere bis grobe Steingrusmagerung, wenig grobe Steinchen, schlickgeraut, beige. – Bs 84 Q28-62, -78, Bef. 2.1 (Taf. 38).

578 Randscherbe eines Topfes mit Fingertupfenzier und darin integrierter Knubbe. Mittlere und grobe Steingrusmagerung, schlickgeraut, hell und dunkelbeige. Außen Rußflecken und Überlaufkruste, Magerung sichtbar. – Bs 86 Q333-2024, Bef. 2.3 (Taf. 38).

579a Randscherbe. Mittlere und grobe Steingrusmagerung, verstrichen, beige. Außen Überlaufflecken. – Bs 86 Q333-1064, Bef. 2.1 (Taf. 38).

579b Randscherbe. Mittlere und grobe Quarz- und Steingrusmagerung, verstrichen, beige. Rand horizontal abgestrichen, Rußfleck am Rand. – Bs 86 Q333-1061, Bef. 2.1 (Taf. 38).

579c Randscherbe. Mittlere Steingrusmagerung, geglättet, grau. Sekundärer Brand. – Bs 83 Q24-1036, Bef. 2.2 (Taf. 38).

579d Randscherbe. Feine Quarzgrusmagerung, sandig, geglättet, beige. – Bs 86 Q333-2036, Bef. 2.3 (Taf. 38).

579e Randscherbe. Mittlere Steingrusmagerung, wenig feiner Quarzgrus, verstrichen, beige. – Bs 84 Q28-1034, Bef. 2.1–2.2 (Taf. 38).

580a Randscherbe. Mittlere Stein- und feine Quarzgrusmagerung, verstrichen, dunkelbeige. Außen Rußreste. – Bs 83 Q20-13, Bef. 2.2 (Taf. 38).

580b Randscherbe. Grobe Quarz- und Steingrusmagerung, sandig, mit wenig grober organischer Magerung, schlickgeraut, schwarz. Außen und innen flächig Kruste. – Bs 86 Q332-1214, Bef. 2.3 (Taf. 38).

580c Randscherbe. Mittlere und grobe Quarzgrusmagerung, geglättet, beige. – Bs 84 Q28-137, Bef. 2.0–2.1 (Taf. 38).

581 Rand- und Wandscherbe einer Flasche, fingertupfenverziert. Mittlere Quarzgrusmagerung, wenig mittlerer Steingrus, geglättet, dunkelbeige. – Bs 84 Q28-62, Bef. 2.1–2.2 (Taf. 39).

582 Wandscherbe eines Topfes mit Fingertupfenzier und darin integrierter Knubbe. Mittlere und grobe Steingrusmagerung, verstrichen, braun. Außen Überlaufflecken. – Bs 82 Q21-8/II, Bef. 2 (Taf. 39).

583 Wandscherbe, fingertupfenverziert. Wenig feine Quarzgrusmagerung sichtbar, sandig, geglättet und verstrichen, beige. – Bs 86 Q333-1010, Bef. 2.1 (Taf. 39).

584 Wandscherbe, fingertupfenverziert. Feine Quarzgrusmagerung, sandig, verstrichen und teilweise geglättet, unter der Fingertupfenreihe schlickgeraut mit Glättstrich, beige. Außen Rußflecken, innen Krustenreste. – Bs 86 Q333-1077, Bef. 2.2–2.4 (Taf. 39).

585 Randscherbe eines Topfes, fingertupfenverziert. Mittlere und grobe Steingrusmagerung, verstrichen, beige bis braun. Leicht korrodiert, außen Rußflecken. – Bs 82 Q21-1045, Bef. 2 (Taf. 39).

586 Wandscherbe, fingertupfenverziert. Feine und mittlere Quarzgrusmagerung, sandig, glimmerhaltig, verstrichen, beige bis braun. – Bs 86 Q332-1047, Bef. 2.1 (Taf. 39).

587 Wandscherbe, fingertupfenverziert. Mittlere und grobe Quarzgrusmagerung, wenig feiner Quarzgrus, geglättet, beige bis braun. Magerung sichtbar, innen Krustenreste. – Bs 86 Q332-25, Bef. 2.3 (Taf. 39).

588 Wandscherbe, fingertupfenverziert. Mittlere und wenig grobe Quarzgrusmagerung, sandig, hellbeige. Flächig erodiert. – Bs 86 Q332-1233, Bef. 2.3 (Taf. 39).

589 Wandscherbe, fingertupfenverziert. Mittlere Steingrusmagerung, verstrichen, beige. – Bs 83 Q23-1366, Bef. 2.5–2.6 (Taf. 39).

590 Wandscherbe, fingertupfenverziert. Mittlere und grobe Quarzgrus- und wenig Schamottemagerung, schlickgeraut, beige. Überlaufflecken. – Bs 86 Q332-1256, Bef. 2.2 (Taf. 39).

591 Wandscherbe, fingertupfenverziert. Wenig feine Magerung sichtbar, grau. Erodiert. – Bs 82 Q21-1051, Bef. 2 (Taf. 39).

592 Rand- und Wandscherben eines Topfes mit Fingertupfenzier und darin integrierter Knubbe. Feine Quarz- und Steingrusmagerung wenig grobe Steinchen, geglättet, unter der Fingertupfenreihe schlickgeraut, beige. Außen Rußflecken, innen Kruste. – Bs 84 Q28-60, -71, -84, Bef. 2.1–2.3, 2.3–2.4 (Taf. 39).

593 Randscherbe, fingertupfenverziert. Grobe und mittlere Quarz- und Steingrusmagerung, verstrichen, beige. – Bs 86 Q333-37, Bef. 2.1 UK (Taf. 39).

594 Wandscherbe, fingertupfenverziert. Feine Quarzgrus- und wenig grobe Schamottemagerung, sandig, beige bis braun. Oberfläche abgeplatzt und erodiert. – Bs 86 Q332-1008, Bef. 2.3 (Taf. 39).

595 Wandscherbe, fingertupfenverziert. Feine Quarzgrusmagerung, sandig, glimmerhaltig, verstrichen, beige bis braun. – Bs 86 Q332-1086, Bef. 2.3 (Taf. 39).

596 Wandscherbe, fingertupfenverziert. Grobe Steingrusmagerung, verstrichen, braun bis beige. Außen Rußflecken. – Bs 83 Q22-5, Bef. 2.1 (Taf. 39).

597 Wandscherbe, fingertupfenverziert. Mittlere und wenig feine Quarzgrusmagerung, geglättet, dunkelbeige. – Bs 83 Q23-1084, Bef. 2.4 (Taf. 39).

598 Wandscherbe, fingertupfenverziert. Mittlere und grobe Steingrusmagerung, verstrichen, beige. Leicht erodiert. – Bs 83 Q23-1011, -1563, Bef. 2.3–2.4 (Taf. 39).

599 Randscherbe. Wenig feine Quarzgrusmagerung sichtbar, geglättet, schwarz. – Bs 82 Q21-1015, Bef. 2 (Taf. 40).

600 Wandscherbe mit aufgesetzter Knubbe. Feine und mittlere Quarzgrusmagerung, geglättet, dunkelbeige. Leicht erodiert. – Bs 83 Q23-1101, Bef. 2.3 (Taf. 40).

601 Randscherbe eines Topfes mit glatter, herausmodellierter Leiste und darin integrierter Knubbe. Grobe Stein- und Quarzgrusmagerung, sandig, verstrichen, hellbeige bis beige. Außen Überlauf und Rußflecken, innen Krustenreste. – Bs 83 Q23-41, Bef. 2.2–2.4 (Taf. 40).

602 Wandscherbe eines kleinen Topfes mit aufgesetzter, glatter Leiste und darin integrierter Knubbe, darunter flächig rillenverziert. Mittlere und grobe Quarzgrusmagerung, geglättet, unter der Leiste verstrichen, schwarz und beige. – Bs 86 Q332-38, Bef. 2.3 UK (Taf. 40).

603 Randscherben mit Fingertupfenzier und darin integriertem Grifflappen. Feine und mittlere Quarzgrusmagerung, verstrichen, unter der Fingertupfenreihe pastose Schlickrauung, dunkelbeige. Außen Überlaufflecken. – Bs 83 Q23-135, Bef. 2.3 (Taf. 40).

604 Randscherbe, mit zweizipfeligem Stempel verziert. Mittlere Quarz- und Steingrusmagerung, sandig, verstrichen, unter der Stempelreihe schlickgeraut, dunkelbeige. – Bs 86 Q208-10, Bef. 2.3 (Taf. 40).

605 Wandscherbe mit Bodenansatz, mittlere bis grobe Quarzgrusmagerung, pastose Schlickrauung, beige. Leicht erodiert. – Bs 84 Q8-22, Bef. 2.0 (Taf. 40).

606 Amphore mit Schulterkehlung und zwei gegenständigen Henkelösen, flächig fingertupfenverziert, schräg eingedrückt. Mittlere und grobe Quarz- und Steingrusmagerung, geglättet, beige-dunkelbeige. Sekundär gebrannt, Kalksinter, erodiert. – Bs 86 Q93-1, Bef. 1–2.3 (Taf. 40).

607 Wandscherbe, stempelverziert. Mittlere und grobe Steingrusmagerung, sandig, verstrichen, hellbeige bis dunkelbeige. – Bs 86 Q332-1147, Bef. 2.1 (Taf. 40).

608 Wandscherbe, flächig fingertupfenverziert, schräg eingedrückt. Mittlere und grobe Quarzgrusmagerung, geglättet, hellbeige. Stellenweise erodiert. – Bs 83 Q11-1008, Bef. 2.1 (Taf. 40).

609 Wandscherbe, flächig fingertupfenverziert, schräg eingedrückt. Grobe und mittlere Quarzgrusmagerung, geglättet, hellbeige. – Bs 86 Q208-1117, Bef. 2.1 (Taf. 40).

610 Wandscherbe, flächig stempelverziert. Grobe, sandige Steingrusmagerung, glimmerhaltig, geglättet, schwarz. – Bs 83 Q23-1412, Bef. 2.2–2.4 (Taf. 40).

611 Wandscherbe, flächig fingertupfenverziert, schräg eingedrückt. Mittlere und grobe Stein- und Quarzgrusmagerung, beige bis grau. Flächig stark erodiert. – Bs 86 Q332-1135, Bef. 2.1 (Taf. 40).

612 Wandscherben eines bauchigen Topfes mit Henkelöse und aufgesetzter Doppelhalbkreisstempelleiste. Mittlere und wenig grobe Stein- und Quarzgrusmagerung, geglättet, unter der Leiste pastose Schlickrauung, horizontal und schräg verstrichen, hellbeige. Sekundär gebrannt. – Bs 82 Q15-3, -15, Bs 84 Q18-10, -12, -27, -32, -36, Bs 83 0-441, -442, Bef. 0, 2, 2.1–2.4 (Taf. 41).

613 Applikation. Grobe Steingrusmagerung, verstrichen, braun bis beige. Oberfläche abgeplatzt. – Bs 86 Q332-1191, Bef. 2.4/2.5 (Taf. 41).

614 Wandscherbe mit aufgesetzter Fingertupfenleiste. Mittlere und grobe Quarzgrusmagerung, geglättet, beige. – Bs 86 Q208-1246, Bef. 2.4 (Taf. 41).

615 Wandscherbe mit aufgesetzten Fingertupfenleisten. Mittlere und grobe Quarzgrusmagerung, geglättet, dunkelbeige. Leicht erodiert. Die Leisten sind am Stück abgeplatzt und auf ihrer Rückseite deutlich mit Fingernageleindrücken versehen. – Bs 83 Q23-1051, Bef. 2 (Taf. 41).

616 Wandscherbe mit Bodenansatz. Grobe Steingrus- und Schamottemagerung, sandig, schlickgeraut, beige bis braun. Außen Rußflecken, innen Krustenreste. – Bs 83 Q23-1512, Bef. 2.2–2.4 (Taf. 41).

617 Wandscherbe mit aufgesetzter doppelter Fingertupfenleiste. Mittlere und grobe Quarz- und Steingrusmagerung, geglättet, schwarz. – Bs 83 Q22-162, Bef. 2 (Taf. 41).

618 Wandscherbe mit aufgesetzten gekreuzten Fingertupfenleisten. Grobe Quarzgrus- und wenig Steinchenmagerung, sandig, verstrichen, beige bis dunkelbeige. Außen Rußflecken, innen Krustenreste. – Bs 86 Q208-1152, Bef. 2.1 (Taf. 41).

619 Wandscherbe mit Bodenansatz. Mittlere und grobe Steingrusmagerung, schlickgeraut, hellbeige. Außen Rußreste. – Bs 83 Q20-20, Bef. 2.4–2.5 (Taf. 41).

620 Wandscherbe mit aufgesetzter Fingertupfenleiste. Mittlere und grobe Steingrusmagerung, verstrichen, beige. – Bs 83 Q23-1386, Bef. 2.2–2.4 (Taf. 41).

621 Wandscherbe mit aufgesetzter grober Fingertupfenleiste. Mittlere und grobe Quarzgrusmagerung, wenig feiner Quarzgrus, verstrichen, unter der Leiste schlickgeraut, beige. Sekundär gebrannt, leicht erodiert. – Bs 86 Q333-1209, Bef. 2.2–2.4 (Taf. 41).

622 Boden-/Wandscherbe. Grobe Stein- und Quarzgrusmagerung, schlickgeraut, beige. – Bs 86 Q23-117/II, Bef. 2.3 (Taf. 41).

623 Boden-/Wandscherbe. Mittlere und grobe Quarzgrusmagerung, schlickgeraut, beige. Außen Rußfleck. – Bs 83 Q23-87, Bef. 2 (Taf. 41).

624 Randscherbe mit aufgesetzten Fingertupfenleisten, Fingertupfen auf dem Rand. Grobe Steingrusmagerung, verstrichen, grau. Außen Rußflecken, innen Kruste, erodiert. – Bs 82 Q12-1002, Bef. 2 (Taf. 41).

625 Randscherbe eines Topfes, Fingertupfen auf dem Rand. Feine und mittlere Quarzgrusmagerung, schlickgeraut, beige. Außen Rußflecken, am Rand Krustenreste. – Bs 86 Q333-1218, Bef. 2.5 (Taf. 42).

626 Randscherbe mit herausmodellierter Kerbleiste und Fingertupfen auf dem Rand. Mittlere und grobe Quarzgrusmagerung, verstrichen, dunkelbeige. Außen Kruste. – Bs 86 Q208-1140, Bef. 2.1 (Taf. 42).

627 Randscherbe mit Fingertupfen auf dem Rand. Wenig mittlere Quarz- und Steingrusmagerung, verstrichen, beige. – Bs 86 Q208-1076, Bef. 2.0 (Taf. 42).

628 Randscherbe mit Fingertupfen auf dem Rand. Feine und mittlere Quarzgrusmagerung, geglättet, beige. – Bs 82 Q21-1153/II, Bef. 2.3 (Taf. 42).

629 Randscherbe. Mittlere Steingrusmagerung, verstrichen, beige. – Bs 84 Q28-89, -1022, Bef. 2.3–2.4, 2.1/3.0 (Taf. 42).

630 Randscherbe, gekerbt. Grobe Steingrusmagerung, verstrichen, beige. – Bs 86 Q208-1141, Bef. 2.1 (Taf. 42).

631 Randscherbe mit Fingertupfen auf dem Rand. Grobe Steingrusmagerung, verstrichen, dunkelbeige. – Bs 82 Q12-67, Bef. 2.6 (Taf. 42).

632 Randscherben eines Topfes mit Fingertupfen auf dem Rand. Grobe Steingrusmagerung, sandig, verstrichen, stellenweise Schlickauftrag, grau bis beige. – Bs 83 Q23-1346, -1396, Bef. 2.3, 2.2/2.4 (Taf. 42).

633 Randscherbe mit Fingertupfen auf dem Rand. Feine und mittlere Steingrusmagerung, verstrichen, dunkelbeige. Rußflecken außen. – Bs 82 Q21-1148, Bef. 2 (Taf. 42).

634 Randscherbe mit Henkelansatz. Mittlere Steingrusmagerung sichtbar, sandig, geglättet, schwarz. Oberfläche stellenweise abgeplatzt, Wulstgrenze erkennbar, Lappentechnik. – Bs 83 Q23-1097, Bef. 2.3 (Taf. 42).

635 Randscherbe eines Topfes mit Fingertupfen auf dem Rand. Mittlere und wenig grobe Quarzgrusmagerung, sandig, verstrichen, schlickgeraut, hellbeige. Außen und innen rußgeschwärzt, sekundär gebrannt. – Bs 86 Q332-1125, Bef. 2.3 (Taf. 42).

636 Randscherbe mit Fingertupfen auf dem Rand. Grobe Steingrusmagerung, geglättet, braunbeige. – Bs 82 Q21-1153/I, Bef. 2 (Taf. 42).

637 Randscherbe eines Topfes mit Fingertupfen auf dem Rand. Grobe Steingrusmagerung, sandig, verstrichen und fein schlickgeraut, braunbeige. – Bs 83 Q23-1030, Bef. 2.3 (Taf. 42).

638 Topf mit Fingertupfen auf dem Rand. Mittlere Quarzgrusmagerung, glimmerhaltig, verstrichen, beige. Magerung sichtbar, Boden unbehandelt. Gefäß weitgehend vollständig. – Bs 83 Q22-26, Bef. 2.3 (Taf. 42).

639 Randscherbe eines weitmundig Gefäß, mit grober, aufgesetzter Fingertupfenleiste und darin integrierter Knubbe.

Mittlere Steingrusmagerung, verstrichen, unter der Leiste schlickgeraut, beige. Außen Ruß- und Überlaufflecken, innen Krustenreste. – Bs 83 Q20-52, Bef. 2.1–2.4 (Taf. 43).

640 Rand- und Wandscherben eines Topfes mit aufgesetzter Fingertupfenleiste und darin integrierter Knubbe. Mittlere und grobe Quarzgrusmagerung, sandig, verstrichen, unter der Leiste schlickgeraut, beige. Außen Rußflecken, innen Kalksinter, flächig erodiert. – Bs 83 Q23-1091, Bef. 2.3 (Taf. 43).

641 Randscherbe mit aufgesetzter Fingertupfenleiste (?). Mittlere und grobe organische Magerung und mittlerer Quarz- und Steingrus, verstrichen, hellbeige bis beige. Leicht erodiert. Bs 86 Q208-12, Bef. 2.4 (Taf. 43).

642 Rand- und Wandscherbe, Halbprofil mit herausmodellierter Fingertupfenleiste. Grobe Quarzgrusmagerung, sandig, verstrichen, unter der Leiste fein schlickgeraut, hellbeige bis grau. Außen Ruß- und Überlaufflecken, innen Krustenreste. – Bs 83 Q23-64, -1094, Bef. 2.4/2.5, 2.3 (Taf. 43).

643 Randscherbe mit aufgesetzter Fingertupfenleiste. Mittlere Steingrusmagerung, verstrichen, beige. – Bs 83 Q23-1489, Bef. 2.3–2.4 (Taf. 43).

644 Wandscherbe mit herausmodellierter Tupfenleiste. Grobe Quarzgrusmagerung, sandig, geglättet, unter der Leiste schlickgeraut, braun. Innen Kruste. – Bs 86 Q332-27/III, Bef. 2.3 (Taf. 43).

645 Wandscherbe mit aufgesetzter Fingertupfenleiste. Mittlere und grobe Steingrusmagerung, verstrichen, unter der Leiste schlickgeraut, beige. – Bs 83 Q23-35, Bef. 2 (Taf. 43).

646 Topf, Randscherbe mit aufgesetzter Fingertupfenleiste und integriertem Grifflappen. Mittlere und grobe Steingrusmagerung, glimmerhaltig, verstrichen, dunkelbeige. Sekundär gebrannt, innen Krustenreste. – Bs 82 Q21-23, Bef. 2 (Taf. 43).

647 Wandscherbe mit aufgesetzter Fingertupfenleiste. Mittlere Steingrusmagerung, verstrichen, unter der Leiste schlickgeraut, dunkelbeige. – Bs 83 Q23-1553, Bef. 2.4 (Taf. 43).

648 Wandscherbe mit aufgesetzter Fingertupfenleiste. Grobe Quarz- und Steingrusmagerung, verstrichen, unter der Leiste schlickgeraut, beige bis grau. – Bs 83 Q11-25, Bef. 2.2–2.4 (Taf. 43).

649 Rand- und Wandscherben eines Topfes mit aufgesetzter Fingertupfenleiste und darin integrierter Knubbe. Feine bis mittlere Quarzgrusmagerung, glimmerhaltig, geglättet, beige. Außen Rußflecken. – Bs 84 Q28-23, -128, Bef. 2.0/2.4 (Taf. 43).

650 Flachboden, Bodenscherbe. Mittlere und wenig grobe Steingrusmagerung, verstrichen, beige. – Bs 84 Q28-68, Bef. 2.2–2.3 (Taf. 43).

651 Flachboden, Bodenscherbe. Mittlere Steingrusmagerung, geglättet, schwarz. Leicht erodiert. – Bs 84 Q18-11, Bef. 2.1 (Taf. 43).

652 Wandscherbe eines Topfes mit aufgesetzter Fingertupfenleiste und integrierter Knubbe. Grobe Steingrusmagerung, verstrichen, beige. Außen Ruß- und Überlaufflecken. – Bs 83 Q23-1552, Bef. 2.4 (Taf. 43).

653 Wandscherbe mit aufgesetzter grober Fingertupfenleiste und darin integriertem Grifflappen. Mittlere Quarzgrusmagerung, schlickgeraut, braun bis beige. Außen Rußflecken. – Bs 83 Q23-100, Bef. 2 (Taf. 44).

654 Wandscherbe mit Knubbe, Leistenrest. Mittlere Steingrusmagerung, verstrichen, hellbraun bis beige. Innen Kruste. – Bs 83 Q24-1013, Bef. 2.1–2.2 (Taf. 44).

655 Abgeplatzte Knubbe, am Rand fingergetupft. Mittlere Quarzgrusmagerung, verstrichen, dunkelbeige. – Bs 83 Q23-1338, Bef. 2.3 (Taf. 44).

656 Randscherbe mit aufgesetzter Fingertupfenleiste. Mittlere und grobe Steingrusmagerung, sandig, verstrichen, beige. Flächig erodiert. – Bs 86 Q208-2018, Bef. 2.3 (Taf. 44).

657 Randscherbe mit herausmodellierter Kerbleiste. Mittlere und grobe Quarzgrusmagerung, verstrichen, beige. Außen Kruste, Magerung sichtbar. – Bs 86 Q208-1017, Bef. 2.3 (Taf. 44).

658 Topf, Rand- und Wandscherben mit herausmodellierter Fingertupfenleiste und darin integrierter Knubbe. Grobe Quarz- und Steingrusmagerung, wenig grobe Schamotte, sandig, geglättet, unter der Leiste schlickgeraut, in bogenförmigen und vertikalen Bahnen verstrichen, hellbeige bis grau. Außen Rußflecken, sekundär gebrannt. – Bs 83 Q23-29, -62, Bef. 2.4/2.5 (Taf. 44).

659 Wandscherbe mit herausmodellierter Fingertupfenleiste. Wenig feine Quarzgrusmagerung, sandig, geglättet, beige. Außen Rußflecken. – Bs 86 Q333-36, Bef. 2.1 UK (Taf. 44).

660 Wandscherbe mit aufgesetzter Fingertupfenleiste. Grobe und mittlere Quarz- und Steingrusmagerung, sandig, beige. Flächig erodiert, sekundär gebrannt. – Bs 86 Q333-1042, Bef. 2.1 (Taf. 44).

661 Wandscherbe mit aufgesetzter, feiner Fingertupfenleiste. Feine und mittlere Quarzgrusmagerung, verstrichen, beige. – Bs 86 Q333-1037, Bef. 2.1 (Taf. 44).

662 Wandscherbe mit aufgesetzter Fingertupfenleiste. Mittlere und grobe Quarzgrusmagerung, sandig, wenig mittlere organische Magerung, geglättet, schwarz. Außen Überlaufkruste. – Bs 86 Q332-1077, Bef. 2.3 (Taf. 44).

663 Wandscherbe mit herausmodellierter Fingerkerbleiste. Wenig feine Quarzgrusmagerung, sandig, geglättet, beige. Außen rußgeschwärzt. – Bs 86 Q333-2017, Bef. 2.3 (Taf. 44).

664 Wandscherbe mit aufgesetzter Fingertupfenleiste. Grobe Quarzgrusmagerung, verstrichen, beige. Magerung sichtbar. – Bs 86 Q333-1982, Bef. 2.0 (Taf. 44).

665 Wandscherbe mit aufgesetzter Fingertupfenleiste. Mittlerer Quarzgrus und grobe Schamottemagerung, sandig, mit wenig feiner organischer Magerung, verstrichen, hellbeige. – Bs 86 Q332-1064, Bef. 2.2 (Taf. 44).

666 Wandscherbe mit aufgesetzter Fingertupfenleiste. Mittlere und grobe Stein- und Quarzgrusmagerung, verstrichen, beige. Leicht erodiert. – Bs 86 Q208-1176, Bef. 2.0 (Taf. 44).

667 Boden-/Wandscherbe. Grobe Steingrusmagerung, verstrichen, beige. – Bs 83 Q22-1092, Bef. 2.1 (Taf. 44).

668 Flachboden, Boden- und Wandscherben. Grobe Steingrus- und organische Magerung, verstrichen (?), dunkelbeige. Außen Oberfläche abgeplatzt, Boden unbehandelt. – Bs 86 Q208-8, Bef. 2.1 (Taf. 44).

669 Rand- und Wandscherbe eines Topfes mit aufgesetzter doppelter Fingertupfenleiste und daran ansetzender Henkelöse. Mittlere und grobe Quarzgrusmagerung, geglättet, unter der Leiste schlickgeraut, vertikal verstrichen, dunkelbeige, hellbeige gefleckt. Außen Rußschwärzung, Magerung sichtbar. – Bs 86 Q333-37, -39, Bef. 2.1 UK (Taf. 45).

670 Randscherbe (bis zum Bauchumbruch) eines Topf mit aufgesetzter Fingertupfenleiste. Mittlere bis grobe Stein- und Quarzgrusmagerung, verstrichen, unter der Leiste

schlickgeraut, schwarzgrau bis beige. Außen Krustenreste, leicht erodiert. – Bs 84 Q28-18, Bef. 2.0 (Taf. 45).

671   Wandscherbe mit aufgesetzter Fingertupfenleiste. Grobe Steingrusmagerung, schlickgeraut, beige. Außen Überlaufflecken. – Bs 86 Q208-1023, Bef. 2.1 (Taf. 45).

672   Wandscherbe mit aufgesetzter grober Fingertupfenleiste. Grobe Steingrus- und Schamottemagerung, verstrichen, unter der Leiste schlickgeraut, beige. – Bs 86 Q206-1054, Bef. 2 (Taf. 45).

673   Wandscherbe mit aufgesetzter Fingertupfenleiste. Grobe und mittlere Stein- und Quarzgrusmagerung, sandig, schlickgeraut, hellbeige. Magerung sichtbar. – Bs 86 Q332-30, Bef. 2.3 (Taf. 45).

674   Randscherbe mit aufgesetzter Fingertupfenleiste. Mittlere und grobe Quarzgrusmagerung, pastose Schlickrauung, beige bis braun. Außen Rußflecken. – Bs 86 Q332-41, Bef. 2.3 UK (Taf. 45).

675   Randscherbe mit aufgesetzter Fingertupfenleiste. Mittlere und grobe Quarzgrusmagerung, sandig, schlickgeraut, dunkelbeige bis braun. Außen Rußflecken. – Bs 86 Q332-42, Bef. 2.3 UK (Taf. 45).

676   Rand- und Wandscherben eines Topfes mit herausmodellierter Fingertupfenleiste und darin integrierter Knubbe. Grobe Quarzgrusmagerung, sandig, glimmerhaltig, geglättet, unter der Leiste verstrichen, beige. Magerung sichtbar, außen Überlaufreste und Algen, flächig erodiert. – Bs 86 Q206-1061, Bef. 2.1 (Taf. 46).

677   Wandscherbe mit aufgesetzter Fingertupfenleiste. Grobe Stein- und Quarzgrusmagerung, geglättet, verstrichen, beige. Außen flächig Überlaufkruste, rußschwarz. – Bs 86 Q333-2027, Bef. 2.3 (Taf. 46).

678   Wandscherbe mit aufgesetzter Tupfenleiste. Mittlere und grobe Quarzgrusmagerung, wenig mittlerer Steingrus, sandig, geglättet, unter der Leiste schlickgeraut, schwarz. Außen Überlaufreste. – Bs 86 Q333-1006, Bef. 2.1 (Taf. 46).

679   Wandscherbe mit aufgesetzter Fingertupfenleiste. Grobe Quarzgrusmagerung, verstrichen, beige. Magerung sichtbar. – Bs 86 Q333-2044, Bef. 2.3 (Taf. 46).

680   Wandscherben eines Topfes mit aufgesetzter Fingertupfenleiste. Grobe Steingrusmagerung, verstrichen, dunkelbeige bis grau. Erodiert. – Bs 83 Q22-177, Bs 84 Q28-6, Bef. 1.1, 2.1 OK (Taf. 46).

681   Randscherbe eines Topfes mit aufgesetzter Fingertupfenleiste. Mittlere bis grobe Steingrusmagerung, glimmerhaltig, pastose Schlickrauung, beige. Außen Rußflecken. – Bs 84 Q28-44, Bef. 2.1 (Taf. 46).

682   Trichterrand eines Topfes mit aufgesetzter Fingertupfenleiste und integrierter Knubbe. Mittlere und grobe Steingrusmagerung, verstrichen, dunkelbeige bis grauschwarz. Krustenreste. – Bs 82 Q21-24, Bef. 2 (Taf. 47).

684   Randscherbe mit aufgesetzter Fingertupfenleiste, grobe Quarzgrusmagerung, verstrichen, unter der Leiste schlickgeraut, beige. Flächig erodiert. – Bs 86 Q208-1151, Bef. 2.1 (Taf. 47).

685   Randscherbe mit herausmodellierter Fingertupfenleiste. Mittlere und grobe Steingrusmagerung, wenig grober Schamotte, glimmerhaltig, geglättet, unter der Leiste schlickgeraut, dunkelbeige. Krustenreste. – Bs 86 Q333-2011, Bef. 2.1 (Taf. 47).

686   Randscherbe mit aufgesetzter Fingertupfenleiste. Mittlere und grobe Stein- und Quarzgrusmagerung, verstrichen, braun bis dunkelgrau. Außen Überlaufflecken, innen Kruste. – Bs 82 Q21-1044, Bef. 2 (Taf. 47).

687   Randscherbe mit aufgesetzter Fingertupfenleiste. Grobe Quarzgrusmagerung, verstrichen, unter der Leiste schlickgeraut, hellbeige. Leicht erodiert. – Bs 86 Q333-2010, Bef. 2.1 (Taf. 47).

688   Wandscherbe mit aufgesetzter Fingertupfenleiste. Mittlere und grobe Steingrusmagerung, sandig, verstrichen, unter der Leiste schlickgeraut, darüber verstrichen, dunkelbeige. Außen Ruß- und Überlaufflecken, innen Krustenreste. – Bs 83 Q22-77, Bef. 2 (Taf. 47).

689   Wandscherbe mit aufgesetzter Fingertupfenleiste. Mittlere und grobe Quarz- und Steingrusmagerung, schlickgeraut, beige. Außen Rußreste. – Bs 86 Q333-2038, Bef. 2.3 (Taf. 47).

691   Wandscherbe mit aufgesetzter Fingertupfenleiste. Mittlere Stein- und Quarzgrusmagerung, geglättet, dunkelbeige. – Bs 83 Q23-1435, Bef. 2 (Taf. 47).

692   Randscherbe mit aufgesetzten groben Fingertupfenleisten. Grobe Steingrusmagerung, geglättet, dunkelbeige. – Bs 83 Q23-1384, -1397, -1398, -1564; Bef. 2.2–2.4, 2.3/2.4 (Taf. 47).

693   Wandscherbe mit aufgesetzter Fingertupfenleiste. Mittlere und grobe Steingrusmagerung, pastose Schlickrauung, unter der Leiste schräg vertikal verstrichen, beige. Flächig erodiert. – Bs 84 Q28-34, Bef. 2.0 (Taf. 47).

694   Rand- und Wandscherben eines großen Topfes mit aufgesetzten Fingertupfenleisten und darin integrierter Knubbe. Mittlere Quarz- und Steingrusmagerung mit wenig groben Steinchen, pastose Schlickrauung, beige. Außen Rußflecken. – Bs 84 Q26-85, Q28-85, Bef. 2.3, 2.4–2.5 (Taf. 48).

695   Randscherbe eines großen Topfes mit aufgesetzter Fingertupfenleiste und Fingertupfen auf dem Rand, grobe Stein und Quarzgrusmagerung, pastose Schlickrauung, beige. Außen Rußfleck und Überlaufkruste, innen Algenreste. – Bs 83 Q142-61, Bef. 2 (Taf. 48).

696   Wand- und Randscherben eines Topfes mit aufgesetzten Fingertupfenleisten. Mittlere und grobe Steingrusmagerung, am ganzen Gefäß pastose, z.T. feine Schlickrauung, beige bis braun. Außen Überlaufflecken und Rußspuren. – Bs 82 Q21-5, Bef. 2 (Taf. 48).

697   Rand- und Wandscherben eines großen Topfes mit aufgesetzten Fingertupfenleisten und fingertupfenverziertem Rand. Mittlere bis grobe Steingrusmagerung, sandig, grobe pastose Schlickrauung, vertikal und horizontal verstrichen, hellbraun bis beige. Außen schwarze Rußflecken, leicht erodiert. – Bs 83 Q13-1078, Bs 84 Q15-3, 18-23, -31, -40, -1006, -1024, Bef. 2.1–2.3, 2.4 (Taf. 49).

698   Wandscherbe mit kleiner Knubbe und Fingertupfenleiste. Grobe Steingrus- und Schamottemagerung, wenig sichtbar, verstrichen, beige und grau. – Bs 83 Q24-1005, Bef. 2 (Taf. 49).

699   Randscherbe mit eingezapfter Knubbe. Mittlere und feine Quarzgrus- und Schamottemagerung, geglättet, schwarz. – Bs 83 Q20-10, Bef. 2.2 (Taf. 49).

700   Wandscherbe mit aufgesetzter Fingertupfenleiste und Knubbe. Mittlere und grobe Quarzgrusmagerung, verstrichen, beige bis schwarz. Außen Rußflecken. – Bs 83 Q23-1096/I, Bef. 0.

701   Randscherbe mit aufgesetzter Fingertupfenleiste. Grobe Steingrusmagerung, schlickgeraut, beige. – Bs 83 Q23-1096/I, Bef. 2.3 (Taf. 49).

702   Randscherbe mit aufgesetzter Fingertupfenleiste. Mittlere Quarzgrusmagerung, schlickgeraut, dunkelbeige. Außen Überlaufflecken. – Bs 83 Q23-1096/II, Bef. 2.3 (Taf. 49).

703 Wandscherbe mit eingedellter Knubbe. Feine Sandmagerung, beige. Flächig erodiert, sekundär gebrannt, Krustenreste. – Bs 86 Q332-1011, Bef. 2.3 (Taf. 49).
704 Wandscherbe mit Grifflappen. Grobe Steingrusmagerung, grob verstrichen, hellbeige. – Bs 82 Q21-1093, Bef. 2 (Taf. 49).
705 Wandscherben eines Topfes. Mittlere Quarz- und grobe Steingrusmagerung, glimmerhaltig, schlickgeraut, beige. – Bs 83 Q23-1319, -1363, -1395, Bef. 2.3, 2.5/2.6, 2.2/2.4 (Taf. 49).
706 Wandscherbe mit aufgesetzter Knubbe. Feine und wenig mittlere Steingrusmagerung, geglättet, dunkelbeige. Leicht erodiert. – Bs 83 Q23-1439, Bef. 2.5–2.6 (Taf. 49).

17.3.1.6 Oberflächenfunde – Bronzen (Taf. 50)

710 Bronzemeißel mit rundem und rechteckigem Querschnitt. Dicke Patinierung. L. 51 mm, Gew. 4 g. – Bs 84 Q31-20, HDM 436 (Taf. 50).
711 Bronzemeißel, wie Kat.-Nr. 710. L. 100 mm, Gew. 6 g. – Bs 84 0-460, HDM 444 (Taf. 50).
712 Bronzemeißel mit rundem und rechteckigem Querschnitt. Schwarzgrün patiniert, Seepatina, am flachen Ende ausgebrochen. L. 111 mm, Gew. 5 g. – Bs 86 Q202-0-1, HDM 482 (Taf. 50).
713 Bronzemeißel, wie Kat.-Nr. 712. L. 129,5 mm, Gew. 17 g. – Bs 84, Q111-0-1, HDM 442 (Taf. 50).
714 Nadel mit flach gehämmertem Kopfende, tordiertem Vierkantschaft und rundem Schaftende. Flächig patiniert, Seepatina, Schaft sekundär abgewinkelt, am Kopfende abgebrochen, stark korrodiert. L. 144 mm, Gew. 4 g. – Bs 86 Q411-0-1, HDM 483 (Taf. 50).
715 Spirale, abgebrochen, mit ovalrechteckigem Querschnitt. Schwarzgrün dick patiniert, Seepatina, kalkversintert. Gew. 2 g. – Bs 86 Q412-0-1, HDM 484 (Taf. 50).
716 Dolchklinge ritzverziert, zweinietig, Pflockknieten, mit ovalem Heftabschluss und dachförmigem Querschnitt. Flächig patiniert, Seepatina, Sand und Kalksinter anhaftend. Schneiden abnutzungsbedingt leicht einziehend. L. 102 mm, Gew. 16 g. – Bs 84 Q201-1, HDM 440 (Dolchklinge), 441 (Dolchniet) (Taf. 50).

17.3.1.7 Altfunde – Bronzen (Taf. 50)

717 Bronzemesser mit flachem Griffdorn. Schneide korrodiert, schwarz patiniert mit grünen Flecken. L. 104,4 mm. – Bs 330 Slg. Rathaussaal Bodman (Taf. 50).
718 Randleistenbeil, parallelseitig, mit schwach ausgeprägten Randleisten und leichter Einziehung am Nacken. Grünlich patiniert, Patina entfernt, porige Oberfläche. – Bs 389 Slg. P. Weber (Taf. 50).

17.3.1.8 Oberflächenfunde (Bef. 0), Funde aus Schlicksanden an der Oberfläche (Bef. 1.0) und unsicher stratifizierte Funde (Bef. 8; Bef. 1–4; Bef. 2–4) – Keramik (Taf. 51–64)

719 Wandscherbe, ritz- und einstichverziert, mit Resten weißer Inkrustation. Feine Sandmagerung mit wenig feiner organischer Magerung, geglättet, dunkelbeige. Leicht erodiert. – Bs 86 Q218-0-3 (Taf. 51).
720 Randscherbe einer Schale mit verdicktem Rand, auf dem Rand einstich- und ritzverziert. Feine Quarzgrusmagerung, geglättet, schwarz. Leicht erodiert. – Bs 84 Q122-12 (Taf. 51).
721 Profilscherben einer Tasse mit Henkelansatz, rillenverziert mit Einstichende. Feine, sandige Quarzgrusmagerung und wenig grobe Steingrusmagerung, geglättet, schwarz. Flächig erodiert, außen und innen Algen, kalkversintert. – Bs 82 0-399, -400 (Taf. 51).
722 Wandscherbe mit aufgesetzter, vertikal dreifach durchstochener Knubbe. Feine Quarzgrusmagerung, geglättet, schwarz. Leicht erodiert. – Bs 86 Q195-0-1 (Taf. 51).
723 Wandscherbe mit vertikal durchstochener Knubbe. Mittlere und grobe Quarzgrusmagerung, hellbeige. Flächig erodiert. – Bs 86 Q175-0-1 (Taf. 51).
724 Randscherbe einer ritzverzierten Schüssel mit fünf durchgehenden Einstichen am Rand. Mittlere Quarzgrusmagerung und wenig grobe organische Magerung, geglättet, beige und schwarz. Flächig erodiert, außen Algen. – Bs 84 0-451 (Taf. 51).
725 Wandscherbe, kreisstempelverziert. Wenig feine Quarzgrusmagerung sichtbar, beige und orange gefleckt. Flächig erodiert, sekundär gebrannt, kalkversintert. – Bs 86 Q277-0-1 (Taf. 51).
726 Wandscherbe mit Kreisstempelreihe. Wenig feine Quarzgrus- und grobe Steingrusmagerung sichtbar, geglättet, beige. Außen Rußfleck, leicht erodiert. – Bs 84 Q107-0-18 (Taf. 51).
727 Wandscherbe, kreisstempelverziert. Feine Sandmagerung, dunkelbeige. Flächig stark erodiert. – Bs 84 Q113-0-3 (Taf. 51).
728 Wandscherbe, kreisstempelverziert. Feine Sandmagerung, dunkelbeige. Flächig erodiert, kalkversintert. – Bs 86 Q291-0-1 (Taf. 51).
729 Rand- und Wandscherbe eines Topfes mit ausgezogenem Rand, einstich- und ritzverziert. Mittlere und grobe Steingrus- und Schamottemagerung, beige. Flächig erodiert, kalkversintert. – Bs 86 Q333-0-1, 196-0-1 (Taf. 51).
730 Wandscherbe, stempelverziert. Wenig feine und mittlere Quarzgrusmagerung, beige. – Bs 84 Q103-0-5 (Taf. 51).
731 Wandscherbe, stempelverziert. Wenig feine und mittlere Quarzgrusmagerung sichtbar, beige. Flächig stark erodiert. – Bs 84 Q15-0-3 (Taf. 51).
732 Wandscherbe, zylinderstempelverziert. Grobe Steingrusmagerung, hellbeige bis grau. Flächig stark erodiert. – Bs 86 Q249-0-1 (Taf. 51).
733 Wandscherbe mit Knubbe, zylinderstempelverziert. Feine Sandmagerung und wenig mittlerer Quarzgrus, dunkelbeige. Flächig stark erodiert, kalkversintert, Algen. – Bs 86 Q544-0-1 (Taf. 51).
734 Wandscherbe einer Flasche, stempel- oder einstichverziert. Grobe und mittlere Steingrusmagerung, hellbeige und braunorange. Flächig stark erodiert, kalkversintert. – Bs 86 Q173-0-1 (Taf. 51).
735 Wandscherbe, zylinderstempelverziert. Feine und mittlere Quarzgrusmagerung mit wenig grober organischer Magerung, geglättet, schwarz. Leicht erodiert. – Bs 84 Q201-4 (Taf. 51).
736 Wandscherbe, zylinderstempel- und ritzverziert, mit Resten weißer Inkrustation. Feine und wenig grobe Quarz-

grusmagerung, geglättet, schwarz. Leicht erodiert, außen Algen. – Bs 83 0-435, dazu 0-434 (nicht anpassend) (Taf. 51).
737 Wandscherbe, zylinderstempelverziert. Mittlere und wenig grobe Quarzgrusmagerung, sandig, glimmerhaltig, geglättet, schwarz. – Bs 83 Q24-0-9 (Taf. 51).
738 Wandscherbe, doppelreihig zylinderstempelverziert. Feine Quarzgrus- und organische Magerung, geglättet, schwarz. Flächig erodiert. – Bs 86 Q202-0-3 (Taf. 51).
739 Wandscherbe eines Topfes, zylinderstempelverziert. Feine und mittlere Quarzgrusmagerung, wenig grober Steingrus und organische Magerung, geglättet, hellbeige. Flächig erodiert. – Bs 86 Q202-0-2 (Taf. 51).
740 Wandscherbe eines eiförmigen Töpfchens, zylinderstempel- und ritzverziert. Feine Quarzgrusmagerung, geglättet, schwarz. – Bs 86 Q205-0-1 (Taf. 51).
741 Randscherbe einer Tasse mit aufgesetzter Tupfenleiste und daran ansetzendem Bandhenkel. Feine Quarzgrus- und organische Magerung, dunkelbeige und orange. Flächig erodiert, sekundär gebrannt. – Bs 86 Q171-0-1 (Taf. 52).
742 Randscherbe eines Topfes mit aufgesetzter Fingertupfenleiste. Grobe Steingrusmagerung, rotorange bis rot. Flächig stark erodiert, außen Kalksinter, sekundär gebrannt. – Bs 84 Q169-0-2 (Taf. 52).
743 Randscherbe eines Topfes mit aufgesetzter Tupfenleiste und darin integrierter Knubbe. Wenig mittlere und grobe Steingrusmagerung sichtbar, verstrichen, unter der Leiste schlickgeraut, beige-dunkelbeige. Leicht erodiert. – Bs 86 Q191-0-4 (Taf. 52).
744 Randscherbe eines Topfes mit aufgesetzten Fingertupfenleisten. Grobe Steingrusmagerung, dunkelbeige. Flächig erodiert. – Bs 86 Q544-0-2 (Taf. 52).
745 Wandscherbe mit aufgesetzter Tupfenleiste und darin integrierter Knubbe. Grobe Steingrusmagerung, beige. Flächig stark erodiert. – Bs 86 Q245-0-1 (Taf. 52).
746 Wandscherbe mit aufgesetzten Fingertupfenleisten. Grobe Quarzgrusmagerung, beige. Flächig stark erodiert. – Bs 86 Q265-0-1 (Taf. 52).
747 Bodenscherbe. Mittlere und grobe Steingrusmagerung, beige und orange. Flächig erodiert, kalkversintert. – Bs 86 Q243-0-1 (Taf. 52).
748 Wandscherbe mit aufgesetzten Tupfenleisten und darin integrierter, zentral gedrückter Knubbe. Grobe Steingrusmagerung beige und orange. Flächig stark erodiert, sekundär gebrannt. – Bs 86 Q251-0 (Taf. 52).
749 Bodenscherbe. Grobe Steingrusmagerung, dunkelbeige. Flächig stark erodiert. – Bs 84 Q124-0-4 (Taf. 52).
750 Bodenscherbe. Grobe Quarz- und Steingrusmagerung, hellbeige. Flächig erodiert, kalkversintert. – Bs 86 Q257-0-1 (Taf. 52).
751 Wandscherbe mit aufgesetzter Fingertupfenleiste und darin ansetzendem Henkel. Grobe Steingrusmagerung, beige. Flächig erodiert. – Bs 86 Q257-0-1 (Taf. 52).
752 Wandscherbe mit herausmodellierter Fingertupfenleiste. Grobe Steingrusmagerung, schlickgeraut, beige. Leicht erodiert, außen Algen. – Bs 84 Q59-0-3 (Taf. 52).
753 Bodenscherbe. Grobe Steingrusmagerung, geglättet, beige. Innen dicke Kruste, sekundär gebrannt, Boden unbehandelt. – Bs 84 Q121-12 (Taf. 52).
754 Randscherbe mit Fingertupfen am Rand. Grobe und mittlere Quarz- und Kalkgrusmagerung, geglättet, hellbeige und schwarz. Flächig erodiert, sekundär gebrannt. – Bs 84 Q106-0-16 (Taf. 52).
755 Wandscherbe mit aufgesetzter Fingertupfenleiste. Grobe Steingrusmagerung, beige. Flächig erodiert. – Bs 84 Q116-0-14 (Taf. 52).
756 Bodenscherbe. Grobe Steingrus- und mittlere rötliche Schamottemagerung, geglättet, schwarz. Leicht erodiert, Magerung sichtbar, außen Algen. – Bs 84 Q100-0-5 (Taf. 52).
757 Wandscherbe mit aufgesetzter Tupfenleiste. Grobe Steingrusmagerung, beige. Flächig erodiert, kalkversintert. – Bs 86 Q171-0-2 (Taf. 52).
758 Flachboden, Bodenscherbe. Feine Quarzgrusmagerung mit wenig feiner organischer Magerung, sandig, glimmerhaltig, geglättet, dunkelbeige. Leicht erodiert, Boden unbehandelt. – Bs 83 Q443-0 (Taf. 52).
759 Profilscherbe eines Kleingefäßes, Schlitzrandschale mit fein gekerbtem Rand. Mittlere und wenig grobe Quarzgrusmagerung mit mittlerer organischer Magerung, verstrichen, beige bis orange. Sekundär gebrannt. – Bs 84 Q 201-2 (Taf. 53).
760 Randscherbe mit Schlitzrest, einstich- und ritzverziert. Feine Quarzgrusmagerung, beige. Algen und kalkversintert, flächig erodiert. – Bs 86 Q281-0-1 (Taf. 53).
761 Löffelfragment. Feine und wenig mittlere Quarzgrusmagerung, geglättet, dunkelbeige. – Bs 84 Q122-0-8 (Taf. 53).
762 Flachboden, Bodenscherbe, innen zentral aufgewölbt. Feine und mittlere Quarzgrusmagerung, dunkelbeige. Flächig stark erodiert, kalkversintert. – Bs 86 Q171-0-3 (Taf. 53).
763 Knubbe, aufgesetzt, mit Vertiefung auf der Rückseite. Grobe Steingrusmagerung, beige bis orange. Flächig stark erodiert, sekundär gebrannt. – Bs 84 Q51-0-32 (Taf. 53).
764 Randscherbe mit herausmodellierter Applikation. Grobe Steingrusmagerung, beige. Flächig stark erodiert. – Bs 84 Q117-0-6 (Taf. 53).
765 Wandscherbe, rillenverziert. Feine Quarzgrusmagerung, geglättet, schwarz. – Bs 84 Q103-0-8 (Taf. 53).
766 Wandscherbe, kornstich- und ritzverziert. Feine Quarzgrus- und organische Magerung, geglättet, dunkelbeige. Leicht erodiert. – Bs 82 Q15-1013 (Taf. 53).
767 Knubbe mit Zapfen. Mittlere Quarzgrusmagerung, braunbeige. Flächig erodiert. – Bs 86 Q193-0-5 (Taf. 53).
768 Wandscherbe, fein kornstich- und ritzverziert. Feine und wenig grobe Quarzgrusmagerung, geglättet, schwarz. Leicht erodiert. – Bs 84 Q15-0-6 (Taf. 53).
769 Wandscherbe, kornstich-, einstich- und ritzverziert. Feine Quarzgrus- und wenig mittlere Kalkgrusmagerung, geglättet, schwarz. Innen flächig erodiert. – Bs 84 Q115-0-7 (Taf. 53).
770 Wandscherbe, fein einstich-, kornstich- und ritzverziert, mit Resten weißer Inkrustation. Feine und wenig grobe Quarzgrusmagerung, geglättet, schwarz. – Bs 84 Q15-0-23 (Taf. 53).
771 Knubbe mit Zapfen. Grobe Steingrusmagerung, beige bis orange. Flächig erodiert. – Bs 86 Q173-0-8 (Taf. 53).
772 Wandscherbe, rillenverziert. Feine und mittlere Quarzgrusmagerung, geglättet, dunkelbeige. Innen flächig stark erodiert. – Bs 84 Q107-0-23 (Taf. 53).
773 Wandscherbe, fein ritzverziert. Feine Quarzgrusmagerung, geglättet, dunkelbeige. Innen flächig leicht erodiert, außen Algen. – Bs 84 Q56-0-5 (Taf. 53).
774 Wandscherbe, ritzverziert. Feine Quarzgrusmagerung, geglättet, beige. – Bs 84 Q26-1004 (Taf. 53).
775 Wandscherbe, ritzverziert. Feine, wenig sichtbare Quarzgrusmagerung mit wenig grobem Steingrus, geglättet, dunkelbeige. Leicht erodiert. – Bs 84 Q55-0-8 (Taf. 53).

776 Randscherben eines kleinen Kruges mit Bandhenkel. Wenig mittlere und grobe Quarzgrusmagerung, geglättet, schwarz. Leicht erodiert, Magerung sichtbar. – Bs 83 0-426, -427 (Taf. 53).

777 Wandscherbe, ritz- und kornstichverziert. Mittlere und grobe Steingrusmagerung, sandig, geglättet, dunkelbeige. Innen stark erodiert. – Bs 86 Q198-0-1 (Taf. 53).

778 Wandscherbe, ritzverziert. Mittlere Steingrusmagerung, geglättet, schwarz. Flächig erodiert. – Bs 82 Q14-2 (Taf. 53).

779 Randscherbe eines kleinen Topfes. Feine Quarzgrusmagerung, dunkelbeige. Flächig stark erodiert. – Bs 84 Q144-4 (Taf. 53).

780 Randscherbe. Mittlere Steingrusmagerung, geglättet, dunkelbeige. Leicht erodiert. – Bs 86 Q411-0-2 (Taf. 54).

781 Randscherbe, kornstich- und ritzverziert. Feine Quarzgrus- und organische Magerung, geglättet, schwarz. Leicht erodiert. – Bs 84 Q24-0-10 (Taf. 54).

782 Randscherbe. Grobe Steingrusmagerung mit groben Steinchen, hellbeige. Flächig stark erodiert. – Bs 84 Q59-0-8 (Taf. 54).

783 Randscherbe, ritz- und rillenverziert. Mittlere Quarzgrusmagerung, wenig grobe Steinchen, geglättet, schwarz. Leicht erodiert, außen Algen, Kalksinter. – Bs 84 0-461 (Taf. 54).

784 Randscherbe. Mittlere Steingrusmagerung, hellbeige. Flächig erodiert. – Bs 86 Q264-0-1 (Taf. 54).

785 Randscherbe eines Kruges mit Bandhenkel, flächig kornstich- und ritzverziert. Feine, wenig sichtbare Sand- und Quarzgrusmagerung, beige bis orangerot. Flächig erodiert, sekundär gebrannt. – Bs 83 Q21-0-1 (Taf. 54).

786 Wandscherbe, kornstich- und rillenverziert. Feine Quarzgrus- und organische Magerung, geglättet, schwarz. – Bs 86 Q281-0-1 (Taf. 54).

787 Wandscherbe, kornstich- und ritzverziert. Mittlere Steingrusmagerung, dunkelbeige. Flächig erodiert. – Bs 86 Q281-0-2 (Taf. 54).

788 Wandscherbe, rillen- und ritzverziert. Feine Quarzgrus- und organische Magerung, beige und dunkelbeige. Flächig leicht erodiert. – Bs 82 Q15-1012 (Taf. 54).

789 Wandscherbe, kornstich- und ritzverziert. Mittlere Quarzgrus- und organische Magerung, grau und braunorange. Flächig stark erodiert. – Bs 86 Q252-0 (Taf. 54).

790 Wandscherbe, ritzverziert. Feine Sandmagerung, orange. Flächig erodiert, sekundär gebrannt. – Bs 84 Q100-0-8 (Taf. 54).

791 Wandscherben, scharf profiliert, rillen-, ritz- und einstichverziert. Mittlere Quarzgrusmagerung, geglättet, dunkelbeige, hellbeige-orange gefleckt. Leicht erodiert, außen und innen Algen, sekundär gebrannt. – Bs 84 Q59-0-4 (Taf. 54).

792 Randscherbe. Feine Quarzgrusmagerung, sandig, geglättet, schwarz. Außen Rußreste und Algen, leicht erodiert. – Bs 83 Q94-2 (Taf. 54).

793 Randscherbe. Feine und wenig grobe Stein- und Quarzgrusmagerung, beige. Flächig erodiert, kalkversintert. – Bs 86 Q285-0-1 (Taf. 54).

794 Wandscherbe, scharf profiliert, ritzverziert, Grobe Stein- und Quarzgrusmagerung, beige und orange. Flächig stark erodiert, sekundär gebrannt, außen Rußfleck, kalkversintert. – Bs 86 Q245-0-2 (Taf. 54).

795 Randscherbe. Feine Steingrus- und Schamottemagerung, grau. Flächig erodiert, sekundär gebrannt. – Bs 83 Q14-4 (Taf. 54).

796 Randscherbe. Feine Quarzgrusmagerung, wenig feine organische Magerung, sandig, glimmerhaltig, geglättet, dunkelbeige. Leicht erodiert. – Bs 84 Q52-0-7 (Taf. 54).

797 Wandscherbe, scharf profiliert, rillen- und ritzverziert. Mittlere und grobe Steingrusmagerung, hellbeige und orange. Flächig stark erodiert, außen Algen. – Bs 84 0-456 (Taf. 54).

798 Randscherbe eines Topfes mit Henkelöse, am oberen Ende eingezapft. Mittlere und grobe Quarzgrusmagerung, geglättet, hell und dunkelbeige. Außen Rußreste. – Bs 83 Q24-0-1 (Taf. 55).

799 Randscherbe eines Topfes mit Fingertupfenzier und darin ansetzender Henkelöse. Feine Sandmagerung mit wenig feinem Quarzgrus, geglättet, dunkelbeige. Außen rotorange durch Eisenoxidausfällung, wenig erodiert. – Bs 84 0-450 (Taf. 55).

800 Randscherbe eines kleinen Topfes mit Knubbe. Mittlere Steingrusmagerung, geglättet, dunkelbeige. Leicht erodiert. – Bs 84 Q25-0-9 (Taf. 55).

801 Randscherbe eines Topfes mit Henkelansatz. Grobe Steingrusmagerung, geglättet, beige bis braun. Außen Rußreste, innen Algen. – Bs 84 Q104-0-1 (Taf. 55).

802 Wandscherbe eines Topfes mit Fingertupfenreihe und darin integrierter Knubbe. Grobe Steingrusmagerung, schlickgeraut, beige. – Bs 83 Q78-0-4 (Taf. 55).

803 Randscherbe, fingertupfenverziert. Mittlere und wenig grobe Quarzgrusmagerung, geglättet, hellbeige. Leicht erodiert, Magerung sichtbar. – Bs 84 Q101-0-2 (Taf. 55).

804 Henkelfragment. Feine Sandmagerung, hellbeige. Flächig erodiert. – Bs 84 Q25-0-14 (Taf. 55).

805 Bandhenkelfragment. Grobe Steingrusmagerung, hellbeige. Flächig stark erodiert. – Bs 86 Q255-0-2 (Taf. 55).

806 Randscherbe, mit Fingertupfen verziert. Grobe Quarz- und Steingrusmagerung, schlickgeraut, beige. Außen Kalksinter, innen Kruste, Magerung sichtbar. – Bs 84 Q107-0-14 (Taf. 55).

807 Henkel, unten mit Zapfenansatz. Feine Sand- und organische Magerung, dunkelbeige. Flächig erodiert. – Bs 84 Q25-0-3 (Taf. 55).

808 Wandscherbe mit Henkelöse. Feine Quarzgrusmagerung, sandig, geglättet, dunkelbeige. Oberfläche abgeplatzt, erodiert. – Bs 83 Q20-0-14 (Taf. 55).

809 Randscherbe. Feine Quarzgrusmagerung, sandig, geglättet, schwarz. – Bs 83 Q93-1 (Taf. 55).

810 Randscherbe eines Topfes. Grobe Steingrusmagerung, verstrichen, dunkelbeige. Innen stark erodiert, Algen. – Bs 84 Q107-0-11 (Taf. 55).

811 Randscherbe eines Topfes mit Knubbenrest. Grobe Steingrusmagerung, verstrichen, beige bis dunkelbeige. Flächig erodiert, Magerung sichtbar. – Bs 84 Q127-1 (Taf. 55).

812 Randscherbe mit aufgesetzter glatter Leiste. Grobe Steingrus- und organische Magerung, verstrichen, dunkelbeige. Leicht erodiert, Kalksinter. – Bs 86 Q129-0-2 (Taf. 56).

813 Randscherbe einer Schale mit aufgesetzter glatter Leiste. Grobe Steingrusmagerung, beige bis rotorange. Flächig erodiert, sekundär gebrannt, Hitzerisse an der Oberfläche, Kalksinter. – Bs 86 Q241-0-1 (Taf. 56).

814a Randscherbe einer Schale. Feine Sand- und wenig mittlere organische Magerung, geglättet, dunkelbeige. Flächig erodiert, Rand horizontal abgestrichen. – Bs 86 Q292-0-1 (Taf. 56).

814b Randscherbe einer Schale. Feine Quarzgrusmagerung, braunorange. Flächig erodiert, außen Algen. – Bs 83 Q95-0-1 (Taf. 56).

814c Randscherbe. Feine Quarzgrus- und organische Ma-

gerung, geglättet, schwarz. Leicht erodiert. – Bs 84 Q55-0-6 (Taf. 56).
814d Randscherbe. Feine Quarzgrusmagerung, sandig, geglättet, schwarz. Flächig erodiert. – Bs 86 Q193-0-3 (Taf. 56).
815 Randscherbe mit Bandhenkelansatz, in herausmodellierter Leiste integriert. Feine Quarzgrus- und wenig mittlere Steingrusmagerung, dunkelbeige, orange gefleckt. Flächig erodiert, sekundär gebrannt, außen Algen. – Bs 86 Q233-0-1 (Taf. 56).
816 Bodenscherbe. Feine Sandmagerung, braunbeige. rußschwarz, außen Kalksinter. – Bs 86 Q244-0-3 (Taf. 56).
817 Randscherbe einer Schale. Grobe Steingrusmagerung, dunkelbeige, außen flächig erodiert, Algen anhaftend. – Bs 84 Q145-0-9 (Taf. 56).
818a Randscherbe einer Schale. Grobe Steingrusmagerung und wenig mittlerer Schamotte, orangerot. Flächig erodiert, kalkversintert. – Bs 86 Q249-0-2 (Taf. 56).
818b Randscherbe einer Schale. Grobe Stein- und Quarzgrusmagerung, geglättet, beige. Leicht erodiert, Oberfläche innen abgeplatzt, Magerung sichtbar. – Bs 84 Q457-0 (Taf. 56).
818c Randscherbe einer Schale. Grobe Steingrusmagerung, beige. Flächig erodiert, kalkversintert. – Bs 86 Q285-0-3 (Taf. 56).
819 Randscherbe einer Schale mit aufgesetzter Fingertupfenleiste. Verstrichen, dunkelbeige. Leicht erodiert. – Bs 84 Q106-0-15 (Taf. 56).
820 Randscherbe einer Schale mit aufgesetzter Fingertupfenleiste. Grobe Steingrusmagerung, hellbeige und orange. Flächig erodiert, sekundär gebrannt. – Bs 86 Q273-0-1 (Taf. 56).
821 Randscherbe einer Schale, rillenverziert. Grobe Steingrusmagerung, beige. Flächig stark erodiert. – Bs 86 Q281-0-3 (Taf. 56).
822 Randscherbe einer Schale mit Fingertupfen auf dem Rand. Grobe Steingrusmagerung, dunkelbeige. Leicht erodiert, außen Ruß- und Krustenreste. – Bs 86 Q429-0-2 (Taf. 56).
823 Wandscherbe mit drei spitzen Knubben. Grobe Steingrusmagerung, verstrichen, hellbeige bis orange. Außen und innen Algen, leicht erodiert, sekundär gebrannt. – Bs 84 Q107-0-17 (Taf. 56).
824 Wandscherbe mit fingergetupfter Knubbe, in aufgesetzte Leiste integriert. Verstrichen, beige und orange gefleckt. Leicht erodiert, sekundär gebrannt, außen Krustenrest, kalkversintert. – Bs 86 Q198-0-2 (Taf. 56).
825 Wandscherbe, ritzverziert. Mittlere Quarzgrus- und grobe Steingrusmagerung, sandig, geglättet (?), beige bis braun. Flächig stark erodiert. – Bs 84 Q54-1005 (Taf. 56).
826 Wandscherbe, ritzverziert mit aufgesetzter Knubbe. Feine Quarzgrusmagerung, sandig, beige bis hellbeige. Flächig erodiert, kalkversintert. – Bs 86 Q245-0-3 (Taf. 56).
827 Wandscherbe mit aufgesetzter Tupfenleiste und darin integriertem Grifflappen. Grobe Steingrusmagerung, beige. Flächig erodiert, kalkversintert. – Bs 86 Q388-0-1 (Taf. 56).
828 Wandscherbe mit herausmodellierter glatter Leiste. Mittlere und grobe Quarzgrusmagerung, beige und orange. Flächig erodiert, sekundär gebrannt, kalkversintert. – Bs 86 Q244-0-1 (Taf. 56).
829 Wandscherbe, rillenverziert. Grobe Steingrusmagerung, rotorange. Sehr erodiert, sekundär gebrannt. – Bs 84 0-462 (Taf. 56).
830 Wandscherbe, rillenverziert. Mittlere Quarzgrusmagerung, geglättet, beige, schwarz gefleckt. Außen Rußreste, sekundär gebrannt, abgeplatzte Oberfläche. – Bs 84 Q101-0-4 (Taf. 56).
831 Randscherbe mit herausmodellierter Fingertupfenleiste. Grobe Quarz- und Steingrusmagerung, beige. Flächig stark erodiert. – Bs 86 Q255-0-3 (Taf. 56).
832 Wandscherbe, rillenverziert. Feine und mittlere Steingrusmagerung, beige und orange. Flächig stark erodiert, kalkversintert. – Bs 86 Q173-0-2 (Taf. 56).
833 Wandscherbe, ritzverziert. Feine Quarzgrusmagerung, orange. Flächig stark reduziert. – Bs 84 Q25-0-5 (Taf. 56).
834 Wandscherbe, ritzverziert. Feine Sandmagerung und mittlere organische Magerung, beige. Flächig stark erodiert, Kalksinter. – Bs 86 Q265-0-2 (Taf. 56).
835 Wandscherbe, ritzverziert. Feine Sand- und wenig mittlere organische Magerung, beige. Flächig stark erodiert. – Bs 86 Q411-0-5 (Taf. 56).
836 Wandscherbe mit aufgesetzter Tupfenleiste. Grobe Steingrusmagerung, beige und orange. Flächig stark erodiert. – Bs 84 Q115-0-6 (Taf. 56).
837 Wandscherbe mit aufgesetzter Fingertupfenleiste, grobe Steingrusmagerung, hellbeige. Flächig stark erodiert. – Bs 86 Q263-0-1 (Taf. 56).
838 Wandscherbe mit aufgesetzter Fingertupfenleiste. Mittlere und grobe Steingrusmagerung, schlickgeraut, hellbeige bis orange. Sekundär gebrannt, flächig erodiert. – Bs 86 Q93-0-4 (Taf. 56).
839 Wandscherbe mit aufgesetzter Kerbleiste. Grobe Steingrusmagerung, beige. Flächig stark erodiert. – Bs 86 Q275-0-1 (Taf. 56).
840 Wandscherbe mit aufgesetzter Fingertupfenleiste. Grobe Quarzgrusmagerung, geglättet, unter der Leiste verstrichen, hellbeige bis beige. Sekundär gebrannt, außen Kruste. – Bs 84 Q100-2 (Taf. 56).
841 Wandscherbe mit aufgesetzter Kerbleiste. Mittlere und grobe Quarz- und Steingrusmagerung, verstrichen, dunkelbeige. Leicht erodiert, Algen und Überlaufkruste, innen Kruste. – Bs 84 Q103-0-4 (Taf. 56).
842 Wandscherbe mit aufgesetzter Kerbleiste. Mittlere und grobe Quarz- und Steingrusmagerung, geglättet, dunkelbeige. Leicht erodiert, außen Algen und Überlaufkruste. – Bs 86 Q252-0-1 (Taf. 56).
843 Wandscherbe mit aufgesetzter Kerbleiste. Grobe Steingrusmagerung, beige. Flächig stark erodiert. – Bs 84 Q53-0-1 (Taf. 56).
844 Randscherbe mit aufgesetzter Knubbe. Mittlere und grobe Quarzgrusmagerung, beige. Flächig erodiert. – Bs 83 Q17-0-6 (Taf. 57).
845 Randscherbe mit aufgesetzter Fingertupfenleiste. Grobe Steingrusmagerung, beige. Flächig erodiert. – Bs 86 Q265-0-3 (Taf. 57).
846 Randscherbe mit aufgesetzter Fingertupfenleiste. Grobe Steingrusmagerung, hellbeige. Flächig stark erodiert. – Bs 86 Q189-0-22, -0-12 (Taf. 57).
847 Randscherbe mit aufgesetzter Fingertupfenleiste. Grobe Steingrusmagerung, hellbeige und orange. Flächig erodiert, sekundär gebrannt. – Bs 86 Q175-0-2 (Taf. 57).
848 Wandscherbe mit herausmodellierter Knubbe. Grobe Steingrusmagerung, beige. Flächig stark erodiert, außen Kalksinter. – Bs 86 Q274-0-1 (Taf. 57).
849 Wandscherbe mit eingezapftem Grifflappen. Grobe Steingrusmagerung, beige. Flächig erodiert, Kalksinter. – Bs 86 Q263-0-2 (Taf. 57).
850 Wandscherbe mit herausmodellierter Fingertupfen-

leiste. Grobe Steingrusmagerung, hellbeige. Innen flächig stark erodiert. – Bs 86 Q191-0-2 (Taf. 57).
851 Wandscherbe mit aufgesetzter Fingertupfenleiste. Grobe Kalk-, Steingrus- und organische Magerung, beige und rotorange. Flächig stark erodiert, sekundär gebrannt. – Bs 84 Q122-0-11 (Taf. 57).
852 Wandscherbe mit aufgesetzter Knubbe. Grobe Steingrusmagerung, beige. Flächig stark erodiert. – Bs 84 Q26-0-13 (Taf. 57).
853 Fingertupfenleiste, abgeplatzt. Mittlere Steingrusmagerung, beige. – Bs 86 Q245-0-4 (Taf. 57).
854 Wandscherbe mit aufgesetzter Fingertupfenleiste. Grobe Steingrusmagerung, wenig feine organische Magerung, geglättet, beige. Innen stark erodiert. – Bs 84 Q58-0-1 (Taf. 57).
855 Randscherbe mit aufgesetzter Fingertupfenleiste. Grobe Steingrusmagerung, sandig, verstrichen (?), schwarz. Flächig erodiert. – Bs 83 Q20-0-17 (Taf. 57).
856 Wandscherbe mit herausmodellierter flacher Knubbe. Mittlere Quarzgrusmagerung, orange. Flächig erodiert, sekundär gebrannt, Algen. – Bs 86 Q94-0-2 (Taf. 57).
857 Wandscherbe mit aufgesetzter Leiste. Grobe Quarzgrusmagerung, beige und orange. Flächig stark erodiert. – Bs 86 Q141-0-1 (Taf. 57).
858 Wandscherbe mit herausmodellierter Fingertupfenleiste. Grobe Steinchen-, Kalkgrus- und organische Magerung, hellbeige bis beige. Flächig erodiert. – Bs 84 Q122-0-2 (Taf. 57).
859 Randscherbe mit herausmodellierter Tupfenleiste. Mittlere und grobe Quarzgrusmagerung, beige. Flächig erodiert. – Bs 86 Q678-0-1 (Taf. 57).
860 Knubbe, abgeplatzt. Grobe Steingrusmagerung, beige, orange gefleckt. Flächig erodiert. – Bs 86 Q546-0-1 (Taf. 57).
861 Wandscherbe mit aufgesetzter Fingertupfenleiste. Grobe Quarz- und Steingrusmagerung, schlickgeraut, hellbeige. Leicht erodiert, außen Algen. – Bs 84 Q54-0-5 (Taf. 57).
862 Wandscherbe mit aufgesetzter Fingertupfenleiste. Grobe Steingrusmagerung, hellbeige, orange gefleckt. Flächig stark erodiert. – Bs 84 Q59-0-5 (Taf. 57).
863 Wandscherbe mit aufgesetzter Tupfenleiste und darin integrierter Knubbe. Grobe Quarz- und Steingrusmagerung, beige. Flächig erodiert. – Bs 86 Q249-0-3 (Taf. 57).
864 Wandscherbe mit herausmodellierter Fingertupfenleiste. Grobe Steingrusmagerung, hellbeige bis beige. Flächig stark erodiert. – Bs 86 Q279-0-1 (Taf. 57).
865 Wandscherbe mit grober aufgesetzter Fingertupfenleiste. Grobe Steingrusmagerung, beige und orange. Flächig erodiert, sekundär gebrannt. – Bs 86 Q411-0-3 (Taf. 57).
866 Wandscherbe mit aufgesetzter Leiste. Grobe Quarzgrusmagerung, sandig, grau und orange. Flächig stark erodiert. – Bs 83 Q99-2 (Taf. 57).
867 Wandscherbe mit aufgesetzter Fingertupfenleiste. Grobe Steingrusmagerung, glimmerhaltig, verstrichen, hellbeige. Flächig erodiert. – Bs 83 Q21-0-4 (Taf. 57).
868 Wandscherbe mit aufgesetzter Fingertupfenleiste. Verstrichen, unter der Leiste schlickgeraut, beige. Leicht erodiert. – Bs 86 Q198-0-3 (Taf. 57).
869 Wandscherbe mit aufgesetzter grober Fingertupfenleiste. Grobe Stein- und Quarzgrusmagerung, sandig, verstrichen, hellbeige. Flächig erodiert. – Bs 83 Q20-0-1 (Taf. 57).
870 Wandscherbe mit grober aufgesetzter Fingertupfenleiste. Grobe Quarzgrusmagerung, verstrichen, unter der Leiste schlickgeraut, schwarz, beige und orange. Flächig erodiert, sekundär gebrannt, außen Rußreste, Algen. – Bs 83 Q-431 (Taf. 57).
871 Wandscherbe mit aufgesetzter grober Fingertupfenleiste. Grobe Steingrus- und Schamottemagerung, schlickgeraut, beige, orange gefleckt. Sekundär gebrannt. – Bs 84 Q101-3 (Taf. 57).
872a Randscherbe. Feine und mittlere Quarzgrusmagerung, beige bis orange. Flächig erodiert, kalkversintert, sekundär gebrannt. – Bs 86 Q249-0-4 (Taf. 58).
872b Randscherbe. Grobe Steingrusmagerung, beige. Flächig stark erodiert, kalkversintert. – Bs 86 Q264-0-2 (Taf. 58).
872c Randscherbe. Grobe Stein- und Quarzgrusmagerung, glimmerhaltig, schlickgeraut, hellbeige. Leicht erodiert, Rußfleck. – Bs 84 Q125-6 (Taf. 58).
872d Randscherbe. Grobe Steingrusmagerung, dunkelbeige. Flächig erodiert, kalkversintert. – Bs 86 Q285-0-2 (Taf. 58).
872e Randscherbe. Grobe Steingrusmagerung, beige und orange. Flächig stark erodiert, sekundär gebrannt. – Bs 84 Q306-0-6 (Taf. 58).
872f Randscherbe. Feine und mittlere Quarzgrusmagerung, geglättet, dunkelbeige. Leicht erodiert. – Bs 84 Q103-1 (Taf. 58).
872g Randscherbe. Mittlere Quarzgrus- und wenig organische Magerung, geglättet, dunkelbeige. Glättspuren sichtbar. – Bs 84 Q117-1 (Taf. 58).
872h Randscherbe. Feine und wenig grobe Quarzgrusmagerung, beige bis orange. Flächig erodiert, kalkversintert. – Bs 86 Q187-0-1 (Taf. 58).
872i Randscherbe. Feine Quarzgrusmagerung, dunkelbeige. Flächig stark erodiert. – Bs 86 Q253-0-3 (Taf. 58).
873a Kleine Randscherbe einer Schale. Feine Quarzgrusmagerung, geglättet, dunkelbeige. Flächig leicht erodiert. – Bs 84 Q125-8 (Taf. 58).
873b Randscherbe. Feine Quarzgrusmagerung, geglättet, beige. Außen flächig erodiert, innen Kruste. – Bs 84 Q51-0-26 (Taf. 58).
873c Randscherbe einer Schale. Feine Quarzgrusmagerung, dunkelbeige. Flächig erodiert. – Bs 86 Q233-0-3 (Taf. 58).
873d Randscherbe. Feine Quarzgrusmagerung, beige. Flächig stark erodiert. – Bs 84 Q304-0-1 (Taf. 58).
873e Randscherbe einer Schale. Wenig feine Magerung sichtbar, sandig, hellbeige und orange. Flächig erodiert, sekundär gebrannt. – Bs 86 Q175-0-3 (Taf. 58).
874a Randscherbe. Grobe Steingrusmagerung, beige. Flächig erodiert. – Bs 86 Q259-0-1 (Taf. 58).
874b Randscherbe. Grobe Steingrusmagerung, verstrichen, beige. Leicht erodiert, Außen Rußreste. – Bs 86 Q263-0-3 (Taf. 58).
874c Randscherbe. Grobe Steingrusmagerung, beige-dunkelbeige. Flächig erodiert, außen Rußreste. – Bs 84 Q144-0-18 (Taf. 58).
874d Randscherbe. Mittlere und grobe Quarzgrusmagerung, beige. Flächig stark erodiert. – Bs 86 Q175-0-4 (Taf. 58).
874e Randscherbe. Grobe Quarz- und Steingrusmagerung, beige und orangerot. Flächig erodiert, kalkversintert. – Bs 86 Q253-0-1 (Taf. 58).
874f Randscherbe. Grobe Quarz- und Steingrusmagerung, verstrichen, beige. Flächig leicht erodiert. – Bs 86 Q259-0-2 (Taf. 58).
874g Randscherbe. Grobe Steingrusmagerung, beige bis dunkelbeige. Flächig erodiert. – Bs 84 Q29-0-1 (Taf. 58).
874h Randscherbe. Grobe Stein und Quarzgrusmagerung,

verstrichen, beige bis hellbraun. Leicht erodiert, außen Rußfleck. – Bs 82 Q15-1014 (Taf. 58).

874i Randscherbe. Mittlere und grobe Steingrusmagerung, verstrichen, beige. Leicht erodiert. – Bs 86 Q291-0-1 (Taf. 58).

874k Randscherbe. Grobe Stein- und Quarzgrusmagerung, beige. Flächig stark erodiert. – Bs 86 Q93-0-5 (Taf. 58).

874l Randscherbe. Grobe Stein und Quarzgrusmagerung, orange. Sekundär gebrannt, flächig stark erodiert. – Bs 86 Q93-0-1 (Taf. 58).

874m Randscherbe. Grobe Steingrusmagerung, geglättet, dunkelbeige. – Bs 86 Q286-0-2 (Taf. 58).

874n Randscherbe. Mittlere Steingrusmagerung, verstrichen, beige. Leicht erodiert. – Bs 82 Q15-1014 (Taf. 58).

874o Randscherbe. Feine Quarzgrusmagerung, geglättet, dunkelbeige. Leicht erodiert. – Bs 86 Q265-0-4 (Taf. 58).

875 Randscherbe mit gekerbtem Rand. Grobe Quarzgrusmagerung, grau bis beige. Flächig leicht erodiert, sekundär gebrannt, kalkversintert. – Bs 86 Q253-0 (Taf. 58).

876 Randscherbe mit Fingertupfenzier. Mittlere und grobe Quarz- und Steingrusmagerung, geglättet, hellbeige und grau. Leicht erodiert. – Bs 84 Q107-1006 (Taf. 58).

877 Wandscherbe mit aufgesetzter grober Fingertupfenleiste. Grobe Steingrusmagerung, verstrichen, schwarz. Leicht erodiert, außen rußgeschwärzt. – Bs 84 Q105-31 (Taf. 58).

878 Wandscherbe mit aufgesetzter Fingertupfenleiste. Feine Quarzgrusmagerung, sandig, geglättet, beige. Flächig leicht erodiert. – Bs 84 Q105-30 (Taf. 58).

879 Randscherbe mit herausmodellierter Kerbleiste. Grobe Steingrusmagerung mit groben Steinchen, beige. Flächig stark erodiert, Kalkversintert. – Bs 86 Q245-0-5 (Taf. 58).

880 Wandscherbe mit aufgesetzter Tupfenleiste und integriertem Grifflappen. Grobe Steingrusmagerung, hellbeige. Flächig erodiert, innen Krustenreste, kalk versintert. – Bs 86 Q189-0-4 (Taf. 58).

881 Wandscherbe mit aufgesetzter Fingertupfenleiste. Feine Quarzgrusmagerung, sandig, wenig mittlere organische Magerung, geglättet, beige. Leicht erodiert, außen Rußflecken. – Bs 83 Q95-0-6 (Taf. 58).

882 Wandscherbe mit grober aufgesetzter Fingertupfenleiste. Schlickgeraut, beige. Flächig erodiert, außen Kruste und Algen. – Bs 84 Q51-0-36 (Taf. 58).

883 Randscherbe mit Fingernageleindrücken auf dem Rand. Grobe Steingrusmagerung, rotorange. Flächig stark erodiert, sekundär gebrannt. – Bs 84 Q302-0-8 (Taf. 58).

884 Wandscherbe mit Grifflappen. Grobe Stein- und Quarzgrusmagerung, dunkelbeige. Flächig stark erodiert. – Bs 86 Q193-0-2 (Taf. 58).

885 Wandscherbe mit aufgesetzter Fingertupfenleiste. Mittlere Steingrusmagerung, beige. Flächig stark erodiert. – Bs 83 Q20-0-28 (Taf. 58).

886 Wandscherbe mit aufgesetzter Fingertupfenleiste. Grobe Steingrusmagerung, dunkelbeige. Flächig stark erodiert, kalkversintert. – Bs 86 Q678-0-2 (Taf. 58).

887 Wandscherbe mit aufgesetzter Fingertupfenleiste und integrierter Knubbe. Grobe Quarzgrusmagerung, beige. Flächig stark erodiert. – Bs 86 Q257-0-2 (Taf. 58).

888 Wandscherbe mit aufgesetzter Fingertupfenleiste. Grobe Stein- und Quarzgrusmagerung, sandig. Stark erodiert. – Bs 83 Q20-0-10 (Taf. 58).

889 Bandhenkelfragment, leicht eingesattelt. Grobe Stein- und Quarzgrusmagerung, beige und orange. Flächig erodiert, sekundär gebrannt, kalkversintert, aufgrund der Qualität zu Bef. 6 gehörig. – Bs 86 Q171-0-4 (Taf. 58).

890 Wandscherbe mit aufgesetzter Fingertupfenleiste. Wenig grobe Quarzgrusmagerung, sandig, beige und braunorange. Flächig erodiert, kalkversintert, Algen, sekundär gebrannt. – Bs 86 Q678-0-3 (Taf. 58).

891 Wandscherbe mit herausmodellierter Fingertupfenleiste. Rotorange. Flächig leicht erodiert, kalkversintert. – Bs 86 Q251-0-2 (Taf. 58).

892 Wandscherbe mit herausmodellierter Fingertupfenleiste. Grobe Steingrusmagerung mit feiner organischer Magerung, hellbeige. Flächig stark erodiert. – Bs 84 Q215-0-5 (Taf. 58).

893 Bandhenkelfragment. Wenig feine Quarzgrus- und organische Magerung sichtbar, beige. Stark erodiert, Algen. – Bs 84 Q55-0-1 (Taf. 58).

894 Wandscherbe mit aufgesetzter Tupfenleiste. Grobe Quarz- und Steingrusmagerung und wenig mittlere organische Magerung, beige. Flächig stark erodiert. – Bs 83 Q95-1 (Taf. 58).

895 Wandscherbe mit aufgesetzter Fingertupfenleiste. Grobe Stein- und Quarzgrusmagerung, geglättet, (hell)beige bis grau. Leicht erodiert, sekundär gebrannt. – Bs 84 Q15-0-25 (Taf. 58).

896 Wandscherbe mit grober aufgesetzter Fingertupfenleiste. Grobe Stein- und Quarzgrusmagerung, verstrichen, unter der Leiste schlickgeraut, beige bis braunorange. Flächig stark erodiert, sekundär gebrannt. – Bs 86 Q241-0-2 (Taf. 58).

897 Bandhenkel. Grobe Quarzgrusmagerung, hellbeige bis orange. Flächig erodiert, außen Algen. – Bs 84 Q103-0-3 (Taf. 58).

898 Randscherben eines Topfes. Feine und grobe Quarzgrusmagerung, verstrichen, dunkelbeige. Außen Rußreste, Magerung sichtbar, flächig erodiert. – Bs 82 Q31-3, 32-8, Bef. 1.0 (Taf. 59).

899 Wandscherbe mit Fingertupfenzier und integriertem Grifflappen. Grobe Steingrusmagerung, verstrichen, beige. – Bs 84 Q29-9, Bef. 1.0 (Taf. 59).

900 Randscherbe eines Topfes. Grobe Quarzgrusmagerung, verstrichen, beige. – Bs 86 Q41-2, Bef. 1.0 (Taf. 59).

901 Randscherbe mit aufgesetzter Kerbleiste. Feine Quarz- und grobe Steingrusmagerung, geglättet, schwarz. Außen Kruste. – Bs 84 Q27-6, Bef. 1–4 (Taf. 59).

902 Wandscherbe mit aufgesetzter Kerbleiste. Feine und wenig grobe Quarzgrusmagerung, geglättet, beige. Flächig erodiert. – Bs 84 Q27-7, Bef. 1–4 (Taf. 59).

903 Wandscherbe mit aufgesetzter Fingertupfenleiste und darin integrierter Knubbe. Mittlere und grobe Steingrusmagerung, grau und orange. Flächig erodiert, sekundär gebrannt. – Bs 83 Q14-5, Bef. 1–4 (Taf. 59).

904 Wandscherbe mit aufgesetzter Fingertupfenleiste und integrierter ovaler Applikation, vermutlich eingezapft. Mittlere Steingrusmagerung, glimmerhaltig, unter der Leiste schlickgeraut, darüber verstrichen, grau bis beige. Innen Kruste. – Bs 84 Q28-11, Bef. 1–4 (Taf. 59).

905 Wandscherbe mit aufgesetzter Fingertupfenleiste und abgeplatzter (?) Applikation (?). Grobe Stein-/Quarzgrusmagerung, schlickgeraut. Flächig stark erodiert. – Bs 84 Q25-2, Bef. 1–4 (Taf. 59).

906 Wandscherbe mit Knickwandprofil, kornstich- und ritzverziert. Mittlere Quarz- und Steingrusmagerung, sandig, geglättet, beige. Etwas erodiert, Magerung sichtbar. – Bs 83 Q49-1, Verzug in Bef. 8 (Taf. 59).

907a Randscherbe. Feine und mittlere Quarzgrusmagerung, hellbeige. Flächig erodiert, kalkversintert. – Bs 86 388-0-1 (Taf. 59).

907b Randscherbe. Mittlere Steingrus- und grobe Schamottemagerung, verstrichen, beige bis dunkelbeige. Flächig erodiert, außen Rußrest. – Bs 82 Q15-1015 (Taf. 59).

907c Randscherbe. Grobe Stein- und Quarzgrusmagerung, verstrichen, beige, orange gefleckt. Leicht erodiert, sekundär gebrannt, außen Algen, Magerung sichtbar. – Bs 86 Q273-0-2 (Taf. 59).

907d Randscherbe. Mittlere und grobe Steingrusmagerung, sandig, verstrichen, beige. Flächig erodiert, Kalksinter am Rand. – Bs 83 Q20-0-6 (Taf. 59).

907e Randscherbe. Mittlere Quarz- und wenig mittlere Steingrusmagerung, wenig grobe Steinchen, geglättet, beige. Leicht erodiert. – Bs 83 0-448 (Taf. 59).

907f Randscherbe. Grobe Stein- und Quarzgrusmagerung, beige. Flächig stark erodiert – Bs 84 Q107-0-15 (Taf. 59).

907g Randscherbe. Mittlere Steingrusmagerung, verstrichen, beige. Leicht erodiert. – Bs 84 Q107-0-13/II (Taf. 59).

907h Randscherbe. Grobe Quarzgrusmagerung, hellbeige und beige. Flächig erodiert, Algen. – Bs 83 0-418 (Taf. 59).

907i Randscherbe. Grobe Steingrusmagerung, beige und orange. Flächig erodiert. – Bs 84 Q26-12 (Taf. 59).

907k Randscherbe. Feine und mittler Quarzgrusmagerung, geglättet, schwarz. – Bs 84 Q144-0-6 (Taf. 59).

907l Randscherbe. Mittlere Quarzgrusmagerung, beige. Flächig erodiert. – Bs 84 Q52-0-12 (Taf. 59).

907m Randscherbe. Grobe Steingrusmagerung, geglättet, beige. Leicht erodiert, außen Rußfleck und Überlaufreste. – Bs 84 Q122-2 (Taf. 59).

908 Bandhenkelfragment. Grobe Quarz- und Steingrusmagerung, verstrichen, beige. Magerung sichtbar. – Bs 84 Q54-0-14 (Taf. 59).

909 Bandhenkelfragment, leicht eingesattelt. Grobe Steingrusmagerung, verstrichen, orange bis hellbeige. Leicht erodiert, außen Algen. – Bs 86 Q173-0-17 (Taf. 59).

910 Bandhenkelfragment. Mittlere und grobe Steingrusmagerung, beige, Flächig erodiert, kalkversintert. – Bs 86 Q265-0-5 (Taf. 59).

911 Bandhenkelfragment. Mittlere und grobe Steingrusmagerung, verstrichen, hellbeige. Flächig erodiert, Kalksinter. – Bs 84 Q59-0-7 (Taf. 59).

912 Randscherbe eines Topfes mit herausmodellierter Fingertupfenleiste. Wenig feine Quarzgrusmagerung sichtbar, sandig, geglättet, unter der Leiste schlickgeraut, schwarz. Leicht erodiert, außen Rußrest. – Bs 84 Q16-1014, Bef. 2–4 (Taf. 59).

913 Wandscherbe mit aufgesetzter Fingertupfenleiste und darin integrierter Henkelöse. Mittlere Steingrus- und Schamottemagerung, verstrichen, unter der Leiste schlickgeraut, beige. – Bs 84 Q16-1, Bef. 2–4 (Taf. 59).

914 Randscherbe mit aufgesetzter Fingertupfenleiste. Mittlere Steingrusmagerung, geglättet, beige und schwarz. Außen rußgeschwärzt. – Bs 84 Q16-8, Bef. 2–4 (Taf. 59).

915 Randscherbe eines Topfes mit aufgesetzter Fingertupfenleiste. Feine und mittlere Steingrusmagerung, geglättet, unter der Leiste schlickgeraut, vertikal verstrichen, beige. Außen Rußfleck, innen Kruste. – Bs 84 Q16-5, Bef. 2–4 (Taf. 59).

916 Randscherbe mit herausmodellierter Fingertupfenleiste. Feine und mittlere Quarzgrusmagerung, sandig, geglättet, unter der Leiste schlickgeraut, beige und dunkelbeige. Leicht erodiert. – Bs 84 Q16-1003, Bef. 2–4 (Taf. 59).

917 Wandscherbe mit aufgesetzter Fingertupfenleiste. Grobe Steingrusmagerung, verstrichen, unter der Leiste schlickgeraut, hellbeige bis grau. Innen Krustenrest, sekundär gebrannt. – Bs 83 Q13-53, Bef. 2–4 (Taf. 59).

918 Kleine Schüssel. Mittlere und grobe Steingrusmagerung, dunkelbeige. Flächig erodiert. – Bs 86 Q390-0-1 (Taf. 60).

919 Wandscherbe mit aufgesetzter Fingertupfenleiste. Grobe Quarz- und Steingrusmagerung, rotorange. Flächig erodiert, außen und innen Kalksinter. – Bs 86 Q241-0-3 (Taf. 60).

920 Randscherbe eines kleinen Topfes mit aufgesetzter glatter Leiste. Feine Quarzgrusmagerung, sandig, beige bis braun. Flächig erodiert. – Bs 86 Q283-0-1 (Taf. 60).

921 Randscherbe eines Töpfchens. Grobe Steingrusmagerung, rotorange und beige. Flächig erodiert, kalkversintert. – Bs 86 Q252-0-3 (Taf. 60).

922 Wandscherbe mit aufgesetzter Fingertupfenleiste. Grobe Steingrusmagerung, beige und braunorange. Flächig stark erodiert. – Bs 84 Q182-0-1 (Taf. 60).

923 Randscherbe eines kleinen Topfes. Feine Quarzgrus- und grobe Steingrusmagerung, geglättet, beige. Magerung sichtbar. – Bs 82 0-401 (Taf. 60).

924 Wandscherbe mit aufgesetzter Fingertupfenleiste. Mittlere und grobe Stein- und Quarzgrusmagerung, verstrichen, dunkelbeige. Flächig erodiert, außen Algen und Kalksinter. – Bs 84 Q104-0-2 (Taf. 60).

925 Randscherbe mit aufgesetzter Tupfenleiste. Mittlere Steingrus- und grobe Steinchenmagerung, verstrichen, dunkelbeige. Außen Rußreste, leicht erodiert. – Bs 86 Q678-0-4 (Taf. 60).

926 Wandscherbe mit aufgesetzten Fingertupfenleisten. Grobe Steingrusmagerung, hellbeige. Flächig erodiert. – Bs 84 Q182-0-2 (Taf. 60).

927 Wandscherbe mit aufgesetzter Fingertupfenleiste. Grobe Steingrus- und Schamottemagerung, geglättet, beige bis braun. Außen Überlaufkruste, flächig leicht erodiert, Algen. – Bs 84 Q114-0-2 (Taf. 60).

928 Wandscherbe mit aufgesetzter Fingertupfenleiste. Grobe Stein- und Quarzgrusmagerung, braunorange. Flächig erodiert, kalkversintert. – Bs 86 Q244-0-2 (Taf. 60).

929 Wandscherbe mit aufgesetzter Fingertupfenleiste. Grobe Steingrusmagerung, hellbeige. Flächig erodiert. – Bs 84 Q54-0-4 (Taf. 60).

930 Wandscherbe mit aufgesetzter Fingertupfenleiste. Grobe Steingrusmagerung, geglättet, unter der Leiste schlickgeraut, hellbeige. Leicht erodiert. – Bs 84 Q116-0-21 (Taf. 60).

931 Wandscherbe mit aufgesetzter Fingertupfenleiste. Feine Sandmagerung, hellbeige bis hellbraun. Flächig erodiert. – Bs 86 Q246-0-1 (Taf. 60).

932 Wandscherbe mit aufgesetzter Fingertupfenleiste. Grobe Steingrusmagerung, verstrichen, beige. Kalkversintert. – Bs 86 Q291-0-3 (Taf. 60).

933 Wandscherbe mit aufgesetzter Fingertupfenleiste. Grobe Steingrusmagerung, rotorange. Flächig erodiert, sekundär gebrannt. – Bs 86 Q175-0-5 (Taf. 60).

934 Wandscherbe mit aufgesetzter Fingertupfenleiste. Mittlere und grobe Steingrusmagerung, verstrichen, beige bis orange. Flächig erodiert, Algen. – Bs 86 Q42-6/I (Taf. 60).

935 Randscherbe mit aufgesetzter Fingertupfenleiste und Fingertupfen auf dem Rand. Grobe Quarzgrusmagerung, orange. Flächig erodiert. – Bs 86 Q174-0-1 (Taf. 60).

936 Wandscherbe mit aufgesetzter Fingertupfenleiste. Gro-

be Quarzgrusmagerung, beige. Flächig stark erodiert. – Bs 84 Q123-0-2 (Taf. 60).
937 Wandscherbe mit aufgesetzter Fingertupfenleiste. Grobe Stein- und Quarzgrusmagerung, schlickgeraut, hellbeige. Flächig erodiert. – Bs 84 Q166-0-8 (Taf. 60).
938 Kleiner eiförmiger Topf, kornstich-, schrägstich- und ritzverziert. Grobe Schamottemagerung, geglättet, dunkelbeige. Leicht erodiert. – Bs 86 Q129-0-1 (Taf. 60).
939 Wandscherbe mit aufgesetzter Tupfenleiste. Mittlere und grobe Stein- und Quarzgrusmagerung, geglättet, unter der Leiste schlickgeraut, beige bis schwarz. Außen Überlaufflecken, innen Krustenreste. – Bs 84 Q115-0-3 (Taf. 60).
940 Flachboden, Bodenscherbe. Feine Quarzgrusmagerung, sandig, dunkelbeige. Flächig erodiert, außen Algen. – Bs 86 Q281-0-5 (Taf. 60).
941 Standringboden. Mittlere und wenig grobe Quarzgrusmagerung, geglättet, beige. Flächig leicht erodiert. – Bs 84 Q115-0-1 (Taf. 60).
942 Kleiner eiförmiger Topf, Wandscherbe mit Rechteckstempelzier. Mittlere Quarz- und grobe Steingrusmagerung, geglättet, hellbeige und schwarz. Außen rußgeschwärzt, leicht erodiert, Magerung sichtbar. – Bs 84 Q101-2 (Taf. 60).
943 Wandscherbe mit aufgesetzter Fingertupfenleiste. Grobe Steingrusmagerung, beige und braunorange. Flächig stark erodiert, kalkversintert, sekundär gebrannt. – Bs 86 Q249-0-5 (Taf. 60).
944 Bodenscherbe. Mittlere Steingrusmagerung, schlickgeraut, beige. Leicht erodiert, außen Rußfleck. – Bs 84 Q128-1 (Taf. 60).
945 Bodenscherbe, rillenverziert (?). Mittlere und grobe Quarzgrusmagerung, verstrichen, beige. Leicht erodiert, Boden unbehandelt. – Bs 84 Q51-0-2 (Taf. 60).
946 Randscherbe, ritz- und kornstich(?)verziert. Feine Quarzgrusmagerung, sandig, wenig feine organische Magerung, geglättet, schwarz. Innen Oberfläche abgeplatzt. – Bs 84 Q57-6 (Taf. 61).
947 Wandscherbe, flächig kornstich- und ritzverziert. Feine und mittlere Quarzgrusmagerung, geglättet, beige bis dunkelbeige. Innen flächig stark erodiert. – Bs 84 Q107-0-13/I (Taf. 61).
948 Wandscherbe, flächig kornstich- und ritzverziert. Feine Quarzgrusmagerung, sandig, wenig feine organische Magerung, geglättet, schwarz. Flächig erodiert. – Bs 82 0-402 (Taf. 61).
949 Wandscherbe, ritz- und flächig kornstichverziert. Feine Quarzgrusmagerung, sandig, geglättet, dunkelbeige. Flächig leicht erodiert. – Bs 86 Q218-0-1, dazu -0-2 (Taf. 61).
950 Wandscherbe, ritz- und einstichverziert, mit Resten weißer Inkrustation. Mittlere und grobe Steingrusmagerung, dunkelbeige. Flächig erodiert. – Bs 86 Q274-0-2 (Taf. 61).
951 Wandscherbe, kornstich- und rillenverziert. Feine Quarzgrusmagerung, geglättet, schwarz. – Bs 86 Q678-1001 (Taf. 61).
952 Wandscherbe, flächig kornstich- und ritzverziert. Feine Quarzgrusmagerung, geglättet, dunkelbeige. Innen flächig erodiert, Algen. – Bs 83 Q133-0-7 (Taf. 61).
953 Wandscherbe mit aufgesetzter Stempelleiste. Grobe Stein- und Quarzgrusmagerung, schlickgeraut, dunkelbeige bis braun. Flächig leicht erodiert. – Bs 84 Q121-0-1 (Taf. 61).
954 Wandscherbe mit Fingertupfenleiste. Grobe Stein- und Quarzgrusmagerung, hellbeige. Flächig stark erodiert. – Bs 84 Q106-0-5 (Taf. 61).
955 Wandscherbe mit aufgesetzter Fingertupfenleiste. Verstrichen, unter der Leiste schlickgeraut, hellbeige. – Bs 84 Q62 n-Profil (Taf. 61).
956 Wandscherbe mit aufgesetzter grober Fingertupfenleiste. Grobe Steingrusmagerung, hellbeige. Flächig stark erodiert, kalkversintert. – Bs 86 Q234-0-1 (Taf. 61).
957 Wandscherbe mit aufgesetzten Fingertupfenleisten. Grobe Steingrusmagerung, verstrichen, unter den Leisten schlickgeraut, beigebraun. – Bs 83 Q21-0-5 (Taf. 61).
958 Wandscherbe mit grober aufgesetzter Fingertupfenleiste und darin integrierter Knubbe. Grobe Steingrusmagerung, schlickgeraut, beige bis orange. Flächig stark erodiert, sekundär gebrannt. – Bs 84 Q57-0-1 (Taf. 61).
959 Wandscherbe mit aufgesetzter Fingertupfenleiste. Grobe Steingrusmagerung, verstrichen, hellbeige. Kalksinter. – Bs 83 Q21-0-9 (Taf. 61).
960 Wandscherbe mit aufgesetzter, schräg gedrückter Leiste. Feine Quarzgrusmagerung, geglättet, unter der Leiste pastose Schlickrauung, schwarz. Algen, außen Rußreste. – Bs 83 0-430 (Taf. 61).
961 Wandscherbe mit aufgesetzter Fingertupfenleiste und darin integrierter Knubbe. Grobe Kalkgrus-, Steingrus-, Steinchen- und organische Magerung, beige bis rotorange. Sekundär gebrannt, flächig stark erodiert. – Bs 84 Q123-0-3 (Taf. 61).
962 Wandscherbe mit Bodenansatz eines Kleingefäßes. Grobe Steingrus- und Schamottemagerung, dunkelbeige. Flächig erodiert. – Bs 84 Q125-18 (Taf. 61).
963 Randscherbe mit herausmodellierter Fingertupfenleiste. Mittlere und grobe Steingrusmagerung, geglättet, unter der Leiste schlickgeraut, dunkelbeige. Außen dicke Überlaufkruste. – Bs 86 Q42-8/II (Taf. 61).
964 Randscherbe mit herausmodellierter Kerbleiste. Mittlere und grobe Quarzgrusmagerung, glimmerhaltig, geglättet, unter der Leiste schlickgeraut, beige. Leicht erodiert, außen Rußflecken, Magerung sichtbar. – Bs 83 0-429 (Taf. 61).
965 Randscherbe eines kleinen Töpfchens. Grobe Steingrusmagerung, beige. Flächig leicht erodiert, innen Rußflecken, kalkversintert. – Bs 86 Q280-0-1 (Taf. 61).
966 Flachboden, Bodenscherbe. Feine Quarzgrusmagerung, sandig, dunkelbeige. Flächig erodiert, kalkversintert. – Bs 86 Q544-0-3 (Taf. 62).
967 Flachboden, Bodenscherbe. Feine Quarzgrusmagerung, geglättet, schwarz. Flächig leicht erodiert. – Bs 86 Q191-0-1 (Taf. 62).
968 Wandscherbe mit aufgesetzter Fingertupfenleiste und darin integrierter Knubbe. Grobe Steingrusmagerung, beige. Flächig stark erodiert. – Bs 86 Q257-0-3 (Taf. 62).
969 Wandscherbe mit aufgesetzter Fingertupfenleiste und darin integrierter Knubbe. Grobe Steingrusmagerung, beige. Flächig stark erodiert, Kalksinter. – Bs 86 Q247-0-1 (Taf. 62).
970 Bodenscherbe. Mittlere Quarzgrus- und wenig grobe Steingrusmagerung, beige bis hellbraun. Flächig stark erodiert. – Bs 86 Q247-0-2 (Taf. 62).
971 Wandscherbe, ritzverziert, mit Henkelansatz. Wenig mittlere Steingrus- und Schamottemagerung, geglättet, dunkelbeige. – Bs 83 Q133-0-12 (Taf. 62).
972 Wandscherbe mit herausmodellierter Tupfenleiste und darin integrierter Knubbe. Beige bis hellorange. Flächig stark erodiert, kalkversintert. – Bs 86 Q421-0-1 (Taf. 62).
973 Randscherbe mit herausmodellierter Fingertupfenleiste. Grobe Quarzgrusmagerung, beige. Flächig erodiert, außen Algen und Kalksinter. – Bs 84 Q56-0-4 (Taf. 62).
974 Randscherbe mit aufgesetzter Tupfenleiste, mittlere

und grobe Steingrusmagerung, dunkelbeige. Flächig erodiert, Kalksinter. – Bs 86 Q411-0-4 (Taf. 62).
975 Randscherbe mit aufgesetzter Tupfenleiste. Mittlere und grobe Steingrusmagerung, dunkelbeige. Flächig erodiert, Kalksinter. – Bs 86 Q286-0-2 (Taf. 62).
976 Randscherbe mit aufgesetzter Fingertupfenleiste. Beige. Flächig erodiert, Kalksinter. – Bs 86 Q193-0-4 (Taf. 62).
977 Wandscherbe mit Bandhenkelansatz. Grobe Steingrusmagerung, geglättet, dunkelbeige. Flächig erodiert. – Bs 84 Q115-0-4 (Taf. 62).
978 Wandscherbe mit eingezapfter Knubbe. Feine Sandmagerung, wenig mittlerer Quarzgrus, orange. Flächig erodiert, kalkversintert. – Bs 86 Q417-0-1 (Taf. 62).
979 Wandscherbe mit aufgesetzter Tupfenleiste. Grobe Steingrusmagerung, beige bis dunkelbeige. Flächig erodiert, kalkversintert. – Bs 86 Q281-0-4 (Taf. 62).
980 Wandscherbe mit eingezapftem Grifflappen. Grobe Steingrusmagerung, beige bis braunorange. Flächig stark erodiert. – Bs 86 Q243-0-2 (Taf. 62).
981 Randscherbe mit Knubbe. Grobe Steingrusmagerung, verstrichen (?), rotorange, graubeige, orange gefleckt. Flächig erodiert, sekundär gebrannt. – Bs 86 Q175-0-6 (Taf. 62).
982 Wandscherbe mit herausmodellierten Fingertupfenleisten und darin integrierter angestochener Knubbe. Grobe Steingrusmagerung, beige. Flächig stark erodiert, kalkversintert. – Bs 86 Q544-0-4 (Taf. 62).
983 Wandscherbe mit aufgesetzter Fingertupfenleiste. Grobe Steingrusmagerung, beige. Flächig erodiert. – Bs 86 Q275-0-2 (Taf. 62).
984 Knubbe, abgeplatzt, zweihöckerig. Grobe Steingrusmagerung, hellorange. Flächig erodiert, sekundär gebrannt, Tonqualität entspricht Keramik aus Schicht A. – Bs 84 Q201-0-2 (Taf. 62).
985 Wandscherbe mit aufgesetzter Fingertupfenleiste. Grobe Quarzgrusmagerung, beige. Flächig stark erodiert. – Bs 84 Q119-0-1 (Taf. 62).
986 Wandscherbe mit aufgesetzter Fingertupfenleiste, grobe Steingrusmagerung, hellbeige bis braunorange. Flächig stark erodiert, kalkversintert. – Bs 86 Q249-0-6 (Taf. 62).
987 Wandscherbe mit aufgesetzter Tupfenleiste und darin ansetzendem Bandhenkel. Grobe Steingrusmagerung, orange. Flächig erodiert, kalkversintert. – Bs 86 Q187-0-2 (Taf. 62).
988 Randscherbe mit aufgesetzter Fingertupfenleiste und darin integrierter Knubbe. Grobe Quarzgrusmagerung, sandig, unter der Leiste schlickgeraut, hellbraun. Leicht erodiert, Magerung sichtbar, außen Rußflecken. – Bs 83 Q41-1 (Taf. 62).
989 Wandscherbe mit aufgesetzter Fingertupfenleiste. Grobe Stein- und Quarzgrusmagerung, braunorange. Flächig erodiert. – Bs 86 Q171-0-5 (Taf. 62).
990 Wandscherbe mit aufgesetzter Fingertupfenleiste. Grobe Steingrusmagerung, rotorange. Flächig erodiert, sekundär gebrannt. – Bs 86 Q174-0-2 (Taf. 62).
991 Wandscherbe mit Henkelansatz, vertikal kanneliert. Grobe Stein- und Quarzgrusmagerung, verstrichen, dunkelgrau. – Bs 84 Q300-0-3 (Taf. 62).
992 Randscherbe mit aufgesetzter Fingertupfenleiste. Grobe Steingrusmagerung, beige. Flächig stark erodiert. – Bs 84 Q14-0-11 (Taf. 62).
993 Randscherbe mit herausmodellierter Tupfenleiste. Grobe Stein- und Quarzgrusmagerung. Flächig stark erodiert. – Bs 86 Q191-0-3 (Taf. 62).
994 Bodenscherbe. Mittlere Quarzgrusmagerung, dunkelbeige. Leicht erodiert, Boden unbehandelt, kalkversintert. – Bs 84 Q144-0-25 (Taf. 62).
995 Randscherbe mit aufgesetzter Fingertupfenleiste. Grobe Steingrusmagerung, beige bis rotorange. Flächig stark erodiert, außen Kalksinter, sekundär gebrannt. – Bs 84 Q122-0-1 (Taf. 62).
996 Randscherbe mit aufgesetzter Tupfenleiste. Grobe Steingrusmagerung, beige. Flächig erodiert. – Bs 84 Q111-0-13 (Taf. 62).
997 Bodenscherbe. Grobe Stein- und Quarzgrusmagerung, verstrichen, beige. Leicht erodiert. – Bs 82 0-296 (Taf. 62).
998 Randscherbe eines Topfes mit herausmodellierter Fingertupfenleiste. Grobe Stein- und Quarzgrusmagerung, sandig, glimmerhaltig, geglättet, dunkelbeige. Leicht erodiert, außen Krustenreste, Algen. – Bs 83 0-421 (Taf. 63).
999 Wandscherbe mit aufgesetzter Stempelleiste, grobe Steingrusmagerung, verstrichen, beige. Außen flächig erodiert, innen Krustenreste und Algen. – Bs 84 Q101-0-1 (Taf. 63).
1000 Randscherbe eines Topfes mit aufgesetzter Fingertupfenleiste. Grobe Stein- und Quarzgrusmagerung, verstrichen, beige bis orange. Flächig erodiert, außen Rußfleck und Kalksinter, sekundär gebrannt. – Bs 84 Q151-0-1 (Taf. 63).
1001 Wandscherbe mit aufgesetzter Fingertupfenleiste und darin integrierter Knubbe. Grobe Stein- und Quarzgrusmagerung, schlickgeraut, beige. Leicht erodiert, außen Kruste, Rußflecken und Algen. – Bs 84 Q15-0-2 (Taf. 63).
1002 Wandscherbe mit eingezapftem Grifflappen. Feine und wenig grobe Quarzgrusmagerung, wenig mittlere organische Magerung, glimmerhaltig, geglättet, schwarz. Glättspuren. – Bs 84 Q115-1 (Taf. 63).
1003 Randscherbe mit aufgesetzter Fingertupfenleiste. Grobe Steingrusmagerung und wenig mittlere organische Magerung, hellbeige. Flächig stark erodiert. – Bs 86 Q189-0-5 (Taf. 63).
1004 Randscherbe mit aufgesetzter Fingertupfenleiste. Grobe Quarz- und Steingrusmagerung, beige bis orange. Flächig erodiert. – Bs 84 Q106-0-3 (Taf. 63).
1005 Randscherbe mit aufgesetzter Tupfenleiste. Grobe Steingrusmagerung, hellbeige. Flächig erodiert, innen Algen. – Bs 86 Q189-5 (Taf. 63).
1006 Randscherbe mit herausmodellierter Fingertupfenleiste. Grobe Steingrusmagerung, beige. Flächig stark erodiert. – Bs 86 Q129-0-3 (Taf. 63).
1007 Wandscherbe mit aufgesetzten Fingertupfenleisten. Grobe Steingrusmagerung, beige. Flächig stark erodiert. – Bs 84 Q125-9 (Taf. 63).
1008 Wandscherbe mit grober aufgesetzter Fingertupfenleiste. Mittlere und grobe Steingrusmagerung, schlickgeraut, beige. Lappentechnik. – Bs 83 Q139-5 (Taf. 63).
1009 Wandscherbe mit aufgesetzter Fingertupfenleiste. Grobe Steingrusmagerung, beige. Flächig stark erodiert, außen Kalksinter. – Bs 84 Q182-0-3 (Taf. 63).
1010 Randscherbe mit aufgesetzter Fingertupfenleiste und schräg gedruckter Leiste. Grobe Steingrusmagerung, braunorange. Flächig erodiert, außen und innen Algen. – Bs 86 Q219-0-1 (Taf. 63).
1011 Wandscherbe mit aufgesetzter Fingertupfenleiste. Grobe Quarz- und Steingrusmagerung, schlickgeraut, beige. Leicht erodiert, außen Algen. – Bs 84 Q106-0-4 (Taf. 63).
1012 Wandscherbe mit aufgesetzten, gekreuzten groben Fingertupfenleisten. Grobe Steingrusmagerung, hellbeige. Flächig stark erodiert. – Bs 84 Q52-0-6 (Taf. 63).
1013 Wandscherbe mit aufgesetzter Fingertupfenleiste.

Grobe Steingrusmagerung, beige. Flächig erodiert. – Bs 84 Q52-0-10 (Taf. 63).
1014 Wandscherbe mit aufgesetzter Fingertupfenleiste, grobe Steingrusmagerung, beige. Flächig erodiert, kalkversintert. – Bs 86 Q429-0-2 (Taf. 63).
1015 Randscherbe mit aufgesetzten Fingertupfenleisten. Grobe Quarz- und Steingrusmagerung, geglättet, beige. Leicht erodiert, Algen und Kalksinter. – Bs 86 Q155-0-1 (Taf. 63).
1016 Randscherbe mit herausmodellierter Fingertupfenleiste und daran ansetzender Henkelöse. Grobe Steingrusmagerung mit wenig mittlerer organischer Magerung, schlickgeraut, hellbeige, orange gefleckt. Flächig erodiert, sekundär gebrannt, Krustenrest. – Bs 84 0-455 (Taf. 64).
1017 Randscherbe mit herausmodellierter Fingertupfenleiste. Grobe Stein- und Quarzgrusmagerung, verstrichen, unter der Leiste schlickgeraut, beige. Flächig erodiert, außen Algen. – Bs 84 Q106-0-13 (Taf. 64).
1018 Randscherbe mit aufgesetzter grober Fingertupfenleiste. Grobe Steingrusmagerung, schlickgeraut, dunkelbeige. Außen Überlaufflecken, Kalksinter, innen flächig erodiert. – Bs 86 Q94-0-3 (Taf. 64).
1019 Randscherbe mit aufgesetzter Fingertupfenleiste und Fingertupfen auf dem Rand. Grobe Steinchen- und Steingrusmagerung, dunkelbeige. Flächig erodiert. – Bs 84 Q15-5 (Taf. 64).
1020 Randscherbe mit Fingertupfen auf dem Rand. Grobe Steingrusmagerung, verstrichen, dunkelbeige. Außen angewittert und Krustenreste, kalkversintert. – Bs 86 Q282-0-1 (Taf. 64).
1021 Randscherbe mit aufgesetzter Fingertupfenleiste und Fingertupfen auf dem Rand. Grobe Steingrusmagerung, beige. Flächig stark erodiert, Algen. – Bs 86 Q198-0-4 (Taf. 64).
1022 Randscherbe mit aufgesetzter Kerbleiste. Mittlere und grobe Stein-/Quarzgrusmagerung, beige. Leicht erodiert, Algen und Krustenreste. – Bs 84 Q102-0-1 (Taf. 64).
1023 Randscherbe mit herausmodellierter Tupfenleiste. Grobe Steingrusmagerung, hellbeige. Flächig stark erodiert. – Bs 86 Q390-0-2 (Taf. 64).
1024 Randscherbe mit aufgesetzter Fingertupfenleiste. Grobe Quarzgrusmagerung, beige. Flächig stark erodiert, Algen und Kalksinter. – Bs 84 Q118-0-8 (Taf. 64).
1025 Randscherbe mit aufgesetzter Fingertupfenleiste und Fingertupfen auf dem Rand. Grobe Stein- und Quarzgrusmagerung mit groben Steinchen, dunkel- und hellbeige. Flächig erodiert. – Bs 84 Q29-0-2 (Taf. 64).
1026 Randscherbe mit aufgesetzter grober Fingertupfenleiste. Grobe Quarz- und Steingrusmagerung, schlickgeraut, hellbeige. Leicht erodiert. – Bs 84 Q15-0-1 (Taf. 64).
1027 Randscherbe mit aufgesetzter Fingertupfenleiste. Grobe Steingrusmagerung, dunkelbeige. Kalksinter. – Bs 86 Q175-0-7 (Taf. 64).
1028 Randscherbe mit aufgesetzter Fingertupfenleiste. Feine Sand- und wenig mittlere Steingrusmagerung, geglättet, beige und schwarz. Flächig erodiert. – Bs 86 Q233-0-2 (Taf. 64).
1029 Randscherbe mit aufgesetzter Fingertupfenleiste und Fingertupfen auf dem Rand. Mittlere und grobe Stein- und Quarzgrusmagerung, verstrichen, hellbeige, orange gefleckt. Leicht erodiert, Algen, Krustenrest und Kalksinter, sekundär gebrannt. – Bs 86 Q175-0-8 (Taf. 64).
1030 Wandscherbe mit aufgesetzter Fingertupfenleiste. Grobe Quarzgrusmagerung, verstrichen, beige. Flächig erodiert, außen Algen. – Bs 84 Q107-0-27 (Taf. 64).
1031 Randscherbe mit herausmodellierter Fingertupfenleiste. Grobe Kalk- und Steingrusmagerung, beige bis braun. Flächig erodiert. – Bs 84 Q124-1 (Taf. 64).
1032 Randscherbe mit herausmodellierter Fingertupfenleiste. Feine und wenig mittlere Quarzgrusmagerung, beige. Flächig leicht erodiert. – Bs 86 Q291-0-4 (Taf. 64).
1033 Randscherbe mit aufgesetzter Fingertupfenleiste. Mittlere und grobe Steingrusmagerung, verstrichen, beige und grau. Sekundär gebrannt, Algen. – Bs 83 Q95-2 (Taf. 64).
1034 Randscherbe mit herausmodellierter Fingertupfenleiste. Grobe Steingrusmagerung, dunkelbeige. Flächig erodiert, Algen. – Bs 86 Q247-0-3 (Taf. 64).
1035 Randscherbe mit aufgesetzter Fingertupfenleiste. Grobe Steingrusmagerung, beige bis hellorange. Flächig erodiert, Kalksinter. – Bs 86 Q277-0-2 (Taf. 64).
1036 Wandscherbe mit herausmodellierter Fingertupfenleiste. Grobe Steingrusmagerung, geglättet, unter der Leiste schlickgeraut, in vertikalen Bahnen verstrichen, hellbeige. Leicht erodiert, sekundär gebrannt. – Bs 86 Q193-0-1 (Taf. 64).
1037 Wandscherbe mit aufgesetzter Fingertupfenleiste und darin integrierter Knubbe. Mittlere und grobe Steingrusmagerung, verstrichen, unter der Leiste schlickgeraut, in horizontalen Bahnen verstrichen, beige bis grau und schwarz. Rußflecken, leicht erodiert, sekundär gebrannt. – Bs 84 Q107-1002 (Taf. 64).
1038 Wandscherbe mit herausmodellierter Fingertupfenleiste. Grobe Steingrusmagerung, geglättet, unter der Leiste schlickgeraut, in vertikalen Bahnen verstrichen, hellbeige. Leicht erodiert, Magerung sichtbar, sekundär gebrannt. – Bs 84 Q149-0-1 (Taf. 64).

17.3.1.9 Altfunde – Keramik (Taf. 65, 1039–1050.1052) und Tonobjekte (Taf. 65, 1051)

1039 Randscherbe mit aufgesetzter Fingertupfenleiste. Grobe Kalkgrus- und Steinchenmagerung, geglättet, unter der Leiste schlickgeraut, grau bis beige. Leicht erodiert. – Bez. Bs 12, Slg. P. Weber (Taf. 65).
1040 Randscherbe mit herausmodellierter Tupfenleiste. Grobe Steingrusmagerung, verstrichen, hellbeige. Leicht erodiert, kalkversintert. – Bez. Bs 2, Slg. P. Weber (Taf. 65).
1041 Randscherbe mit aufgesetzter Fingertupfenleiste. Grobe Kalkgrus- und Steinchenmagerung, verstrichen, beige. Leicht erodiert, kalkversintert. – Bez. Bs 4, Slg. P. Weber (Taf. 65).
1042 Wandscherbe mit aufgesetzter Fingertupfenleiste. Grobe Steingrusmagerung, beige. Flächig erodiert. – Bez. Bs 10, Slg. P. Weber (Taf. 65).
1043 Wandscherbe, einstichverziert. Feine Quarzgrusmagerung, beige bis orangerot. Flächig erodiert. – Inv. C 7831 Mus. Karlsruhe (Taf. 65).
1044 Wandscherbe mit aufgesetzter glatter Leiste. Grobe Quarzgrusmagerung, beige. Flächig erodiert. – Inv. C 7831 Mus. Karlsruhe (Taf. 65).
1045 Wandscherbe mit aufgesetzter Fingertupfenleiste und darin integrierter Knubbe. Grobe Quarzgrusmagerung, verstrichen, unter der Leiste schlickgeraut, beige. – Bez. Bs 8, Slg. P. Weber (Taf. 65).
1046 Randscherbe mit aufgesetzter Fingertupfenleiste und gekerbtem Rand. Grobe Quarzgrusmagerung, verstrichen,

beige. Leicht erodiert, kalkversintert. – Bez. Bs 7, Slg. P. Weber (Taf. 65).

1047 Wandscherbe mit aufgesetzter Fingertupfenleiste. Grobe Quarzgrusmagerung, geglättet, hellbeige. Flächig erodiert, kalkversintert. – Bez. Bs 5, Slg. P. Weber (Taf. 65).

1048 Randscherbe mit aufgesetzter Fingertupfenleiste. Mittlere Schamotte. und Quarzgrusmagerung, beige. Flächig erodiert, kalkversintert. – Bez. Bs 9, Slg. P. Weber (Taf. 65).

1049 Randscherbe eines Topfes. Grobe Quarzgrusmagerung, beige und orange. Flächig stark erodiert, kalkversintert. – Bez. Bs 3, Slg. P. Weber (Taf. 65).

1050 Wandscherbe, rillen- und ritzverziert. Feine und grobe Quarzgrusmagerung, glimmerhaltig, beige. Flächig erodiert, sekundär gebrannt. – Ohne Inv., Mus. Allensbach (Taf. 65).

1051 Fragment eines tonnenförmigen Webgewichts mit zentralem vertikalem Loch. Ungemagerter Rohton, beige und orange. Sekundär gebrannt, kalkversintert. – Bez. Bs 6, Slg. P. Weber (Taf. 65).

1052 Wandscherbe mit Fingertupfenreihe und darin integrierter Knubbe. Feine und wenig grobe Quarzgrusmagerung, geglättet, beige bis dunkelbeige. Leicht erodiert. – Bez. Bs 1, Slg. P. Weber (Taf. 65).

17.3.1.10 Oberflächenfunde – Tonobjekte (Taf. 65)

1053 Fragment eines Tonwirtels (?) mit zentralem Loch. Nur wenig organisch gemagerter Rohton, leicht gebrannt, dunkelbeige. Flächig erodiert. – Bs 86 Q194-0-1 (Taf. 65).

1054 Tonspule. Wenig mittlerer Steingrus sichtbar, nur leicht gebrannt, verstrichen, beige. Leicht erodiert, kalkversintert. – Bs 86 Q219-1 (Taf. 65).

1055 Fragment eines tonnenförmigen Webgewichts mit zentralem vertikalem Loch. Aus luftgetrocknetem Rohton, sandig, beige und orange. Sekundär gebrannt. – Bs 86 Q409-0-1 (Taf. 65).

17.3.1.11 Oberflächenfunde aus Tauchgängen von 1982 (82T) sowie von Tauchgängen und Begehungen vor 1982 – Keramik (Taf. 66–69) und Tonobjekte (Taf. 69, 1101)

1056 Bikonischer Topf, Randscherbe. Grobe Quarzgrusmagerung, stark glimmerhaltig, verstrichen, hellbeige. Außen Kalksinter, innen wenig Algen, Magerung sichtbar, leicht erodiert. – Bs 82T 0-255 (Taf. 66).

1057 Randscherbe mit aufgesetzter Fingertupfenleiste, verstrichen, beige. Leicht erodiert. – Bs 81 (Fund vom 1.12.1981) (Taf. 66).

1058 Trichterrand, Randscherbe. Grobe Steingrus- und Schamottemagerung, geglättet, hellbeige bis beige. Außen Kalksinter, Algen. – Bs 82T 0-215 (Taf. 66).

1059 Randscherbe mit Fingertupfenleiste und darin integrierter Knubbe. Grobe Steingrusmagerung, beige. Flächig erodiert, außen Kalksinter. – Bs 82T 0-250 (Taf. 66).

1060a Wandscherbe, flächig fingertupfenverziert. Grobe Steingrusmagerung, verstrichen, stellenweise geglättet, hellbeige. Außen Rußfleck, Kalksinter. – Bs 82T 0-275 (Taf. 66).

1060b Wandscherbe, in Reihen fingertupfenverziert. Grobe Quarz- und Steingrusmagerung, geglättet, hellbeige. Magerung sichtbar, außen Oberfläche abgeplatzt. – Bs 82T 0-267 (Taf. 66).

1061 Randscherbe mit Fingertupfenreihe und darin integrierter Knubbe. Mittlere und grobe Steingrusmagerung, schlickgeraut, beige. Außen Rußflecken und Algenreste, Lappentechnik. – Bs 82T 0-263 (Taf. 66).

1062 Wandscherbe mit aufgesetzter Fingertupfenleiste. Grobe Steingrusmagerung, schlickgeraut, beige, stellenweise orange. Außen dicke Überlaufkruste und Algen, leicht erodiert, innen Kruste. – Bs 82T 0-270 (Taf. 66).

1063 Wandscherbe mit herausmodellierter Fingertupfenleiste. Mittlere Quarzgrusmagerung, wenig grobe Steinchen, verstrichen, dunkelbeige bis braun. Außen Rußflecken und Überlaufreste, leicht erodiert. – Bs 82T 0-274 (Taf. 66).

1064 Wandscherbe mit Henkelöse. Grobe Stein- und Quarzgrusmagerung, beige bis dunkelbeige. Flächig erodiert. – Bs 82T 0-258 (Taf. 66).

1065 Wandscherbe mit grober aufgesetzter Fingertupfenleiste. Grobe Quarzgrusmagerung, verstrichen, beige. Außen und innen Krustenreste, Algen, flächig erodiert. – Bs 82T 0-266 (Taf. 66).

1066 Flachboden, Bodenscherbe. Grobe Quarz- und Steingrusmagerung, verstrichen, beige. Flächig erodiert. – Bs 82T 0-261 (Taf. 66).

1067 Flachboden, Bodenscherbe. Mittlere und wenig grobe Stein- und Quarzgrusmagerung, dunkelbeige. Flächig erodiert, Algen. – Bs 82T 0-277 (Taf. 66).

1068 Flachboden, Bodenscherbe. Grobe Quarzgrus- und wenig grobe organische Magerung, schlickgeraut, in horizontalen Bahnen verstrichen, beige. Außen Rußflecken, Krustenrest, Algen. Leicht erodiert, Boden unbehandelt. – Bs 82T 0-279 (Taf. 66).

1069 Flachboden, Bodenscherbe. Mittlere Quarz-/Steingrus- und organische Magerung, geglättet, schwarz. Leicht erodiert, Boden unbehandelt. – Bs 82T 0-259 (Taf. 66).

1070 Flachboden, Bodenscherbe. Grobe Steingrusmagerung, schlickgeraut, beige. Außen Algen, Boden unbehandelt. – Bs 82T 0-262 (Taf. 66).

1071 Flachboden, Bodenscherbe. Grobe Quarzgrusmagerung, sandig, schlickgeraut, in vertikalen Bahnen verstrichen, beige bis dunkelbeige. Außen Rußflecken, innen Algen, Boden unbehandelt, Magerung sichtbar. – Bs 82T 0-260 (Taf. 66).

1072 Randscherbe mit aufgesetzter Fingertupfenleiste. Grobe Quarzgrusmagerung, beige. Flächig erodiert. – Bs 82T 0-256 (Taf. 67).

1073 Randscherbe eines Topfes mit aufgesetzter Fingertupfenleiste, schlickgeraut, beige bis braun. Leicht erodiert, außen Rußfleck, Algen. – Bs 82T 0-254 (Taf. 67).

1074 Trichterrand, Randscherbe mit aufgesetzter Fingertupfenleiste. Grobe Steingrusmagerung, schlickgeraut, beige. Außen Rußflecken und Krustenreste, Algen, leicht erodiert. – Bs 82T 0-251 (Taf. 67).

1075 Wandscherbe mit aufgesetzter Fingertupfenleiste. Grobe Quarzgrus- und Steinchenmagerung, mit grober Schamotte, verstrichen, dunkelbeige und braun. flächig erodiert. – Bs 82T 0-280 (Taf. 67).

1076 Wandscherbe mit aufgesetzter Fingertupfenleiste. Grobe Steingrusmagerung, schlickgeraut, beige und dunkelbeige. Innen Kruste und Algen, leicht erodiert. – Bs 82T 0-265 (Taf. 67).

1077 Wandscherben eines Topfes mit aufgesetzter Fingertupfenleiste und integrierter Knubbe. Grobe Quarz- und Steingrusmagerung, verstrichen, beige. Außen Kruste, Magerung sichtbar. – Bs 82T 0-281 (Taf. 67).

1078 Wandscherbe mit aufgesetzter grober Fingertupfenleiste. Grobe Steingrusmagerung, schlickgeraut, beige bis orange. Sekundär gebrannt, flächig, teilweise stark erodiert. – Bs 82T 0-268 (Taf. 67).

1079 Bauchiges Gefäß mit aufgesetzter Fingertupfenleiste, Wandscherbe. Grobe Steinchen- und Quarzgrusmagerung, verstrichen, beige und orange. Außen Rußfleck und Kalksinter, leicht erodiert. – Bs 82T 0-264/I (Taf. 67).

1080 Wandscherbe mit aufgesetzter Fingertupfenleiste. Grobe Quarzgrusmagerung, verstrichen, beige. Leicht erodiert. – Bs 82T 0-264/II (Taf. 67).

1081 Randscherbe eines Kruges mit Bandhenkel, kornstich- und ritzverziert. Mittlere und wenig grobe Stein- und Quarzgrusmagerung, geglättet, dunkelbeige. Leicht erodiert, Algen. – Bs 81T 0-214 (Taf. 68).

1082 Randscherbe eines flaschenförmigen Gefäßes, ritzverziert. Feine Quarz- und mittlere Steingrusmagerung, geglättet, dunkelbeige. Leicht erodiert. – Bs 73, ohne Bez. (Tauchfund Schüle 07.1973) (Taf. 68).

1083 Wandscherbe eines Topfes (?), ritzverziert. Feine und wenig grobe Quarzgrusmagerung mit wenig organischer Magerung, geglättet, dunkelbeige, orange gefleckt. Flächig stark erodiert, sekundär gebrannt. – Bs 82T 0-230 (Taf. 68).

1084 Wandscherbe mit Knubbenansatz, ritzverziert. Feine Quarzgrus- und wenig feine organische Magerung, dunkelbeige. Flächig stark erodiert. – Bs 82T 0-278 (Taf. 68).

1085 Wandscherbe, ritzverziert. Mittlere Quarzgrus- und wenig grobe Steinchenmagerung, beige. Flächig stark erodiert, Kalksinter. – Bs 82T 0-271 (Taf. 68).

1086 Randscherbe, kornstich- und ritzverziert. Feine Quarzgrusmagerung, geglättet, schwarz. – Bs 73 0-23 (Taf. 68).

1087 Kleine Schale, Profilscherbe. Mittlere Quarzgrusmagerung, verstrichen, dunkelbeige. Flächig erodiert, Algen. – Bs 82T 0-249 (Taf. 68).

1088 Randscherbe mit T-förmig verdicktem Rand und vier erhaltenen Durchstichen, feine Quarzgrusmagerung, geglättet, schwarz. Leicht erodiert. – Bs 81 A1-7 (Taf. 68).

1089 Randscherbe mit aufgesetzter Fingertupfenleiste. Mittlere Steingrusmagerung, beige. Flächig erodiert. – Bs 73 0-20 (Taf. 68).

1090 Randscherbe einer Schüssel. Feine Quarzgrusmagerung, geglättet, schwarz. – Bs 73 0-22 (Taf. 68).

1091 Wandscherbe, ritzverziert. Grobe Quarzgrusmagerung, beige. Flächig erodiert. – Bs 82T 0-269 (Taf. 68).

1092 Wandscherbe, ritzverziert. Feine Quarzgrusmagerung, geglättet, dunkelbeige. Flächig leicht erodiert, außen Rußreste. – Bs 73 0-24 (Taf. 68).

1093 Randscherbe einer ritzverzierten Schale. Mittlere und grobe Steingrusmagerung, beige. Flächig erodiert, kalkversintert. – Bs 73-0-26, -0-27 (Taf. 68).

1094 Wandscherbe, zylinderstempelverziert mit darin integrierter Knubbe. Feine und wenig mittlere Quarzgrusmagerung, geglättet, dunkelbeige bis schwarz. Außen Krustenreste, Kalksinter. – Bs 81 A1-1 (Taf. 68).

1095 Randscherbe mit aufgesetzter Fingertupfenleiste. Grobe Steingrusmagerung, dunkelbeige. Flächig erodiert. – Bs 81 A1-3/I (Taf. 68).

1096 Randscherbe mit Fingertupfenleiste. Grobe Steingrusmagerung, beige. Flächig stark erodiert. – Bs 81 A1-3/II (Taf. 68).

1097 Wandscherbe einer Schüssel (?), einstich- und ritzverziert. Feine Sand- und mittlere organische Magerung, geglättet, dunkelbeige. Flächig leicht erodiert. – Bs 73 0-21 (Taf. 68).

1098 Randscherbe einer Schale. Feine Quarzgrusmagerung, geglättet, schwarz. – Bs 82 0-? (Taf. 68).

1099 Becher mit Ansatz einer Henkelöse. Wenig feine organische und Quarzgrusmagerung sichtbar, geglättet, hellbeige. Sekundär gebrannt, flächig leicht erodiert, Kalksinter. – Bs 82T 0-231 (Taf. 68).

1100 Wandscherbe. Grobe Steingrusmagerung, dunkelorange. Flächig stark erodiert. – Bs 82T 0-315 (Taf. 69).

1101 Tondüse mit gekerbtem Rand. Mittlere und wenig grobe Quarzgrusmagerung, geglättet, beige. Flächig erodiert, außen Algen, schwarz gefleckt, sekundär gebrannt. – Bs 82T 0-229 (Taf. 69).

1102 Randscherbe mit geteilter Applikation. Mittlere und grobe Quarzgrusmagerung, geglättet, hellbeige und schwarz, rötlich gefleckt. Sekundär gebrannt, außen Rußfleck und Algen, flächig erodiert. – Bs 82T 0-216 (Taf. 69).

1103 Profilscherbe eines Topfes mit Zapfloch für einen Henkel oder eine Knubbe. Wenig feine Quarzgrus- und organische Magerung sichtbar, glimmerhaltig, geglättet, dunkelbeige bis schwarz. Leicht erodiert, Boden angesetzt. – Bs 82T 0-224 (Taf. 69).

1104 Doppelkonische Wandscherbe mit eingezapfter Henkelöse. Feine Quarzgrusmagerung, wenig mittlere bis grobe organische Magerung, geglättet, schwarz. Algen, innen Oberfläche abgeplatzt. – Bs 82T 0-232 (Taf. 69).

1105 Profilscherbe eines Topfes mit Knubbe. Feine Quarzgrusmagerung, geglättet, schwarz. Oberfläche etwas abgeplatzt. – Bs 82T 0-227, -228 (Taf. 69).

1106 Randscherbe mit Knubbe. Grobe Steingrus- und Schamottemagerung, verstrichen, beige. Flächig erodiert, Algen. – Bs 82T 0-252 (Taf. 69).

1107 Wandscherbe mit Bandhenkelansatz. Grobe Stein- und Quarzgrusmagerung, wenig grobe organische Magerung, dunkelbeige. Flächig stark erodiert, Algen. – Bs 82T 0-272 (Taf. 69).

1108 Schale mit randständiger Applikation. Feine und mittlere Quarzgrusmagerung, geglättet, dunkelbeige. – Bs 73 0-? (Taf. 69).

1109 Profilscherbe eines Topfes mit herausmodellierter, gegliederter Applikation bzw. Knubbe. Mittlere Quarzgrusmagerung, geglättet, hellbeige und schwarz. Sekundär gebrannt, Glättspuren. – Bs 82T 0-225 (Taf. 69).

17.3.2 Früh- und mittelbronzezeitliche Bronzefunde aus dem westlichen Bodenseegebiet und dem benachbarten Hegau

17.3.2.1 Siedlungs-, Grab- und Einzelfunde aus den Altfundbeständen (Taf. 70–73)

1110 Dolchklinge, viernietig, Pflocknieten, mit ovalem Heftabschluss und dachförmigem Querschnitt. Flächig grün patiniert, Schneidenpartie abgenutzt. L. 122 mm, Gew. 37 g. – Inv. Bod 2264, HDM 431 (Klinge), 438 (Pflockniet), Rosgartenmus. Konstanz (Taf. 70).

1111a Pfeilspitze, geflügelt, mit Dorn und flach konvexem Querschnitt. Grün patiniert, stellenweise schwarz, Gussnahtreste. L. 33 mm, Gew. 3 g. – Inv. Bod 2306 (33), HDM 434, Rosgartenmus. Konstanz (Taf. 70).

1111b Pfeilspitze, wie 1111a, etwas stärker korrodiert und kleiner. L. 30 mm, Gew. 2 g, Inv. Bod 2305, HDM 435, Rosgartenmus. Konstanz (Taf. 70).

1112 Kugelkopfnadel mit sphäroidem, schräg gelochtem und ritzverziertem Kugelkopf. Weiß und grün patiniert. L. 222 mm, Gew. 38 g. – Inv. Üb 558, HDM 416, Mus. Überlingen (Taf. 70).

1113 Nadel mit gelochter Schaftschwellung und weich keulenförmigem Kopf. In Resten patiniert, Seepatina, am Kopf Gussnaht vorhanden, am Schaftende stark korrodiert. L. 198 mm, Gew. 13 g. – FO: Maurach-Ziegelhütte, Gde. Uhldingen-Mühlhofen (Bodenseekreis); Inv. Üb 550, HDM 417, Mus. Überlingen (Taf. 70).

1114 Nadel mit gelochter Schaftschwellung und nagelförmigem Kopf, am Schaft ritzverziert. Blassgrün patiniert, Patina weitgehend entfernt, Gussnaht an der Schaftschwellung vorhanden. L. 129 mm, Gew. 5 g, – FO: Immenstaad (Kr. Friedrichshafen); Inv. Üb 524, HDM 433, Mus. Überlingen (Taf. 70).

1115 Dolchklinge, viernietig mit flach dachförmigem Querschnitt. Hellgrün patiniert, Patina in Resten erhalten, stark korrodiert. L. 99 mm, Gew. 11 g. – FO: Konstanz-Staad (Stadt Konstanz); Inv. Üb 543, HDM 437, Mus. Überlingen (Taf. 70).

1116 Randleistenbeil mit flach gehämmertem Nacken und flach ausgeprägten Randleisten. Patina entfernt, Oberfläche porig, kalkversintert. L. 160 mm, Gew. 224 g. – FO: Hemmenhofen, Gde. Gaienhofen (Kr. Konstanz); Inv. Hem 44, HDM 402, Rosgartenmus. Konstanz (Taf. 70).

1117 Randleistenbeil, Nacken ausgefressen, Blatt einseitig mit quer verlaufender Kerbe. Rotbraune und grüne Patina. Partiell mit Sediment und teerartigem schwarzem Belag. L. 162 mm, Gew. 225 g. – FO: Litzelstetten (Stadt Konstanz); Inv. ?, HDM 494, Pfahlbaumus. Unteruhldingen (Taf. 70).

1118 Randleistenbeil mit parallel zu den Randleisten verlaufenden Leisten und leichter Einziehung am Nacken. Hellgrün patiniert. Beidseitig kalkversintert. L. 162 mm, Gew. 234 g. – FO: Hagnau-Burg (Bodenseekreis); Inv. Hag 122, HDM 421, Rosgartenmus. Konstanz (Taf. 70).

1119 Ösenkopfnadel mit dezentral sitzender Öse. Grünliche, teilw. dunkel gefärbte Patinareste am Kopf, am Schaftansatz Gussnahtreste. L. 238 mm. – FO: Unteruhldingen, Gde. Uhldingen-Mühlhofen (Bodenseekreis); Inv. TR 385, Mus. Stuttgart (Taf. 71).

1120 Rollenkopfnadel mit tordiertem Vierkantschaft. Patina entfernt, Oberfläche porig. L. 163 mm. – FO: Unteruhldingen, Gde. Uhldingen-Mühlhofen (Bodenseekreis); Inv. ?, Mus. Stuttgart (Taf. 71).

1121 Kugelkopfnadel mit massivem, schräg durchbohrtem Kopf und tordiertem Schaft, Schaft und Kopfoberseite durch konzentrische Kreislinien verziert. Metallisch glänzend. L. 108 mm. – FO: Unteruhldingen, Gde. Uhldingen-Mühlhofen (Bodenseekreis); Inv. ?, Mus. Stuttgart (Taf. 71).

1122 Dolchklinge, verm. viernietig mit flach dachförmigem Querschnitt. Hellgrüne Patina fleckig vorhanden. Griffplatte und obere Schneidenpartie korrodiert. L. 96 mm. – FO: Unteruhldingen, Gde. Uhldingen-Mühlhofen (Bodenseekreis); Inv. ?, Mus. Stuttgart (Taf. 71).

1123 Randleistenbeil mit schwach ausgeprägten Randleisten und Nackenkerbe. Kräftige Kalksinterauflage. L. 152 mm, Gew. 270 g. – FO: Unteruhldingen, Gde. Uhldingen-Mühlhofen (Bodenseekreis); Inv. Uuh 224, HDM 422, Rosgartenmus. Konstanz (Taf. 71).

1124 Randleistenbeil vom Typ Langquaid, mit facettierter Schneide. Grünliche Patina in Resten erhalten, Sand und Seekreide am Nacken anhaftend. L. 188 mm. – FO: Unteruhldingen, Gde. Uhldingen-Mühlhofen (Bodenseekreis); Inv. ?, SAM 18410, Mus. Stuttgart (Taf. 71).

1125 Dolchklinge, zweinietig, Pflocknieten mit ovalem Heftabschluss und deutlich dachförmigem Querschnitt. Flächig grün patiniert, Schneidenpartie schartig. L. 122 mm, Gew. 37 g, – FO: Bodman, Gräberfeld „Im Weiler" Gde. Bodman-Ludwigshafen (Kr. Konstanz); Inv. Bod 2258, HDM 426 (Klinge), 439 (Dolchniet), Rosgartenmus. Konstanz (Taf. 72).

1126 Dolchklinge, viernietig, mit rundem Heftabschluss und flachem Querschnitt. Dunkel und hellgrün patiniert, Korrodiert. L. 162 mm, Gew. 51 g. – FO: Möggingen (Kr. Konstanz); Inv. Mög 10, HDM 433, Rosgartenmus. Konstanz (Taf. 72).

1127 Dolchklinge, Heftabschluss korrodiert, verm. zweinietig mit dachförmigem Querschnitt. Grün patiniert. L. 134 mm, Gew. 21 g, – FO: unbekannt; Inv. U 2438, Rosgartenmus. Konstanz (Taf. 72).

1128 Randleistenbeil vom Salezer Typ. Dunkelgrün patiniert, Patina teilweise entfernt, Schneide leicht schartig. L. 128 mm, Gew. 215 g. – FO: Arbon-Bleiche (Stadt Arbon) (TG); Inv. Arbon, HDM 414, Rosgartenmus. Konstanz (Taf. 72).

1129 Dolchklinge, zweinietig, mit spitzem Heftabschluss und dachförmigem Querschnitt. Patina entfernt, Kupferfarben. L. 117 mm, Gew. 45 g. – FO: Möggingen (Kr. Konstanz); Inv. Mög 9, HDM 423, Rosgartenmus. Konstanz (Taf. 72).

1130 Dolchklinge, zweinietig, mit spitzem Heftabschluss und dachförmigem Querschnitt. Patina entfernt, Kupferfarben. L. 148 mm, Gew. 56 g. – FO: unbekannt; Inv. U 2437 (Vergleichbar 1129, Herkunft deshalb von Möggingen wahrscheinlich), HDM 424, Rosgartenmus. Konstanz (Taf. 72).

1131 Randleistenbeil vom Salezer Typ. Grün patiniert, leichte Gussunregelmäßigkeit. L. 117 mm, Gew. 130 g. – FO: Meersburg (Bodenseekreis); Inv. Mee 49, HDM 415, Rosgartenmus. Konstanz (Taf. 73).

1132 Randleistenbeil vom Salezer Typ. Grün patiniert, Randleisten seitlich facettiert. L. mm, Gew. 186 g. – FO: Meersburg (Bodenseekreis); Inv. Mee 50, HDM 418, Rosgartenmus. Konstanz (Taf. 73).

1133 Nadel mit nagelförmigem Kopf und gelochter Schaftschwellung. Blassgrüne Patinierung, teilweise entfernt. L. 89 mm, Gew. 7 g. – FO: Welschingen (Kr. Konstanz); Inv. Wel 4, HDM 432, Rosgartenmus. Konstanz (Taf. 73).

1134 Radnadel mit parallelen Kopfstegen. Patina entfernt, am Kopf Gussnaht vorhanden. L. 204 mm, Gew. 20 g. – FO: Dingelsdorf Weiherried (Kr. Konstanz); Inv. Din 4, HDM 433, Rosgartenmus. Konstanz (Taf. 73).

1135 Radnadel vom Typ Speyer. Patina entfernt, Gussnaht am Kopf. L. 188 mm, Gew. 18 g. – FO: Dingelsdorf Weiherried (Kr. Konstanz); Inv. Din 3, HDM 433, Rosgartenmus. Konstanz (Taf. 73).

1136 Radnadel vom Typ Speyer. Gussnahtreste am Kopf. Dunkel bis hellgrün patiniert. L. 197 mm, Gew. 19 g. – FO: Welschingen (Kr. Konstanz); Inv. Wel. 1, HDM 429, Rosgartenmus. Konstanz (Taf. 73).

1137 Radnadelschaft, wie Kat.-Nr. 1136. Restlänge: 225 mm, Gew. 14 g. – FO: Welschingen (Kr. Konstanz); Inv. Wel 2, HDM 428, Rosgartenmus. Konstanz (Taf. 73).

17.3.3 Frühbronzezeitliche Keramik aus Ufersiedlungen des Bodensees – Alt- und Neufunde (Taf. 74–78, 1140–1215)

17.3.3.1 Konstanz-Rauenegg (Stadt Konstanz), Altfunde (Taf. 74)

1140 Trichterrand, Randscherbe mit aufgesetzter Fingerkerbleiste. Grobe und mittlere Steingrusmagerung, verstrichen, beige. Flächig erodiert, innen kalkversintert. – Inv. R 463/462, Rosgartenmus. Konstanz (Taf. 74).

1141 Randscherbe eines weitmundigen Gefäßes mit aufgesetzter Fingertupfenleiste. Grobe Steingrusmagerung, beige. Flächig erodiert, kalkversintert. – Inv. R 145, Rosgartenmus. Konstanz (Taf. 74).

1142 Wandscherbe mit aufgesetzter Fingertupfenleiste. Grobe Stein- und Quarzgrusmagerung, verstrichen, unter der Leiste schlickgeraut, beige. – Inv. R 455, Rosgartenmus. Konstanz (Taf. 74).

17.3.3.2 Bodman-Weiler I, Gde. Bodman-Ludwigshafen (Kr. Konstanz), Altfunde (Taf. 74, 1143–1146.1149), Neufund (Taf. 74, 1147)

1143 Profilscherbe einer kleinen Schüssel mit kleiner Knubbe. Feine Quarzgrusmagerung, geglättet, dunkelbeige. – Inv. C 7826, Mus. Karlsruhe (Taf. 74).

1144 Tasse mit Bandhenkel. Grobe Quarzgrusmagerung, geglättet, beige, orangerot gefleckt. Flächig erodiert, außen Rußreste, kalkversintert. – Inv. C 7838 (Bodm. 1898), Mus. Karlsruhe (Taf. 74).

1145 Becher mit Henkelöse. Feine Stein- und Quarzgrusmagerung, geglättet, schwarz. – Inv. C 7788, Mus. Karlsruhe (Taf. 74).

1146 Profilscherbe eines Bechers. Feine Sandmagerung und wenig mittlere Quarzgrusmagerung, geglättet, schwarz. – Inv. C 7826, Mus. Karlsruhe (Taf. 74).

1147 Randscherbe mit herausmodellierter, zylinderstempelverzierter Leiste, ritzverziert. Grobe Steingrusmagerung, geglättet, grau bis beige. – PBO 2805, Slg. H. Hertlein (Taf. 74).

1149 Wandscherbe mit zwei Knubben und Henkelöse. Feine Quarzgrusmagerung, geglättet, schwarz. – Inv. C 7826, Mus. Karlsruhe (Taf. 74).

17.3.3.3 Wangen-Hinterhorn, Gde. Öhningen (Kr. Konstanz), Altfunde (Taf. 74)

1148 Randscherbe mit aufgesetzten Fingertupfenleisten und Fingertupfen auf dem Rand. Grobe Stein- und Quarzgrusmagerung, geglättet, beige. Innen Krustenrest, kalkversintert. – Inv. C 2252, Mus. Karlsruhe (Taf. 74).

17.3.3.4 Hornstaad-Hörnle I, Gde. Gaienhofen (Kr. Konstanz), Neufunde (Taf. 75)

1150 Wandscherbe mit herausmodellierten Leisten und Doppelhalbkreisstempel. Mittlere und grobe Steingrusmagerung mit Kalkgrus (?), graubraun. flächig erodiert. – PBO 749, Slg. J. Lang (Taf. 75).

1151 Wandscherbe mit herausmodellierten Leisten mit Doppelhalbkreisstempeln. Mittlere Kalkgrusmagerung, grau. Flächig erodiert, sekundär gebrannt, Algen anhaftend. – PBO 750, Slg. J. Lang (Taf. 75).

1152 Wandscherbe mit herausmodellierter Leiste mit Doppelhalbkreisstempel. Mittlere Kalkgrusmagerung, beige. Flächig erodiert, Algen anhaftend. – PBO 748, Slg. J. Lang (Taf. 75).

1153 Wandscherbe mit herausmodellierter Fingertupfenleiste. Grobe Steingrusmagerung, verstrichen, braun bis beige. – PBO 751, Slg. J. Lang (Taf. 75).

17.3.3.5 Nussdorf-Seehalde (Stadt Überlingen), Neufund (Taf. 75)

1154 Doppelkonische Wandscherbe, kornstich- und ritzverziert. Feine Quarzgrusmagerung, geglättet, schwarz. – Ns 82 Q13-1003 (Taf. 75).

17.3.3.6 Egg-Obere Güll I (Stadt Konstanz), Neufunde (Taf. 75)

1155 Randscherbe mit herausmodellierten Fingertupfenleisten. Geglättet, beige. – PBO 2873, Slg. H. Hertlein (Taf. 75).

1156 Wandscherbe mit aufgesetzter Fingertupfenleiste. Mittlere Steingrusmagerung, geglättet, beige bis orange. Kalkversintert. – PBO 2872, Slg. H. Hertlein (Taf. 75).

17.3.3.7 Ludwigshafen-Holzplatz, Gde. Bodman-Ludwigshafen (Kr. Konstanz), Neufunde (Taf. 75)

1157 Wandscherbe mit herausmodellierter Fingertupfenleiste. Mittlere Steingrusmagerung. – PBO 1760, Slg. H. Gieß (Taf. 75).

1158 Wandscherbe mit Bodenansatz. Mittlere Stein- und Quarzgrusmagerung, geglättet, beige. – PBO 1757, Slg. H. Gieß (Taf. 75).

1159 Randscherbe mit aufgesetzter Fingertupfenleiste. Grobe Steingrusmagerung, verstrichen, unter der Leiste schlickgeraut, beige, korrodiert. – PBO 1759, Slg. H. Gieß (Taf. 75).

1160 Wandscherbe mit aufgesetzter Tupfenleiste. Grobe Steingrusmagerung und organische Magerung, grau-orange. Flächig erodiert. – PBO 6122, Slg. K. Kiefer (Taf. 75).

1161 Randscherbe mit aufgesetzter Fingertupfenleiste. Mittlere und grobe Steingrusmagerung, verstrichen, beigegrau. Erodiert, Algen. – PBO 6123, Slg. K. Kiefer (Taf. 75).

1162 Wandscherbe mit Knubbe. Feine und mittlere Quarzgrusmagerung, grau bis beige, korrodiert. – PBO 1761, Slg. H. Gieß (Taf. 75).

1163 Profilscherbe eines weitmundigen Gefäßes mit aufgesetzter Fingertupfenleiste und darin integriertem Grifflappen. Mittlere und grobe Quarzgrusmagerung, geglättet, unter der Leiste schlickgeraut, schwarz und hellbeige. Außen Krustenreste, kalkversintert und Algen. – Lu 82 Q70-1 (Taf. 75).

17.3.3.8 Nussdorf-Strandbad (Stadt Überlingen), Neufunde (Taf. 76)

1164 Wandscherbe, kornstich- und ritzverziert. Feine und wenig mittlere Quarzgrusmagerung, geglättet, dunkelbeige. Flächig erodiert. – PBO ?, Slg. K. u. P. Huhn (Taf. 76).
1165 Wandscherbe, kornstich- und ritzverziert. Feine Quarzgrus- und wenig organische Magerung, geglättet, dunkelbeige. Leicht erodiert. – PBO ?, Slg. K. u. P. Huhn (Taf. 76).
1166 Wandscherbe, rillenverziert. Mittlere und grobe Steingrusmagerung, wohl geglättet, beige bis dunkelbeige. Erodiert, Algen, Kalksinter. – PBO 5135, Slg. K. Kiefer, Bez. Nu (Taf. 76).
1167 Wandscherbe einer scharf profilierten Schüssel. Feintonig, wenig mittlere Steingrusmagerung sichtbar, wohl geglättet, dunkelbeige. Flächig erodiert, Algen. – PBO 5136, Slg. K. Kiefer, Bez. Nu (Taf. 76).
1168 Randscherbe einer kleinen Schüssel. Mittlere und wenig grobe Steingrusmagerung, Schamotte, geglättet, beige bis dunkelbeige. Flächig erodiert, Algen. – PBO 5109, Slg. K. Kiefer, Bez. Nu (Taf. 76).
1169 Bodenscherbe. Steingrusmagerung, Schlickauftrag, beige bis grau. Leicht erodiert. – Nu93 0–90 (Taf. 76).
1170 Randscherbe. Mittlere Steingrusmagerung, geglättet bis verstrichen, beige bis dunkelbeige. Erodiert, Algen. –Nu92 0–37 (Taf. 76).
1171 Profilscherbe eines Topfes, s-profiliert mit schulterständigem Henkel. Geglättet, beige. Leicht erodiert, Algen. – Nu92 0–24, -26, -28, -41, -44 (Taf. 76).

17.3.3.9 Ludwigshafen-Seehalde, Gde. Bodman-Ludwigshafen (Kr. Konstanz), Neufunde (Taf. 76–78)

1172 Randscherbe. Mittlere bis grobe Steingrusmagerung, verstrichen, grau bis hellbeige. Erodiert. – Ld01 Q275/66-9 (Taf. 76).
1173 Miniaturgefäß. Mittlere Steingrusmagerung, verstrichen, grau bis beige. – Ld91 Q265-9, -11 (Taf. 76).
1174 Randscherbe mit Henkelansatz. Grobe Steingrusmagerung, rotbraun bis orange. Erodiert, Algen. – Ld01 Q277/69-2 (Taf. 76).
1175 Randscherbe mit zwei erhaltenen Applikationen, das aufgesetzte Leistensegment dazwischen ist abgeplatzt. Feine Steingrusmagerung, verstrichen, grau. – Ld91 Q265-1 (Taf. 76).
1176 Wandscherbe mit zweigipfeliger Applikation. Grobe Steingrusmagerung, grau bis hellbraun. Stark erodiert. – Ld01 Q279/70-1 (Taf. 76).
1177 Wandscherbe mit zweigipfeliger Applikation. Wenig mittlere und grobe Steingrusmagerung, beige. – Ld01 Q272/67-15 (Taf. 76).
1178 Wandscherbe mit zweigipfeliger Applikation. Mittlere und grobe Steingrusmagerung, grau-beige-orange. Stark erodiert, Kalksinter. – Ld01 Q280/71-10 (Taf. 76).
1179 Wandscherbe zweigipfeliger Applikation. Feine Steingrusmagerung, sandig, verstrichen, grau. – Ld90 Q76-1005 (Ta. 76).
1180 Bodenscherbe eines Miniaturgefäßes. Mittlere Steingrusmagerung, verstrichen, grau, Ld91 Q265-0-1 (Taf. 76).
1181 Randscherbe. Feine Steingrusmagerung, verstrichen, grau bis beige. Innen Kruste. – Ld01 272/67-3 (Taf. 76).
1182 Randscherbe. Grobe Steingrusmagerung, Sand, verstrichen, grau bis beige. Innen Kruste. – Ld01 257/67-8 (Taf. 76).
1183 Wandscherbe. Mittlere und grobe Steingrusmagerung, verstrichen, grau bis beige. Außen Kruste. – Ld01 275/66-5 (Taf. 76).
1184 Wandscherbe. Mittlere und grobe Steingrusmagerung, verstrichen, grau bis hellbeige. Unten Wulstgrenze. – Ld01 275/67-6 (Taf. 76).
1185 Wandscherbe, scharf profiliert. Feintonig, sandig, wenig mittlere Steingrusmagerung. Stark erodiert. – Ld01 Q255/70-4 (Taf. 76).
1186 Wandscherbe, scharf profiliert, mit Resten einer aufgesetzten, wohl zweihöckrigen Applikation. Feine und mittlere Steingrusmagerung, organische Magerung, grau bis beige. Erodiert. – Ld90 0-5 (Taf. 76).
1187 Wandscherbe mit Ansatz einer Henkelöse. Mittlere und grobe Steingrusmagerung, wohl verstrichen, beige bis braun. Erodiert, Krustenreste, Algen. – Ld01 Q246/70-1 (Taf. 76).
1188 Wandscherbe mit Henkel. Mittlere und grobe Steingrusmagerung, grau bis braun, orange gefleckt. Stark erodiert, außen Algen, innen Krustenrest. – Ld01 Q257/70-3 (Taf. 76).
1189 Wandscherbe mit Henkelansatz. Wenig feine und mittlere Steingrusmagerung, sandig, geglättet, dunkelbeige. Erodiert. – Ld01 Q256/68-1 (Taf. 76).
1190 Randscherbe mit aufgesetzter Tupfenleiste. Mittlere und grobe Steingrusmagerung, verstrichen, beige bis dunkelgrau. Leicht erodiert, innen Kruste. – Ld01 Q272/67-1 (Taf. 77).
1191 Randscherbe mit Fingergetupften und leichter Randleiste. Wenig feine Steingrusmagerung, verstrichen, grau. Innen Krustenreste. – Ld90 Q102-2 (Taf. 77).
1192 Randscherbe mit aufgesetzten Leisten, am Rand segmentartig stellenweise unterbrochen. Feintonig, wenig grobe Steingrusmagerung, verstrichen, beige bis dunkelgrau. Teilweise erodiert, außen Kruste, an kantenscharfe Scherben von Ld90 anpassend. – Ld01 Q255/67-3, Ld90 0-16 (Taf. 77).
1193 Randscherbe mit Fingertupfleiste. Feine bis mittlere Steingrusmagerung, verstrichen, grau bis beige. – Ld91 0-61 (Taf. 77).
1194 Randscherbe mit verwaschener herausmodellierter (?) Tupfenleiste. Grobe Steingrusmagerung, beige bis grau. Stark erodiert. – Ld01 Q271/67-4 (Taf. 77).
1195 Randscherbe, leistenverziert. Wenig grobe Steingrusmagerung, wohl verstrichen, beige bis braun. Flächig erodiert. – Ld01 Q257/69-3 (Taf. 77).
1196 Randscherbe mit aufgesetzter Tupfenleiste. Grobe Steingrusmagerung, grau. Stark erodiert, Kalksinter. – Ld01 Q280/71-11 (Taf. 77).
1197 Randscherbe mit fingergetupfter Randleiste. Mittlere bis grobe Steingrusmagerung, grau bis rot. Erodiert. – Ld91 0-60 (Taf. 77).
1198 Randscherbe mit Fingertupfleiste. Grobe Steingrusmagerung, grau bis braun. Erodiert. Ld91 0-59 (Taf. 77).
1199 Wandscherbe mit Fingertupfenleiste und Ansatz eines Grifflappens. Mittlere Steingrusmagerung, verstrichen, grau bis beige. Innen Krustenreste. – Ld91 Q265-3 (Taf. 77).
1200 Randscherbe einer Schale mit Fingertupfenleiste. Grobe Steingrusmagerung, braun. Erodiert. – Ld91 0-58 (Taf. 77).
1201 Randscherbe mit aufgesetzter Tupfenleiste. Grobe Steingrusmagerung, grau bis beige. Stark erodiert. – Ld01 Q271/67-3 (Taf. 77).

1202 Wandscherbe mit Fingertupfenleiste. Grobe Steingrusmagerung, grau bis braun. Erodiert, Kalksinter. – Ld91 0-56 (Taf. 77).

1203 Wand- und Bodenscherben eines Topfes mit Fingertupfenleiste. Mittlere bis grobe Steingrusmagerung, über der Leiste verstrichen, darunter schlickgeraut, grau-beige-dunkelbeige. Krustenreste. – Ld91 Q265-12 (Taf. 78).

1204 Wandscherbe mit fein getupftem Leistensegment. Feine Steingrusmagerung, beige und rot. Erodiert, Kalksinter. – PBO 3390, Slg. M. Fiebelmann, Bez. LUS 2/90 (Taf. 78).

1205 Wandscherbe mit aufgesetzter Tupfenleiste und Henkelansatz. Mittlere und grobe Steingrusmagerung, wohl verstrichen, hellgrau bis beige. Leicht erodiert, Kalksinter. – Ld01 Q255/68-3 (Taf. 78).

1206 Wandscherbe mit Grifflappen und Fingertupfenleiste. Feine bis mittlere Steingrusmagerung, grau-rot. Erodiert, Kalksinter. – Ld91 0-65 (Taf. 78).

1207 Randscherbe mit aufgesetzter Fingertupfenleiste. Grobe Steingrusmagerung, verstrichen, dunkelbeige. Außen Kruste. – Ld01 Q272/67-16 (Taf. 78).

1208 Wandscherbe mit Fingertupfenleisten. Grobe Steingrusmagerung, grau-rot. Stark erodiert, Kalksinter. – PBO 3310, Slg M. Fiebelmann, Bez. LUS 10/90 (Taf. 78).

1209 Wandscherbe mit Fingertupfenleisten. Grobe Steingrusmagerung, grau bis rotorange. Stark erodiert, Kalksinter. – PBO 4027, Slg M. Fiebelmann, ohne Bez. (Taf. 78).

1210 Wandscherbe mit zweihöckriger Knubbe, wohl aufgesetzt. Mittlere und grobe Steingrusmagerung, grau bis beige. Erodiert, innen Krustenrest, Algen. – Ld01 Q255/70-2 (Taf. 78).

1211 Wandscherbe mit aufgesetzter Tupfenleiste. Henkelansatz, grobe Steingrusmagerung, verstrichen, dunkelgrau. Leicht erodiert, Kalksinter. – Ld01 Q255/70-6 (Taf. 78).

1212 Wandscherbe mit aufgesetzter Tupfenleiste und zweihöckriger Knubbe. Grobe Steingrusmagerung, wohl verstrichen, braun bis beige. Erodiert, Kalksinter. – Ld01 Q267/67-1 (Taf. 78).

1213 Zweihöckrige Knubbe, von der Gefäßwand abgeplatzt. Wenig Steingrusmagerung, braunorange. Erodiert. – Ld01 Q257/75-2 (Taf. 78).

1214 Wandscherbe mit Fingertupfenleisten und Henkelöse. Grobe Steingrusmagerung, verstrichen, grau bis braun. Innen Krustenreste. – Ld90 Q101-1002 (Taf. 78).

1215 Bodenscherbe. Grobe Steingrusmagerung, pastoser Schlickauftrag, hellbeige bis grau. Erodiert, innen Krustenrest,. – Ld01 Q271/67-8, -9 (Taf. 78).

Tafeln

Tafel 1

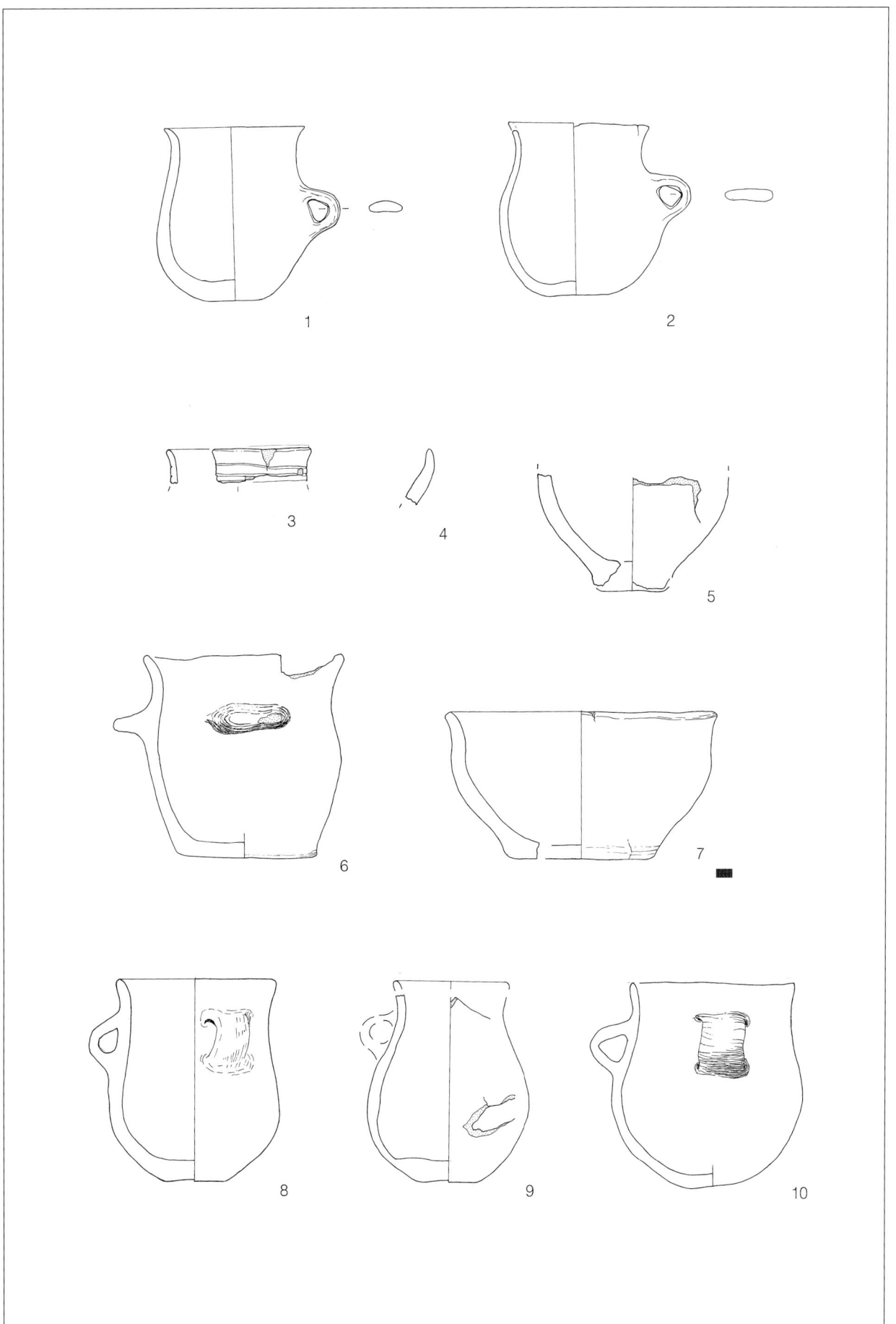

Bodman-Schachen I, Schicht A. Neufunde. Keramik. M. 1:3.

Tafel 2

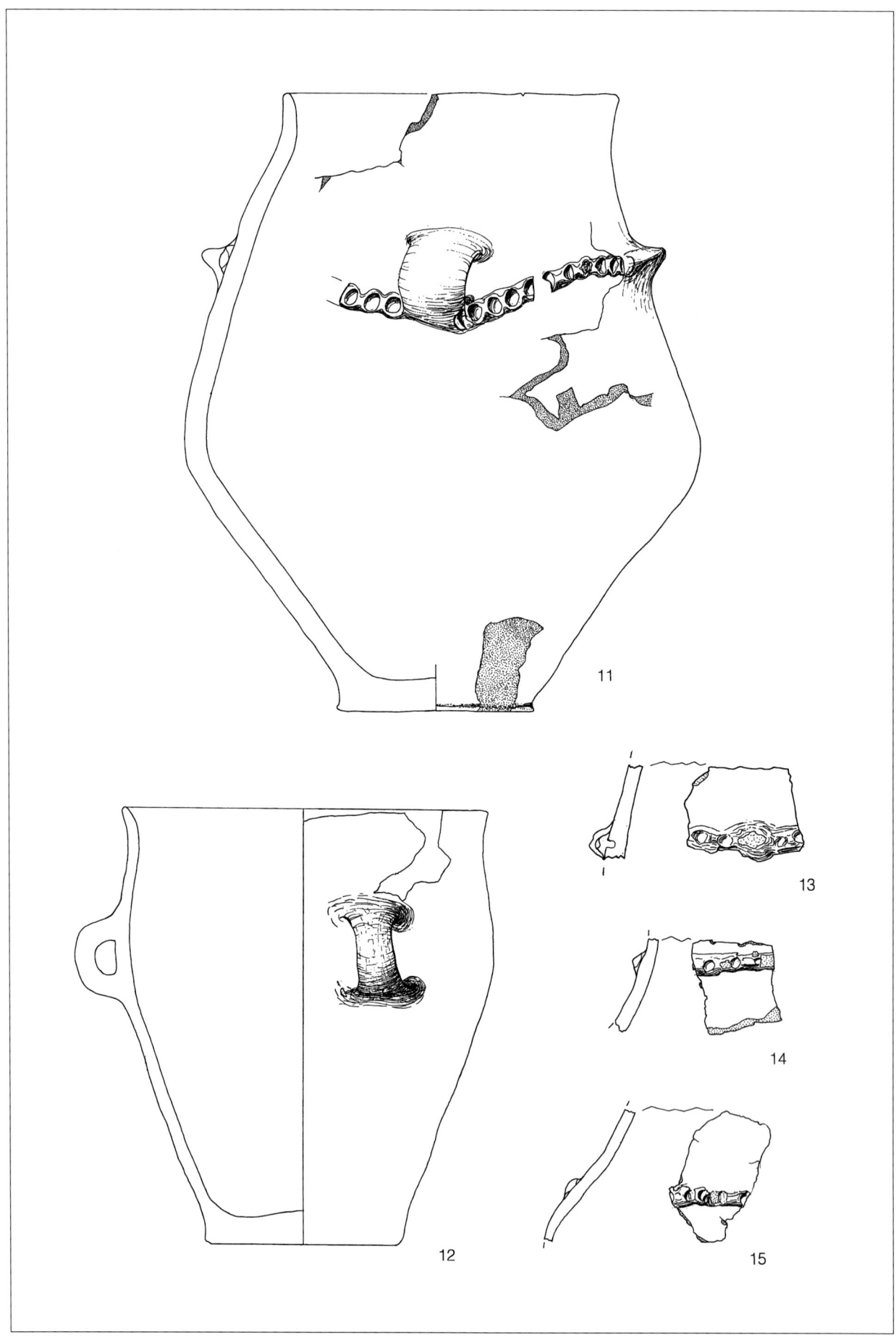

Bodman-Schachen I, Schicht A. Neufunde. Keramik. M. 1:3.

Tafel 3

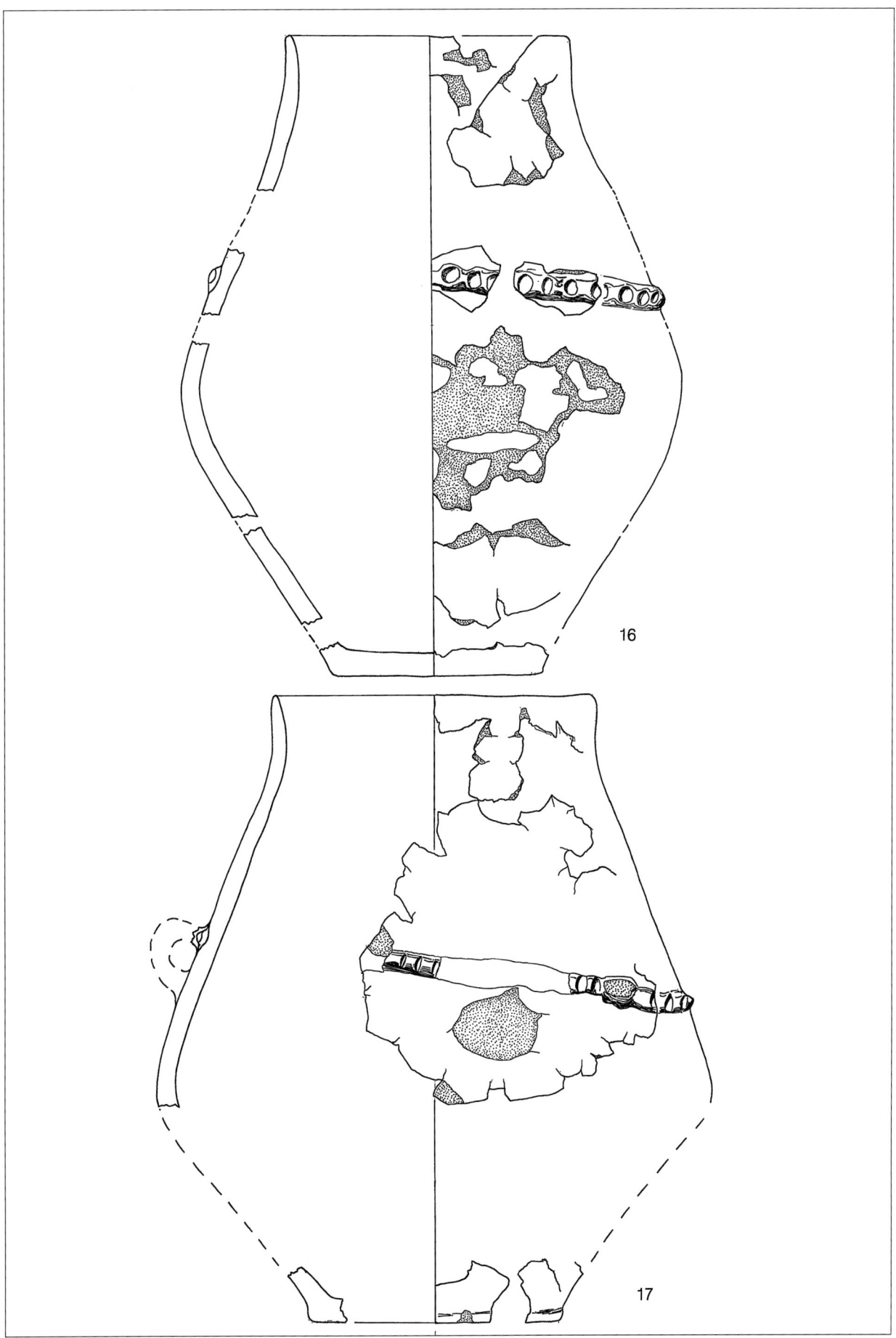

Bodman-Schachen I, Schicht A. Neufunde. Keramik. M. 1:3.

Tafel 4

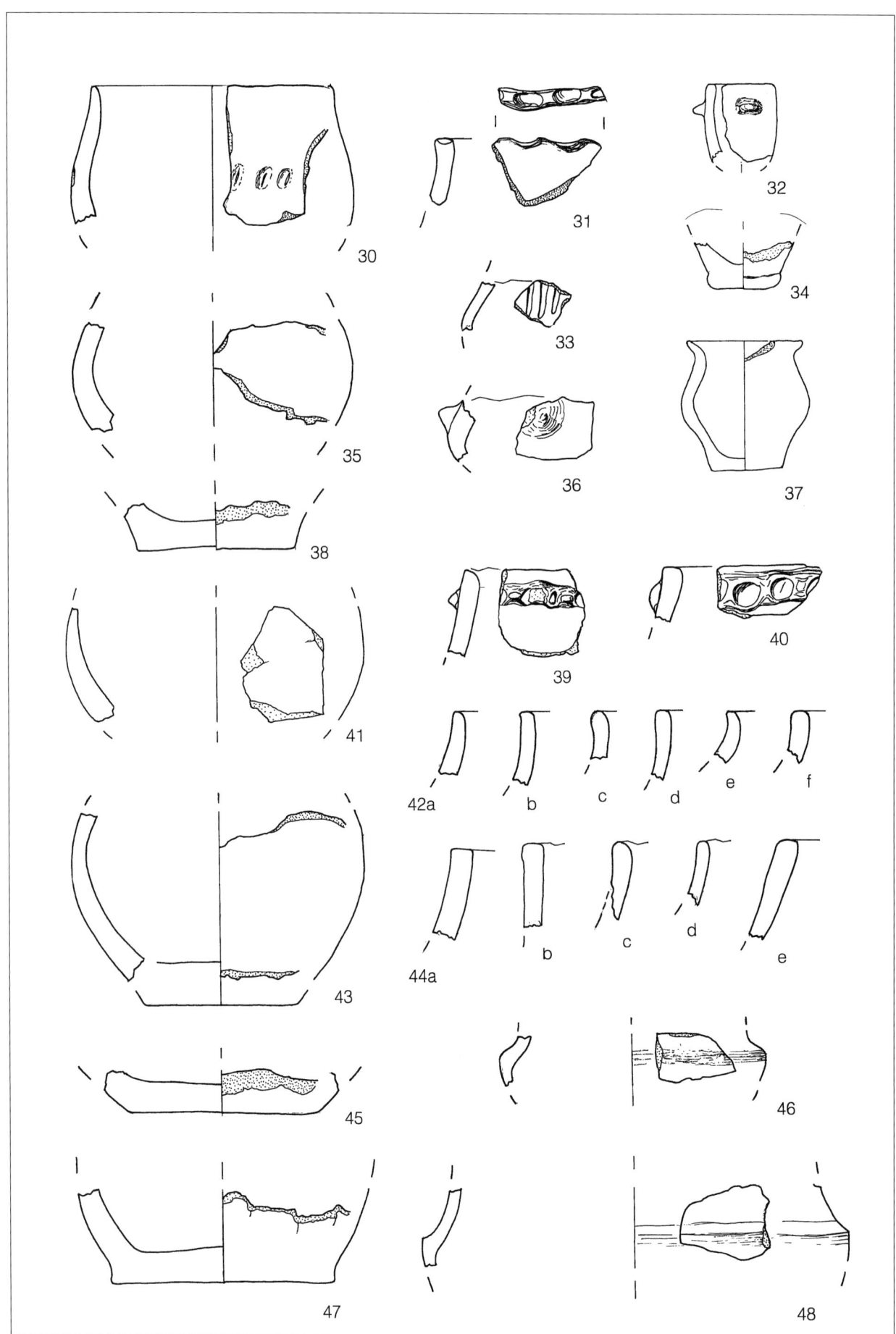

Bodman-Schachen I, Schicht B. Neufunde. Keramik. M. 1:2.

Tafel 5

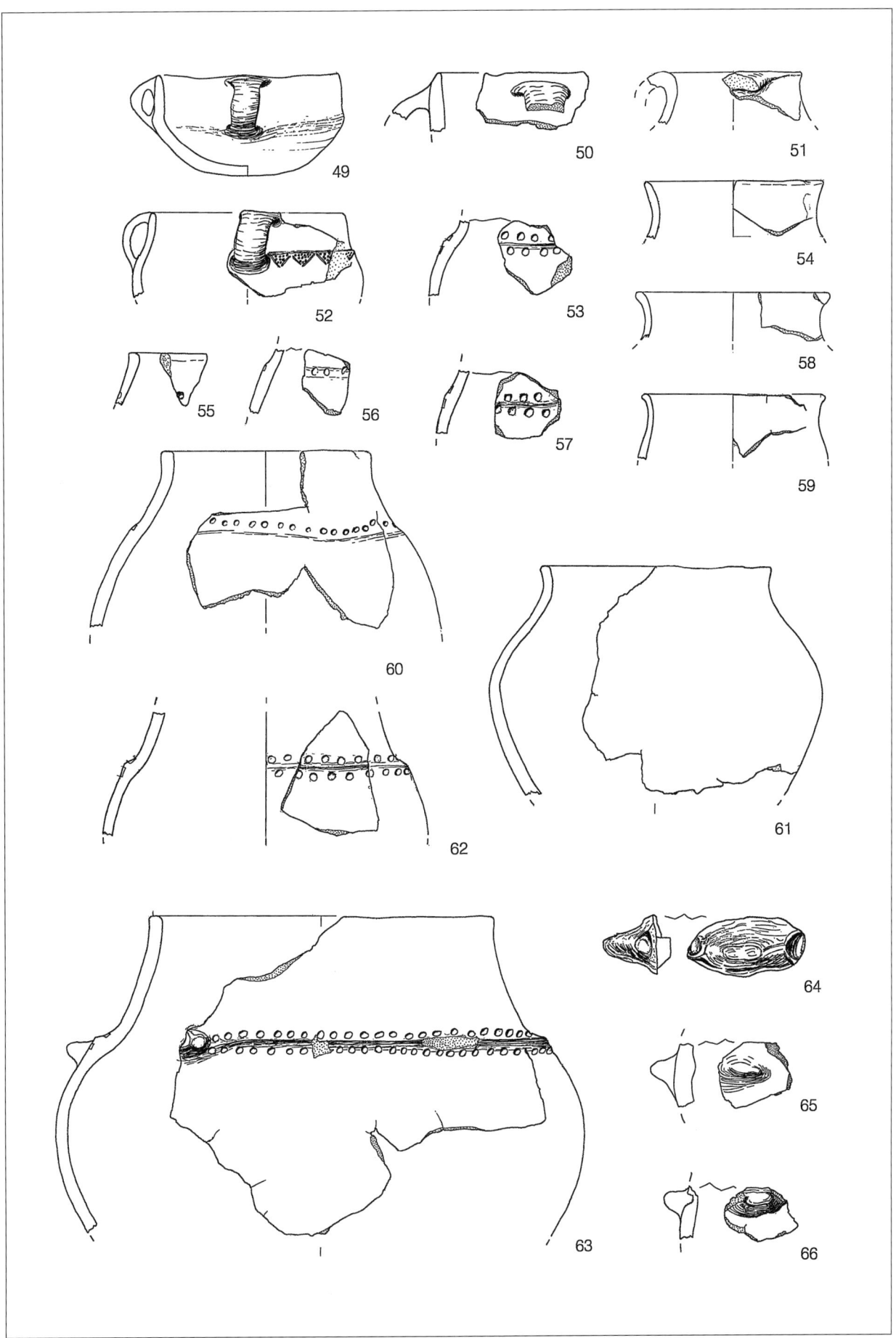

Bodman-Schachen I, Schicht B. Neufunde. Keramik. M. 1:3.

Tafel 6

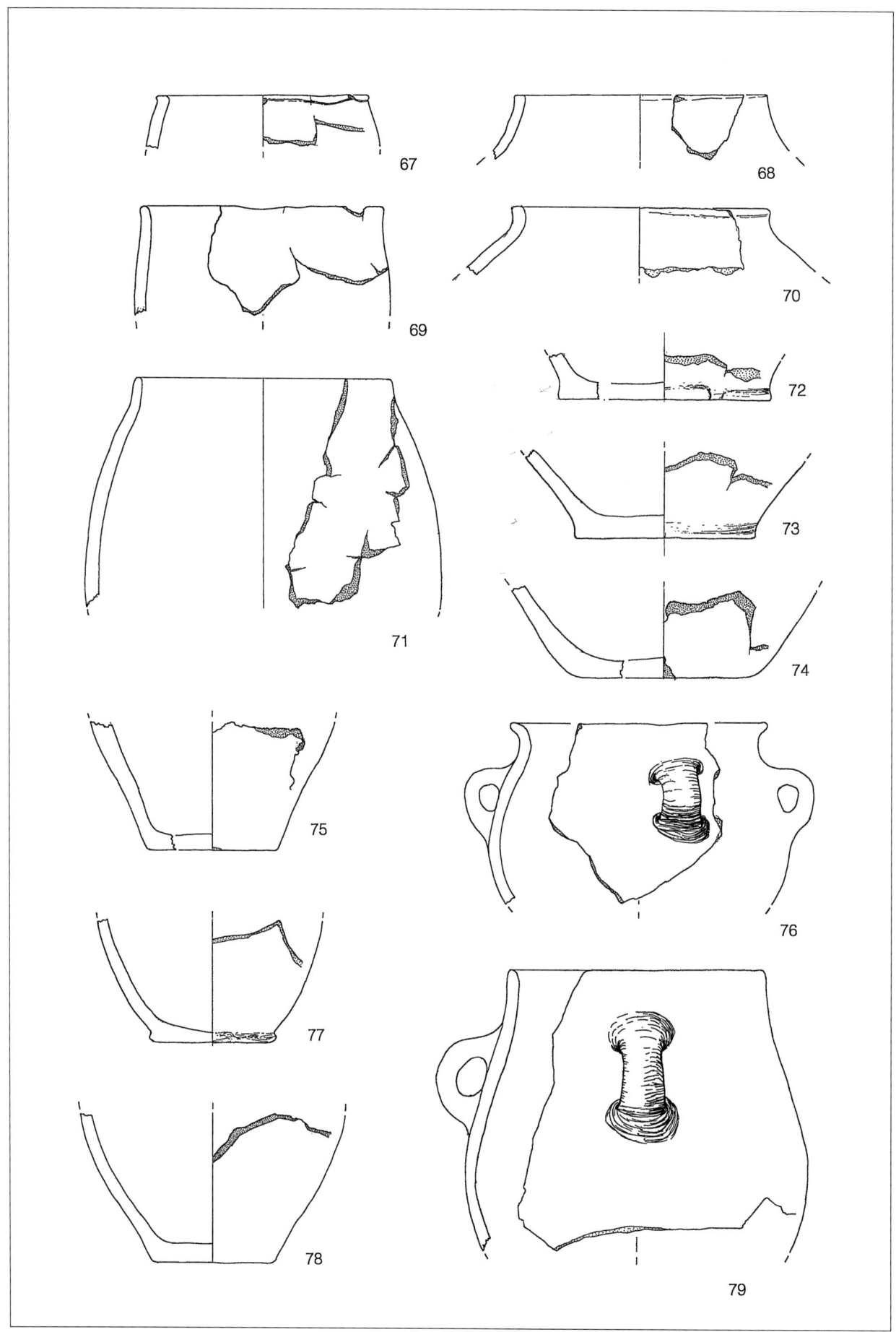

Bodman-Schachen I, Schicht B. Neufunde. Keramik. M. 1:3.

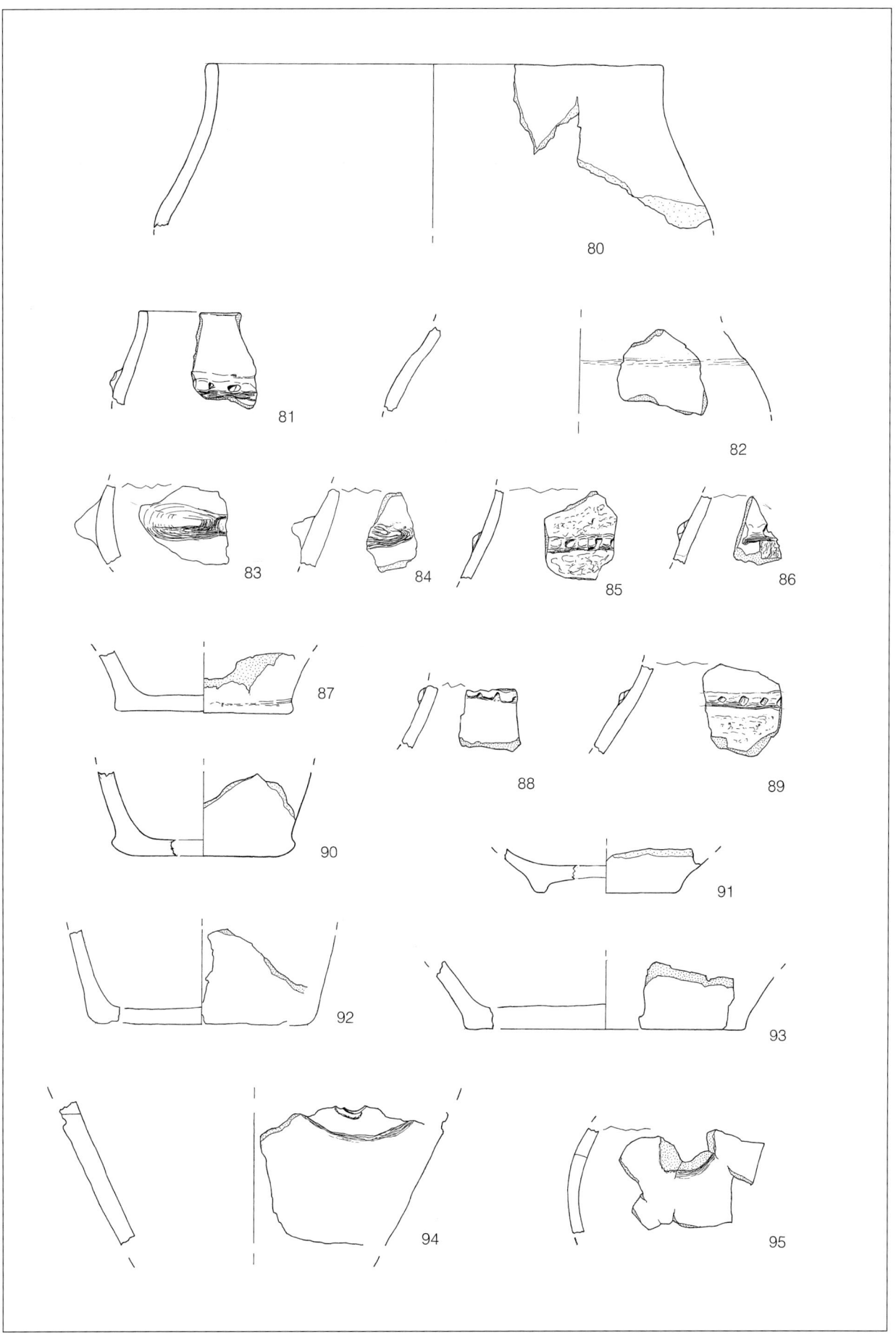

Tafel 7

Bodman-Schachen I, Schicht B. Neufunde. Keramik. M. 1:3.

Tafel 8

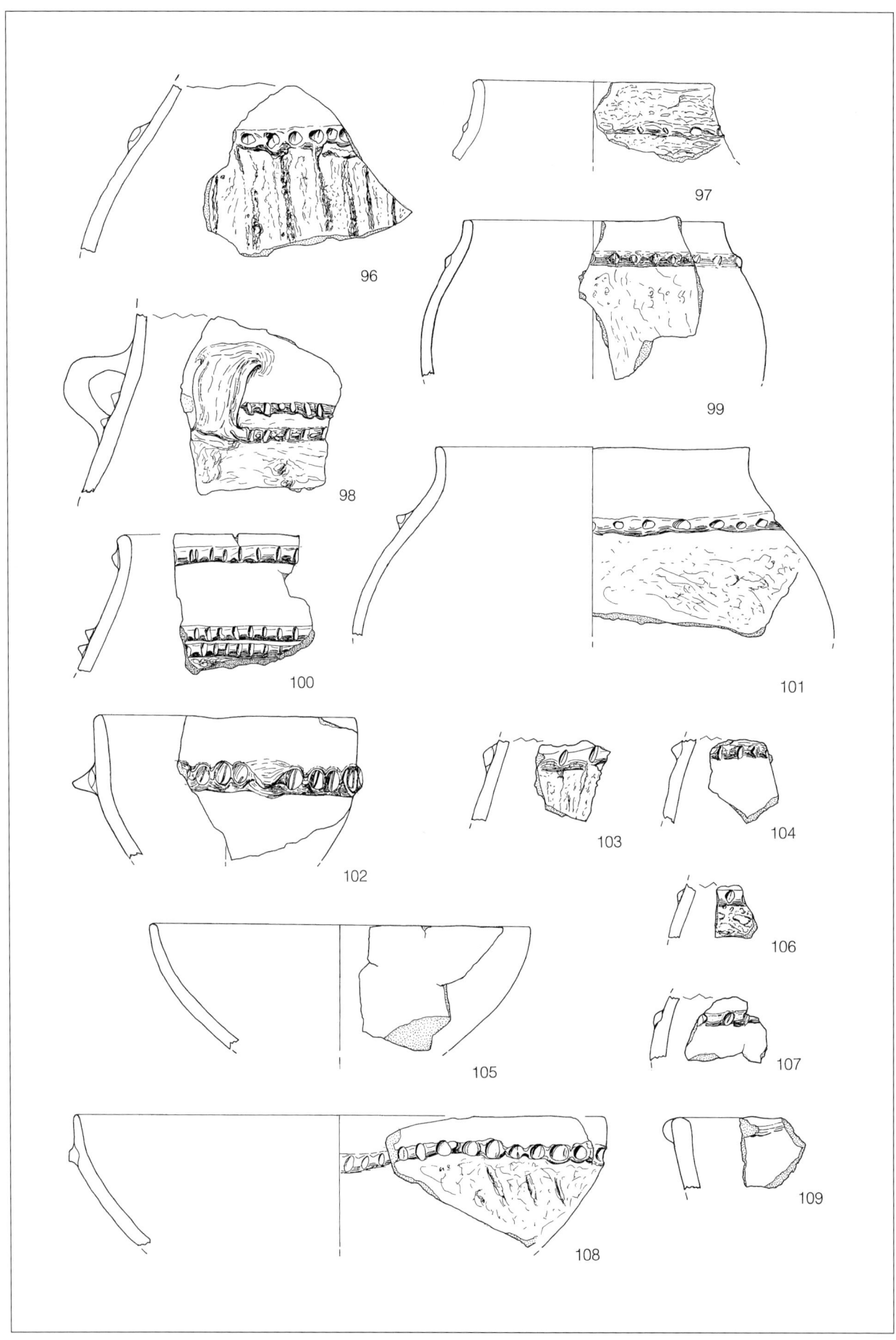

Bodman-Schachen I, Schicht B. Neufunde. Keramik. M. 1:3.

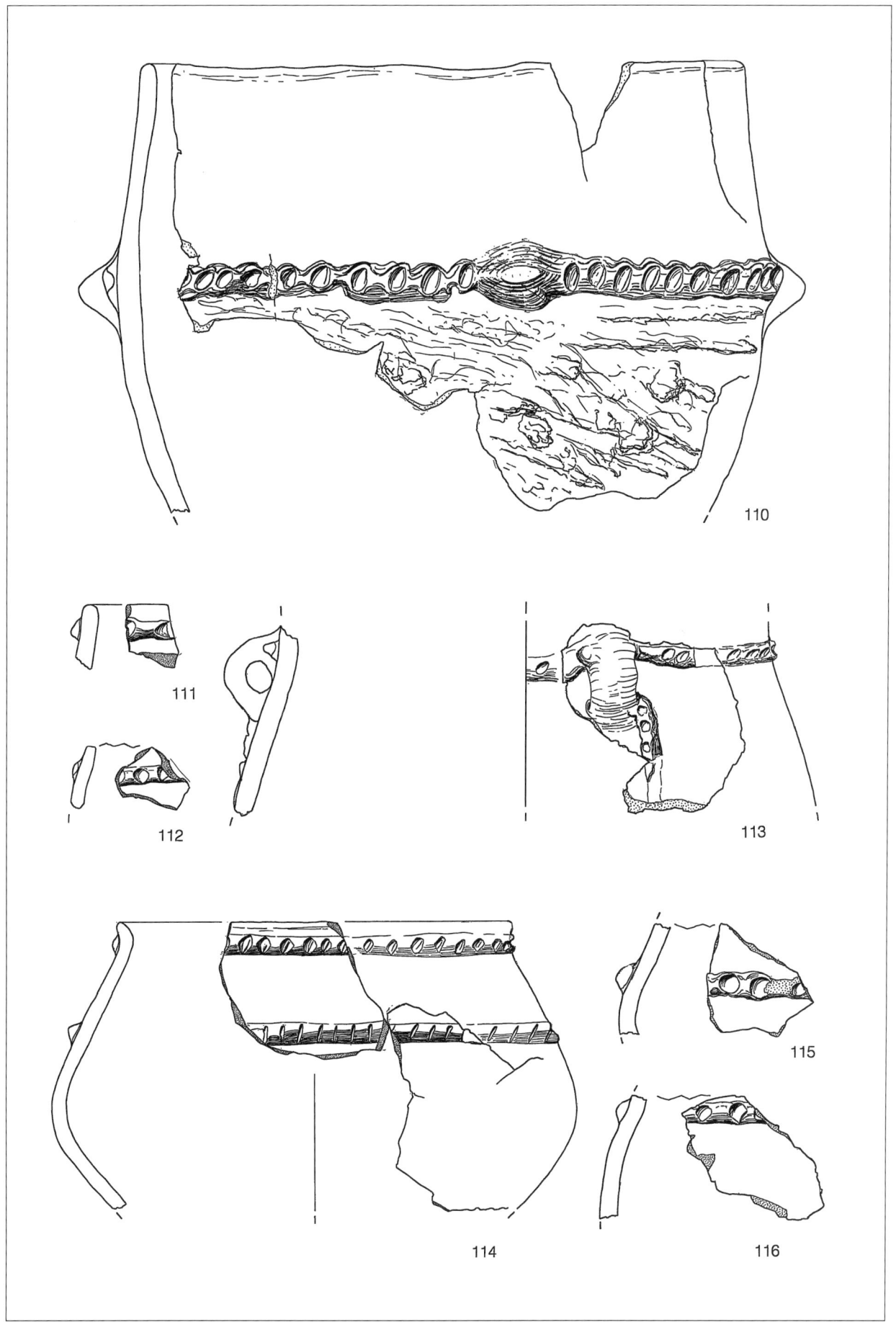

Bodman-Schachen I, Schicht B. Neufunde. Keramik. M. 1:3.

Tafel 10

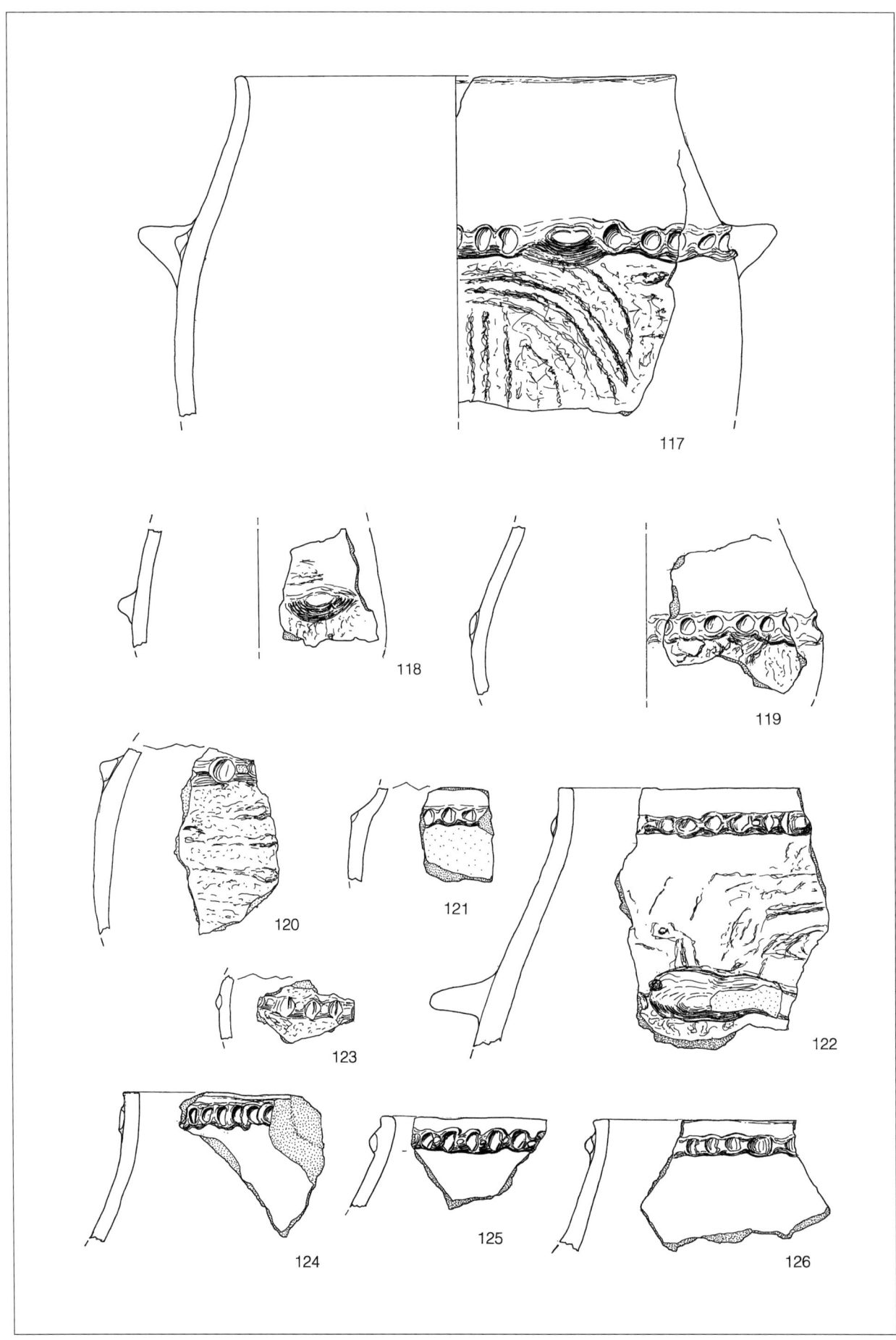

Bodman-Schachen I, Schicht B. Neufunde. Keramik. M. 1:3.

Tafel 11

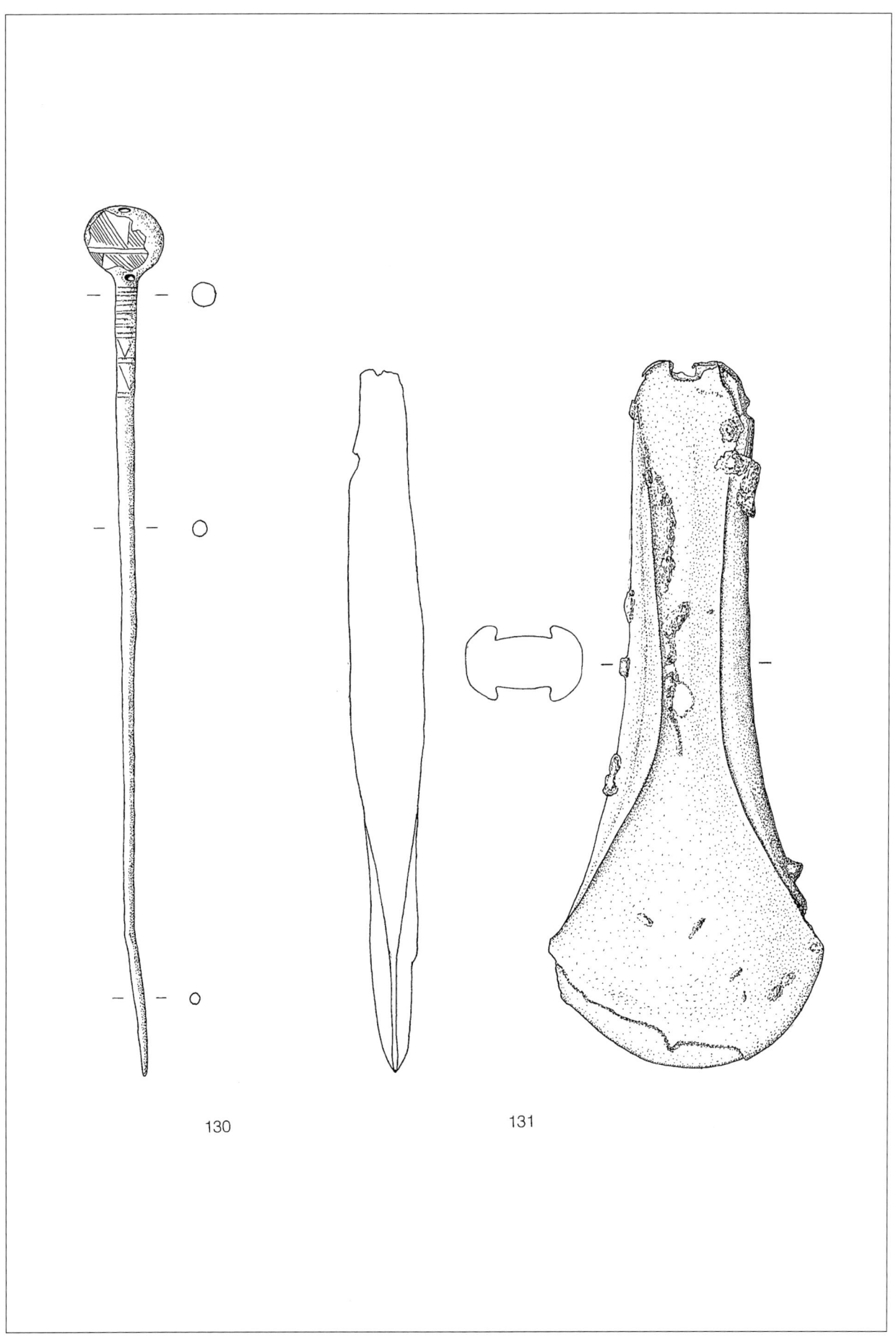

130 131

Bodman-Schachen I, Schicht C. Neufunde. Bronze. M. 2:3.

Tafel 12

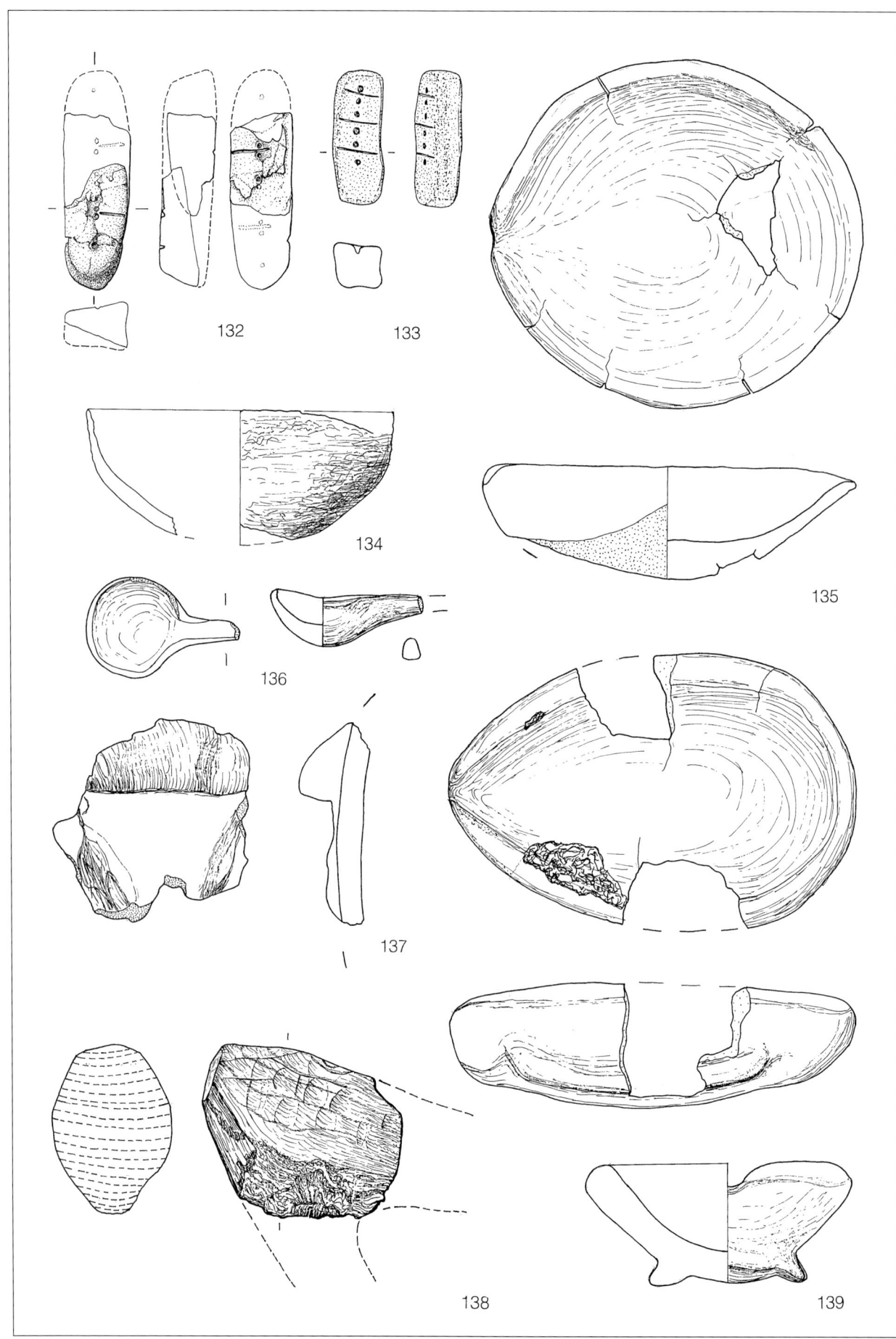

Bodman-Schachen I, Schicht C (132.135–137), Schicht B/C (134), Schicht B (138), Oberfläche (133.139).
Neufunde. Ton (132.133.135–137.139), Holz (134.138). M. 1:2.

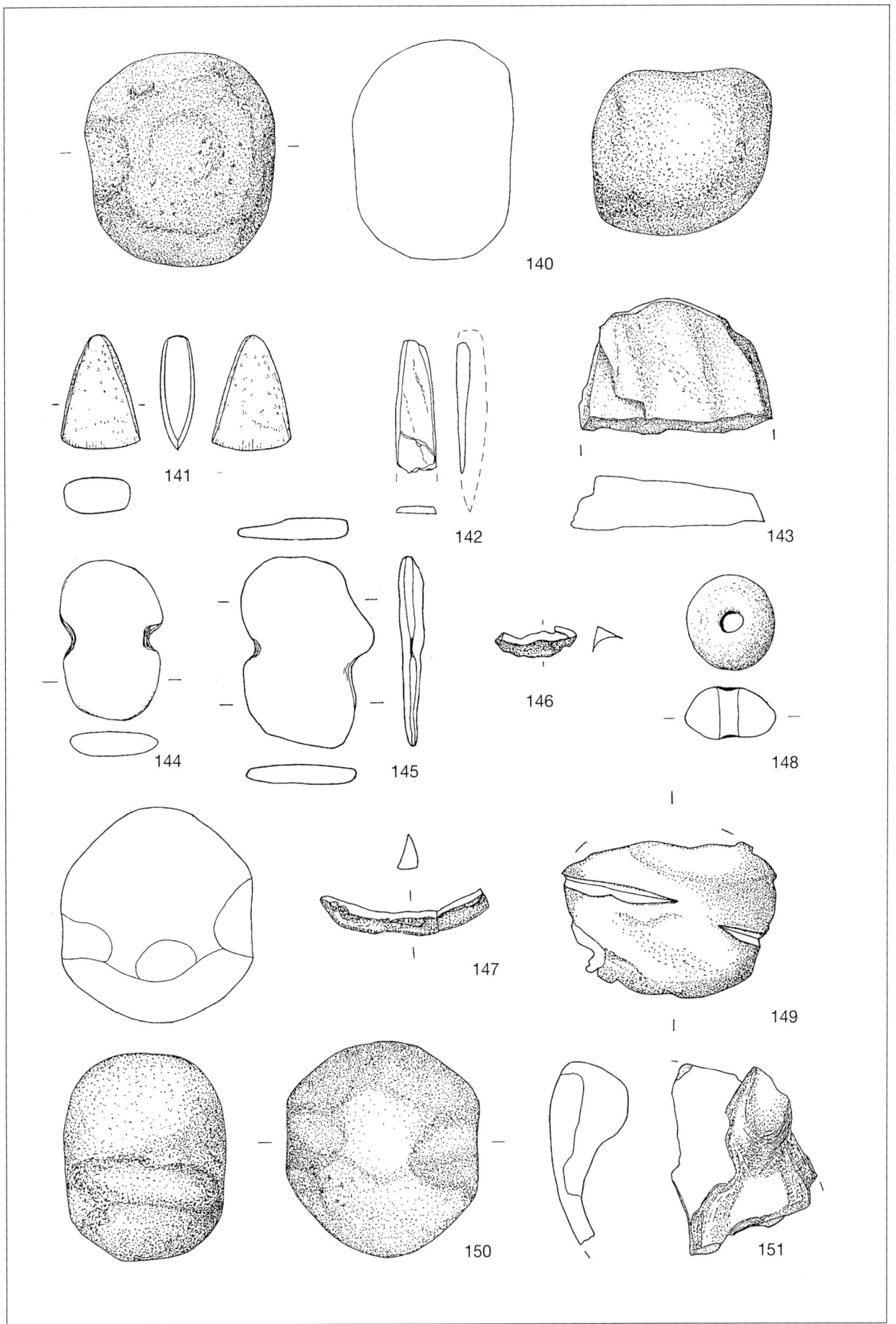

Tafel 13

Bodman-Schachen I, Schicht B (143), Schicht C (147.149.151), Oberfläche (140–142.144–146.148.150). Neufunde (außer 148). Ton (146–149.151), Stein (140–145.150). M. 1:2.

Tafel 14

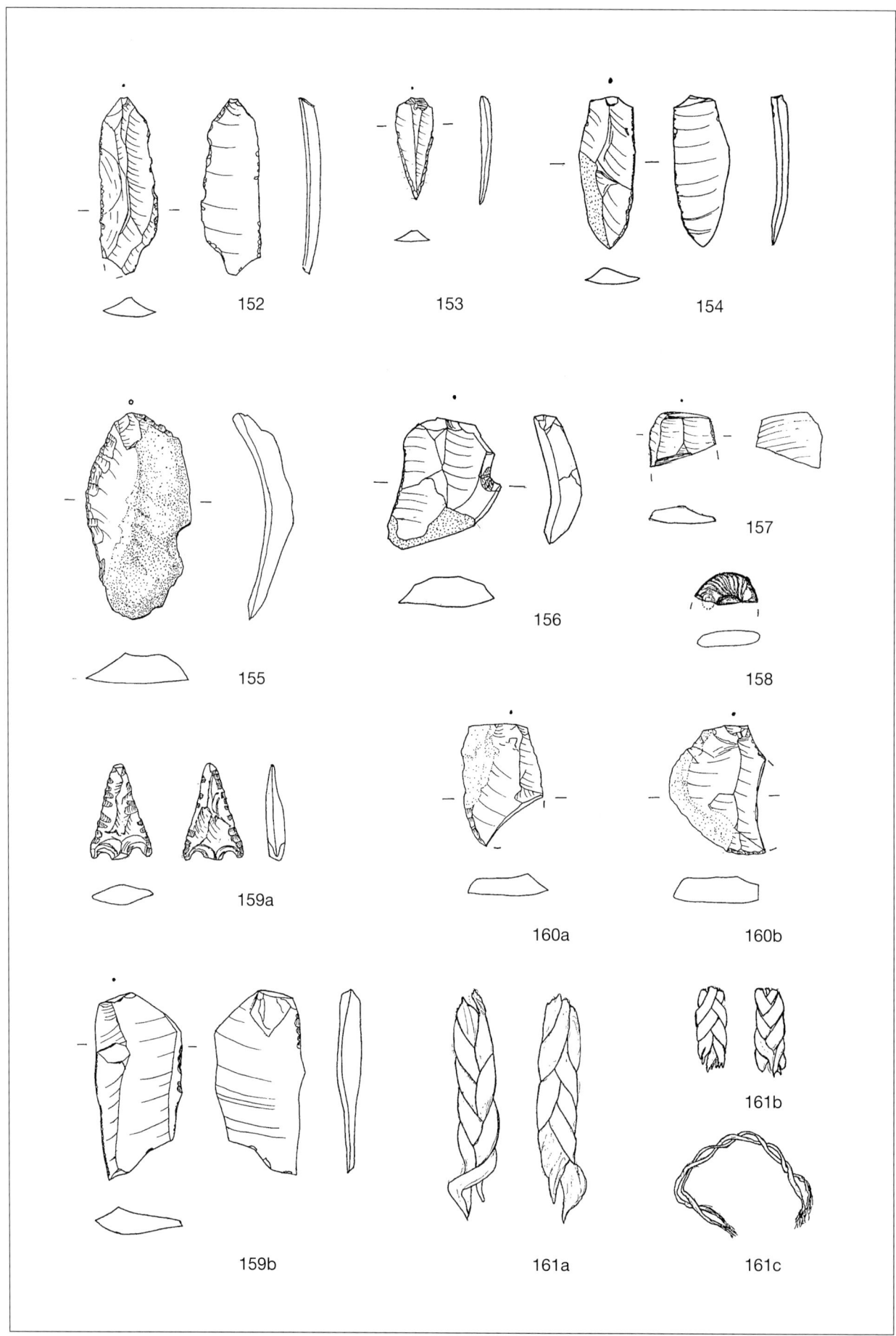

Bodman-Schachen I, Schicht A (160a.161b), Schicht C (153.155.157.158.159a.161a,c), Oberfläche (152.154.156. 159b.160b). Neufunde. Silex (152–157.159a,b.160a,b), Ammonit (158), Textilfasern (161a,b,c). M. 2:3.

Tafel 15

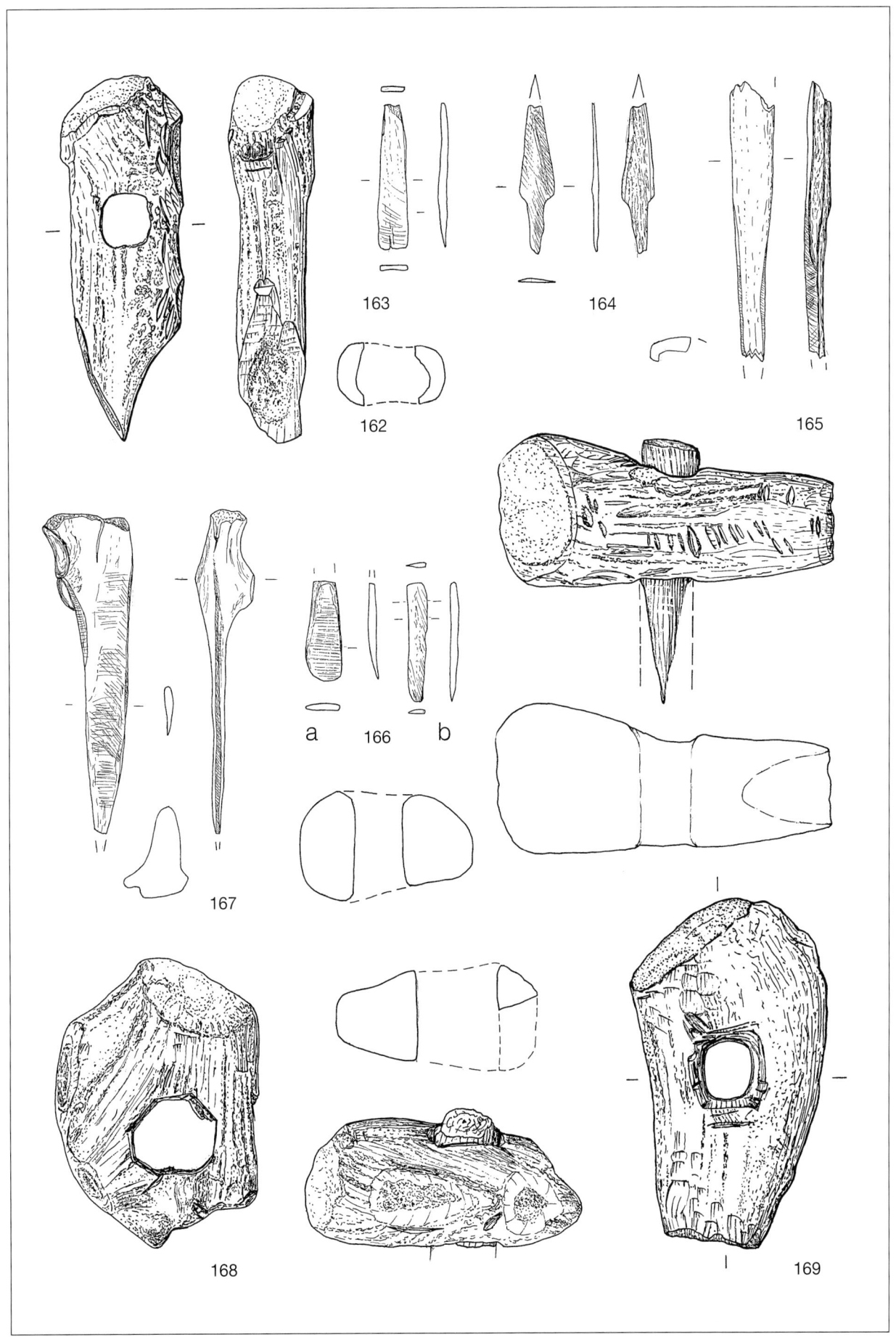

Bodman-Schachen I, Schicht B (163.165–167a,b), Schicht B/C (164), Schicht C (169), Oberfläche (162.168).
Neufunde. Hirschgeweih (162.168.169), Knochen (163–167a,b). M. 1:2.

Tafel 16

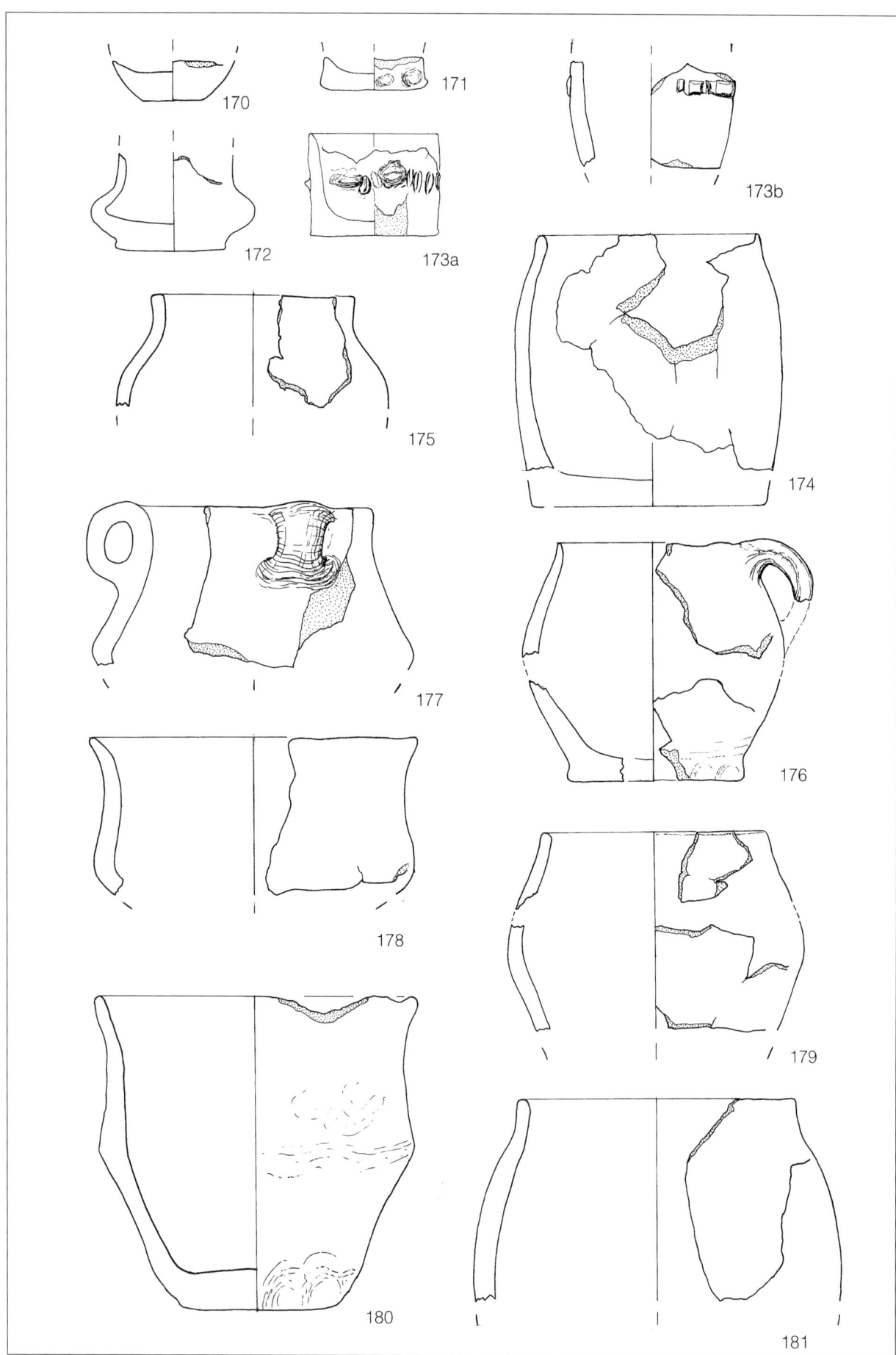

Bodman-Schachen I, Schicht C. Neufunde. Keramik. M. 1:2.

Tafel 17

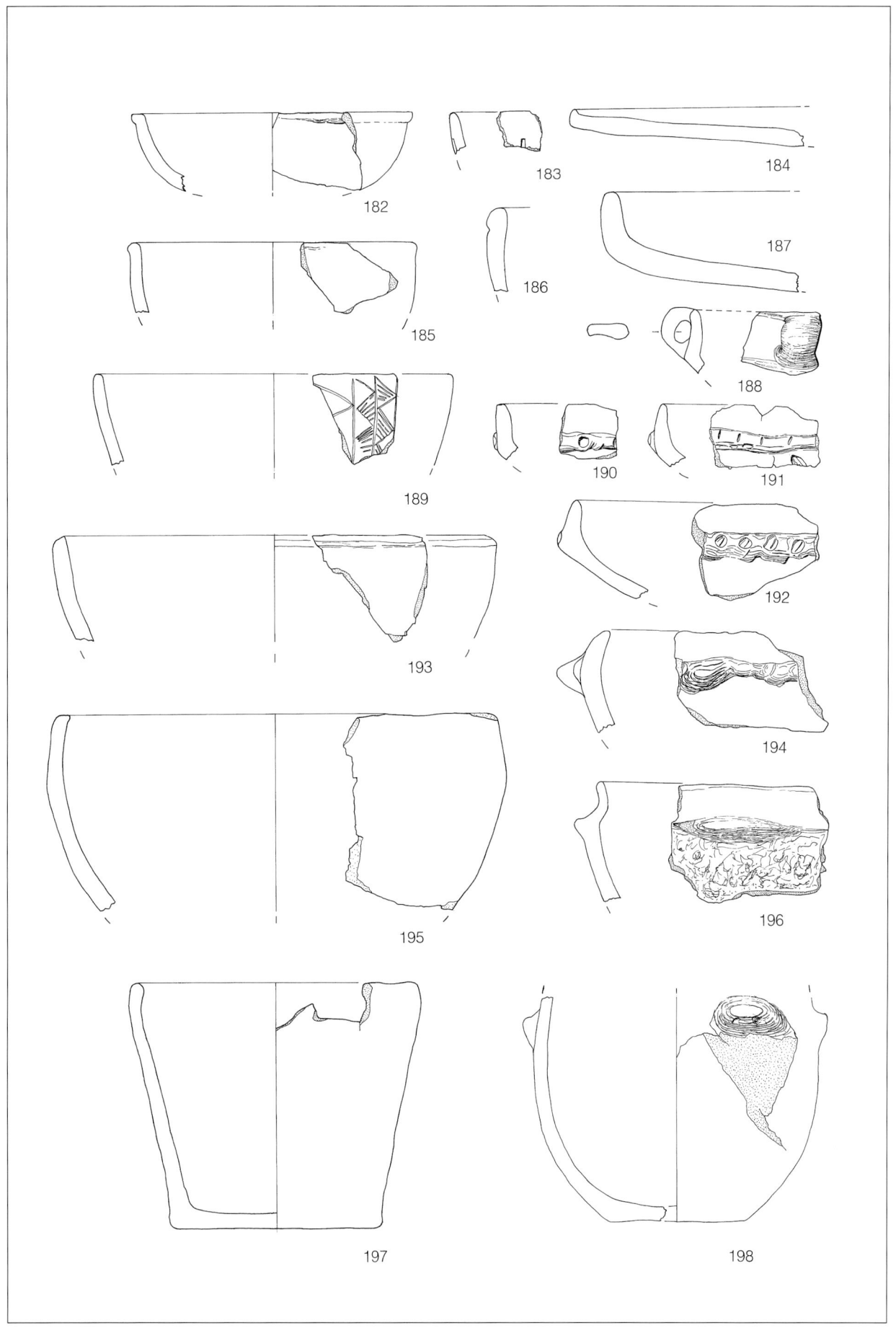

Bodman-Schachen I, Schicht C. Neufunde. Keramik. M. 1:3.

Tafel 18

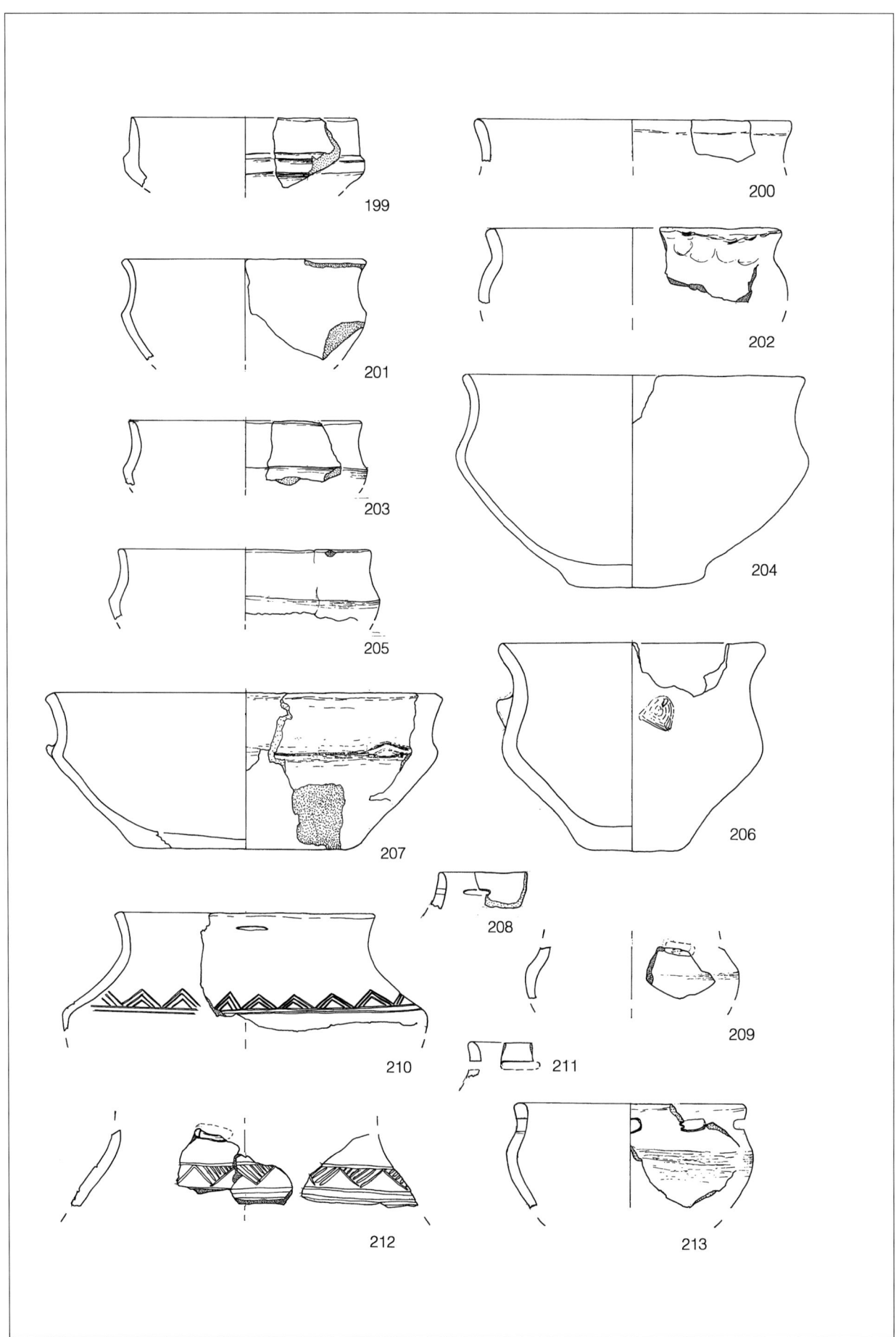

Bodman-Schachen I, Schicht C. Neufunde. Keramik. M. 1:3.

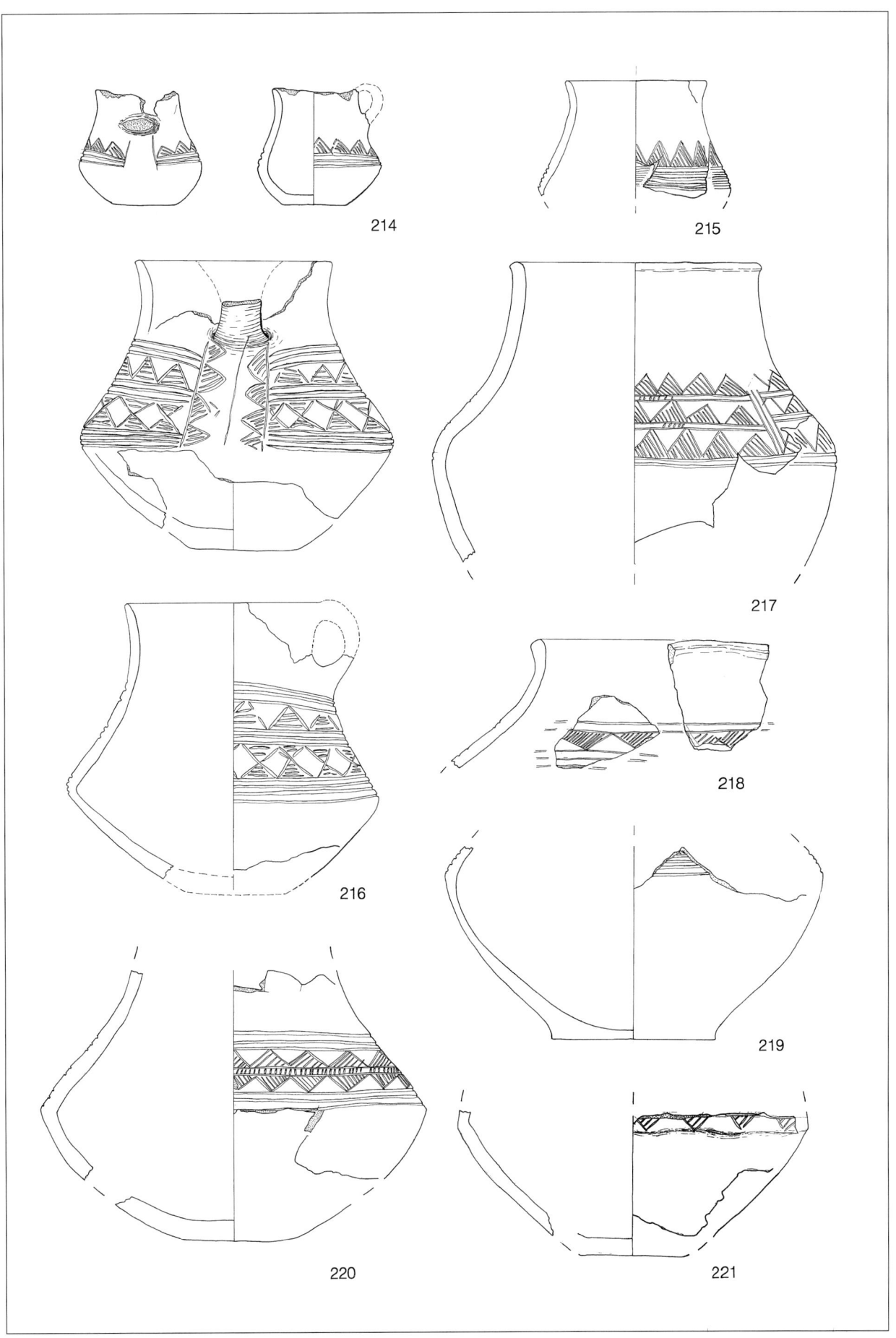

Bodman-Schachen I, Schicht C. Neufunde. Keramik. M. 1:2.

Tafel 20

Bodman-Schachen I, Schicht C. Neufunde. Keramik. M. 1:3.

Tafel 21

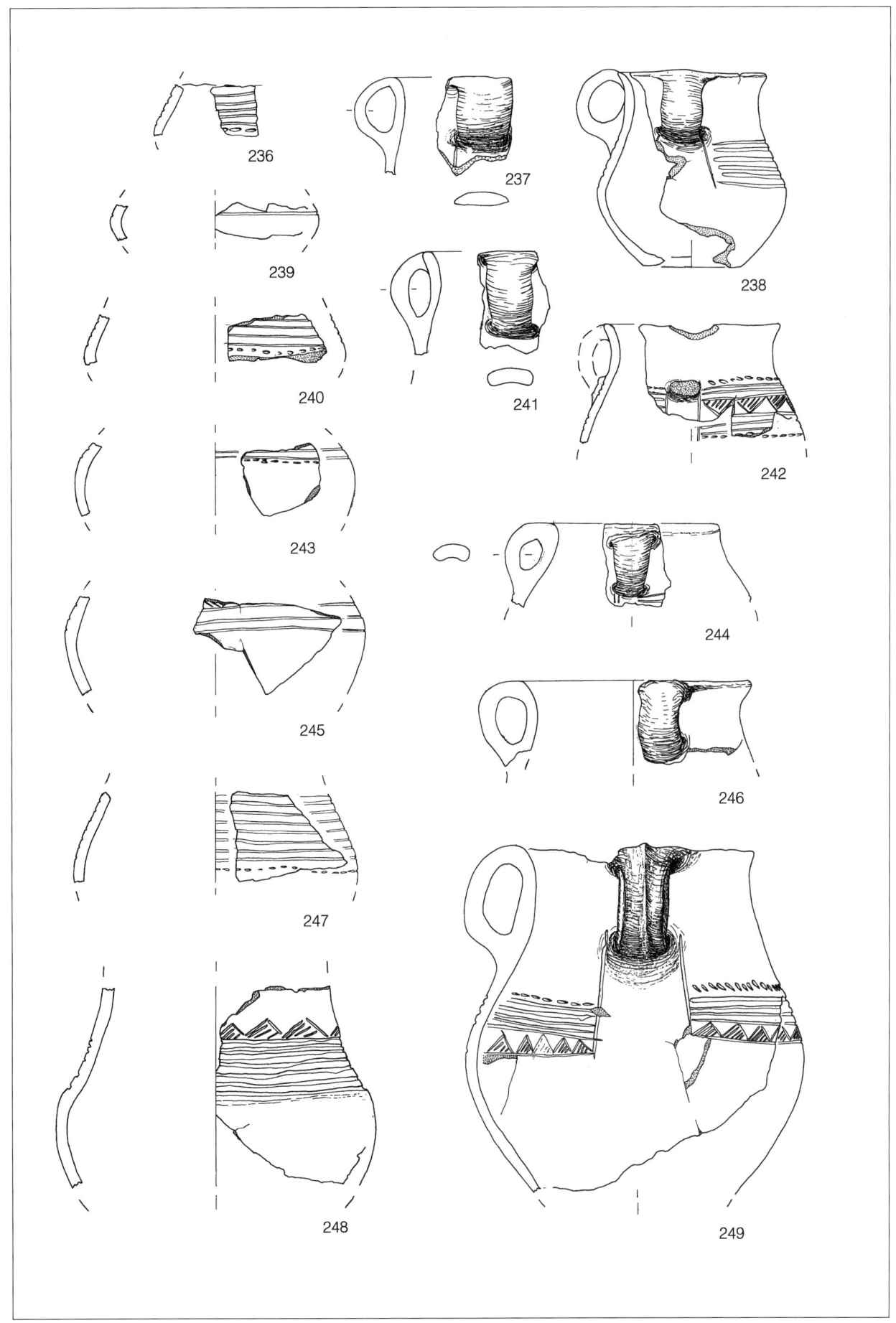

Bodman-Schachen I, Schicht C. Neufunde. Keramik. M. 1:3.

Tafel 22

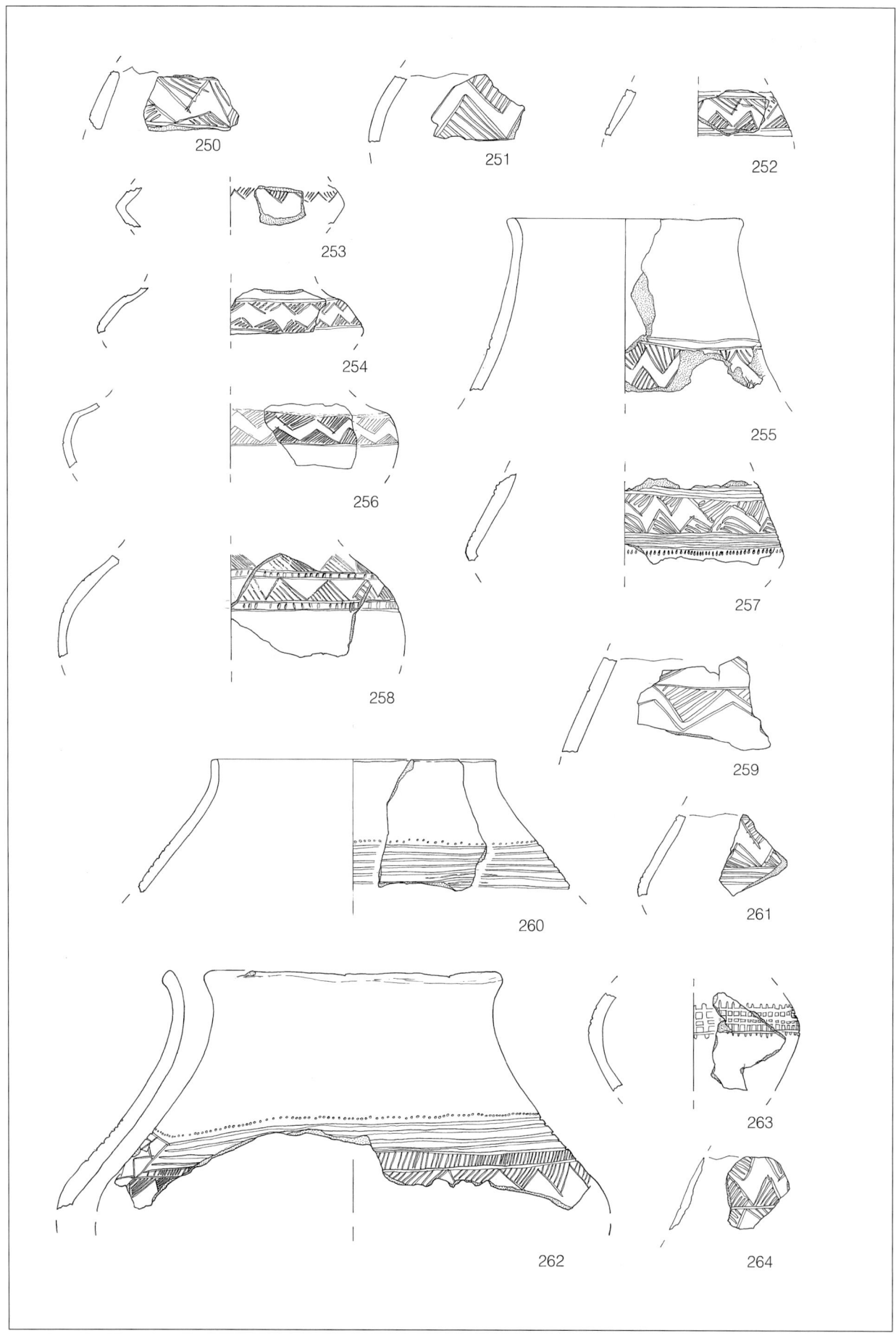

Bodman-Schachen I, Schicht C. Neufunde. Keramik. M. 1:3.

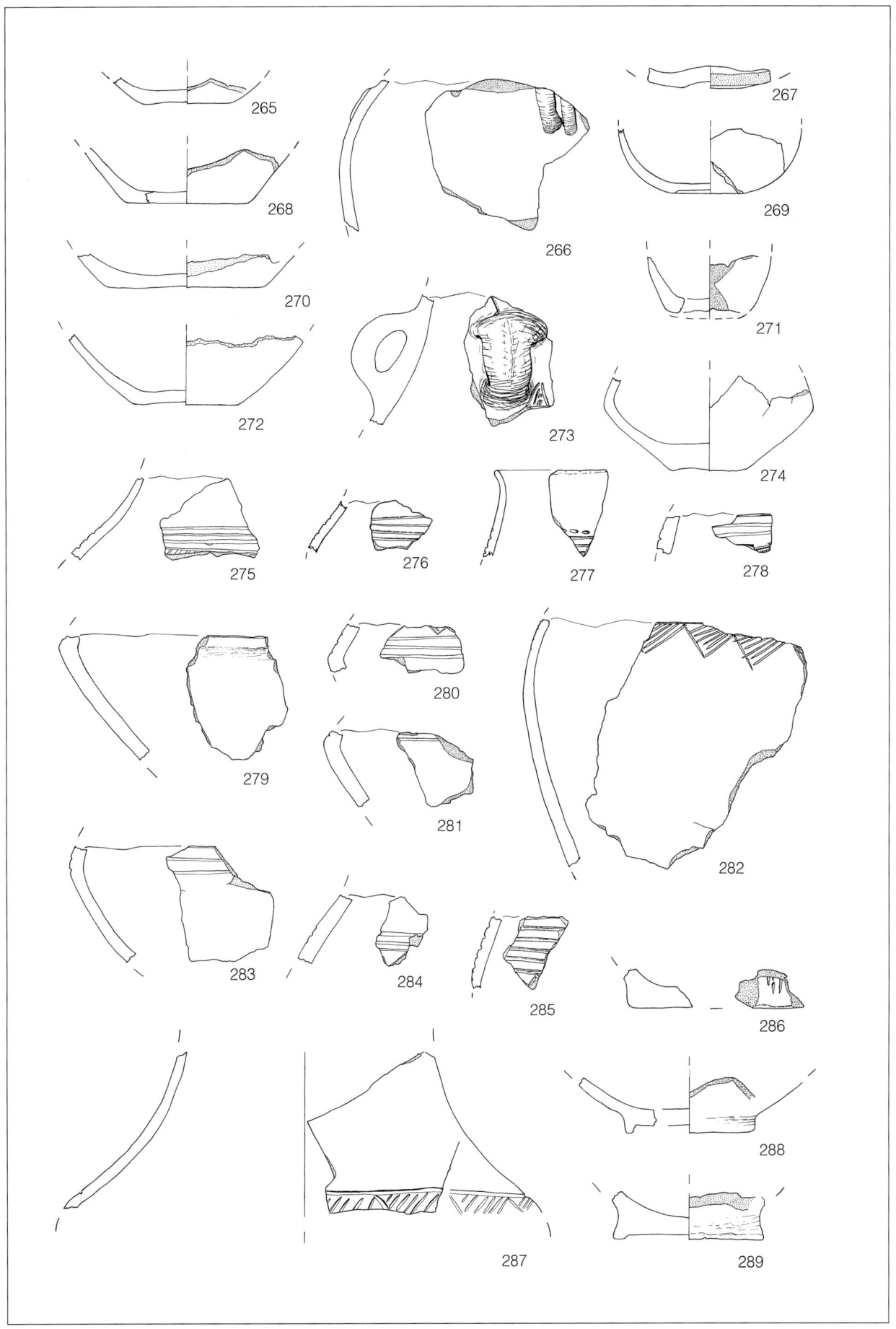

Bodman-Schachen I, Schicht C. Neufunde. Keramik. M. 1:3.

Tafel 24

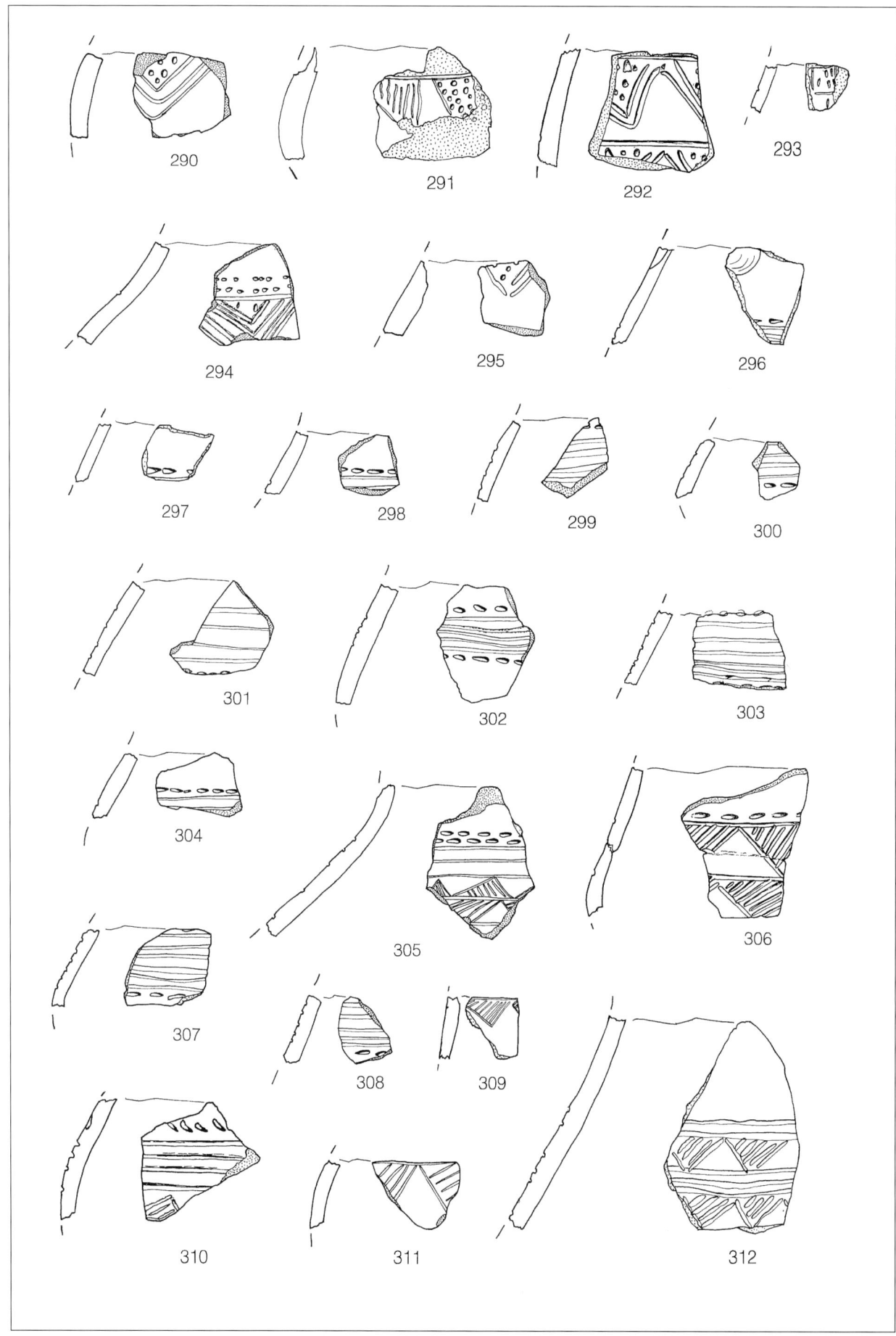

Bodman-Schachen I, Schicht C. Neufunde. Keramik. M. 1:2.

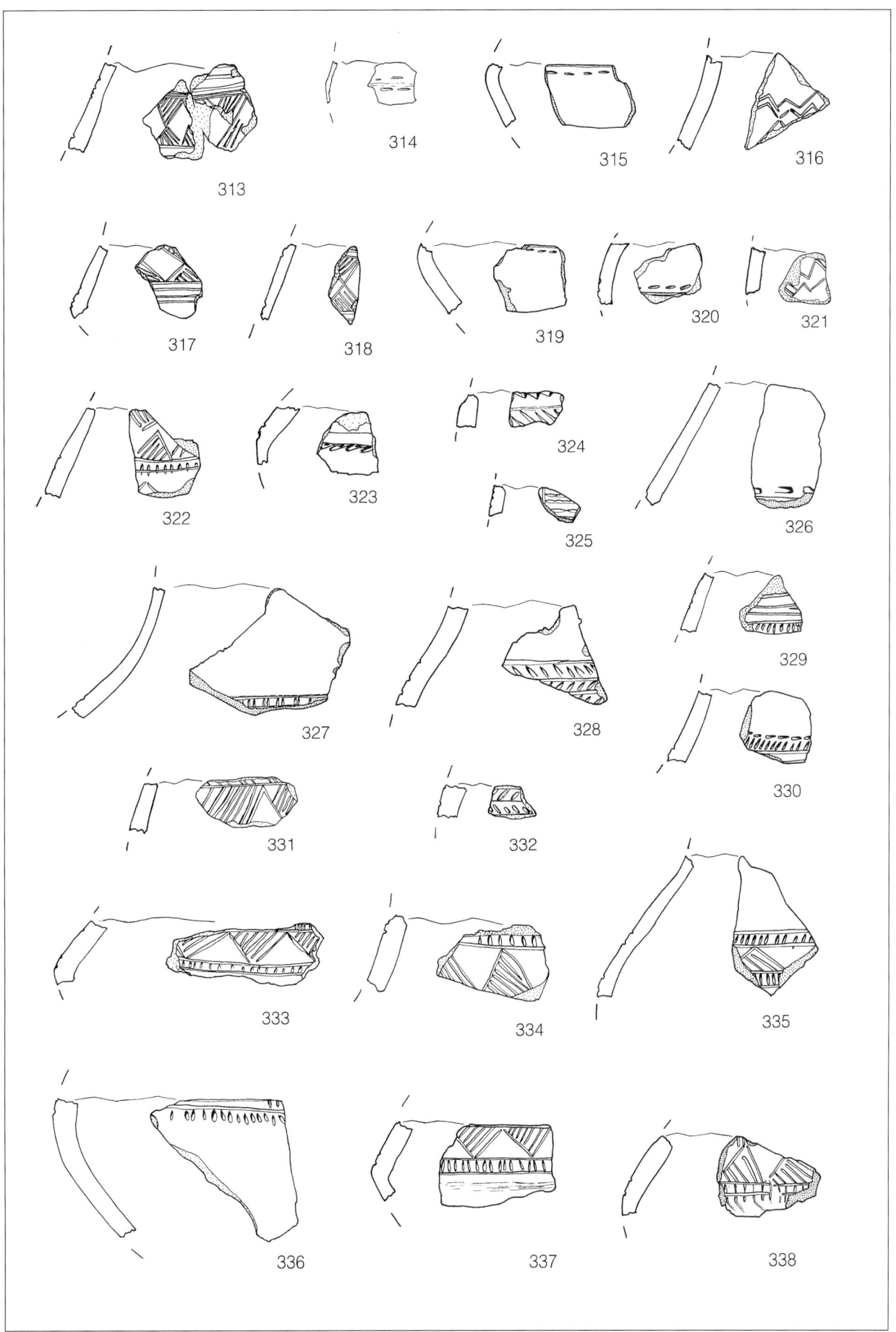

Bodman-Schachen I, Schicht C. Neufunde. Keramik. M. 1:2.

Tafel 26

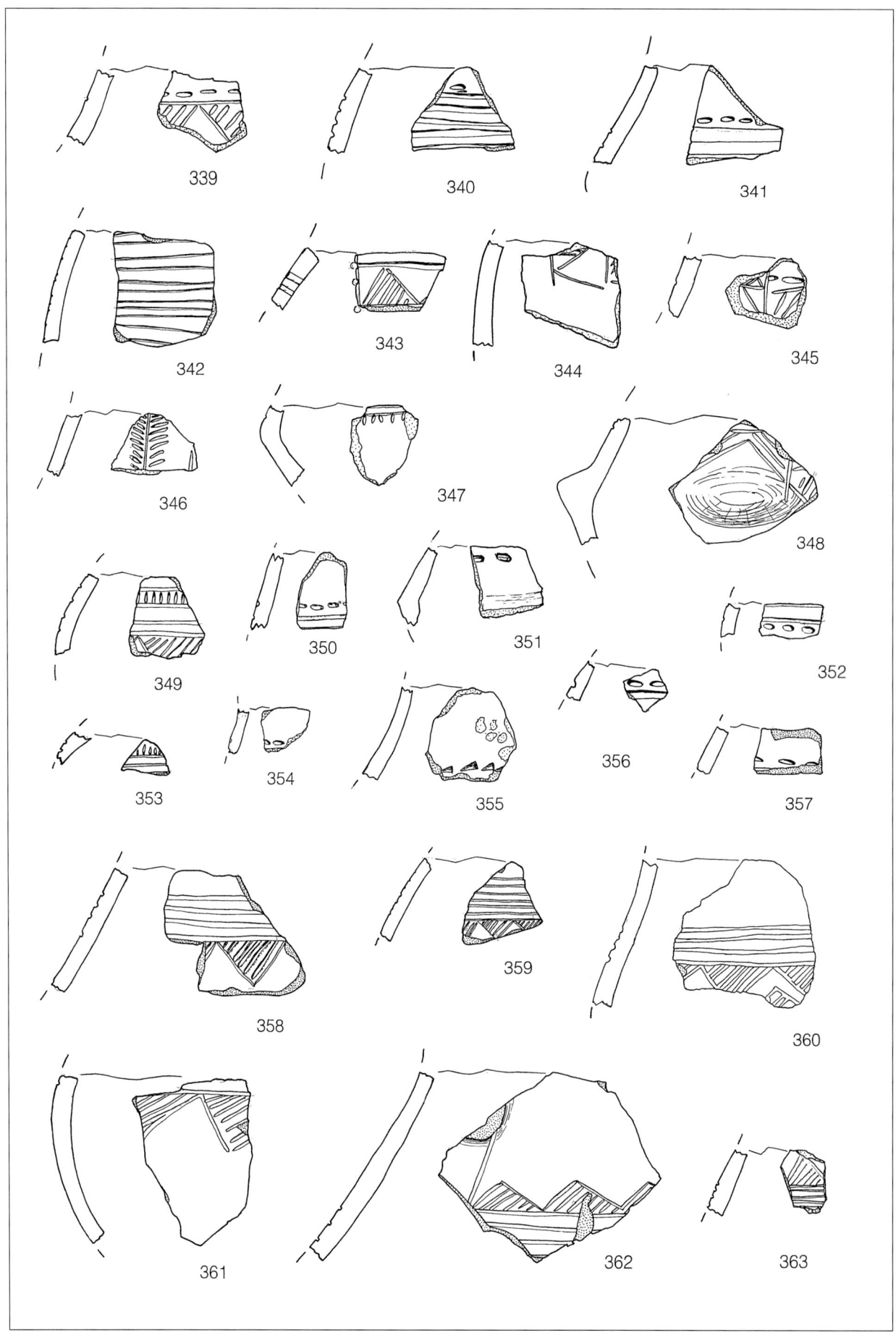

Bodman-Schachen I, Schicht C. Neufunde. Keramik. M. 1:2.

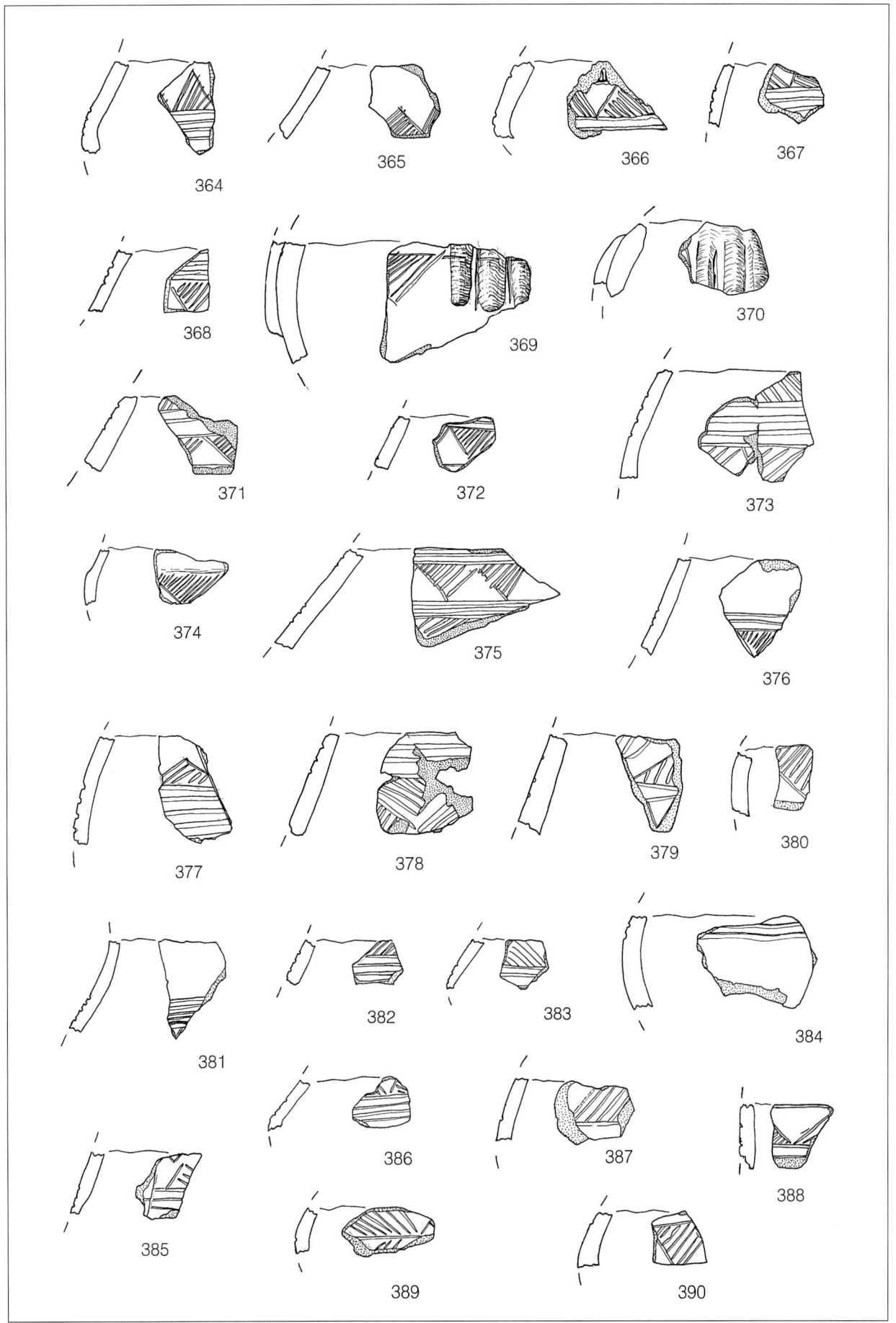

Tafel 27

Bodman-Schachen I, Schicht C. Neufunde. Keramik. M. 1:2.

Tafel 28

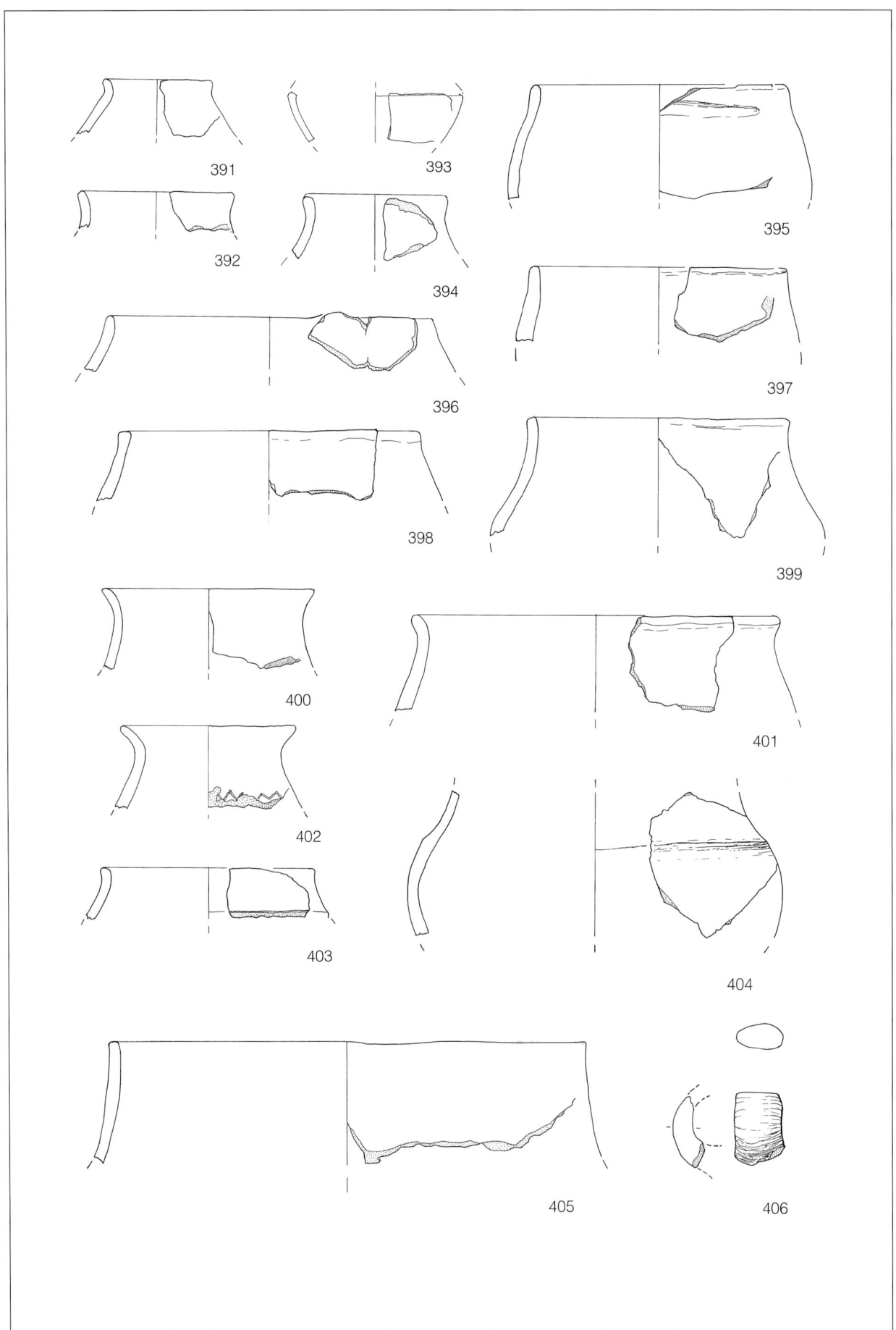

Bodman-Schachen I, Schicht C. Neufunde. Keramik. M. 1:3.

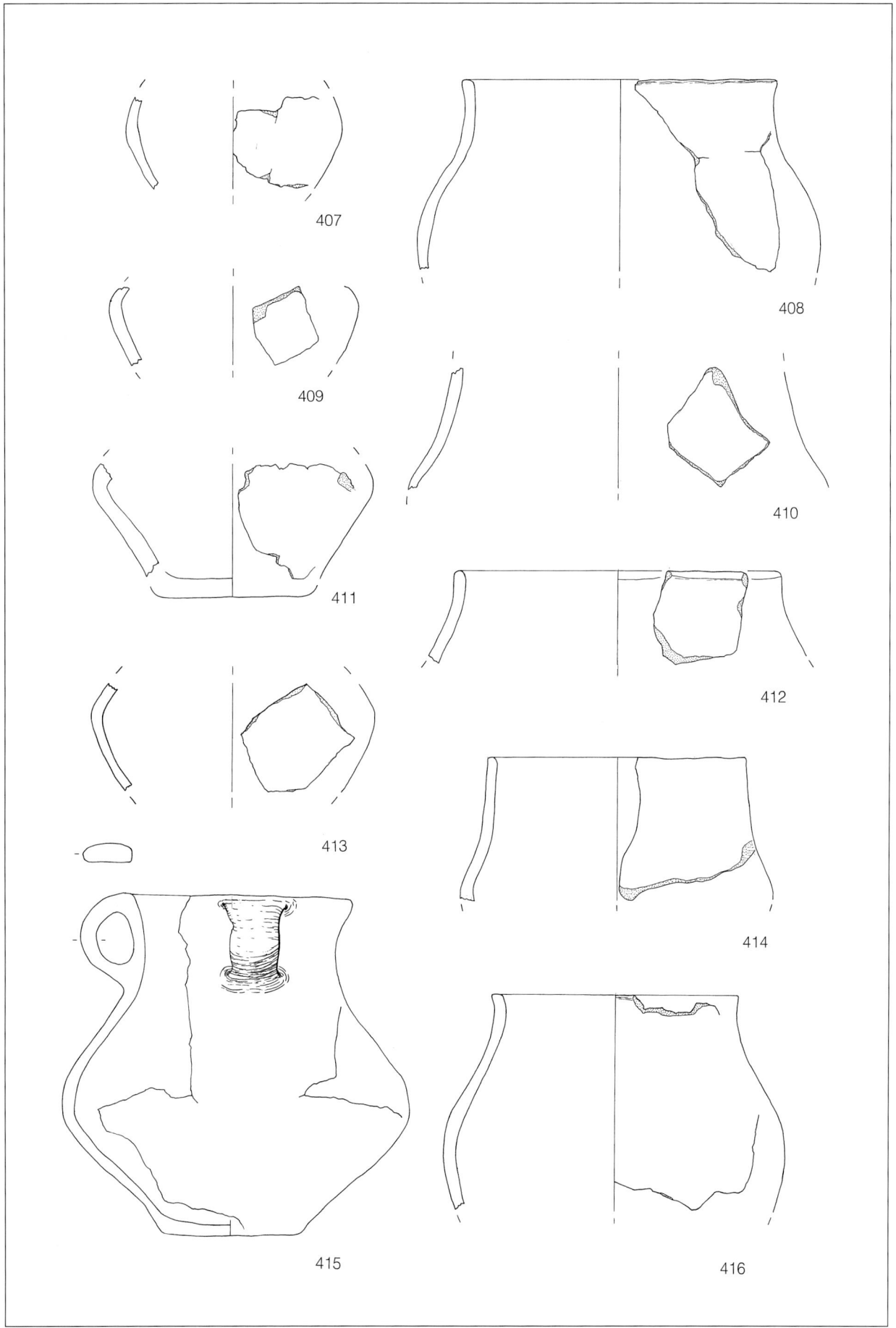

Bodman-Schachen I, Schicht C. Neufunde. Keramik. M. 1:3.

Tafel 30

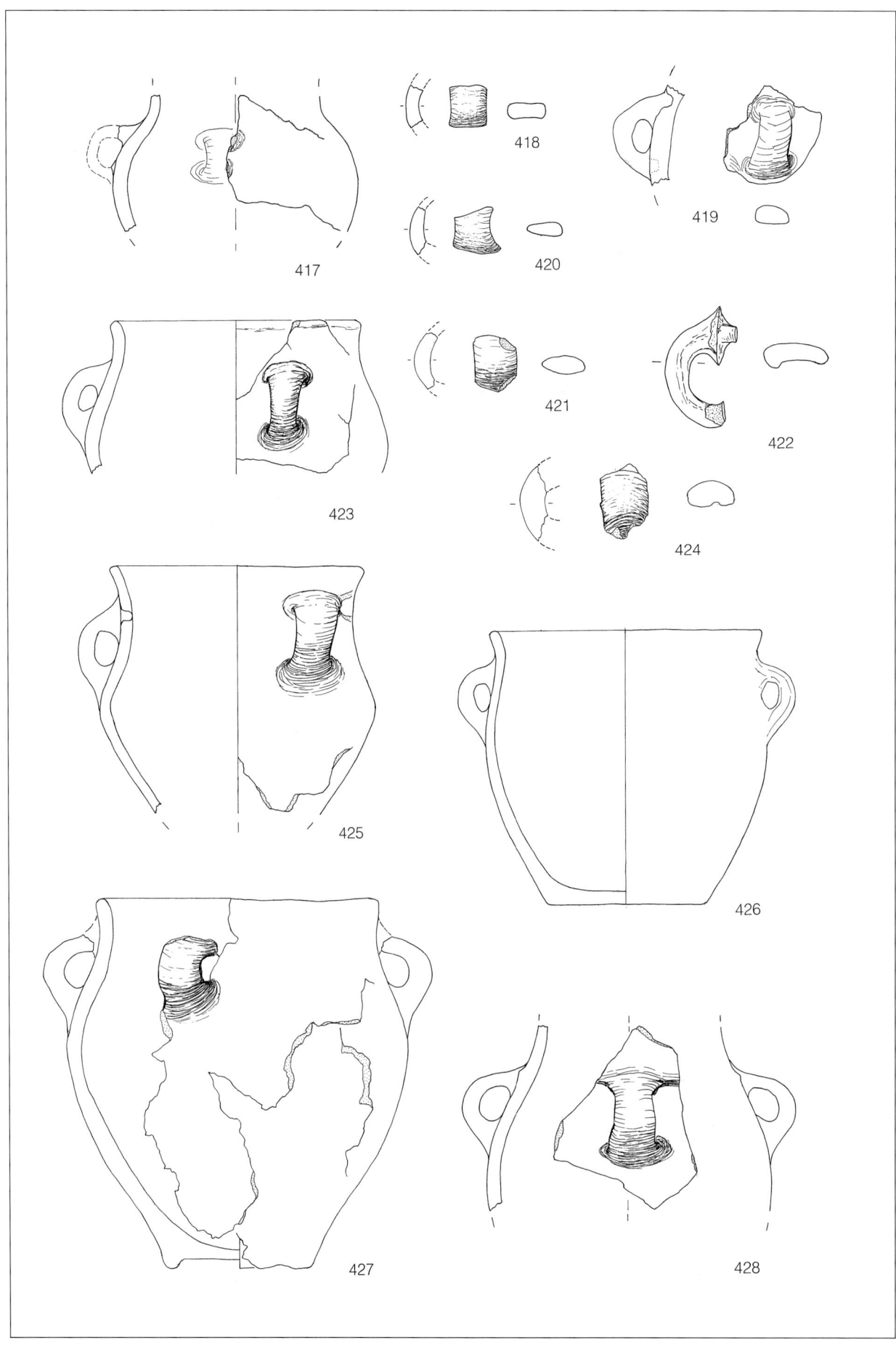

Bodman-Schachen I, Schicht C. Neufunde. Keramik. M. 1:3.

Tafel 31

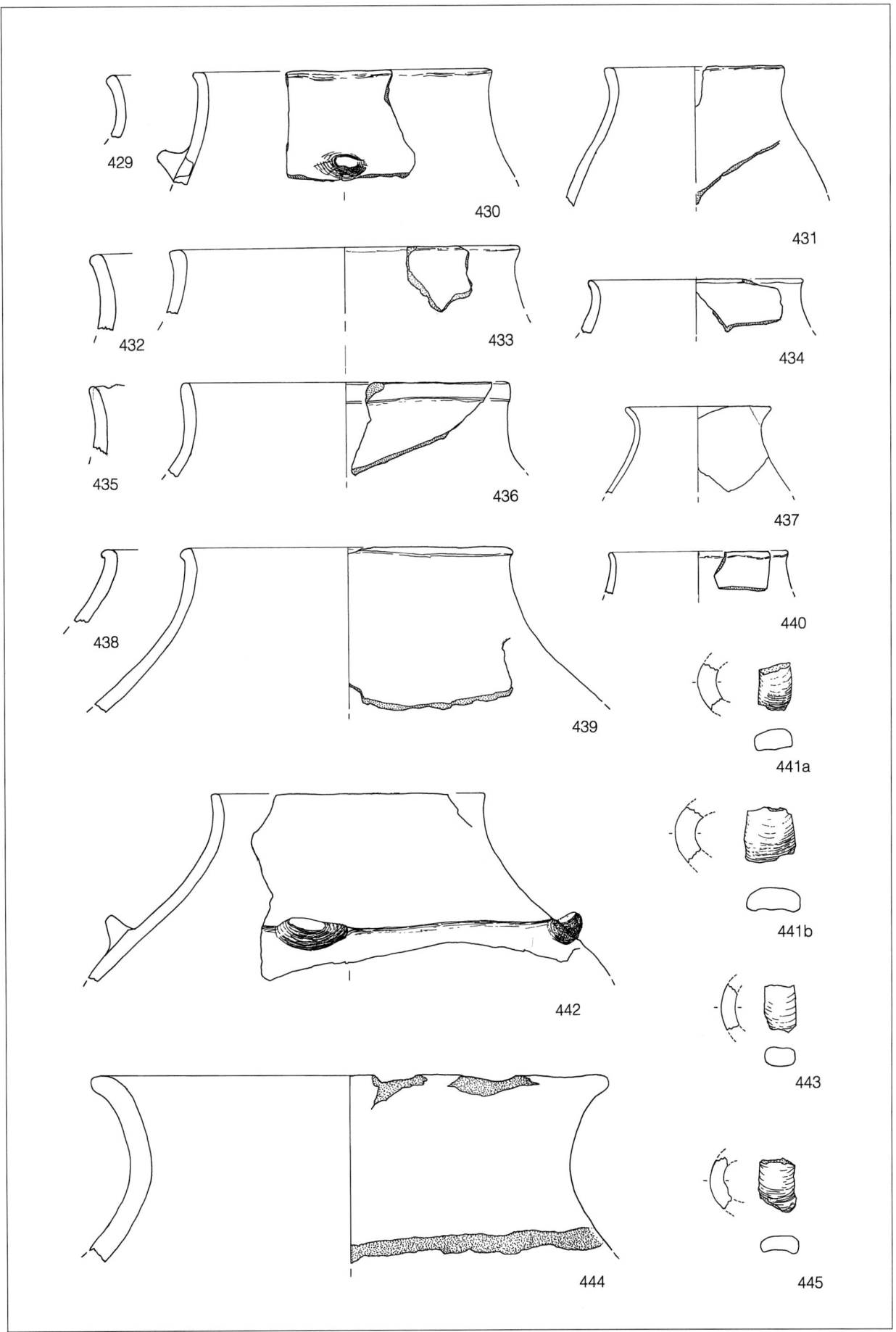

Bodman-Schachen I, Schicht C. Neufunde. Keramik. M. 1:3.

Tafel 32

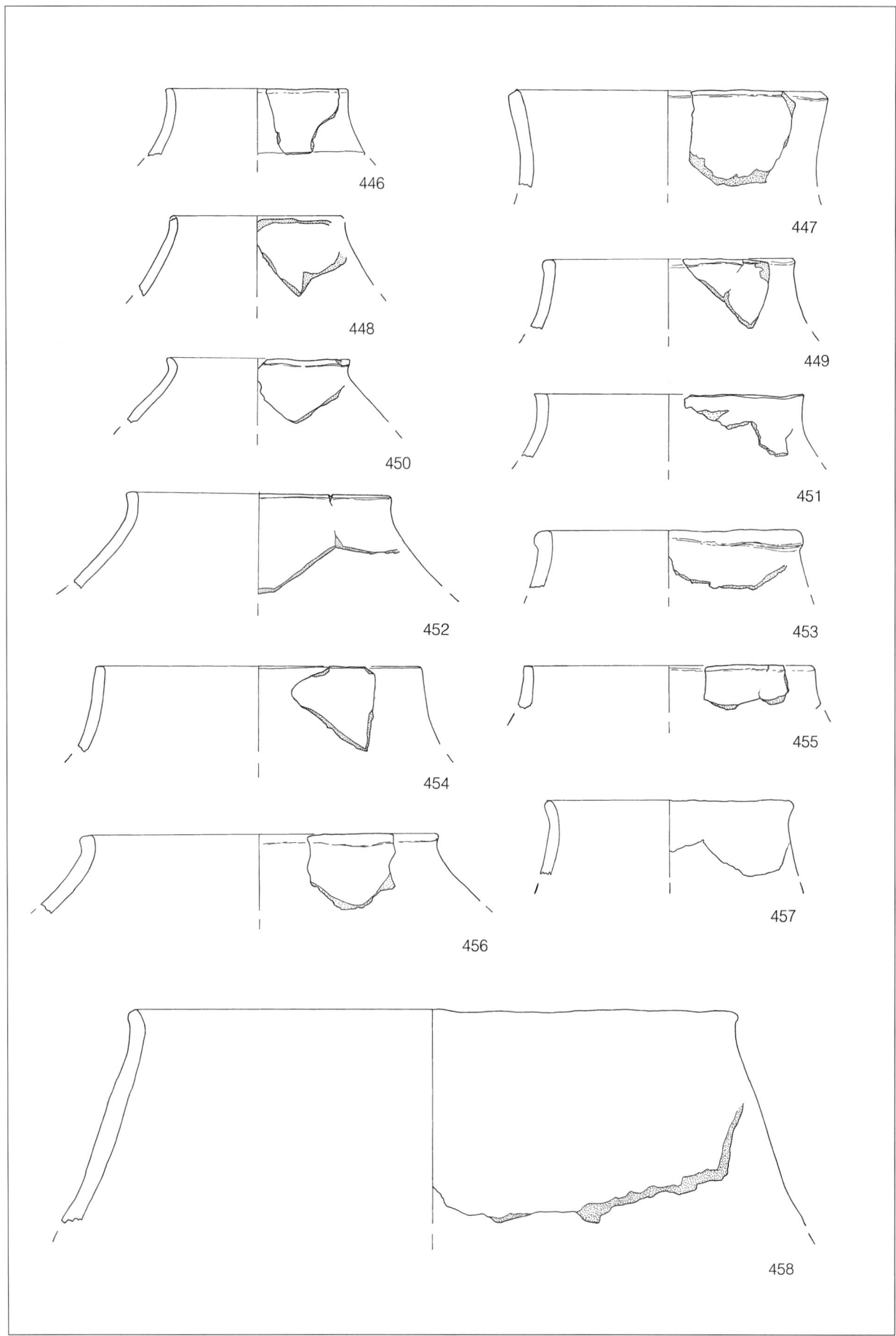

Bodman-Schachen I, Schicht C. Neufunde. Keramik. M. 1:3.

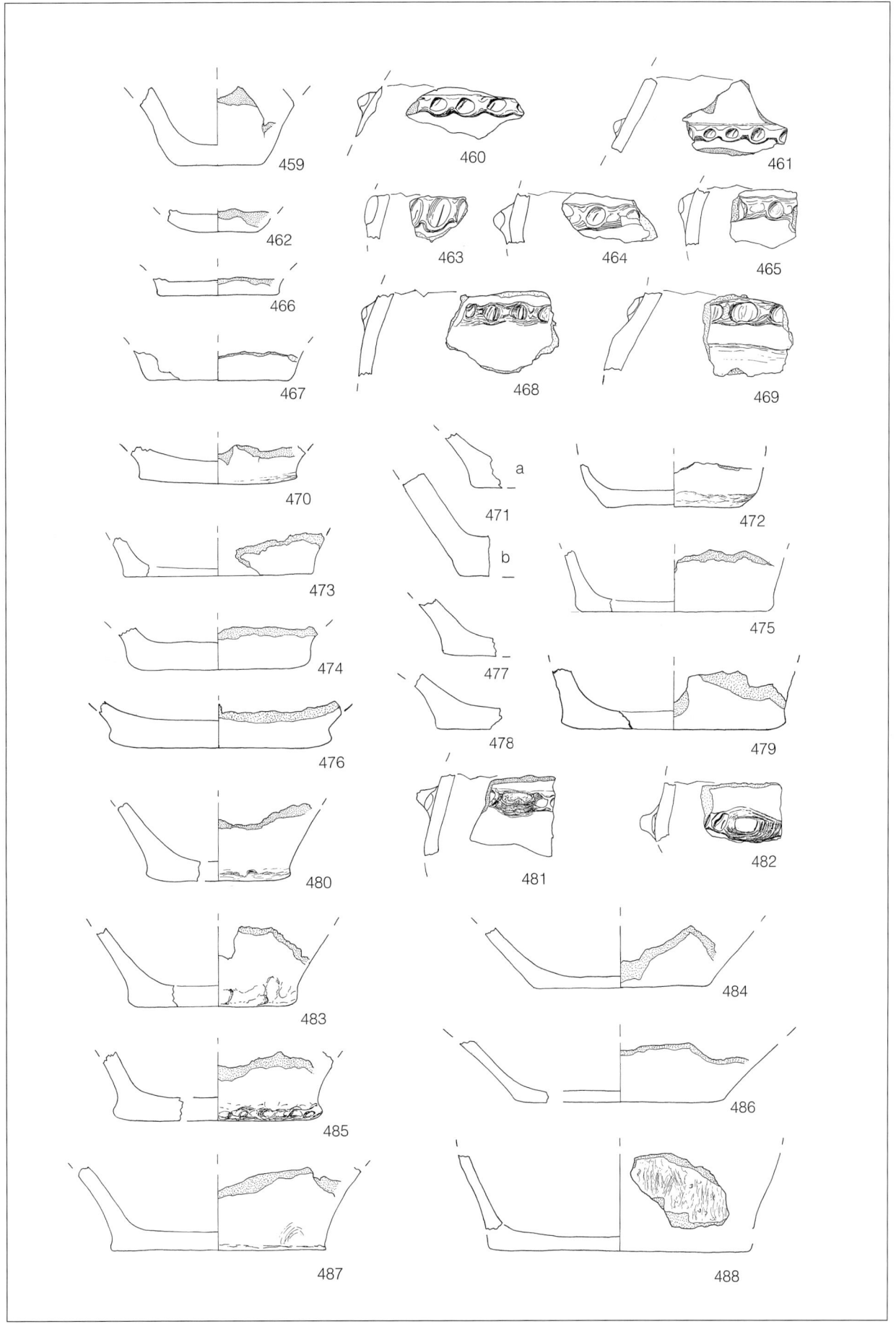

Bodman-Schachen I, Schicht C. Neufunde. Keramik. M. 1:3.

Tafel 34

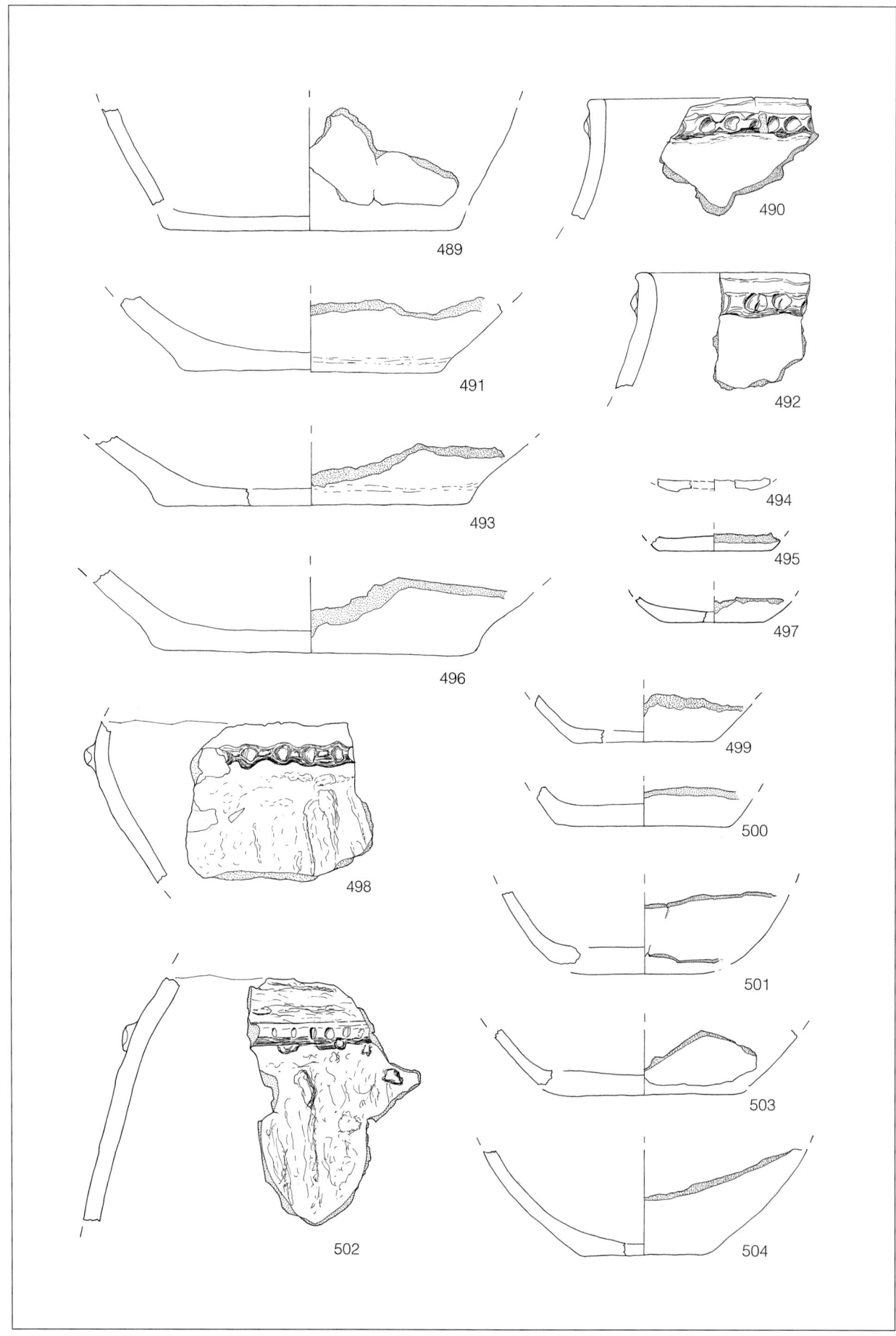

Bodman-Schachen I, Schicht C. Neufunde. Keramik. M. 1:3.

Tafel 35

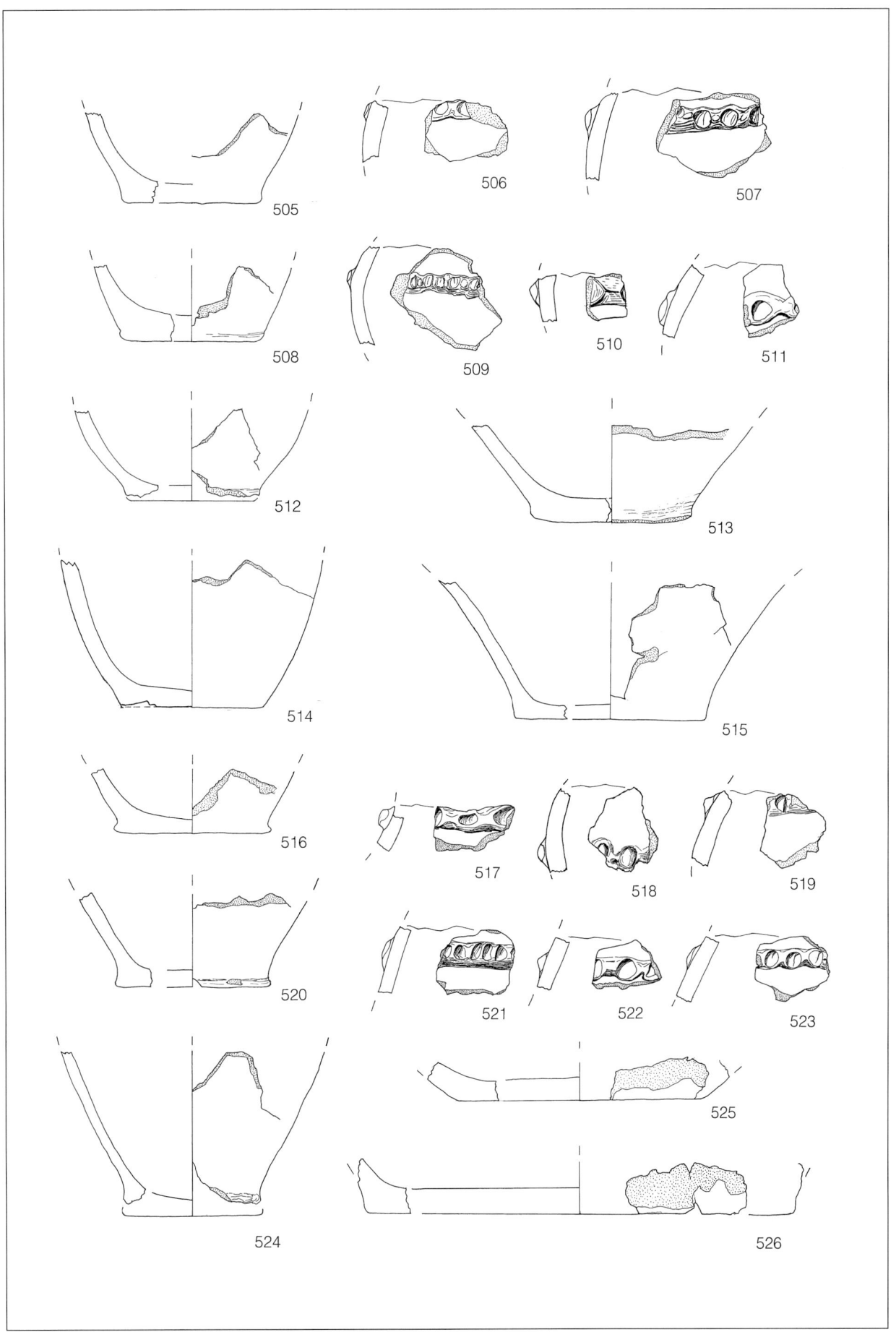

Bodman-Schachen I, Schicht C. Neufunde. Keramik. M. 1:3.

Tafel 36

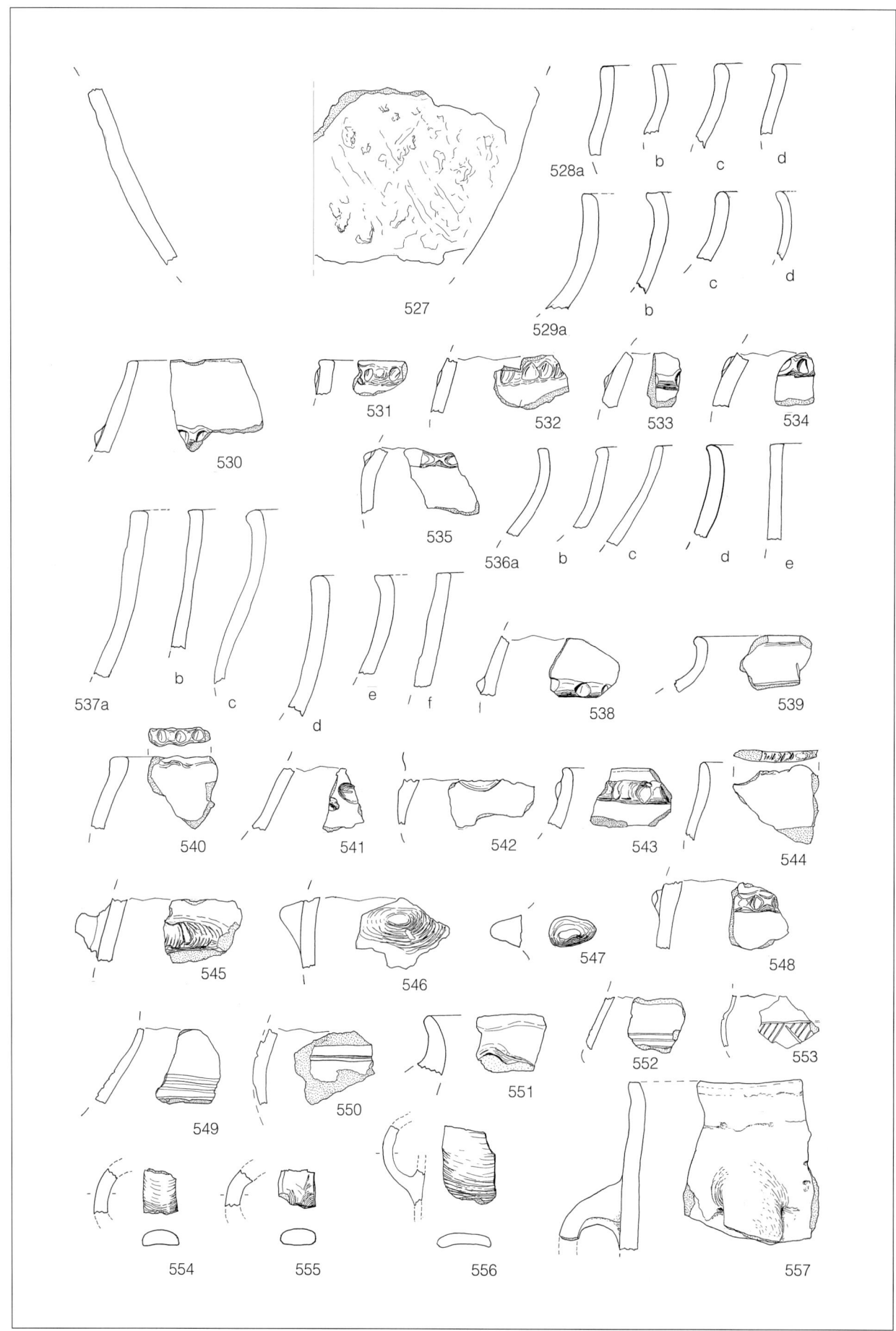

Bodman-Schachen I, Schicht C. Neufunde. Keramik. M. 1:3.

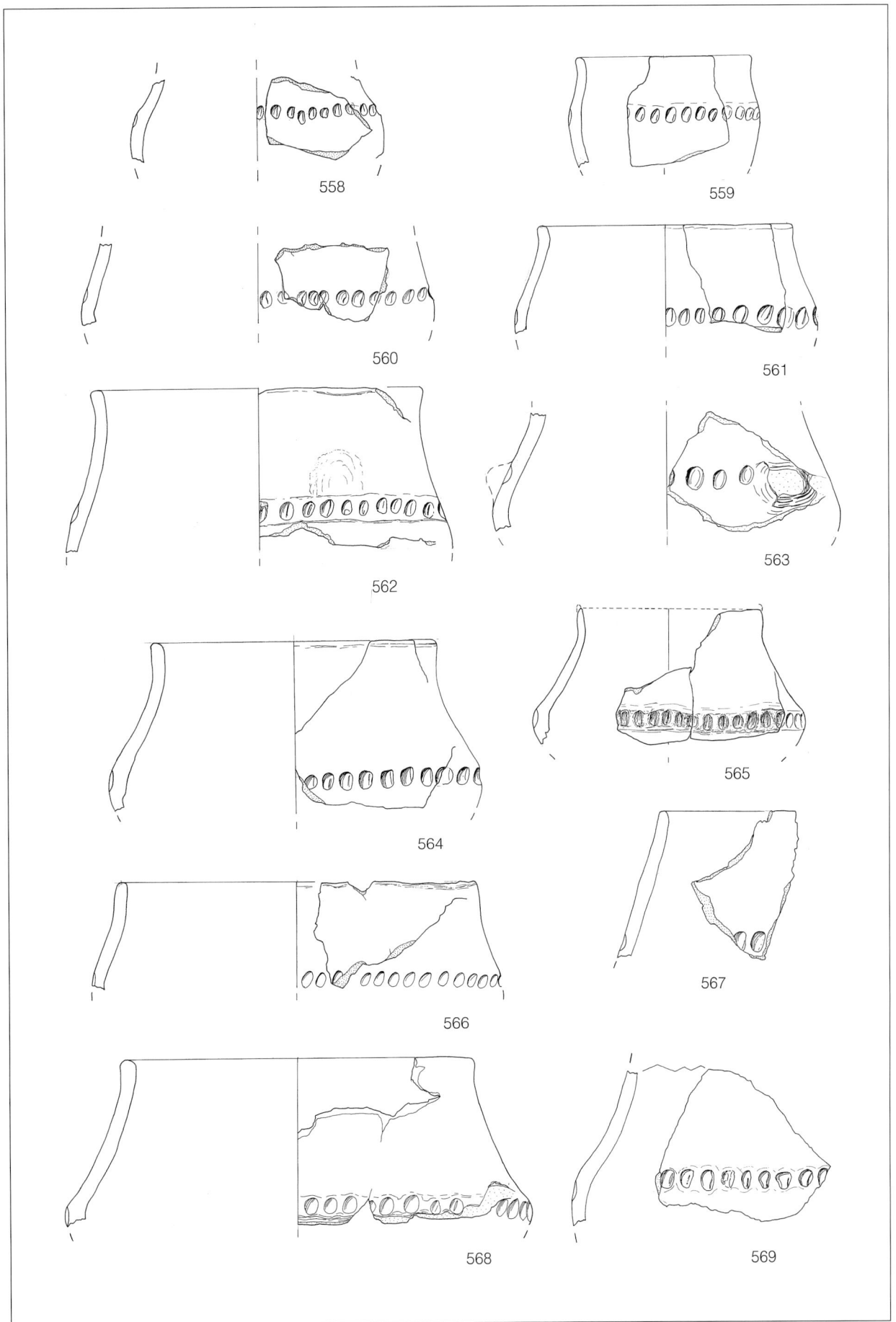

Bodman-Schachen I, Schicht C. Neufunde. Keramik. M. 1:3.

Tafel 38

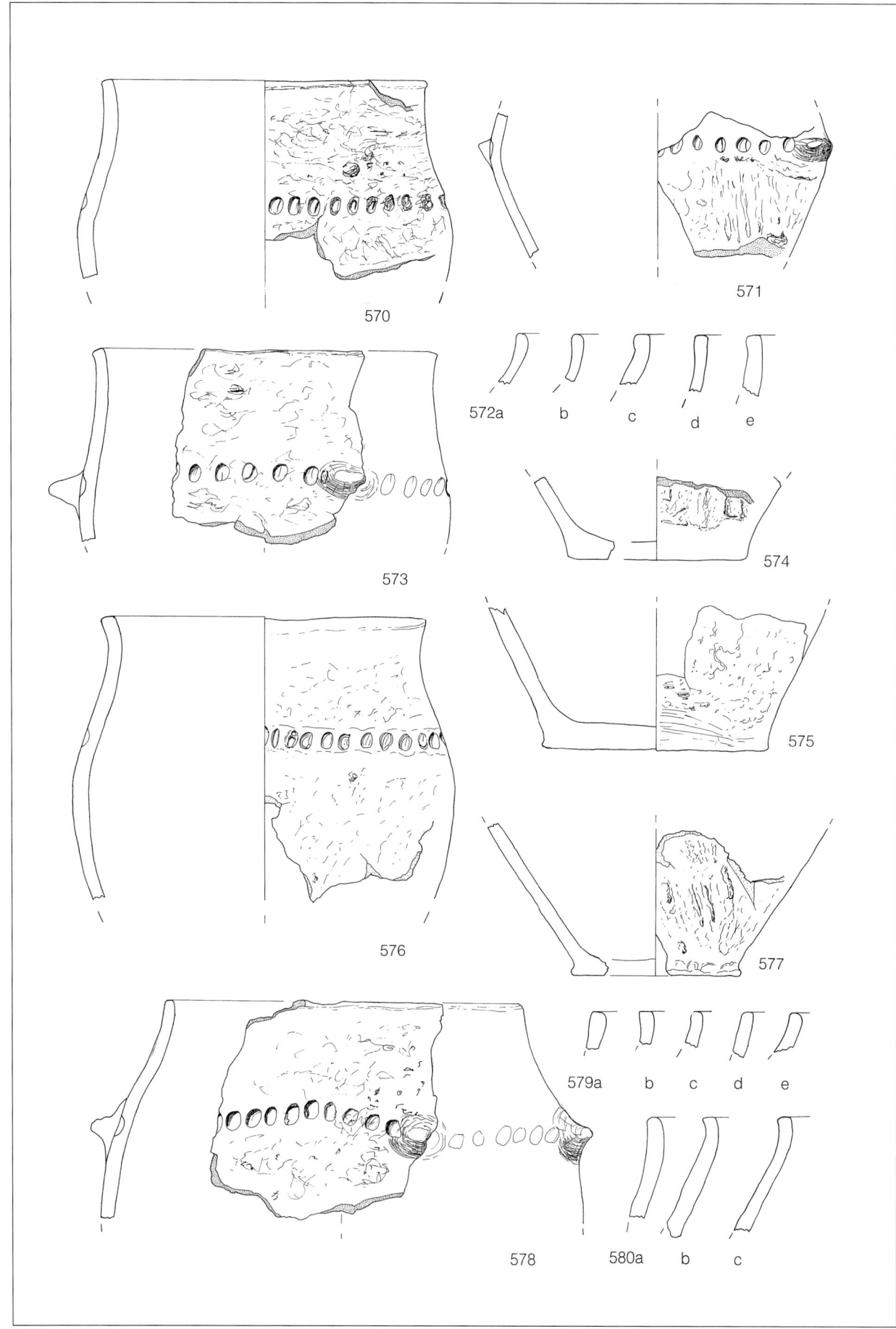

Bodman-Schachen I, Schicht C. Neufunde. Keramik. M. 1:3.

Tafel 39

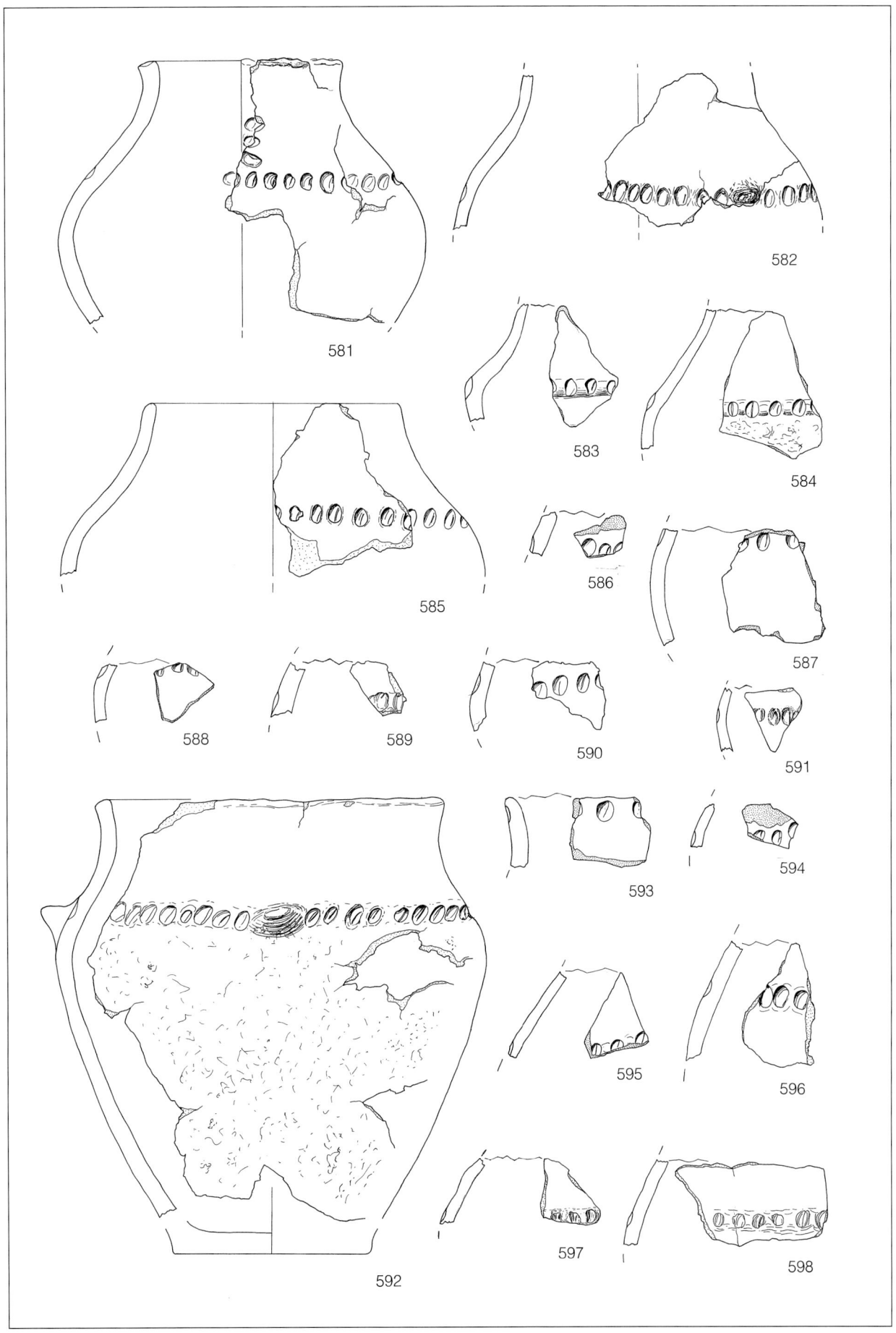

Bodman-Schachen I, Schicht C. Neufunde. Keramik. M. 1:3.

Tafel 40

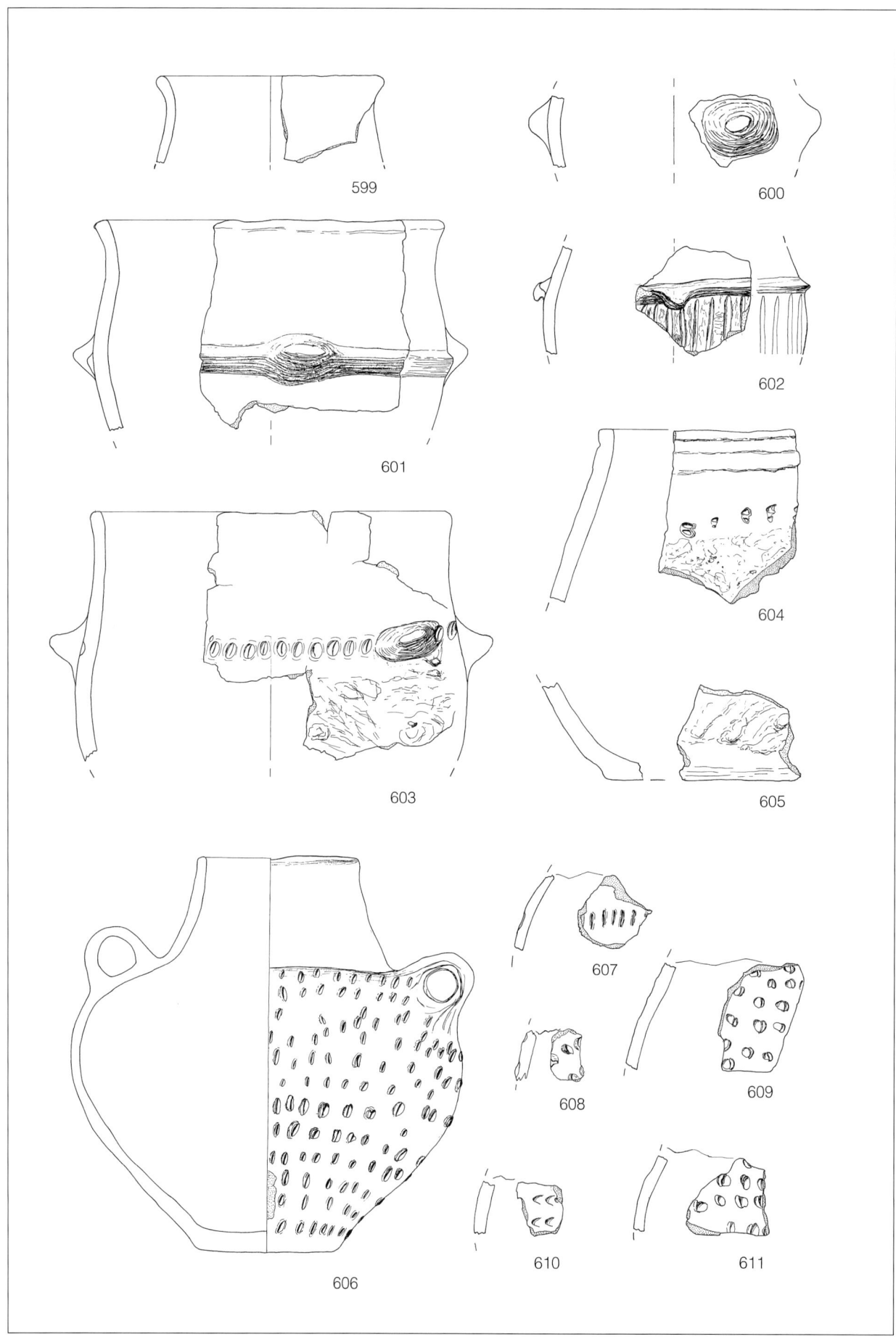

Bodman-Schachen I, Schicht C. Neufunde. Keramik. M. 1:3.

Tafel 41

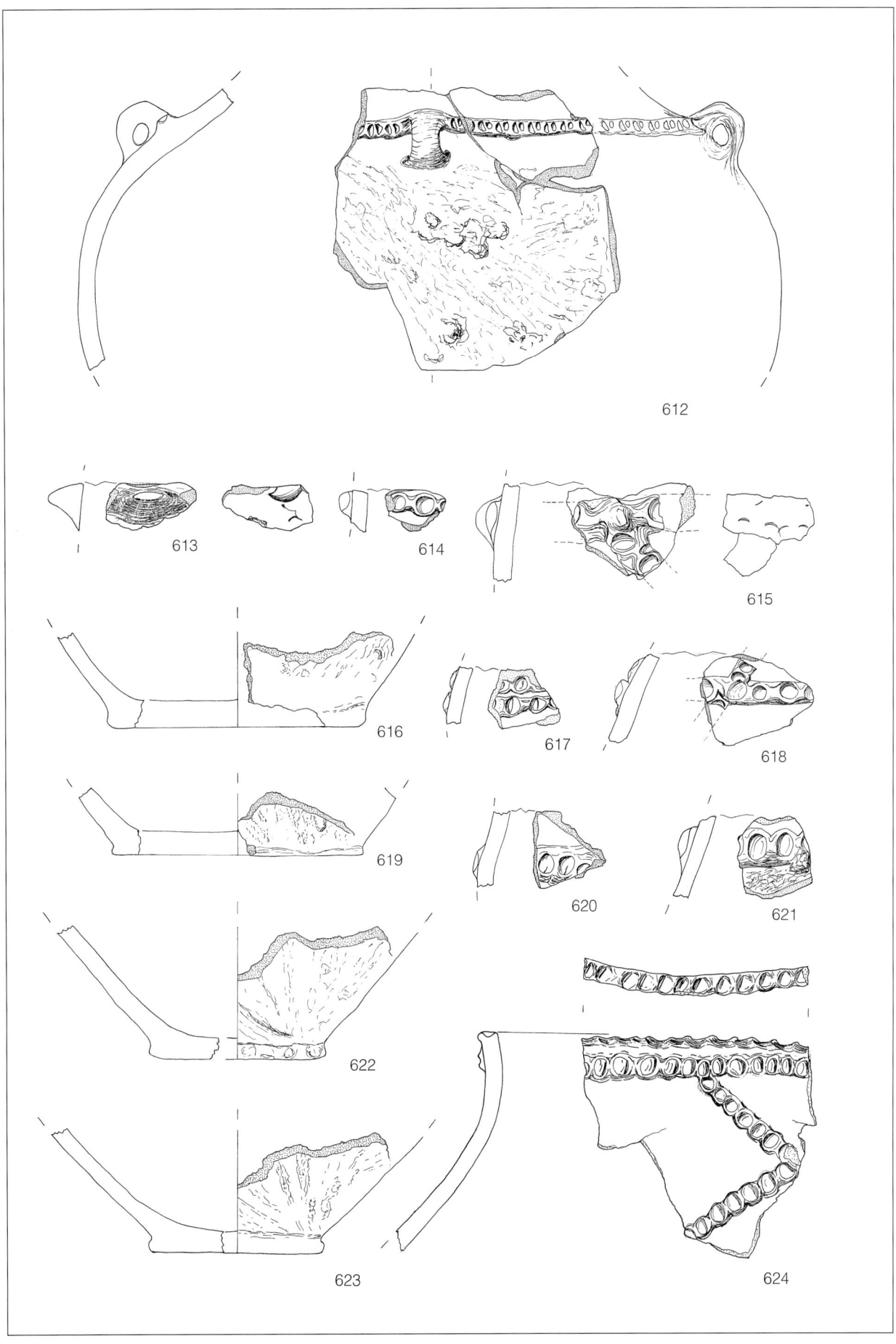

Bodman-Schachen I, Schicht C. Neufunde. Keramik. M. 1:3.

Tafel 42

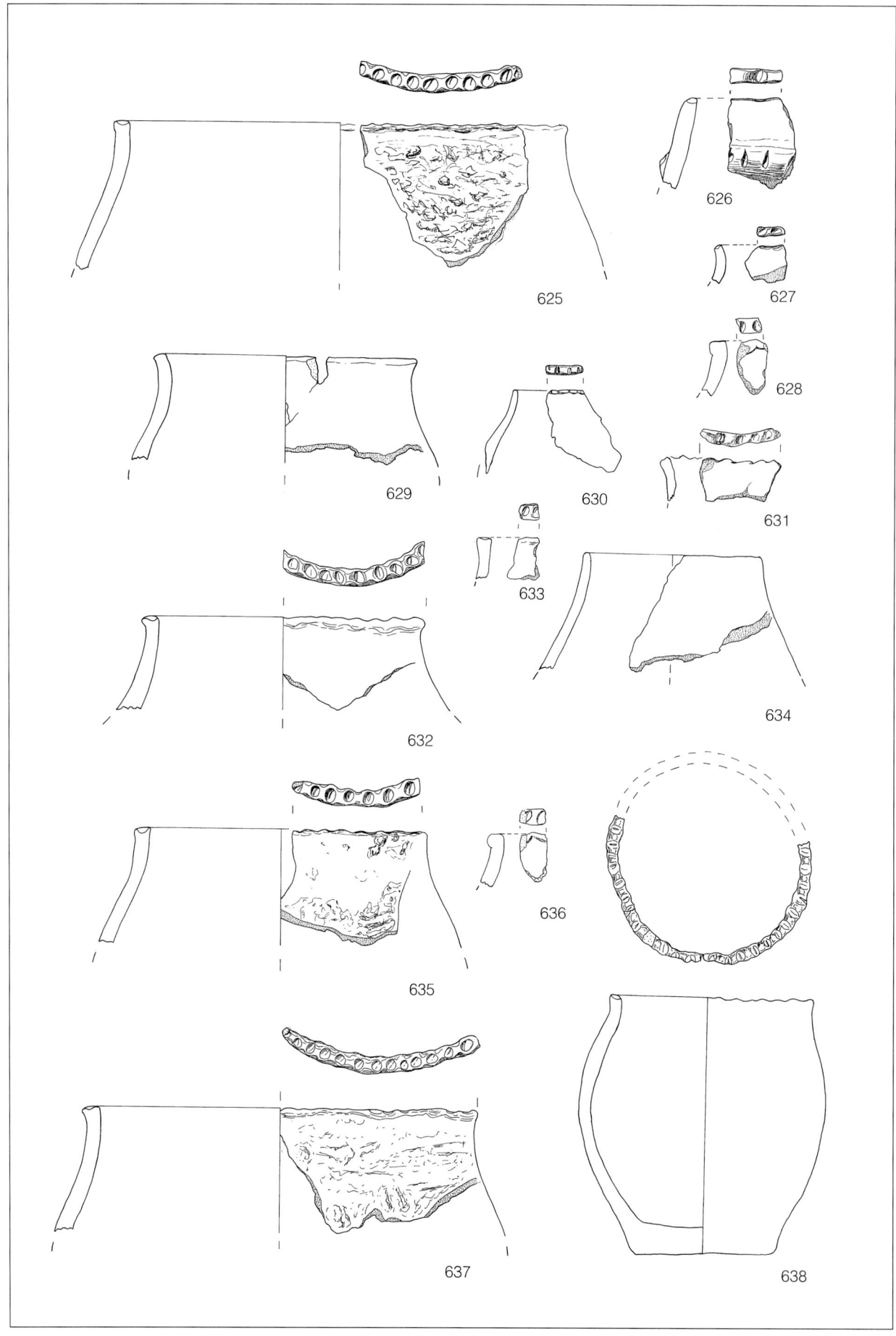

Bodman-Schachen I, Schicht C. Neufunde. Keramik. M. 1:3.

Tafel 43

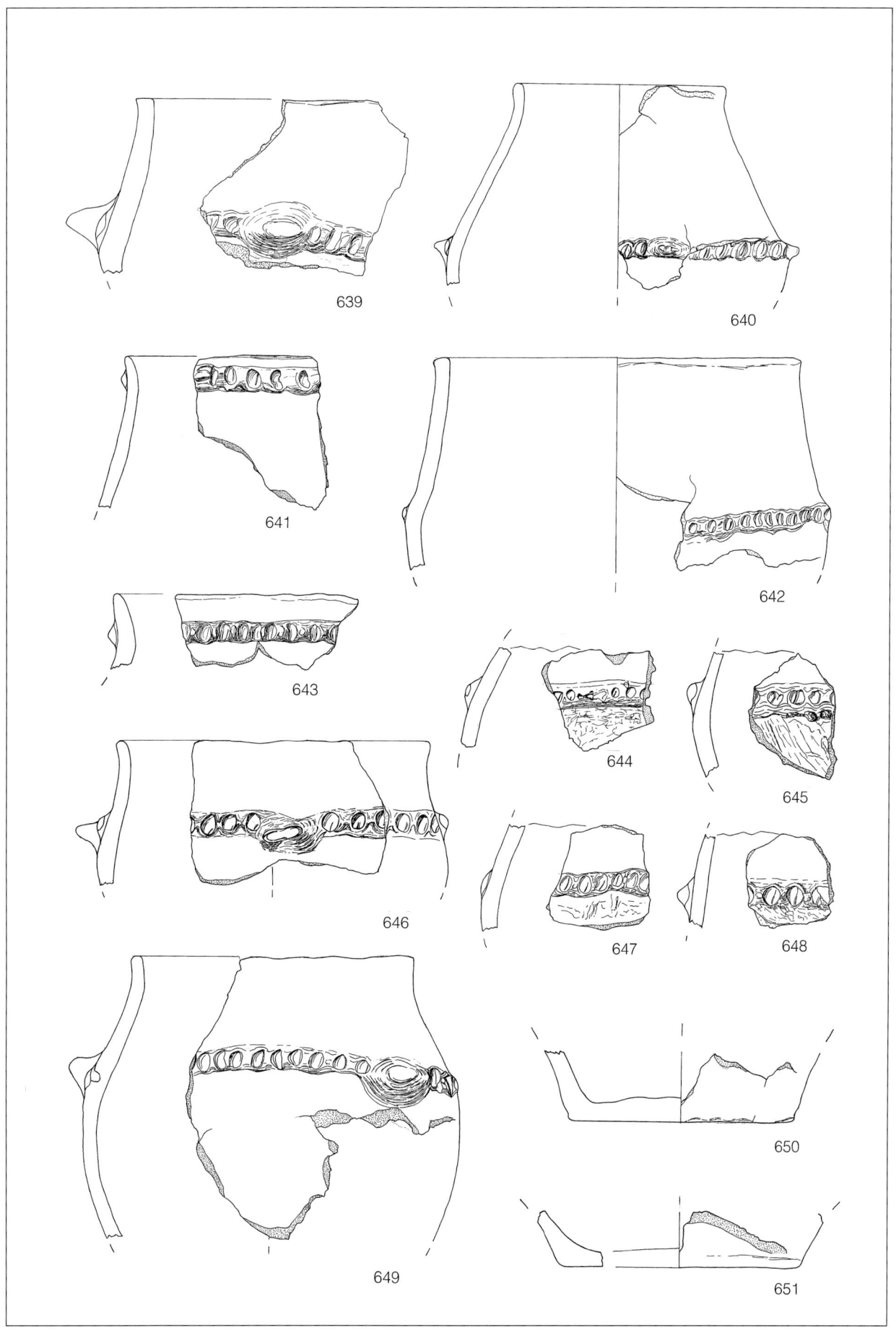

Bodman-Schachen I, Schicht C. Neufunde. Keramik. M. 1:3.

Tafel 44

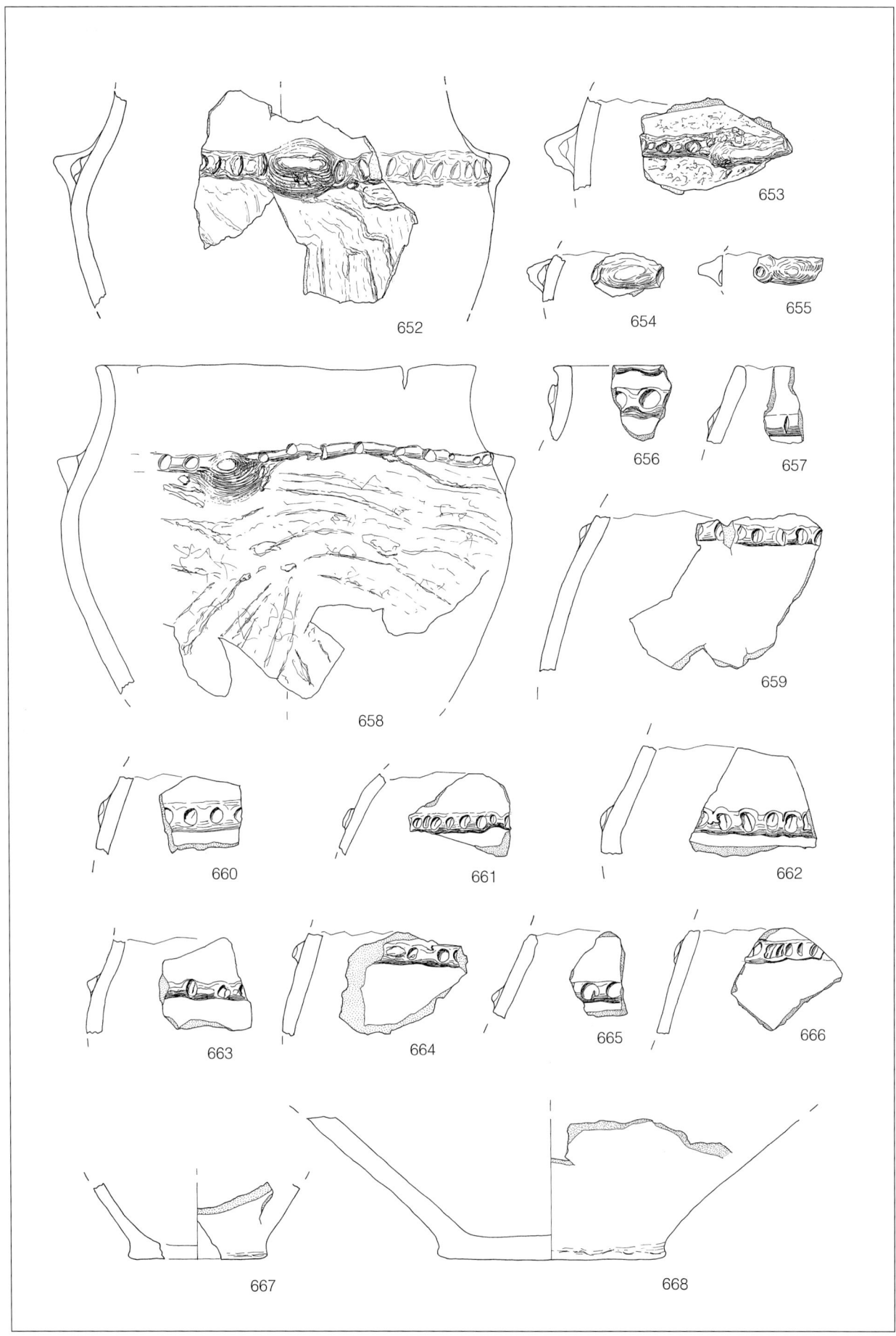

Bodman-Schachen I, Schicht C. Neufunde. Keramik. M. 1:3.

Tafel 45

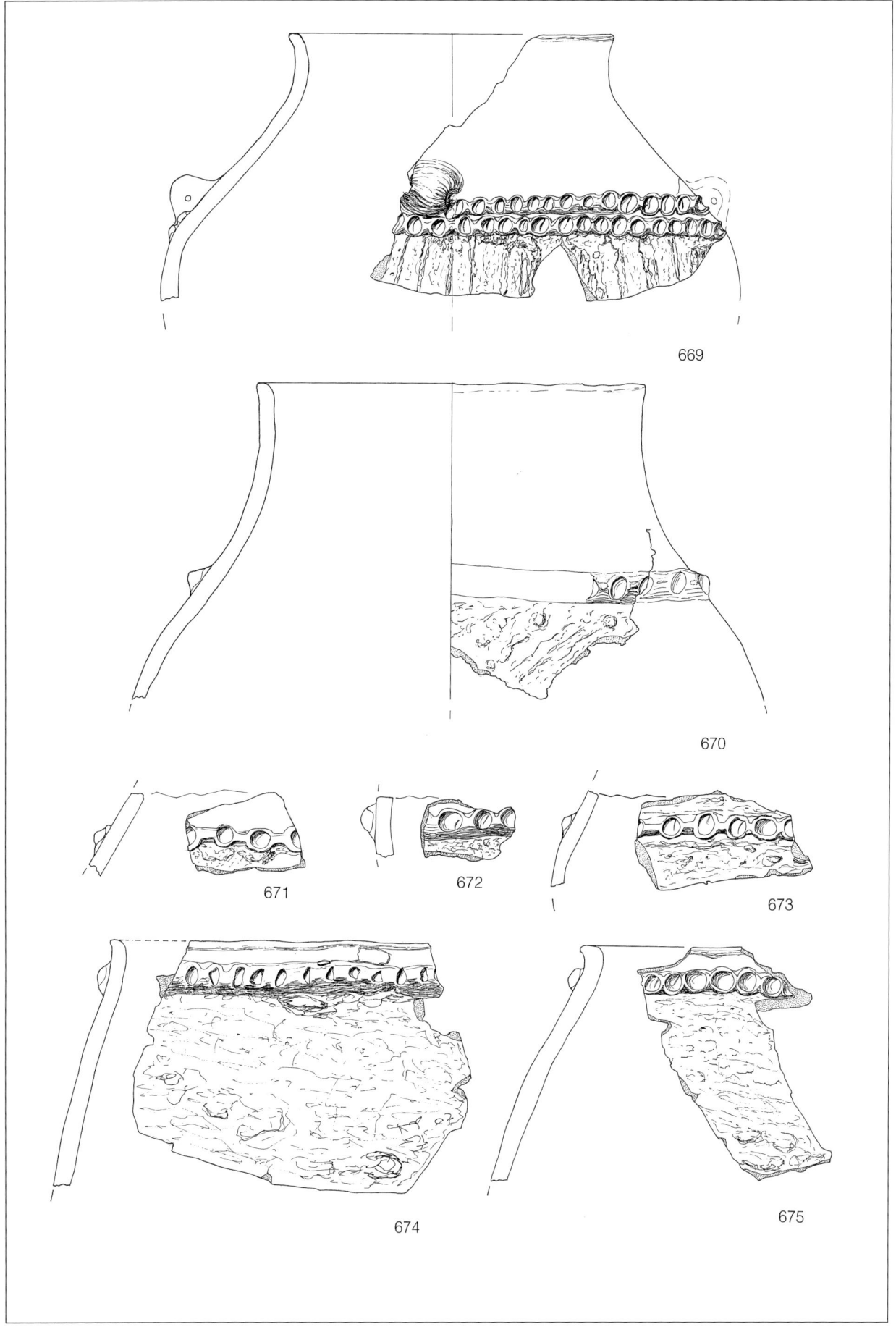

Bodman-Schachen I, Schicht C. Neufunde. Keramik. M. 1:3.

Tafel 46

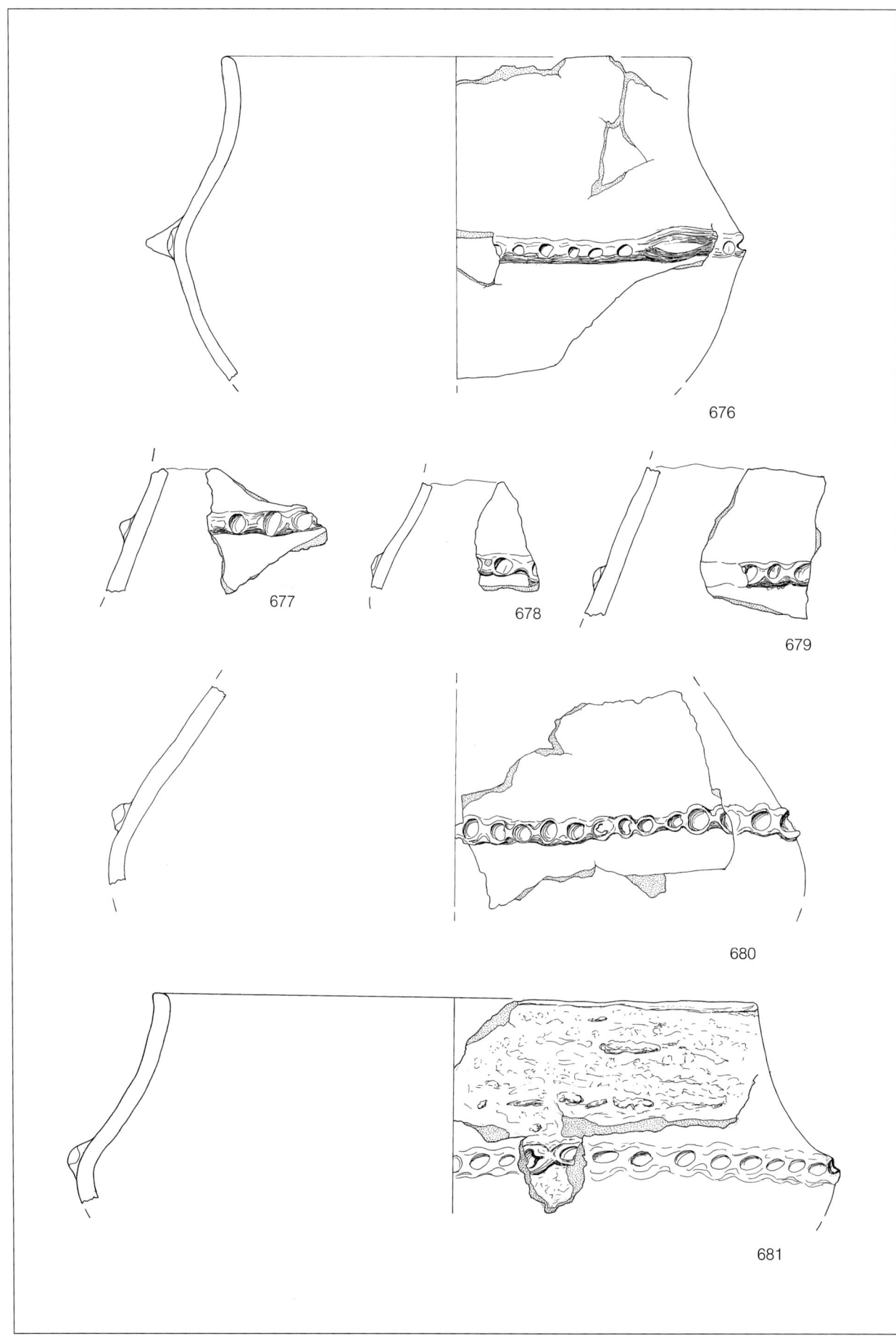

Bodman-Schachen I, Schicht C. Neufunde. Keramik. M. 1:3.

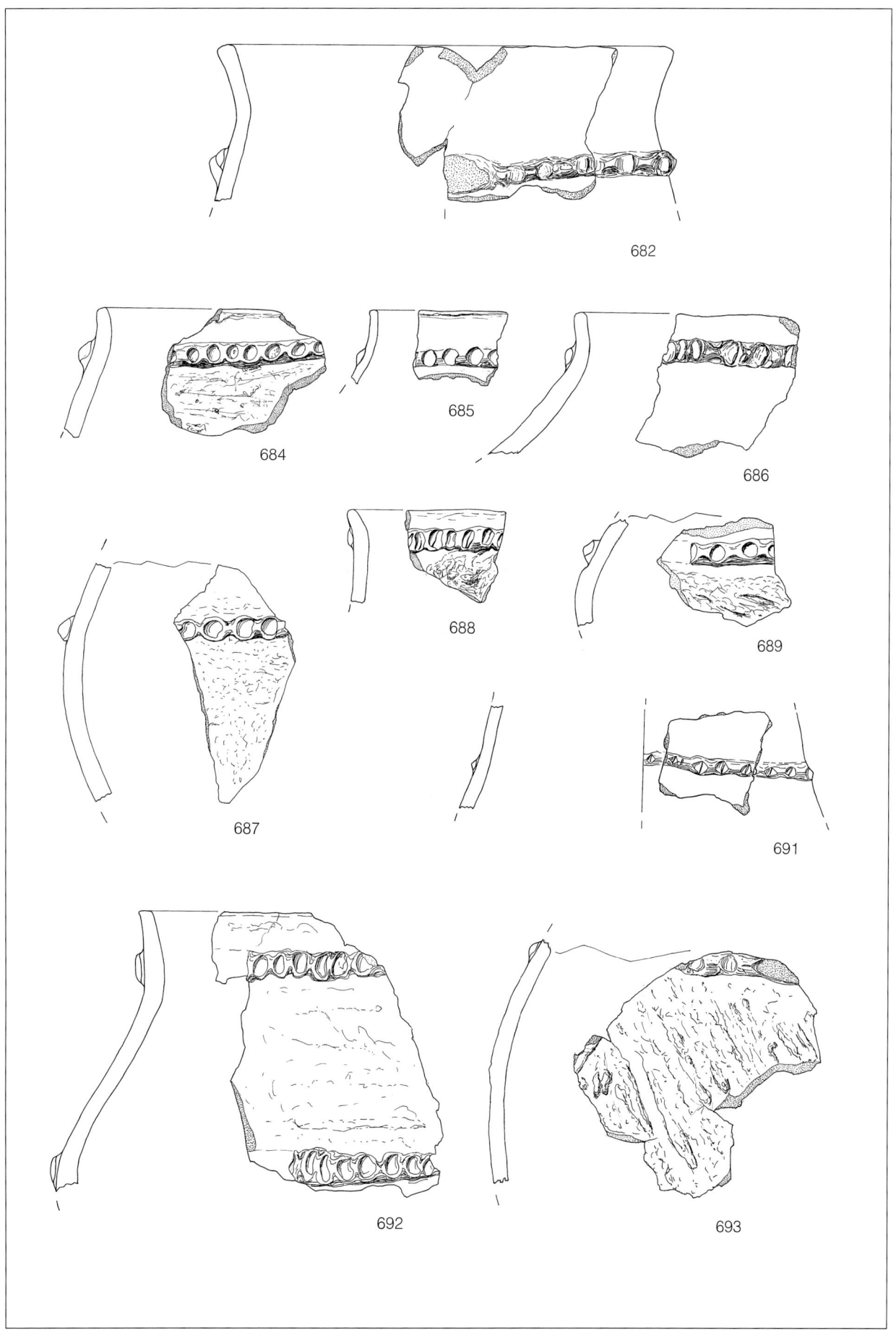

Bodman-Schachen I, Schicht C. Neufunde. Keramik. M. 1:3.

Tafel 48

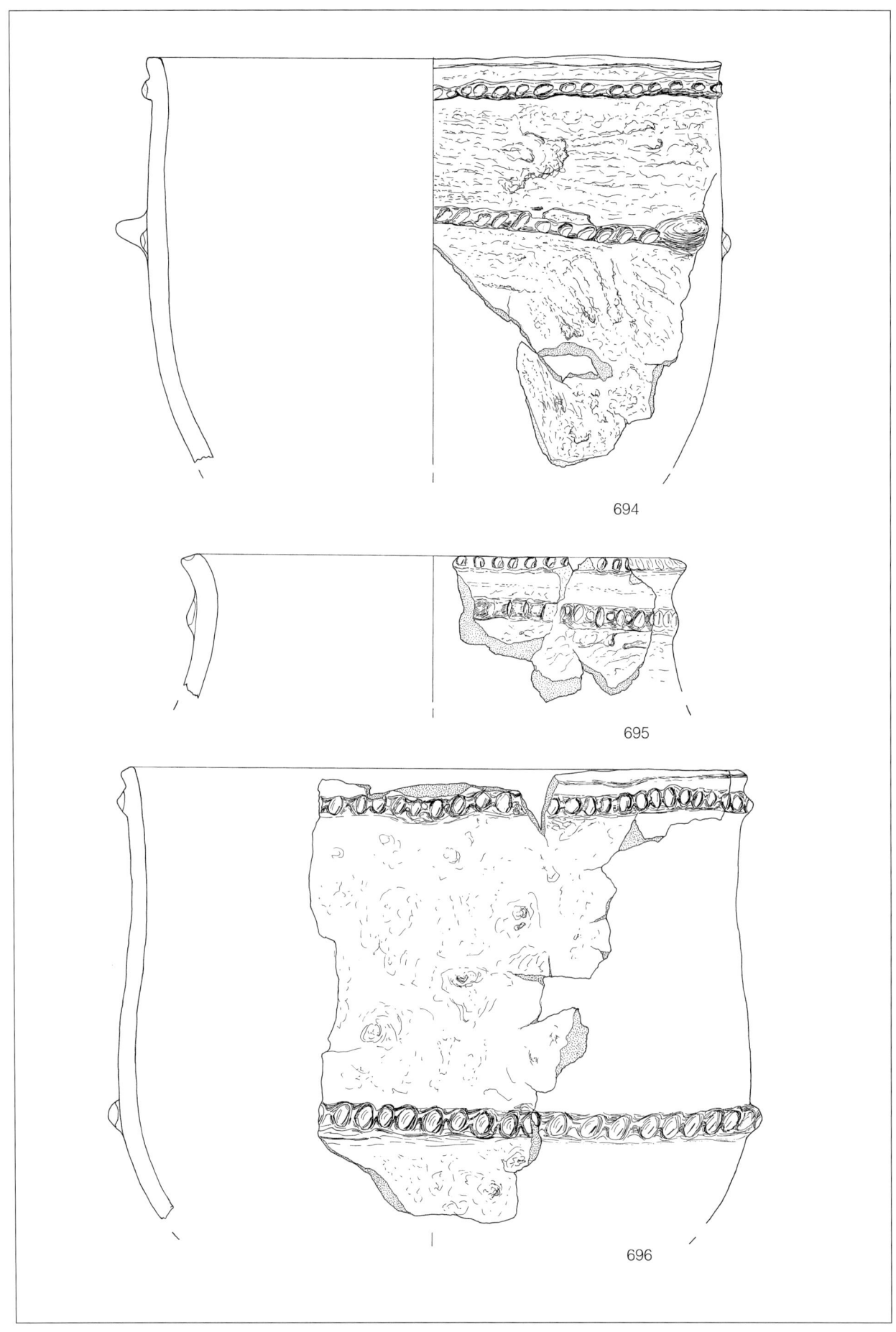

Bodman-Schachen I, Schicht C. Neufunde. Keramik. M. 1:3.

Tafel 49

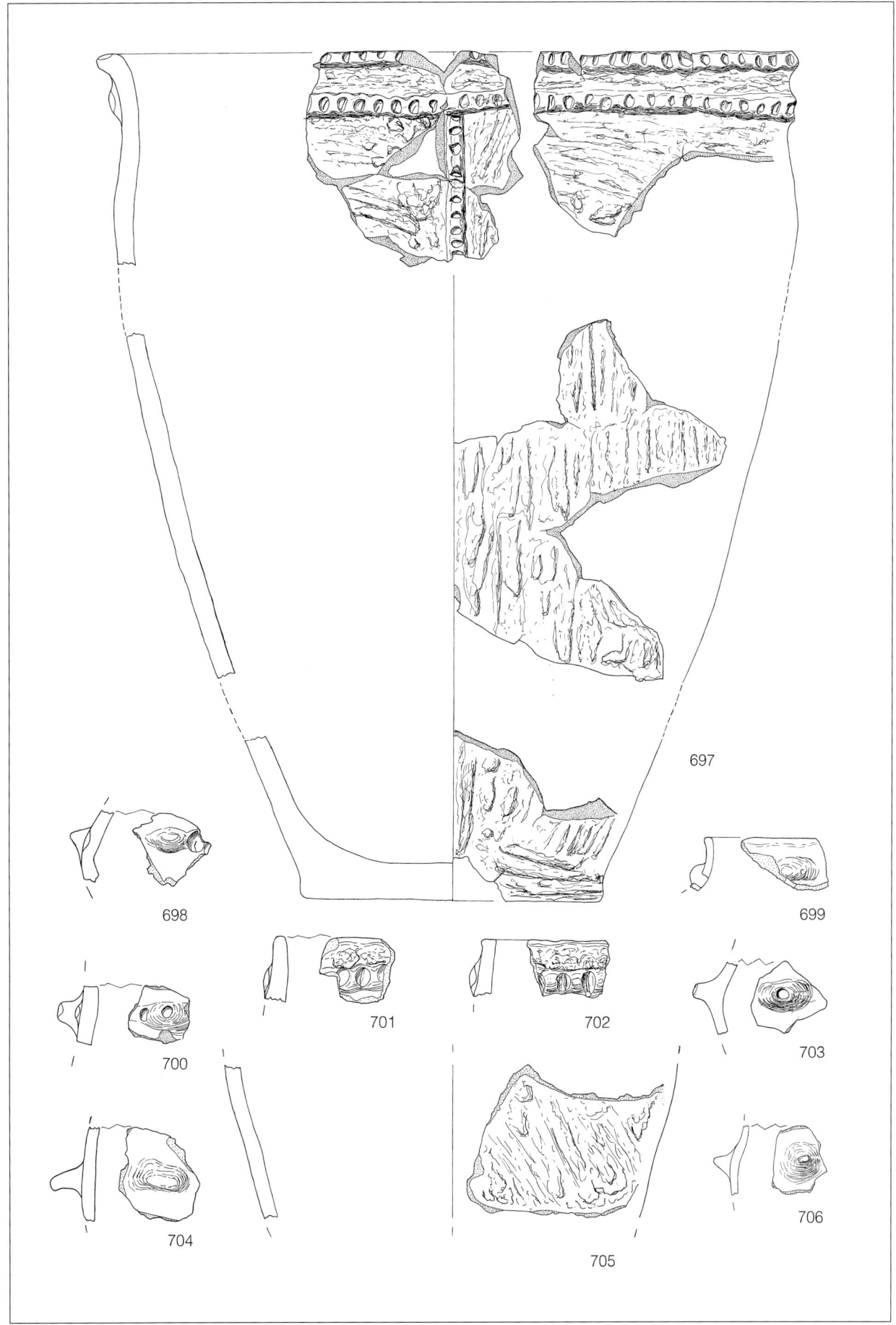

Bodman-Schachen I, Schicht C. Neufunde. Keramik. M. 1:3.

Tafel 50

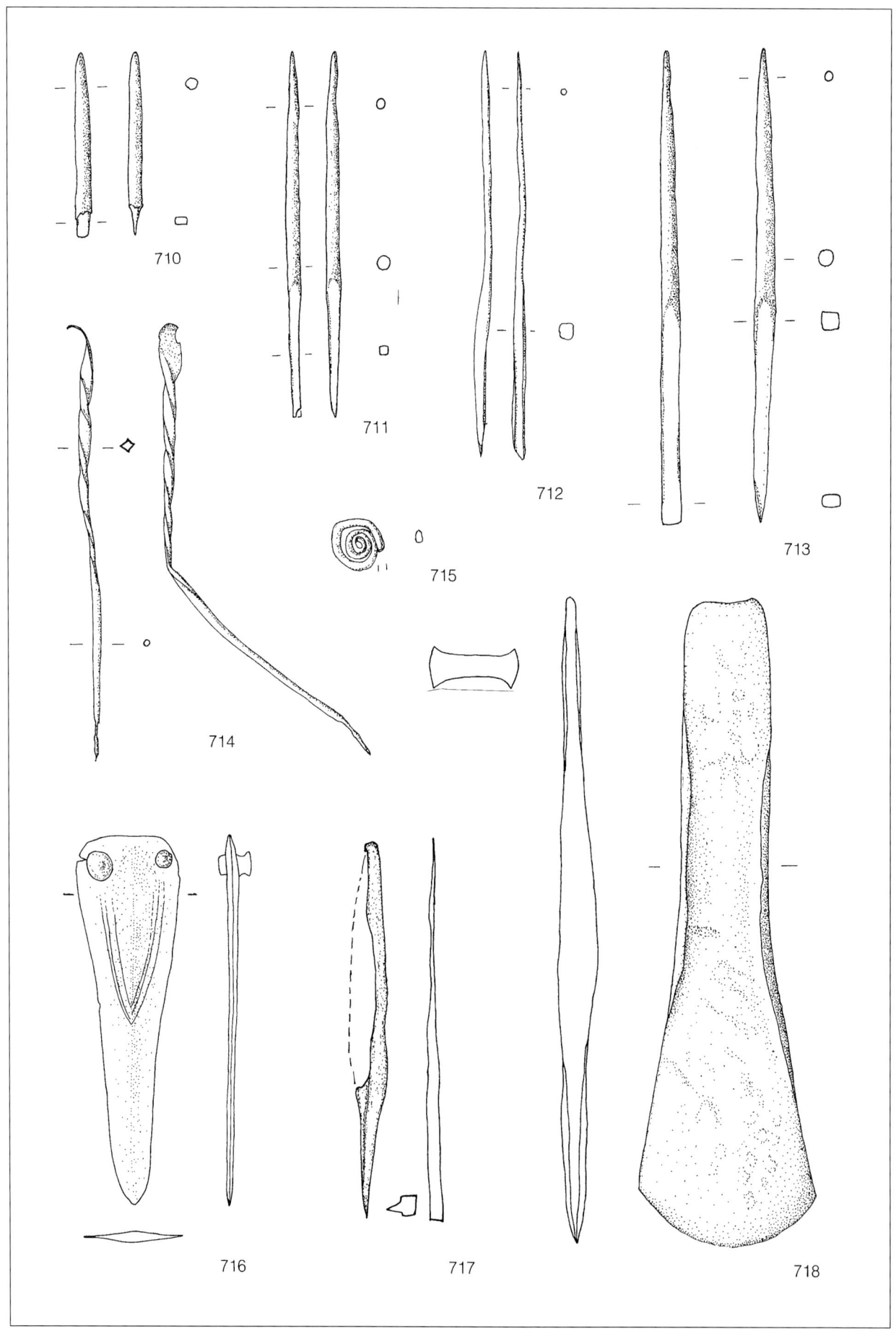

Bodman-Schachen I, Oberfläche. Neufunde (710–716), Altfunde (717.718). Bronze. M. 2:3.

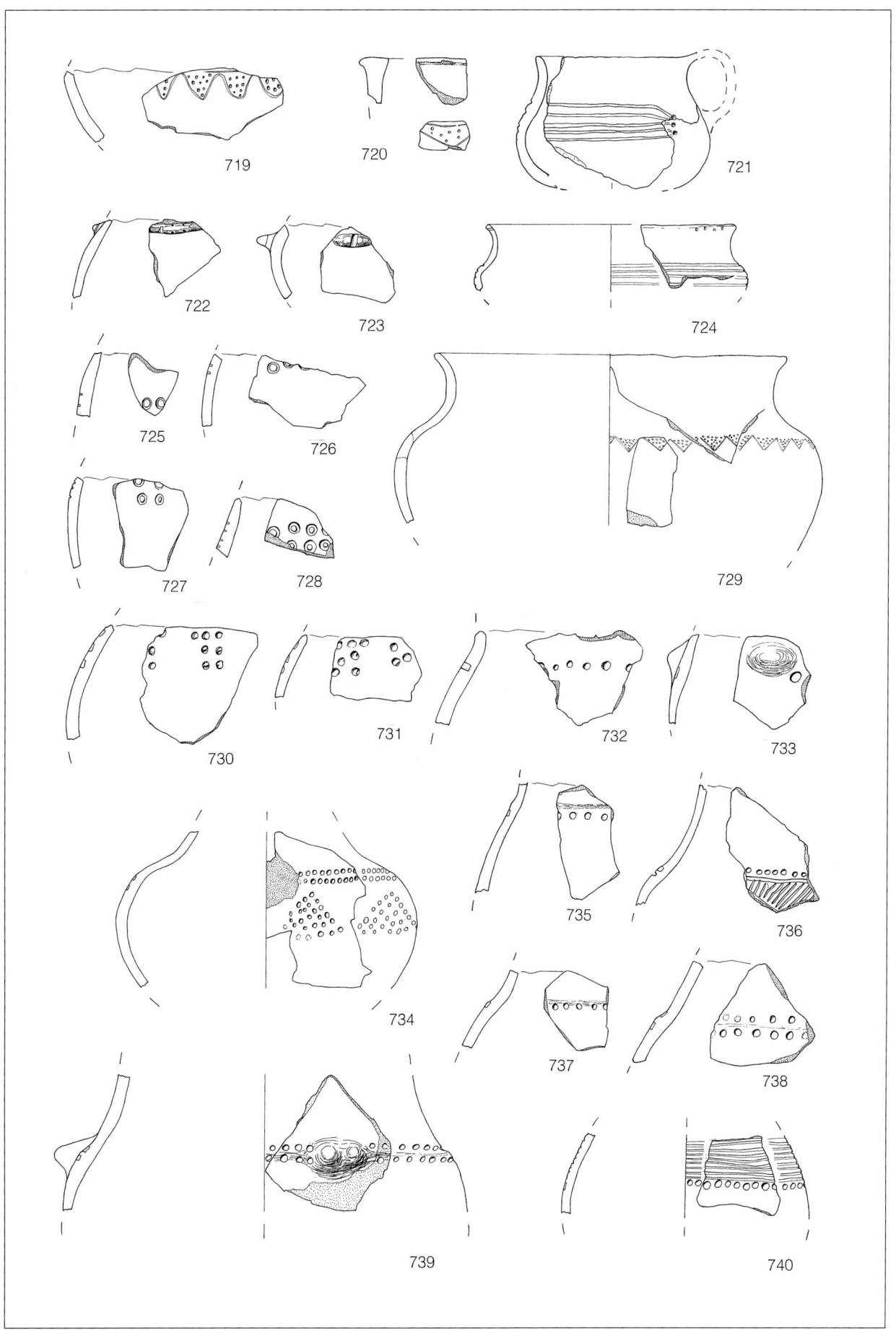

Bodman-Schachen I, Oberfläche. Neufunde. Keramik. M. 1:3.

Tafel 52

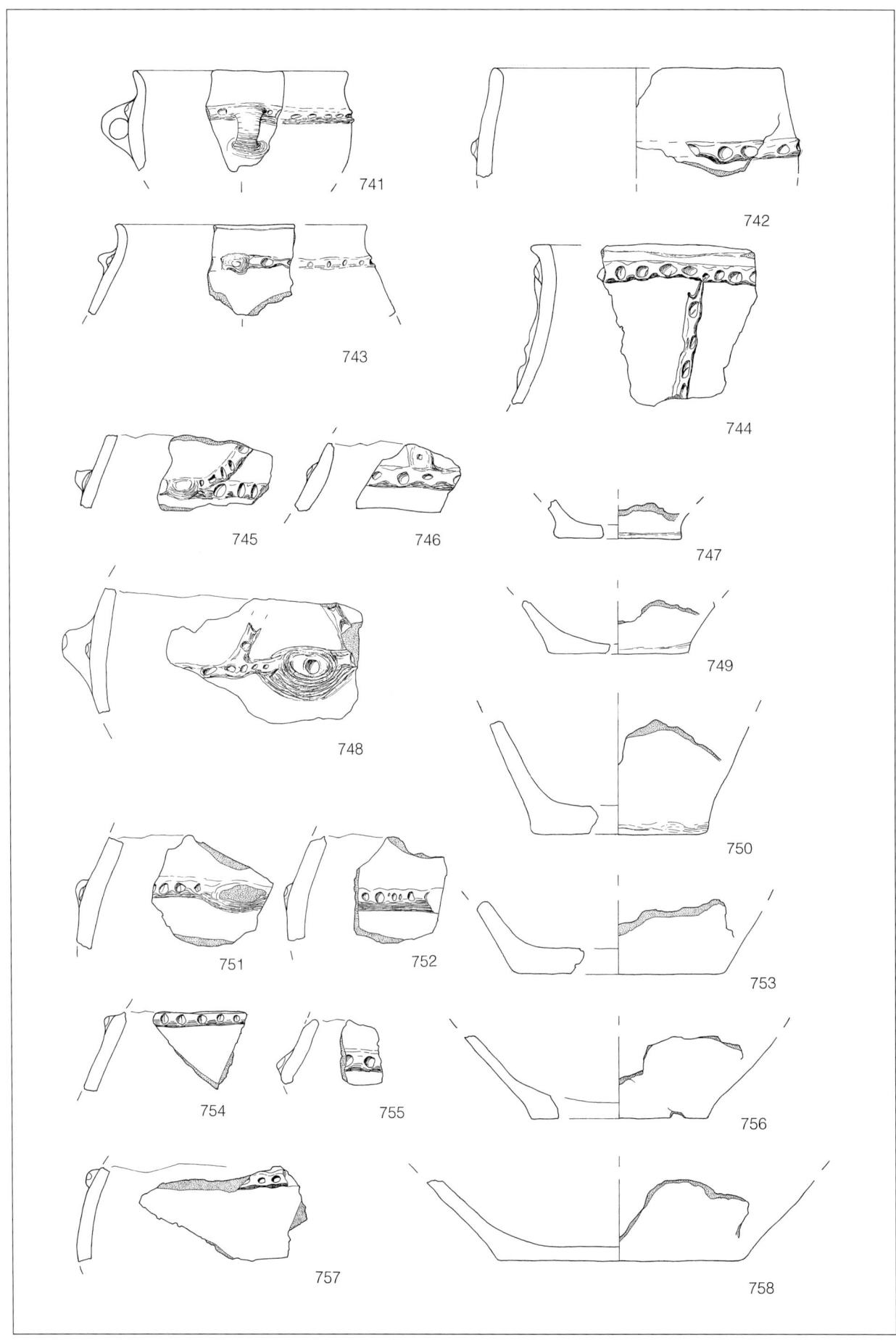

Bodman-Schachen I, Oberfläche. Neufunde. Keramik. M. 1:3.

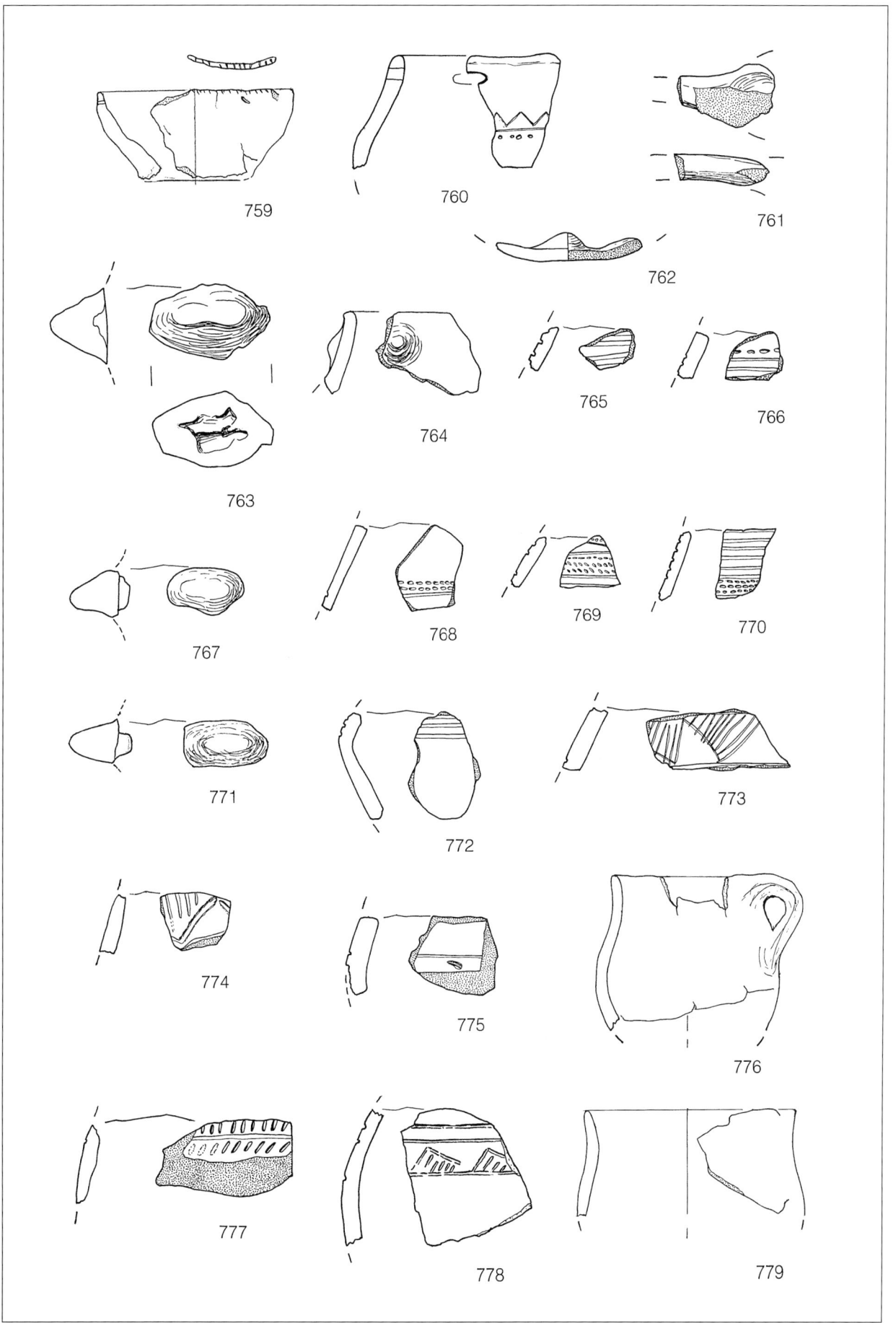

Bodman-Schachen I, Oberfläche. Neufunde. Keramik. M. 1:3.

Tafel 54

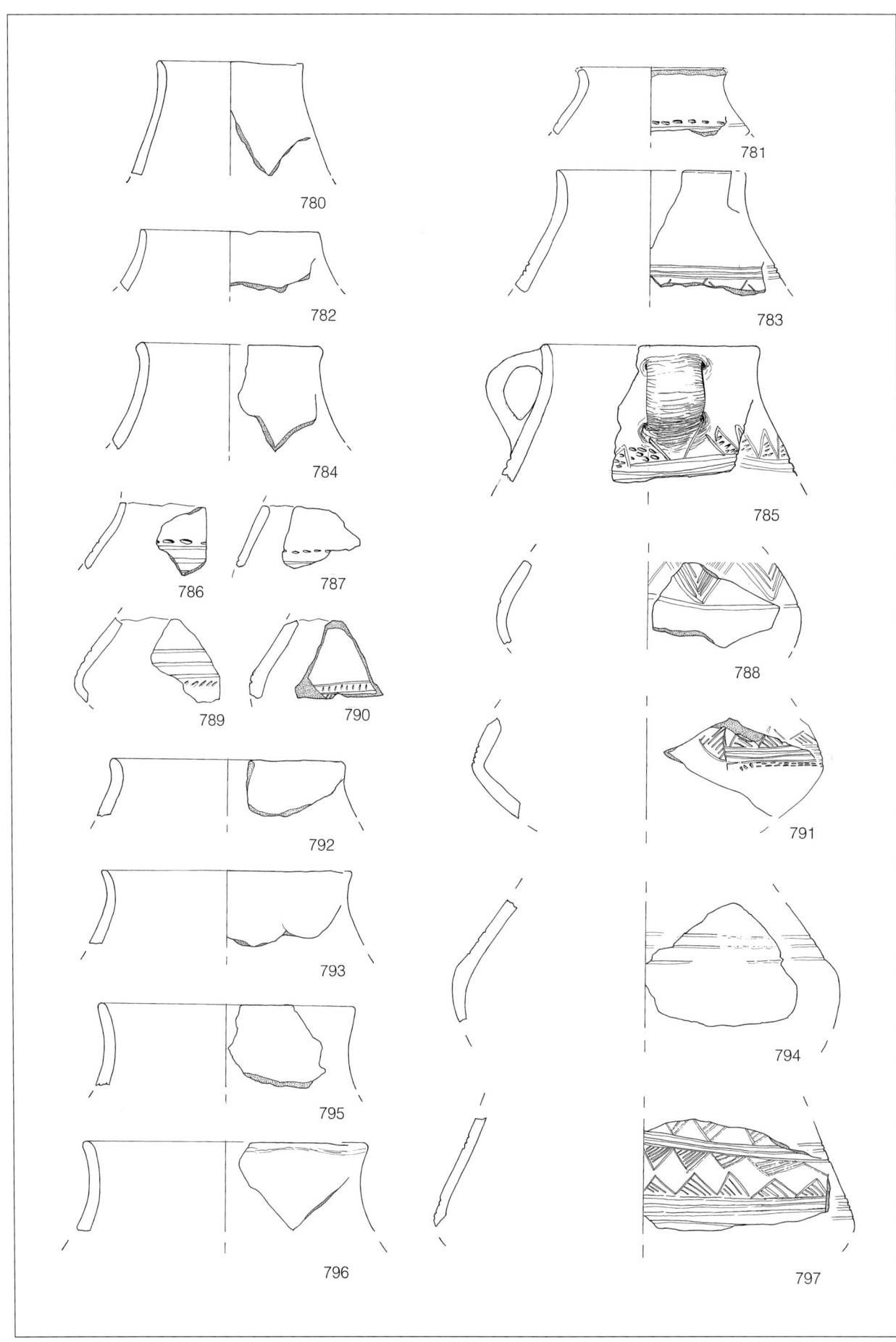

Bodman-Schachen I, Oberfläche. Neufunde. Keramik. M. 1:3.

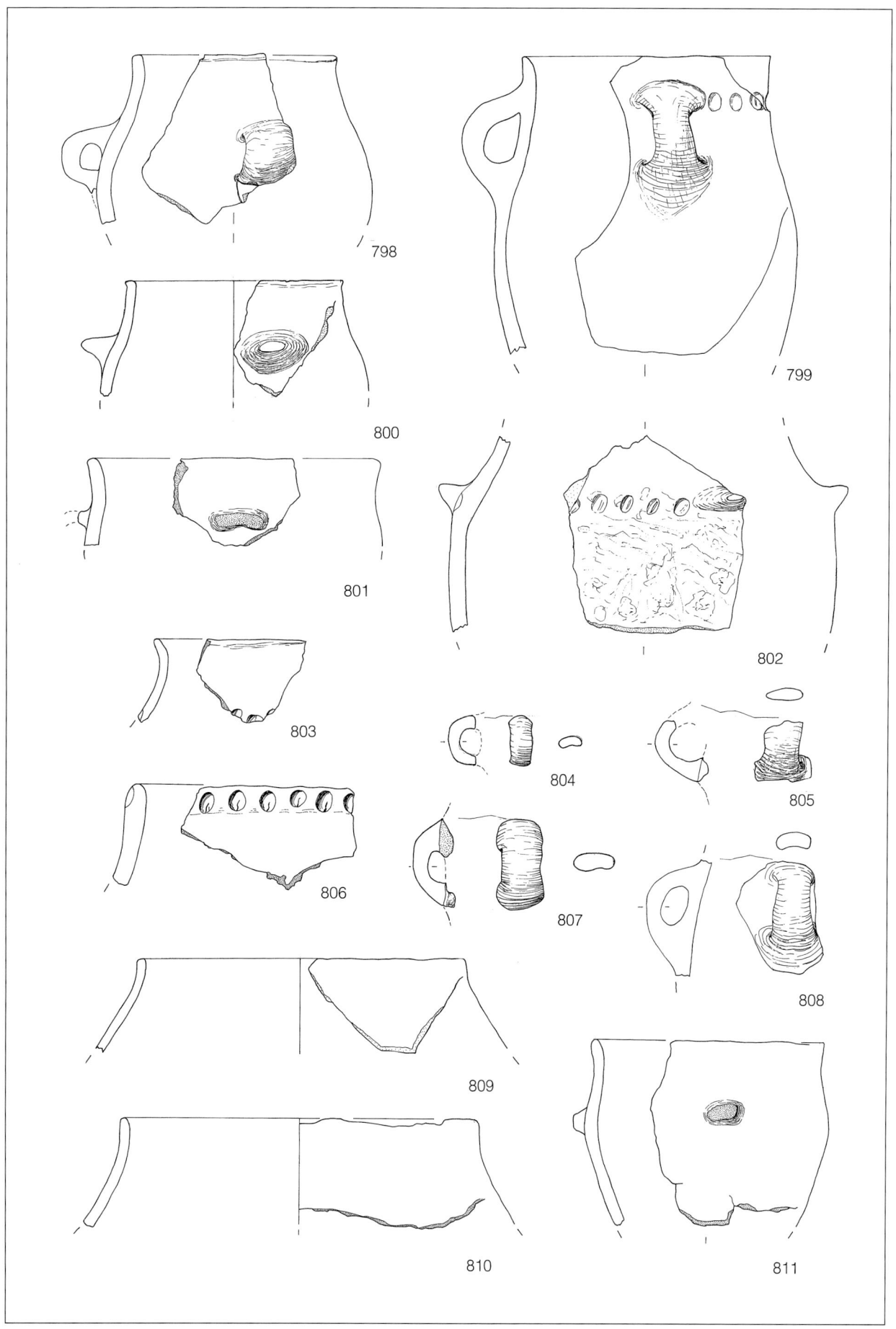

Bodman-Schachen I, Oberfläche. Neufunde. Keramik. M. 1:3.

Tafel 56

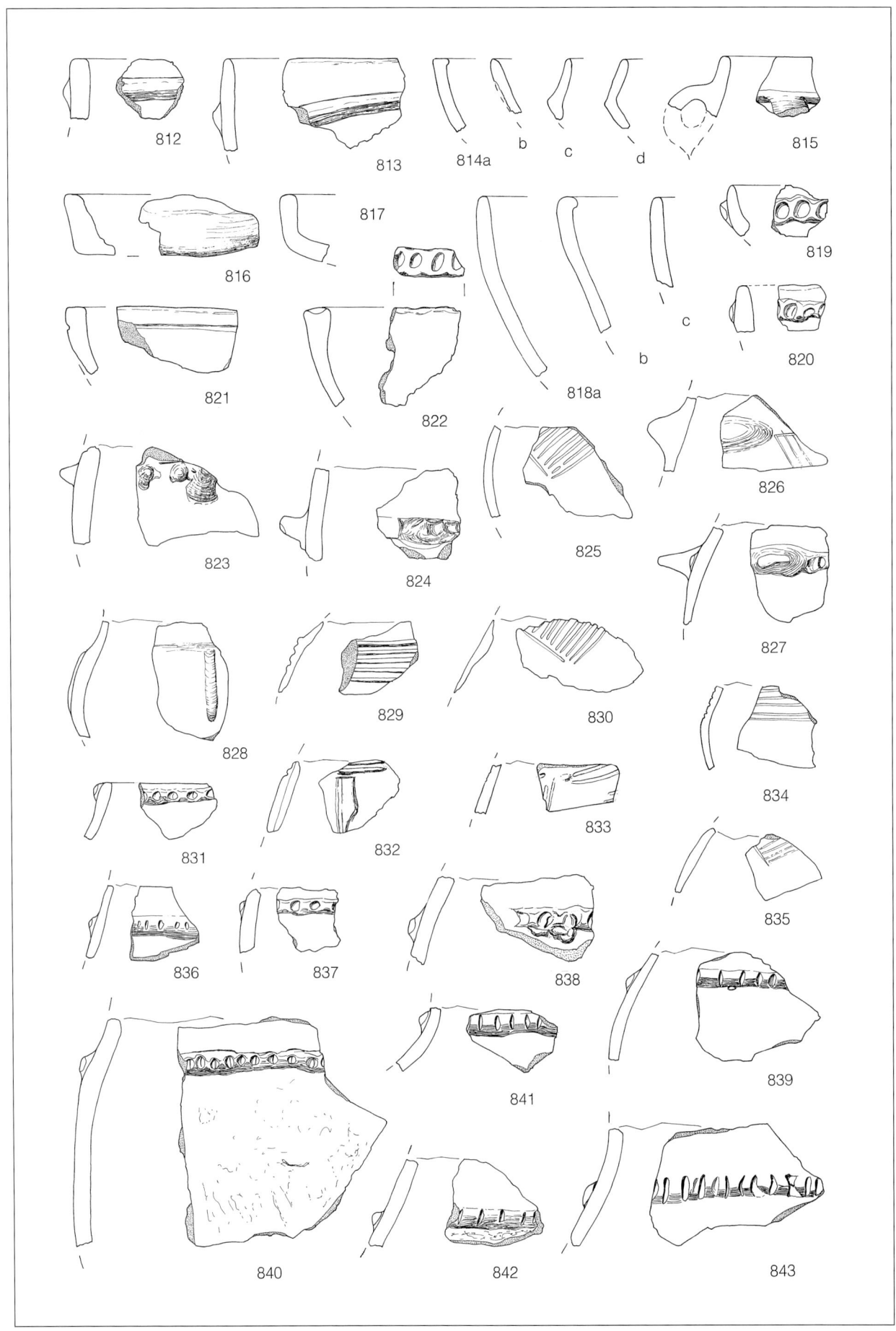

Bodman-Schachen I, Oberfläche. Neufunde. Keramik. M. 1:3.

Tafel 57

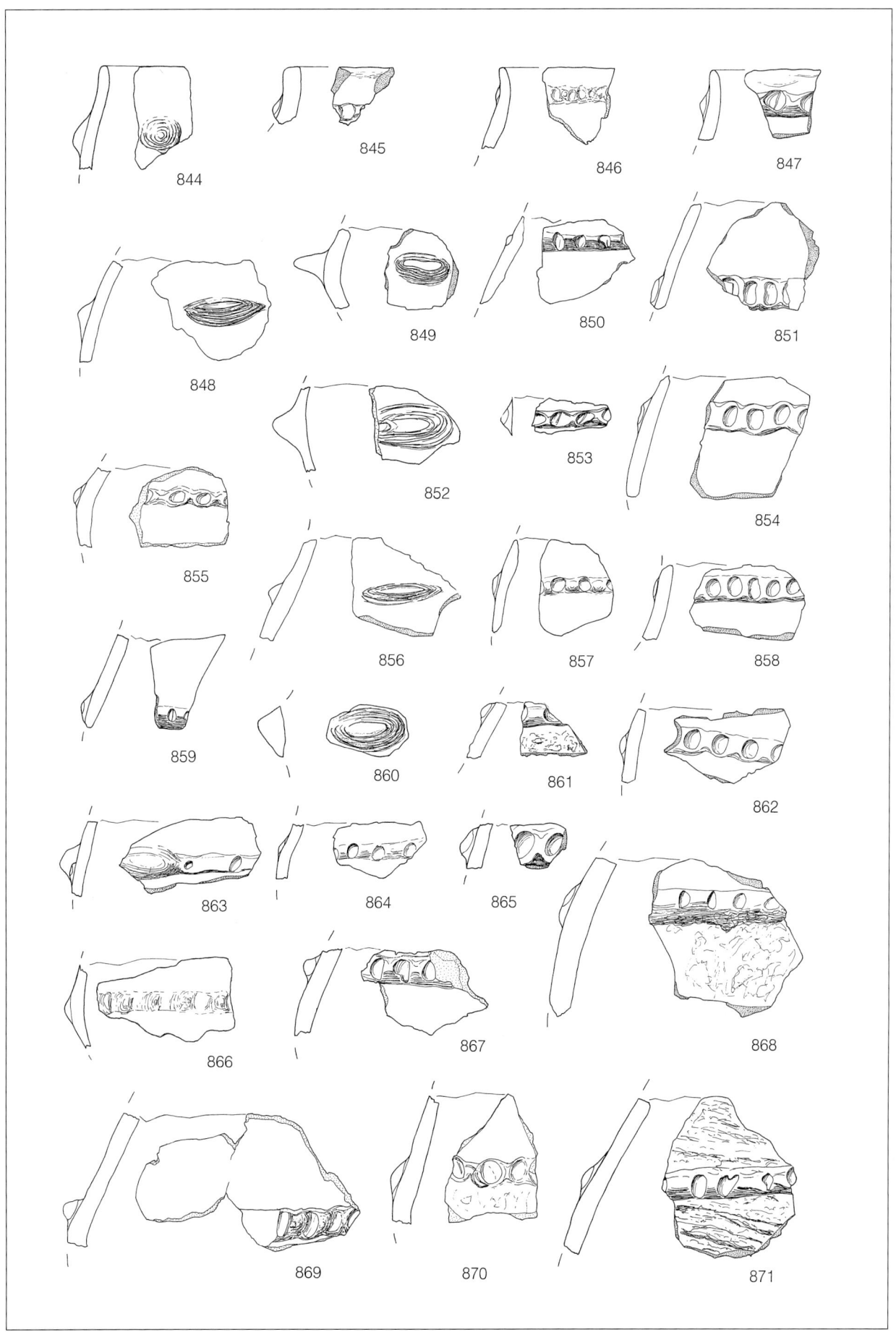

Bodman-Schachen I, Oberfläche. Neufunde. Keramik. M. 1:3.

Tafel 58

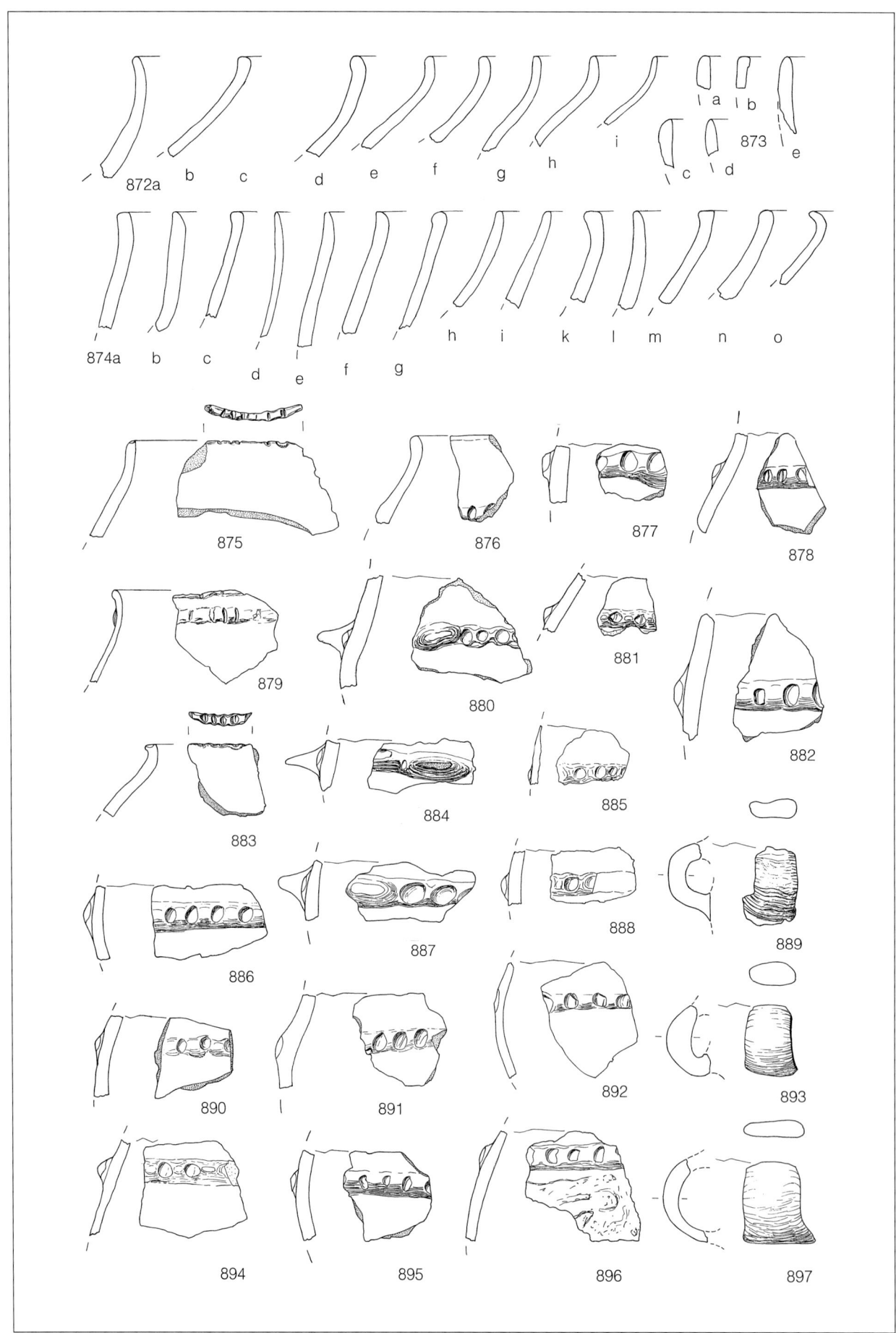

Bodman-Schachen I, Oberfläche. Neufunde. Keramik. M. 1:3.

Tafel 59

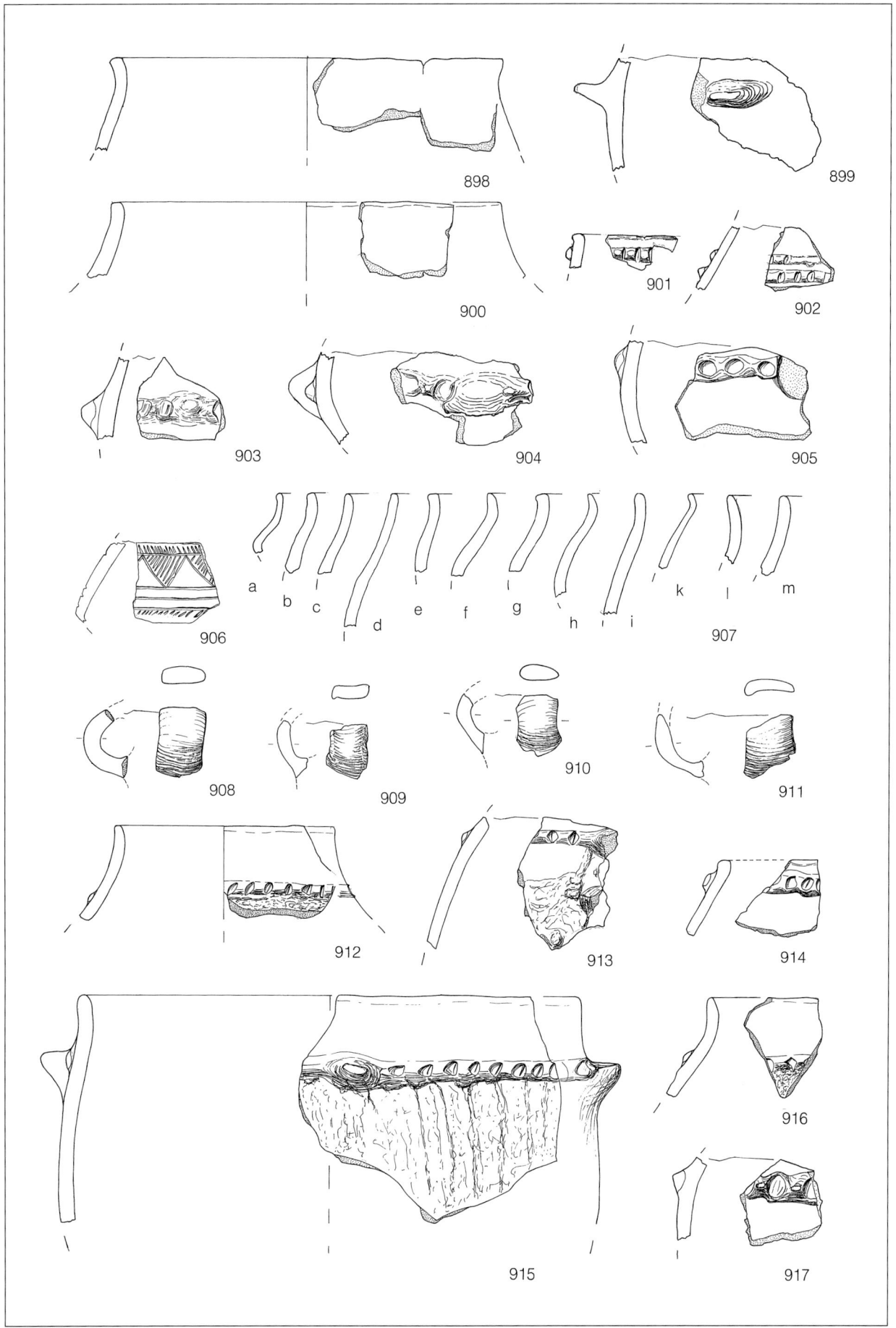

Bodman-Schachen I, Oberfläche (907–911), Bef. 1 (898–900), Bef. 1–4 (901–905), Schicht B/C (912–917), Bef. 8 (906). Neufunde. Keramik. M. 1:3.

Tafel 60

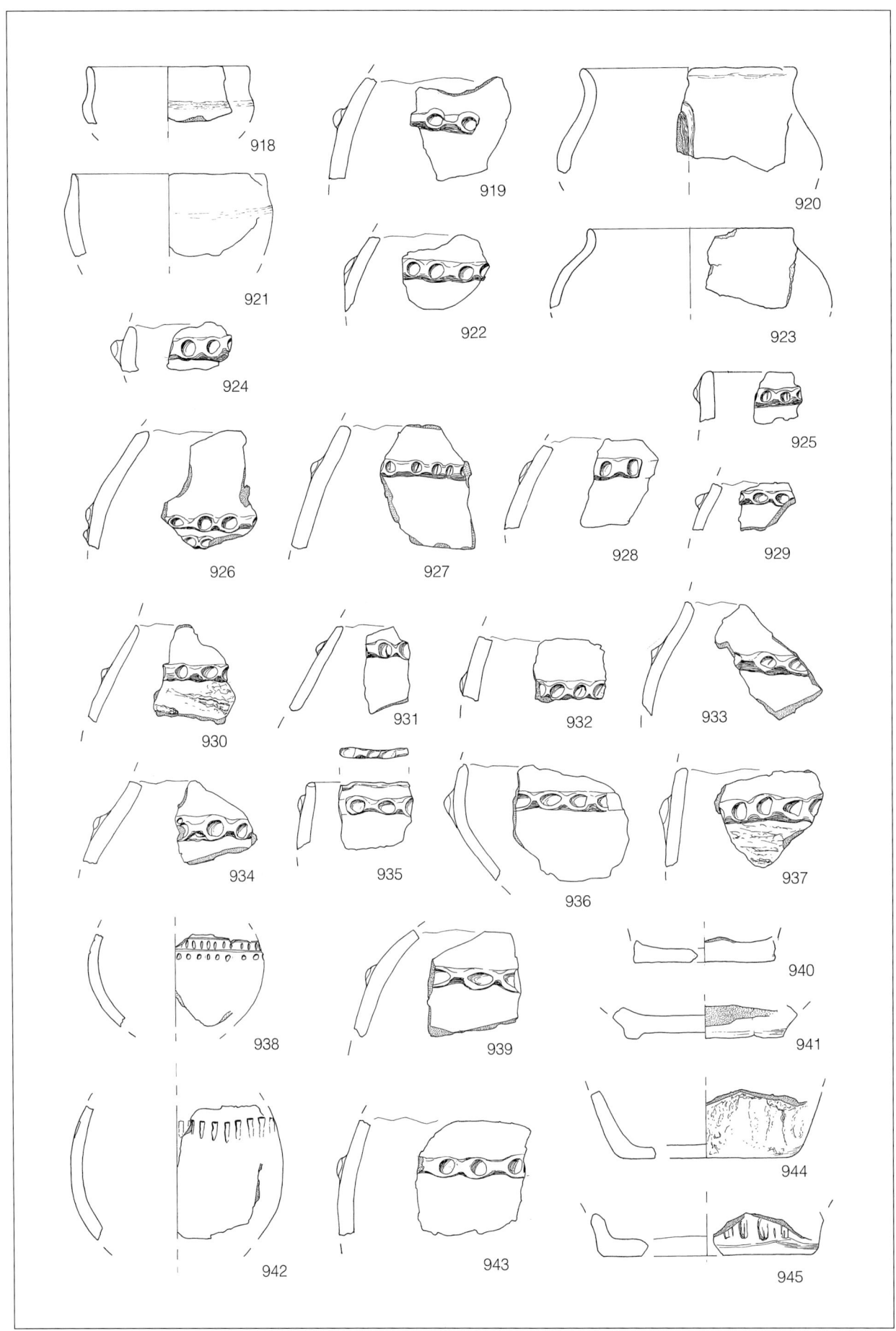

Bodman-Schachen I, Oberfläche. Neufunde. Keramik. M. 1:3.

Tafel 61

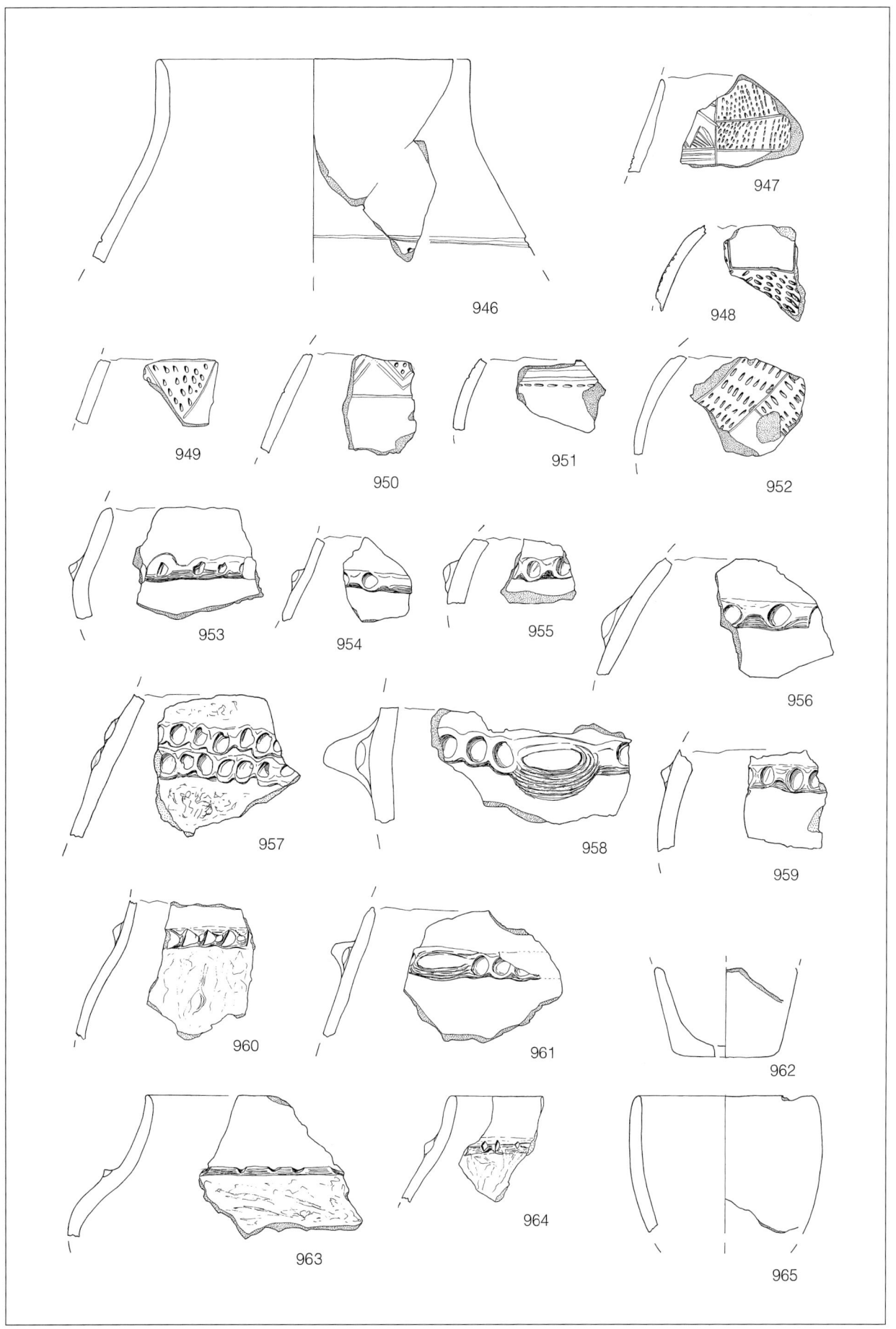

Bodman-Schachen I, Oberfläche. Neufunde. Keramik. M. 1:3.

Tafel 62

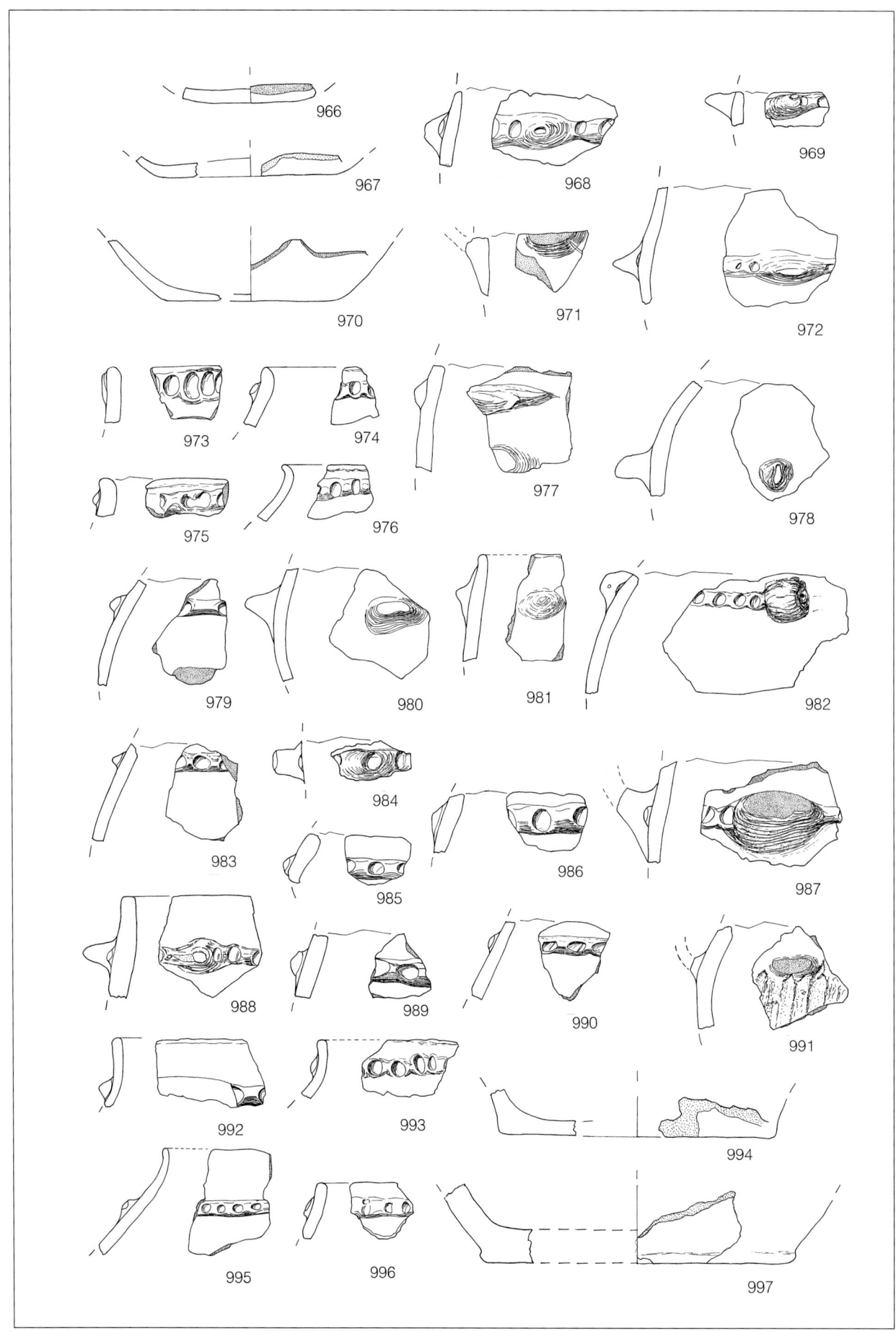

Bodman-Schachen I, Oberfläche. Neufunde. Keramik. M. 1:3.

Tafel 63

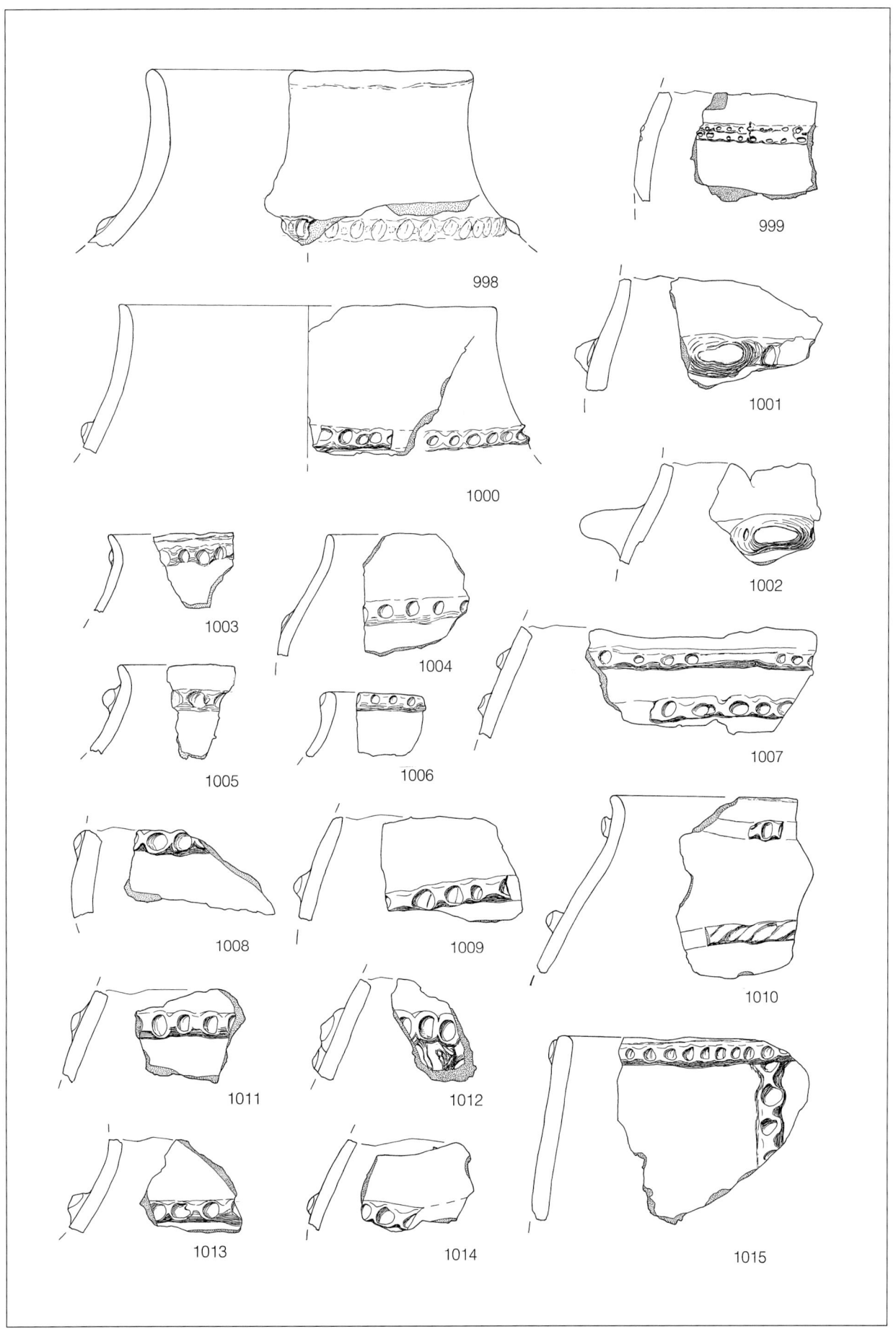

Bodman-Schachen I, Oberfläche. Neufunde. Keramik. M. 1:3.

Tafel 64

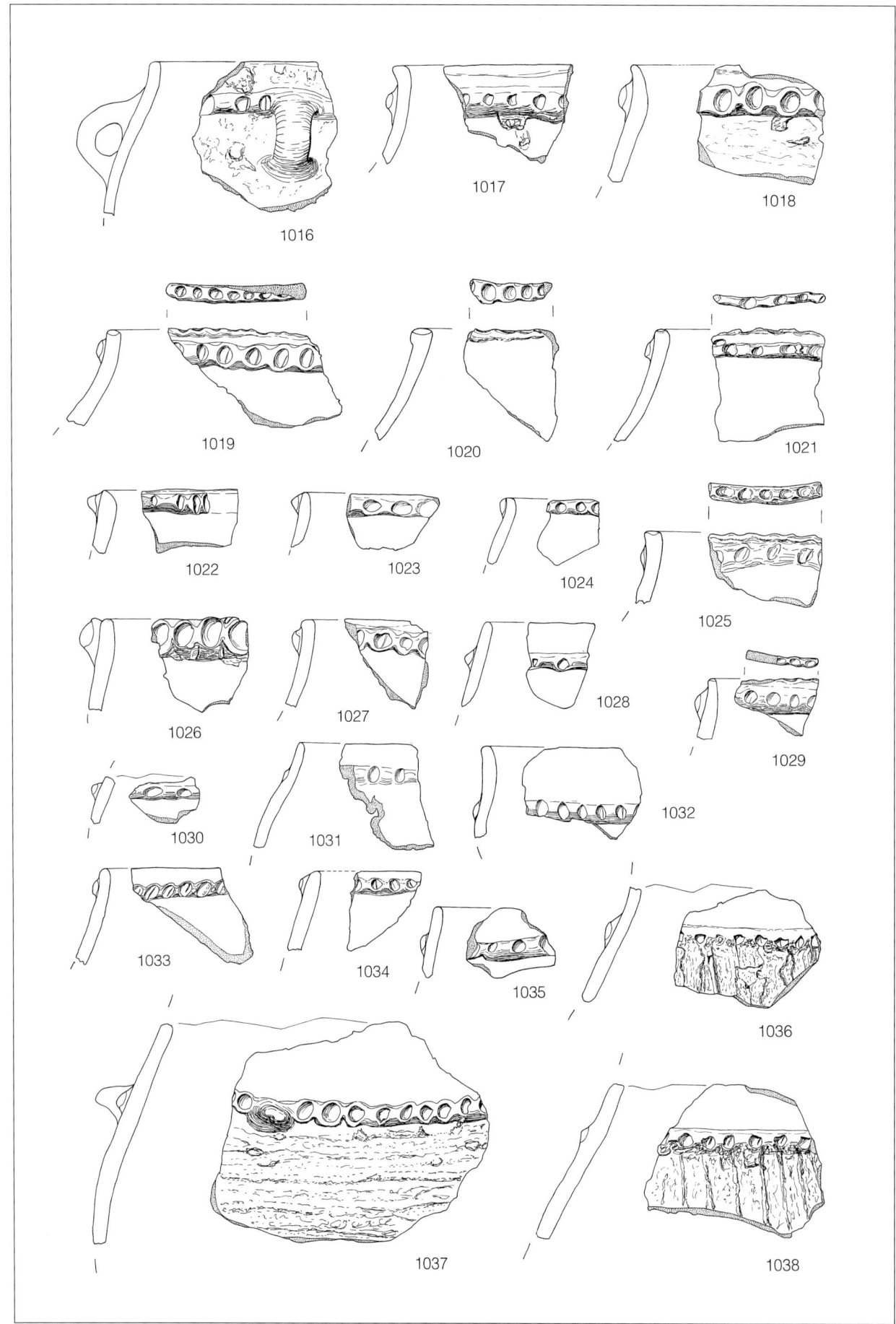

Bodman-Schachen I, Oberfläche. Neufunde. Keramik. M. 1:3.

Tafel 65

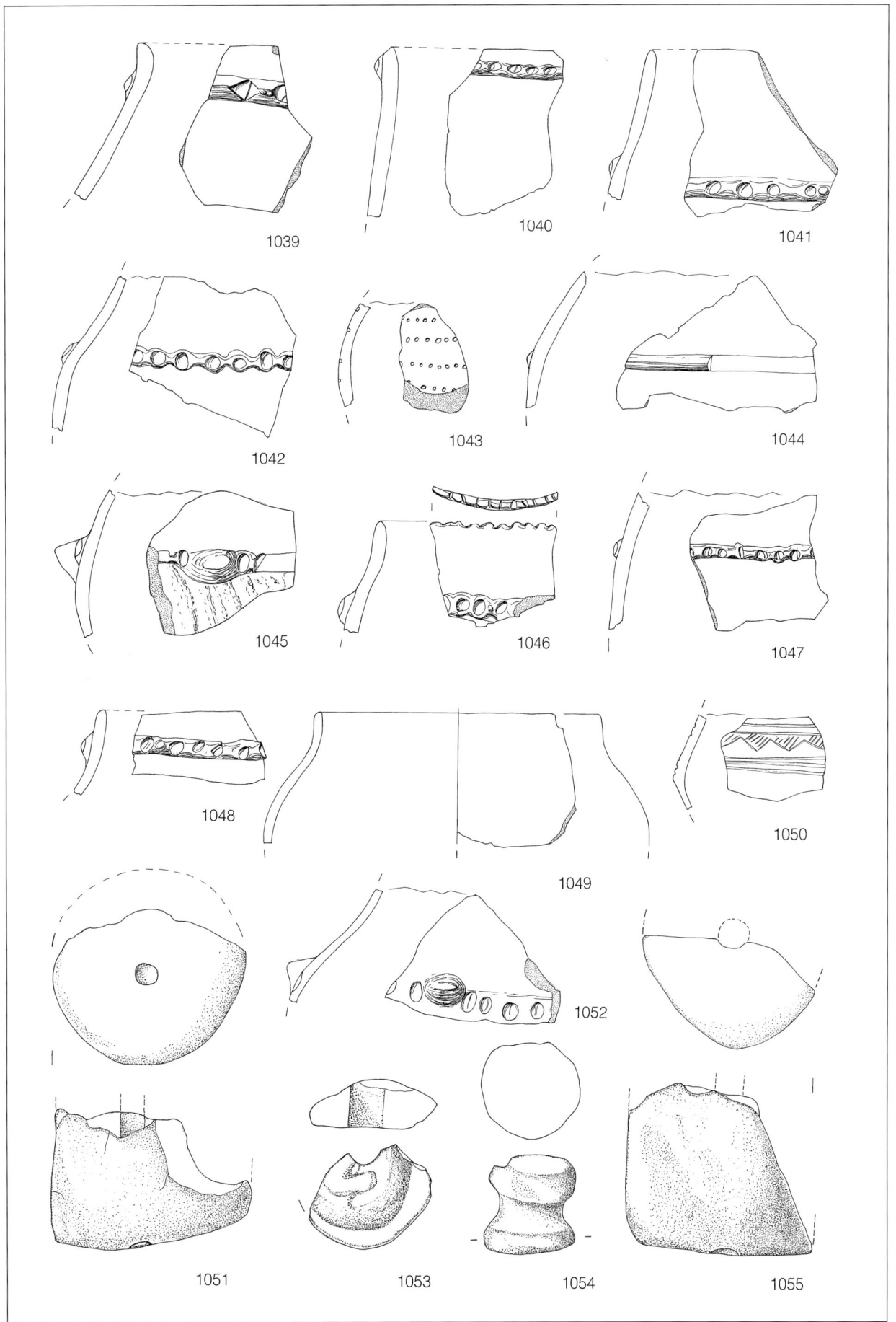

Bodman-Schachen I, Oberfläche. Altfunde (1039–1052), Neufunde (1053–1055). Keramik (1039–1050.1052), Ton (1051.1053–1055). M. 1:3.

Tafel 66

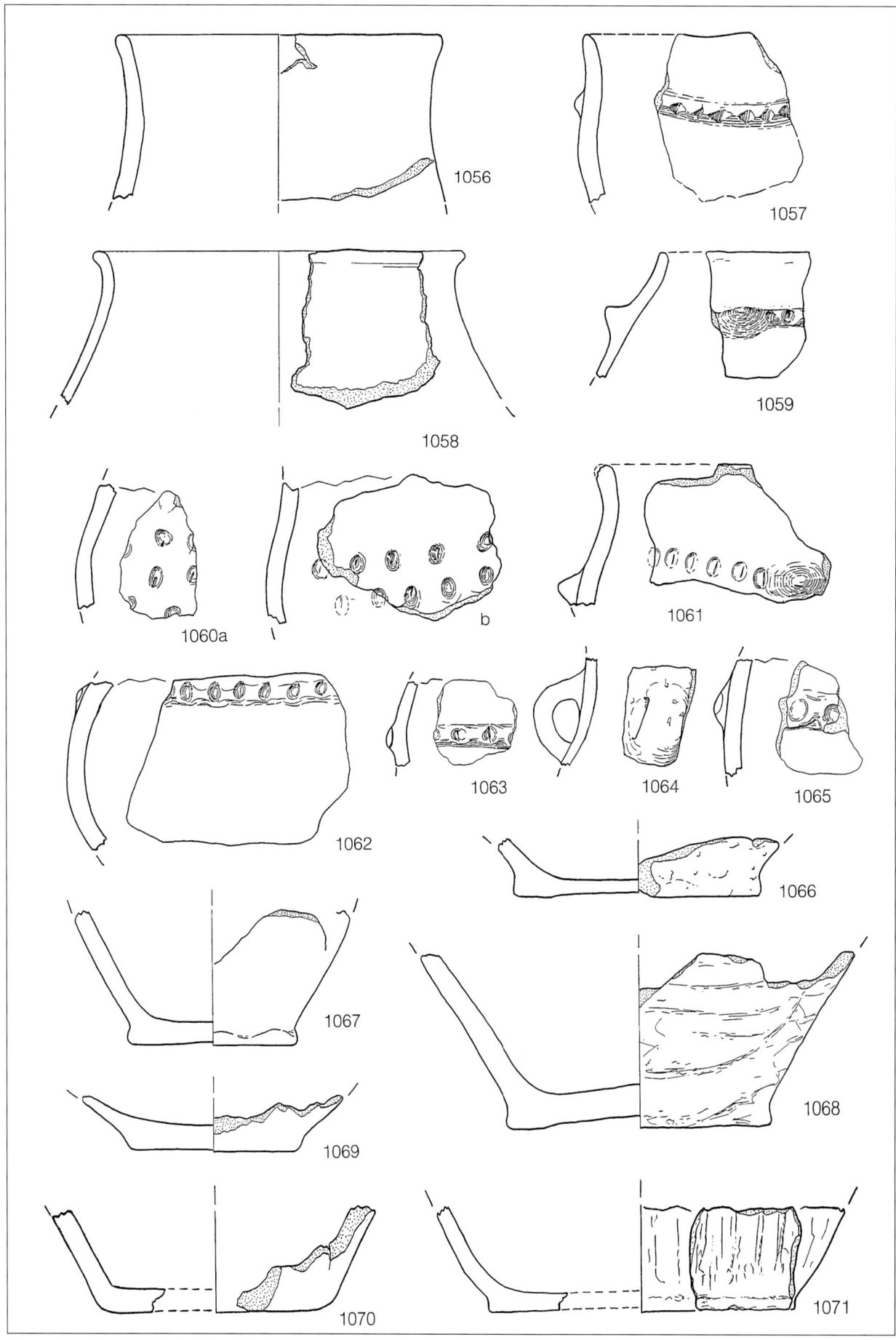

Bodman-Schachen I, Oberfläche. Neufunde. Keramik. M. 1:3.

Tafel 67

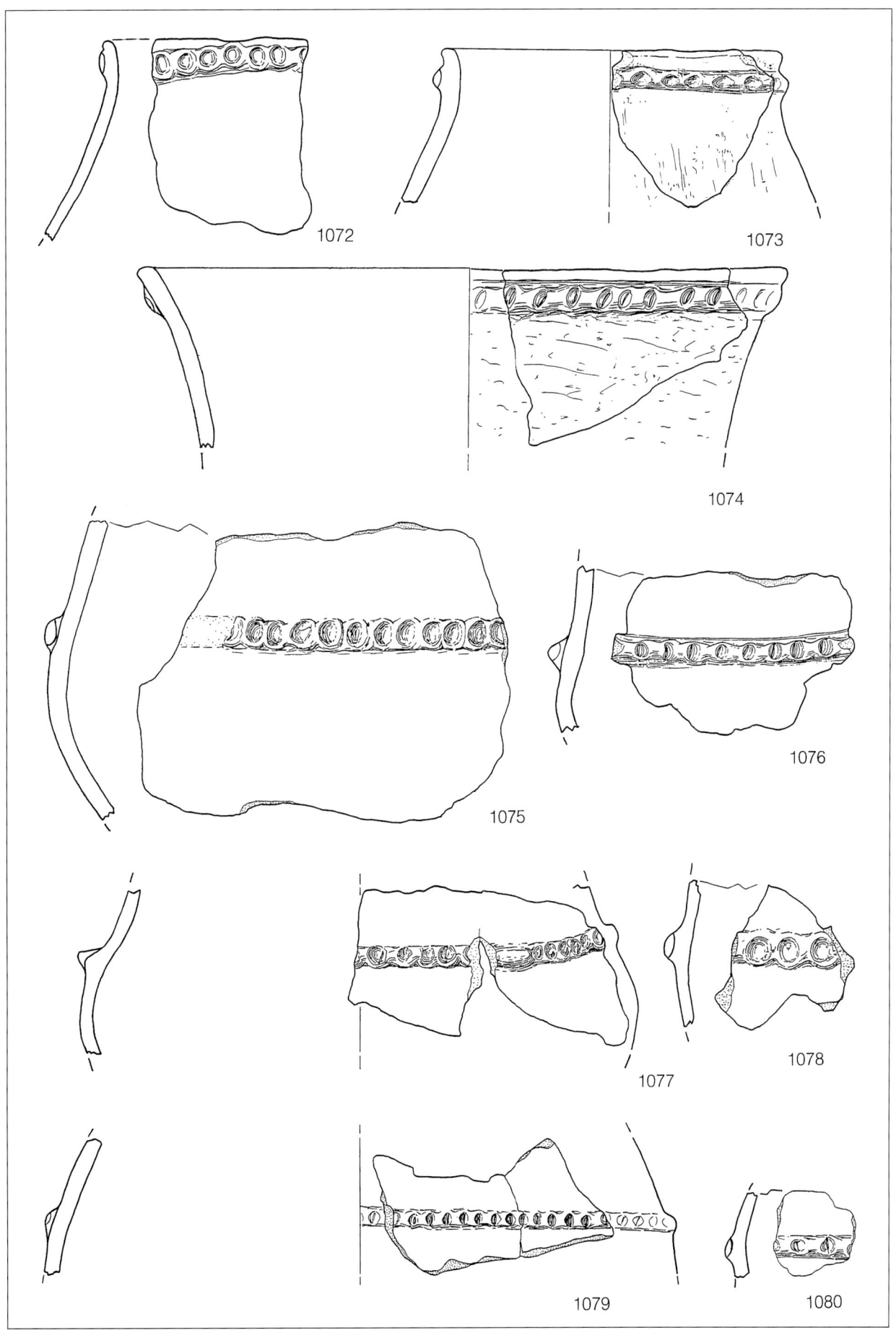

Bodman-Schachen I, Oberfläche. Neufunde. Keramik. M. 1:3.

Tafel 68

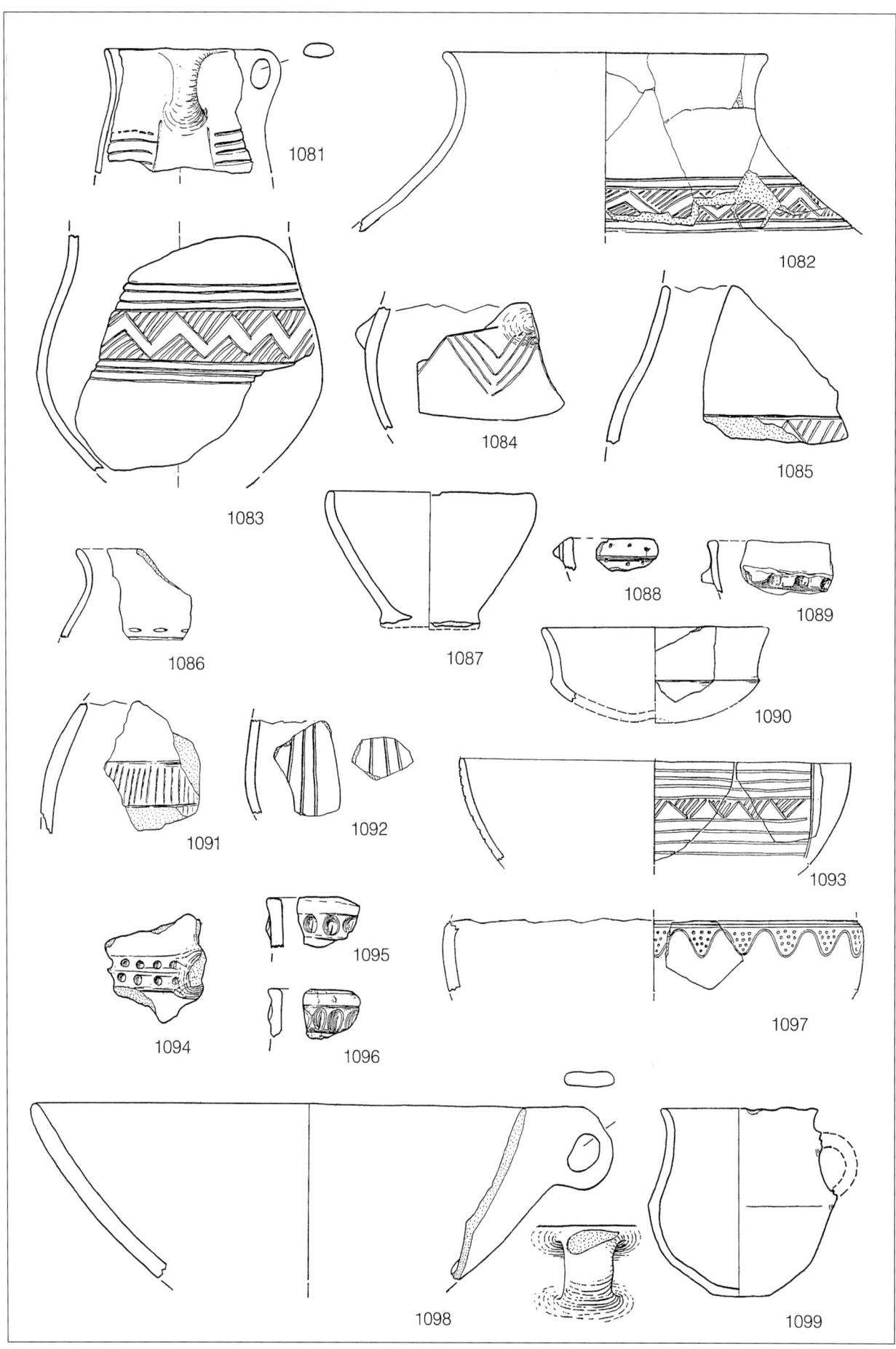

Bodman-Schachen I, Oberfläche. Neufunde. Keramik. M. 1:3.

Tafel 69

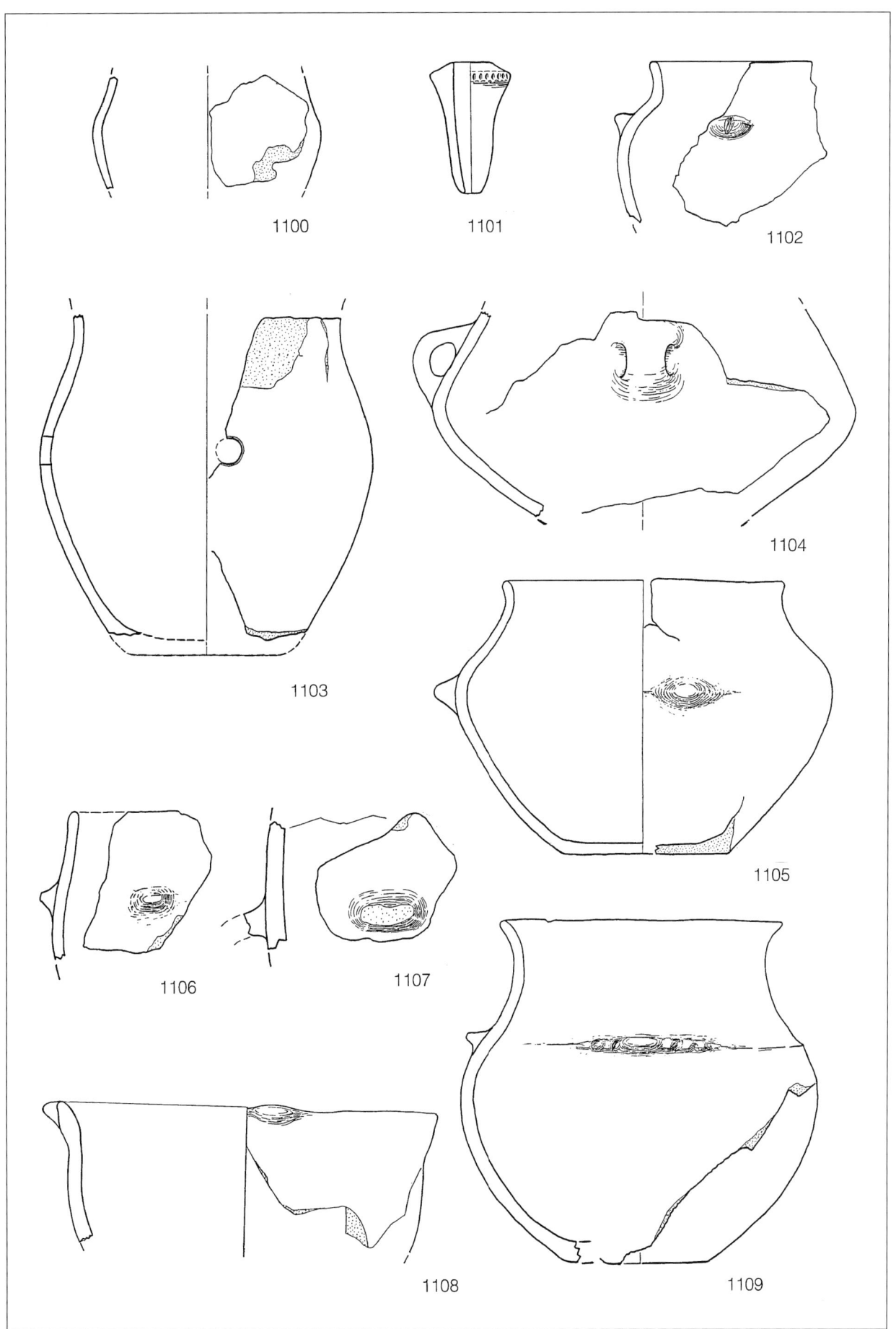

Bodman-Schachen I, Oberfläche. Neufunde. Keramik. M. 1:3.

Tafel 70

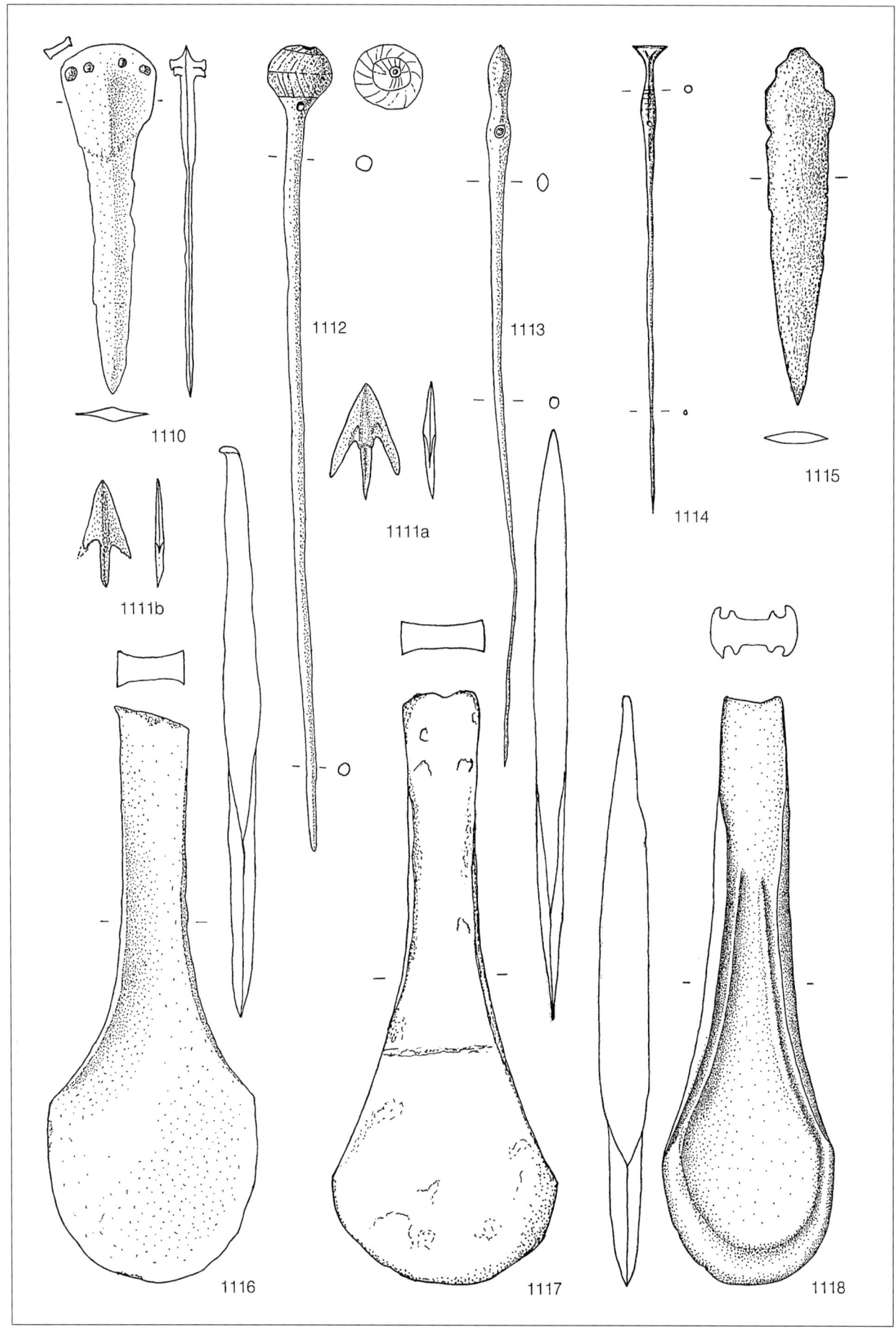

Bodman-Weiler I (1110.1111a,b), Überlingen (1112), Seefelden (1113), Immenstaad (1114), Konstanz-Staad (1115), Hemmenhofen (1116), Litzelstetten (1117), Hagnau (1118). Altfunde. Bronze. M. 2:3.

Tafel 71

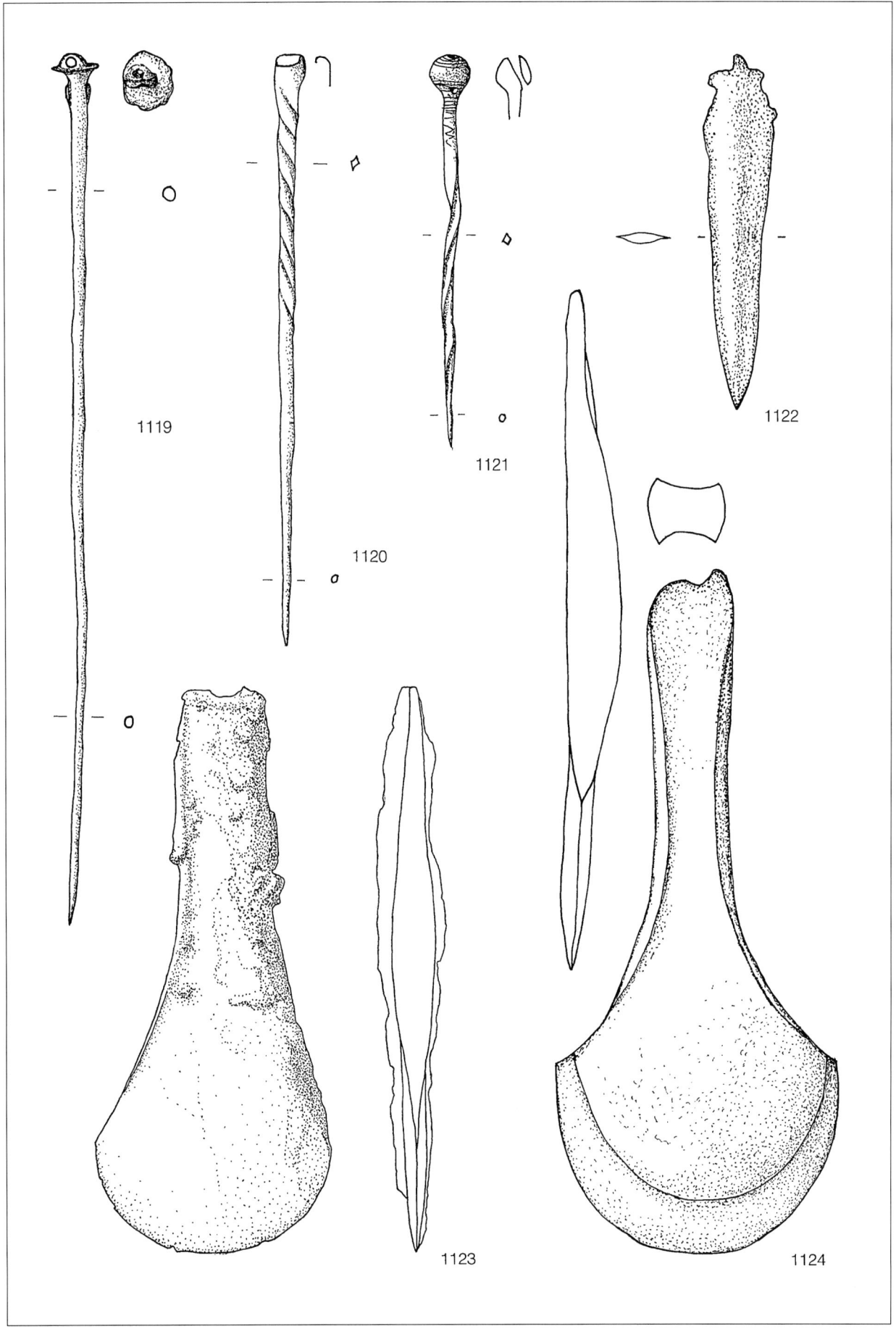

Unteruhldingen. Altfunde. Bronze. M. 2:3.

Tafel 72

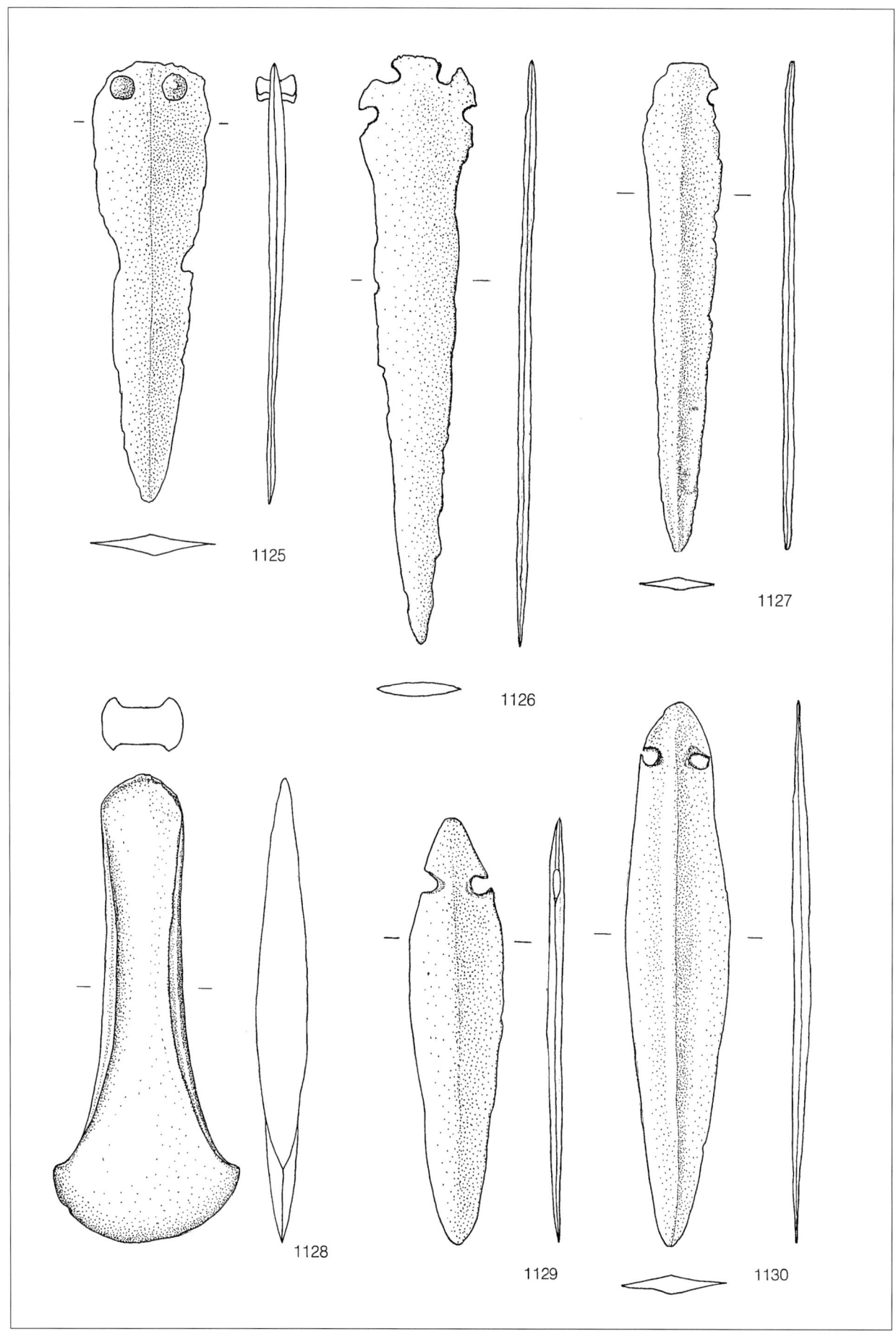

Bodman (1125), Möggingen (1126.1129.1130[?]), Arbon (1128), Herkunft unbekannt (1127).
Altfunde. Bronze. M. 2:3.

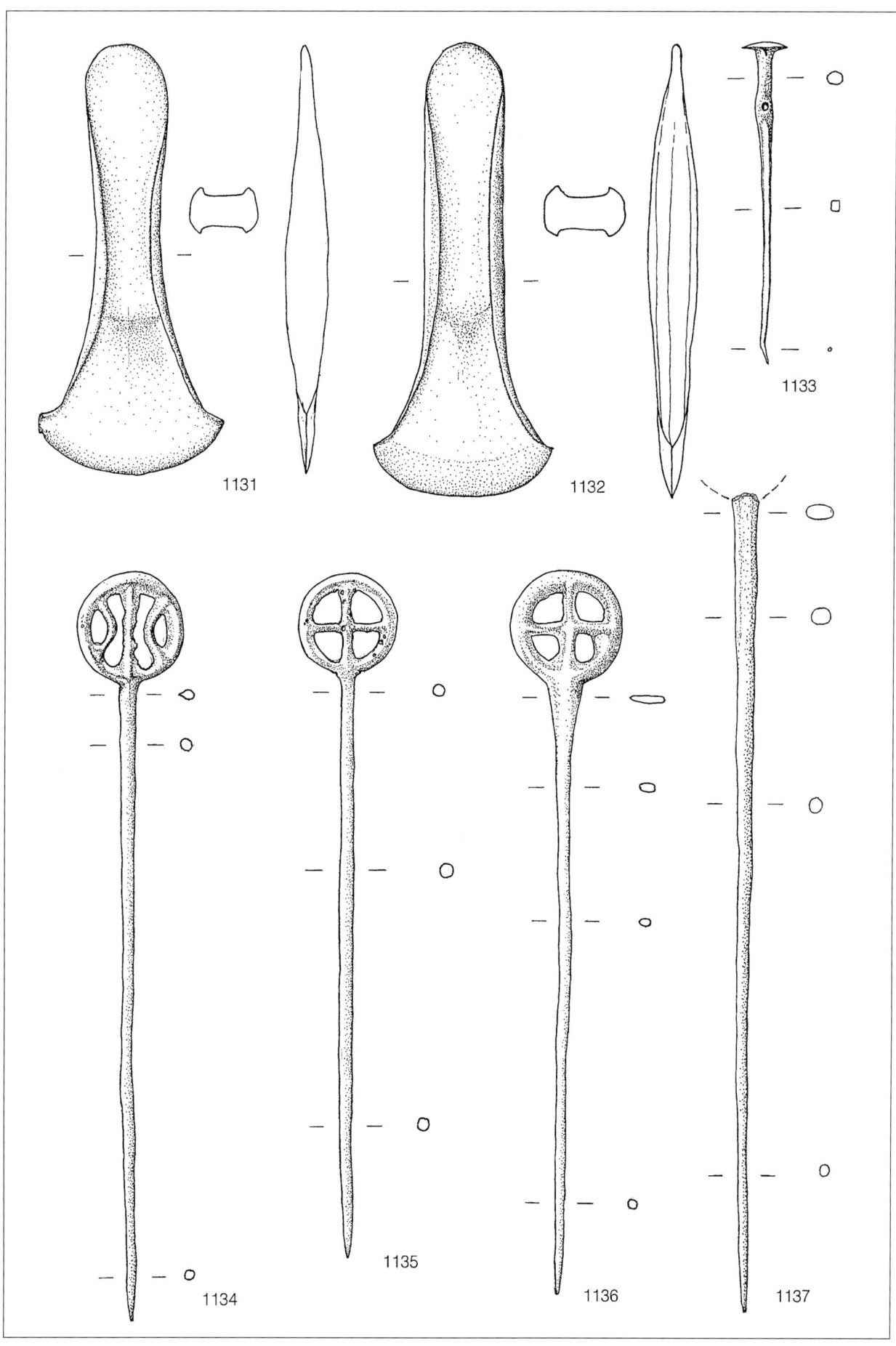

Meersburg-Haltnau (1131.1132), Dingelsdorf (1134.1135), Welschingen (1133.1136.1137).
Altfunde. Bronze. M. 2:3.

Tafel 74

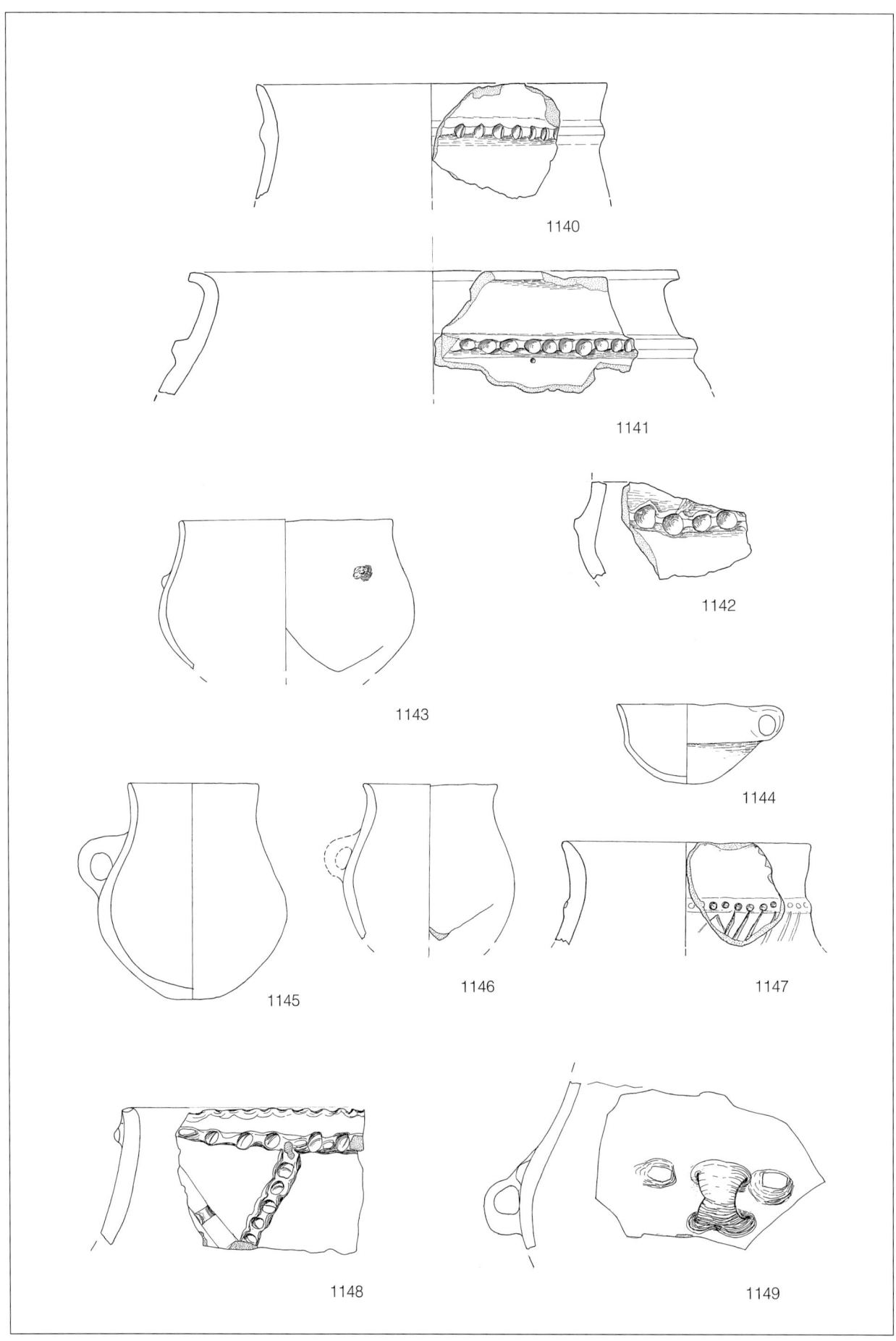

Konstanz-Rauenegg (1140–1142), Bodman-Weiler I (1143–1147.1149), Wangen (1148).
Altfunde. Keramik. M. 1:3.

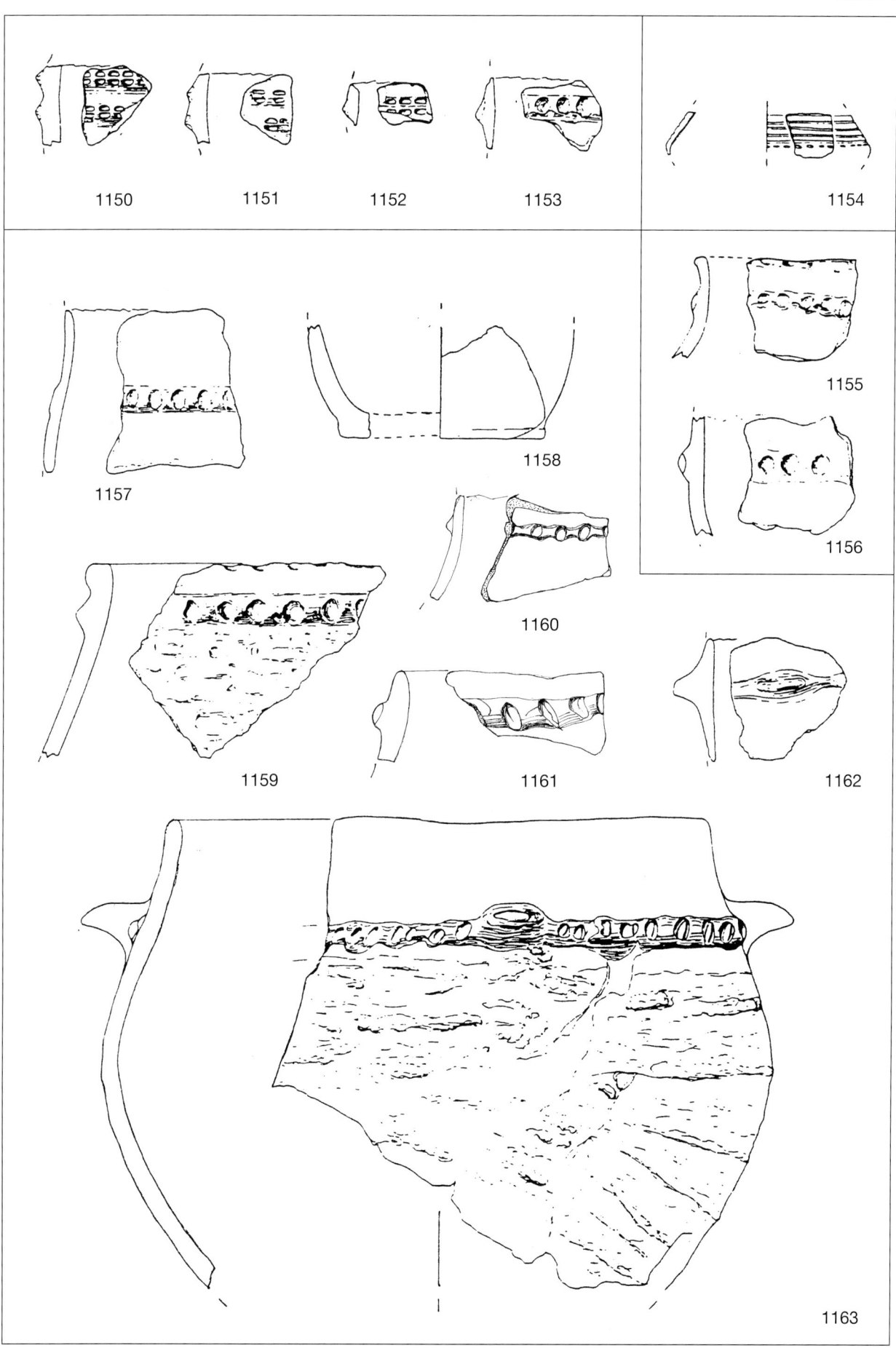

Hornstaad-Hörnle I (1150–1153), Nussdorf-Seehalde (1154), Egg-Obere Güll (1155.1156), Ludwigshafen-Holzplatz (1157–1163). Neufunde. Keramik. M. 1:3.

Tafel 76

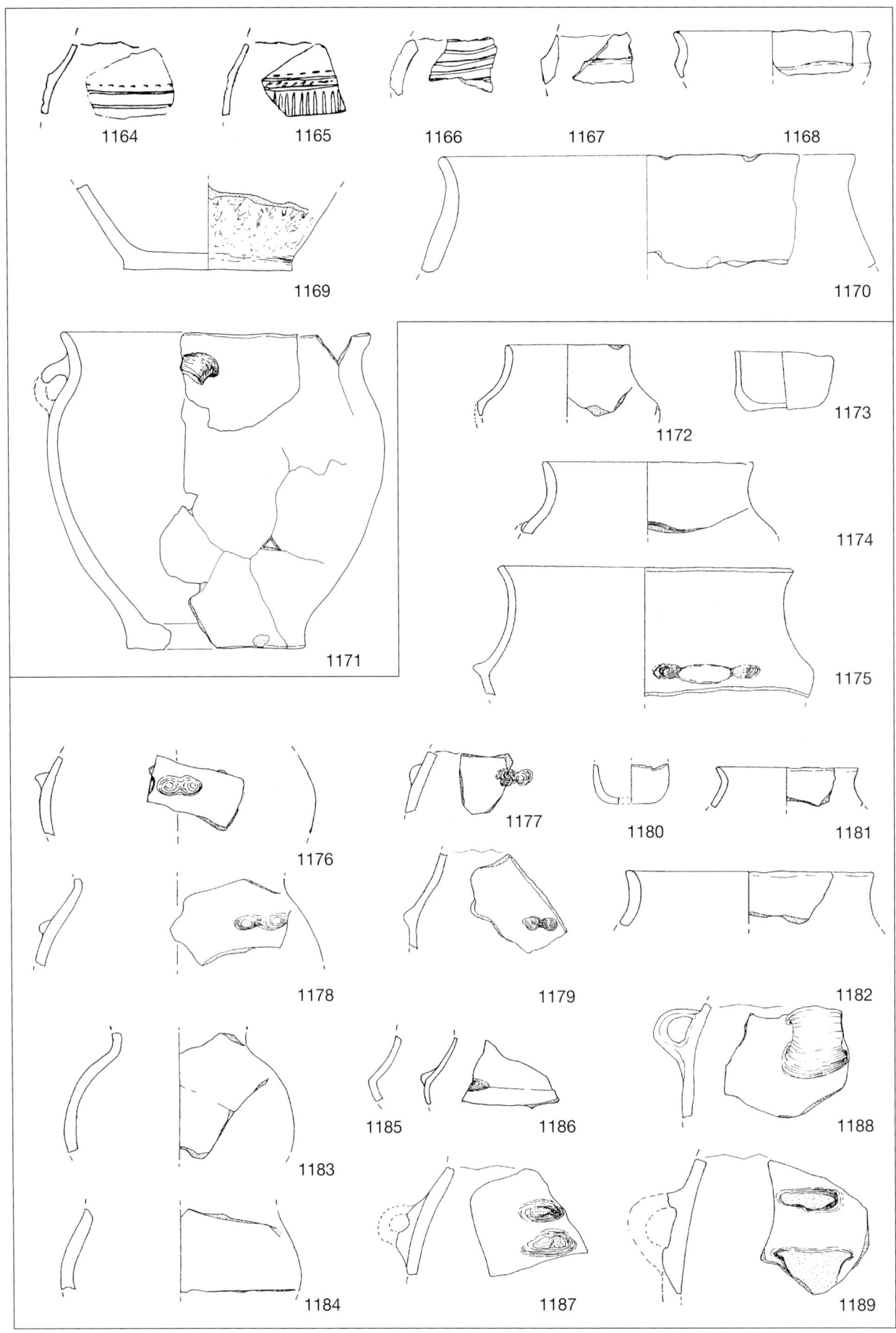

Nussdorf-Strandbad, Oberfläche (1164–1171), Ludwigshafen-Seehalde, Schicht 11 (1172.1173.1177. 1179–1181.1183.1184), Oberfläche (1174–1176.1178.1182.1185–1189). Neufunde. Keramik. M. 1:3.

Tafel 77

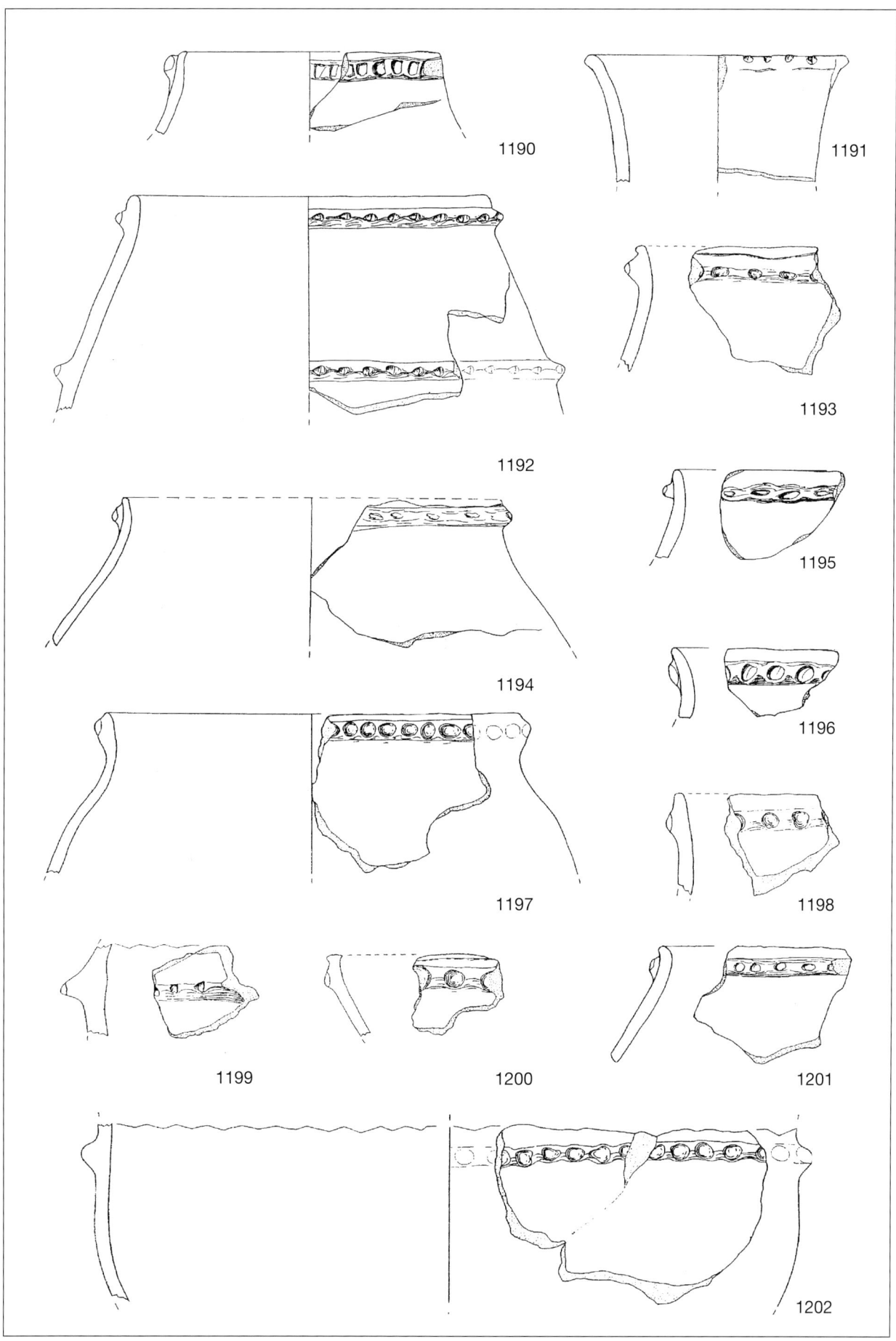

Ludwigshafen-Seehalde, Schicht 11 (1190.1192.1199), Oberfläche (1191.1193–1198.1200–1202).
Neufunde. Keramik. M. 1:3.

Tafel 78

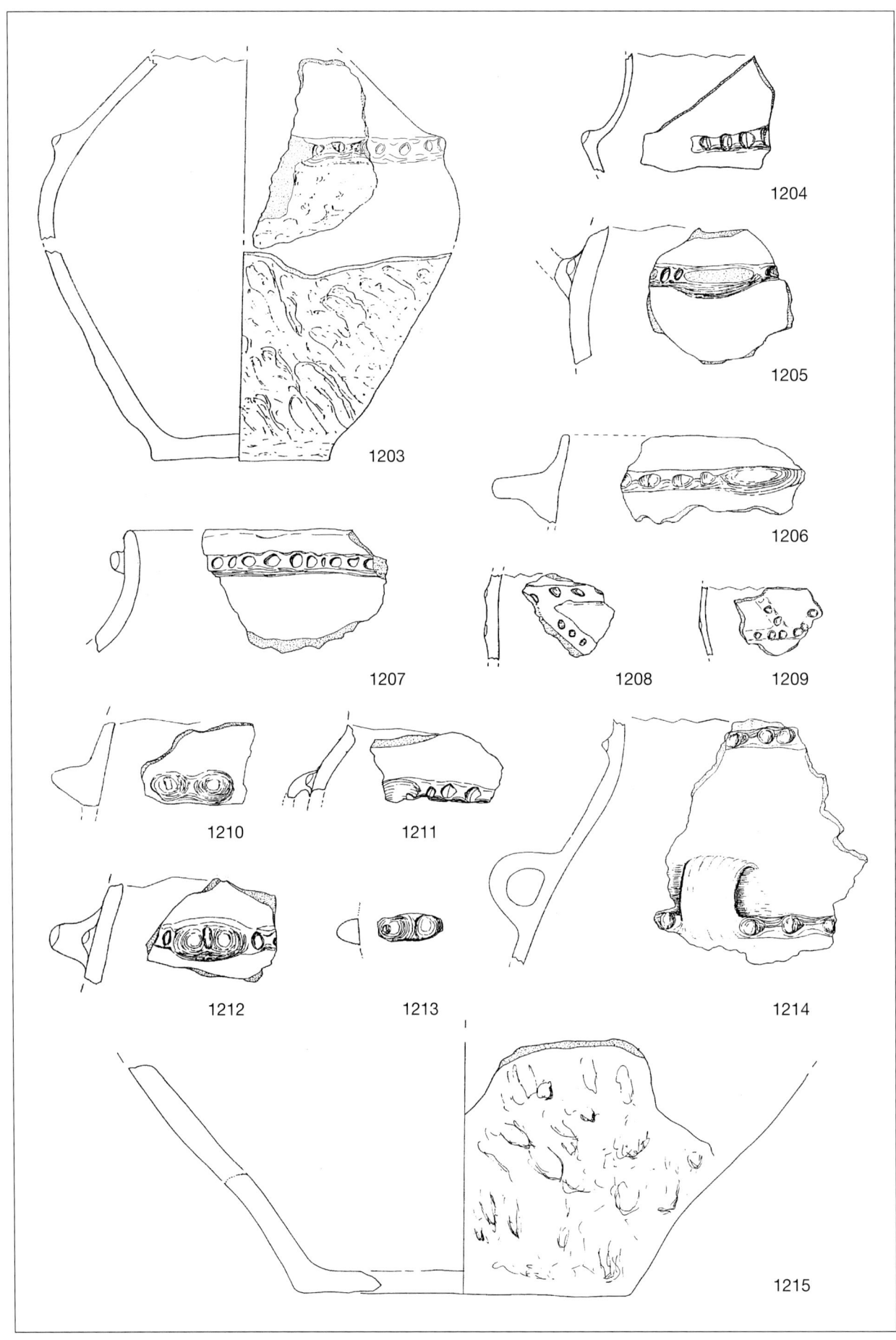

Ludwigshafen-Seehalde, Schicht 11 (1203.1207.1214.1215), Oberfläche (1204–1206.1208–1213).
Neufunde. Keramik. M. 1:3.

Botanische Makroreste aus Tauchgrabungen in den
frühbronzezeitlichen Seeufersiedlungen Bodman-Schachen I
am nordwestlichen Bodensee unter besonderer Berücksichtigung
der Morphologie und Anatomie der Wildpflanzenfunde.
Aussagemöglichkeiten zu Nutzpflanzen, Vegetationsverhältnissen
und zur Lage des Siedlungsareals

KAI-STEFFEN FRANK

Ich bin Leben,
das leben will,
inmitten von Leben,
das leben will.

Albert Schweitzer

Inhalt

Danksagung	436
1 Einleitung	437
1.1 Zur Forschungsgeschichte und besonderen zeitlichen Stellung der frühbronzezeitlichen Seeufersiedlungen Bodman-Schachen I	437
1.2 Die zeitliche Stellung von Bodman-Schachen I	438
1.3 Zielsetzung der Makrorestanalyse	439
1.4 Das Siedlungsareal: Geographie, Topographie, Geologie und Landschaftsgeschichte sowie Böden des Untersuchungsraumes	439
1.5 Das heutige Klima im nordwestlichen Bodenseegebiet	443
2 Material und Methoden	445
2.1 Probenentnahme, Material und Untersuchungsmethoden	445
2.2 Herkunft und Beschreibung der bearbeiteten Profilsäule Q62Np	447
2.3 Die Materialklassenschätzung: Begriff, Bedeutung und Aussagekraft	448
3 Ergebnisse	450
3.1 Die nachgewiesenen Kulturpflanzen unter besonderer Berücksichtigung der Getreidearten	450
3.1.1 Allgemeines	450
3.1.2 Besprechung der getreidekornreichen Flächenproben der unteren Kulturschicht und der Getreidereste	450
3.1.3 Die Anteile der verschiedenen Getreidearten am Gesamtspektrum	458
3.2 Die nachgewiesenen Wildpflanzen und ihre Standortansprüche: ökologische Spektren, ökologische Gruppen; heutige Pflanzengesellschaften als Auswertungshilfen des subfossilen Wildpflanzenspektrums	459
3.2.1 Allgemeines	459
3.2.2 Die Liste der ökologischen Gruppen	459
3.2.3 Die ökologischen Gruppen im Überblick: das ökologische Spektrum	461
1. Die prozentualen Anteile der Taxasummen (Anzahl der nachgewiesenen Arten und Gattungen) der einzelnen ökologischen Gruppen/Übergruppen am Pflanzenspektrum	461
2. Die prozentualen Anteile der Nachweissummen (Anzahl der nachgewiesenen Reste) der einzelnen ökologischen Gruppen/Übergruppen am Pflanzenspektrum	464
3.2.4 Besprechung der ökologischen Gruppen der Wildpflanzen in Anlehnung an heutige pflanzensoziologische Einheiten höheren Ranges	465
1. Submerse Wasserpflanzen	466
2. Verlandungsgesellschaften	467
3. Gesellschaften der Wälder, Waldränder, Waldverlichtungen, Hecken und Gebüsche	471
4. Grünlandgesellschaften	474

       5. Pflanzen der trockenen Magerrasen 476
       6. Gesellschaften ruderaler Flächen, der Hackfrucht- und
          Getreideäcker 478

3.3 Die Ellenbergschen Zeigerwerte: Eine Möglichkeit der Auswertung
     von Wildpflanzenfunden mit Hilfe von Ökodiagrammen 481
   3.3.1 Erläuterungen zum Verständnis der Ökodiagramme 481
   3.3.2 Die Besprechung der Ökodiagramme 483

3.4 Spezieller botanischer Teil 489
   3.4.1 Systematische Gliederung der nachgewiesenen
        Pflanzentaxa 489
   3.4.2 Die gefundenen unverkohlten Pflanzenreste im Überblick:
        Detaillierte Beschreibungen sämtlicher bestimmter Wildpflanzen-
        reste sowie der Funde von Schlafmohn, Saatlein und Gerste 489
       Characeae indet. (unbestimmte Armleuchter-Algen) 491
       Ranunculaceae 491
       Papaveraceae 492
       Fagaceae 493
       Betulaceae 493
       Corylaceae 494
       Urticaceae 494
       Caryophyllaceae 495
       Chenopodiaceae 497
       Polygonaceae 498
       Hypericaceae 501
       Violaceae 501
       Brassicaceae 501
       Salicaceae 502
       Primulaceae 503
       Rosaceae 503
       Linaceae 507
       Lythraceae 508
       Onagraceae 508
       Cornaceae 509
       Apiaceae 509
       Gentianaceae 510
       Caprifoliaceae 510
       Valerianaceae 511
       Boraginaceae 511
       Solanaceae 511
       Scrophulariaceae 512
       Plantaginaceae 512
       Verbenaceae 513
       Lamiaceae 513
       Campanulaceae 515
       Asteraceae 515
       Alismataceae 517
       Potamogetonaceae 517
       Zannichelliaceae 517
       Najadaceae 517
       Juncaceae 518
       Cyperaceae 520
       Poaceae 524
       Typhaceae 525

4   Diskussion der vorliegenden Ergebnisse 526
    4.1 Zusammenstellung der möglichen Nutzpflanzenarten und die
        Ernährungsweise der frühbronzezeitlichen Seeufersiedler von
        Bodman-Schachen I 526
            Kulturpflanzen: Dinkel, Emmer, Einkorn, Saatweizen im
            weitesten Sinn, Gerste, Schlafmohn und Saatlein 526
            Essbare Sammelpflanzen: Brombeere, Schwarzer Holunder,
            Wald-Erdbeere, Himbeere, Hasel, Schlehe, Apfel, Kratzbeere,
            Rosen, Zwerg-Holunder, Eingriffliger Weißdorn, Birne (?) 527
            Weitere mögliche Nutzpflanzen 528
            Ernährungsweise der frühbronzezeitlichen Seeufersiedler 528
    4.2 Aussagemöglichkeiten der ausgelesenen Wildpflanzenreste:
        Versuch einer Rekonstruktion der frühbronzezeitlichen Vegetations-
        verhältnisse in der näheren Umgebung der Seeufersiedlungen Bodman-
        Schachen I 529
            Gruppe 1: Wasserpflanzengesellschaften 530
            Gruppe 2: Verlandungsgesellschaften 531
            Gruppe 3: Gesellschaften der Wälder (inklusive Auenwälder),
            Waldränder, Waldverlichtungen, Hecken und Gebüsche 532
            Einführung in die Gruppen 4–6: Grünlandgesellschaften, Pflanzen
            trockener Magerrasen und Gesellschaften ruderaler Flächen,
            der Hackfrucht- und Getreideäcker 533
            Gruppe 4: Grünlandgesellschaften 534
            Gruppe 5: Pflanzen der trockenen Magerrasen 536
            Gruppe 6: Gesellschaften ruderaler Flächen, der Hackfrucht-
            und Getreideäcker; Aussagen zur Nährstoffversorgung, Bewirt-
            schaftung, Lage und Größe der Äcker sowie zur Ernteweise 536
    4.3 Lage des Siedlungsareals in der frühen Bronzezeit in Bezug auf die
        Uferlinie; Seespiegelschwankungen und ihre Auswirkungen auf die
        Sedimentation und die Erhaltungsfähigkeit von botanischen und zoo-
        logischen Makroresten 540

5   Zusammenfassung 543

6   Ausblick 545

7   Literaturverzeichnis 546

8   Tabelle 15–18 551

Tafel 1–16 567

Danksagung

Mein spezieller Dank geht an Frau Prof. Dr. U. Körber-Grohne, die mir die Anregung zu dieser Arbeit gegeben und ihre Durchführung fachlich betreut hat.[*] Sie war stets auf gute Arbeitsbedingungen und anregende Gespräche bedacht. Herrn Dr. H. Schlichtherle (Landesamt für Denkmalpflege, Regierungspräsidium Stuttgart, Arbeitsstelle Hemmenhofen) danke ich für die Überlassung der botanischen Bearbeitung der Siedlungsreste aus den Tauchsondagen in den Ufersiedlungen von Bodman-Schachen I und für seine Gesprächsbereitschaft bei fachlichen Fragen. Dem Landesdenkmalamt Stuttgart, seit 2005 Landesamt für Denkmalpflege, Regierungspräsidium Stuttgart, möchte ich an dieser Stelle für die finanzielle Unterstützung der Untersuchungen danken.

Meinem Koautor, Herrn Dr. J. Köninger, gilt mein besonderer Dank für die freundliche Hilfestellung bei der Probenentnahme, Befundbeschreibung und bei archäologischen Fragen in mündlicher und schriftlicher Form.

Bei Frau U. Piening (Institut für Botanik, Universität Hohenheim) und Frau Prof. Dr. S. Jacomet (Botanisches Institut, Universität Basel) bedanke ich mich recht herzlich für die Nachbestimmungen von verkohlten Getreideresten. Weiterhin möchte ich mich bei Frau Dr. H. Liese-Kleiber (Institut für Ur- und Frühgeschichte, Universität Freiburg) für ihre freundlichen Mitteilungen bei paläobotanischen Fragen bedanken.

Nicht zuletzt geht mein Dank an meine Mutter, Frau D. Frank, die das Ihrige zur Durchführung der Arbeit beigetragen hat.

Barbara Schieferstein, Helga Schuldes, Christine Braun, Renate Korin, Elke Blänsdorf, Friederike Hübner, Ulrike Winkler, Petra Rundel, Wolfgang Krönneck, Michael Abel, Uwe Kettnaker, Dietmar Pühler und die BUND-Ortsgruppe Überlingen am See sowie weitere Helfer, die nicht alle namentlich aufgeführt wer-

---

[*] Bei dieser Publikation handelt es sich um meine Diplomarbeit am Institut für Botanik der Universität Hohenheim, Arbeitsgruppe Paläoethnobotanik, bei Frau Professor Dr. U. Körber-Grohne. Der Stand entspricht der Abgabe im Jahr 1989. Neuere Publikationen sind nicht aufgenommen worden. Ausgenommen sind Einzelfälle wie z.B. Körber-Grohne 1990 und Körber-Grohne/Feldtkeller 1998.
Einige Abbildungen der Diplomarbeit wurden von Hand, sämtliche Tabellen mit der Schreibmaschine angefertigt. Diese Vorlagen wurden eingescannt und in die vorliegende Publikation übernommen. Die Qualität entspricht deshalb nicht dem heutigen Stand der Technik. Bei den Fototafeln wurde in entsprechender Weise verfahren.

1 Einleitung

1.1 Zur Forschungsgeschichte und besonderen zeitlichen Stellung der frühbronzezeitlichen Seeufersiedlungen Bodman-Schachen I

Der frühbronzezeitliche Siedlungsplatz Bodman-Schachen I liegt zwischen den Orten Bodman im Süden und Ludwigshafen im Norden am nordwestlichen Ende des Bodensees (Abb. 1). Sein Entdecker war der Forstverwalter und spätere Domänenrat Ley von Bodman. Nach der Entdeckung um das Jahr 1866 folgten in den anschließenden Jahrzehnten sporadisch weitere Nachforschungen. Erst in den Winterhalbjahren von 1982 bis 1984 und 1986 führte das Landesdenkmalamt Baden-Württemberg (LDA) im Rahmen des Projektes „Bodensee-Oberschwaben" (PBO) systematische Sondagen durch. Die Untersuchungen dienten in ersten Linie der Sicherung erosionsgefährdeter Kulturschichtreste und an der Oberfläche des Seegrundes liegender, freigespülter Holzbauteile.

Im Zuge der planmäßig durchgeführten Tauchsondagen konnten im Bereich des Schachenhorns zwei voneinander unabhängige Pfahlfelder erfasst werden. Das frühbronzezeitliche Pfahlfeld befindet sich in 120 bis 160 m Entfernung vom Winterufer im heutigen Flachwasserbereich mit einer maximalen Ausdehnung von nur 70 m × 40 m. Unmittelbar vom Winterufer in die Flachwasserzone hinein erstreckt

Abb. 1: Höhenschichtenkarte des westlichen Bodenseegebietes. Im Bereich des Wassers sind die Tiefenwerte, bezogen auf den mittleren Mittelwasserstand, angegeben. Das Gitternetz entspricht den Blattschnitten der Topographischen Karten 1:25 000. ● = Lage der frühbronzezeitlichen Seeufersiedlungen von Bodman-Schachen I. Aus Lang (1973).

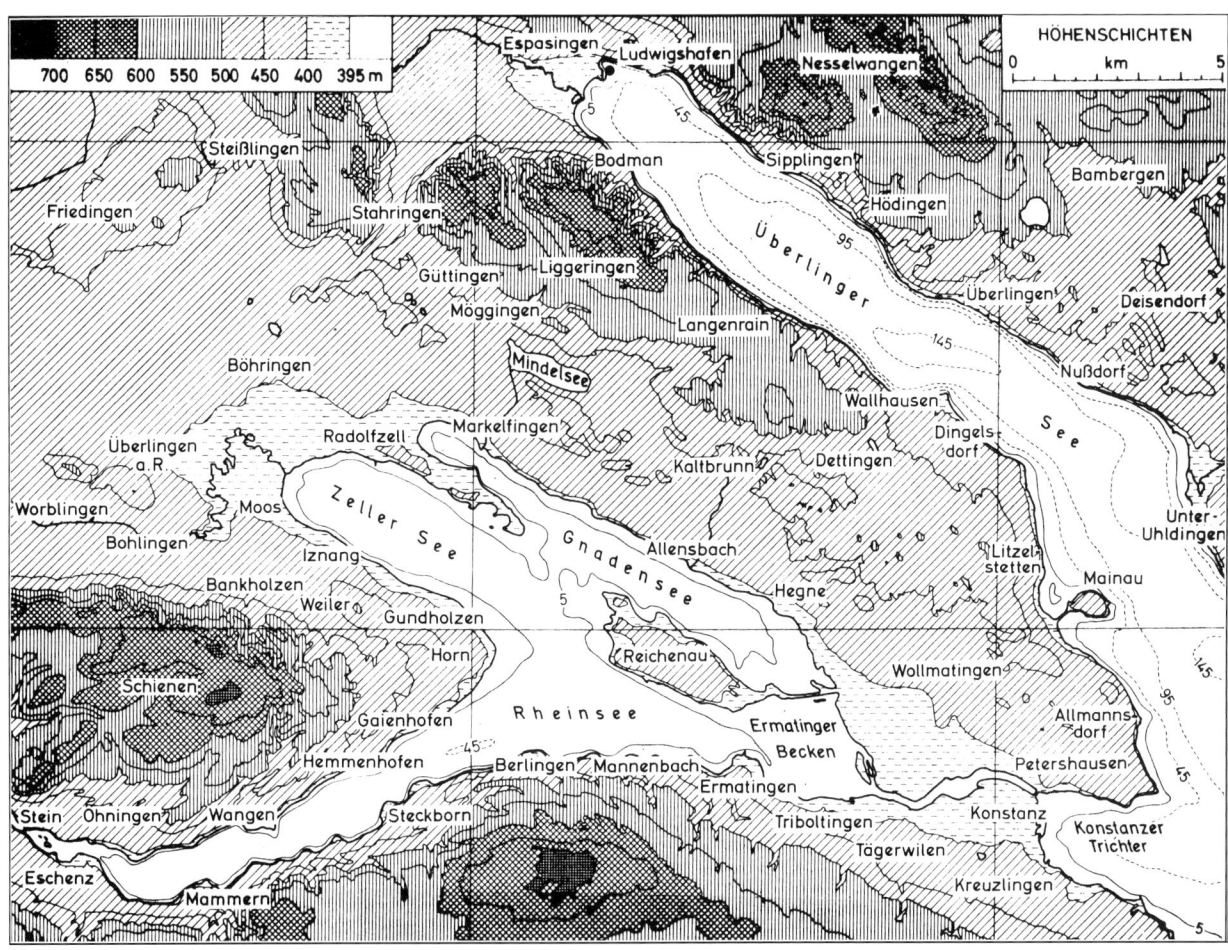

sich ein schnurkeramisches Pfahlfeld von annähernd 100 m Länge und 80 m Breite. Die genaue Lage der Pfahlfelder ist der Abbildung 9 im Beitrag von Köninger (S. 31) zu entnehmen.

Eine Besonderheit der frühbronzezeitlichen Ufersiedlungen von Bodman-Schachen I (BsI) ist ihre zeitliche Stellung. So wurden frühbronzezeitliche Fundkomplexe des Bodenseegebietes bis dato noch nicht makrorestanalytisch untersucht bzw. publiziert (Kap. 1.3). Auch die klare Gliederung der Schichtenfolge ist etwas Besonderes. Sie ermöglicht eine gut zu beschreibende Abfolge dreier verschiedener Kulturschichten BsIA, BsIB und BsIC sowie dazwischen liegender Straten von grauer Seekreide und fluviatilen Ablagerungen (Kap. 2.2). Die dreischichtige Stratigraphie blieb am seeseitigen Rand des Siedlungsareals erhalten. Es handelt sich um schräg seewärts einfallenden Schichtkeile, die dort an der Oberfläche des Seegrundes austreten.

Bei den Tauchsondagen wurden mehrere Profilsäulen und Flächenproben aus verschiedenen Bereichen des seewärtigen Siedlungsareals entnommen. Sie bildeten die Grundlage für die vorliegende botanische Bearbeitung der Makroreste.

1.2 Die zeitliche Stellung von Bodman-Schachen I

Die absoluten Datierungen der drei Kulturschichten von Bodman-Schachen (von unten nach oben: BsIA, BsIB und BsIC) wurden im Rahmen der archäologischen bzw. dendrochronologischen Bearbeitung vorgenommen, unter anderem mit Hilfe radiometrischer Messungen (vgl. Beitrag Köninger S.237; vgl. Billamboz/Keefer/Köninger/Torke 1988). Schicht A datiert in die Mitte des 19. Jh. v.Chr., die Basis der Schichten B und C werden dendrochronologisch um 1640 bzw. um 1600 v.Chr. datiert. Die untere Kulturschicht fällt damit in die ältere Frühbronzezeit. Es ist die einzige Strate am Schachenhorn (maximal 6 cm dick), die sich als Brandschicht durch hohe Anteile verkohlten Getreides und Holzkohlen auszeichnet (Kap. 2.2). Die beiden oberen Kulturschichten lieferten Funde der jüngeren bzw. späten Frühbronzezeit. Eine weitere Schlagphase konnte für die Jahre 1505 bis 1503 v.Chr. ermittelt werden, wobei eine dazu gehörige Kulturschicht nicht nachzuweisen war.

Weitere Einzelheiten zur absoluten Chronostrati-

Abb. 2: Naturräume des nördlichen Alpenvorlandes in der Umgebung des Bodenseebeckens. Aus Sick (1982).

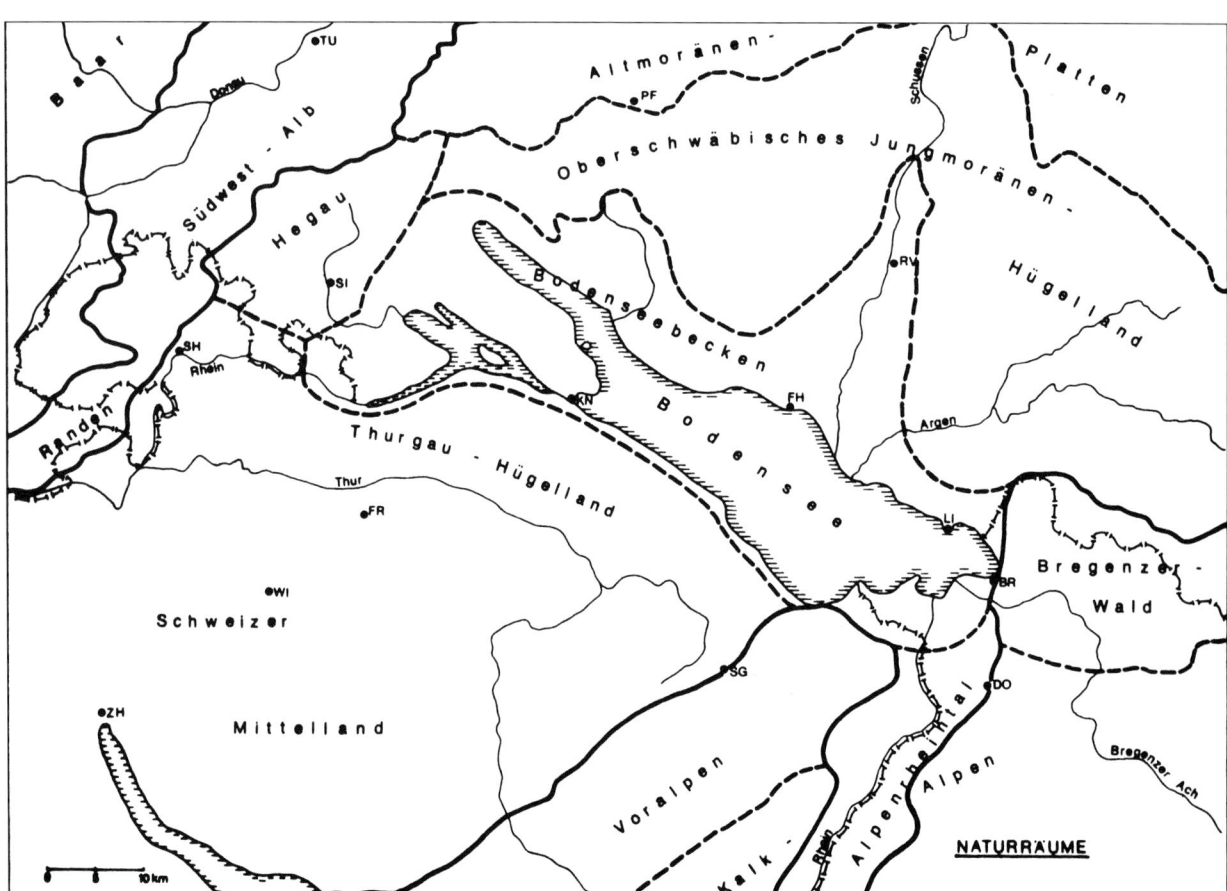

graphie, zur zeitlichen Eingliederung des Keramikinventars und zur Rekonstruktion des Siedlungsareals und ihrer Bebauungsphasen sind dem Beitrag von Köninger zu entnehmen (S. 266).

1.3 Zielsetzung der Makrorestanalyse

Die Vorproben waren reich an relativ gut erhaltenen Samen, Früchten, Rhizomen und Hölzern. Dank günstiger Konservierungsbedingungen, wie Sauerstoffabschluss und ständige Bedeckung mit limnischen Ablagerungen, konnten sich die pflanzlichen Reste in den subhydrischen Sedimenten (Böden) auch in unverkohltem Zustand bis in unsere Tage erhalten. Die Voruntersuchungen versprachen eine interessante und aussagekräftige paläoethnobotanische Makrorestanalyse. Vor dem Hintergrund bislang noch fehlender entsprechender Ergebnisse von weiteren frühbronzezeitlichen Siedlungen des Bodenseegebietes ist diese von besonderer Bedeutung (vgl. Rösch 1987a). Eine systematisch durchgeführte paläoethnobotanische Makrorestbearbeitung zeitgleicher Siedlungsschichten des schweizerischen Alpenvorlandes liegt nur von Brombacher (1986) bzw. von Brombacher/Dick (1987) vor. Untersuchungen spätbronzezeitlicher Siedlungsschichten liegen den Veröffentlichungen von Brombacher (1986) und Jacquat (1988) zugrunde. Daneben gibt es eine große Anzahl von Großrestanalysen der verschiedenen Kulturschichten von neolithischen Seeufersiedlungen des nördlichen Alpenvorlandes sowie jüngerer bronzezeitlicher Besiedlungsphasen. Publikationen über neolithische Fundplätze gibt es von: Bollinger/Jacomet-Engel (1981), Dick (1988), Jacomet (1981; 1985; 1986; 1987a) und Lundström-Baudais (1978; 1984) sowie von Piening (1981), Rösch (1985), Schlichtherle (1985), Schoch/Schweingruber/Pawlik (1980) und von Villaret-von Rochow (1967).

In der vorliegenden Arbeit wird die Analyse von Proben der drei verschiedenen frühbronzezeitlichen Kulturschichten vorgestellt. Dies ist der erste kleine Schritt auf dem langen Weg, die klaffende Bearbeitungslücke von Makroresten aus frühbronzezeitlichen Kulturschichtpaketen zu schließen. Es soll der Versuch unternommen werden, anhand der ermittelten Pflanzenarten Unterschiede im Wildpflanzeninventar der siedlungsnahen Uferregion der drei verschiedenen nachgewiesenen Besiedlungsphasen herauszuarbeiten. Daneben werden, trotz geringer Fundmengen, Getreidereste und weitere Kulturpflanzen besprochen. Die limnischen bzw. fluviatilen Sedimente der Besiedlungslücken konnten im Rahmen dieser Arbeit nicht untersucht werden. Es blieb hier bei einer Beschreibung des Schichtenaufbaus (Abb. 6).

Besonderen Wert wurde auf die Anreicherung und Bestimmung sämtlicher subfossiler Samen und Früchte gelegt. Hierzu musste ein äußerst feines Sieb mit einer Maschenweite von 0,2 mm als feinste Fraktion verwendet werden, um eine Unterrepräsentanz kleinsamiger resp. kleinfrüchtiger Pflanzenarten zu verhindern. Die in paläoethnobotanischen Untersuchungen von Feuchtbodensiedlungen meist „stiefmütterlich" behandelten kleinen Samen der Binsenarten konnten so in großer Anzahl ausgelesen werden.

Ausführliche Beschreibungen und Artabgrenzungen der gefundenen Pflanzenreste sowie eine umfangreiche fotografische Dokumentation runden die Arbeit ab. Morphologische und anatomische Bestimmungskriterien werden in Publikationen häufig nicht oder nur in beschränktem Maße aufgeführt; sie finden in der vorliegenden Arbeit ihren Platz. Insbesondere makrorestanalytisch selten nachgewiesene und dokumentierte Sämereien werden in Wort und Bild vorgestellt, so zum Beispiel die Früchte der Poaceen (Süßgräserarten) und insbesondere die Samen der Juncaceen (Binsenarten).

1.4 Das Siedlungsareal: Geographie, Topographie, Geologie und Landschaftsgeschichte sowie Böden des Untersuchungsraumes

Den folgenden Ausführungen liegen die Geologische Karte von Baden-Württemberg 1:25000, Blatt 8120 Stockach, und die Erläuterungen hierzu von Erb/Haus/Rutte (1961) sowie die vier Topographischen Karten 1:25000 des Landesvermessungsamtes Baden-Württemberg, Blatt 8120 Stockach (1984), Blatt 8121 Heiligenberg (1974), Blatt 8220 Überlingen-West (1980) und Blatt 8221 Überlingen-Ost (1984) zugrunde. Daneben lieferten die Arbeiten von Geyer/Gwinner (1986), Lang (1973) und Hofmann (1982) wichtige Angaben zu diesem Kapitel. Verschiedene Daten sind dem Bodenseeuferplan (Regionalverband Bodensee-Oberschwaben 1985) entnommen. Beim bodenkundlichen Teil konnte sich der Autor zusätzlich auf die Schrift von Werner (1964) und bei der Nomenklatur und Systematik auf das Lehrbuch von Scheffer/Schachtschabel (1984) stützen.

Geographie
Der Bodensee liegt in einem tiefen jungtertiären Molassetrog im nördlichen Alpenvorland zwischen

der Schwäbischen Alb und den Hegaubergen im Nordwesten bzw. Westen sowie dem Schweizerischen Mittelland und dem Thurgauer Seerücken im Süden. Im Norden und Osten grenzt die schwäbisch-bayerische Hochebene an. In Abbildung 2 sind die Naturräume des nördlichen Alpenvorlandes in der Umgebung des Bodenseebeckens dargestellt.

Der See selbst erstreckt sich zwischen 8° 51' und 9° 44' östlicher Länge und von 47° 28' bis 47° 49' nördlicher Breite. Mit einer Oberfläche von 539 km² und einem Rauminhalt von rund 49 km³ ist er nach dem Genfer See der zweitgrößte Voralpensee und zugleich das größte Stillgewässer Deutschlands. Der seit dem 15. Jahrhundert gebrauchte Begriff „Schwäbisches Meer" trägt dieser Tatsache Rechnung (Boesch 1982). Die größte Länge beträgt 63 km, die größte Breite 14 km und die größte Tiefe 252 m. Für den Zeitraum der Jahre 1871 bis 1971 ist ein mittlerer Mittelwasserstand von 395,2 m über NN und eine mittlere jährliche Seespiegelschwankung von 1,6 m zu verzeichnen. Sämtliche Größenangaben sind dem Bodenseeuferplan (Regionalverband Bodensee-Oberschwaben 1985) entnommen. Die Namen der großen Teilbecken des westlichen Bodensees sind Abbildung 1 zu entnehmen.

Die heutige Morphologie des Bodenseebeckens ist aus Abbildung 3 ersichtlich. Es werden eine fast horizontale Uferbank, die so genannte „Wysse", ein mehr oder weniger steiler Abfall, die „Seehalde", und der Seeboden, genannt „Schweb", voneinander unterschieden. Für unsere Betrachtungen ist im Wesentlichen nur die Uferbank von Interesse.

Topographie

Die frühbronzezeitlichen Siedlungen von Bodman-Schachen I befinden sich am Westende des fjordartig eingeschnittenen Überlinger Sees im Grenzgebiet der Landschaften Hegau und Linzgau. Sie wurden am nordöstlichen Rand einer alten holozänen Deltaschüttung der Stockacher Aach (Erb/Haus/Rutte 1961), vermutlich auf der Wysse, erbaut (Kap. 4.3). Ihrer markanten Form verdankt die subaquatische Deltaspitze resp. das Siedlungsareal den Namen „Schachenhorn" (Abb. 4). Die Stockacher Aach mündet heute 700 m weiter südlich beim Aachhorn in der Nähe des Ortes Bodman in den Überlinger See und stellt die größte Entwässerungsbahn der näheren Umgebung dar (vgl. Abb. 1).

Im Westen des heute unter Naturschutz stehenden Schachenhorns schließt sich als Fortsetzung des Seebeckens eine breite Niederung der Stockacher Aach an, die Espasinger Niederung. Neben Ackerbau und Grünlandwirtschaft, werden heute große Flächen von Obstplantagen und von Sonderkulturen, wie zum Beispiel Erdbeerfeldern, eingenommen. Im Norden und Süden ragen die von Mischwald bestandenen Sandsteinfelsen des Stockacher Berglandes und des Bodanrück steil bis zu Höhen von rund 700 m empor (Abb. 5; vgl. auch Abb. 1). Nördlich des seenahen Höhenzuges des reich gegliederten Stockacher Berglandes mit dem Sipplinger Berg als höchste Erhebung (701 m) laufen zwei seeparallele Hochtäler in über 500 m Meereshöhe, das Nesselwanger Tal und nördlich davon das Owinger Tal. Reliefärmer ist die Halbinsel des Bodanrück, die zum Nordostufer des Gnadensees allmählich abfällt und in die sanften Geländeformen des Untersees übergeht.

Geologie und Landschaftsgeschichte

Die heutigen geologischen Verhältnisse des Bodenseegebietes sind auf ein komplexes Zusammenspiel von Tektonik, Sedimentation und Erosion zurückzuführen. Im Wesentlichen wurde das stark untertiefte Bodenseebecken durch Exarationsvorgänge während des Pleistozäns modelliert. Hierfür sind mehrere Eisvorstöße des Rheingletschers in den verschiedenen Glazialen verantwortlich, die von Südosten nach Nordwesten gerichtet waren und sich entgegen dem Gefälle der Donau vorschoben. Fast 90% des gesamten bodenseenahen Gebietes sind von pleistozänem und zumeist kalkreichem Moränenmaterial und Schottern bedeckt, die vorwiegend dem Würm-Glazial zuzurechnen sind. Im Folgenden wird die eindrucksvolle Landschaftsgeschichte des Bodenseegebietes zusammenfassend kommentiert, soweit sie das Untersuchungsgebiet betrifft.

Im Laufe der tertiären Alpenauffaltung wurden in die mehrfach von Süß-, Brack- und Salzwasser erfüllte Geosynklinale des nördlichen Vorlandes enorme Mengen an Verwitterungsschutt aus der Umgebung abgelagert. Die entstandenen Molasseschichten aus Unterer Süßwassermolasse, Oberer Meeresmolasse, Brackwassermolasse und Oberer

Abb. 3: Morphologie des Bodenseebeckens: heutige Beckenform (durchgezogene Linie) und ursprüngliche Beckenform (punktierte Linie). Lebensräume im See: Litoral, Profundal und Pelagial. Aus Lang (1973).

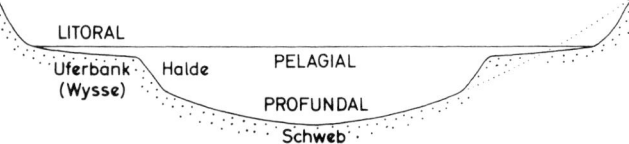

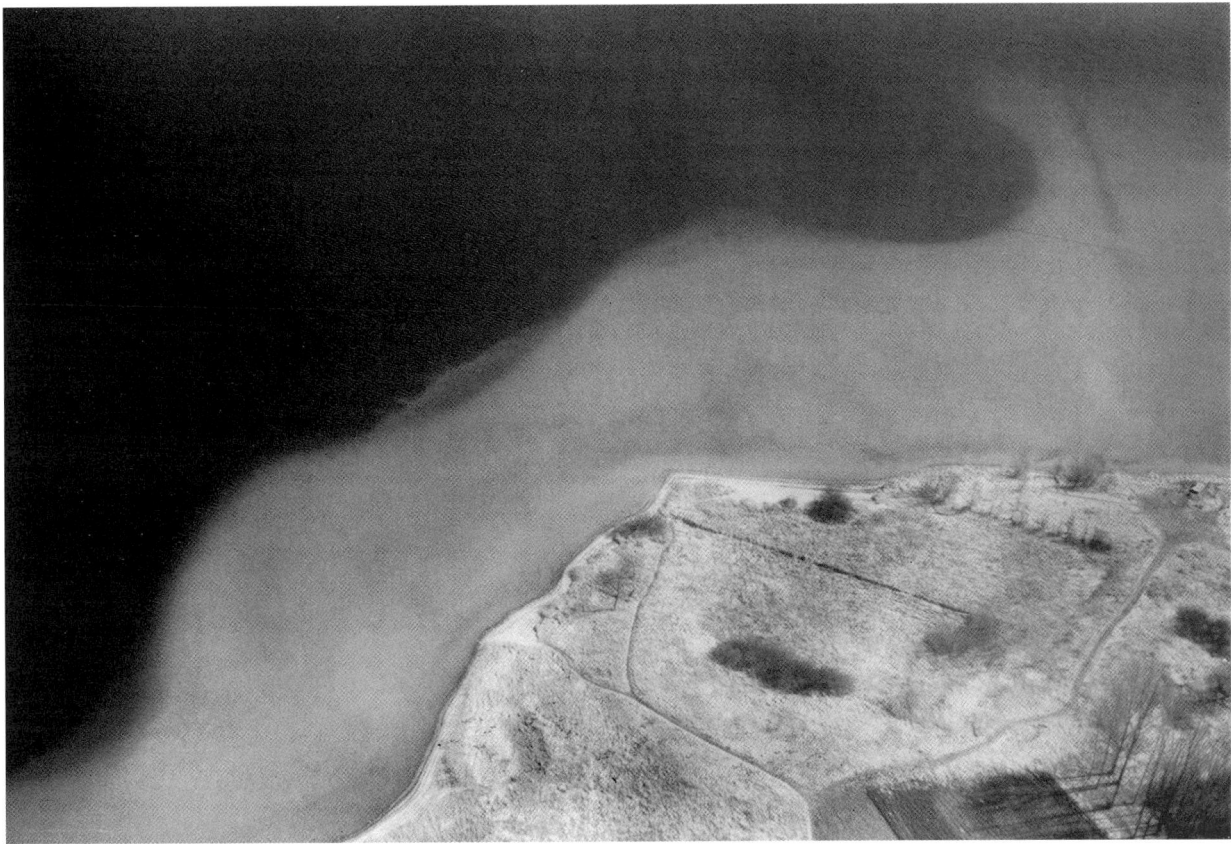

Abb. 4: Luftbild des unter Naturschutz stehenden Schachenhorns mit der ausgedehnten Flachwasserzone bei winterlichem Tiefstand des Seespiegels. Die frühbronzezeitlichen Siedlungen von Bodman-Schachen I befinden sich im Flachwasserbereich unweit der heutigen Halde an der Spitze der alten Deltaschüttung der Stockacher Aach (Bildmitte). Blick von Nordwesten. Foto: H. Schlichtherle.

Süßwassermolasse sind insgesamt bis zu mehreren hundert Metern mächtig. Sie stehen aufgrund postglazialer Erosion nördlich und südlich des Grabungsortes an den seewärtigen Abhängen des Stockacher Berglandes bzw. in dem nordwestlichen Teil des Bodanrück und den Homburger Höhen an. Zu Beginn des Pleistozäns bildeten die Molasseschichten eine mehr oder weniger gleichförmige Ebene von rund 900 m Höhe, die in den nachfolgenden Eiszeiten durch glaziale und fluviatile Einwirkungen stark umgeformt wurde. Ältere glaziale Deckenschotter aus Nagelfluh der Günz- und vor allem der Mindel-Vereisung finden sich nur an wenigen Stellen im Nordwestteil des Bodanrück und am Sipplinger Berg (Abb. 5). Die Oberfläche dieser Deckenschotter war ursprünglich sehr reliefarm. Erst die Schmelzwasser des mindelzeitlichen Rheingletschers entwässerten nicht mehr nach Norden zur Donau, sondern nach Westen und schufen so eine neue, tiefe Erosionsrinne. Diese lenkte die erneuten Vorstöße des Rheingletschers und seine Schmelzwasser während des Riß-Glazials stark nach Westen ab und kann somit als „Grundstein" der heutigen Bodenseelandschaft angesehen werden. Die nachfolgenden Gletschervorstöße der Würm-Eiszeit mussten die vorgegebenen Abflussrichtungen des Eises in vorwiegend südost-nordwestlicher Richtung benutzen, der Hauptausrichtung des heutigen Bodenseebeckens.

Das Untersuchungsgebiet liegt innerhalb des maximalen würmzeitlichen Eisvorstoßes, dem Schaffhausener Stadium, und an der äußeren Grenze der inneren Jungendmoräne, dem Singener Stadium. Die feinen morphologischen Züge des nordwestlichen Bodenseegebietes gehen somit im Wesentlichen auf glaziale und fluviatile Vorgänge der letzten Eiszeit sowie auf holozäne Bildungen zurück. Den größten Teil der anstehenden würmglazialen Sedimente bestreiten die Geschiebemergel der Grundmoräne, allerdings nur mit geringer Bedeckung der Molasse. Sie finden sich vorwiegend auf den umgebenden Erhebungen des Stockacher Berglandes, des Bodanrück und der Homburger Höhen oberhalb der freierodierten Molasseabhänge, den so genannten „Molasse-Fenstern" (Werner 1964). Entlang der Hangfüße gibt es heute zum Teil ausgedehnte zusammenhängende Girlanden von holozänen Abschlämmmassen aus feinsandig-lehmigem

Material der anstehenden Grundmoräne und Molasse. Der Bereich des Überlinger Sees und seiner ehemaligen Verlängerung, der verlandeten Espasinger Niederung, wurde während einem weiteren Rückzugsstadium des Eises, dem Konstanzer Stadium, von einem großen Schmelzwasserstausee eingenommen. Mächtige Beckentonablagerungen konnten so die anstehenden Schichten der Unteren Süßwassermolasse überdecken. Darüber befinden sich ebenfalls mächtige spät- und postglaziale Schotterlagen aus Kiesen und Sanden der Stockacher Aach, die ihrerseits von holozänen Tallehmen und Abschlämmmassen überlagert werden.

In einem Streifen längs des Seeendes werden die fluviatilen Sedimente im Bereich des Mündungsgebietes der einstigen und jetzigen Stockacher Aach seewärts teilweise von einer ein bis zwei Meter mächtigen Seekreideschicht mit sandiger Unterlage überdeckt. Auf diesem Untergrund wurden die frühbronzezeitlichen Siedlungen Bodman-Schachen I erbaut. Der seewärtige Siedlungsbereich liegt im Bereich der Seekreideschicht, der landwärtige Bereich wurde auf fluviatilem Untergrund gegründet (Beitrag Köninger S. 39).

Böden

Das Gebiet von Bodman-Schachen gehört wie der gesamte Bodenseeraum im weiteren Sinn zum pleistozän geprägten nördlichen Alpenvorland. Hier haben die Ablagerungen der aufeinander folgenden Vorstöße des Rheingletschers selbst resp. deren Schmelzwasser die Landoberfläche nahezu vollständig überdeckt und hierdurch die Bodendifferenzierung und -entwicklung nachhaltig beeinflusst. Das gesamte nordwestliche Bodenseegebiet wurde von den Würm-Gletschern überfahren (s.o.). Die Bodenbildung beginnt somit in diesem Raum mehr oder weniger zeitgleich im Alleröd, vor ca. 12 000 Jahren. Werner (1964) spricht von einer südlichen Bodenzone des südwestdeutschen Alpenvorlandes, die das Jungmoränengebiet umfasst und mit der äußersten Würm-Vereisungsgrenze zur nördlichen Bodenzone des Riß-Würm-Interglazials hin abschließt. Die homogene südliche Bodenzone ist durch die Parabraunerden geringer Entkalkungstiefe charakterisiert. In der nördlichen Bodenzone sind ältere Böden, wie Parabraunerden großer Entkalkungstiefe und sekundäre Pseudogleye, mit jüngeren Böden vergesellschaftet.

Abb. 5: Naturräumliche Gliederung des westlichen Bodenseegebietes. ● = Lage der frühbronzezeitlichen Seeufersiedlungen von Bodman-Schachen I. Aus Lang (1973).

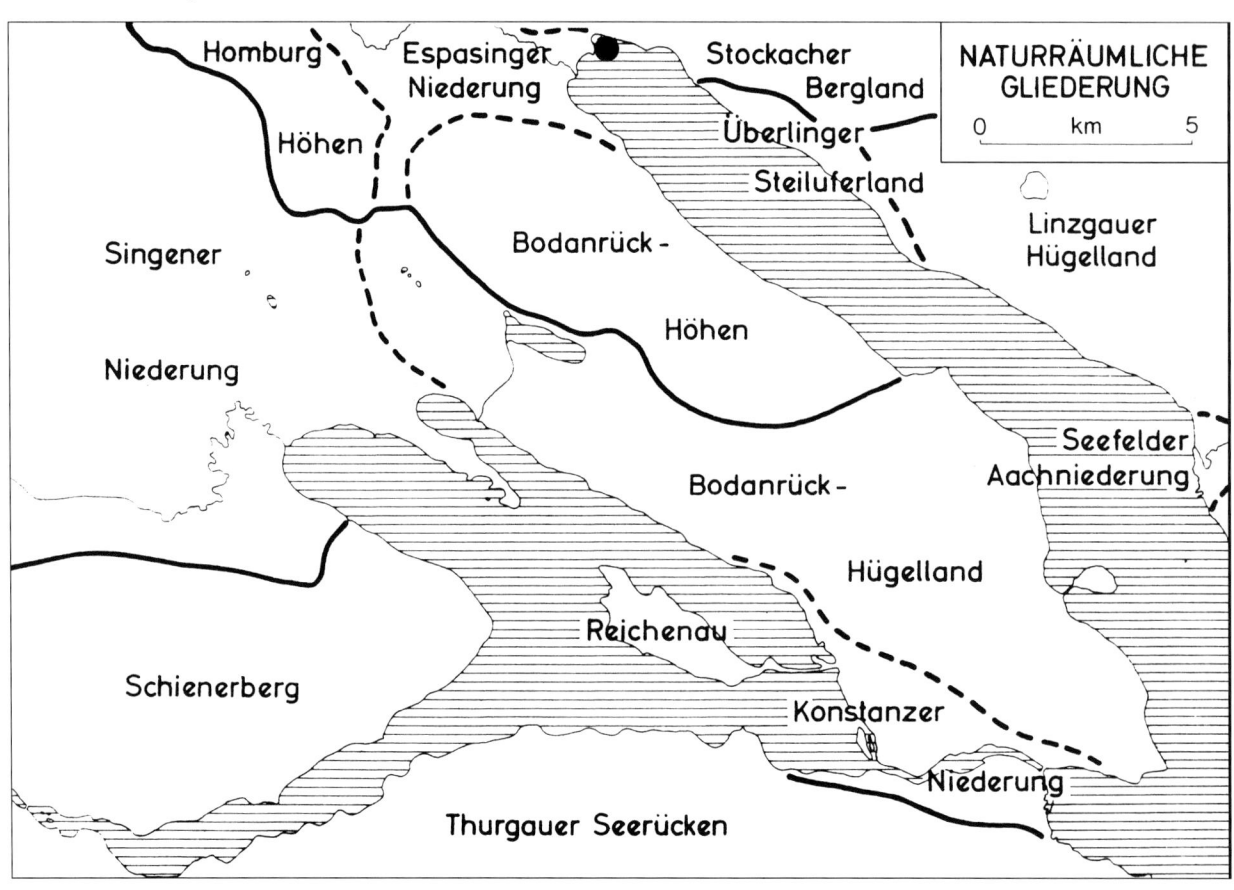

Neben relativ geringen Klimaunterschieden sind im Gebiet bei kleinräumiger Betrachtung vornehmlich das Ausgangsgestein und das starke Relief von ausschlaggebender Bedeutung für die Bodendifferenzierung gewesen. Auf die verschiedenen Bodentypen der näheren Umgebung von Bodman-Schachen soll im Folgenden kurz eingegangen werden. Die mineralischen Böden des nordwestlichen Bodenseeraumes haben ein kalkhaltiges, meist sogar ein kalkreiches Muttergestein und sind aufgrund des erheblichen Reliefs wenig entkarbonatisiert. Vorherrschend im Gebiet sind in schwach geneigten und ebenen Lagen die Parabraunerden geringer Entkalkungstiefe und die flachgründigen Parabraunerden. Sie bilden sich auf den weit verbreiteten würmzeitlichen Geschiebemergeln mittlerer Korngrößenzusammensetzung, Letztere vor allem in exponierten Lagen auf kiesreichen Würm-Schottern und Endmoränen. Parabraunerden großer Entkalkungstiefe sind in erster Linie an die Molassesande des südlichen Bodanrück und des Linzgauer Hügellandes gebunden (vgl. Abb. 1 u. 5). Sie beschränken sich im Wesentlichen auf die dortigen Drumlinfelder der würmzeitlichen Grundmoränen.

An Steilhängen der grabungsnahen Berge konnten sich die ausgebildeten Pararendzinen bis heute meist noch nicht zu Parabraunerden weiterentwickeln. Erstere sind häufig vergesellschaftet mit Hangbraunerden – Übergangsstadium zwischen Pararendzina und Parabraunerde in etwas weniger geneigtem Gelände – eines geringen Lessivierungsgrades. Sie sind auch in den Hangbereichen der Abschlämmmassen anzutreffen. Typische Gesteinsrohböden, die Syroseme, sind nur kleinflächig an den Felswänden des Molassesandsteins ausgebildet. Primäre Ton-Pseudogleye finden sich auf Molassemergeln der Abschlämmmassen in ebenen Lagen entlang der Hangfüße (s.o.). Aus Altersgründen fehlen dagegen die sekundären Pseudogleye in der Jungmoränenlandschaft.

In der weiten Espasinger Niederung sind entsprechend dem unterschiedlichen Grundwassereinfluss verschiedene Bodentypen ausgebildet. Bei guter Drainage auf Schottern und Sanden ist stellenweise eine Vega (Auen-Braunerde) vorzufinden. Großflächiger dagegen sind die verschiedenen mineralischen Gleyböden auf den holozänen Tallehmen (s.o.). Übergänge vom typischen Gley über den Nass- und Anmoor- bis zum Moorgley sind vorhanden. Im seenahen „Großen Ried" sind beispielsweise stark humose Böden und torfähnliche Humusanreicherungen anzutreffen. Echte Torfvorkommen gibt es nur weiter landeinwärts in der Nähe von Wahlwies.

Dem Festland vorgelagert ist die Uferzone bzw. das „Litoral", dessen Grenze zum benachbarten „Profundal" nach Ruttner (1962) durch die Tiefengrenze des Vorkommens von Makrophyten charakterisiert ist (vgl. Abb. 3). In diesem Seebereich sind entsprechend ihrem Gehalt an organischen Stoffen verschiedene subhydrische Böden ausgebildet, wie das Protopedon, die Gyttja und das Sapropel.

1.5 Das heutige Klima im nordwestlichen Bodenseegebiet

Die tiefe Beckenlage des Bodensees am nördlichen Alpenrand und seine beträchtlichen Wassermassen beeinflussen das Klima des Untersuchungsraumes nachhaltig. Aus dieser besonderen naturräumlichen Situation ergeben sich bodensee- und ortstypische Klimaverhältnisse, die sich von denen benachbarter Regionen deutlich unterscheiden. Im Folgenden wird das Klima des nordwestlichen Bodenseegebietes näher beleuchtet, um die prägenden klimatischen Einflüsse auf die seenahen Vegetationseinheiten besser zu verstehen. Wichtige Arbeitsgrundlagen für die Zusammenstellung der klimatischen Gegebenheiten im Bodenseeraum und des Grabungsortes waren unter anderem der Klimaatlas von Baden-Württemberg (Deutscher Wetterdienst 1953), die Arbeit von Gutermann (1982) sowie die vegetationskundliche Gebietsmonographie von Lang (1973).

Lufttemperaturen

Die seenahen Regionen des Bodenseegebietes sind hinsichtlich den Lufttemperaturen gegenüber den Nachbarlandschaften vergleichbarer Meereshöhe begünstigt. Dies drückt sich zum einen in den mittleren Jahrestemperaturen aus, die beispielsweise in dem grabungsnahen Überlingen am See bei 8,8 °C im Mittel liegen, im Hinterland dagegen zwischen 8,0 und 8,3 °C schwanken. Zum anderen sinkt das Thermometer an weniger als 100 Tagen unter 0 °C. So weisen Überlingen und Konstanz mit 267 bzw. 277 frostfreien Tagen deutlich weniger Eis- und Frosttage auf als seefernere Orte. Die ausgleichende Wirkung des Wasserkörpers führt in seenahen Bereichen zu relativ niedrigen mittleren Jahresschwankungen der Lufttemperatur. Man spricht von einem „maritim getönten kontinentalen Klima" des Bodenseegebietes. Im Frühjahr hinkt die Temperatur der Seeoberfläche der Lufttemperatur hinterher und verhindert eine rasche Erwärmung der Luftmassen. Dies zeigt sich unter anderem an einer verzögerten Vegetationsentwicklung, die ihrerseits eine Verminderung von Spätfrostschäden zur Folge hat. Die langsame Abkühlung der Seeoberfläche führt in den Herbst- und Wintermonaten dagegen zu einer gewissen „Aufheizung" der seenahen Luftschichten. Unterstützt wird dieser Vorgang durch die in diesen Monaten häufigen Nebel- und Hochnebelbildungen, die die nächtliche Ausstrahlung und damit die Frostgefahr für die Pflanzendecke vermindern.

Eisbildung und Seezirkulation
Am fjordartig eingeschnittenen Überlinger See kommt es aufgrund des großen Volumens des Obersees nur sehr selten zu einer starken Abkühlung der oberen Wasserschichten und zur Eisbildung. Die Folge ist eine einmalige Zirkulation der gesamten Wassermassen in den Wintermonaten. Der Bodensee resp. der Obersee im weiteren Sinn gehört somit zu dem „warm monomiktischen Zirkulationstyp" von Seen und ist zugleich der nördlichste See dieses subtropischen Typus (Schwoerbel 1984). Andere Verhältnisse liegen zumindest in einzelnen Seeteilen des Untersees im weiteren Sinn vor. Die deutlich geringeren Wassertiefen – größte Tiefe 46 m im Vergleich zum 147 m tiefen Überlinger See – bedingen hier häufig eine Eisbildung, der eine Vollzirkulation der Wassermassen im Herbst vorausgeht und eine Zweite im Frühjahr folgt (Lang 1973). Demzufolge ist der Überlinger See bzw. der Obersee im weiteren Sinn im Winterhalbjahr ein größerer Wärmespender als der Untersee.

Niederschläge
Die Niederschlagsverhältnisse des tief in die umgebende Hochebene von Schwarzwald, Jura und Alpen eingebetteten Seebeckens werden entscheidend von den topographischen Gegebenheiten mitbestimmt. Die vorherrschend aus West bis Nord herangeführten Luftmassen werden an der Alpenkette gestaut und zum Aufsteigen gezwungen. Es erstaunt daher nicht, dass die mittleren jährlichen Niederschlagsmengen von 750 bis 800 mm in flachen Teilen des Untersuchungsgebietes auf Werte von 1200 bis 1600 mm im östlichen Bodenseebecken ansteigen. In den trockensten Monaten Februar und März fallen im Gebiet von Bodman-Schachen nur 30 bis 40 mm Niederschlag. Im Juni und Juli erreichen die monatlichen Niederschlagssummen Werte von 100 mm. Ausschlaggebend für diese stark differierenden Niederschlagsmengen sind die unterschiedlichen Häufigkeiten von Regen und Schnee und insbesondere deren Ergiebigkeit.

Windverhältnisse
Die häufigsten Windrichtungen im westlichen Bodenseegebiet sind Südwest und West, gefolgt von Nordost und Ost. Dies entspricht den allgemein vorherrschenden Windverhältnissen Mitteleuropas, das im Westwindgürtel der nördlichen Hemisphäre gelegen ist. Lokale Luftströmungen überlagern in Bodennähe die großräumigen Winde. So entsteht durch Druckunterschiede zwischen dem Land und der großen Seefläche ein Land-Seewind-System mit senkrecht zum Ufer verlaufenden Windrichtungen und mit tages- und jahreszeitlichem Rhythmus. Für Bodman-Schachen bedeutet dies vorwiegend westliche und östliche Winde. Das starke Uferrelief des Überlinger Sees sorgt außerdem für ausgeprägte periodische Hang-Talwinde. Am Schachenhorn ist entsprechend dem nördlich gelegenen Stockacher Bergland und dem Bodanrück im Süden mit zwei sich überlagernden Windsystemen zu rechnen. Tags weht der Wind nach Norden bzw. Süden die Berghänge aufwärts, nachts bläst der Bergwind jeweils in entgegengesetzter Richtung. Der Einfluss des Südföhns, eines warm-trockenen Fallwindes des nördlichen Alpenvorlandes, wirkt sich im Gebiet des Überlinger Sees vornehmlich durch verstärkten Wellengang aus.

2 Material und Methoden

2.1 Probenentnahme, Material und Untersuchungsmethoden

Die Arbeitsgrundlage der Makrorestanalyse bildeten sieben Flächenproben aus Schicht A (BSIA) (Kap. 3.1) und die Kulturschichtanteile der Profilsäule aus dem Nordprofil von Quadrat 62 (Kap. 2.2). Diese Proben wurden zusammen mit einem Pollenprofil während der Grabungskampagnen der Jahre 1982 bis 1986 unter Leitung des zuständigen Archäologen, Herrn J. Köninger, entnommen. Aufgrund der niedrigen Pegelstände des Bodensees und der geringen Trübung des Wassers während der Wintermonate war es vorteilhaft, die Unterwasserarbeiten in dieser Jahreszeit durchzuführen. Die verschiedenen Entnahmestellen sind der Abbildung 39 Nr. 8 im Beitrag von Köninger (S. 56) zu entnehmen.

In Zusammenarbeit mit J. Köninger wurde das Profil gereinigt, beschrieben und die Schichtgrenzen kenntlich gemacht (Abb. 6). Anschließend mussten doppelte Pollenproben von 1 cm³, dem Schichtenverlauf folgend, in möglichst kleinen Abständen genommen werden. Die Entnahmestellen sind der Abbildung 6 zu entnehmen. Die feucht verpackten Pollenproben wurden Frau Dr. H. Liese-Kleiber (Institut für Ur- und Frühgeschichte, Universität Freiburg) zur Analyse übergeben. Für die Bearbeitung der Großreste wurden die einzelnen Schichten sauber voneinander getrennt und in bodenfeuchtem Zustand in Plastiktüten aufbewahrt. Die Übergangsbereiche benachbarter Straten wurden gesondert verpackt, um Fehler bei der Auswertung durch Störungen im Schichtenverlauf bzw. durch Schichtverwirbelungen zu minimieren.

Die im Folgenden beschriebene Bearbeitungsweise der einzelnen Proben richtet sich weit gehend nach der Standardarbeitsanleitung für Makrorestanalysen im Rahmen des „Projektes Bodensee-Oberschwaben" (PBO).

Tabelle 1: Übersicht über die Messgrößen aller untersuchten Schicht- und Flächenproben (ausgenommen die Kleinproben Q22c und Q29–1029): Gewichte, Schütt- und Verdrängungsvolumina der unfraktionierten und fraktionierten Proben. Die Quotienten bei den Proben von Q62 geben jeweils den organischen/anorganischen Anteil der verschiedenen Parameter der einzelnen Fraktionen an.

Probenwerte Probennummer, Entnahmejahr	Proben-Meßgrößen, unfraktioniert			Proben-Fraktionen nach der Schlämmung (Angabe: mm-Maschenweite) Gewicht(g)/Schüttvolumen(ccm)/Verdrängungsvolumen(ccm) -Quotient $\frac{x}{y}$ = organischer/anorganischer Anteil bei Q62 Np-					Schlämmverlust (organ. + anorg. Partikel <0,20 mm) in g, in (%)
	Gewicht (g) bf/wg	Schüttvolumen (ccm) bf/wg	Verdrängungsvolumen (ccm) bf/wg	5,0 mm	2,5 mm	1,0 mm	0,315 mm	0,20 mm	
Schichtproben:									
Q 62/2 Np, 1986	215/325	180/300	250/300	25/30/21 $\frac{13/18/16}{12\ 12\ 5}$	7/10/7 $\frac{5/8/6}{2\ 2\ 1}$	17/18/17 $\frac{16/17/16}{1\ 1\ 1}$	44/40/40 $\frac{38/36/36}{6\ 4\ 4}$	18/17/17 $\frac{12/13/13}{6\ 4\ 4}$	214/185/198 (65,8)/(61,7)/(66,0)
Q 62/4 Np, 1986	234/290	150/240	160/240	14/20/12 $\frac{12/18/11}{2\ 2\ 1}$	4/5/4 $\frac{2/3/3}{2\ 2\ 1}$	16/17/14 $\frac{10/13/11}{6\ 4\ 3}$	20/17/17 $\frac{10/10/10}{10\ 7\ 7}$	15/12/12 $\frac{3/4/4}{12\ 8\ 8}$	221/169/181 (76,2)/(70,4)/(75,4)
Q 62/6 Np, 1986	635/770	500/620	480/560	75/150/70 $\frac{39/125/58}{36\ 25\ 12}$	15/23/14 $\frac{12/20/13}{3\ 3\ 1}$	25/27/25 $\frac{19/21/20}{6\ 6\ 5}$	55/50/50 $\frac{32/33/33}{23\ 17\ 17}$	37/30/30 $\frac{12/13/13}{25\ 17\ 17}$	563/340/371 (73,1)/(54,8)/(66,3)
*Flächenproben:									
Q 56-1014, 1984	225/275	550/610	200/280	250/570/260	15/20/9	6/9/7	3/3/3	1/1/1	Schlämmverluste nicht berechenbar, da Proben auf der Grabung mit einem 2,5-/1,0 mm-Sieb vorgeschlämmt worden waren.
Q 64-1002, 1984	275/295	300/360	260/290	2/4/2	195/260/190	70/70/70	18/18/18	5/5/5	
Q 64-1003, 1984	427/550	1050/1200	420/600	510/1050/555	25/30/25	9/12/11	4/4/4	1/1/1	
Q 64-1004, 1984	185/265	320/360	190/260	–	215/300/220	40/45/30	6/6/6	1/1/1	
Q 64-1016, 1984	252/330	600/615	160/285	315/600/270	5/7/5	3/3/3	2/2/2	1/1/1	

* Flächenproben, die aufgrund ihrer gezielten Entnahme und der Vorschlämmung auf der Grabung mit einem 2,5- oder 1,0-Millimeter-Sieb nur geringe Anteile an feinem Material aufweisen.
bf bodenfeuchte Probe
wg wassergesättigte Probe

Gewichte, Schütt- und Verdrängungsvolumina wurden von allen drei untersuchten Kulturschichtproben in bodenfeuchtem und wassergesättigtem Zustand bestimmt (Tab. 1). Nach der Zugabe von Wasser reichten wenige Stunden aus, um das Probenmaterial in Suspension zu bringen. Zum Schlämmen des aufbereiteten Materials diente ein fünfteiliger Siebsatz mit Maschenweiten von 5,0/2,5/1,0/0,315/0,20 mm. Die Verwendung eines sehr feinen Siebes von 0,20 mm Maschenweite erschwert den Schlämmprozess, ermöglicht aber eine Anreicherung von kleinen Sämereien (s. Tab. 16). Probeschlämmungen hatten im Vorfeld gezeigt, dass beispielsweise annähernd 90% der Juncussamen bei einem 0,315-Millimeter-Sieb als feinste Fraktion für die Bearbeitung verloren gehen; bei einem 0,25-Millimeter-Sieb sind es zwischen 10 und 20% gewesen! Die jeweilige Probe wurde vorsichtig auf dem obersten Sieb ausgebreitet und die prozentualen Anteile der zwölf verschiedenen Materialklassen geschätzt (Kap. 2.3; Tab. 2).

Im Anschluss an die Nassschlämmung wurden die verschiedenen Siebfraktionen durch Verlesen (5,0-Millimeter-Fraktion) bzw. mehrmaliges Dekantieren (sämtliche feineren Fraktionen) in ihre mineralischen und organischen Anteile aufgetrennt. Dies bringt eine erhebliche Erleichterung bei der Durchsicht einer Fraktion und der Bewertung ihrer Zusammensetzung. Ersatzweises Zentrifugieren bei angemessenen Umdrehungsgeschwindigkeiten erbrachten keine besseren Resultate. Von jeder Fraktion sind jeweils die Gewichte und Volumina ihrer mineralischen und organischen Komponenten festgehalten worden (Tab. 1).

Das Auslesen der bestimmbaren botanischen und zoologischen Reste erfolgte mit Hilfe einer Stereolupe Zeiss 475 002 (Vergrößerung: 10-/16-/40fach). Hierzu wurden jeweils kleine Mengen einer Fraktion in einer weißen Wanne in Suspension gebracht und in Bahnen systematisch durchgemustert. Die Fraktionen 5,0/2,5/1,0 mm wurden immer vollständig durchgesehen. Dem organischen Anteil der beiden feineren Fraktionen sind entsprechend seinem Volumen jeweils unterschiedliche, aber vergleichbare Quanten zur Analyse entnommen worden. Die anorganischen Anteile aller Fraktionen wurden stets auf eventuell vorhandene botanische Makroreste überprüft. Bei der Determination der vorwiegend leeren, das heißt, nur aus der Samenschale oder der Fruchtwand bestehenden Sämereien und weiterer Pflanzenreste (keine bestimmbaren Holz- und Holzkohlebruchstücke) ist jeweils die dazugehörige Fraktion notiert worden (s. Tab. 16). So sind quantitative Aussagen über die Zusammensetzung der Fraktionen und Hochrechnungen der Fundzahlen auf 1000 cm^3 Schüttvolumen möglich (Tab. 18). Zur Bestimmung wurden im Wesentlichen folgende Publikationen verwendet: Bertsch 1941 und Heinisch 1955 sowie insbesondere Beijerinck 1976 und Körber-Grohne 1964. Grundlegendes Hilfsmittel war die umfangreiche Vergleichssammlung rezenter und subfossiler sowie verkohlter Samen und Früchte und weiterer Pflanzenreste.

Die bestimmbaren Pflanzenreste wurden im feuchten Zustand vermessen – bei entsprechender Fundmenge in der Regel zehn Exemplare pro Spezies –, beschrieben und zum Teil abgebildet (Kap. 3.4.2; Fototafeln). Hierfür standen neben der oben angeführten Stereolupe ein Auflichtmikroskop von Leitz (Vergrößerung 110fach), ein Fotomikroskop II von Zeiss (Vergrößerung: 25-/63-/100-/250-/400fach) und ein Fotomakroskop Wild M 400 (Vergrößerung: 6,3- bis 32fach) zur Verfügung. Zur Messung diente ein Okularmikrometer-Maßstab mit einer Genauigkeit von 5/100 mm im makroskopischen Bereich und 1/100 mm im Mikrobereich. Bei sehr großen Objekten wie den Steinkernen der Schlehe wurde eine einfache Schublehre mit einer Ablesegenauigkeit von 1/10 mm gewählt. Ein geeignetes Filmmaterial mit geringer Körnigkeit ist der Schwarzweiß-Negativfilm Agfapan 25.

Da ein Pilzbefall der in Leitungswasser aufbewahrten Pflanzenreste nur bei wenigen Taxa zu erkennen war, wurde nur bei Bedarf etwas Alkohol zugegeben. Erst im Anschluss an die Bearbeitung wurden die Reste in eine Konservierungslösung aus Alkohol, Glycerin und destilliertem Wasser im Verhältnis 1:1:1 überführt. Ein Zusatz von dem Fungizid Thymol verhindert das Pilzwachstum. Die Zugabe weniger Tropfen Thymianöl bzw. von zehnprozentiger Formalinlösung zur Konservierung der unbestimmten Pflanzenreste erwies sich für die Bearbeitung als nachteilig.

Die vornehmlich an verkohlten Getreidekörnern und Holzkohlestückchen reichen Flächenproben waren bereits von der Grabungsequipe vorgeschlämmt worden (Kap. 3.1). Die Determination beschränkte sich auf die verkohlten Getreidereste und die unverkohlten Sämereien, die vereinzelt in den Fraktionen 1,0 mm und 0,315 mm zu finden waren (Tab. 3; 6; 17). Holzkohle wurde nicht bestimmt. Aussagen über die prozentualen Anteile der einzelnen Getreidearten sind nur bedingt möglich, da bei den Grabungsarbeiten ein 2,5-Millimeter-Sieb verwendet wurde und vermutlich kleine Körner und Spelzenbasen verloren gegangen sind. Die verkohlten Pflanzenreste wurden in getrocknetem Zustand bearbeitet und aufbewahrt.

Eine Bestimmung der in großen Stückzahlen ausgelesenen Schnecken- und Muschelschalen sowie der anderen zoologischen Belege konnte im Rahmen der vorliegenden Diplomarbeit nicht erfolgen. Diese Fundobjekte werden für spätere Bearbeitungen in kleinen Plastikkästen mit Fächern aufbewahrt. Lediglich Flottoblasten von *Cristatella mucedo*, einer limnischen Moostierchenart, wurden bestimmt und fotografiert (Taf. 8,7).

2.2 Herkunft und Beschreibung der bearbeiteten Profilsäule Q 62 Np

Die im Folgenden beschriebene Profilsäule (Abb. 6) wurde bei den Unterwasserarbeiten 1986 aus dem Nordprofil (Np) des Planquadrates 62 (Q 62) am Stück entnommen (Beitrag Köninger S. 56 Abb. 39 Nr. 8) und im Magazin von Hemmenhofen am Bodensee zwischengelagert. Zur Probenentnahme diente ein steilwandiger Plastikblumenkasten (Kantenlänge: 57 cm × 16 cm × 15 cm). Planquadrat Q62 befindet sich im peripheren Bereich des nördlichen Siedlungsareals von Bodman-Schachen I, welcher durch die zum offenen Wasser hin abfallenden Schichtpakete charakterisiert ist. Die Entnahmestelle richtete sich in erster Linie nach dem Vorhandensein einer gut erkennbaren dreischichtigen Stratigraphie (BSI A–C) und nach ihrer Zugänglichkeit durch die Tauchmannschaft. Für die botanische Bearbeitung war außerdem das feuchte Milieu bzw. die ständige Wasserbedeckung der Sedimente seit ihrer Ablagerung von Bedeutung.

Beschreibung der Befunde von der Profilsäule Q 62 Np (Abb. 6)
Befund: Bei archäologischen Untersuchungen verwendeter Begriff für die verschiedenen Boden- bzw. Sedimentschichten, die sich optisch und meist auch in ihrer Zusammensetzung voneinander abgrenzen lassen.

Von unten (Bef. 8) nach oben (Bef. 1) ist folgende Stratigraphie zu erkennen:

Bef. 1: Hangende Seekreide über BSIC; vermutlich verunreinigt, daher keine Probenentnahme erfolgt.
Bef. 2*: Detritus, etwas sandhaltig, teilweise lessiviert (= BSIC, obere Kulturschicht). Entspricht bearbeiteter Probe Q62/2.
Bef. 3: Weißgraue Seekreide, etwas sandig.
Bef. 4b: Verbraunte Seekreide, etwas lehmig (= oberer Teil von BSIB). Getrennt von Bef. 4a als Probe 3/4 entnommen; wohl fluviatiler Einfluss vorhanden.

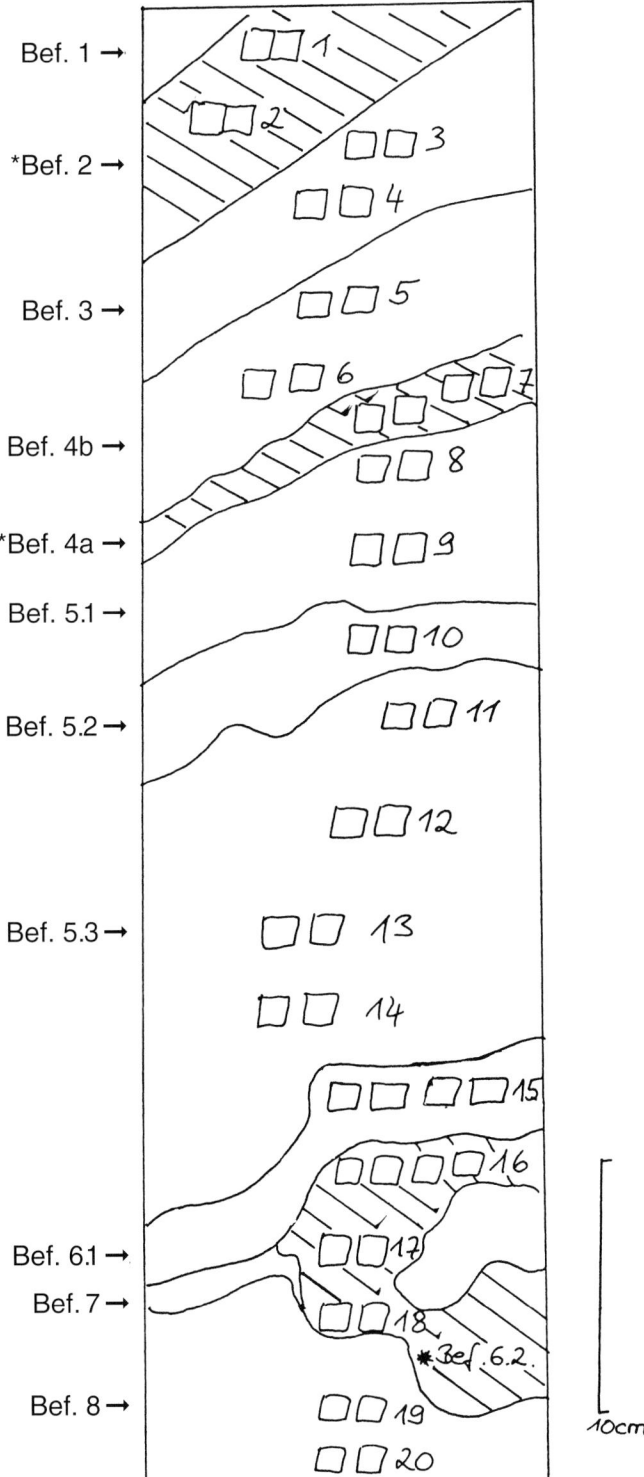

Abb. 6: Profilsäule Q 62 Np im bodenfrischen Zustand. Angegeben sind die einzelnen Schichten („Bef." = Befund) und die Entnahmestellen der doppelten Pollenproben (Nr. 1–20). M. 1:3.

✱ Das Material dieses Befunds wurde makrorestanalytisch bearbeitet.

▢▢ Entnommene doppelte Pollenproben (1 cm³ pro Probe).

Bef. 4a*: Fester Detritus, faserig (= Basis von BSIB, mittlere Kulturschicht). Entspricht bearbeiteter Probe Q62/4.
Bef. 5.1: Weißgraue Seekreide, fett schmierend.
Bef. 5.2: Brauner Lehm, sandig, mit organischen Flittern (Rinde, Ästchen, Holzbruchstücke, Radizellen, Rhizome etc.). Als „Zeigerband" im gesamten kulturschichtführenden Bereich zwischen Bef. 6 und Bef. 4 vorhanden; wohl fluviatile Ablagerung.
Bef. 5.3: Weiße Seekreide, fett schmierend.
Bef. 6.1: Brauner Lehm, etwas sandig, mit einzelnen Holzkohlestückchen; wohl fluviatile Überdeckung von BSIA.
Bef. 6.2*: Holzkohle und Getreide in lehmiger Matrix (= BSIA, untere Kulturschicht). Entspricht bearbeiteter Probe Q62/6.
Bef. 7: Graue Seekreide, lehmig, schmierend.
Bef. 8: Brauner Lehm, seekreidehaltig. An der Basis der Stratigraphie im nördlichen Teil der Siedlung anzutreffen; wohl Flusslehm.

* = Das Material der Befunde 6.2, 4a und 2 wurde bei der Makrorestanalyse bearbeitet und entsprechend mit den Probennummern Q62/6, Q62/4 und Q62/2 versehen.

2.3 Die Materialklassenschätzung: Begriff, Bedeutung und Aussagekraft

Bevor eine Probe nass geschlämmt wird, gibt man sie in wassergesättigtem Zustand auf das gröbste Sieb (5,0 mm Maschenweite) der Fraktionierkolonne. Durch vorsichtiges Ausbreiten des Probenmaterials lassen sich seine Bestandteile mehr oder weniger deutlich erkennen. Die anschließende Schätzung der prozentualen Anteile der zwölf voneinander unterschiedenen Materialklassen am Gesamtvolumen wird in einem Formblatt eingetragen. „Materialklasse" bedeutet hier die Zusammenfassung bestimmter organischer und anorganischer Probenanteile wie Sämereien, Radizellen und Rhizome einerseits sowie Schnecken- und Muschelschalen und Feindetritus etc. andererseits zu verschiedenen Gruppen (Tab. 2). Diese Schätzung erfolgt in Anlehnung an die archäologische Materialklassen-

Tabelle 2: Materialklassenschätzung der unfraktionierten Schicht- und Flächenproben (ausgenommen die Kleinproben Q22c und Q29–1029) nach einer siebenstufigen Skala. Die Quotienten von Gewichten und Volumina der wassergesättigten (wg) Proben sind weitere Indikatoren ihrer stofflichen Zusammensetzung.

Materialklasse	Schichtproben			*Flächenproben					Bewertungsschema	
	Q62/2 Np	Q62/4 Np	Q62/6 Np	Q56-1014	Q64-1002	Q64-1003	Q64-1004	Q64-1016	Stufe	Volumenanteil, geschätzt
Holzkohle	+	+	2	5	2	5	2	5	−	nicht nachzuweisen
Holz, Reiser, (Rinde) unvk	1	2	2	2	−	+	+	+	+	Spuren vorhanden
Getreide-Körner, (-Spelzen) vk	+	+	1	1	5	2	5	1	1	<5%, aber zahlreich
Samen, Früchte unvk	1	1	1	+	1	1	1	+	2	5–25%
Moose, (Blätter) unvk	−	+	+	−	+	−	−	−	3	25–50%
Radizellen, Rhizome unvk	2	1	+	−	1	+	+	+	4	50–75%
									5	>75%
Schnecken-, (Muschel-)Schalen	2	2	1	+	1	+	2	1		
Köcher v. Köcherfliegenlarven	+	+	−	−	−	−	+	−		
Knochensplitter, (Fischschuppen)	+	−	+	+	+	−	−	−		
Scherben	+	1	+	−	−	−	−	2		
sonstiger mineral. Anteil	3	3	3	+	+	+	+	+		
Feindetritus	3	3	2	+	+	+	+	+		
Gewicht wg/Verdräng. vol. wg	1,08	1,21	1,38	0,98	1,02	0,92	1,02	1,16		
Schütt- wg/Verdräng. vol. wg	1,00	1,00	1,11	2,18	1,24	2,00	1,38	2,16		

Legende zu nebenstehender Tabelle: Siebenstufige Skala der geschätzten Volumenanteile der 12 verschiedenen Materialklassen (in Anlehnung an BRAUN-BLANQUET 1964).

* Flächenproben, die aufgrund ihrer gezielten Entnahme und der Vorschlämmung auf der Grabung nur geringe Mengen an minerogenen Stoffen und Feindetritus aufweisen. Sie enthalten z.T. verkohlte Samen und Früchte – hier nicht gesondert aufgeführt – (vgl. Tab. 17).

wg wassergesättigte Probe
vk verkohlt
unvk unverkohlt

schätzung und richtet sich – in Anlehnung an Braun-Blanquet (1964) – nach einer siebenstufigen Skala („Bewertungsschema" Tab. 2).
Die Bedeutung der Materialklassenschätzung liegt in der Frühdiagnose der Probenzusammensetzung. Paläobotaniker und Archäologen können so eine Probe als holzkohle-, holz-, samen-, scherben- oder detritusreich resp. -arm einstufen und so Hinweise über ihre Herkunft bekommen. Unter Einbeziehung von Grabungs- und Fundplänen lassen sich Aussagen über den Sedimentationsort wie limnisch, fluviatil und terrestrisch (sandig, kiesig, torfig etc.) machen. Bei Siedlungsproben sind des Weiteren Brandschichten bzw. „unverkohlte" Siedlungsschichten, Herd- oder Küchenabfälle und Vorratslager voneinander unterscheidbar. Bei großem Probenaufkommen können Proben als „wichtig" oder „weniger wichtig" zur Holz-, Getreide-, Obststeinkern- oder Muschel- bzw. Schneckenschalenanreicherung eingestuft werden. Aussagen über Herkunft und Zusammensetzung einer Probe sind durch die Materialklassenschätzung oft leichter zu treffen als bei einer durch die Fraktionierung und Auslese „verschleierten" Probe.
Bei der vorliegenden Arbeit wurde trotz geringer Probenanzahl wie oben erläutert vorgegangen. Die erzielten Ergebnisse sind dadurch mit den Befunden anderer Feuchtbodensiedlungen des Projektes Bodensee-Oberschwaben direkt vergleichbar. Wie Tabelle 2 zeigt, unterscheiden sich die Schichtproben – wie erwartet – in ihrer Materialklassenzusammensetzung deutlich von den vorgeschlämmten getreidekornreichen Flächenproben der unteren Kulturschicht (Q62/6). Die prozentualen Anteile der verkohlten Hölzer und Getreidekörner am Gesamtvolumen liegen bei Letzteren im Gegensatz zu den Schichtproben weit über denen der mineralischen Komponenten. Entsprechende Ergebnisse liefern auch die Indizes Gewicht (G) wg/Verdrängungsvolumen (V) wg und Schüttvolumen (S) wg/Verdrängungsvolumen (V) wg. Diese wurden vom Autor probehalber eingeführt und haben sich zumindest für die vorliegende Bearbeitung als guter Indikator erwiesen. Die Indexwerte G/V der Schichtproben liegen aufgrund ihres hohen mineralischen Anteils deutlich über dem Wert 1,0, diejenigen der Flächenproben ihres hohen verkohlten organischen Anteils wegen knapp über bzw. unter dem Wert 1,0. Eine Ausnahme ist die scherbenreiche Probe Q64-1016. Vergleicht man die Indexwerte von S/V, so ergeben sich bei den untersuchten Proben weitaus größere Unterschiede als bei G/V.
Die aufgeführten Möglichkeiten der Charakterisierung von Proben anhand von Materialklassen und Indexwerten in einem frühen Untersuchungsstadium können nur eingeschränkt für diese Arbeit gelten. Wie sich die Ergebnisse bei anderen Feuchtboden- bzw. Trockenbodenproben verhalten, muss überprüft werden. Bei den Schichtproben liefert auch hier erst die genaue Analyse verlässliche Resultate über die Quantitäten der kleinen Sämereien. Die an Sämereien dreimal reichere Probe Q62/2 kann bei der Materialklassenschätzung in Bezug auf ihren Samen- und Fruchtgehalt nicht von den beiden anderen Proben Q62/4 und Q62/6 unterschieden werden (vgl. Tab. 18).

3 Ergebnisse

3.1 Die nachgewiesenen Kulturpflanzen unter besonderer Berücksichtigung der Getreidearten

3.1.1 Allgemeines

Insgesamt sind fünf Getreidearten und zwei Ölpflanzen in den untersuchten Proben bestimmt worden. Es sind dies die drei Spelzweizenarten Einkorn, Emmer und Dinkel, daneben der Nacktweizen (hier als Saatweizen im weitesten Sinne bezeichnet) und die Gerste sowie der Schlafmohn und der Saatlein (Tab. 15; 16). Die Fundzahlen in den drei Kulturschichtproben sind äußerst gering; nur in der ältesten Probe sind 162 verkohlte Getreidekörner gefunden worden. Für einen besseren Einblick in die Ernährungsweisen und den Ackerbau der frühbronzezeitlichen Seeufersiedler sind größere Fundmengen nötig. Aus diesem Grund wurden zusätzlich mehrere Flächenproben der unteren Kulturschicht ausgewertet, da nur in ihrer Brandschicht mit Ansammlungen von Getreideresten zu rechnen war. Die fünf Proben Q56-1014, Q64-1002 bis -1004 und Q64-1016 enthalten vorwiegend Holzkohlestücke und verkohlte Getreidekörner, die zum Teil zu Klumpen verbacken sind. Die geschätzte Zusammensetzung der Proben ist Tabelle 2 zu entnehmen.

Zur Bestimmung wurden sämtliche ausgelesene Getreidereste einer Flächenprobe herangezogen (Q56-1014; Q64-1016). Bei hohen Kornzahlen konnten nur begrenzte Mengen analysiert werden (Q64-1002 bis -1004). Die Determination der Getreidereste erfolgte mit Hilfe einer umfangreichen Vergleichssammlung von subfossilen und rezenten Körnern und Spelzenresten. Weiterhin fanden die Anleitung zur Bestimmung von prähistorischen Getreideresten (Jacomet 1987b) und die Arbeit von Körber-Grohne/Piening (1981) Verwendung.

Eine Auflistung aller bestimmten Getreidekörner zeigt Tabelle 3. Daneben wurden einige verkohlte Ährchengabeln und Hüllspelzenbasen aus den Flächenproben ausgelesen; sie sind zusammen mit den überwiegend unverkohlten Spelzenresten der Kulturschichtproben in Tabelle 6 aufgeführt. Vier verkohlte und vier unverkohlte Leinsamen in den Flächenproben runden das Kulturpflanzeninventar ab. In die Untersuchungen der Kulturpflanzen gehen insgesamt 1652 verkohlte Getreidekörner (und 1 unverkohltes Gerstenkorn), 385 verkohlte und unverkohlte Spelzenreste sowie 18 unverkohlte Samen des Schlafmohns, 6 unverkohlte und 4 verkohlte Leinsamen und 1 unverkohltes Kapselsegment des Saatleins mit ein. Erbsen, Linsen und Hirsearten können weder in unverkohltem noch in verkohltem Zustand nachgewiesen werden (vgl. Kap. 4.1). Die geringe Probenanzahl kann für ihr Fehlen ebenso ins Feld geführt werden wie ihre schlechte Erhaltungsfähigkeit in unverkohltem Zustand (vgl. Tab. 2).

Die Beschreibungen der unverkohlten Kulturpflanzenreste von Schlafmohn, Saatlein und Gerste sind zusammen mit den ebenfalls unverkohlten Wildpflanzenfunden im „Speziellen botanischen Teil" (Kap. 3.4) aufgeführt.

3.1.2 Besprechung der getreidekornreichen Flächenproben der unteren Kulturschicht und der Getreidereste

Sämtliche Flächenproben wurden bei der Grabungskampagne 1984 entnommen. Sie stammen alle aus der Brandschicht seewärtiger östlicher Planquadrate der unteren (ältesten) Kulturschicht Q62/6 (Beitrag Köninger S. 56 Abb. 39 Nr. 8). Während der Grabung wurden alle fünf Proben von der Grabungsmannschaft bereits mit einem Sieb von 2,5 mm bzw. 1,0 mm Maschenweite vorgeschlämmt. Die Anteile der Feinfraktionen 0,315 mm und 0,2 mm sowie der Schlämmverluste am Gesamtvolumen fallen im Labor bei der Nassschlämmung der Proben entsprechend niedrig aus (Tab. 1). Zu Vergleichszwecken der Flächenproben untereinander und mit den drei Kulturschichtproben wurden dennoch die Materialklassen geschätzt und in Tabelle 2 festgehalten. Für alle Flächenproben ergibt sich gemäß ihrer Herkunft ein vergleichsweise hoher Prozentsatz an Holzkohlestücken und/oder Getreidekörnern. Weitere verkohlte Sämereien gehören zur Gemeinen Hasel und zum Saatlein. Daneben konnten auch einige unverkohlte Sämereien ausgelesen werden, die in Tabelle 17 zusammengestellt sind. Die nachgewiesenen Arten finden in der „Liste der ökologischen Gruppen" (Tab. 15) ebenfalls Platz und gehen in die Besprechung der Wildpflanzen mit ein. Das Pflanzenspektrum der Kulturschichtproben

Tabelle 3: Übersicht über sämtliche bestimmten, verkohlten Getreidekörner (n = 1652) aller Fraktionen, aufgeschlüsselt nach Taxa und Einzelproben (n = 14). Angegeben sind die absoluten Fundmengen der verschiedenen Taxa sowie ihre prozentualen Anteile in Klammern, Mittelwert jeweils unterstrichen.

Einzelprobe	Fraktion (mm)	Kornanzahl (n)	100-Korn-Gewicht (g)	Einkorn	Einkorn/ Emmer	Emmer	Dinkel/ Emmer	Dinkel	Dinkel/ Saatweizen i.w.S.	Saatweizen i.w.S.	Weizen-Arten (nicht Saatweizen)	Weizen-Arten	Gerste
Q 56-1014	2,5	176	1,14	2 (1,1)	1 (0,6)	12 (6,8)	5 (2,8)	40 (22,7)	9 (5,1)	7 (4,0)	47 (26,7)	52 (29,6)	1 (0,6)
*Q 62/2	2,5	*1	-			*1							
*Q 62/4	2,5	*1	-							*1			
Q 62/6	2,5	162	0,65	1 (0,6)	2 (1,2)	13 (8,0)	7 (4,3)	40 (24,7)	3 (1,9)	5 (3,1)	37 (22,9)	54 (33,3)	**(1)
Q 64-1002a	2,5	200	0,82	1 (0,5)	5 (2,5)	9 (4,5)	13 (6,5)	37 (18,5)	1 (0,5)	-	87 (43,5)	47 (23,5)	-
Q 64-1002b	2,5	100	0,79	2 (2,0)	1 (1,0)	3 (3,0)	4 (4,0)	23 (23,0)	1 (1,0)	-	46 (46,0)	20 (20,0)	-
Q 64-1002c	2,5	100	0,79	2 (2,0)	1 (1,0)	5 (5,0)	4 (4,0)	25 (25,0)	2 (2,0)	-	42 (42,0)	19 (19,0)	-
Q 64-1002d	2,5	100	0,81	2 (2,0)	2 (2,0)	4 (4,0)	4 (4,0)	26 (26,0)	1 (1,0)	-	45 (45,0)	16 (16,0)	-
Q 64-1003a	2,5	100	0,93	-	-	2 (2,0)	7 (7,0)	24 (24,0)	-	-	44 (44,0)	23 (23,0)	-
Q 64-1003b	2,5	272	0,78	3 (1,1)	-	8 (2,9)	-	49 (18,0)	-	-	155 (57,0)	57 (21,0)	-
Q 64-1004	2,5	100	0,69	4 (4,0)	1 (1,0)	-	-	24 (24,0)	3 (3,0)	-	53 (53,0)	15 (15,0)	-
Q 64-1016	2,5	140	0,94	1 (0,7)	2 (1,4)	12 (8,6)	6 (4,3)	18 (12,9)	1 (0,7)	-	64 (45,7)	36 (25,7)	-
Q 64-1002	1,0	100	0,45	2 (2,0)	3 (3,0)	2 (2,0)	3 (3,0)	18 (18,0)	-	-	56 (56,0)	16 (16,0)	-
Q 64-1004	1,0	100	0,44	-	1 (1,0)	1 (1,0)	-	26 (26,0)	-	-	66 (66,0)	6 (6,0)	-
Probensumme (Fraktion) Q 56/Q 62/6 /Q 64 (ohne *Q 62/2, *Q 62/4)	2,5	1450 *(2) **(1)	0,83	18 (<u>1,4</u>: 0-4,0)	15 (<u>1,0</u>: 0-2,5)	68 (<u>4,7</u>: 0-8,6)	50 (<u>3,4</u>: 0-7,0)	306 (<u>21,1</u>: 12,9-26,0)	21 (<u>1,4</u>: 0-5,1)	12 (<u>0,8</u>: 0-4,0)	620 (<u>42,7</u>: 22,9-57,0)	339 (<u>23,4</u>: 15,0-33,3)	1 (<u>0,1</u>: 0-0,6)
Q 64-1002 /-1004	1,0	200	0,45	2 (<u>1,0</u>: 0/2,0)	4 (<u>2,0</u>: 1,0/3,0)	3 (<u>1,5</u>: 1,0/2,0)	3 (<u>1,5</u>: 0/3,0)	44 (<u>22,0</u>: 18,0/26,0)	-	-	122 (<u>61,0</u>: 56,0/66,0)	22 (<u>11,0</u>: 6,0/16,0)	-

* Proben gehen aufgrund ihrer Einzelfunde nicht in die Summenberechnungen ein.
** Einzelfund eines fragmentierten, unverkohlten Gerstenkornes, der nicht in der Summe enthalten ist.
Weitere Erläuterungen s.Text.

Tabelle 4: Übersicht über die qualitative Zusammensetzung von zehn verkohlten, verbackenen Getreideklümpchen unterschiedlicher Größe der Probe Q64–1003b. Prozentangaben in Klammern, Mittelwert unterstrichen (vgl. Tab. 3; 5). Weitere Erläuterungen s. Text.

Getreide-Klümpchen	Kornanzahl (n)	Einkorn	Emmer	Dinkel	Weizen-Arten (nicht Saatweizen i.w.S.)	Weizen-Arten
Nr. 1	16	2 (12,5)	-	4 (25,0)	9 (56,25)	1 (6,25)
Nr. 2	20	-	-	3 (15,0)	15 (75,0)	2 (10,0)
Nr. 3	15	-	1 (6,7)	4 (26,7)	8 (53,3)	2 (13,3)
Nr. 4	29	-	-	7 (24,1)	10 (34,5)	12 (41,4)
Nr. 5	16	-	-	3 (18,75)	11 (68,75)	2 (12,5)
Nr. 6	44	1 (2,3)	-	7 (15,9)	28 (63,6)	8 (18,2)
Nr. 7	51	-	2 (3,9)	9 (17,7)	30 (58,8)	10 (19,6)
Nr. 8	13	-	-	4 (30,8)	5 (38,4)	4 (30,8)
Nr. 9	36	-	3 (8,3)	6 (16,7)	19 (52,8)	8 (22,2)
Nr. 10	32	-	2 (6,25)	2 (6,25)	20 (62,5)	8 (25,0)
Summe	272	3 (1,1:0-12,5)	8 (2,9:0-8,3)	49 (18,0:6,25-30,8)	155 (57,0:34,5-75,0)	57 (21,0:6,25-41,4)

konnte so um neun Taxa erweitert werden. Im Folgenden werden die Flächenproben und die verkohlten Getreidereste besprochen.

Q56-1014

Die Körner liegen zumeist einzeln, daneben aber auch in kleinen Klümpchen von zwei bis sechs leicht voneinander trennbaren Körnern verschiedener Arten vor. Sie sind vergleichsweise wenig geschrumpft und gut erhalten, von bräunlich schwarzem Farbton und matt bis schwach metallisch glänzend. Das Endosperm ist wenig porös und schwarz (frische Bruchflächen), bei vorhandenen Bruchflächen des Mehlkörpers (Kornfragmente) hellbraun verascht. Die relativ großen Messwerte der Dinkel-, Emmer-, Einkorn- und Saatweizenkörner der Probe Q56-1014 sind den Tabellen 9–12 zu entnehmen. Das einzige nachgewiesene verkohlte Gerstenkorn stammt aus dieser Probe.

Die geringen Schrumpfungsprozesse und das wenig poröse Endosperm könnten auf vergleichsweise niedrigen Verkohlungstemperaturen beruhen. Diese

Tabelle 5: Tabellarische Übersicht über die prozentualen Anteile der einzelnen Spelzweizentaxa an der Gesamtmenge der bestimmbaren Spelzweizenkörner (n = 534). Die nicht näher bestimmbaren Weizenarten sind nicht berücksichtigt (vgl. Tab. 3). Weitere Erläuterungen s. Text.

Einzelprobe	Fraktion (mm)	bestimmbare Spelzweizenkörner (prozentualer Anteil an der Probe)	Einkorn	Einkorn/Emmer	Emmer	Dinkel/Emmer	Dinkel	Dinkel/Saatweizen i.w.S.
Q 56-1014	2,5	69 (39,2)	2,9	1,5	17,4	7,2	58,0	13,0
Q 62/6	2,5	66 (40,7)	1,5	3,0	19,7	10,6	60,6	4,6
Q 64-1002a	2,5	66 (33,0)	1,5	7,6	13,6	19,7	56,1	1,5
Q 64-1002b	2,5	34 (34,0)	5,9	2,9	8,8	11,8	67,7	2,9
Q 64-1002c	2,5	39 (39,0)	5,1	2,6	12,8	10,3	64,1	5,1
Q 64-1002d	2,5	39 (39,0)	5,1	5,1	10,3	10,3	66,7	2,5
Q 64-1003a	2,5	33 (33,0)	-	-	6,1	21,2	72,7	-
Q 64-1003b	2,5	60 (22,1)	5,0	-	13,3	-	81,7	-
Q 64-1004	2,5	32 (32,0)	12,5	3,1	-	-	75,0	9,4
Q 64-1016	2,5	40 (28,6)	2,5	5,0	30,0	15,0	45,0	2,5
Q 64-1002	1,0	28 (28,0)	7,1	10,7	7,1	10,7	64,4	-
Q 64-1004	1,0	28 (28,0)	-	3,6	3,6	-	92,8	-
Probensumme	2,5	478 (34,1: 22,1-40,7)	4,2(0-12,5)	3,1(0-7,6)	13,2(0-30,0)	10,6(0-21,2)	64,8(45,0-81,7)	4,1(0-13,0)
Probensumme	1,0	56 (28,0)	3,6(0/7,1)	7,2(3,6/10,7)	5,4(3,6/7,1)	5,4(0/10,7)	78,6(64,4/92,8)	-

Tabelle 6: Übersicht über sämtliche verkohlten und unverkohlten Spelzenreste (n = 385) aller Fraktionen, aufgeschlüsselt nach Taxa und Proben (n = 7). Der Übersichtlichkeit halber sind die Prozentwerte der einzelnen Taxa gesondert in Tabelle 7 aufgeführt. Weitere Erläuterungen s. Text.

Probe	Art der Reste	Einkorn vk	Einkorn unvk	Einkorn/Emmer vk	Einkorn/Emmer unvk	Emmer vk	Emmer unvk	Dinkel/Emmer vk	Dinkel/Emmer unvk	Dinkel vk	Dinkel unvk	Dinkel/Einkorn/Emmer vk	Dinkel/Einkorn/Emmer unvk	Summe der Taxa vk	Summe der Taxa unvk	Summe der Taxa (vk + unvk)	"gefundene Spelzenreste"
Q 56-1014	Hs										2			2	-	2	2
	Äg													-	-	-	
Q 62/2	Hs			2	13	3	11	2	21	4	30		66	11	141	152	173
	Äg				18			1	2					1	20	21	
Q 62/4	Hs				2		4	3			5		69	14	69	83	122
	Äg	1			1								37	2	37	39	
Q 62/6	Hs						1	12	4	16			16	5	44	49	66
	Äg				5	1	4		5		2			1	16	17	
Q 64-1002	Hs				4		2				1			7	-	7	19
	Äg	1			2		8		1					12	-	12	
Q 64 1004	Hs													-	-	-	2
	Äg				1				1					2	-	2	
Q 64-1016	Hs													-	-	-	1
	Äg				1									1	-	1	
Probensumme	Hs	-	-	8	13	9	11	6	33	16	46	-	151	39	254	293	385
	Äg	2	-	5	23	9	4	3	7	-	2	-	37	19	73	92	
Probensumme (Hs + Äg)		2	-	13	36	18	15	9	40	16	48	-	188	58	327	385	
"gefundene Spelzenreste"		2		49		33		49		64		188		385			

Hs Hüllspelzenbasen
Äg Ährchengabeln
vk verkohlt
unvk unverkohlt

Tabelle 7: Prozentuale Anteile der Hüllspelzenbasen (Hs) und Ährchengabeln (Äg) der einzelnen Taxa zueinander. Zugrunde gelegt sind die absoluten Fundzahlen der „Probensumme" von Tabelle 6. Verkohlte und unverkohlte Spelzenreste sind gesondert aufgeführt (vgl. Tab. 8).

Art der Reste	verkohlte Spelzenreste							unverkohlte Spelzenreste						
	Ei	Ei/Em	Em	Di/Em	Di	Di/Ei/Em	Summe	Ei	Ei/Em	Em	Di/Em	Di	Di/Ei/Em	Summe
Hs(%)	-	20,5	23,1	15,4	41,0	-	100,0	-	5,1	4,3	13,0	18,1	59,5	100,0
Äg(%)	10,5	26,3	47,4	15,8	-	-	100,0	-	31,5	5,5	9,6	2,7	50,7	100,0
Hs+Äg (%)	3,5	22,4	31,0	15,5	27,6	-	100,0	-	11,0	4,6	12,2	14,7	57,5	100,0

Tabelle 8: Prozentuale Anteile der Hüllspelzenbasen (Hs) und Ährchengabeln (Äg) an den gesamten Spelzenresten eines Taxons. Zugrunde gelegt sind die absoluten Fundzahlen der „Probensumme" von Tabelle 6. Der Quotient Hs/Äg veranschaulicht daneben die relative Häufigkeit von Hs und Äg zueinander. Verkohlte und unverkohlte Spelzenreste sind gesondert aufgeführt (vgl. Tab. 7).

Art der Reste	verkohlte Spelzenreste							unverkohlte Spelzenreste						
	Ei	Ei/Em	Em	Di/Em	Di	Di/Ei/Em	Summe der Taxa	Ei	Ei/Em	Em	Di/Em	Di	Di/Ei/Em	Summe der Taxa
Hs(%)	-	61,5	50,0	66,7	100	-	67,2	-	36,1	73,3	82,5	95,8	80,3	77,7
Äg (%)	100	38,5	50,0	33,3	-	-	32,8	-	63,9	26,7	17,5	4,2	19,7	22,3
Hs/Äg	-	1,6	1,0	2,0	-	-	2,1	-	0,6	2,8	4,7	23,0	4,1	3,5

bedingen einerseits geringe Einbußen der Längenmesswerte, andererseits erfolgt eine langsame Zersetzung der Stärke, wodurch genügend Zeit zur Diffusion des Wasserdampfes (Dehydratisierung der Stärke) gegeben ist; der Mehlkörper bleibt mehr oder weniger kompakt (Schlichtherle 1983). Die bräunliche Farbe des Perikarps und des Endosperms der Bruchflächen deutet nach Hopf (1975) – Beobachtungen bei Gerstenkörnern – auf einen mehr oder weniger guten Luftzutritt während des Brandes hin, der ein anfängliches Verkohlen der Körner in ein anschließendes Veraschen überleitet. Allerdings erwähnt die Autorin in diesem Zusammenhang hohe Temperaturen, die den oben angeführten Merkmalen zufolge nicht vorliegen konnten. Eventuell setzt eine Braunfärbung der Fruchtwand und der Bruchflächen des Mehlkörpers auch bei einer entsprechenden Kombination von niedrigen Temperaturen und guter Sauerstoffzufuhr ein. Die kleinen Kornklümpchen lassen sich leicht in Einzelkörner zerlegen, welche relativ selten flach gedrückt oder seitlich gequetscht sind. Es lassen sich daher „nur" ca. 56% der 176 Körner nicht näher bestimmen (Tab. 3). Das Vorliegen von grobkörnigen, leicht voneinander zu lösenden Klümpchen, deren Zwischenräume nicht durch eine feinkörnige Masse ausgefüllt sind, spricht für Vorratsfunde von Getreide, die dem Brand zum Opfer gefallen sind. – Auch die Artenmischungen können entsprechend interpretiert werden. – Entsprechende Feststellungen bei neolithischen Gefäßinhalten macht Schlichtherle (1983).

Q62/6

Es ist die einzige Kulturschichtprobe mit einer großen Anzahl von 162 verkohlten Getreidekörnern – zusätzlich liegt ein unverkohltes Fragment eines Gerstenkornes vor (Kap. 3.4.2; Taf. 15,5–6). Daneben gehören 6 verkohlte und 60 unverkohlte Spelzenreste hierher (Tab. 6). Auch die anderen beiden Kulturschichtproben enthalten, wie Tabelle 6 zeigt, große Mengen an vornehmlich unverkohlten Spelzenresten.

Die Körner zeigen starke Längeneinbußen (Tab. 9; 12), besitzen eine schwarze, metallisch glänzende Oberfläche und liegen stets unverklumpt vor; Kornfragmente sind häufig. Die Hitzeeinwirkung war vermutlich hoch und fand unter geringem Luftzutritt statt. Hinweise hierfür liefert auch das niedrige 100-Korn-Gewicht von 0,65 g (Tab. 3).

Tabelle 9: Zusammenstellung der Messwerte von verkohlten, unbeschädigten Dinkelkörnern, *Triticum spelta* (n = 254), aller untersuchten Einzelproben (n = 12). Erläuterungen s. Text.

Einzelprobe	Fraktion (mm)	Kornanzahl (n)	Länge (L) (mm)	Breite (B) (mm)	Höhe (H) (mm)	L/B	L/H	B/H	B/L x 100
Q56-1014	2,5	25	6,38(5,2-7,5)	3,42(2,8-4,1)	2,79(2,4-3,4)	1,87(1,59-2,32)	2,29(1,93-2,71)	1,25(1,07-1,57)	53,83(43,08-62,96)
Q62/6	2,5	30	5,22(4,7-6,5)	2,78(2,3-3,6)	2,26(1,8-2,9)	1,89(1,68-2,21)	2,33(1,92-2,89)	1,24(1,07-1,47)	53,27(45,28-59,62)
Q64-1002a	2,5	36	5,57(4,6-6,7)	3,02(2,5-3,8)	2,40(1,8-3,1)	1,91(1,52-2,32)	2,34(1,84-3,22)	1,26(1,08-1,44)	54,33(43,10-66,00)
Q64-1002b	2,5	22	5,35(4,6-6,5)	2,85(2,5-3,3)	2,35(2,1-2,7)	1,88(1,68-2,26)	2,29(1,81-2,70)	1,21(1,04-1,43)	53,45(44,26-59,57)
Q64-1002c	2,5	24	5,30(4,7-6,4)	2,74(2,3-3,2)	2,19(1,9-2,7)	1,94(1,68-2,17)	2,43(2,04-2,85)	1,25(1,10-1,47)	51,73(46,00-59,57)
Q64-1002d	2,5	21	5,51(5,0-6,3)	2,84(2,4-3,3)	2,26(2,0-2,7)	1,95(1,67-2,20)	2,45(2,08-2,73)	1,26(1,09-1,43)	51,61(45,45-60,00)
Q64-1003a	2,5	21	5,62(4,5-6,7)	2,80(2,2-3,2)	2,25(1,8-3,0)	2,01(1,73-2,50)	2,51(1,90-3,05)	1,25(1,05-1,43)	50,07(40,00-57,69)
Q64-1003b	2,5	20	5,13(4,4-6,0)	2,62(2,2-3,1)	2,19(1,9-2,7)	1,97(1,68-2,32)	2,37(1,96-2,90)	1,20(1,00-1,32)	51,12(43,10-59,57)
Q64-1004	2,5	12	5,25(4,6-6,4)	2,74(2,4-3,3)	2,12(1,8-2,4)	1,92(1,74-2,13)	2,49(2,13-3,05)	1,30(1,14-1,57)	52,30(47,06-57,45)
Q64-1016	2,5	13	5,48(4,9-6,6)	2,74(2,4-3,1)	2,19(1,9-2,5)	2,01(1,71-2,36)	2,50(2,29-2,74)	1,26(1,09-1,40)	50,25(42,42-58,49)
Q64-1002	1,0	13	4,69(4,2-5,5)	2,24(1,9-2,6)	1,85(1,5-2,2)	2,11(1,73-2,50)	2,56(2,14-2,94)	1,22(1,12-1,35)	47,91(40,00-57,78)
Q64-1004	1,0	17	4,53(3,8-5,5)	2,26(1,9-2,5)	1,82(1,3-2,1)	2,01(1,79-2,20)	2,51(2,11-3,08)	1,25(1,10-1,54)	50,62(45,10-55,81)
Probensumme									
Q64-1002	2,5	103	5,45(4,6-6,7)	2,88(2,3-3,8)	2,31(1,8-3,1)	1,92(1,52-2,32)	2,37(1,81-3,22)	1,25(1,04-1,47)	52,98(43,10-66,00)
Q64-1003	2,5	41	5,38(4,4-6,7)	2,71(2,2-3,2)	2,22(1,8-3,0)	1,99(1,68-2,50)	2,44(1,90-3,05)	1,23(1,00-1,43)	50,58(40,00-59,57)
Q64 gesamt	2,5	169	5,42(4,4-6,7)	2,82(2,2-3,8)	2,27(1,8-3,1)	1,94(1,52-2,50)	2,41(1,81-3,22)	1,25(1,00-1,57)	52,14(40,00-66,00)
Summe aller Proben einer Fraktion									
Q56/62/64	2,5	224	5,50(4,4-7,5)	2,88(2,2-4,1)	2,32(1,8-3,1)	1,93(1,52-2,50)	2,38(1,81-3,22)	1,25(1,00-1,57)	52,48(40,00-66,00)
Q64-1002/1004	1,0	30	4,60(3,8-5,5)	2,25(1,9-2,6)	1,83(1,3-2,2)	2,05(1,73-2,50)	2,53(2,11-3,08)	1,24(1,10-1,54)	49,45(40,00-57,78)

Tabelle 10: Zusammenstellung der Messwerte von verkohlten, unbeschädigten Emmerkörnern, *Triticum dicoccum* (n = 54), aller untersuchten Proben (n = 5).

Probe	Fraktion (mm)	Kornanzahl (n)	Länge(L) (mm)	Breite(B) (mm)	Höhe(H) (mm)	L/B	L/H	B/H	B/L x 100
Q 56-1014	2,5	12	5,64(4,9-6,4)	3,04(2,5-3,6)	2,99(2,5-3,6)	1,87(1,58-2,28)	1,90(1,58-2,24)	1,02(0,91-1,24)	54,10(43,86-63,16)
Q 64-1002	2,5	*20	5,16(4,2-5,8)	2,75(2,3-3,2)	2,54(1,9-3,3)	1,88(1,62-2,20)	2,07(1,62-2,79)	1,10(0,88-1,53)	53,44(45,45-61,90)
Q 64-1003	2,5	5	5,30(5,1-5,7)	2,52(2,3-2,8)	2,62(2,4-2,7)	2,11(1,96-2,26)	2,03(1,89-2,17)	0,97(0,85-1,08)	47,49(44,23-50,94)
Q 64-1004	2,5	12	4,98(4,4-5,8)	2,58(2,2-3,0)	2,56(2,2-2,8)	1,94(1,67-2,23)	1,96(1,57-2,36)	1,01(0,92-1,14)	51,98(44,83-60,00)
Q 64-1016	2,5	5	5,52(5,0-6,4)	2,74(2,4-3,1)	2,72(2,5-3,0)	2,01(1,89-2,08)	2,01(1,89-2,12)	1,01(0,96-1,04)	49,67(48,00-52,83)
Probensumme	2,5	54	5,27(4,2-6,4)	2,75(2,2-3,6)	2,67(1,9-3,6)	1,93(1,58-2,28)	2,00(1,57-2,79)	1,04(0,85-1,53)	52,36(43,86-63,16)
*Probensumme	2,5	49	5,29(4,2-6,4)	2,74(2,2-3,6)	2,73(2,2-3,6)	1,94(1,58-2,28)	1,95(1,57-2,36)	1,01(0,85-1,24)	52,01(43,86-63,16)
Summe der*	2,5	5	5,12(4,7-5,3)	2,86(2,5-3,0)	2,08(1,9-2,2)	1,80(1,70-1,88)	2,47(2,32-2,79)	1,38(1,32-1,53)	55,82(53,19-58,82)

* Probe enthält fünf auffallend flache, tropfenförmige Körner, die in die Summenberechnung von „*Probensumme" nicht miteinbezogen sind. Weitere Erläuterungen s. Text.

Q64-1002

Dies ist die Probe mit der höchsten Anzahl an verkohlten Spelzenresten, 7 Hüllspelzenbasen und 12 Ährchengabeln (Tab. 6–8; 13). Von dem Getreidekornmaterial wurden vier Proben mit 100 bzw. 200 Körnern zur Determination herangezogen, um eventuelle Unterschiede in der Probenzusammensetzung erkennen zu können. Sämtliche Stichproben erweisen sich als sehr ähnlich, was die Häufigkeiten der Getreidearten, das 100-Korn-Gewicht (Tab. 3) sowie die Erhaltung der Reste anbelangt. Eine weitere Probe mit 100 Körnern wurde der Fraktion 1,0 mm entnommen; die Zusammensetzung entspricht den anderen vier Proben, das 100-Korn-Gewicht ist entsprechend der feineren Fraktion geringer.

Die Körner liegen meist einzeln vor, selten sind sie zu kleinen Klümpchen lose verbacken. Sie sind erheblich geschrumpft (Tab. 9–11), meist schwarz und metallisch glänzend, nur in Einzelfällen braunschwarz und matt. Deformationen und Fragmentierungen der Körner treten häufig auf; es konnten zwischen 60 und 70% des Materials nicht näher bestimmt werden. Ein heller Belag seekreideähnlichen

Tabelle 11: Zusammenstellung der Messwerte von verkohlten, unbeschädigten Einkornkörnern, *Triticum monococcum* (n = 16), aller untersuchten Proben (n = 5).

Probe	Fraktion (mm)	Kornanzahl (n)	Länge(L) (mm)	Breite(B) (mm)	Höhe(H) (mm)	L/B	L/H	B/H	B/L x 100
Q 56-1014	2,5	*2	4,90(4,6/5,2)	2,45(2,1/2,8)	2,90(2,7/3,1)	2,03(2,19/1,86)	1,69(1,70/1,68)	0,84(0,78/0,90)	49,75(45,65/53,85)
Q 64-1002	2,5	**6	5,23(4,8-5,8)	2,60(2,2-3,2)	2,95(2,4-3,3)	2,05(1,63/2,32)	1,79(1,58-2,04)	0,89(0,73-1,03)	49,74(43,10-61,54)
Q 64-1003	2,5	3	4,53(4,4-4,7)	2,03(2,0-2,1)	2,57(2,4-2,8)	2,23(2,14-2,35)	1,77(1,68-1,83)	0,79(0,71-0,84)	44,89(42,55-46,67)
Q 64-1004	2,5	4	5,38(4,8-5,8)	2,13(1,8-2,7)	2,78(2,5-3,1)	2,57(2,15-2,90)	1,94(1,82-2,15)	0,76(0,64-0,87)	39,50(34,48-46,55)
Q 64-1016	2,5	1	4,6	1,8	2,6	2,56	1,77	0,69	39,13
Probensumme	2,5	16	5,06(4,4-5,8)	2,31(1,8-3,2)	2,81(2,4-3,3)	2,24(1,63-2,90)	1,81(1,58-2,15)	0,82(0,64-1,03)	45,61(34,48-61,54)
*Probensumme	2,5	13	5,01(4,4-5,8)	2,15(1,8-2,7)	2,54(2,4-3,1)	2,35(2,04-2,90)	1,83(1,60-2,15)	0,79(0,64-1,00)	42,98(34,48-48,98)

* Proben mit ein bzw. zwei stark aufgeblähten Körnern, die in die Summenberechnungen von „*Probensumme" nicht miteinbezogen sind. Weitere Erläuterungen s.Text.

Tabelle 12: Zusammenstellung der Messwerte von verkohlten, unbeschädigten Körnern des Saatweizens im weitesten Sinn, *Triticum aestivum s.l.* (n = 12), aller untersuchten Proben (n = 3).

Probe	Fraktion (mm)	Kornanzahl (n)	Länge (L) (mm)	Breite (B) (mm)	Höhe (H) (mm)	L/B	L/H	B/H	B/L x 100
Q56-1014	2,5	*6	5,36(5,2-5,8)	3,66(3,5-4,2)	2,94(2,8-3,8)	1,46(1,38-1,51)	1,83(1,53-2,00)	1,25(1,11-1,32)	68,29(66,07-72,41)
Q62/4	2,5	1	4,9	3,4	2,6	1,44	1,88	1,31	69,39
Q62/6	2,5	5	4,96(4,2-5,4)	3,34(3,2-3,6)	2,72(2,6-2,9)	1,48(1,31-1,63)	1,82(1,62-1,93)	1,23(1,10-1,29)	67,68(61,54-76,19)
*Probensumme	2,5	11	5,14(4,2-5,6)	3,49(3,2-3,9)	2,81(2,6-3,2)	1,47(1,31-1,63)	1,83(1,62-2,00)	1,24(1,10-1,32)	68,11(61,54-76,19)

* Probe enthält ein stark aufgeblähtes Korn, das in die Summenberechnung von „*Probensumme" nicht miteinbezogen ist. Weitere Erläuterungen s. Text.

Materials haftet einigen Körnern an (vgl. Kap. 4.3). Ährchengabeln und Hüllspelzenbasen liegen stets unverklebt vor. Ihre Messwerte sind mit den Spelzenresten der anderen Proben zusammen in Tabelle 13 aufgeführt.

Q64-1003

Aus dieser Probe wurden zum einen 100 lose Körner entnommen (Q64-1003a), zum anderen 10 Getreidekornklümpchen ausgewählt, die jeweils zwischen 13 und 51 Körner, insgesamt 272 Körner enthalten (Q64-1003b). Die Zusammensetzung der Klümpchen ist Tabelle 4 zu entnehmen.
Die verbackenen Körner sind relativ schlecht erhalten – ca. 80 % sind nicht näher bestimmbar – und stark geschrumpft (Tab. 9). Häufig sind blasige Krusten an der Kornspitze und der vorgequollenen Bauchfurche vorhanden. Das Endosperm ist stark porös und schwarz. Alles deutet auf eine große Hitzeeinwirkung hin. Stets sind die Körner von Dinkel, Emmer und Einkorn miteinander verbacken und nur schwer voneinander zu lösen. Dinkel ist in allen Klümpchen am häufigsten vertreten. Die nicht näher bestimmbaren Körner gehören vermutlich zum überwiegenden Teil zu Dinkel und Emmer.

Die Untersuchung von Getreidekornklümpchen sollte aufzeigen, ob die in jeder Probe vorhandene Mischung von Getreidearten auch hier vorliegt. Das Ergebnis deutet auch hier auf eine gemeinsame Lagerung bzw. Verarbeitung der Getreide zu Essenszwecken hin. Vielleicht bestand im frühbronzezeitlichen Bodman-Schachen auch ein Gemengeanbau der verschiedenen Spelzgetreidearten (Kap. 6).

Q64-1004

Jeweils 100 Körner der Fraktionen 2,5 mm und 1,0 mm wurden bestimmt. Sie sind schlecht erhalten, stark geschrumpft und haben ein vergleichsweise niedriges 100-Korn-Gewicht (Tab. 3). Nicht selten haben sie blasige Krusten und eine klaffende

Tabelle 13: Zusammenstellung der Messwerte (in mm) von verkohlten und unverkohlten, unbeschädigten Hüllspelzenbasen (Hs) und Ährchengabeln (Äg) gemäß ihrer taxonomischen Zuordnung (5 Taxa). Weitere Erläuterungen s. Text.

Taxon	Meßstrecke (mm)	Hs und Äg (n = 49) verkohlt	Hs und Äg (n = 107) unverkohlt	Äg (n = 18) verkohlt	Äg (n = 24) unverkohlt
Einkorn	HsBb	2: 0,80 (0,80/0,80)	–		
	ÄgBb			2: 1,45 (1,4/1,5)	–
Einkorn/ Emmer	HsBb	10: 0,78 (0,70-0,80)	22: 0,90 (0,70-1,10)		
	ÄgBb			4: 1,78 (1,7-1,9)	12: 1,81 (1,6-2,3)
Emmer	HsBb	18: 0,88 (0,80-1,00)	15: 1,10 (1,00-1,35)		
	ÄgBb			9: 1,78 (1,6-2,1)	4: 2,10 (2,10)
Dinkel/ Emmer	HsBb	8: 1,02 (0,95-1,10)	27: 1,30 (1,10-1,50)		
	ÄgBb			3: 1,87 (1,8-2,0)	7: 2,26 (1,7-2,5)
Dinkel	HsBb	11: 1,13 (0,95-1,30)	43: 1,61 (1,30-1,80)		
	ÄgBb			–	1: 2,50

HsBb Hüllspelzen-Basisbreite
ÄgBb Ährchengabel-Basisbreite

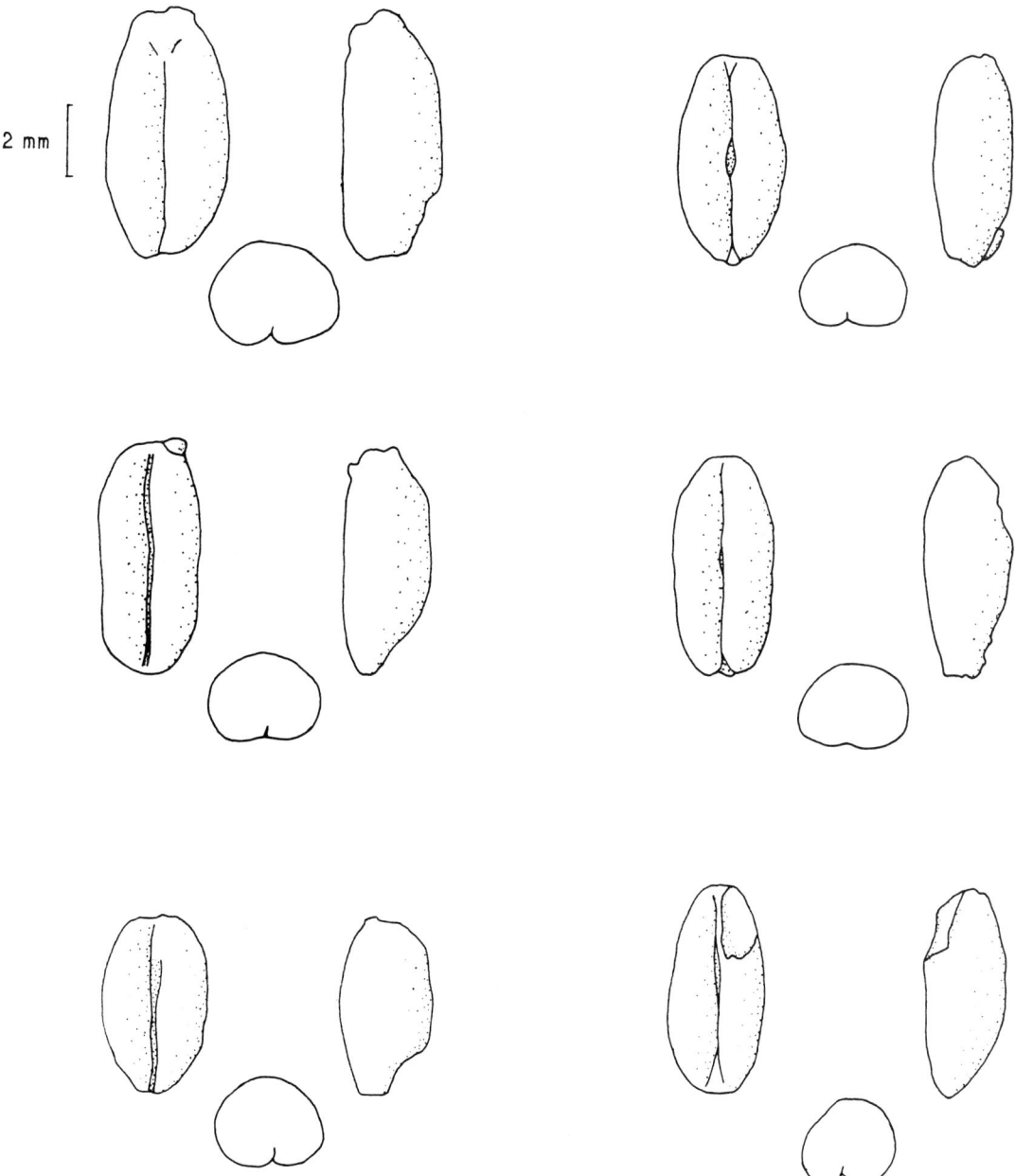

Abb. 7: Sechs Dinkelkörner (*Triticum spelta* L.) in ventraler und lateraler Ansicht und im Querschnitt. M. 5:1.

Bauchfurche und besitzen eine schwach metallische Oberfläche. Das Endosperm ist schwarz und porös, Verbackungen sind nicht vorhanden. Der schlechte Erhaltungszustand, vermutlich durch große Hitzeeinwirkung entstanden, drückt sich auch in den niedrigen Längenmesswerten der Körner aus (Tab. 9; 10).

Q64-1016

Diese Probe umfasst insgesamt 140 Körner und 1 Ährchengabel (Tab. 3; 6). Nahezu alle Körner sind verbacken zu kleinen Klumpen von 2 bis 17, häufig sehr schlecht erhaltenen Exemplaren. Viele kleine Fragmente haften den Körnern an. Die Körner sind meist matt schwarz bis schwach glänzend, zum Teil bunt schillernd und mit porösem Mehlkörper. Einzelne Exemplare sind gut erhalten und von braunschwarzer Färbung. Wie bei Probe Q64-1003 enthalten die Klümpchen Körner verschiedener Getreidearten.

Auf den Abbildungen 7 und 8 sind einige Körner und Hüllspelzenbasen von Dinkel (*Triticum spelta* L.) in verschiedenen Ansichten dargestellt.

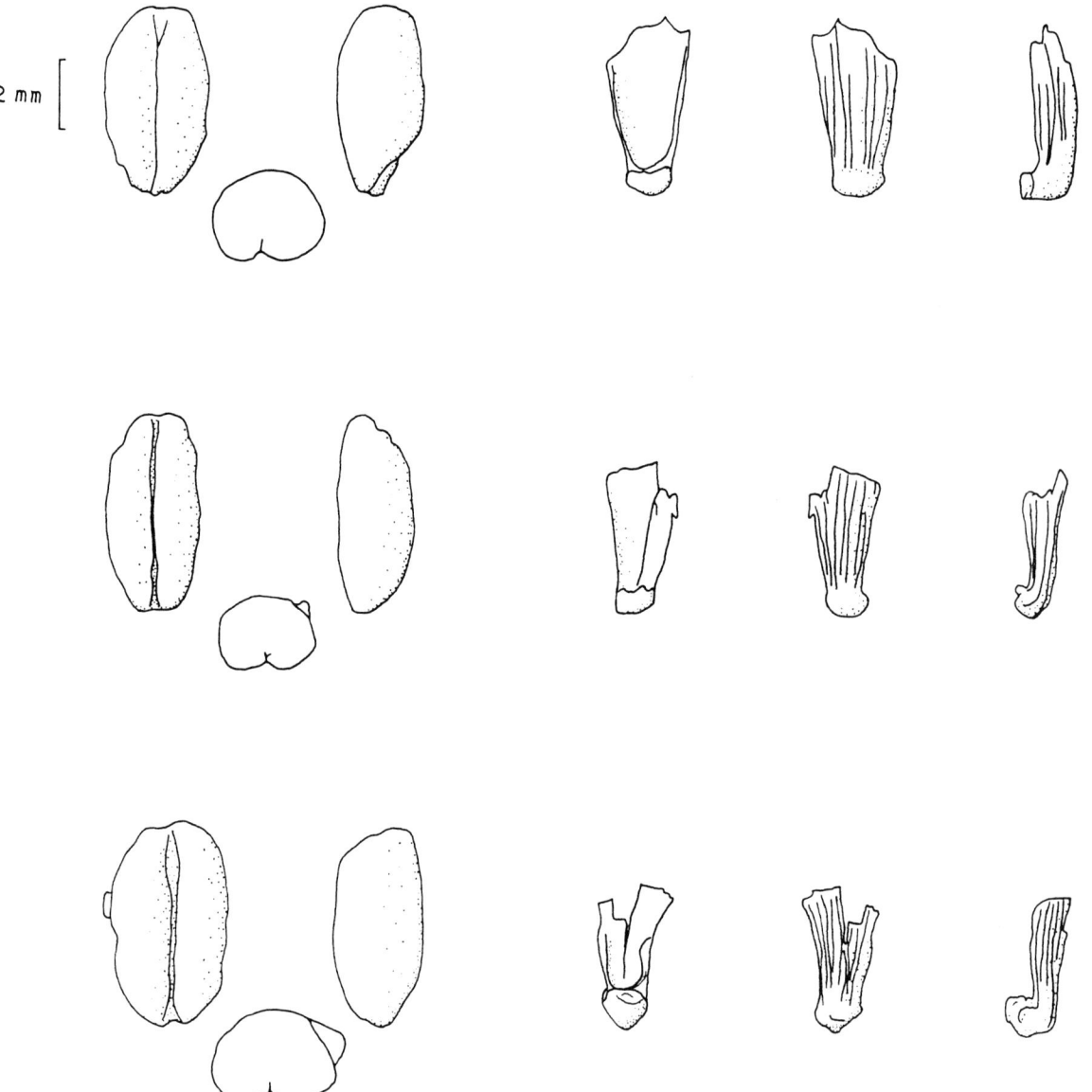

Abb. 8: Körner und Hüllspelzen von Dinkel (*Triticum spelta* L.) in verschiedenen Ansichten. M. 5:1.

3.1.3 Die Anteile der verschiedenen Getreidearten am Gesamtspektrum

Einen Überblick über sämtliche Getreidereste vermitteln die Tabellen 3 und 6. In Tabelle 5 ist zusätzlich eine Übersicht über die prozentualen Anteile der einzelnen Spelzweizentaxa angegeben. Die prozentualen Anteile der Ährchengabeln und Hüllspelzenbasen sind in den Tabellen 7 und 8 aufgeführt.

Die Tabellen zeigen deutlich, dass Dinkel sowohl bei den Kornnachweisen (21,1%) als auch bei den Spelzenresten (64 Reste = 16,6%) den größten Anteil am Gesamtspektrum hat. Emmer steht mit 4,7% bei den Körnern und mit 8,6% (= 33 Reste) bei den Spelzenresten an zweiter Stelle. Einkorn und Nacktweizen (Saatweizen im weiteren Sinn) haben geringe Fundzahlen und Gerste ist nur zweimal belegt. Die verschiedenen Proben, insgesamt von drei verschiedenen Planquadraten, zeigen weit gehende Übereinstimmung in ihrer Zusammensetzung. Stets musste ein hoher Prozentsatz an Körnern aufgrund der schlechten Erhaltung unbestimmt bleiben. Auch hier handelt es sich vermutlich zum großen Teil um Dinkel- und Emmerkörner.

Welche Rolle die Spelzweizenarten, der Nacktweizen und die Gerste im frühbronzezeitlichen Bodman-Schachen gespielt haben, ist anhand der geringen Probenzahl aus einem begrenzten Siedlungsareal nicht abzuschätzen. Von besonderer Bedeutung ist der häufige Nachweis des Dinkels (Kap. 4.1).

Alle Proben enthalten eine Mischung aus verschiedenen (Spelzweizen-) Arten. Verkohlte Spelzenreste sind spärlich und verkohlte Unkrautsamen fehlen völlig. Wie bereits bei der Besprechung der Probe Q56-1014 erwähnt ist, handelt es sich bei dem untersuchten Material wohl um Vorratsfunde und nicht um Kochreste oder Fladenbruchstücke. Das Getreide scheint in einem sorgfältig gereinigten Zustand gelagert (und zubereitet?) worden zu sein. Allerdings können hohe Verkohlungstemperaturen, wie sie bei den meisten Proben vorzuliegen scheinen, die beigemischten Unkrautsamen vernichtet haben. Der Frage nach einem Rein- oder Gemengeanbau kann im Rahmen dieser Arbeit nicht nachgegangen werden (Kap. 6).

3.2 Die nachgewiesenen Wildpflanzen und ihre Standortansprüche: ökologische Spektren, ökologische Gruppen; heutige Pflanzengesellschaften als Auswertungshilfen des subfossilen Wildpflanzenspektrums

3.2.1 Allgemeines

Für die Auswertung der nachgewiesenen Wildpflanzenarten ist es sinnvoll, sie in Gruppen zusammenzustellen. Hierbei sind die ökologischen Ansprüche der Spezies bzw. der Taxa von Belang, ebenso die Verbreitungsschwerpunkte. Die gebildeten Gruppen werden „Ökologische Gruppen" genannt. Es sind weit gefasste Gruppen, deren Vertreter heutzutage ähnliche Verbreitungsschwerpunkte haben, an ihre Umwelt demzufolge ähnliche Standortansprüche stellen. Die Einteilung der verschiedenen Pflanzen in ökologische Gruppen erfolgt in Anlehnung an heutige pflanzensoziologische Einheiten höheren Ranges wie Klassen und Ordnungen (Tab. 15; Abb. 9–12). Wichtige Arbeitshilfen in diesem Zusammenhang sind die Publikationen von Ellenberg (1979; 1982) und Oberdorfer (1977; 1978; 1979; 1983).

Eine systematische Einteilung der vorgeschichtlich nachgewiesenen Taxa, die sich zu stark an den heutigen pflanzensoziologischen Verhältnissen orientiert, ist nicht möglich. Hiermit sind die Vegetationseinheiten niederen Ranges wie Verbände, Unterverbände und insbesondere Pflanzengesellschaften angesprochen, die die Grundlage des heutigen pflanzensoziologischen Systems darstellen. Diese Einheiten können und sollen zur Interpretation der Ergebnisse und beim Vergleich des subfossilen Pflanzenspektrums mit den heutigen pflanzensoziologischen Verhältnissen herangezogen werden, nicht aber als Arbeitsgrundlage für die Ergebnisse dienen. Ein Beispiel verdeutlicht das Gesagte. Die Ordnung „Arrhenatheretalia, Gedüngte Frischwiesen und -weiden" (Ellenberg 1982) verdankt ihren Namen der Verbandscharakterart *Arrhenatherum elatius*, dem Glatthafer. Diese Art kann aber bislang erst bei Untersuchungen mittelalterlicher und jüngerer Proben sicher gefasst werden (Körber-Grohne 1990). Der Begriff Arrhenatheretalia darf demnach nicht bei vorgeschichtsbotanischen Bearbeitungen für die pflanzensoziologische Klassifizierung herangezogen werden, sondern nur dem Vergleich mit heutigen Gegebenheiten dienen. Einen Überblick über die Entstehung und Veränderungen der heutigen Pflanzendecke Mitteleuropas unter dem Einfluss des Menschen und seiner Nutztiere vermittelt Ellenberg (1982) in sehr einprägsamer Weise; weiterführende Literatur ist ebenfalls dieser Arbeit zu entnehmen.

3.2.2 Die Liste der ökologischen Gruppen

Tabelle 15 ist eine Zusammenstellung aller nachgewiesenen Pflanzen der Kulturschicht- und Flächenproben, wobei die einzelnen Taxa – Pflanzenarten und in beschränktem Maße Pflanzengattungen – weit gefassten ökologischen Gruppen zugeordnet sind. Bei den acht Übergruppen handelt es sich um:

1. Wasserpflanzengesellschaften
2. Verlandungsgesellschaften
3. Gesellschaften der Wälder, Waldränder, Waldverlichtungen, Hecken und Gebüsche
4. Grünlandgesellschaften
5. Pflanzen der trockenen Magerrasen
6. Gesellschaften ruderaler Flächen, der Hackfrucht- und Getreideäcker
7. Kulturpflanzen
8. Unbestimmbare Pflanzenreste von Taxa diverser Standorte

Dem „Verzeichnis der ökologischen Gruppen" am Ende der Tabelle ist die weitere Unterteilung in 16 ökologische Gruppen (Wildpflanzen) im eigentlichen Sinn sowie der Gruppe der Kulturpflanzen zu entnehmen. Typisch für prähistorische Seeufersiedlungen ist die große Bedeutung der Pflanzen mehr oder weniger ungestörter, naturnaher Uferregionen neben den Pflanzen anthropogen stark beeinflusster und bedingter Standorte.

Der Gruppe weit gehend naturnaher Standorte

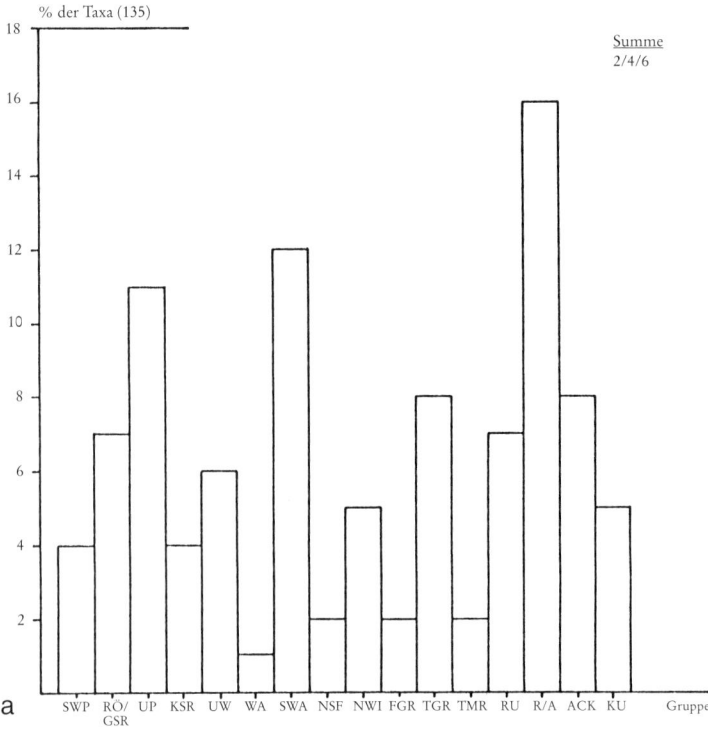

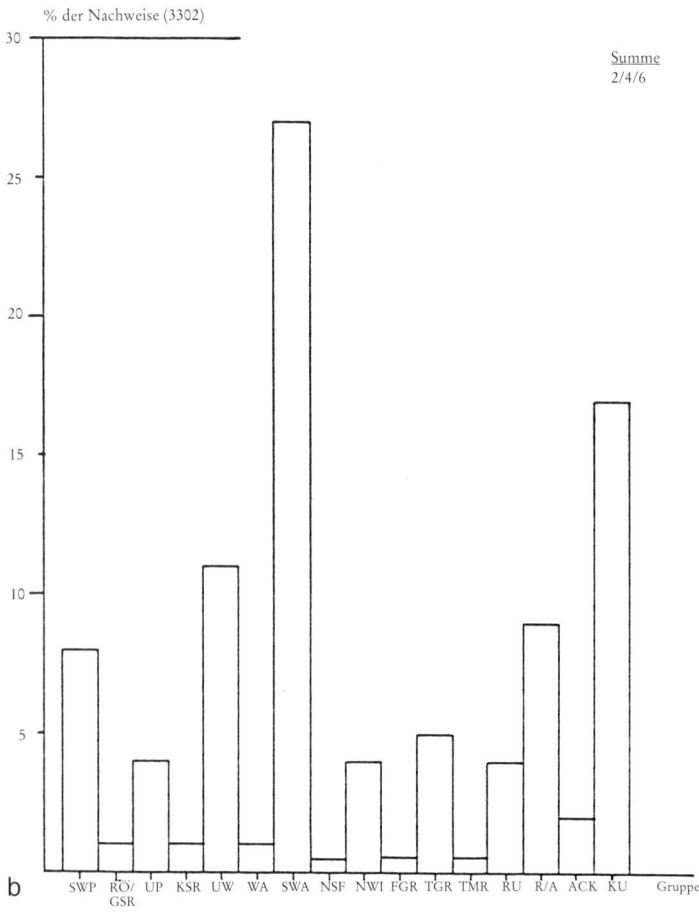

Abb. 9: Ökologische Spektren der Summe von Q62/2, Q62/4 und Q62/6. Prozentuale Anteile der Taxa- (a) und der Nachweissummen (b). Abkürzungen s. Tab. 15.

sind die submersen Wasserpflanzen (SWP), die Pflanzen der Röhrichte (RÖ) und Großseggenrieder (GSR), die Uferpioniere (UP), die Pflanzen der Kleinseggenrieder (KSR) und des Uferwaldes (UW) zugeordnet. In der zweiten Gruppe, der von Menschen und von Tieren mehr oder weniger stark gestörten, erhaltenen und mitgeschaffenen Plätze, sind folgende ökologische Gruppen vereint: die Pflanzen des Waldes (WA) und die Pflanzen der Saumgesellschaften und Waldverlichtungen (SWA) sowie die Pflanzen nasser Staudenfluren (NSF), der Nasswiesen (NWI), des frischen bis mäßig feuchten Grünlands (FGR) und des mäßig trockenen bis frischen Grünlands (TGR) und die Pflanzen der trockenen Magerrasen (TMR). Weiterhin gehören die Pflanzen ruderaler Standorte (RU), von Ruderal- und Ackerstandorten (R/A) und von Ackerstandorten (ACK) hierzu. Die Kulturpflanzen (KU) als eigenständige „ökologische" Gruppe runden das Spektrum ab. Der Vollständigkeit halber sind die unbestimmbaren Pflanzenreste als Gruppe UNB mit in die Liste aufgenommen. Diese Taxa – vorwiegend handelt es sich um Gattungs-Determinationen – können nicht mit Sicherheit einer bestimmten ökologischen Gruppe zugerechnet werden. Ihre Vertreter (Arten) haben heute aber ihre Verbreitungsschwerpunkte zumeist in Gesellschaften lichtoffener, anthropogen gestörter Plätze.

Mit „*" versehene Gruppen sind nicht als separate ökologische Gruppen in der Liste aufgeführt. Sie tauchen nur in der Spalte „Weitere Vorkommen" auf. Es handelt sich um die Uferpflanzen (*UF), allgemein im lichtoffenen Uferbereich vorkommende Pflanzen unterschiedlicher Wuchshöhe. Diese Pflanzen sind gemäß ihrem heutigen Hauptvorkommen in der entsprechenden ökologischen Gruppe eingereiht. In den nachgenannten *-Gruppen sind Pflanzen von Sonder- oder Spezialstandorten aufgelistet, deren Spezies nicht nur dort zu gedeihen vermögen. Ihrer geringen Artenzahl zufolge werden sie nicht getrennt behandelt. In diesen vier *-Gruppen werden die Pflanzen von Quellfluren des Waldes und lichtoffener Standorte (*QF), von Flachmooren (*FMO), von Hochmooren (*HMO) und von Salzmarschrasen der Küsten (*SMR) zusammengefasst.

3.2.3 Die ökologischen Gruppen im Überblick: das ökologische Spektrum

Die Abbildungen 9 bis 12 geben einen guten Überblick über das ökologische Spektrum des nachgewiesenen Pflanzeninventars der drei Kulturschichtproben. Beide Möglichkeiten der Darstellung werden hier gewählt, um die Diskrepanzen zwischen Taxazahlen (Anzahl der nachgewiesenen Arten und Gattungen) der ökologischen Gruppen einerseits und der Nachweise (Anzahl der nachgewiesenen Reste) andererseits aufzuzeigen. Zur Interpretation der ökologischen Gruppen und der Zusammensetzung der Vegetation der Umgebung des frühbronzezeitlichen Bodman-Schachen sind beide Auswertungsarten von Belang. Die Gruppe der Kulturpflanzen (KU) wurde der Vollständigkeit halber mit aufgeführt; die Ergebnisse werden in Kapitel 3.1 gesondert besprochen.

Die 16 voneinander unterschiedenen ökologischen Gruppen sind in den Abbildungen 9 bis 12 mit den Abkürzungen versehen, wie sie auch in Tabelle 15 und im vorigen Kapitel verwendet werden. Neben der separaten Darstellung der drei Kulturschichtproben Q62/6 (Abb. 10), Q62/4 (Abb. 11) und Q62/2 (Abb. 12) ist auch deren Probensumme abgebildet (Abb. 9); als „Mittelwert" dient sie Vergleichszwecken.

1. Die prozentualen Anteile der Taxasummen (Anzahl der nachgewiesenen Arten und Gattungen) der einzelnen ökologischen Gruppen/Übergruppen am Pflanzenspektrum

Die einzelnen Diagramme zeigen Folgendes auf – in der Reihenfolge von der ältesten zur jüngsten Besiedlungsphase:

Q62/6 (Abb. 10a)

Mit jeweils 16% sind die Pflanzen der Saumgesellschaften und Waldverlichtungen (SWA) sowie die Pflanzen von Ruderal- und Ackerstandorten (R/A) die am häufigsten vorkommenden Gruppen. Die Uferpioniere (UP) stehen mit 11% an dritter Stelle, gefolgt von den Ruderalpflanzen (RU) mit 9% und den Pflanzen des mäßig trockenen bis frischen Grünlands (TGR) mit 8%. Alle weiteren Gruppen liegen bei 6% des Pflanzenspektrums bzw. darunter. Am seltensten treten in dieser Probe

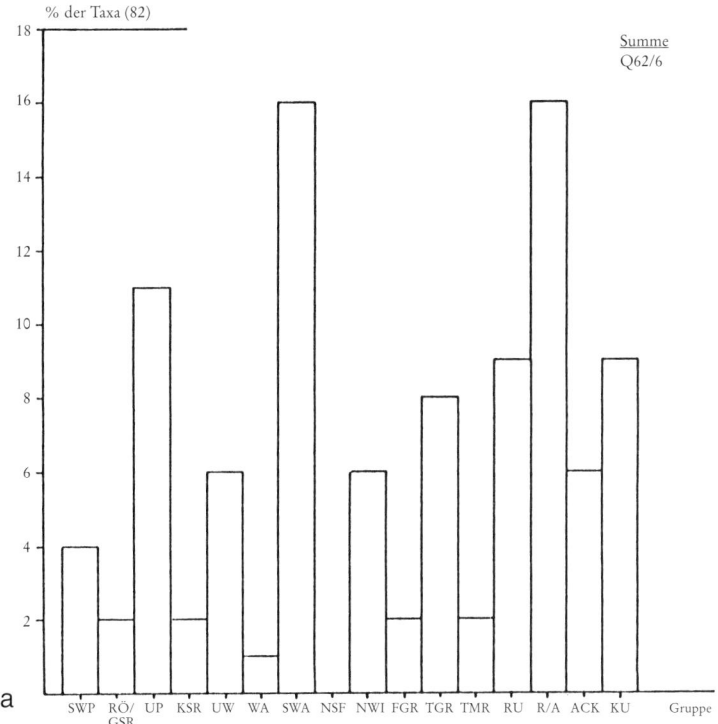

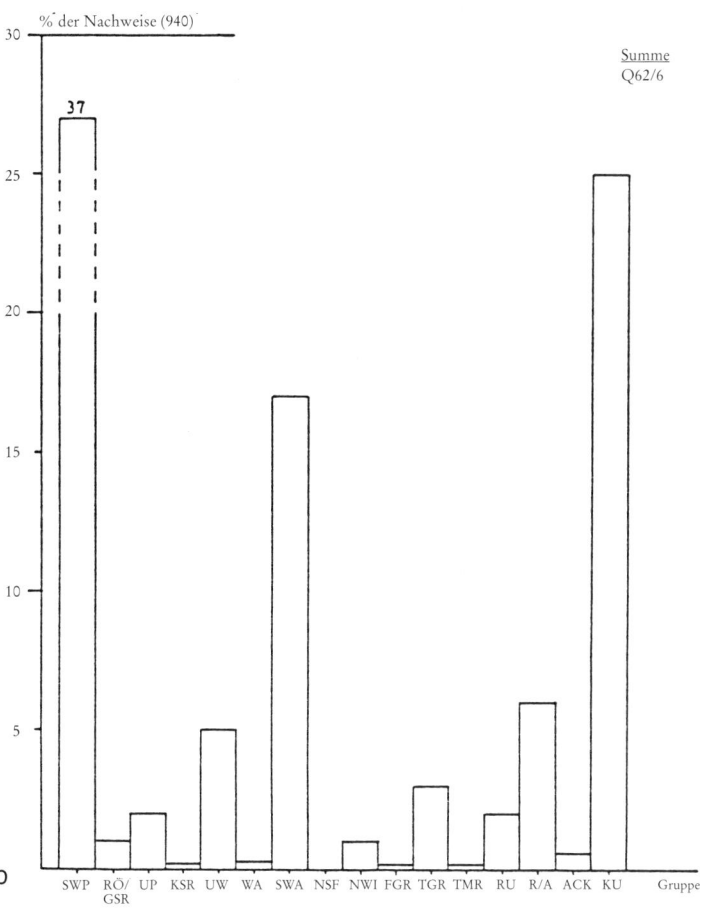

Abb. 10: Ökologische Spektren der Probe Q62/6. Prozentuale Anteile der Taxa- (a) und der Nachweissummen (b). Abkürzungen s. Tab. 15.

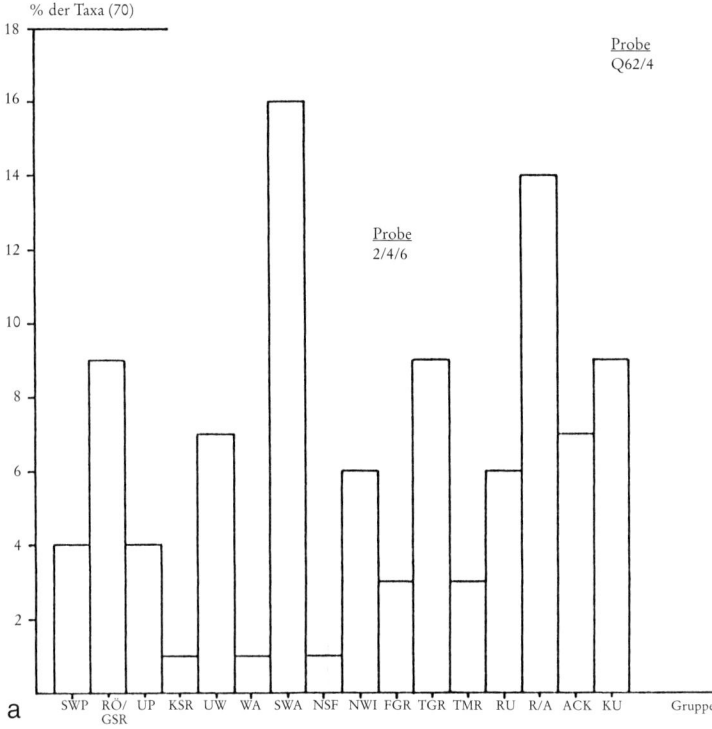

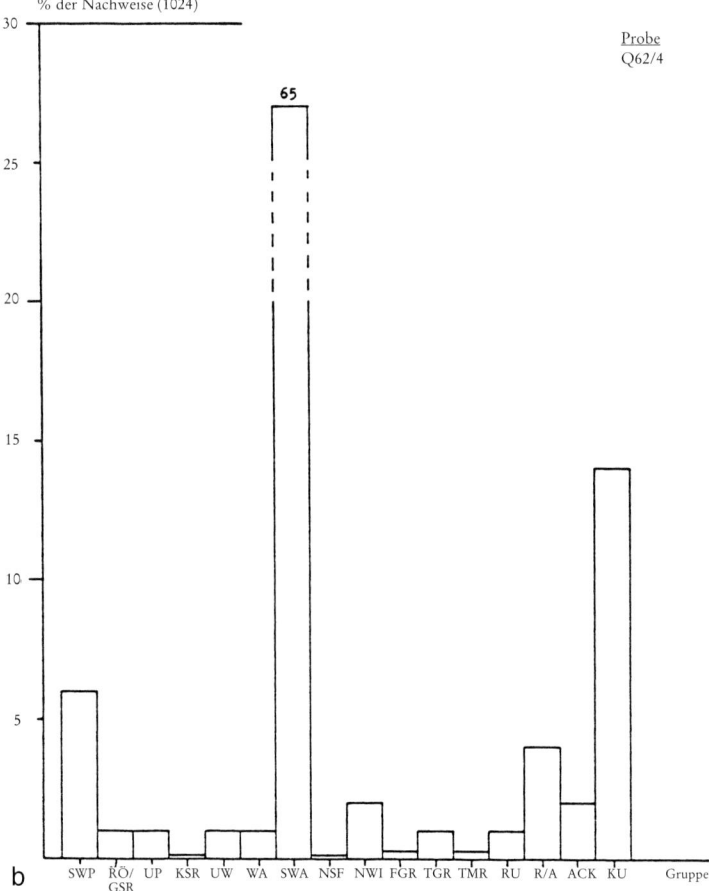

Abb. 11: Ökologische Spektren der Probe Q62/4. Prozentuale Anteile der Taxa- (a) und der Nachweissummen (b). Abkürzungen s. Tab. 15.

die Waldpflanzen (WA) auf; Pflanzen nasser Staudenfluren (NSF) können nicht nachgewiesen werden. Die Gruppe der submersen Wasserpflanzen ist, wie in den jüngeren Kulturschichtproben, mit 4% vertreten.

Betrachtet man das ökologische Spektrum hinsichtlich der Übergruppen (vgl. Tab. 15), so sind bei den Verlandungsgesellschaften (21%) einerseits das häufige Vorkommen der Uferpioniere, andererseits die seltenen Nachweise von Pflanzen der Röhrichte (RÖ), Großseggen- (GSR) und Kleinseggenrieder (KSR) zu sehen. Uferwaldpflanzen (UW) haben mit 6% ein mittelhäufiges Auftreten. Die Übergruppe WA/SWA (17%) ist durch das starke Übergewicht der Pflanzen von Saumgesellschaften und Waldverlichtungen charakterisiert. Fasst man die vier Gruppen der Grünlandgesellschaften (16%) zusammen, so ergeben sich zwei Schwerpunkte bei den Pflanzengruppen TGR und NWI (Nasswiesen). Die Pflanzen der trockenen Magerrasen (TMR) sind, wie in allen drei Kulturschichtproben, selten nachgewiesen (2%). Den Gesellschaften ruderaler Flächen sowie der Hackfrucht- und Getreideäcker können insgesamt 31% der nachgewiesenen Taxa zugeordnet werden. Pflanzen mit einem Vorkommen sowohl auf Ruderalstandorten als auch auf Äckern (R/A) stehen hier an erster Stelle.

Q62/4 (Abb. 11a)

Die Pflanzengruppen SWA und R/A stehen mit 16% bzw. 14%, wie bei Probe Q62/6, an erster Stelle. Ebenfalls häufig vertreten sind die Pflanzen des mäßig trockenen bis frischen Grünlands und die Gruppe der Röhrichte und Großseggenrieder mit jeweils 9%.

Bei der Betrachtung der Übergruppen (vgl. Tab. 15) ergibt sich folgendes Bild: Die submersen Wasserpflanzen liegen, wie bei Q62/6 und Q62/2, bei 4%. Die Häufigkeit der Pflanzen von Verlandungsgesellschaften ist mit 21% gleich hoch wie in Probe Q62/6. Ein deutlicher Unterschied liegt in dem vergleichsweise hohen Prozentsatz der Gruppen RÖ/GSR und in dem niedrigen Anteil der Uferpioniere. Die Übergruppe WA/SWA ist in ihrem Prozentwert (17%) sowie in ihrer anteilsmäßigen Gruppenzusammensetzung (1%/16%) identisch mit Q62/6. Pflanzen der Grünlandgesellschaften sind mit 19% etwas häufiger belegt als in Q62/6. Auch hier überwiegen die Pflanzen der eher trockenen

Standorte, gefolgt von der Gruppe der Nasswiesenpflanzen. Des Weiteren können in der vorliegenden Probe Pflanzen nasser Staudenfluren (1%) nachgewiesen werden. Den trockenen Magerrasenstandorten werden nur 3% der Pflanzen zugeordnet. Mit einem Anteil von 27% liegen die Gesellschaften ruderaler Flächen sowie der Hackfrucht- und Getreideäcker etwas niedriger als in Q62/6. Die heute ausschließlich auf Ackerstandorten vorkommenden Arten sind etwas häufiger als die reinen Ruderalpflanzen; in Probe Q62/6 sind die Verhältnisse umgekehrt.

Q62/2 (Abb. 12a)
Das Pflanzenspektrum dieser Probe spiegelt am ehesten das ökologische Spektrum der Probensumme, dem Mittelwert der drei Kulturschichtproben (Abb. 9a), wider. Dies ist sicherlich auch mit der großen Anzahl der nachgewiesenen Arten und Gattungen (n = 95) verknüpft. Insgesamt gesehen besitzt das vorliegende Spektrum den ausgeglichensten Charakter mit verhältnismäßig geringen Schwankungen der Prozentwerte der verschiedenen ökologischen Gruppen.

Die Gruppe der Pflanzen von Ruderal- und Ackerstandorten hat mit 17% den mit Abstand größten Anteil am Pflanzeninventar und liegt damit etwas höher als bei den beiden älteren Proben. Es folgen mit 10% die Gruppen UP, SWA, ACK und mit 9% die Gruppe der Pflanzen des mäßig trockenen bis frischen Grünlands. In vergleichbarer Höhe mit Q62/6 und Q62/4 liegen die Prozentwerte der Uferpioniere und der zuletzt genannten Gruppe TGR. Dagegen sind die Pflanzen von Ackerstandorten relativ stark, die der Saumgesellschaften und Waldverlichtungen schwach vertreten. Mit 4% bzw. 3% sind die Pflanzen der Kleinseggenrieder und der nassen Staudenfluren vergleichsweise häufig nachgewiesen.

Bei der Betrachtung der Übergruppen (vgl. Tab. 15) ergibt sich folgendes Bild: Mit 25% liegen die Verlandungsgesellschaften höher als bei den Proben der älteren Besiedlungsphasen, wobei dem Uferwald ein relativ geringer Anteil zukommt. Mit nur 11% ist die Übergruppe WA/SWA vertreten, bedingt durch „seltene" Nachweise der Gruppe SWA. Die Pflanzengruppe der Grünlandgesellschaften hat mit 21% den höchsten Wert aller drei Proben. Ebenso verhält es sich bei den Pflanzen ruderaler Flächen sowie der Hackfrucht- und Getreide-

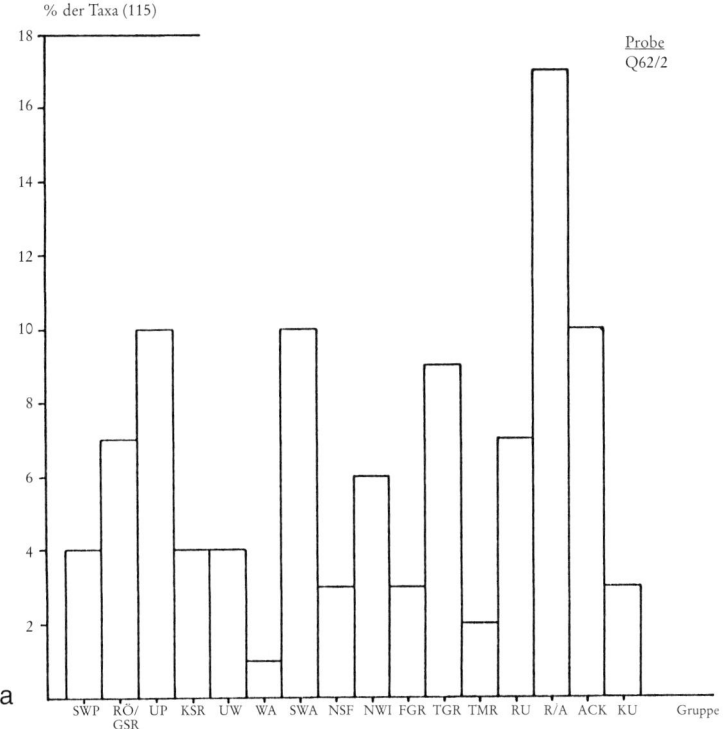

a

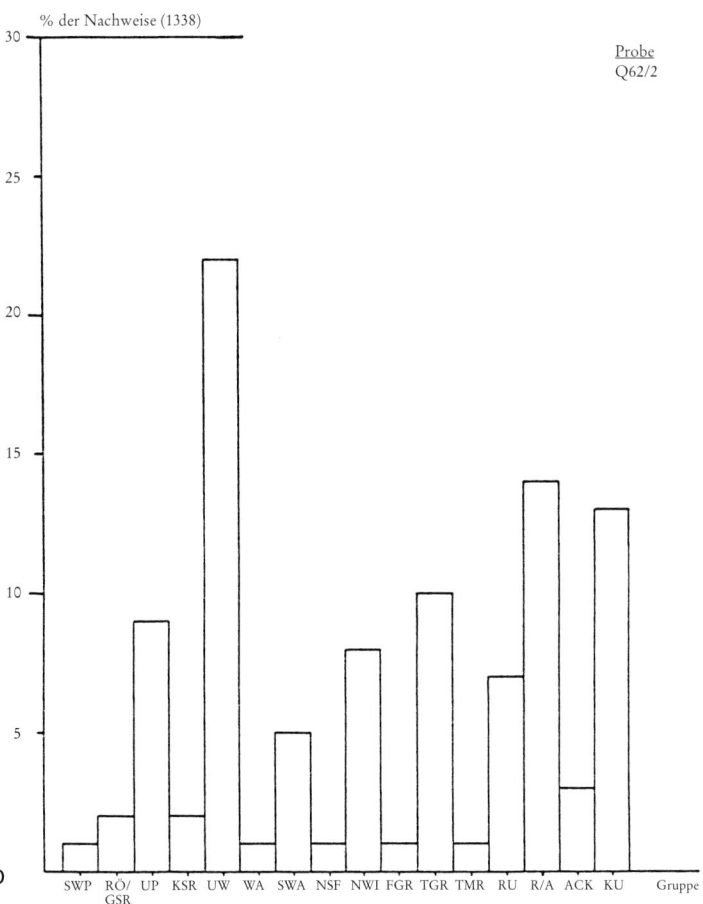

b

Abb. 12: Ökologische Spektren der Probe Q62/2. Prozentuale Anteile der Taxa- (a) und der Nachweissummen (b). Abkürzungen s. Tab. 15.

äcker mit einem Anteil von 34%. Hier sind es die Pflanzen von Ackerstandorten, die verhältnismäßig häufig auftreten. Die Gruppen der submersen Wasserpflanzen und der Pflanzen trockener Magerrasen besitzen Anteile von 4% bzw. 2% und entsprechen somit den Nachweisraten der beiden anderen Proben.

2. Die prozentualen Anteile der Nachweissummen (Anzahl der nachgewiesenen Reste) der einzelnen ökologischen Gruppen/Übergruppen am Pflanzenspektrum

Auffallend ist bei diesen Spektren der hohe prozentuale Anteil einzelner ökologischer Gruppen einerseits und die niedrigen Prozentwerte des Großteils der restlichen Gruppen andererseits. Beim Vergleich der vorliegenden Diagramme mit den im vorigen Abschnitt besprochenen Diagrammen zur Anzahl der Arten und Gattungen der einzelnen ökologischen Gruppen ergibt sich ein zum Teil sehr stark abweichendes Bild (s. u.). Ein gewisser Unterschied findet sich auch bei der Gruppe 7, den Kulturpflanzen (KU), die, wie schon eingangs erwähnt, gesondert besprochen werden (Kap. 3.1). Die einzelnen Diagramme zeigen Folgendes auf – in der Reihenfolge von der ältesten zur jüngsten Besiedlungsphase:

Q62/6 (Abb. 10b)

Mehr als ein Drittel (37%!) der Nachweise gehören zu den submersen Wasserpflanzen, die bei der Taxasumme (Abb. 10a) nur 4% der Probe ausmachen. Der große Unterschied ist durch die enorm hohe Anzahl an Characeen-Oogonien begründet; auch die Nachweiszahl des Mittleren Nixenkrautes ist relativ hoch. 17% der Reste zählen zur Gruppe der Saumgesellschaften und Waldverlichtungen. Hier ist der hohe Prozentsatz auf die vielen gefundenen Brombeersteinfrüchtchen zurückzuführen. – Die vielen Schalenbruchstücke der Hasel bleiben in den Graphiken unberücksichtigt. – Dieses Ergebnis steht im Einklang mit der Abbildung 10a. Anders verhält es sich bei der Gruppe der Pflanzen von Ruderal- und Ackerstandorten. Mit 6% der Nachweise steht sie an dritter Stelle, liegt also beim theoretischen Mittelwert der 16 ökologischen Gruppen und weicht stark von Abbildung 10a (16%) ab. Viele nachgewiesene Taxa mit ausschließlich niedrigen Nachweiszahlen bedingen diese Diskrepanz. Die Gruppe Uferwaldpflanzen liegt mit 5% ebenfalls beim theoretischen Mittelwert und nimmt mit Platz 4 in der Häufigkeit eine höhere Position als in Abbildung 10a ein. Ausschlaggebend hierfür sind die häufigen Nachweise der Wald-Simse, der Schwarz-Erle und des Apfels. Unverhältnismäßig niedrig fallen die Prozentwerte der Gruppen TGR, NWI und ACK sowie insbesondere die der Gruppen UP und RU aus. Gerade die zuletzt genannten Uferpioniere und Ruderalpflanzen zeichnen sich durch hohe Taxasummen und allgemein niedrig liegende Zahlen nachgewiesener Reste pro Taxa aus.

Die Auswertung der Übergruppen ergibt (vgl. Tab. 15): submerse Wasserpflanzen (37%), Gruppe WA/SWA (17,3%), Ruderal- und Ackerstandorte (8,6%), Verlandungsgesellschaften (8,2%), Grünlandgesellschaften (4,2%) und Pflanzen trockener Magerrasen (0,2%).

Q62/4 (Abb. 11b)

Den weitaus höchsten Prozentwert aller drei Proben besitzt die Gruppe der Pflanzen der Saumgesellschaften und Waldverlichtungen mit 65% aller Nachweise. Begründen lässt sich dies mit den äußerst zahlreichen Sämereien von vier verschiedenen Sammelobstarten, der Brombeere, dem Schwarzen Holunder, der Wald-Erdbeere und der Himbeere (vgl. Kap. 3.2.4; 4.1). Alle anderen ökologischen Gruppen erreichen hierdurch bedingt nur sehr niedrige Prozentwerte. Zugleich verwischen sich die Unterschiede zwischen den einzelnen Gruppen – ein Nachteil bei der Darstellung von Prozentzahlen. Beim Vergleich der Diagramme der verschiedenen Proben muss dieses Faktum berücksichtigt und müssen die absoluten Zahlen mit herangezogen werden. Mit einem Anteil von 6% stehen die submersen Wasserpflanzen an zweiter und die Pflanzen von Ruderal- und Ackerstandorten mit 4% an dritter Stelle der Häufigkeiten. Die restlichen Gruppen liegen bei 2% (NWI, ACK) bzw. darunter. Im Vergleich zu Abbildung 11a besitzen die Gruppen RÖ/GSR, UW und TGR geringe Werte; die Nachweiszahlen ihrer Taxa sind stets niedrig.

Betrachtet man die Übergruppen (vgl. Tab. 15), so ergeben sich, abgesehen von der Gruppe WA/SWA (66%), folgende Ergebnisse: Mit 7% sind die Pflanzen von ruderalen Flächen und Äckern ungefähr zweimal so häufig vertreten wie die Grünland- (3,4%) und die Verlandungsgesellschaften (3,1%). Die submersen Wasserpflanzen nehmen mit 6% eine Mittelstellung ein; die Gruppe der Pflanzen von trockenen Magerrasen besitzt nur 0,3% des Pflanzenspektrums.

Große Veränderungen zu Q62/6 sind bei den Gruppen der submersen Wasserpflanzen mit 6% (37%), den Pflanzen der Wälder, Saumgesellschaften und Waldverlichtungen mit 66% (17,3%) und den Verlandungsgesellschaften mit 3,1% (8,2%) vorhanden.

Q62/2 (Abb. 12b)

Auch bei dieser Darstellungsweise hat die Probe Q62/2 den ausgeglichensten Charakter der drei ökologischen Spektren. Im Gegensatz zu Q62/6 und Q62/4 hat die jüngste Probe keinen „Ausreißer" bei den Prozentwerten. Das vorliegende Diagramm ist bis auf einzelne Ausnahmen gut mit der dazugehörigen Abbildung 12a zu korrelieren.

Eine Besonderheit von Q62/2 scheint das häufige Vorkommen der Uferwaldpflanzen (22%) zu sein. Es ist ausschließlich auf die zahlreichen Fruchtfunde der Wald-Simse zurückzuführen. Diese Art ist heute einerseits auf quelligen und wenig beschatteten Auenwaldstandorten beheimatet, kann aber ebenso auf Nasswiesen gedeihen. Würde die Wald-Simse zur Gruppe der Nasswiesenpflanzen gestellt, so ergäbe sich für die Gesellschaften des Uferwaldes ein minimaler Anteil von nur 1,4% am Gesamtspektrum (hierzu Kap. 3.2.4, Punkt 2 u. 4; Kap. 4.2). 14% der Nachweise sind der Gruppe R/A, 10% der Gruppe TGR, 9% den Uferpionieren, 8% den Nasswiesen und 7% den Ruderalstandorten zugeordnet. Die in Q62/6 und Q62/4 häufig nachgewiesenen Pflanzen der Saumgesellschaften und Waldverlichtungen, die Sammelpflanzen, erreichen nur 5%. Der prozentuale Anteil der Taxa von 10% (Abb. 12a) entspricht dagegen eher den Werten der beiden älteren Proben. Die verbleibenden ökologischen Gruppen liegen bei 3% (ACK) bzw. darunter. Schaut man die Übergruppen an (vgl. Tab. 15), so stellt sich folgendes Bild dar: Die Verlandungsgesellschaften besitzen 35% der Nachweise resp. 14% ohne die Wald-Simse, bei den Grünlandgesellschaften ergibt sich in Folge ein Prozentwert von 20% bzw. von 41%! Bei beiden Übergruppen liegen in jedem Fall höhere Anteile am Gesamtspektrum vor als bei den älteren Proben. Dieses Ergebnis steht in Einklang mit den in Abschnitt 1 gemachten Feststellungen (vgl. Abb. 10a, 11a u. 12a). Auch bei der Pflanzengruppe der Ruderal- und Ackerstandorte (24%) zeichnet sich Entsprechendes ab. Die Übergruppe WA/SWA hat 6%, SWP und TMR haben jeweils nur 1% der Nachweise.

Die eben angeführten Veränderungen von Q62/6 zu Q62/4 und zur jüngsten Kulturschichtprobe werden in Kapitel 3.2.4 und 4.2 erörtert.

3.2.4 Besprechung der ökologischen Gruppen der Wildpflanzen in Anlehnung an heutige pflanzensoziologische Einheiten höheren Ranges

Die Grundlage der Rekonstruktion der Vegetationsverhältnisse in der Umgebung des frühbronzezeitlichen Bodman-Schachen (Kap. 4.2) sind die in ökologische Gruppen und Übergruppen eingeteilten nachgewiesenen Pflanzenarten (Tab. 15; Abb. 9–12). Die einzelnen ökologischen Gruppen werden in diesem Kapitel detailliert besprochen. Verschiedene Aspekte sind hierbei von Belang, wie die Verbreitung von Pflanzenarten und die Veränderungen der Vegetationseinheiten während den verschiedenen frühbronzezeitlichen Besiedlungsphasen, der Vergleich mit heutigen pflanzensoziologischen Verhältnissen, die ökologische Aussagekraft der Pflanzenreste und die Sedimentationsfaktoren in Bezug auf einzelne Pflanzenarten. Bei der Interpretation von botanischen Funden aus prähistorischen Seeufersiedlungen sind folgende Punkte zu beachten:

– Es können in der Regel nur einzelne Proben aus den Sedimentschichten entnommen werden. In der vorliegenden Untersuchung ist nur jeweils eine Probe einer Profilsäule untersucht worden. Hinzu kommen lediglich mehrere vorgeschlämmte Flächenproben der unteren Kulturschicht, deren Wildpflanzeninventar bei der Besprechung der ökologischen Gruppen mit angeführt ist. Die Ergebnisse können die frühbronzezeitlichen Vegetationsverhältnisse gut oder schlecht widerspiegeln, je nachdem, ob es sich um ungestörte Ablagerungen oder Akkumulations- bzw. Lessivierungsvorgänge handelt.

– Die Reste bestimmter Pflanzenarten bzw. von Pflanzen einzelner ökologischer Gruppen können anthropo-zoogen bedingt häufig in Kulturschichten zur Ablagerung kommen. In starkem Maß beeinflusst wird die Ablagerung beispielsweise durch die Sammeltätigkeit des Menschen, die Feldwirtschaft oder die ungewollte Verbreitung der Samen und Früchte durch Tiere und Menschen.

– Der Ferntransport durch Winde kann vor allem bei leichten, häutigen Sämereien eine große Rolle spielen. Außerdem differieren Windrichtung und -stärke in Bezug auf die Fruktifikationszeiten und beeinflussen die Sedimentationsraten der verschiedenen Samen und Früchte.

– Die Schwimmfähigkeit der Sämereien differiert stark, das heißt, der Ferntransport durch Bach- und Seewasser und die Sedimentationsrate in den ufernahen Kulturschichten ist bei den einzelnen Arten unterschiedlich.

– Die Pflanzenreste der See- und Bachufervegetation können sich unter natürlichen Bedingungen in einer Seeufersiedlung eher ablagern als diejenigen von ökologischen Gruppen fern der Uferzone.

- Die Samenproduktion der verschiedenen Pflanzenarten variiert von Art zu Art und von Jahr zu Jahr sehr stark und ist zudem von den jeweils gegebenen Standortbedingungen abhängig.
- Die Erhaltungsfähigkeit der Sämereien ist unterschiedlich, was sich auch bei der vorliegenden Untersuchung deutlich zeigt. Ein Beispiel hierzu: Die robusten Brombeersteinfrüchtchen sind gut erhalten, die vergänglichen Leinsamen und Apiaceenteilfrüchte sind stark angegriffen und eventuell unterrepräsentiert (vgl. Dick 1988).
- Die Einteilung der nachgewiesenen Pflanzentaxa in ökologische Gruppen erfolgt in Anlehnung an heutige pflanzensoziologische Einheiten höheren Ranges. Dieses weit gefasste System versucht den frühbronzezeitlichen Gegebenheiten gerecht zu werden, mag den damaligen Verbreitungsschwerpunkten der einzelnen Arten aber vielleicht dennoch nicht nahe zu kommen. In diesem Zusammenhang wird auf die Spalte „Weitere Vorkommen" in Tabelle 15 hingewiesen.
- Die verschiedenen ökologischen Gruppen hatten damals wie heute eine unterschiedlich große Anzahl an (Charakter-) Arten, so dass der prozentuale Vergleich der Gruppen (Abb. 9–12)

stets hinkt. Das System der ökologischen Spektren/Gruppen ist dennoch die beste und einzige Methode des direkten Vergleichs der Gruppen einerseits und des Erkennens von Tendenzen der Vegetationsentwicklung von der ältesten über die mittlere zur jüngsten Kulturschicht andererseits. Als eine Hilfe zum Verständnis der Veränderungen sind die ökologischen Übergruppen 1 bis 8 zu sehen. Beim prozentualen Vergleich der ökologischen Gruppen auftretende Fehler können mittels der Übergruppen relativiert werden.

1. Submerse Wasserpflanzen

Der Prozentwert der Taxasumme beträgt bei allen Proben 4%, bei den Nachweissummen ergeben sich Anteile von 37/6/1%. Die große Anzahl an Characeen-Oogonien in Probe Q62/6 bzw. Q62/4 bedingt die großen Unterschiede. Wäre eine Determination der nur bis zur Gattung bestimmten Reste durchgeführt worden, hätte sich bei der Taxasumme wohl ein ähnliches Bild wie bei der Nachweissumme abgezeichnet.

Die Ablagerung zahlreicher Oogonien und Früchte von submersen Wasserpflanzen in den Kulturschichtpaketen kann nur durch Überschwemmungsphasen oder ständige Wasserbedeckung der

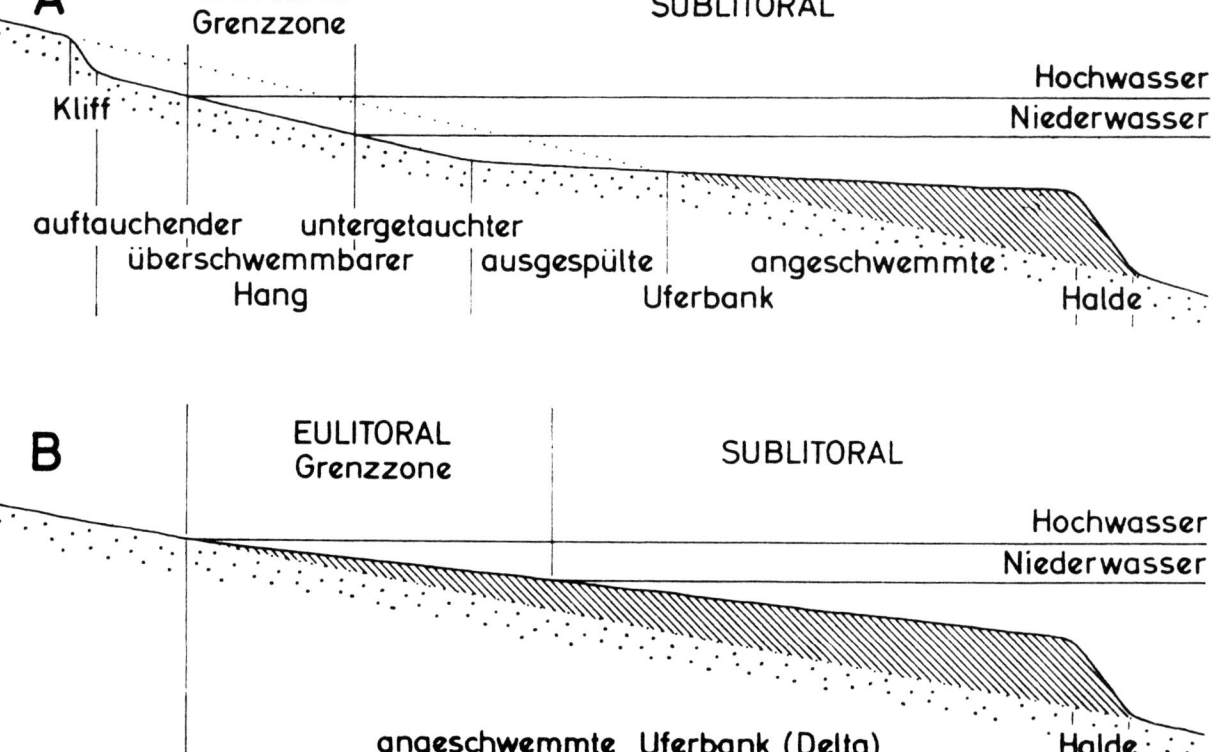

Abb. 13: Morphologische und ökologische Gliederung im Uferbereich von Seen mit dem ursprünglichen Uferverlauf (punktierte Linie). A Abtragungs- oder Abrasionsufer. B Anschwemmungs- oder Akkumulationsufer (Flussdelta). Aus Lang (1973).

Siedlungsflächen erklärt werden. Der Sumpf-Teichfaden und die Laichkräuter sind Hydrophyten, deren Überwinterungsknospen in der Regel unter Wasser liegen. Ebenso ertragen auch die Armleuchteralgen kein längeres Trockenfallen. Nur die Nixenkrautarten können ungünstige Zeiten als Samen überdauern. Der Frage nach der Lage der frühbronzezeitlichen Seeufersiedlungen von Bodman-Schachen und dem damit verknüpften Einfluss des Wassers auf die Siedlungsareale wird in Kapitel 4.2 und 4.3 nachgegangen. Aus den Abbildungen 13 und 14 ist die morphologische und ökologische Standortgliederung bzw. die Vegetationszonierung im Uferbereich ersichtlich.

In Q62/6 liegt eine große Anzahl an Characeen-Oogonien vor, die sehr wahrscheinlich von mehreren Arten stammen (Kap. 3.4.2). Die Armleuchteralgen bilden am Grunde von unverschmutzten kalkreichen Seen zum Teil dichte Rasen (Ellenberg 1982; vgl. Abb. 15), was der Grund für die Ablagerung der zahlreichen Oogonien sein kann. In den getreidekornreichen Flächenproben der unteren Kulturschichtprobe finden sich, trotz Vorschlämmung der Proben mit groben Sieben auf der Grabung (Kap. 2.1), ebenfalls noch vergleichsweise viele Oogonien (Tab. 15; 17). Ellenberg (1982) merkt weiterhin an, dass die meisten Wasserpflanzengesellschaften verhältnismäßig artenarm, dafür aber häufig sehr individuenreich sind. Die Folge sind mosaikartige submerse Pflanzenteppiche verschiedener Arten.

Der Sumpf-Teichfaden, das Große Nixenkraut, das Durchwachsene Laichkraut und viele Characeen können sowohl in stehenden als auch langsam fließenden Gewässern gedeihen, das Mittlere Nixenkraut hingegen bleibt in der Regel auf ruhige Seebuchten beschränkt. Welche Rolle die „alte" Stockacher Aach bei der Sedimentation der Wasserpflanzenreste gespielt hat, kann nur vermutet werden (Kap. 4.2–3).

2. Verlandungsgesellschaften

Der Prozentwert der Taxasumme ändert sich von Q62/6 zu Q62/4 nicht. Erst zur jüngsten Kulturschicht hin ist eine Zunahme von 21% auf 25% festzustellen. Anders verhält es sich bei den Nachweissummen (8,2/3,1/35 bzw. 14%) – je nachdem, ob die Wald-Simse nun zur Gruppe der Uferwaldpflanzen gerechnet wird oder nicht (s.u. „Grünlandgesellschaften"). Bei Q62/4 sind sämtliche Taxa durch Einzelfunde belegt, was nicht von Belang sein dürfte. Auffallend hingegen ist die Zunahme der Pflanzenarten und Pflanzenreste, sowohl bei den prozentualen als auch bei den absoluten Fundmengen, von der mittleren zur jüngsten Kulturschicht. Ein kontinuierlicher Anstieg von Q62/6 zu Q62/2 ist bei der Anzahl der Reste und insbesondere bei der Taxasumme der Gruppe „Röhrichte und Großseggenrieder" festzustellen. Die Pflanzen dieser ökologischen Gruppen kommen in beiden, zumeist benachbarten Verlandungszonen vor, weshalb sie für den grafischen Teil zusammengefasst sind. Einen Überblick über die heutigen Vegetationskomplexe im Litoral des Bodensees an einem oligo- und mesotrophen Naturufer sowie an abwasserbeeinflussten eutrophen Ufern gibt Abbildung 14.

Die typischen Vertreter der „Echten Röhrichte" sind die Gemeine Teichsimse, die Gemeine Sumpfsimse und die Rohrkolbenarten, sofern es sich bei den gefundenen Samen nicht um den – heute im Gebiet fehlenden – in Kleinseggenriedern beheimateten Zwerg-Rohrkolben handelt. Früchte des heute weit verbreiteten Schilfs fehlen in allen untersuchten Proben. Der Grund hierfür ist vermutlich die geringe Widerstandsfähigkeit der zarten Früchte. Auch viele nachgewiesene Früchte anderer Süßgräser sind erheblich beschädigt, wie Kapitel 3.4.2 entnommen werden kann.

Der Bach-Ehrenpreis und die Gemeine Brunnenkresse gelten heute als typische Vertreter der „Bachröhrichte", da sie fließendes Wasser bevorzugen. Bei der Wasser-Minze ist zwischen der „normalen" Form der Echten Röhrichte und Großseggenbestände und einer submersen Form der Fließgewässer zu unterscheiden. Auch die unbestimmte Froschlöffelart kann sowohl in stehendem als auch langsam fließendem Wasser gewachsen sein. Das bei den submersen Wasserpflanzen erwähnte Große Nixenkraut gesellt sich nicht selten zu licht stehenden Röhrichtpflanzen der See- und Bachufer.

Scheinzyper-, Ufer- und Blasen-Segge gedeihen vornehmlich im „Magnocaricion" („Großseggenrieder") von See- und Bachufern. Begleiter sind zum Teil die den Röhrichten zugeordneten Arten (s.o.), der Ufer-Wolfstrapp, die Staudenarten Gemeiner Blutweiderich und Flügel-Hartheu sowie die Sumpf-Dotterblume und die Knoten-Binse (vgl. Gruppe 4). Eine besondere Röhrichtausprägung am Bodensee wird von Lang (1973) beschrieben. Es ist das Zyperseggenröhricht mit den vorherrschenden Arten Scheinzyper-Segge und Ufer-Wolfstrapp, daneben unter anderem mit Bach-Ehrenpreis und Gemeinem Blutweiderich. Es grenzt ohne davor liegendes Röhricht direkt an die offene Wasserfläche.

Zusammengefasst heißt dies: Der Gruppe der Röhrichte und Großseggenrieder werden Nachweise von Vertretern des Echten Röhrichts, des Bachröhrichts und von Großseggenriedern der See- und Bachufer zugeordnet. Am weitesten können Pioniertrupps der hydromorphen Gemeinen Teichsimse ins offene Wasser vordringen – zum Teil nur noch mit untergetauchten, „eigentümlichen, flutenden Bandblattformen" (Bertsch 1947) –, sofern es sich um ruhige Seeteile handelt. Landwärts folgen die Verlandungszonen der Röhrichte und Großseggenrieder. Vertreter des Bachröhrichts, wie die Gemeine Brunnenkresse und der Bach-Ehrenpreis, wuchsen vermutlich an den Ufern der Stockacher Aach. Das Magnocaricion ist insbesondere durch die drei Arten Scheinzyper-, Ufer- und Blasen-Segge charakterisiert.

Abb. 14: Vegetationskomplexe im Litoral des Bodensees (schematisch). A Natürliches, oligotrophes Kiesufer. B Natürliches, mesotrophes Sand-Silt-Ufer. C Eutrophes Ufer vor Ufersiedlungen. D Stark eutrophes Ufer im Mündungsgebiet von Zuflüssen. – 1 Characeen-Rasen (Charetum asperae). 2 Nixenkraut-Ges. (Najadetum intermediae). 3 Graslaichkraut-Ges. (Potametum graminei). 4 Glanzlaichkraut-Ges. (Potametum lucentis). 5 Teichfaden-Ges. (Zannichellietum palustris). 9 Schilfröhricht (Phragmitetum). 10 Binsenröhricht (Scirpetum lacustris). 11 Rohrkolbenröhricht (Typhetum). 12 Schwadenröhricht (Glycerietum maximae). 13 Strandschmielen-Ges. (Deschampsietum rhenanae). 14 Nadelbinsen-Ges. (Littorello-Eleocharitetum). 15 Steifseggenried (Caricetum elatae). 16 Straußgras-Ges. (Rorippo-Agrostietum). Aus Lang (1973).

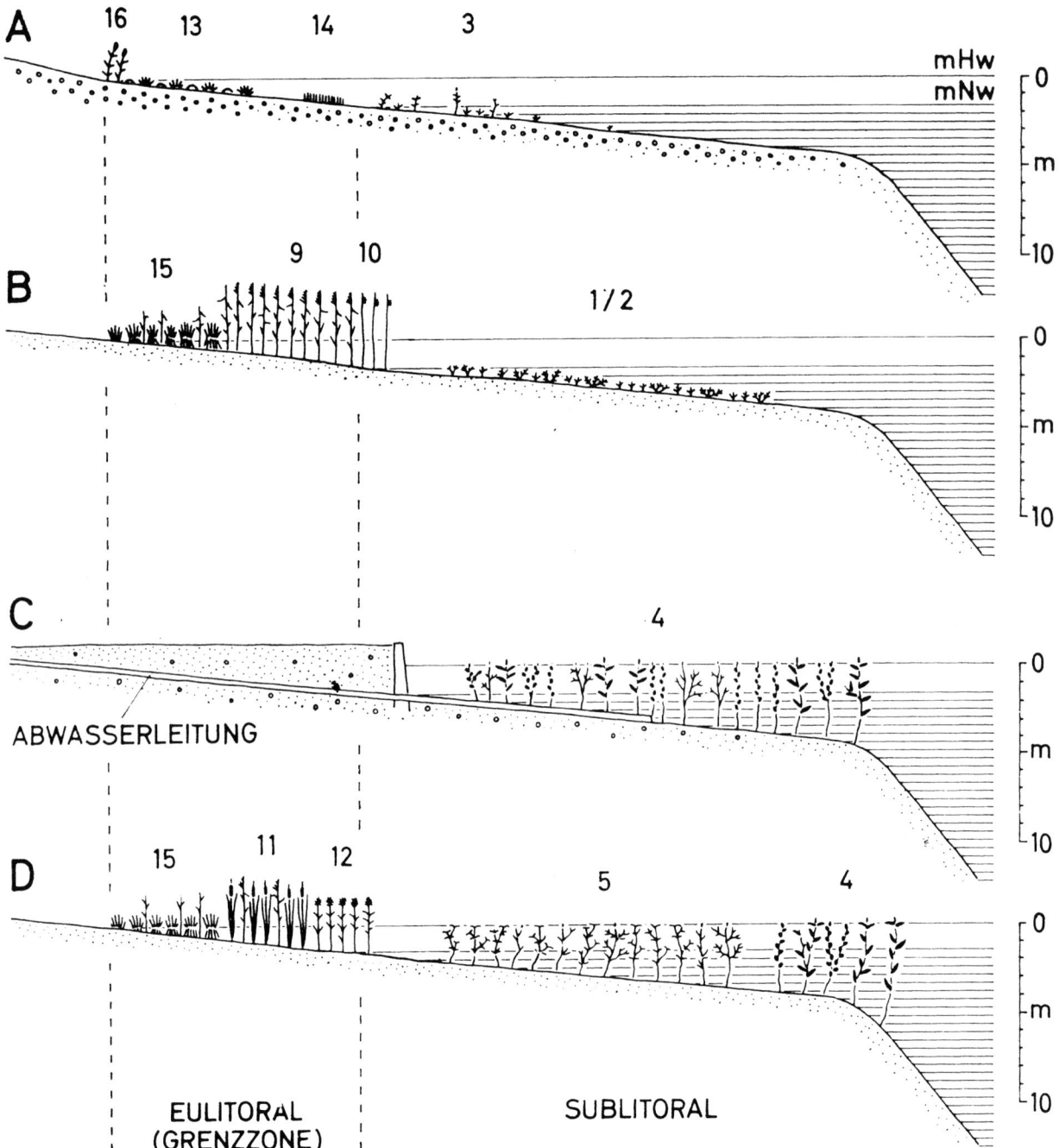

Kapitel 3.2.3 und Tabelle 15 ist zu entnehmen, dass nur bei der jüngsten Probe eine größere Anzahl von Resten den „Kleinseggenriedern" zugeordnet werden kann. Diese Rasengesellschaften treten oftmals sekundär an die Stelle von Bruchwäldern, wenn sie durch gelegentliche Mahd oder Beweidung vor der Wiederbewaldung geschützt werden. Sie stellen aber auch natürliche Glieder von Verlandungsreihen an Seen oder Quellvegetationskomplexen dar, die flachmoor- oder zwischenmoorähnlichen Charakter haben können (Oberdorfer 1977; Ellenberg 1982). Man spricht auch von Kleinseggensümpfen und Wiesenmooren, die sich heute durch das Vorherrschen von niedrigen Seggen, Binsen und Wollgräsern auszeichnen und weit gehend gehölzfrei sind. Bei abnehmender Nässe leiten sie zu den anthropogen bedingten Nasswiesen über.

Das Siedlungsareal Bodman-Schachen I befindet sich im Bereich der Uferzone des Bodensees, wo heute an breiten Flachufern und Geländedepressionen natürliche Kleinseggenrieder vorkommen (vgl. Lang 1973). Die Einteilung derselben in die Gruppe der „weit gehend naturnahen, von Menschen nicht oder nur wenig gestörten Plätze" ist somit gerechtfertigt, wenn auch stärkere anthropogene Einflüsse (Rodung, Verhinderung der Wiederbewaldung) nicht ausgeschlossen werden können.

Die spärlichen Nachweise in Probe Q62/6 und Q62/4 lassen keine Aussagen über eventuell vorhandene Kleinseggenrieder zu. Beachtenswert ist aber der Einzelnachweis der Rasigen Haarsimse in der ältesten Kulturschichtprobe. Sie wird heute den subalpinen und alpinen Formen der Braunseggen-Sümpfe zugeordnet (Oberdorfer 1977). Lang (1973) schreibt über diese Art, dass sie heute im Gebiet des westlichen Bodensees erloschen ist, vor den menschlichen Eingriffen aber auf dem nahe gelegenen Bodanrück in „Zwischenmoorgesellschaften mit Hochmooranflug" beheimatet war. Auch spät- und postglaziale Fossilfunde aus verschiedenen Mooren des Bodanrück bestätigen das ehemalige Vorkommen der Rasigen Haarsimse im Gebiet.

Relativ häufige Nachweise der Glieder-Binse, der Grau-Segge, der Zweischneidigen Binse und des Sumpf-Stiefmütterchens in der oberen Probe sprechen zumindest für kleinräumige Vorkommen von Kleinseggenriedern während der jüngsten Besiedlungsphase. Es sind alles Arten saurer, basen- und stickstoffarmer Torfböden, die heute für die Braunseggen-Sümpfe typisch sind. Basenreichere Standorte bevorzugt die Gelb-Segge (vgl. Oberdorfer 1977). Drei weitere, häufig belegte Arten der „Uferpioniere" und „Nasswiesen" können an etwas weniger sauren und besser stickstoffversorgten Stellen in Kleinseggenriedern gedeihen: die Zwiebel-, die Flatter- und die Spitzblütige Binse. Die beiden zuletzt genannten Arten vermitteln zu den stärker anthropo-zoogen gestörten Nasswiesen (s. u.). Bemerkenswert sind die sechs sicher nachgewiesenen Samen der Zweischneidigen Binse. Sie ist eine salzliebende Art der Salzmarschrasen unserer Nordseeküsten, die auch in Kleinseggenriedern wachsen kann. Über süddeutsche rezente und subfossile Vorkommen dieser atlantisch-mediterranen Spezies ist dem Autor nichts bekannt.

Probe Q62/4 unterscheidet sich von der älteren und jüngeren Probe durch die wenigen „Uferpioniere" (4%; Q62/6: 11%; Q62/2: 10%). Bei der Nachweissumme hat Q62/2 den weitaus höchsten Prozentsatz aller drei Proben, wobei einzelne Pflanzenarten gut vertreten sind (9%; Q62/6: 2%; Q62/4: 1%). Unter dem Begriff „Uferpioniere" wird eine heterogene Gruppe von Pionierpflanzen lichtoffener, wechselfeuchter bzw. -nasser und mehr oder weniger natürlicher Standorte von See- und Flussufern zusammengefasst. In der pflanzensoziologischen Systematik (Ellenberg 1982) gehören diese Arten zu den Kriechpionierrasen zeitweilig überfluteter Standorte (Agrostietalia, s. Abb. 14) und den annuellen wechselnassen Zwergpflanzenfluren zeitweilig wasserbedeckter, aber oft monate- oder jahrelang trocken liegender Flächen (Isoëto-Nanojuncetea). Weiterhin werden Arten der annuellen, stark nitrophilen Zweizahn-Schlammufer-Gesellschaften (Bidentetea) halbruderaler, zum Teil entblößter Böden von See- und Flussufern zu den Uferpionieren gestellt. Diese, in ihrer Artenzusammensetzung ziemlich verschiedenen Gruppen werden in der vorliegenden Arbeit ihrer „ähnlichen" Wuchsorte wegen zusammengefasst, im Folgenden aber getrennt voneinander behandelt. So besiedeln im Alpenvorland annuelle Gesellschaften der Zweizahn-Schlammufer-Fluren und der Zwergpflanzenfluren wechselnasse Plätze im Flussbett direkt oberhalb der Niederwasserlinie. Die Kriechpionierrasen schließen an und steigen bis zur mittleren Sommerwasserlinie auf, wo sie vom Flussröhricht abgelöst werden; sie nehmen somit den unteren Auenrand ein (Ellenberg 1982). Eine entsprechende Zonierung kann sich auch an schlammigen Seeufern bei stark schwankendem Wasserspiegel herausbilden.

Den artenarmen Kriechpionierrasen können nur drei Spezies zugeordnet werden, die Blaugrüne Binse, der Krause Ampfer und das namengebende Weiße Straußgras. Alle drei Arten ertragen Trittbelastung in geringem Umfang und besiedeln mäßig stickstoffreiche Standorte. Weiterhin gehören auch das Kriechende Fingerkraut (Gruppe FGR) und die in Gruppe RU (s. u. Punkt 4 bzw. 6) aufgeführten Arten, wie Platthalm-Binse, Behaarte Segge, Platthalm-Quellried, Echtes Eisenkraut und die nicht sicher bestimmte Salz-Binse zu dieser Pflanzengemeinschaft. Die Blaugrüne Binse ist am häufigsten nachgewiesen und allen drei Proben gemein. Auch die Vertreter der wechselnassen Zwergpflanzenfluren sind zumeist trittertragend. Es zählen hierzu das Braune Zypergras, das Acker-Gipskraut, das Zierliche Tausendgüldenkraut, die Kröten-Binse und der Kleine Wegerich.

Mit den Zwergpflanzenfluren stehen nicht selten die Zweizahn-Schlammufer-Fluren der Flussufer in engem Kontakt, welche die zuerst Genannten jahreszeitlich ablösen oder sich mit diesen verzahnen. Hierzu gehören der Milde Knöterich, der Wasserpfeffer, der Kleine Knöterich, der Gift-Hahnenfuß, der Sumpf-Ampfer und der Graugrüne bzw. der Rote Gänsefuß. Das Vorkommen dieser stark nitrophilen Arten wird durch den Menschen begünstigt; man spricht in diesem Fall von halbruderalen Arten bzw. Standorten (Ellenberg 1982).

Die drei untersuchten Kulturschichtproben weisen jeweils Arten aller drei Pflanzengruppen in nahezu gleichem Umfang auf, wodurch sich keine zeitlichen Veränderungen der Zusammensetzung der Uferpionier-Vegetation für die Umgebung von Bodman-Schachen ablesen lassen. Aufgrund der vielen Nachweise in der oberen Probe scheint die Ufervegetation während der jüngsten Besiedlungsphase am stärksten aufgelichtet und gestört gewesen zu sein (Kap. 4.2).

Die Zwiebel-Binse kann zu keiner der oben erwähnten Pflanzengruppen gestellt werden. Sie ist ein Pionier auf staunassen, zeitweise seicht überschwemmten Böden nährstoffarmer, saurer Ufer und kann Beständen der Gemeinen Sumpfsimse seewärts vorgelagert sein. Im frühbronzezeitlichen Bodman-Schachen kann die Zwiebel-Binse auch im Randbereich von sauren Kleinseggen-Beständen bzw. von Flachmooren auf lückigen Stellen angesiedelt gewesen sein (s. o.).

Die Gruppe der „Uferwaldpflanzen" gehört ebenfalls zu den Verlandungsgesellschaften. Im Vergleich zu anderen ökologischen Gruppen dieser Übergruppe bzw. anderen Übergruppen des Pflanzenspektrums besitzt der Uferwald niedrige bis mittlere prozentuale Häufigkeiten der Nachweise. Für die Taxasumme ergibt sich von der ältesten zur jüngsten Kulturschicht eine Entwicklung der Prozentwerte von 6/7/4%, bei der Nachweissumme von 5/1/22%. Stellt man die Wald-Simse zur Gruppe der Nasswiesenpflanzen, so ändern sich die Prozentwerte in folgender Weise: Taxasumme 5/6/3%, Nachweissumme 2/0,3/1,4% (s. u. Punkt 4; Kap. 3.2.3). Zum Uferwald gehören die Holzarten Schwarz-Erle, Holz-Apfel, Gewöhnliche Traubenkirsche, die Weidenarten und die eventuell nachgewiesene Birne. In der Krautschicht gedeihen die Wald-Simse, die Winkel-Segge, die Quell-Sternmiere und die Kratzbeere. Daneben können auch einige Arten der Saumgesellschaften und Waldverlichtungen im Uferwald gedeihen (s. u. Punkt 3).

Die Gruppe Uferwald umfasst die verschiedenen Ausprägungen der Bruch- und Auenwälder, die bei dem folgenden Exkurs in die potentielle natürliche Vegetation des westlichen Bodensees vorgestellt werden. Auf eutrophem Torf stockt der Erlenbruchwald, dessen Vorkommen heute im Gebiet auf die Randzonen von Mooren bzw. auf abflusslose Senken auf dem südlich gelegenen Bodanrück beschränkt ist (Lang 1973; s. Kap. 1.4). Man kann davon ausgehen, dass Erlenbrücher bei der Rekonstruktion der Vegetation für die Umgebung von Bodman-Schachen kaum in Betracht kommen. Zum einen sind nur die beiden nachgewiesenen Arten Schwarz-Erle und Blasen-Segge typische Vertreter der Erlenbruchwälder; sie lassen sich aber auch zu den Auenwäldern bzw. zu den Großseggenriedern einreihen. Zum anderen gilt es als unwahrscheinlich, dass in der frühen Bronzezeit, bei vermutlich deutlich niedrigerem Seespiegel als heute, stehendes Grundwasser in der Umgebung des See- bzw. Bachufers der Stockacher Aach vorgekommen ist (Kap. 4.3). Für diese Bereiche ist sicherlich strömendes Grundwasser typisch gewesen.

Bei den Auenwäldern sind mehrere Typen voneinander zu unterscheiden (Lang 1973). Der Bach-Eschenwald kommt im Gebiet vornehmlich als schmaler Saum an langsam fließenden Gewässern vor. Der Schwarzerlen-Eschen-Wald ist die vorherrschende potentielle natürliche Waldgesellschaft der alluvialen Talauen und dürfte auch während den frühbronzezeitlichen Besiedlungsphasen weite Teile der Espasinger Niederung, der Flussniederung der Stockacher Aach (Abb. 1 u. 5), eingenommen haben. Ebene Lage, lehmiger Boden und bewegtes, sauerstoffarmes Grundwasser sind in diesen Bereichen typisch; es bilden sich dort Eu- resp. Anmoorgleye aus (Kap. 1.4). Unter natürlichen Bedingungen kommt im unmittelbaren Einflussbereich des Bodensees, so auch im flachen Mündungsgebiet der Stockacher Aach (Lang 1973), ein Stieleichen-Ulmen-Wald vor. Er wird nur selten überflutet und stockt auf kalkreichen, durchlässigen und gut durchlüfteten Braunen Auenböden (Vega; s. Kap. 1.4). In feuchten, sauerstoffarmen Bereichen geht er in den oben angeführten Schwarzerlen-Eschen-Wald über.

Auf niedrig gelegenen, seewärtigen Standorten wird der Stieleichen-Ulmen-Wald von dem feuchter stehenden Silberweiden-Schwarzpappel-Wald abgelöst. Dieser stockt auf kalkhaltigen, sandigen oder kiesigen Rohaueböden in Höhe der mittleren Hochwasserlinie und grenzt als schmaler Saum entlang des Ufers den Stieleichen-Ulmen-Wald vom offenen Wasser ab. Im Bereich der Eichen-Ulmen- und Erlen-Eschen-Wälder können sich unter menschlichem Einfluss Auengebüsche, wie der Weiden-Schneeball-Busch, entwickeln. Die gemachten Ausführungen dienen als Hilfe bei der Einordnung der subfossil belegten Pflanzenarten.

Die Schwarz-Erle ist in allen drei Kulturschichtproben nachgewiesen, in Q62/4 allerdings nur einmal. Ihre Früchte sind groß, mit Fruchtflügeln versehen, und gelangten vermutlich auf dem Wasserwege in die Seeufersedimente (vgl. Bollinger 1981). Die weiteren Auenwaldpflanzen sind nur durch spärliche Funde belegt. Die Winkel-Segge ist eine häufige Art quelliger Standorte in Bach-Eschenwäldern, ist aber auch in Erlen-Eschen-Wäldern zu finden. Die Gewöhnliche Traubenkirsche, die Quell-Sternmiere und die Kratzbeere haben ihre Verbreitungsschwerpunkte in den Erlen-Eschen-Wäldern. Der Holz-Apfel und die Weidenarten sind dagegen in lichtoffeneren Auenwaldgebüschen zuhause. Eine Abgrenzung der oben beschriebenen natürlichen Ausprägungen des Auenwaldes kann anhand der Funde nicht vorgenommen werden.

Die Esche als typische Auenwaldart ist in keiner Probe nachgewiesen. Vermutlich ist sie in der Umgebung von Bodman-Schachen gewachsen, ihre Früchte sind aber vermutlich aus Gründen der schlechten Erhaltungsfähigkeit nicht mehr vorhanden. Diese Vermutung bestätigt zumindest auch die Holzanalyse von J. Köninger (Beitrag Köninger S. 58 Tab. 1). Die Esche stellt hier die weitaus wichtigste Nutzholzart der unteren Kulturschicht dar. Zu den jüngeren Schichten hin nimmt ihre prozentuale Häufigkeit zugunsten der Erle (Q62/4) bzw. der Eiche (Q62/2) stark ab (Kap. 4.2).

Die Wald-Simse kann in quelligen Auenwäldern an lichten Stellen vorkommen, bevorzugt in Bach-Eschenwäldern. Typisch dagegen ist ihr häufiges Vorkommen in anthropogen beeinflussten Bereichen, so zum Beispiel in den Ersatzgesellschaften von Auenwäldern, den Nasswiesen im weitesten Sinne (s. u. Punkt 4).

In die Gruppe „Pflanzen des Waldes" werden die häufigen Eichelfunde eingeordnet. Eine Artbestimmung ist anhand der Früchte nicht möglich (Kap. 3.4.2), so dass eine Zuordnung der Eiche in die Gruppe Uferwaldpflanzen nicht vorgenommen werden kann. Diese liegt aufgrund der vielen Nachweise aber nahe. Vermutlich handelt es sich bei den Funden um Früchte der Stiel-Eiche, die namengebend für den natürlichen Stieleichen-Ulmen-Auenwald der seenahen Uferregionen ist. Natürliche Traubeneichen-Hainbuchen-Wälder mit der bevorzugt trockener stehenden Trauben-Eiche, der Hainbuche und der Winter-Linde stocken auf fluvioglazialen Schottern und kiesreichen Endmoränen in der ca. 20 km von Bodman-Schachen entfernt gelegenen Singener Niederung (Lang 1973). Daneben ist die Trauben-Eiche aber auch verschiedenen natürlichen Waldtypen der näheren Umgebung des Überlinger Sees beigemischt, dies in geringem Umfang in den eben erwähnten Stieleichen-Ulmen-Wäldern, den weit verbreiteten Buchen-Wäldern sowie den Föhren-Wäldern der südexponierten Steilhänge des Überlinger Steiluferlandes (Abb. 5).

Dem Stieleichen-Ulmen-Wald können außerdem der Eingriffige Weißdorn (s. u.), die Gewöhnliche Traubenkirsche, die Birne und auch die Kratzbeere zugeordnet werden. Die Feld-Ulme könnte wie die Esche (s. o.) aufgrund ihrer leicht vergänglichen Samen im Artenspektrum der Kulturschichtproben fehlen. Bei der Holzanalyse von J. Köninger ist sie allerdings auch nur mit zwei liegenden Hölzern belegt (Beitrag Köninger S. 58 Tab. 1).

Zusammenfassend lässt sich Folgendes sagen: Die spärlichen Nachweise von Auenwaldpflanzen lassen keine quantitativen Abschätzungen über die Ausdehnung der verschiedenen Auenwaldtypen zu. Wahrscheinlich lag ein standortbedingter Wechsel von natürlichen Bach-Eschenwäldern, Schwarzerlen-Eschen-Wäldern und Stieleichen-Ulmen-Wäldern vor. An aufgelichteten Stellen konnten sich vermutlich Weidenauengebüsche und bei starken Eingriffen durch den Menschen ausgedehnte Saumgesellschaften und Nasswiesen als Ersatzgesellschaften des Auenwaldes einstellen (s. u. Punkt 3 u. 4). Bruchwälder dürften in der Umgebung von Bodman-Schachen auch zu Zeiten der frühbronzezeitlichen Besiedlung nicht oder nur kleinflächig vorhanden gewesen sein.

3. Gesellschaften der Wälder, Waldränder, Waldverlichtungen, Hecken und Gebüsche

In äußerst bescheidenem Umfang sind Reste von typischen „Waldpflanzen" grundwasserfernerer, trockenerer Standorte ausgelesen worden. Dies zeigen auch die Prozentzahlen der Taxasumme (1/1/1%) und der Nachweissumme (0,3/1/1%), jeweils von der ältesten zur jüngsten Siedlungsschicht gesehen. Ordnet man die gefundenen Eichelreste und Knospenschuppen der Stiel-Eiche zu, einer Eichenart der Auenwälder (Punkt 2), so weisen die drei Kulturschichtproben keinerlei Funde von typischen Waldpflanzen frischer bis feuchter Standorte auf. Es verbleiben lediglich zwei Fruchtfunde der Rot-Buche und zwei nicht gesicherte Nachweise der Steinbeere in den Flächenproben der unteren Kulturschicht. Die belegten Arten der Saumgesellschaften und Waldverlichtungen werden nachfolgend in diesem Kapitel besprochen.

Weiterhin sind die acht Steinkerne des Schwedischen Hartriegels anzuführen, einer Art der nordischen Zwergstrauchgesellschaften der sauren Fichtenwälder auf torfigen Böden. Die Steinkerne lassen sich gut von denen des Roten Hartriegels abgrenzen (Kap. 3.4.2), einer häufig anzutreffenden Art der Hecken und Saumgesellschaften von Laubmisch- und Auenwäldern unseres Gebiets. Das Vorkommen des Schwedischen Hartriegels ist erstaunlich, zumal der gängigen Literatur keine Fundorte im süddeutschen Raum zu entnehmen sind (vgl. Oberdorfer 1979).

Die Rot-Buche ist die vorherrschende Baumart im westlichen Bodenseegebiet (Lang 1973). Buchenwälder verschiedener Ausprägung besiedeln in der hiesigen Naturlandschaft weit gehend alle Standorte, ausgenommen die nassen Talauen und Moorgebiete sowie die extrem trockenen und flachgründigen Steilhänge des Überlinger Steiluferlandes, die real und potentiell von Föhrenwäldern bestockt sind. Trockenheit, Nässe und Spätfröste können die Rot-Buche auch an anderen Stellen zurückdrängen. Ausgedehnte Buchenwälder findet man heute unweit des frühbronzezeitlichen Siedlungsareals an den Abhängen des Bodanrück im Süden und des Stockacher Berglandes im Norden (Abb. 5). Die Rot-Buche kann daneben als konkurrenzstarke Art auch in den oben angeführten Föhrenwäldern, den Ahorn-Eschen-Wäldern der nordexponierten Steilhänge des Bodanrück und den seeufernahen Stieleichen-Ulmen-Wäldern gedeihen. Selten steht sie direkt an See- und Bachufern, wodurch ein Ferntransport der schweren Früchte durch das Wasser eingeschränkt ist. Werden Bucheckern nicht durch gezieltes Sammeln oder durch den Holzeintrag in die Siedlung gebracht, ist die Rot-Buche in den Kulturschichtproben unterrepräsentiert, was auch bei Bodman-Schachen I der Fall sein könnte.

Tabelle 1 und Kapitel 4 von J. Köninger (S. 58) zufolge, stellt die Buche die fünftwichtigste Nutzholzart von Bodman-Schachen nach Erle, Eiche, Esche und Hasel dar. Ihre Holzfunde beschränken sich allerdings auf die beiden jüngeren Kulturschichten. Vermutlich mussten die frühbronzezeitlichen Siedler wegen der schwindenden Ressourcen an Auenwaldbäumen in verstärktem Maße auf Baumarten trockenerer und siedlungsfernerer Standorte zurückgreifen. Diese Annahme wird durch die Nutzung von Linden-, Ahorn- und Birkenholz in den jüngeren Besiedlungsphasen (Beitrag Köninger S. 67) gefestigt (Kap. 4.2).

Die Pflanzen der „Saumgesellschaften und Waldverlichtungen" sind in engem Zusammenhang mit den bereits besprochenen Auenwäldern und mesophilen Laubmischwäldern zu sehen. Sie besiedeln lichtoffene Waldränder, Waldlichtungen und Waldschläge und finden sich an freistehenden Hecken und Gebüschen. Das ausgeglichene Mikroklima des geschlossenen Waldes kommt ihnen nur in abgeschwächter Form oder, im Falle von freistehenden Beständen, gar nicht zugute. Entsprechend schwanken die Amplituden von Temperatur und Feuchtigkeit im tages- und jahreszeitlichen Wechsel stärker als in geschlossenen Wäldern. Pflanzensoziologisch gesehen handelt es sich um Pflanzen verschiedener Klassen bzw. Ordnungen, die in der vorliegenden Arbeit zusammengefasst, im Folgenden aber getrennt voneinander besprochen werden. Die Betrachtungen stützen sich auf die Klassifizierung von Oberdorfer (1978) und Ellenberg (1982).

Besprochen werden die „Waldmantelgebüsche und Hecken" (Prunetalia), die „Waldlichtungsgebüsche und -krautfluren" (Epilobietea), die „helio-thermophilen Staudensäume an Gehölzen" bzw. die „Wirbeldostgesellschaften" (Trifolio-Geranietea) sowie die „ausdauernden Stickstoffkrautfluren halbbeschatteter Plätze" (Artemisietea). Diese Einheiten werden hier zusammengestellt, da sie alle zwischen natürlichen bzw. naturnahen Wäldern und natürlichen bzw. anthropogen bedingten Rasengesellschaften und baumfreien Uferbereichen vermitteln, sowohl in lokaler und standortkundlicher als auch in floristischer Hinsicht. Ihrer Vermittlerrolle wegen kann man die Standorte der Mantel- und Saumgesellschaften als „Übergangs-" oder „Grenzbereich" auffassen. Es gibt aber keine festen Grenzen. Einerseits dringen die Gesellschaften der Mäntel, Säume und Lichtungen in die angrenzenden Rasengesellschaften ein und umgekehrt. Andererseits können Arten der Mäntel und Säume bei gutem Lichtgenuss in die Wälder vordringen und Waldpflanzen bei entsprechender Beschattung in Mantel- und Saumbeständen Fuß fassen. Dieses Wechselspiel zwischen Wald-, Mantel-, Saum-, Lichtungs- und Rasengesellschaften zeigt deutlich, welche Schwierigkeiten bei der Interpretation der nachgewiesenen Pflanzenarten bestehen.

Die Nachweise der Gruppe „Saumgesellschaften

und Waldverlichtungen" (SWA) verteilen sich wie folgt – von der unteren zur oberen Kulturschicht gesehen: Taxasumme (16/16/10%), Nachweissumme (17/65/5%). Bemerkenswert sind sowohl die hohen Nachweiszahlen der mittleren Kulturschicht als auch die prozentuale Abnahme der Mantel-, Saum- und Lichtungspflanzen zur jüngsten Besiedlungsphase hin. In Q62/6 und Q62/4 nimmt die Gruppe SWA eine zum Teil ausgeprägte Spitzenposition in den ökologischen Spektren ein. In Probe Q62/2 dagegen ist die Taxasumme hoch, die Summe der nachgewiesenen Reste aber eher als niedrig einzustufen. Die extrem hohen Nachweissummen in Q62/6 und in Q62/4 sind fast ausschließlich auf die Sammelpflanzen Brombeere, Himbeere, Schwarzer Holunder und Wald-Erdbeere zurückzuführen. Ihre Früchte waren auch in vorgeschichtlicher Zeit begehrt, wie aus vielen paläobotanischen Untersuchungen hervorgeht (Kap. 4.1).

Weitere Arten der „Waldmantelgebüsche" sind die Gemeine Hasel, der Eingrifflige Weißdorn, die Schlehe und die Rosen. In der heutigen Pflanzensoziologie werden diese Arten zur Ordnung Prunetalia gestellt. Die aufgeführten Spezies gedeihen in den Mänteln der mesophilen Laubmischwälder, am Rande oder in Lichtungen von Auenwäldern, können aber ebenso mit xerothermen Eichen-Mischwäldern in Kontakt oder frei als Hecken stehen. Eine Ausnahme macht hier die Hasel. Sie ist sehr gesellig und gedeiht auch im Unterwuchs von lichten krautreichen Laubwäldern. Hier steht sie zusammen mit Buche, Hainbuche und Eiche. In den Schluchtwäldern der nordexponierten Steilhänge des Bodanrück, den Ahorn-Eschen-Wäldern, trifft man die Hasel in Gemeinschaft mit Bergahorn, Bergulme, Esche und Sommerlinde an. Als ausschlagfähige Pionierpflanze ist sie auch in Waldlichtungsgebüschen zu Hause. Haselholz konnte von J. Köninger (S. 58 Tab. 1) in allen drei Siedlungsschichten nachgewiesen werden, allerdings in bescheidenem Maße.

Brombeere, Himbeere, Wald-Erdbeere und insbesondere der Schwarze Holunder stellen hohe Ansprüche an den Stickstoffgehalt des Bodens und bevorzugen Standorte mittlerer Bodenfeuchte. Schlehe, Rose und Eingrifflinger Weißdorn hingegen gedeihen ebenso auf stickstoffärmeren, trockeneren Böden. Bei sämtlichen Waldmantelgebüscharten handelt es sich um Sammelpflanzen, die durch die Sammeltätigkeit des Menschen in den Siedlungsschichten im Allgemeinen überrepräsentiert sind. Das Vorkommen dieser Mantelarten im Untersuchungsgebiet ist natürlich, wird durch menschliche Eingriffe wie Rodungen und Waldweide aber zusätzlich begünstigt. Untersuchungen von Groenman-van Waateringe (zitiert in Ellenberg 1982) zufolge lassen sich vom Menschen angepflanzte Hecken als natürliche Zäune schon im Neolithikum nachweisen, die das Vieh von den Äckern fern halten sollten.

Den „Waldlichtungsgebüschen und -krautfluren" können die meisten der oben angeführten Arten ebenfalls zugeordnet werden, insbesondere bei Vorhandensein großer, lichtoffener Stellen. Auf stickstoffreichen Flächen kann sich auch der Gemeine Klettenkerbel ansiedeln. Der Tüpfel-Hartheu bevorzugt dagegen magerere Standorte und kann sich als Pionierpflanze frühzeitig auf Waldverlichtungen einstellen (s.u.). Entsprechende Stellen sind naturbedingt (Windwurf, Brand) oder auf menschliche Eingriffe zurückzuführen, wie dem Holzeinschlag und der Waldweide-Wirtschaft bei gleichzeitiger Ausschaltung der natürlichen Verjüngung der Holzarten.

Zu den „helio-thermophilen Staudensäumen an Gehölzen", den „Wirbeldostgesellschaften", zählen folgende nachgewiesene Arten: Tüpfel-Hartheu, Acker- oder Rapunzel-Glockenblume, Echter Haarstrang, Gamander-Ehrenpreis, Rauhe Nelke und die namengebende Art, der Wirbeldost. Des Weiteren wird der Gemeine Dost in die Betrachtungen miteinbezogen, eine Pflanze der Gruppe „Trockene Magerrasen" (s.u. Punkt 5). Die Stachel-Segge ist ebenfalls ein Vertreter der Staudensäume an Gehölzen, wird im westlichen Bodenseegebiet heute aber eher in Stickstoffkrautfluren feuchter bis nasser Standorte oder in Nasswiesen angetroffen (vgl. Lang 1973). Die sieben Arten der Staudensäume stellen ähnliche Ansprüche an ihre Umgebung. Sie bevorzugen trockene bis mäßig frische, stickstoffarme und zumeist schwach basische Böden. Die meisten Arten unter ihnen vermitteln zu offenen Halbtrockenrasen (s.u. Punkt 4, TGR), wie die Acker- und insbesondere die Rapunzel-Glockenblume, der Echte Haarstrang, der Gamander-Ehrenpreis, die Rauhe Nelke und der Gemeine Dost. Die Rauhe Nelke gedeiht sogar auf lockeren Sand- und Felsrasen exponierter Stellen. Der Echte Haarstrang zeigt wechselnde Trockenheit der Böden an, wie man sie in Halbtrockenrasen der Auen antrifft.

Den ausdauernden „Stickstoffkrautfluren" gehören die Stachel-Segge, der Zwerg-Holunder und der Gemeine Klettenkerbel an. Ihre natürlichen Standorte findet man an mäßig beschatteten Stellen der Flussauen und Ufer (Ellenberg 1982). Durch Auflichtungen und Nährstoffeinträge in Flüsse und Seen wurden und werden diese Standorte seit jeher vom Menschen begünstigt und können zumindest in Siedlungsnähe als halbruderale Plätze angesprochen werden. Ruderale Pflanzen wie die Große Brennessel, der Gemeine Wasserdarm, die Filz-Klette, die Lanzett-Kratzdistel und der Gefleckte Schierling können ebenfalls zu den nitrophilen Krautsäumen gestellt werden (vgl. Punkt 6). Der Gefleckte Schierling gilt als Wechselfeuchtezeiger, der Gemeine Wasserdarm als Überschwemmungszeiger. Beim Vergleich der drei Proben ergibt sich bei den prozentualen Häufigkeiten der Taxasumme eine Abnahme von der älteren zur jüngeren Kulturschicht (10/4/3%). Die Nachweissumme bleibt gleich, nur die Große Brennessel kann in der jüngsten Probe häufig belegt werden.

Die Untersuchungen zeigen, dass alle drei Gruppen der Saumgesellschaften und Waldverlichtungen, die Waldmantelgebüsche, die helio-thermophilen Staudensäume an Gehölzen und die nitrophilen Krautfluren, durch dieselbe Anzahl von Arten (n = 8) belegt sind und in annähernd gleichem Maße von der mittleren zur jüngsten Kulturschicht hin prozentual abnehmen. Vergleichsweise niedrige Werte erreichen die nitrophilen Krautfluren in Q62/4. Auffallend viele Nachweise von Sammelpflanzen sind für die beiden älteren Schichten belegt. In der jüngsten Schicht sind die Große Brennessel und der Gemeine Dost als häufigste Arten vertreten.

Werden die Verbreitungskarte der potentiellen natürlichen Vegetation von Lang (1973) und die standortkundlichen Gegebenheiten für die möglichen Standorte der Saumgesellschaften zugrunde gelegt, könnte sich für die Umgebung des frühbronzezeitlichen Bodman-Schachen folgendes Bild ergeben. Die nitrophilen Krautfluren haben ihre natürlichen Vorkommen in der Flussaue entlang der Stockacher Aach und an halbschattigen Plätzen des Seeufers. Durch menschliche Einflüsse können sie in Siedlungsnähe begünstigt gewesen sein. Die Waldmantelgebüsche und helio-thermophilen Staudensäume an Gehölzen wuchsen vermutlich unweit der Siedlung am Rande der Buchenwälder des Stockacher Berglandes und in etwas größerer Entfernung im Süden an den Abhängen des Bodanrück (vgl. Abb. 5). Die meisten Arten der heliophilen Staudensäume und einige Arten der Waldmäntel vermitteln zu Halbtrockenrasen, die Rauhe Nelke zu den extrem austrocknenden Sand- und Felsrasen.

Entsprechende Standorte sind heute an den südexponierten Abhängen des Stockacher Berglandes und insbesondere an den Steilhängen des Sipplinger Dreiecks und weiter östlich gelegener Teile des Überlinger Steiluferlandes zu finden. Ungeklärt bleibt allerdings, ob sich derartig trockene Standorte auch an aufgelichteten Stellen des vermutlich siedlungsumgebenden Stieleichen-Ulmen-Auenwaldes herausbilden konnten. Lediglich der Echte Haarstrang verweist auf Halbtrockenrasen der Auen. Die Sammelpflanzen Brombeere, Himbeere, Schwarzer Holunder und die Wald-Erdbeere können aufgrund ihrer weiten ökologischen Amplituden in natürlichen Mantelgesellschaften der umgebenden Wälder gewachsen oder an lichtbegünstigten Stellen in die Wälder eingedrungen sein.

4. Grünlandgesellschaften

In dieser Übergruppe sind die Pflanzen der vom Menschen mehr oder weniger stark gestörten, erhaltenen und mitgeschaffenen Plätze des Grünlandes zusammengefasst. Hierzu zählen die nassen Staudenfluren (NSF), die Nasswiesen (NWI) sowie das frische bis mäßig feuchte (FGR) und das mäßig trockene Grünland (TGR). Ihre prozentualen Häufigkeiten ergeben von der ältesten zur jüngsten Kulturschicht: Taxasumme (16/19/21%) und Nachweissumme (4,2/3,4/20%). Auffallend sind die vergleichsweise niedrigen Summen der nachgewiesenen Reste in den beiden älteren Proben. Der Grund hierfür ist, dass die meisten Taxa dieser beiden Proben nur durch Einzelfunde belegt sind. Würde die Wald-Simse den Nasswiesen zugeordnet (vgl. Punkt 2), änderten sich die Häufigkeiten in folgender Weise: Taxasumme 17/20/22% und Nachweissumme 7,2/4,4/40%.

Mit Abstand am häufigsten vertreten sind die Gruppen „TGR" und „NWI", sehr selten hingegen sind die Nachweise der Gruppe NSF (Abb. 9–12). Die nassen Staudenfluren sind im Gegensatz zu den drei anderen Gruppen artenarm; mit Sicherheit ein wichtiger Grund für ihre geringen prozentualen Häufigkeiten. Bei der Einteilung der Pflanzen in die verschiedenen Grünlandgruppen ist außerdem zu bedenken, dass zum einen die Grenzen zwischen den Gruppen TGR, FGR und NWI nur aufgrund des Faktors Wasser festgelegt und fließend sind und zum anderen die einzelnen Arten in verschiedenen Gruppen angesiedelt werden können (Tab. 15, Spalte „Weitere Vorkommen").

Bevor die frühbronzezeitlichen Pflanzenfunde besprochen werden, wird, des besseren Verständnisses der Grünlandgesellschaften wegen, ein Überblick über die Entstehung und Entwicklung des Grünlandes in Mitteleuropa und über die Herkunft seiner Arten gegeben. Die Ausführungen halten sich weit gehend an Ellenberg (1982), in einzelnen Punkten auch an Lang (1973). Führt man sich unsere heutige Kulturlandschaft ohne den Einfluss des Menschen vor Augen, so muss ein Vegetationszustand konstruiert werden, der sich daraufhin einstellen würde. Man spricht von der „potentiellen Naturlandschaft" oder, mit den Worten von Tüxen (1956), von der „potentiellen natürlichen Vegetation". Im mitteleuropäischen Klima würde sich ein geschlossenes Waldland einstellen, wobei die Rot-Buche und die Stiel-Eiche als sommergrüne Laubhölzer die dominanten Baumarten sein dürften. – Zur potentiellen natürlichen Vegetation des Untersuchungsgebietes finden sich Angaben unter Punkt 3 dieses Kapitels. – Nur kleine Inseln an extremen Standorten würden bei Wegnahme der anthropogenen Einflüsse unbewaldet bleiben. Im südwestdeutschen Raum können hierzu Felsköpfe, extreme Steilhänge, Bereiche in Flussauen und an Seeufern sowie große Teile der Hochmoore und waldfreie Nieder- und Zwischenmoore gezählt werden. Auch temporäre Windwurflücken und Waldbrandflächen sowie Tierwechsel und größere Tierbauten gehören hierzu.

Folgt man Ellenberg (1982), so kommt man zum Schluss, dass die meisten unserer Wiesenpflanzen Altbürger der mitteleuropäischen Flora und Bestandteile der Naturlandschaft sind. Ihre natürlichen Standorte sind in den unbewaldeten Inseln der Naturlandschaft und lichtoffenen Stellen der Wälder und Waldsäume zu sehen. Erst durch die großflächigen Rodungen des Menschen seit dem Neolithikum konnten die heliophilen Wiesenpflanzen zu neuen Kombinationen, den Grünlandgesellschaften, zusammentreten. Der Mensch und das domestizierte Vieh schufen aus einer ehemals „eintönigen" Waldlandschaft eine bunte, mosaikartige Kulturlandschaft, bestehend aus einer Vielzahl von Ersatzgesellschaften. Die im Laufe von Jahrtausenden sich herausgebildeten Grünlandgesellschaften bzw. die Rasengesellschaften im weitesten Sinne (inkl. Trocken- und Halbtrockenrasen) sind heute, neben den Ackerflächen, die häufigsten Ersatzgesellschaften im südwestdeutschen Raum – ausgenommen die Siedlungsflächen. Das Mikroklima der Grünlandgesellschaften hat im Unterschied zum ausgeglichenen Waldklima aufgrund größerer Amplituden der Temperatur, der Luftfeuchte und der Windgeschwindigkeit kontinentale Züge.

Wiesen sind im Vergleich zu Viehweiden junge Ersatzgesellschaften der mitteleuropäischen Vegetation. Nach Lüdi (1955, zitiert in Ellenberg 1982) kannte man zur Bronzezeit die Sichel, verwendete sie aber wohl nur für die Getreideernte – „Ährenernte" – (s.u. Punkt 6; Kap. 4.1–2) und noch nicht zum Mähen von Wiesen. Bei bronzezeitlichen Ausgrabungen im Schweizer Mittellande fanden sich die Sämereien von mehreren Dutzend Pflanzenarten heutiger Wiesen. Auffallend sind hierbei die spärlichen Nachweise der heute wiesentypischen Süßgräser, deren Früchte aufgrund ihrer schlechten Erhaltungsfähigkeit (s. o.; Kap. 3.4.2; 4.2) und ihrer geringen Größen wohl nur teilweise nachgewiesen wurden und in den Listen unterrepräsentiert sein dürften. Weiterhin fehlen alle Charakterarten der heutigen Glatthaferwiesen (Kap. 3.2.1), während Arten der ungedüngten Feucht- und Trockenwiesen gut vertreten sind (s. u.).

Die Vermutung liegt nahe, dass sich die frühbronzezeitlichen Grünländer erheblich von den heutigen in ihrer Artenzusammensetzung unterschieden, was sicherlich auch durch ihre vorwiegende Nutzung als Viehweide und geringe Nutzung als Heulieferant bedingt ist. In diesem Zusammenhang sei auch auf die Arbeit von Körber-Grohne (1990) und die Aussage von Schlatter (zitiert in Ellenberg 1982), „Ohne Sense und Heuernte keine Wiesenflora", verwiesen. Sehr wahrscheinlich weicht auch das ökologische und soziologische Verhalten der Grünlandarten in prähistorischer Zeit von ihrem heutigen Verhalten ab (vgl. Punkt 6). Dementsprechend dürfen die in Kapitel 3.3 diskutierten „relativen" Zeigerwerte von Ellenberg (1979) nicht bedenkenlos als absolute Angaben auf vorgeschichtliche Verhältnisse übertragen werden (vgl. Ellenberg 1979; 1982; Willerding 1986; 1988).

Ein Großteil der für das frühbronzezeitliche Bodman-Schachen nachgewiesenen Arten weist auf feuchte bis nasse Stellen mit mild bis mäßig sauren, kalkarmen und nährstoffreichen Böden hin (vgl. Oberdorfer 1979). Hierzu gehören die „Pflanzen nasser Staudenfluren", wie der Gemeine Blutweiderich, das Echte Mädesüß und der Flügel-Hartheu, deren Nachweise alle, bis auf eine Ausnahme, aus der jüngsten Probe stammen. In allen Proben vertreten, schwerpunktmäßig in der jüngsten, sind die Pflanzen der Nasswiesen (s. u.): Flatter-, Knäuel- und Spitzblütige Binse sowie Kuckucks-Lichtnelke und Sumpf-Dotterblume. An eher kalkreichen Standorten ist die Knoten-Binse beheimatet, wobei ihr ihre weite ökologische bzw. physiologische Amplitude auch ein Wachstum an kalkärmeren Plätzen erlaubt. Die aufgezählten Arten vermitteln teilweise zum Großseggenried und Röhricht, so die Staudenarten Sumpf-Dotterblume und Wasser-Minze (s.o. Punkt 2), die, wie der Gemeine Blutweiderich und der Flügel-Hartheu, als Überschwemmungszeiger gelten. Sie wachsen an Standorten, deren Böden mehr oder weniger regelmäßig überschwemmt werden. Solche Plätze befanden sich sicherlich im Uferbereich der Stockacher Aach, die, um den Ansprüchen der Pflanzen gerecht zu werden, einen hohen Lichtgenuss bieten mussten. Ein weiterer Vertreter dieser Standorte ist das Kriechende Fingerkraut, welches aber offene Uferbereiche vorzieht und zusammen mit dem Weißen Straußgras, der Blaugrünen Binse und dem Krausen Ampfer eher in die Gruppe der „Kriechpionierrasen zeitweilig überfluteter Bereiche", den „Uferpionieren", zu stellen ist (s. o. Punkt 2).

„Moor- und Sumpfwiesen" werden von den vier erwähnten Binsenarten und der Kuckucks-Lichtnelke bewohnt. Letztere deutet ebenso wie die Flatter- und Knäuel-Binse auf wechselfeuchte Böden hin, wobei die beiden Binsenarten zusammen mit der Knoten-Binse heute außerdem als Störungs- und Vernässungszeiger angesehen werden (Oberdorfer 1979). Die Nasswiesenpflanzen bewohnen stark vernässte und gestörte Wiesenbereiche, die einerseits zu den stark beeinflussten, trockeneren Nasswiesen (FGR, s. u.) überleiten, andererseits zu den Kleinseggenriedern bzw. Wiesenmooren auf sauren, stickstoffarmen Torfböden (s. o. Punkt 2) vermitteln. Solche Bereiche finden sich in Geländedepressionen – oder in quelligen Lagen – lichtoffener Auenwaldstandorte. Kann man die Kleinseggenrieder noch als natürliche bzw. wenig gestörte Plätze der Seeuferzone ansehen, so bestehen bei den Moor- und Sumpfwiesen keine Zweifel, dass sie sich erst durch die Rodung des Auenwaldes und durch die Verhinderung der Wiederbewaldung im Landschaftsbild einstellen konnten. Das Nebeneinander von nährstoffreichen, mild bis mäßig sauren Sumpfwiesen und nährstoff- bzw. stickstoffarmen, sauren Kleinseggenriedern ist, betrachtet man die Fundzahlen, vor allem für die jüngste Besiedlungsphase eindeutig zu belegen (Kap. 4.2). Zwei weitere Arten gesellen sich zu den angesprochenen Wiesenpflanzen. Es sind dies die Blutwurz, die auf frischen bis wechselfeuchten Moorwiesen zu Hause ist und als Magerkeits- und Versauerungszeiger gilt, sowie die Wald-Simse. Sie ist auch ein Bewohner von lichten Stellen quelliger Auenwälder (s. o. Punkt 2), bevorzugt aber dort Sumpf- und Nasswiesenbiotope mit nährstoff- und sauerstoffreichen Böden. Sie wird heute als Erlen- und Eschenstandortzeiger angesehen. Die häufigen Nachweise der Wald-Simse in der oberen Probe passt sehr gut in das Bild der stark aufgelichteten Auenwaldbereiche der jüngsten Besiedlungsphase von Bodman-Schachen (Kap. 4.2).

Trockenere Bereiche in Nasswiesen und „frisches bis mäßig feuchtes Grünland" bewohnen das Wollige Honiggras (NWI), die Gemeine Braunelle, der Scharfe Hahnenfuß, das Kriechende Fingerkraut, das Gemeine Rispengras und der Kriechende Günsel (alle FGR bzw. TGR) sowie die Stachel-Segge (SWA). Sie bevorzugen neutrale bis mäßig saure Böden und zeigen einen relativ starken Einfluss des Wassers auf den Standort und einen hohen Nährstoffgehalt der Böden an (Oberdorfer 1979). Derartige Wiesenstandorte sind wohl im Übergangsbereich des typischen Erlen-Eschen-Auenwaldes zum feuchten Buchenwald ausgebildet gewesen (Kap. 4.2). Auf „mäßig trockenem bis frischem Grünland" wachsen Gemeines Hornkraut, Gras-Sternmiere, Rot-Straußgras, Wiesen-Rispengras, Wilde Möhre, Wiesen-Glockenblume, Purgier-Lein und Quendel-Ehrenpreis. Mit Ausnahme des Purgier-Leins bevorzugen alle Arten kalkarme Böden, die nicht vom kalkhaltigen Grundwasser der Niederungen beeinflusst werden. Das Rot-Straußgras und die Gras-Sternmiere gelten heute als Anzeiger für die Versauerung des Bodens. Gemeinsam ist allen Arten ihre Präferenz für neutrale bis mäßig saure, mehr oder weniger nährstoffreiche Böden (Oberdorfer 1979). Das Gemeine Hornkraut und der Quendel-Ehrenpreis leiten zur vorigen Gruppe des frischen bis mäßig feuchten Grünlandes über. Die Gras-Sternmiere, das Rot-Straußgras, das Wiesen-Rispengras, die Wilde Möhre und der Purgier-Lein stehen dagegen eher mit den „Trockenen Magerrasen" (TMR; s. Punkt 5) in Kontakt. Im Mantel-Saum-Übergangsbereich zwischen Buchenwald und trockenen Wiesen bzw. trockenen Magerrasen finden auch die Pflanzen des mäßig trockenen bis frischen Grünlandes unter Umständen gute Wuchsbedingungen, ebenso wie einige Gebüscharten und die Arten der „helio-thermophilen Staudensäume an Gehölzen" (s. o. Punkt 3). Als Standort für den kalkliebenden Purgier-Lein können auch magere Halbtrockenrasen bzw. trocken fallende Stellen der Auen in Frage kommen, für welche wechselnde Trockenheit charakteristisch sind. Der Echte Haarstrang ist auch an entsprechenden Standorten zu Hause (s. o. Punkt 3).

Im Pflanzenspektrum der trockenen, frischen und feuchten Wiesen finden sich nur Arten niedrigen oder mittelhohen Wuchses. Bei den vier Süßgrasarten handelt es sich um das Wollige Honiggras, einem Mittelgras, und die drei Untergräser Gemeines und Wiesen-Rispengras sowie das Rot-Straußgras. Im Gegensatz zu den Moor- und Sumpfwiesen kommen bei den trockeneren Wiesentypen keine Störungszeiger vor. In der Diskussion werden Angaben über die Lage, die Größe und die Bewirtschaftung der Grünlandflächen gemacht (Kap. 4.2).

5. Pflanzen der trockenen Magerrasen

Dieser Gruppe sind nur zwei Arten zugeordnet, der Gemeine Dost und der nicht sicher bestimmte Gemeine Steinquendel. Die Prozentwerte der Taxasumme (2/3/2%) und der Nachweissumme (0,2/ 0,3/1%) fallen dementsprechend gering aus. Allerdings können einige Pflanzen anderer ökologischer Gruppen auch in trockenen Magerrasen „TMR" wachsen (s.u.).

Die trockenen Magerrasen zeichnen sich durch mehr oder weniger nährstoffarme und zeitweise stark austrocknende Böden aus. Ihre Standorte besitzen noch ausgeprägter kontinentale Züge als die im vorigen Abschnitt behandelten Standorte der typischen Grünlandgesellschaften. Die Magerrasen ermöglichen Arten der kontinentalen, submediterranen und subalpin-alpinen Florenelemente in colline und montane Bereiche des mitteleuropäischen Raumes vorzudringen. Für die Altbürger der Magerrasengemeinschaften gab es in der ursprünglichen Waldlandschaft relativ wenige natürliche Plätze, vermutlich weniger als für die Wiesen- und Weidepflanzen der typischen Grünlandgesellschaften (vgl. Punkt 4). Die potentiellen natürlichen Standorte beschränken sich auf Felsen, Steinhalden, Steilhänge extremen Gefälles, abbrechende Ufer und die Schotterbänke von Flüssen (vgl. Ellenberg 1982). Erst nachdem der Mensch die guten Wiesen- und Weideflächen ihres ursprünglichen Waldkleides entblößt hatte, dürften schwerer zugängliche Waldbereiche in hängigen Lagen gerodet worden sein. Hier konnten sich Halbtrockenrasen und Trockenrasen unterschiedlicher Ausprägung als Ersatzgesellschaften einstellen, sofern eine Wiederbewaldung verhindert wurde. Diese „Xerothermrasen" Mitteleuropas sind demnach verhältnismäßig junge Bildungen (vgl. Ellenberg 1982).

Kleinräumige Unterschiede der klimatischen und bodenchemischen Verhältnisse sowie der Feinerdemächtigkeit und der Korngrößenzusammensetzung der Böden bedingen heute gerade bei den „Xerothermrasen im weiteren Sinne" eine Vielzahl verschiedener Pflanzengemeinschaften. Sie ersetzen den ursprünglich an diesen Standorten mehr oder weniger „einheitlich" ausgebildeten Wald. Folgt man Ellenberg (1982) und Oberdorfer (1978), so bewirkt der unterschiedliche Kalkgehalt der Böden die größten Gegensätze im Artengefüge. Man spricht von Kalkmagerrasen (Festuco-Brometea) und den Silikat- und Sandmagerrasen (Sedo-Scleranthetea). Aufgrund der spärlichen Funde von Magerrasenpflanzen wird auf jegliche Gruppenunterteilung verzichtet und nur das potentielle Arteninventar von Magerrasen – inkl. der Pflanzen anderer ökologischer Gruppen – in seiner Gesamtheit beleuchtet.

Der Verbreitungsschwerpunkt des Gemeinen Dostes liegt heute wohl bei den Halbtrockenrasen mit stickstoffarmen, basenreichen, mäßig trockenen und mäßig sauren bis milden Böden. Sein Vorkommen in helio-thermophilen Staudensäumen der Gehölze wurde bereits bei Punkt 3 angesprochen. Wie der Gemeine Dost, so vermitteln auch weitere Arten der Staudensäume an Gehölzen zu den Mesobrometen: der Tüpfel-Hartheu, ein Magerkeitszeiger, die Acker- oder Rapunzel-Glockenblume, der Gamander-Ehrenpreis und die Rauhe Nelke. In Zusammenhang hiermit müssen auch die Straucharten Schlehe, Eingriffliger Weißdorn und Rose gesehen werden, die eine weite ökologische Amplitude besitzen. Sie können in Mantelgesellschaften und in freistehenden Hecken sowohl in Kontakt mit verschiedenen Grünlandgemeinschaften als auch mit Mesobrometen stehen (s.o. Punkt 3). Daneben leiten auch einige nachgewiesene Arten des mäßig trockenen bis frischen Grünlandes zu Halbtrockenrasen über (s.o. Punkt 4). Hierzu zählen der Purgier-Lein, die Gras-Sternmiere, die Wilde Möhre, das Rot-Straußgras und das Wiesen-Rispengras. Dank seiner weiten physiologischen Amplitude gesellt sich auch das Wollige Honiggras hinzu (s.o. Punkt 4). Mit Ausnahme des Purgier-Leins bevorzugen alle genannten Arten eher kalkarme Böden.

19 Samen stammen von der Zwerg- oder Scheuchzers Glockenblume (Tab. 15, Gruppe UNB), wobei es sich vermutlich um Reste der zuerst genannten Art handeln dürfte (Kap. 3.4.2). Die Zwerg-Glockenblume gedeiht in subalpinen Steinschutt- und Geröllfluren, ist aber als Alpenschwemmling in den Tiefländern entlang des Rheines stellenweise heimisch geworden (Ellenberg 1982). So berichtet Lang (1973) von rezenten Vorkommen der Zwerg-Glockenblume an meist nord- bis ostexponierten Felsbändern der Molassewände des Bodanrück auf der Südseite des Überlinger Sees. Die Ablagerung ihrer Samen in den frühbronzezeitlichen Kulturschichten von Bodman-Schachen ist also durchaus vorstellbar. Von einem Vorkommen der ebenfalls subalpin-alpinen Scheuchzers Glockenblume im Untersuchungsraum ist dem Autor nichts bekannt. Ebenfalls unsicher ist die Determination des Gemeinen Steinquendels. Er bevorzugt sonnige lückige Magerrasen und Felsköpfe mit basenreichen, humus- und feinerdearmen Böden. Entsprechende Standorte finden sich heute an den süd- und westexponierten Molassehängen der Bodanrückhöhen und des Überlinger Steiluferlandes. Lang (1973) erwähnt den Gemeinen Steinquendel allerdings nur in einer einzigen Artenliste bei einer Aufnahme in der Nähe von Liggeringen (Bodanrückhöhen). Auch die oben erwähnte Rauhe Nelke kann derartige exponierte Felsrasen bewohnen.

Bei den Ausführungen über die trockenen Magerrasen dürfen die natürlichen Standorte der Ruderal- und Ackerpflanzen keinesfalls unberücksichtigt bleiben. Einige Arten dieser Gruppe gelten heute sogar als Klassencharakterarten der Sedo-Scleranthetea (Ellenberg 1982). In diese Klasse der Sand- und Felsrasen gehören das Quendel-Sandkraut, der nicht sicher nachzuweisende Schmalblättrige Ampfer, die Acker-Schmalwand sowie der Gezähnte und der Echte Feldsalat (s. u. Punkt 6).

Bezieht man in die Auswertung der trockenen Magerrasen die Vertreter anderer ökologischer Gruppen mit ein, so kann zumindest auf kleinflächige Vorkommen von Halbtrockenrasen und Felsrasen in der näheren Umgebung des frühbronzezeitlichen Bodman-Schachen geschlossen werden (Kap. 4.2).

6. Gesellschaften ruderaler Flächen, der Hackfrucht- und Getreideäcker

In dieser Übergruppe werden Pflanzenarten zusammengefasst, die heute vorwiegend auf Ruderalstandorten (Gruppe RU) oder Ackerstandorten (Gruppe ACK) beheimatet sind bzw. auf beiden Standorten zugleich ihre Verbreitungsschwerpunkte haben (Gruppe R/A). Die prozentualen Häufigkeiten dieser drei ökologischen Gruppen sind von der ältesten zur jüngsten Kulturschicht gesehen (Abb. 9–12): RU – Taxasumme 9/6/7%, Nachweissumme 2/1/7%; R/A – Taxasumme 16/14/17%, Nachweissumme 6/4/14%; ACK – Taxasumme 6/7/10%, Nachweissumme 0,6/2/3%. Werden die drei ökologischen Gruppen zusammengefasst, ergeben sich für die Taxasumme 31/27/34% und für die Nachweissumme 8,6/7/24%. Der Vergleich der prozentualen Häufigkeiten mit denen der anderen fünf Übergruppen zeigt sehr deutlich die große Artenvielfalt der Ruderal- und Ackerstandorte, die bei weitem von keiner anderen Übergruppe erreicht wird. Bei den Nachweissummen ergeben sich für einzelne Proben anderer Übergruppen bedeutend höhere Werte. Diese sind zumeist durch hohe Fundzahlen eines Taxons wie den Characeen (Punkt 1) und der Wald-Simse (Punkt 2, UW bzw. Punkt 4, NWI) bedingt oder durch einige wenige Taxa wie den Sammelpflanzen Brombeere, Himbeere, Schwarzer Holunder und Wald-Erdbeere (Punkt 3, SWA). Die Fundmengen der Ruderal- und Ackerpflanzen sind dagegen in allen drei Proben mehr oder weniger ausgeglichen.

In der Spalte „Weitere Vorkommen" können die angegebenen ökologischen Gruppen als diejenigen Standorte angesehen werden, die die Pflanzen unter natürlichen oder naturnahen Bedingungen primär bewohnen würden (vgl. Willerding 1986). – Hierin besteht ein gewisser Unterschied zu den anderen ökologischen Gruppen, auch zu den Grünlandgesellschaften. – Gerade im Bereich der Siedlungen, am Seeufer und in der Flussaue sowie auf benachbarten und von Natur aus waldfreien Steilhängen gab es eine Vielzahl von möglichen Primärstandorten für Ruderal- und Ackerpflanzen. Welcher Standort im Untersuchungsgebiet für die einzelnen Arten primär oder sekundär gewesen ist und von welchem Standort aus die Sämereien in die limnischen Ablagerungen gekommen sind, lässt sich nur selten mit Sicherheit sagen.

Bei der Darstellung der Ergebnisse wird absichtlich auf eine strikte Trennung der drei ökologischen Gruppen RU, R/A und ACK verzichtet, da die Pflanzen häufig unter ähnlichen Standortbedingungen auf Äckern und ruderalen Flächen leben. Die vergleichsweise artenreiche Gruppe „Pflanzen von Ruderal- und Ackerstandorten (R/A)" demonstriert dies auf eindrückliche Weise. Ebenso gibt es – und gab es in vor- und frühgeschichtlicher Zeit verstärkt (Ellenberg 1982; Willerding 1988) – zahlreiche Querverbindungen zwischen den Unkrautgesellschaften der Halmfrucht- und Hackfruchtäcker bzw. zwischen den Winterfrucht- und Sommerfrucht-Unkrautfluren.

Es wurde, sofern es der Kontext gestattet, von der Bezeichnung „Ackerunkraut" abgesehen und hierfür der Begriff „Beikraut" verwendet. Willerding (1988) führt in diesem Zusammenhang historische und paläoethnobotanische Belege ins Feld, die die Verwendung von so genannten „Unkräutern" entweder zu Nahrungs- oder Heilzwecken oder beispielsweise zum Färben sowohl in prähistorischen als auch in neuzeitlichen Epochen bezeugen (vgl. Kap. 4.1). Ein weiterer Grund, der den Begriff „Unkraut" im heutigen Sinne in Frage stellt.

Zum besseren Verständnis der Auswertung der frühbronzezeitlichen Funde wird im Folgenden ein Überblick über die Entstehung und Entwicklung der Äcker und über ihre Vegetation gegeben. Seit dem Beginn des Neolithikums (ca. 5600 v. Chr.) hat der Mensch in Mitteleuropa begonnen, Ackerbau und Viehzucht zu treiben. Dies fällt in die Zeit des ausklingenden Boreals, wo aller Wahrscheinlichkeit nach weite Teile Mitteleuropas schon wieder von einem Waldkleid bedeckt waren (vgl. Ellenberg 1982). Der Mensch musste zweifellos durch Rodungen Flächen für die Anlage von Äckern und Grünländern schaffen. Diese „großflächigen" Ackerstandorte stellten neue und zugleich völlig untypische Bereiche der mitteleuropäischen Vegetationsdecke dar, so genannte „permanente Pionierstandorte". Pflanzen sowohl unterschiedlichster einheimischer

Kleinstandorte als auch angrenzender Nachbarräume fanden hier günstige Lebensbedingungen vor. So konnten Arten der nitratreichen Spülsäume der See- und Flussufer und anderer Standorte der Flussauen sowie von „Waldinseln" wie Felsköpfen, Steinschutthalden und extremen Steilhängen und von Wildwechseln und größeren Tierbauten in die Äcker einwandern (vgl. Punkt 2, UP; Punkt 4). Dank ihrer relativ hohen Wandergeschwindigkeit hatten eine Vielzahl von Grassteppenbewohnern aus dem Osten oder Süden schon während des Neolithikums und der Bronzezeit als Ackerunkräuter Einzug in den mitteleuropäischen Raum gehalten. Die Unkrautgemeinschaften der Äcker und ruderalen Standorte scheinen ebenso alt wie die vom Menschen geschaffenen Plätze zu sein (Ellenberg 1982). Zur Geschichte der mitteleuropäischen Unkräuter gibt Willerding (1986) einen guten Überblick. Er zeigt ebenfalls auf, dass viele unserer heutigen Unkrautarten – es sind weit mehr als 300 Spezies (!) – bereits am Ende des Neolithikums auf den mitteleuropäischen Äckern und Ruderalstellen Fuß gefasst hatten („Kulturbegleiter"). Hierzu gehören heute kommune, auch im frühbronzezeitlichen Bodman-Schachen nachgewiesene Arten wie die Hundspetersilie, der Gemeine Ackerfrauenmantel, die Acker-Schmalwand, das Quendel-Sandkraut, der Weiße Gänsefuß, die Gemeine Hühnerhirse und der Gemeine Rainkohl, um nur einige wenige zu nennen.

Im Unterschied zu heute müssen die Unkrautgemeinschaften der Äcker viel reicher an ausdauernden Arten gewesen sein, da mit den primitiven Ackergeräten nur flach und lückenhaft umgebrochen werden konnte. Für die Siedlungen in Bodman-Schachen kann dies nicht bestätigt, aber auch nicht sicher widerlegt werden. Willerding (1988) verweist in diesem Zusammenhang auf archäologische Versuchsfelder, die bei unterschiedlicher Bewirtschaftung auch sehr verschiedene Unkrautgemeinschaften tragen können (vgl. Ellenberg 1982). Daneben boten die vermutlich niedrigeren und lockerer stehenden Kulturpflanzenfelder den Unkräutern bessere Wuchsbedingungen als die modernen, intensiv bewirtschafteten Ackerflächen (vgl. Ellenberg 1982; Willerding 1986; 1988). Das ökologische und soziologische Verhalten einer Spezies im anders gearteten Artengefüge scheint mithin Unterschiede zu heutigen Verhältnissen auf den Ackerflächen und in den Pflanzengemeinschaften nicht auszuschließen. „Die Konkurrenzkraft einer und derselben Art ist keine konstante Größe; ... sie wechselt vielmehr je nach den in Wettbewerb tretenden Arten und nach den in Zeit und Raum variierenden Umweltverhältnissen" (Ellenberg 1982). Man sollte dies bedenken, werden die „Ellenbergschen Zeigerwerte" (Ellenberg 1979) zur Auswertung von prähistorischen Pflanzenfunden herangezogen (s.u.; vgl. Kap. 3.3.1).

In der Gruppe der „Ruderalpflanzen" sind Arten verschiedenster Standorte, wie trittbelastete Flächen der Siedlungen, Wege unterschiedlicher Bodenfeuchte, Brachen, halbruderale nitrophile Krautfluren und Feuchtpionierrasen, vereinigt. Gemeinsam ist allen Standorten der mehr oder weniger starke Einfluss des Menschen, der sich direkt (Tritt, Bodenentblößung) oder indirekt (halbruderal: Nährstoff- bzw. Stickstoffzufuhr) auf die Pflanzendecke auswirkt.

Zu den ausdauernden „Stickstoffkrautfluren" (Artemisietea; s. Punkt 3, SWA) zählen die häufig nachgewiesene Große Brennessel, der Gemeine Wasserdarm, die Filz-Klette, die Lanzett-Kratzdistel, der Gefleckte Schierling sowie die Acker-Kratzdistel und der Gemeine Rainkohl (Gruppe R/A). Auf stickstoffreichen Ruderal- und Ackerflächen dürfte der Wilde Rübsen, der Vorfahr unserer heutigen Ölrübsen und der Wasserrübe (Körber-Grohne 1987), gewachsen sein (vgl. Kap. 4.1). Weitere Ausführungen zu den Stickstoffkrautfluren sind dem Punkt 3 zu entnehmen. Eine weitere Gruppe von Pflanzen gehört zu den „Kriechpionierrasen der Ufer" (Agrostietalia; s. Punkt 2, UP). Hierzu gerechnet werden die gut belegte Platthalm-Binse, die Behaarte Segge, das Platthalm-Quellried, das Echte Eisenkraut und die Salz-Binse. Die Kriechpionierrasen stehen in engem Kontakt zu den ebenfalls natürlich und ruderal bzw. halbruderal vorkommenden „Zwergpflanzenfluren" (Isoëto-Nanojuncetea; s. Punkt 2, UP); gewisse Berührungspunkte bestehen auch zu den „Schlammufergesellschaften" (Bidentetea; s. Punkt 2, UP). Im Untersuchungsraum finden sich heute Arten der Kriechpionierrasen und Zwergpflanzenfluren auf begangenen, wechselnassen, lehmigen Riedwegen, wobei Letztere offene Stellen vorziehen (Lang 1973). Auch in Geländedepressionen der Grünlandflächen, vornehmlich der Talauen, können bei länger anhaltenden Überschwemmungsphasen Vertreter der Zwergpflanzenfluren und insbesondere der Kriechpionierrasen den Platz der Nasswiesenpflanzen einnehmen (vgl. Ellenberg 1982). Trockenere Wege besiedeln insbesondere das Liegende Mastkraut, der Vogel-Knöterich, der Kleine Ampfer, der Kriechende Hahnenfuß (Gruppe R/A) und der Große Wegerich (Gruppe RU). Oberdorfer (1983) stellt diese Arten zu den „Trittpflanzengesellschaften" (Plantaginetea), die stickstoffreiche Böden bevorzugen und in angrenzende Äcker vordringen können (s.u.). Arten wie der Kriechende

Hahnenfuß und das Liegende Mastkraut zeigen zusätzlich Bodenverdichtungen an.

Die heutige pflanzensoziologische Einteilung in Halmfrucht- und Hackfruchtunkrautgesellschaften vorausgesetzt (Ellenberg 1982; Oberdorfer 1983), ergibt sich eine zahlenmäßige Überlegenheit der Hackfruchtbeikräuter. Dies hängt sicher, wie eingangs erwähnt, mit der Bewirtschaftung der Äcker und den Anbaumethoden in der frühen Bronzezeit zusammen, die eher mit denen typischer Hackfruchtäcker vergleichbar sind. Arten von ruderalen Plätzen (Gruppe R/A) und von Grünlandflächen (sind hier nicht berücksichtigt) hatten somit auf Äckern ein gutes Auskommen. In heutigen Getreidefeldern herrschen bei entsprechender Bewirtschaftung andere Lebensbedingungen, die sich von denen der Hackfruchtäcker und der Ruderalstandorte deutlich unterscheiden (vgl. Willerding 1988).

Aus heutiger Sicht gehören, streng genommen, alle „Pflanzen von Ackerstandorten" (Gruppe ACK) bis auf zwei Ausnahmen zu den Getreidebeikräutern. Es sind dies der Saat-, Klatsch- und Sand-Mohn, der Gemeine Windenknöterich, der Gezähnte und Echte Feldsalat, der Acker- oder Blaue Gauchheil, der Kleinfrüchtige und Gemeine Ackerfrauenmantel und die Acker-Schmalwand. Die meisten der genannten Arten bevorzugen mäßig trockene bis mäßig frische, neutrale bis mäßig saure, eher kalkarme und mäßig stickstoffreiche Böden. Der Sand-Mohn, der Kleinfrüchtige Ackerfrauenmantel und die Acker-Schmalwand weisen auf Sandböden hin. Auffallend sind die zum Teil extrem niedrigen Wuchshöhen der genannten Getreidebeikräuter (vgl. Rothmaler 1987). Sie liegen zwischen 3 und 30 cm und nur wenige Arten übersteigen in der Regel 50 cm Höhe, so der Saat- und Klatsch-Mohn und der lianenartig wachsende Gemeine Windenknöterich. Die Wuchshöhen der Pflanzen sind von den verschiedenen Standortfaktoren und der Konkurrenz abhängig und richten sich bei Ackerbeikräutern auch nach den Wuchshöhen der Kulturpflanzen. Die Amplitude des Größenwachstums ist weit, kann bei den vorliegenden Getreidebeikräutern aber nicht über ihre Niedrigwüchsigkeit hinwegtäuschen. Mit Ausnahme der Gauchheilarten und des Gemeinen Windenknöterichs sind alle Arten einjährig überwinternd („Kaltkeimer"), was mit dem Bewirtschaftungsrhythmus von Wintergetreide gut zusammenpasst. Auch das Vorherrschen von früh überwinternden Arten kann so erklärt werden. Die vergleichsweise frühen Blütezeiten (vgl. „Hackfruchtbeikräuter") von April bis Juli bzw. von April bis September sind ein weiteres Charakteristikum der Getreidebeikräuter. Das in allen Proben gut vertretene Quendel-Sandkraut kann sowohl in Getreide- als auch in Hackfruchtäckern wachsen. In Bezug auf seine Ansprüche an den Boden, seine Wuchshöhe von 3 bis 30 cm und seine relativ frühe Blütezeit gleicht es den aufgeführten Getreidebeikräutern. Deshalb wird es hier zu dieser Pflanzengemeinschaft gestellt. Die einzige Gemeinsamkeit mit den Hackfruchtbeikräutern besteht im ausschließlichen Vorkommen von Therophyten (Lebensformtypus nach Raunkiaer: kurzlebige Art, die ungünstige Zeiten als Samen überdauert). Dies bedeutet keinen Widerspruch zu der Vorstellung von Ellenberg (1982) und Willerding (1986), dass die prähistorischen Äcker reicher an ausdauernden Arten gewesen sein mussten als die Heutigen (s.o.). Ziehen wir einige nachgewiesene ausdauernde Arten von Ruderal- und Grünlandflächen mit in unsere Überlegungen ein, so entsteht ein buntes Bild von Therophyten und Hemikryptophyten. Die Therophyten überwiegen dennoch, wie es für den permanenten Pionierstandort „Acker" nicht anders zu erwarten ist. Willerding (1986) führt ebenfalls die Vorherrschaft von Therophyten auf den Äckern an, die seit dem frühen Neolithikum bis in die Neuzeit stets in einem Verhältnis von 2:1 zu den Hemikryptophyten in archäobotanischen Untersuchungen nachzuweisen sind.

Viele Fakten sprechen dafür, dass die elf aufgeführten Arten, im Unterschied zu den nachfolgend erwähnten Hackfruchtbeikräutern, wohl auf Getreidefeldern gewachsen sind. Leider liegen nur unkrautfreie getreidekornreiche Flächenproben vor, so dass auch auf diesem Wege keine weiteren Informationen zur Segetalflora (Getreideunkrautgesellschaften) zu bekommen sind. Der relativ hohe Prozentsatz an niedrigwüchsigen Beikräutern spricht für eine zumindest teilweise bodennahe Getreideernte (Küster 1985b, Kap. 4.2).

Zu den „Hackfrucht- bzw. Sommerfruchtbeikräutern" gehören 17 Arten. Sie können, wie bereits mehrfach erwähnt, nicht nur auf Hackfruchtäckern, sondern auch an ruderalen Standorten und in Getreidefeldern gedeihen. Für ihre Ansiedlung ist neben guter Nährstoffversorgung, hohem Lichtgenuss und der Art der Deckfrucht vor allem der Zeitpunkt der letzten bzw. einzigen Bodenbearbeitung ausschlaggebend. Fällt diese in den Spätherbst oder Vorfrühling, so entwickelt sich, unabhängig von der Deckfrucht, eine „typische" Getreideunkrautgesellschaft. Wird die letzte Bodenbearbeitung dagegen im Spätsommer vorgenommen, haben die Warmkeimer bzw. die Hackfruchtbeikräuter eine gute Chance, den Acker zu besetzen bevor die Getreidebeikräuter bei kühleren Temperaturen keimen können (Ellenberg 1982). Obschon die Keimungstemperatur resp. der Zeitpunkt der letzten Bodenbearbeitung den Aspekt der Ackerunkrautgesellschaft wesentlich mitbestimmt, gibt es stets gemeinsame Arten auf Halm- und Hackfruchtäckern. Die in Bodman-Schachen am häufigsten nachgewiesenen Hackfruchtarten Weißer Gänsefuß, Vogelmiere und Floh-Knöterich besitzen beispielsweise eine weite Amplitude der Keimungstemperatur und sind deshalb regelmäßig in Getreidefeldern zu finden (vgl. Ellenberg 1982). Die weiteren Arten der Hackfruchtäcker sind der Gemeine Rainkohl, die Hundspetersilie, der Rübsen, die Acker-Minze, die Rauhe Gänsedistel, das Gemeine Hirtentäschel, der Bunte Hohlzahn, die Spreizende Melde, das Knäuel-Hornkraut, die Acker-Kratzdistel, der Schwarze Nachtschatten, die Gemeine Hühnerhirse, der Feigenblättrige Gänsefuß und das Acker-Hellerkraut. Dazu können sich die oben angeführten Trittpflanzenarten gesellen.

Bis auf wenige Arten, wie die Vogelmiere, die Acker-Minze und das Knäuel-Hornkraut – alle drei sind auch Vertreter der Getreideunkrautgesellschaften –, erreichen die Hackfruchtbeikräuter eine Wuchshöhe von 50 cm oder liegen deutlich darüber. Sie unterscheiden sich hierdurch von den Getreidebeikräutern (s. o.). Große Unterschiede bestehen auch hinsichtlich der Blattausdauer. So herrschen auf den Getreidefeldern grün überwinternde Arten vor, bei den Hackfruchtbeikräutern finden sich dagegen überwiegend sommergrüne Pflanzen. Unter den Hackfruchtbeikräutern gibt es nur wenige einjährig überwinternde Spezies, da sie zumeist Warmkeimer sind. Sommerfruchtäcker werden vergleichsweise spät im Jahr geerntet, wodurch sich hier verstärkt Arten mit später Blütezeit (Juni bis Oktober) einstellen.

Hackfruchtbeikräuter stellen höhere Ansprüche an den Boden als Getreidebeikräuter und bevorzugen nährstoff- bzw. stickstoffreiche, häufig basenreiche, humose Böden. Sie sind auf diesen Böden eindeutig wüchsiger, wie auch Experimente zeigen (vgl. Ellenberg 1982). Viele Arten unter den Hackfruchtbeikräutern sind Nährstoff- bzw. Stickstoffzeiger, wie die Hundspetersilie, das Gemeine Hirtentäschel, die Gemeine Hühnerhirse und der Schwarze Nachtschatten. Die bevorzugten Standorte haben frische, zum Teil frische bis feuchte Böden neutraler bis milder Bodenreaktion.

Die primären Standorte vieler Hackfruchtbeikräuter befinden sich, entsprechend den obigen Ausführungen, in den nitratreichen Spülsäumen der See- und Flussufer und anderer Standorte der Flussauen (s. o.). Vertreter der heutigen Klasse der Zweizahn-Schlammufer-Fluren sind zum Beispiel der Feigenblättrige Gänsefuß, der Floh-Knöterich, die Spreizende Melde und die Gemeine Hühnerhirse. Trockenere Ufer- und Auenbereiche dürften primär von Arten der heutigen Ordnung der annuellen Ruderalgesellschaften (Sisymbrietalia) bewohnt gewesen sein. Hierzu zählen unter anderem das Gemeine Hirtentäschel, der Weiße Gänsefuß und der Schwarze Nachtschatten. Im Unterschied hierzu stellen trockenere, nährstoffärmere Standorte geringerer Humusmächtigkeit die Primärstandorte einiger Getreidebeikräuter dar. Das Quendel-Sandkraut, die Acker-Schmalwand sowie der Gezähnte und der Echte Feldsalat wuchsen ursprünglich wohl auf Felsbändern, Felsköpfen und an steilen Abhängen, die nicht bewaldet gewesen waren; man rechnet diese Arten heute zur Klasse der Sand- und Felsrasen (Punkt 5). Die meisten der nachgewiesenen Getreidebeikräuter haben mediterrane und submediterrane Herkünfte und sind vermutlich erst im Laufe des Neolithikums nach Mitteleuropa eingewandert.

Zur Lage, Größe und Bewirtschaftung der Getreide- und Hackfruchtäcker werden in der Diskussion Angaben gemacht (Kap. 4.2).

3.3 Die Ellenbergschen Zeigerwerte: Eine Möglichkeit der Auswertung von Wildpflanzenfunden mit Hilfe von Ökodiagrammen

3.3.1 Erläuterungen zum Verständnis der Ökodiagramme

Jede Pflanze stellt bestimmte Ansprüche an ihre Umwelt, wobei die einzelne Art bezüglich eines bestimmten Standortfaktors mehr oder weniger „wählerisch" ist. Eine Pflanzenart kann beispielsweise unterschiedliche Bodenfeuchten gut ertragen, das heißt, sie verhält sich indifferent hinsichtlich dieses Standortfaktors. Sie besiedelt aber ausschließlich gut besonnte Plätze und ist an halbbeschatteten oder gar schattigen Stellen nicht zu finden; diese Art ist bezüglich der Beleuchtungsstärke sehr „wählerisch". Konkurrenzverhältnisse, Ernährungssituation und Alter sind weitere Faktoren, die das Verhalten von Pflanzen nachhaltig beeinflussen können.

Den „Ellenbergschen Zeigerwerten" (Ellenberg 1979) liegen die Verhaltensweisen der verschiedenen Pflanzenarten gegenüber den Faktoren Beleuchtungsstärke (Lichtzahl L), Temperatur (Tempera-

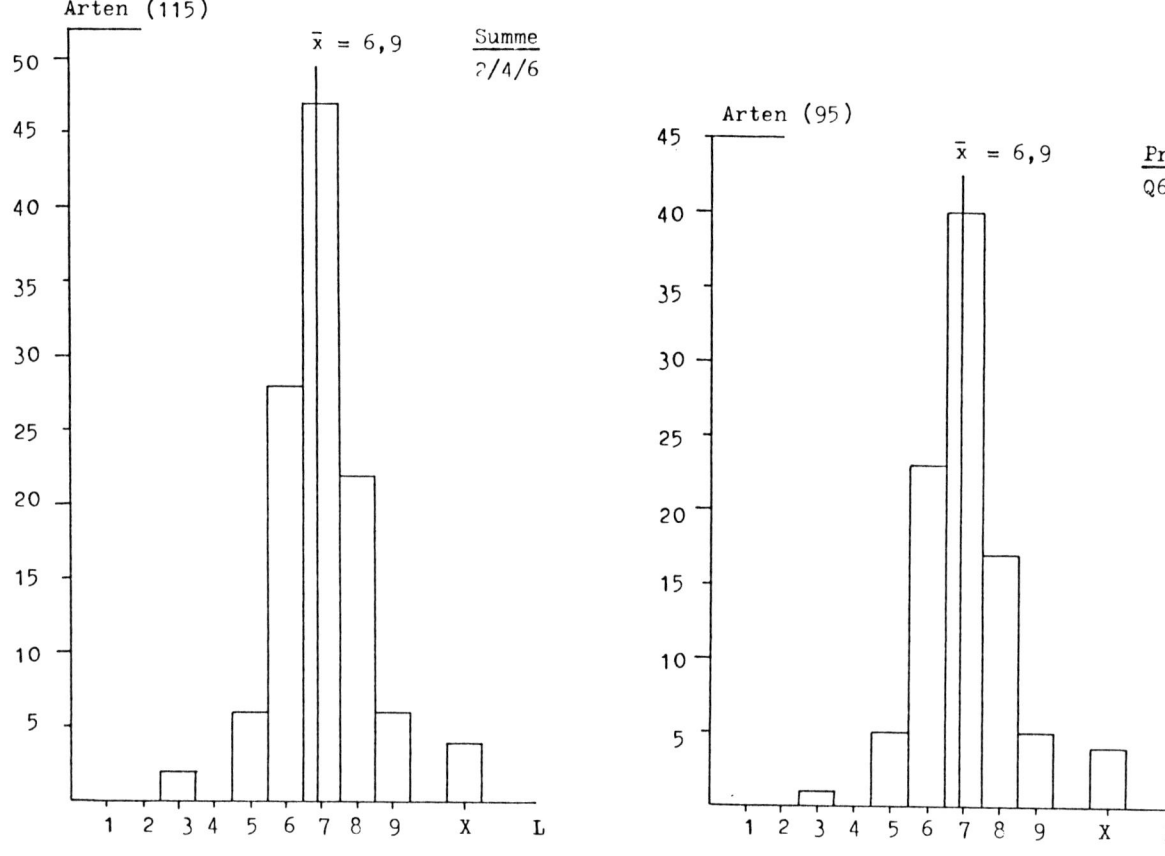

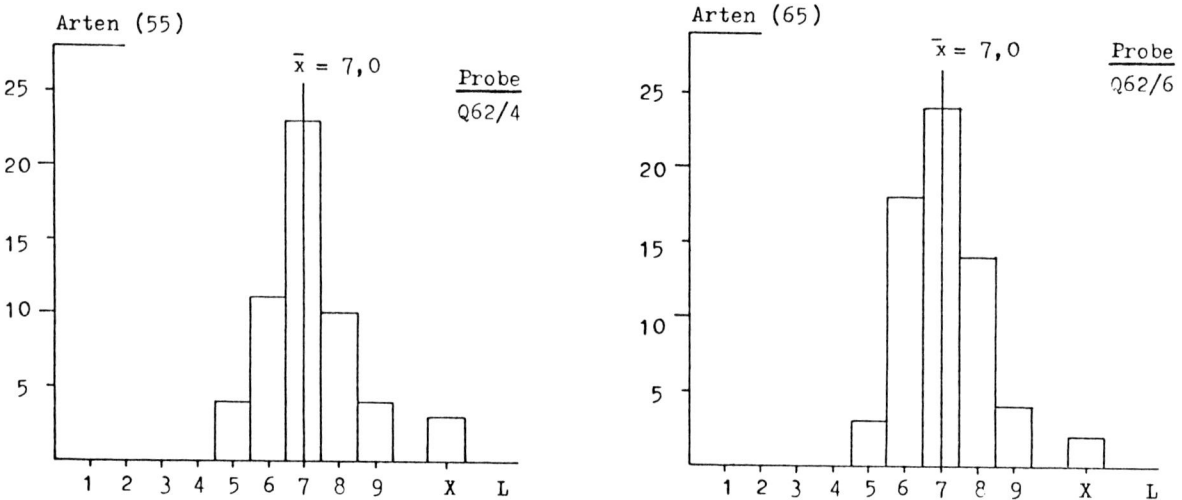

Abb. 15: Ökodiagramme der Lichtzahlen (L) von den Pflanzenspektren der Kulturschichtproben Q62/2, Q62/4 und Q62/6. Nach Ellenberg (1979).

turzahl T), Kontinentalität des Standorts (Kontinentalitätszahl K), Bodenfeuchte (Feuchtezahl F), Bodenreaktion (Reaktionszahl R) und Stickstoffgehalt des Bodens (Stickstoffzahl N) zugrunde (s.u.).

Für jeden Standortfaktor gibt es eine neunteilige Skala von 1 bis 9 mit Ausnahme der Feuchtezahl, die ein Spektrum von 1 bis 12 besitzt (Abb. 15–20). Gegenüber einem bestimmten Faktor indifferente

Arten sind durch ein „X" gekennzeichnet. Zusätzlich sind bei der Feuchtezahl Wechselfeuchtigkeits- und Überschwemmungszeiger markiert.

Die angegebenen Zeigerwerte der einzelnen Arten sind keine absoluten Werte, sondern stets in Zusammenhang mit der Flexibilität und der großen Anpassungsfähigkeit der Pflanzenwelt zu interpretieren. Auch für Ellenberg (1979) sind die Zeigerwerte nur „relative Abstufungen", die sich nach dem Schwergewicht des Auftretens einer Art im heutigen Vegetationsgefüge richten. Hierin liegt eine weitere Schwierigkeit, denn Rückschlüsse von heutigen Vegetationseinheiten auf vorgeschichtliche pflanzensoziologische Verhältnisse zu ziehen, ist insbesondere bei anthropogen geprägten Gesellschaften nicht ohne weiteres möglich (vgl. Kap. 3.2.1). Letztendlich wird das Vorkommen von Arten in bestimmten Pflanzengemeinschaften von Konkurrenzkräften stark beeinflusst, die bei den einzelnen Spezies in verschiedenen Wettbewerbsverhältnissen unterschiedlich wirksam werden können.

Im Folgenden wird trotz der vielen Unsicherheiten versucht, die Zeigerwerte der einzelnen Pflanzenspektren der verschiedenen Kulturschichtproben in ihrer Gesamtheit zu beleuchten. Hierdurch ist es möglich, gewisse Aussagen über das Vegetationsgefüge zu machen bzw. tendenzielle Veränderungen in der Pflanzenwelt während den verschiedenen frühbronzezeitlichen Besiedlungsphasen aufzuzeigen. Werden die unterschiedlichen Verteilungen der Zeigerwerte in Zusammenhang mit den Auswertungen der ökologischen Spektren bzw. der ökologischen Gruppen gesehen (Kap. 3.2.3–4), so lassen sie sich meist durch Zu- oder Abnahme einzelner ökologischer Gruppen erklären.

Den Betrachtungen liegen insgesamt 115 Spezies zugrunde, wobei auf die ältere Kulturschicht 65, auf die mittlere 55 und auf die jüngere 95 Arten entfallen. Zu jeder Abbildung bzw. jedem Zeigerwert gehören vier Diagramme: „Summe 2/4/6", „Probe Q62/6", „Probe Q62/4" und „Probe Q62/2" (Abb. 15–20). Bei der Summe werden außer den Arten der Kulturschichtproben (n = 109) noch sechs weitere Spezies der Flächenproben aus der unteren Kulturschicht zur Erweiterung des Spektrums einbezogen. Diese sind in den Berechnungen der Probe aus der unteren Kulturschicht aus Gründen des direkten Vergleichs mit den anderen Proben aber nicht enthalten. Bei den Diagrammen ist die Verteilung der Spezies von Belang und nicht die absolute Häufigkeit der einzelnen Zeigerwerte. Der jeweils angegebene Mittelwert „$\bar{x}$" ist nur ein Anhaltspunkt und muss dem Verteilungsschwerpunkt nicht unbedingt entsprechen.

3.3.2 Die Besprechung der Ökodiagramme

Die Lichtzahl L (Abb. 15)
Sie gibt Auskunft über die bevorzugten Lichtverhältnisse der jeweiligen Pflanzenart an ihrem Wuchsort.

Von Schatten- (L3) bis zu Volllichtpflanzen (L9) wird das gesamte Spektrum von Lichtverhältnissen mit Ausnahme von L4 durch die nachgewiesenen Pflanzen abgedeckt; indifferente Arten sind kaum vorhanden („Summe 2/4/6").

Die Spektren der drei Kulturschichtproben haben große Ähnlichkeit miteinander, zugleich sind die Mittelwerte nahezu identisch (6,9–7,0). Die Verteilungen entsprechen somit alle mehr oder weniger dem Summendiagramm. Geringfügige Unterschiede von jeweils 2% ergeben sich beim Vergleich von Halbschatten- bis Halblichtpflanzen (L5–L7) – Zunahme von der unteren zur oberen Kulturschicht – und von Licht- und Volllichtpflanzen (L8 und L9) – Abnahme von der unteren zur oberen Kulturschicht. Die Zunahme von Pflanzen mäßig besonnter Plätze geht mit einem absoluten und prozentualen Anstieg von Vertretern der Röhrichte, der Großseggenrieder und der Ackerflora einher (Kap. 3.2.4, Punkt 2 u. 6).

Die Temperaturzahl T (Abb. 16)
Sie ist primär ein natürlicher Faktor und spiegelt die geographische Lage von Bodman-Schachen und seiner Umgebung wider, welche durch den Breitengrad und die Höhe über dem Meeresspiegel charakterisiert ist. Anthropogene Einflüsse, wie Waldauflichtungen und die Neuschaffung von Grünland-, Acker- und Ruderalflächen, verändern sekundär die Temperaturzahl an den verschiedenen Wuchsorten.

Von Kühle-/Mäßigwärmezeigern (T4) bis zu Wärme-/extreme Wärmezeigern (T8) wird das Spektrum abgedeckt. Der Temperatur gegenüber indifferente Arten sind mit 40% (!) am gesamten nachgewiesenen Pflanzeninventar vertreten. Die Diagramme der Kulturschichtproben sind sich sehr ähnlich, wobei stets ein ausgeprägtes Maximum bei T5 (Mäßigwärmezeiger) vorliegt; die Mittelwerte liegen bei 5,4 bzw. 5,3. Ein gewisser Rückgang ist bei den Prozentwerten der Mäßigwärmezeiger im weiteren Sinn (T4–T6) von der unteren zur oberen Kulturschicht zu verzeichnen (57/53/51%). Zugleich ist ein geringfügiger Anstieg von Wärmezeigern (T7, T8) festzustellen (3,1/3,6/5,3%). Der Rückgang von Mäßigwärmezeigern korreliert mit einem absoluten und prozentualen Rückgang von Pflanzen der Saumgesellschaften und Waldverlich-

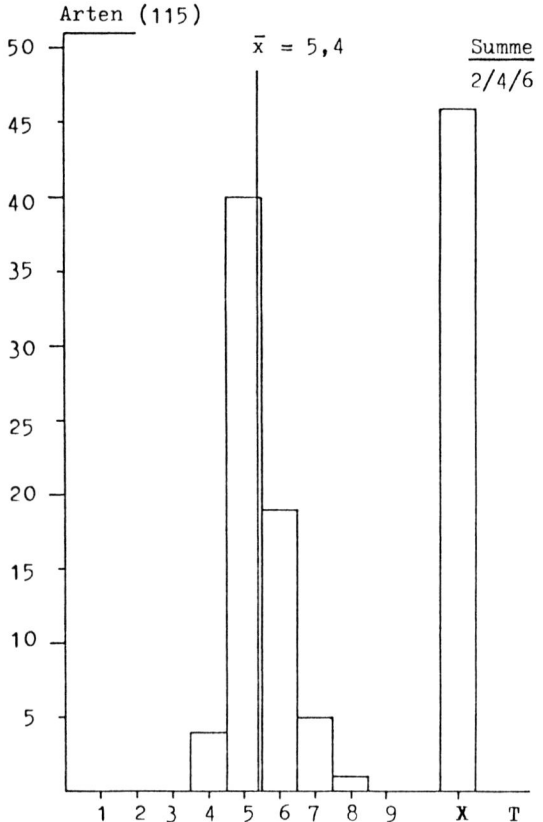
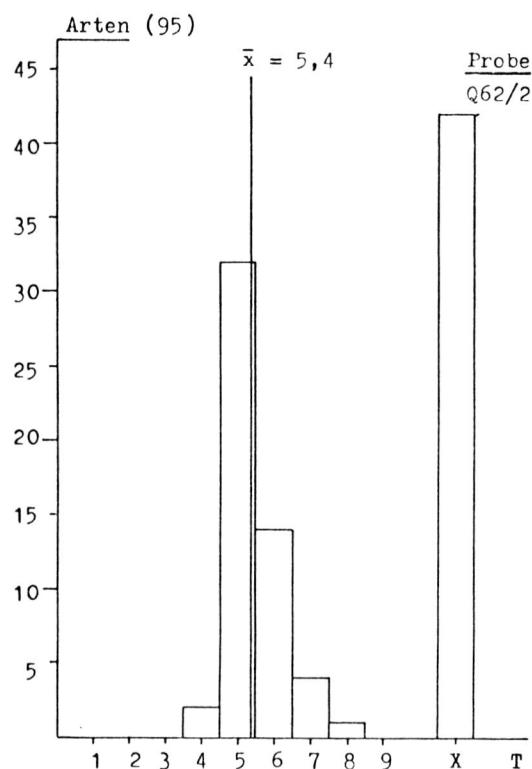
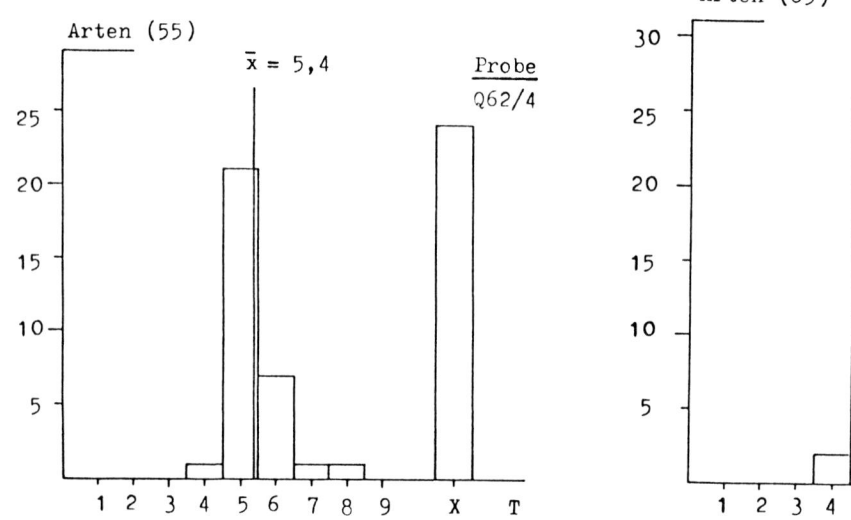
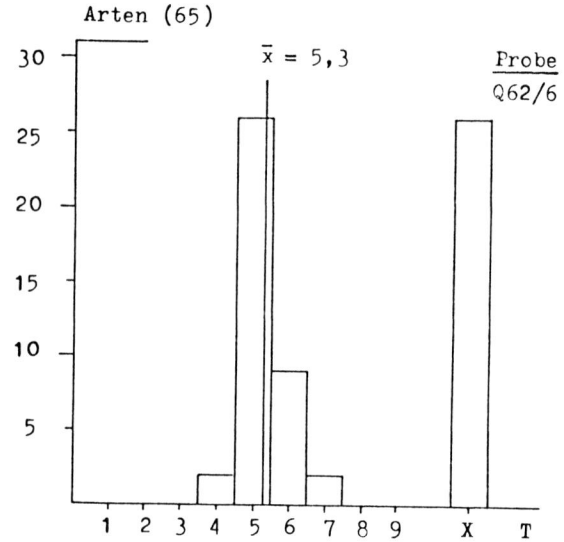

Abb. 16: Ökodiagramme der Temperaturzahlen (T) von den Pflanzenspektren der Kulturschichtproben Q62/2, Q62/4 und Q62/6. Nach Ellenberg (1979).

tungen (Kap. 3.2.4, Punkt 3). Dem Anstieg von Wärmezeigern liegt eine Zunahme von Ackerpflanzen – allerdings geringer Fundzahlen – zugrunde (Kap. 3.2.4, Punkt 6).

Die Kontinentalitätszahl K (Abb. 17)
Sie ist eine wichtige Ergänzung zur Temperaturzahl T (s.o.) – mittlere Wärmeverhältnisse – und zeigt das Vorkommen einer Art im Kontinentalitätsgefäl-

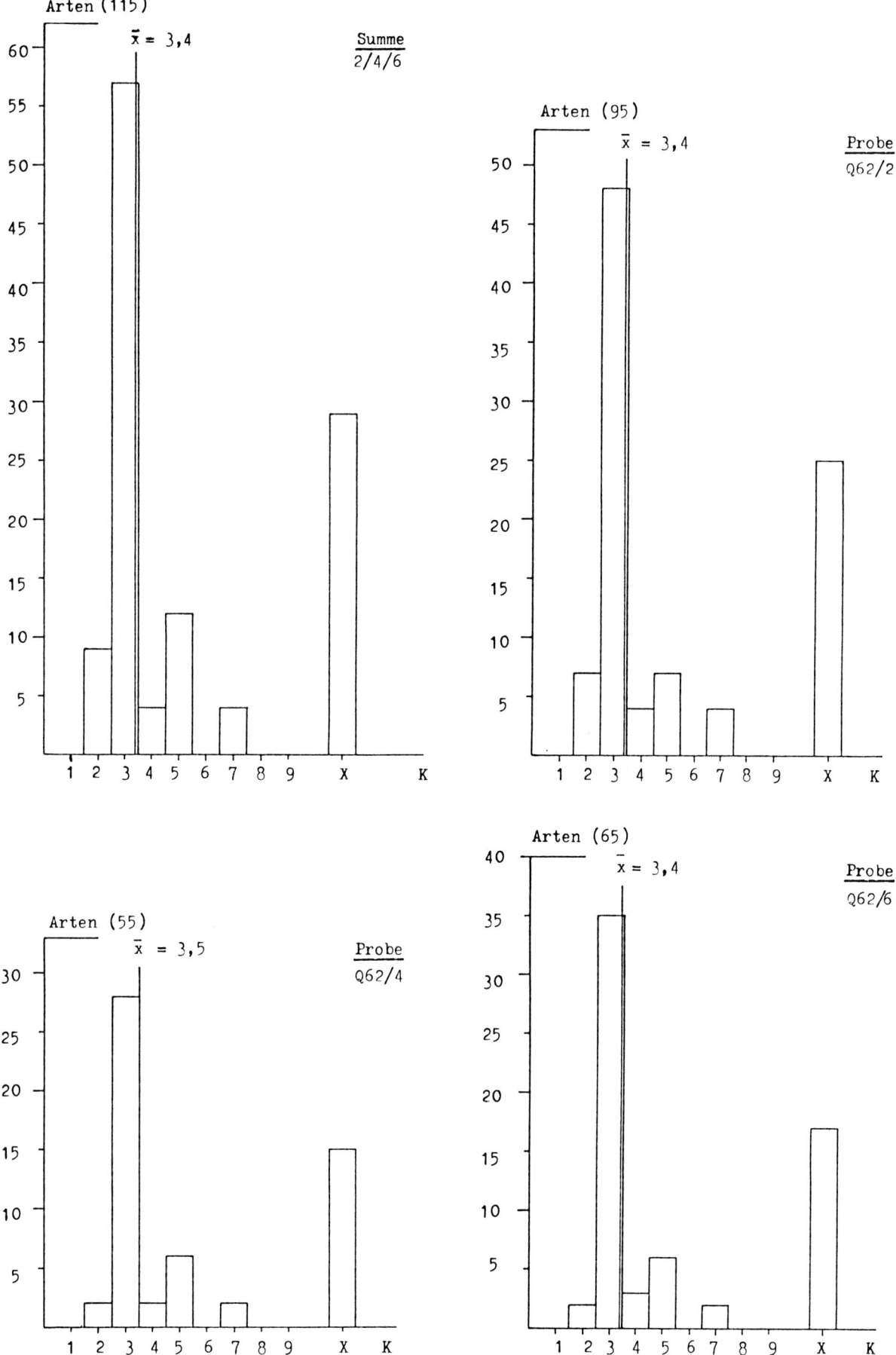

Abb. 17: Ökodiagramme der Kontinentalitätszahlen (K) von den Pflanzenspektren der Kulturschichtproben Q62/2, Q62/4 und Q62/6. Nach Ellenberg (1979).

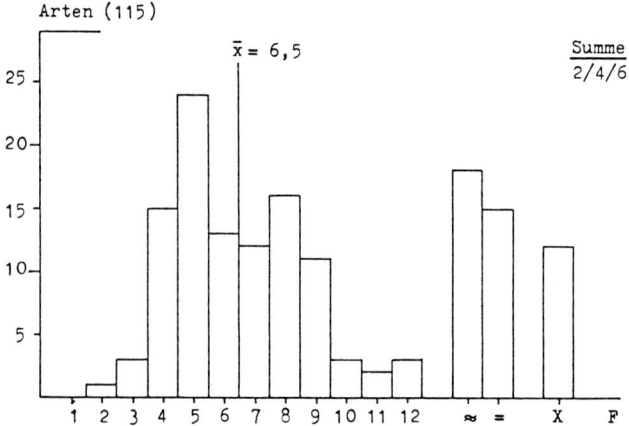
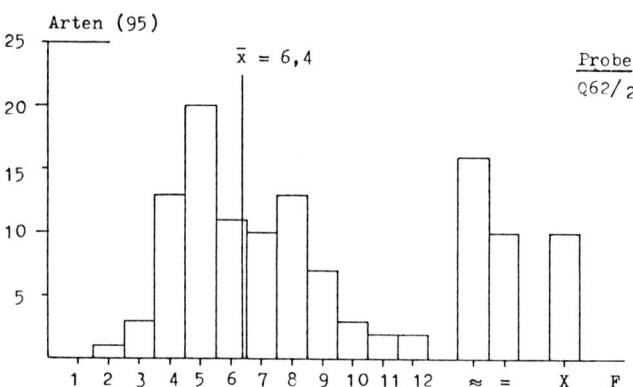
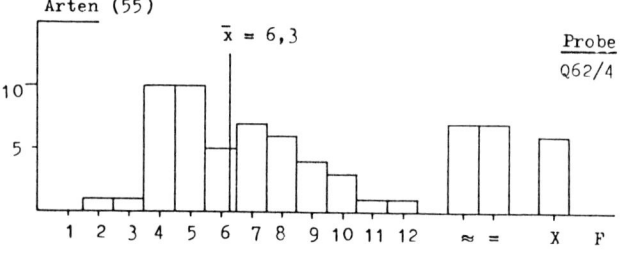
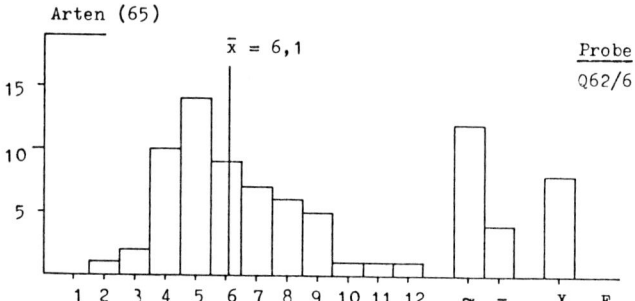

Abb. 18: Ökodiagramme der Feuchtezahlen (F) von den Pflanzenspektren der Kulturschichtproben Q62/2, Q62/4 und Q62/6. Nach Ellenberg (1979).

le, besonders im Hinblick auf die Temperaturschwankungen, an. So gehen sowohl die tages- und jahreszeitlichen Amplituden als auch die Härte des Winters und die Häufigkeit von Früh- und Spätfrösten am Wuchsort der Pflanzen mit in die Bewertung ein. Die anthropogenen Eingriffe in die Natur zeigen sich hier besonders deutlich, da Auflichtungen des ursprünglich geschlossenen Waldlandes mit seinem ausgeglichenen Mikroklima zu offenen Flächen mit kontinentalen Zügen des Temperatur- und Luftfeuchteverlaufes und der Windgeschwindigkeiten führen (Kap. 3.2.4, Punkt 4–6). Das vorliegende Artenspektrum reicht von ozeanischen (K2) bis zu subkontinental-kontinentalen Spezies (T7). 25% des Arteninventars verhalten sich indifferent gegenüber der Kontinentalität des Wuchsortes. Bei allen vier Diagrammen der Abbildung 17 ist ein ausgeprägtes Maximum bei K3 (ozeanisch-subozeanisch) und ein Mittelwert von 3,4 bzw. 3,5 vorhanden. Pflanzen mit dem Zeigerwert K3 kommen in großen Teilen Mitteleuropas vor, sind für die Lage des Untersuchungsraumes dementsprechend typisch.

Wie bei den vorgenannten Umweltfaktoren treten auch bezüglich der Kontinentalität nur geringe Unterschiede zwischen den drei Kulturschichtproben auf. Auffallend dagegen ist die Einheitlichkeit der Tendenzen. So nehmen die ozeanischen (K2) und die subkontinental-kontinentalen Arten (K7) prozentual von der unteren zur oberen Kulturschicht zu. Zugleich ist prozentual gesehen ein deutlicher Rückgang von Vertretern der Zeigerwerte K3 bis K5 zu verzeichnen, also von Arten, die ihren Verbreitungsschwerpunkt in Mitteleuropa haben. Für die Zunahme von K2 sind ansteigende Nachweiszahlen sowohl ozeanischer (westeuropäischer) Arten der Nasswiesen bzw. der nassen Staudenfluren als auch der Ackerwildpflanzen verantwortlich (Kap. 3.2.4, Punkt 4 u. 6).

In Bodman-Schachen zeigt sich eine Tendenz zur Zunahme von „Extremstandorten" bei gleichzeitig rückläufigen Anteilen der Pflanzen typisch mitteleuropäischer Verbreitung während der frühbronzezeitlichen Besiedlung. Dies kann mit stärkeren menschlichen Eingriffen in den Naturhaushalt in Zusammenhang gebracht werden (Kap. 4.2).

Die Feuchtezahl F (Abb. 18)
Sie zeigt das Vorkommen von Pflanzen im Gefälle der Bodenfeuchtigkeit bzw. an unterschiedlich wasserbeeinflussten Uferstandorten

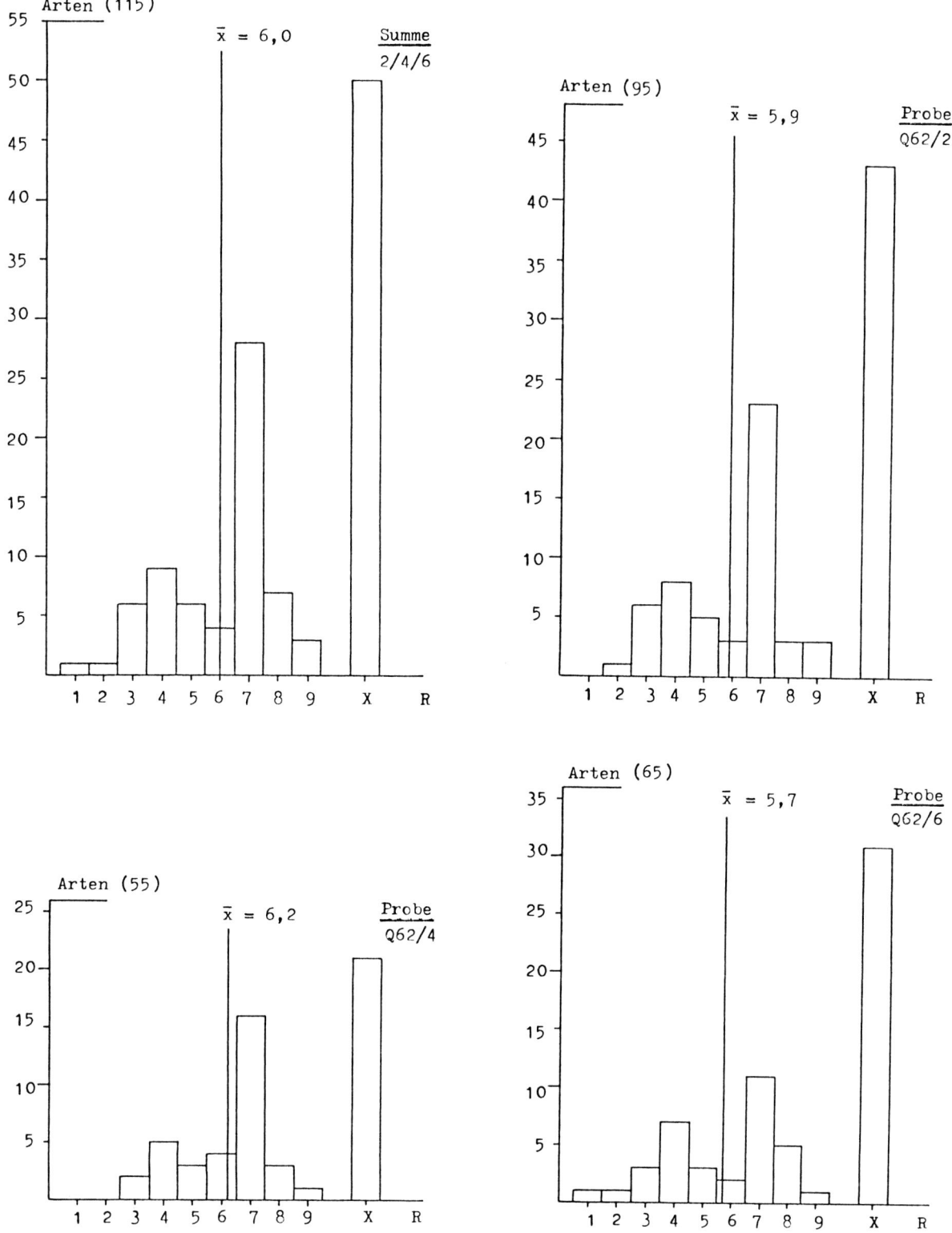

Abb. 19: Ökodiagramme der Reaktionszahlen (R) von den Pflanzenspektren der Kulturschichtproben Q62/2, Q62/4 und Q62/6. Nach Ellenberg (1979).

an. Zusätzlich sind Wechselfeuchtigkeits- (≈) und Überschwemmungszeiger (=) in die Ökodiagramme mitaufgenommen.

Der Schwerpunkt des Summendiagramms liegt bei F5 (Frischezeiger), der Mittelwert bei 6,5 (Feuchtezeiger). Das Spektrum reicht von F2 (Starktrocknis-/Trockniszeiger) bis zu F12 (Unterwasserpflanzen).

Der Vergleich der Kulturschichtproben zeigt gewisse Unterschiede, auch wenn die Mittelwerte nur unwesentlich voneinander abweichen (6,1/6,3/6,4). In

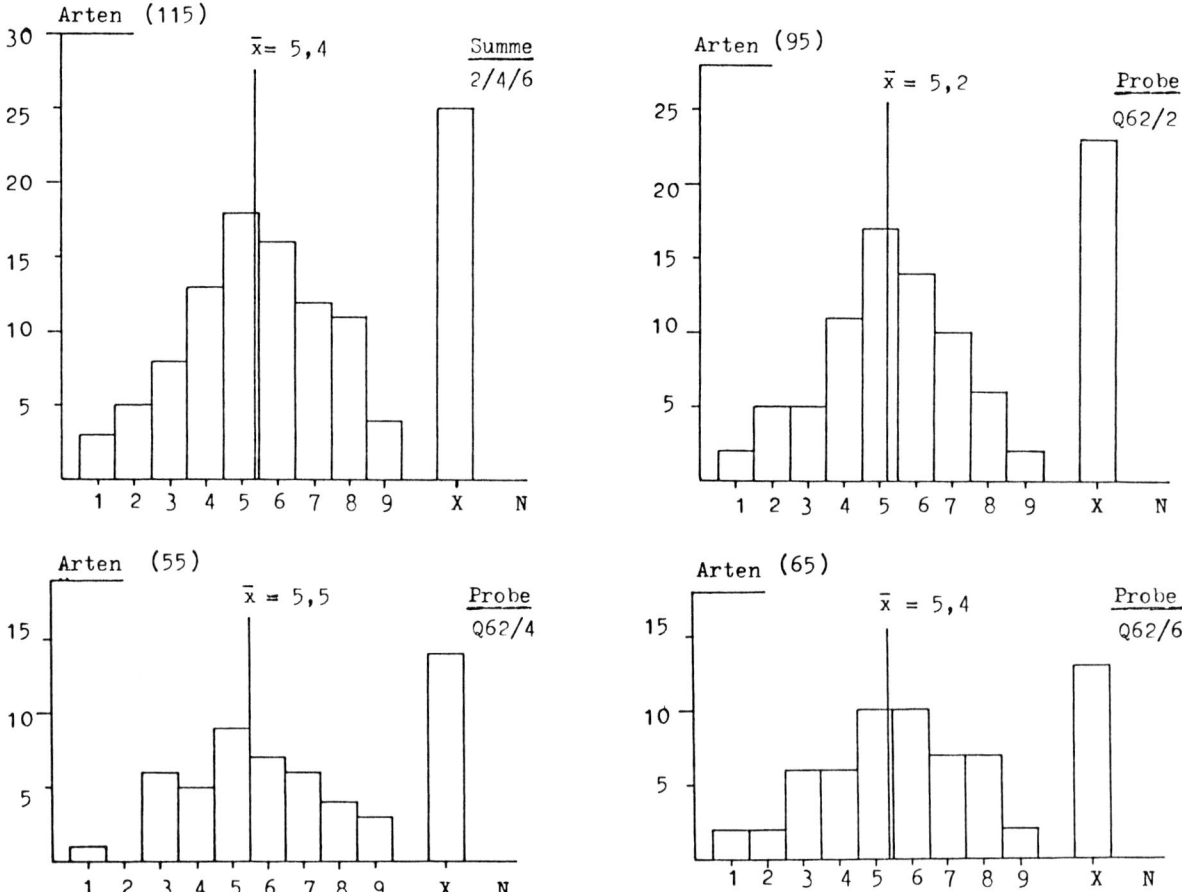

Abb. 20: Ökodiagramme der Stickstoffzahlen (N) von den Pflanzenspektren der Kulturschichtproben Q62/2, Q62/4 und Q62/6. Nach Ellenberg (1979).

der mittleren Probe fehlt ein deutliches Maximum bei F5, dafür ist F4 verhältnismäßig stark vertreten. Der bestehende grafische Unterschied ist unbedeutend, da Pflanzen von F4 und F5 auf mittelfeuchten Böden ihre Verbreitungsschwerpunkte besitzen. Der niedrige Prozentsatz der Gruppe F6 kann anhand der ökologischen Gruppen und ihren Vertretern nicht geklärt werden. Dagegen ist das häufige Vorkommen von F8 (Feuchte- bis Nässezeiger) in der oberen Kulturschichtprobe vornehmlich auf Pflanzen der nassen Staudenfluren und der Nasswiesen zurückzuführen, die in dieser Probe relativ reichlich nachgewiesen sind (Kap. 3.2.4, Punkt 4). Bei den Pflanzen von Standorten wechselnder Bodenfeuchte handelt es sich vorwiegend um Wechselfeuchtezeiger (F7), die in der jüngsten Probe prozentual am stärksten vertreten sind. Überschwemmungszeiger (=) der Feuchtegruppen F8 und F9 erreichen mit 12,7% in Probe Q62/4 ihren höchsten Wert.

Die Reaktionszahl R (Abb. 19)
Sie ist ein relatives Maß für den pH-Wert und wird von dem Kalkgehalt des Bodens mitbestimmt.
Das vorliegende Pflanzenspektrum deckt die gesamte Skala von R1 (Starksäurezeiger) bis zu R9 (Basen- und Kalkzeiger) ab. Auffallend ist der relativ hohe Prozentsatz an indifferenten Arten (43,4%; s. „Summe 2/4/6"). Die Mittelwerte der drei Kulturschichtproben bewegen sich zwischen 5,7 und 6,2, liegen also im Bereich von Mäßigsäure- und Schwachsäurezeigern; die Maxima befinden sich bei R7. Bei allen drei Proben gibt es ein zweites, aber schwächer ausgeprägtes Maximum bei R4 (Säurezeiger bis Mäßigsäurezeiger), welches sich durch das häufige Vorkommen von Grünlandpflanzen erklären lässt. Die mittlere Probe zeichnet sich gegenüber den beiden anderen Proben durch einen geringeren Anteil an Starksäure- bis Säurezeigern (R1–R3) aus. Pflanzen schwach saurer bis schwach basischer Böden spielen in der mittleren Probe dagegen eine große Rolle. Eine abfallende Tendenz von der unteren zur oberen Kulturschichtprobe ist bei den Häufigkeiten der Pflanzen kalkreicher Böden (R8, R9) festzustellen (10,6/7,3/6,4%) – Entkalkung der Böden (?).

Die Stickstoffzahl N (Abb. 20)
Sie ist ein relatives Maß für den pflanzenverfügbaren Stickstoff des Bodens während der Vegetationszeit.

Von den Pflanzen stickstoffärmster Standorte (N1) gibt es alle Übergänge bis zu Arten übermäßig stickstoffreicher Plätze (N9). Indifferente Arten sind stets häufig vertreten.

Auffallend ist die Tendenz von einem eher ausgeglichenen Spektrum der Stickstoffzahlen der ältesten Probe zu einer fast ebenmäßigen Binominalverteilung der jüngsten Kulturschicht. Dies drückt sich auch in der prozentualen Verteilung der Zeigerwerte aus. Die untere Kulturschichtprobe zeichnet sich einerseits durch relativ hohe Werte von 15,4% bei N1 bis N3 (stickstoffärmste bis stickstoffarme Standorte) und von 13,8% bei N8 und N9 („Stickstoffzeiger") aus. Andererseits sind Pflanzen von Böden mittlerer Stickstoffversorgung (N4 bis N6) vergleichsweise selten; hier liegt hingegen der Schwerpunkt bei der oberen Kulturschichtprobe (44,3%). Diese Verteilung hängt insbesondere mit dem häufigen Auftreten von Uferpflanzen und Wildkräutern der Getreideäcker in der jüngsten Probe zusammen (Kap. 3.2.4, Punkt 2 u. 6).

3.4 Spezieller botanischer Teil

3.4.1 Systematische Gliederung der nachgewiesenen Pflanzentaxa (Tab. 14)

Die gefundenen botanischen Reste aller untersuchten Proben können insgesamt 160 Taxa zugeordnet werden. Davon entfallen allein 151 Taxa auf die drei untersuchten Kulturschichtproben Q62/6, Q62/4 und Q62/2. Von den 40 Taxa der getreidekornreichen Flächenproben Q56-1014, Q64-1002, Q64-1003, Q64-1004 und Q64-1016 sowie den beiden Kleinproben Q22c und Q29-1029 sind neun Taxa nicht durch Funde in den oben angeführten Kulturschichtproben belegt.

Die nachgewiesenen Taxa sind ihrer Verwandtschaft entsprechend in Gattungen und Familien zusammengefasst. Der Rothmalerschen Einteilung (Rothmaler 1976) folgend, sind die Pflanzenfamilien in Tabelle 14 aufgelistet. Dieser „Schlüssel zum speziellen botanischen Teil" soll dem Leser die Suche nach den Beschreibungen der Pflanzenteile im nachfolgenden Kapitel 3.4.2 erleichtern. Zugleich wird aus dieser Tabelle die Anzahl der Familien (40), ihrer Gattungen (94), der zugehörigen Arten (135) und der tatsächlich bestimmten Pflanzenreste exklusive Bruchstücke (5740) ersichtlich. Die Spalten „Nachweise/Spezies" und „Stetigkeiten der Spezies gemittelt" geben Aufschluss über die durchschnittlichen Häufigkeiten und Frequenzen der verschiedenen Arten einer Familie in den Kulturschichtproben.

Der Determination der Pflanzenreste liegt in den meisten Fällen die Nomenklatur von Rothmaler (1976), in Ausnahmen diejenige von Oberdorfer (1979) zugrunde. Sind weitere Bestimmungsbücher bzw. Floren zur Namengebung herangezogen worden, so ist dies bei den Besprechungen der jeweiligen Pflanzenreste gesondert vermerkt.

3.4.2 Die gefundenen unverkohlten Pflanzenreste im Überblick: Detaillierte Beschreibungen sämtlicher bestimmter Wildpflanzenreste sowie der Funde von Schlafmohn, Saatlein und Gerste

Bei den bestimmbaren Pflanzenresten der Kulturschichtproben handelt es sich überwiegend um unverkohlte Samen und Früchte von Wildpflanzen. Die wenigen Funde von Kulturpflanzen wie Saatlein (*Linum usitatissimum* L.) und Schlafmohn (*Papaver somniferum* L.) sind ebenfalls in den vorliegenden Katalog mitaufgenommen. Nur die ausgelesenen verkohlten und unverkohlten Getreidereste sind gesondert in Kapitel 3.1 aufgeführt, abgesehen von einem unverkohlten Gerstenkorn (*Hordeum vulgare* L.), das in diesem Kapitel besprochen wird. Neben einer Vielzahl von Sämereien und ihrer Bruchstücke sind nur einzelne Knospen und -schuppen der Hasel und von Eichen zu verzeichnen sowie Perigonreste des Gemeinen Windenknöterichs, von Knöterich- und Ampferarten. Häufiger dagegen sind die Fragmente des Kerngehäuses und die Nucellarreste des Kultur- oder Holz-Apfels. Zwei Fruchtbecherfunde der Rot-Buche in den getreidekornreichen Flächenproben runden die Besprechung ab.

Einen Überblick über sämtliche hier vorgestellten Pflanzenreste vermitteln Tabelle 16 („Gesamtliste") und Tabelle 17 („Artenspektrum der Getreideproben"). Dort wird der Übersichtlichkeit halber nicht auf die botanischen Unterscheidungen von Sämereien wie Klausen, Achänen, Karyopsen etc. eingegangen.

Die beschriebenen Pflanzenreste wurden im feuchten Zustand vermessen, bei großen Fundzahlen in der Regel zehn Exemplare pro Spezies. Sind Größenunterschiede von ähnlich aussehenden Sämereien verschiedener Arten bei der Determination von Belang, so wurden sowohl von den subfossilen (sf.) Belegen als auch von rezenten (rez.) Exemplaren mehrerer Herkünfte – sofern vorhanden – Messwerte genommen. Messwerte und Indizes stehen stets am Anfang der jeweiligen Beschreibung: Die Mittelwerte sind zuerst genannt, in Klammern

Tabelle 14: Schlüssel zum speziellen botanischen Teil. Die nachgewiesenen Taxa sind 40 Pflanzenfamilien zuzuordnen, die hier und im Folgenden bei der Besprechung gemäß der Einteilung nach Rothmaler (1976) aufgelistet sind. Die Nachweise der Flächenproben gehen bei den Summenberechnungen mit ein, werden bei den Mittelwerten (*) aber nicht berücksichtigt. Zugrunde gelegt sind Tabelle 16 und 17. Bruchstücke sind nicht berücksichtigt, außer bei der Haselnuss, *Corylus avellana* (Zahlen in Klammern).

Name der FAMILIA	Anzahl: GENUS	Anzahl: SPEZIES	Nachweise: Summe	Nachweise: *$/$Spezies	*Stetigkeiten der Spezies gemittelt (von 1,00-3,00)
Characeae indet.	-	-	512	-	-
Ranunculaceae	2	4	27	6	1,25
Papaveraceae	1	4	42	11	2,25
Fagaceae	2	-	29	-	-
Betulaceae	2	1	58	19	3,00
Corylaceae	1	1	9(189)	(31)	3,00
Urticaceae	1	1	39	39	3,00
Caryophyllaceae	8	11	246	21	2,36
Chenopodiaceae	2	4	63	15	2,00
Polygonaceae	3	10	94	9	2,10
Hypericaceae	1	2	12	6	1,50
Violaceae	1	1	4	4	2,00
Brassicaceae	5	5	26	5	1,80
Salicaceae	1	-	1	-	-
Primulaceae	1	1	3	3	2,00
Rosaceae	10	13	908	41	1,85
Linaceae	1	2	18	4	1,50
Lythraceae	1	1	10	8	2,00
Onagraceae	1	-	22	-	-
Cornaceae	1	1	8	-	-
Apiaceae	5	5	35	10	2,00
Gentianaceae	1	1	3	3	2,00
Caprifoliaceae	1	2	356	167	2,50
Valerianaceae	2	2	9	4	1,50
Boraginaceae	1	-	1	-	-
Solanaceae	1	1	2	2	1,00
Scrophulariaceae	2	3	8	2	1,67
Plantaginaceae	1	1	21	21	3,00
Verbenaceae	1	1	6	6	2,00
Lamiaceae	8	9	59	7	2,00
Campanulaceae	1	3	29	10	2,33
Asteraceae	5	5	45	10	2,00
Alismataceae	1	-	1	-	-
Potamogetonaceae	1	1	10	-	-
Zannichelliaceae	1	1	8	8	2,00
Najadaceae	1	2	28	11	2,50
Juncaceae	1	11	265	23	2,00
Cyperaceae	7	14	402	28	1,79
Poaceae	7	11	2129	46	2,09
Typhaceae	1	-	3	-	-
Summen (sämtliche Nachweise)	94	135	5740		
*Mittelwerte (nur Kulturschicht-Proben)		(incl. "cf."- und "vel"- Bestimmungen)		18,3	2,06

490

sind die Minimal- und Maximalwerte aufgeführt. Sind Abbildungen vorhanden, so ist dies ebenfalls vermerkt (Taf. 1–16). Genaue Angaben zu den verwendeten Mess- und Fotogeräten sowie den Messmodi finden sich in Kapitel 2.1.

Characeae indet.
(unbestimmte Armleuchter-Algen)

Von einer Determination der vielen Oogonien bzw. Oosporen musste mangels einer rezenten Vergleichssammlung abgesehen werden. Es handelt sich hierbei um die weiblichen Geschlechtsorgane der Algen, welche aus der eigentlichen Oospore, dem Kern, und einer Hülle aufgebaut sind. Letztere besteht im frischen Zustand aus fünf spiralig gewundenen Röhrenzellen, von denen bei den subfossilen Exemplaren lediglich die Rippen als Negativformen erhalten geblieben sind (Krause 1986). Die gefundenen Oosporen sind gelblich braun bis dunkelbraun gefärbt und lateral gesehen von rundlicher bis lang gestreckt ovaler oder spindelartiger Form. Sie haben sich meist unversehrt erhalten und sind stets hohl. Annähernd die Hälfte aller Oosporen wird von einer Kalkhülle umgeben, auf welcher sich die Umrisse der Spiralzellen deutlich abzeichnen. Mit Hilfe des Bestimmungsschlüssels von Krause lässt sich ein Großteil der Oosporen mit Sicherheit zur Gattung Chara stellen. Mehrere Arten sind hier aufgrund von Form-, Farben- und Größenunterschieden zu erwarten, dies v. a. in der an Oogonien reichen unteren Kulturschicht.

Für eine eventuell spätere Bearbeitung des Oogonienmaterials liegen wertvolle Bestimmungshilfen vor, so z. B. die umfassenden Arbeiten von Krause (1986), Migula (1909) und Pascher (1925). Beschreibungen und Abbildungen von Characeen-Oosporen können außerdem den Schriften von Mädler (1952; 1971) und Nötzold (1962) entnommen werden.

Ranunculaceae
Caltha palustris L. (Sumpf-Dotterblume)

1 sf. Expl.: L. 2,10 mm; B. 1,10 mm; D. 0,75 mm
Trotz Deformierung des Samens durch seitliche Pressung und Faltung des ursprünglich aufgeblasenen Unterteils ist seine Bestimmung durchaus möglich. Unverwechselbar sind das abgeschnürte und noch aufgeblähte Schwimmgewebe des apikalen Endes und die häutig faltige, glänzende Oberhaut. Eine ventrale Längsfalte beginnt am unteren Ende des Schwimmgewebes und zieht bis zur Basis; sie erscheint bei dem subfossilen Samen aufgrund seiner Deformierung nicht so scharf ausgeprägt wie bei Rezentvergleichen. Längs orientierte, gebogene Epidermiszellen bedecken die Samenoberfläche. Ähnlich gestaltete Samen anderer Arten sind dem Autor nicht bekannt.

Ranunculus acris L. (Scharfer Hahnenfuß)
Synonym: *R. acer* L.
2 sf. Expl.: L. 2,30/1,90 mm; B. 2,00/1,85 mm; D. 0,70/- mm
Zwei nahezu kreisrunde und basal nur wenig zugespitzte Früchte stammen vom Scharfen Hahnenfuß. Im Unterschied zu den zahlreich gefundenen Früchten des Kriechenden H. (*R. repens* L.) sind sie durch einen gleichmäßig abgeflachten, schmalen Rand ausgezeichnet, welcher nicht gekielt ist. Außerdem besitzen die beiden vorliegenden Exemplare eine fein strukturierte Oberfläche, die trotz Korrosion zu erkennen ist, sowie eine vergleichsweise dünne, schwach transparente, bräunlich gelbe Fruchtwand (vgl. die Beschreibung von *R. repens*).
R. sardous Crantz (Rauher H.) besitzt ebenfalls fast kreisrunde Früchte, die sich durch ihre kleingrubige, warzenbesetzte Oberfläche und den beidseitig ausgebildeten randlichen Ringgrat von den gefundenen Früchten abgrenzen lassen.

Ranunculus repens L.
(Kriechender Hahnenfuß)

10 sf. Expl.: L. 2,45 (2,20–2,80) mm; B. 2,01 (1,85–2,40) mm; D. 0,89 (0,75–1,00) mm
1 sf. verkohltes Expl.: L. 2,30 mm; B. 1,65 mm; D. 1,10 mm
Innerhalb der Gattung Ranunculus L. (Hahnenfuß) sind die meisten Funde dem Kriechenden Hahnenfuß zuzurechnen. Seine großen Früchte sind von rundlich ovaler Form, basal verjüngt und besitzen einen auffallend breiten Rand. Die Lateralflächen sind median leicht vorgewölbt und entlang des Randes hoch gebogen. Ihre Naht wird ringsherum von einem häutigen Kiel begleitet, der bei den subfossilen Früchten meist nur noch in Resten vorhanden ist, ebenso wie ihr Fruchtschnabel (Griffelbasis). Runde Grübchen bedecken bei den gefundenen Exemplaren nur noch stellenweise die angegriffene, gelbbraune bis rotbraune Oberfläche. Ihre erhabenen Ränder besitzen v.a. im feuchten Zustand einen auffallenden metallischen Glanz.
Gewisse Ähnlichkeiten mit den beschriebenen Funden besitzen die Früchte folgender Arten: 1. *R. bulbosus* L. (Knolliger H.) – größer, rundlicher durch stark vorgewölbte Rückenseite, Oberfläche netzig strukturiert. 2. *R. acris* L. (Scharfer H.) – Seitenflächen gewölbter, randliche Kante bedeutend schmaler, Oberfläche fein strukturiert. 3. *R. lingua* L. (Zungen-H.) – länglicher, Seitenflächen ohne hoch gebogene Ränder, Rand schmal. Das einheitliche Fundmaterial lässt sich gut von diesen drei Arten abgrenzen.
Ein weiteres verkohltes Exemplar ist wohl ebenfalls dem Kriechenden H. zuzuordnen. Durch seine geringe Größe (Messwerte s.o.), die vorgewölbten Seitenflächen – beides vermutlich Effekte der Verkohlung – und den gut ausgebildeten Fruchtschnabel unterscheidet es sich von den unverkohlten Früchten dieser Art.

Ranunculus sceleratus L. (Gift-Hahnenfuß)

3 sf. Expl.: L. 1,00 (0,90–1,10) mm; B. 0,83 (0,80–0,85) mm; D. 0,52 (0,45–0,60) mm
Drei subfossile Exemplare sind zu der kleinfrüchtigsten Hahnenfußart, dem Gift-H., zu stellen. Ihr Umriss ist oval, an der Basis schmal abgerundet und die seitlich gelegene

Nabelregion ist mehr oder weniger stark eingebuchtet. Der Nabel ist ausgebrochen und erscheint als kleines Loch an der Basis des breiten, schwach gekielten Randwulstes der Fruchtinnenseite. Dagegen zeichnet sich der ungekielte, schmalere Außenrand durch eine deutliche Mittelrinne aus. Mehrere quer verlaufende Runzeln überprägen die feingrubige Oberfläche. Nicht angegriffene Stellen besitzen metallisch glänzende Oberhautzellen. Sind deren Außenwände korrodiert, so verbleiben weißliche Grübchen. Bei fortschreitender Korrosion kommt eine gelblich braune, längs geriefte Zellschicht zum Vorschein.

Verwechslungen mit quer gerunzelten Balgfrüchten anderer Ranunculusarten – früher gesondert in dem Subgenus Batrachium S. F. Gray zusammengefasst – sind u. a. durch die geringe Größe der gefundenen Exemplare ausgeschlossen.

Papaveraceae

Papaver argemone L. (Sand-Mohn; Taf. 1,4)

3 sf. Expl.: L. 0,97 (0,90–1,00) mm; B. 0,53 (0,50–0,60) mm; D. 0,57 (0,55–0,60) mm

Gefunden wurden nur drei längliche Samen des Sand-Mohns in Probe Q62/2. Die charakteristische schmale, lang gestreckte Form, die zum länglichen Nabel hin gebogene, zugespitzte Radicula und die feinmaschige Oberfläche der Samen lassen eine Verwechslung mit den Samen anderer Mohnarten nicht zu. Das Maschenwerk besteht aus zum Nabel hin längs gestreckten Feldern mit überwiegend parallel verlaufenden Graten. Entlang der Rückenlinie und in der Mitte der Lateralflächen sind die Felder seitlich geschert (parallelogrammförmig), in der Nabelregion eher schmal rechteckig. Innerhalb der Felder ist im angetrockneten Zustand ein weiteres Netz sehr kleiner Zellen der darunter liegenden Schicht deutlich zu erkennen.

Der Sand-Mohn ist wie der Klatsch-Mohn (*Papaver rhoeas* L., s. u.) ein Kulturbegleiter seit der jüngeren Steinzeit und wächst heute in Getreidefeldern und seltener an Wegen.

Papaver dubium L. (Saat-Mohn; Taf. 1,6)

10 sf. Expl.: L. 0,75 (0,70–0,85) mm; B. 0,48 (0,40–0,55) mm; D. 0,55 (0,50–0,60) mm

Im Umriss sind die gut erhaltenen Samen des Saat-Mohns abgerundet nierenförmig mit einer gleichmäßig ausgerundeten Dorsalkante. Die Nabelregion ist nur wenig eingebuchtet, längs gestreckt und liegt nahezu median von der Seite aus gesehen. Die größte Dicke und Breite der gefundenen Exemplare liegt jeweils in der Mitte. Die Struktur der Oberfläche ist netzmaschig mit ausgeprägten Maschengruben und feinen, wellig verlaufenden Graten. Regelmäßig geformte Maschen wechseln mit seltener auftretenden, längs gestreckten – Schmalseite zum Nabel ausgerichtet – Maschen auf den Lateralflächen ab. Um die Nabelregion herum tritt nur der zuletzt genannte Maschentyp auf.

Die Abgrenzung der Samen des Saat-Mohns von denen des Klatsch-Mohns ist bei dessen Besprechung zu finden.

Papaver cf. *rhoeas* L. (Klatsch-Mohn)

4 sf. Expl.: L. 0,68 (0,60–0,75) mm; B. 0,45 mm; D. 0,56 (0,50–0,60) mm

Vier beschädigte bzw. flach gedrückte Samen stammen wahrscheinlich vom Klatsch-Mohn. Ihr Umriss ist nicht gleichmäßig abgerundet nierenförmig wie es bei Samen des Saat-Mohns der Fall ist. Die Dorsalkante ist „eckig" bzw. hat schwache Knicke und die nicht median gelegene Nabelgrube ist stark eingebuchtet. Das asymmetrische Aussehen der Samen wird durch die ebenfalls nicht mediane Lage der dicksten Stelle verstärkt; alle Exemplare sind gebuckelt (vgl. Knörzer 1971, Abb. 1).

Die schlankere Form von rezenten Samen des Klatsch-Mohns gegenüber solchen des Saat-Mohns – Blick auf die Ventralseite – kann anhand der geringen Fundmenge nicht überprüft werden. Die in Reihen angeordneten Maschen der Samenoberfläche sind weniger eingesenkt und kleiner als beim Saat-Mohn, meist ebenfalls polygonal, z. T. aber in Längsrichtung des Samens gestreckt. Die Beschädigungen der zwei subfossilen Exemplare erlauben keine sichere Zuordnung. Mit den Samen der anderen Mohnarten bestehen keine Verwechslungsmöglichkeiten.

Seit der jüngeren Steinzeit tritt der Klatsch-Mohn als Kulturbegleiter auf.

Papaver somniferum L. (Schlafmohn; Taf. 1,5)

18 sf. Expl.: L. 0,93 (0,85–1,00) mm; B. 0,69 (0,60–0,80) mm; D. 0,77 (0,65–0,85) mm; Felderzahl/Samenhälfte 33,9 (28–39)

Die Samen der drei untersuchten Kulturschichtproben lassen keine wesentlichen Unterschiede in Form und Größe erkennen; auch hinsichtlich der Felderzahl ist das Fundmaterial sehr homogen.

Im Umriss sind die nur selten eingerissenen Mohnsamen abgerundet nierenförmig und nur wenig längs gestreckt. Eine leichte Asymmetrie ergibt sich durch die nicht genau median gelegene Nabelgrube. Ein unregelmäßiges, verschobenes Netzwerk grober, dunkler und zumeist fünf- bis sechseckiger Maschen mit erhabenen hellbraunen Rändern bedeckt die Samenoberfläche. Die Maschengröße nimmt von der Rückenlinie zum Nabel hin ab. Zugleich ändert sich die Form von regelmäßigen Vielecken zu schmalen und längs gestreckten, radiär zum Nabel angeordneten Zellen. Im angetrockneten Zustand kann bei 100facher Vergrößerung ein weiteres, feines Netzwerk der darunter liegenden Zellschicht innerhalb der großen Maschen ausgemacht werden. Die Oberfläche dieses feinen Maschennetzes wird von kleinen, bunt schimmernden „Pünktchen", den Kristallzellen, in unregelmäßiger Weise bedeckt.

In der vorliegenden Arbeit soll nicht der Frage der Art- bzw. Unterartzugehörigkeit der gefundenen Mohnsamen nachgegangen werden. Zum einen umfasst das Fundmaterial nur eine kleine Anzahl an Mohnsamen (n = 18) – allerdings gut erhalten –, zum anderen ist die Zuordnung von archäologischem Fundgut zum „Borsten-Mohn" oder „Schlafmohn" äußerst schwierig, wenn nicht sogar unmöglich.

Werfen wir in diesem Zusammenhang einen Blick auf die samenmorphologische Arbeit über den Kulturmohn von Fritsch (1979). Er teilt den Kulturmohn (*P. somniferum* L.) in zwei Unterarten auf, den Borsten-Mohn (*P. somniferum* L. ssp. *setigerum* [DC.] Corb.) und den Schlafmohn (*P. somniferum* L. ssp. *somniferum*). Fritsch kommt zu dem Ergebnis: „Anhand morphologischer Merkmale der Samen lassen sich die beiden Unterarten nicht unterscheiden ..."). Dieser Feststellung werde ich in dieser Arbeit am ehesten gerecht, wenn nicht zwischen zwei Subspezies unterschieden wird, sondern von „*Papaver somniferum* (Schlafmohn im weiteren Sinne)" gesprochen wird – der Einfachheit halber wird nur der Artname „Schlafmohn" verwendet.

Bei der Zusammenstellung der urgeschichtlichen Reste des Schlafmohns und dessen Entstehungsgeschichte von Schultze-Motel (1979) kommt der Autor ebenfalls zu der Überzeugung, dass es besser wäre, die erbrachten Funde von „Borsten-" und „Schlafmohn" dem „Schlafmohn im weiteren Sinne" zuzuordnen. Dieser Publikation sind außerdem die Zusammenstellungen von neolithischen, bronze- und eisenzeitlichen Mohnfunden zu entnehmen.

Fagaceae

Fagus sylvatica L.
(Gemeine Buche, Rot-Buche)

2 sf. Expl. (geschlossen/geöffnet): L. 26,5/16,0 mm; B. 14,7/- mm

Ein kleiner geöffneter und ein großer geschlossener Fruchtbecher (Cupula) mit Stiel sind die einzigen Nachweise der Rot-Buche. Bei dem vierklappig gespaltenen Exemplar ist ein Lappen teilweise abgebrochen und der Stiel fehlt, bei der großen Cupula ist ein Lappen beschädigt, wodurch sie sich mit grauer Seekreide füllen konnte; die Nuss (Buchecker) ist nicht mehr vorhanden. Als ringförmige Achsenwucherung zeichnet sich die Oberfläche der Cupula bei ihrer Reife durch zahlreiche borstenförmige Blattgebilde aus, deren Basen bei den subfossilen Exemplaren als längliche Höcker erhalten geblieben sind.

Die Fruchtbecher anderer Fagaceenarten, wie diejenigen der Gattung *Quercus* L. (Eiche) und von *Castanea sativa* Mill. (Eßkastanie) sind an ihrem andersartigen Bau leicht von den gefundenen zu unterscheiden. Abbildungen von Fruchtbechern finden sich u. a. bei Renfrew (1973, Fig. 100; 106) und Hegi, Bd. 3 (1912, Fig. 488).

Quercus L. sp. (Eichenarten; Taf. 2,1–4)

7 sf. Expl. (Dm. der Korkscheiben): 6,64 (5,5–7,8) mm

In allen drei Kulturschichtproben finden sich jeweils mehrere Korkscheiben („Deckel") von Eicheln oder Bruchstücke derselben sowie Fragmente der Eichelfruchtwand in unterschiedlicher Größe. Dazu kommen mehrere Nachweise von ganzen Knospen bzw. einzelnen Knospenschuppen. Ganze Früchte und arttypische Fruchtbecher sind nicht vorhanden. Anhand der Reste ist somit keine Artbestimmung möglich. Gassner (1955, 216f.) schreibt hierzu: „Wesentliche anatomische Unterschiede liegen zwischen den Früchten der verschiedenen Arten nicht vor." Als einheimische Eichenarten kommen für das Bodenseegebiet allerdings nur *Quercus robur* L. (Stiel-Eiche), *Q. petraea* (Mattuschka) Liebl. (Trauben-Eiche) und *Q. pubescens* Willd. (Flaum-Eiche) in Betracht.

Die Zuordnung der Fruchtwandstücke zur Gattung Quercus ist sicher. Bei guter Erhaltung sind schon bei 40facher Vergrößerung Längsstrukturen der gelben bis braunen, gebogenen Eichelfruchtwände zu erkennen. Diese ergeben sich, wie stärkere Vergrößerungen zeigen, durch in Längsreihen angeordnete kleine, nahezu quadratische Epidermiszellen. Bei Korrosion derselben liegen dickwandige Steinzellen an der Oberfläche. Weitere Charakteristika der subfossilen Fruchtwände sind die matte bis schwach glänzende Außenseite, die hellen Steinzellschichten mit einer Dicke zwischen 0,17 und 0,28 mm und das gut entwickelte, dunkle Schwammparenchym der inneren Fruchtwand. Selten ist dieses unversehrt geblieben, so dass seine typischen Längsrippen kaum noch ausgeprägt sind. Fruchtwände der Rot-Buche (*Fagus sylvatica* L.) haben eine Epidermis aus polygonalen und unregelmäßig angeordneten Zellen, eine nur 0,1 bis 0,15 mm dicke Steinzellschicht und eine relativ dünne Schicht parenchymatischen Gewebes. Bucheckern sind außerdem weniger und ungleichmäßiger gewölbt als die vorliegenden Bruchstücke und kantige Reste tauchen unter den zahlreichen Funden keine auf (vgl. Gassner 1955, 109f., 216f.).

Bei den gefundenen Korkscheiben lassen sich zwei Typen unterscheiden: große, flache Exemplare mit dünner Wandung und stark nach außen gewölbter Innenseite sowie schmalem Randwulst und großen randlichen Vertiefungen (vgl. Schlichtherle 1985, Abb. 5,4.5 links u. Mitte); kleine, aufgewölbte Exemplare, bei welchen die zahlreichen kleinen, randlichen Vertiefungen in seitlicher Lage gut sichtbar sind; die Wandung ist dick, die „Deckel"-Innenseite nur wenig vertieft und ein Randwulst nicht ausgebildet. Der erstgenannte Typ entspricht eher den rezenten Korkscheiben der Stiel-Eiche, der zweite Typ eher denen der Trauben-Eiche. Das geringe Vergleichsmaterial erlaubt keine Artzuordnung, zumal den verschiedenen Fruchtdeckelausprägungen auch Modifikationen zugrunde liegen könnten. Weitere Beschreibungen und Abbildungen finden sich bei Jacquat (1988).

Mehrere Knospenschuppen und Knospen ließen sich mit Hilfe rezenten Vergleichsmaterials, der Angaben bei Rabien (1953) und des Bestimmungsschlüssels von Tomlinson (1985) zur Gattung Quercus stellen. Die charakteristischen Reihen von längs orientierten, relativ breiten und kristallführenden Hypodermiszellen, so genannten Kristallkammerfasern, treten vorwiegend bei den äußeren, breiteren Knospenschuppen auf (Taf. 2). Ihre Ränder weisen nur noch einzelne Haare auf. Weitere Einzelheiten sind den oben erwähnten Arbeiten zu entnehmen.

Betulaceae

Alnus glutinosa (L.) Gaertn.
(Schwarz-Erle; Taf. 1,3)

15 sf. Expl. (ohne Griffelstümpfe): L. 2,35 (1,75–2,85) mm; B. 2,11 (1,75–2,60) mm; D. 0,83 (0,60–1,10) mm

Von der Schwarz-Erle sind einige gut erhaltene Früchte und eine Anzahl von Fruchtbruchstücken ausgelesen worden. Die abgeflachte Form, der drachenförmige, leicht asymmetrische Umriss und die fein gerunzelte Oberfläche verleihen den Früchten ein charakteristisches Aussehen. Daneben gibt es einzelne kurze und sehr schlanke Exemplare, die durchaus abweichend gestalteten „Kümmerformen" unseres Rezentmaterials gleichen. In einigen Fällen trägt das obere Ende noch die Stümpfe der beiden Griffel. Die schmalen, undurchsichtigen Fruchtflügel sind schwach gebogen; sie heben sich von der eigentlichen Nuss wegen ihrer ebenfalls rötlich braunen Färbung und ihrer großen Dicke nur undeutlich ab.

Die Nüsse von *A. incana* (L.) Moench (Grau-Erle) sehen den gefundenen Exemplaren ähnlich, sind aber durch ihre schmalen, dünnen und deutlich abgesetzten Fruchtflügel klar von diesen abzugrenzen. Selbst die zahlreichen Fruchtbruchstücke stammen zweifelsohne von der derbfrüchtigen Schwarz-Erle. *Alnus viridis* (Chaix) DC. (Grün-Erle) besitzt flache Nüsse mit häutigen, transparenten Fruchtflügeln, welche als „betulaähnlich" bezeichnet und nicht mit den Subfossilen verwechselt werden können.

Betula L. sp. (Birkenarten; Taf. 1,1–2)

9 sf. Expl. (ohne Griffelstümpfe und Flügelsaum):
L. 1,43 (1,00–2,10) mm; B. 0,92 (0,70–1,15) mm; D. 0,32 (0,20–0,45) mm

Insgesamt können zehn Nachweise der Birke verzeichnet werden. Es handelt sich ausschließlich um die nussartigen Schließfrüchte, deren Kanten noch Reste des zarten, transparenten Flügelsaumes tragen und die apikal von Stümpfen der beiden Griffel gekrönt sind. Von kleinen, runden bis zu großen, lang gestreckten Typen sind alle Übergänge vorhanden. Ohne gut erhaltene Flügel ist eine Artbestimmung nicht möglich, da Form und Größe der eigentlichen Frucht selbst innerhalb einer Art äußerst variabel und nicht spezifisch sind (vgl. Weber 1977). Die subfossilen Früchte werden somit zu *Betula* sp. gestellt. Da im Fundmaterial auch Fruchtschuppen fehlen, kann keine Birkenart angesprochen werden. Nur ein einziges Exemplar weist Reste eines breiten Flügelsaumes auf, welcher den Früchten der Hänge-Birke (*B. pendula* Roth) und der Moor-Birke (*B. pubescens* Ehrh.) eigen ist. Die Niedrige Birke (*B. humilis* Schrank) und die Zwerg-Birke (*B. nana* L.) zeichnen sich dagegen durch schmal geflügelte Früchte aus. Zu diesem Typ gehört vermutlich ein gut erhaltenes Exemplar.

Neben den Fruchtflügeln könnten möglicherweise auch die Griffelansatzstellen als Bestimmungshilfe mit herangezogen werden. So besitzen rezente Früchte der Niedrigen Birke breite, stark behaarte und hervorspringende Ansatzstellen, Früchte der Zwerg-Birke wenig behaarte, weit vorgezogene Ansatzstellen und bei den Früchten der Hänge- und Moor-Birke inserieren die schlanken Griffel direkt am nicht ausgezogenen Fruchtapex. Gemäß dieser Merkmalsausprägung wären die subfossilen Exemplare zur Hänge- oder Moor-Birke zu stellen. Abbildungen bei Hegi, Bd. 3 (1912), Katz/Katz (1946), Bertsch (1947) und weiteren Veröffentlichungen bestätigen die an Rezentmaterial beobachteten Unterschiede. Sichere Ergebnisse können nur an umfangreichem Vergleichsmaterial vieler Herkünfte erarbeitet werden.

Corylaceae

Corylus avellana L. (Gemeine Hasel)

9 sf. Expl.: L. 14,28 (12,4–18,3) mm; B. (D.): 11,18 (9,7–13,2) mm

Neben unzähligen verkohlten und unverkohlten Bruchstücken der Fruchtschale sind neun verkohlte ganze Nüsse ins Feld zu führen. Letztere zeichnen sich durch eine rundliche bis ovale Form und zugespitzte Enden aus. Eine Nuss fällt durch ihren lang gestreckten, ovalen Bau und die abgeflachte Nabelfläche auf. Feine Längsstriemen der ansonsten glatten Oberfläche ziehen von einem zum anderen Ende der Nuss. Schon Heer (1865) beschrieb in den Untersuchungen schweizerischer Seeufersiedlungen zwei verschiedene Nussformen: rundlicher bis ovaler Typ, *Corylus avellana* L. var. *ovata* Willd. und länglicher Typ, *C. avellana* L. var. *oblonga* Anderss. Hegi (1912, Bd. 3, 73) schreibt hierzu: „Diese beiden uralten Abarten sind auch in den interglazialen Ablagerungen, in den Pfahlbauten und in schwedischen Torfmooren konstatiert worden." Hegi stützt sich bei seinen Ausführungen u.a. auf die Arbeit von Andersson (1902), der neben den beiden genannten noch eine dritte Form „*ovata* G. Anderss.", eine Zwischenform, unterscheidet.

Folgt man Hegis Einteilung, so sind acht Nüsse der var. *ovata* zuzurechnen und eine Nuss (18,3 mm × 11,1 mm) entspricht der var. *oblonga*, für welche die bei Hegi angegebenen Größen (17–19 mm lang, 11–13 mm breit) zutreffen. Eine Zuordnung der ganzen Nüsse zu einer der beiden Varietäten kann nicht definitiv sein, da sich bei einem umfangreichen Fundmaterial verschiedene Zwischenformen einfinden könnten, die eine Unterscheidung zweier Varietäten nicht erlauben würden. Nach Behre (1983) sollte von einer Aufteilung prähistorischer Haselnüsse in verschiedene Formen sogar völlig Abstand genommen werden.

Schalenbruchstücke sind gut an ihrer Wölbung, den glatten und meist schwach glänzenden Oberflächen und ihrer Wandstärke zu erkennen. Bei Splittern des apikalen Nussteils sind an Querbrüchen in den äußeren Fruchtwandschichten zusätzlich weitlumige Gefäße zu sehen (vgl. Renfrew 1973, Fig. 105).

Außer den Nussschalen gehört vermutlich eine beschädigte und stark angegriffene Knospe zur Gemeinen Hasel. Mehrere breit gerundete Knospenschuppen mit langen Haaren längs ihren Rändern sind im Verband geblieben. Unregelmäßig geformte Zellen mit ausgesprochen dicken Zellwänden bilden die Oberfläche. Auch Tomlinson (1985) weist auf den allgemein schlechten Erhaltungszustand von Haselknospen in subfossilem Material hin.

Urticaceae

Urtica dioica L. (Große Brennessel)

17 sf. Expl.: L. 1,16 (1,00–1,40) mm; B. 0,77 (0,65–0,90) mm; D. 0,46 (0,40–0,60) mm

Eine große Anzahl unversehrter, brauner Nüsschen sind der Großen Brennessel zuzuordnen. Ihr Umriss ist breitoval und beidseitig zugespitzt. Der Nabel sitzt an der gestutzten Basis und der Querschnitt ist flach linsenförmig. Bei einzelnen Exemplaren haben sich Perikarp und Testa voneinander getrennt; durch die gelbe Fruchtwand schimmert die zusammengezogene braune und beidseitig dunkel gefärbte Samenschale hindurch. Ab ca. 40facher Vergrößerung sind die kleinen, rundlichen Fruchtwandzellen zu erkennen.

Aufgrund ihrer geringen Größe sind die Samen der Großen B. klar von den Samen der Kleinen B. (*U. urens* L.) und der mediterranen Pillen-B. (*U. pilulifera* L.) unterschieden.

Caryophyllaceae

Arenaria serpyllifolia L. coll. (Quendel-Sandkraut: Sammelart)

10 sf. Expl.: L. 0,65 (0,62–0,70) mm; B. 0,43 (0,40–0,47) mm; D. 0,56 (0,48–0,65) mm

Die schwarzen Samen des Quendel-Sandkrauts treten in größerer Stückzahl und in ausgezeichnetem Erhaltungszustand auf. Der breit nierenförmige Umriss in seitlicher Lage, der tief eingesenkte Nabel knapp oberhalb der Mitte und die große, stumpfe Radicula sind typisch für die subfossilen und die rezenten Samen dieser Art. Lang gestreckte, wenig erhabene Noppen (Papillen) sind in Bogenreihen parallel zur Rückenlinie auf den Lateralflächen ausgebildet; kürzere, zugespitzte Noppen finden sich im Rückenbereich, z.T. verzweigte um den Nabel herum. Gratartige Noppen mit geschlängeltem Verlauf und wenig ineinander verzahnten Basisausläufern sind bei einem kleinen, wohl unreifen, braunen Exemplar zu sehen (Maße: L. 0,45mm; D. 0,35mm). Entsprechendes kann bei unreifen rezenten Samen festgestellt werden.

Samen der beiden anderen einheimischen Sandkrautarten, des Wimper-S. (*A. ciliata* L.) und des Zweiblütigen S. (*A. biflora* L.), liegen als rezente Vergleiche nicht vor. Aufgrund der arktisch-alpinen Verbreitung dieser Arten kann ihr Vorkommen am Grabungsort weit gehend ausgeschlossen werden.

Cerastium glomeratum Thuill. (Knäuel-Hornkraut)

Synonym: *C. viscosum* auct.
2 sf. Expl.: L. 0,45/0,50 mm; B. 0,30/0,30 mm; D. 0,40/0,60 mm

Vier kleine Samen unterscheiden sich deutlich durch ihre geringe Größe von den Samen des Gemeinen Hornkrautes (s.u.). Sie gehören vermutlich zum Knäuel-H. Ihr Umriss ist rundlich, nur schwach eckig, mit wenig vorgezogener Radicula. Nur die transparente, gelblich braune Samenschale ist erhalten geblieben, so dass sich die dunklen, lang gezogenen Noppen gut abzeichnen.

Samen des Fünfmännigen H. (*C. semidecandrum* L.) stimmen in Form und Größe mit dem Fundmaterial überein. Ein Unterschied scheint in der Oberflächenstruktur zu bestehen; die Noppen sind vergleichsweise kurz und breit, weniger erhaben und dichter stehend. Da rezente Samen des ebenfalls einheimischen Drüsigen H. (*C. dubium* [Bast.] Guepin) nicht vorliegen und Unterscheidungsmerkmale aus der Literatur dem Autor nicht bekannt sind, muss eine sichere Artbestimmung bei zwei schlecht erhaltenen Exemplaren unterbleiben.

Cerastium holosteoides Fries em. Hyl. (Gemeines Hornkraut; Taf. 3,7–8)

Synonym: *C. caespitosum* Gilib., *C. vulgatum* L.
„Typ A"; 10 sf. Expl.: L. 0,85 (0,80–0,90) mm; B. 0,54 (0,50–0,60) mm; D. 0,71 (0,65–0,85) mm
„Typ B"; 10 sf. Expl.: L. 0,76 (0,70–0,85) mm; B. 0,55 (0,50–0,65) mm; D. 0,78 (0,65–0,90) mm

Das umfangreiche, inhomogene subfossile Samenmaterial (transparente Samenschalen) enthält eiförmig dreieckige Exemplare unterschiedlicher Größe mit verschmälertem und abgeflachtem Nabelende (Typ A), daneben einzelne runde, kugelige Exemplare mit nur schwach ausgeprägtem Nabelende und sehr kurzer Radicula (Typ B). Daneben treten viele Bruchstücke auf, von denen die großen ausgelesen und gezählt wurden. Typ A besitzt lang gestreckte Noppen, welche vom Rücken zum Nabel hin schmaler, länger und flacher werden. Typ B hat im Vergleich hierzu kürzere und breitere Noppen mit z.T. radiärer Ausrichtung. Bei Typ A sind die Noppen ausschließlich der Länge nach auf konzentrischen Kreisbögen angeordnet und nur im Bereich des Nabels senkrecht zu diesem ausgerichtet.

Dem vorliegenden Vergleichsmaterial gleicht Typ A in allen Merkmalen, auch in Bezug auf die Größenvariabilität, Typ B dagegen weicht etwas davon ab. Knörzer (1970) führt unter *Cerastium* cf. *vulgatum* L. einen römerzeitlichen Samenfund auf, der in Beschreibung und Abbildung den bronzezeitlichen Exemplaren des Typ B stark ähnelt. Eventuell sind die unterschiedlichen Samentypen durch die große Formvariabilität des Gemeinen H. bedingt, oder es handelt sich tatsächlich um verschiedene ökologische Rassen bzw. bei Typ B um eine Bastardisierung – Samenform und Noppenanordnung ähneln denen von *C. arvense* (s.u.) in gewisser Weise. Viele Cerastiumarten scheiden aufgrund ihres alpinen Vorkommens als mögliche Verwechslungspartner weit gehend aus. Das Knäuel-Hornkraut (*C. glomeratum* Thuill.), das Fünfmännige H. (*C. semidecandrum* L.) und das Dunkle Zwerg-H. (*C. pumilum* Curtis) bilden wesentlich kleinere Samen aus. Als einzige Art mit Samen ähnlicher Abmessungen verbleibt das Acker-H. (*C. arvense*). Seine Samen sind im Mittel größer – rezente kleine Exemplare liegen im Größenbereich der subfossilen –, weisen aber eine eingedellte Rückenseite auf und ihre Noppen stehen dichter und sind stets mit ihrer Schmalseite, also radiär zum Nabel hin ausgerichtet.

Sternmierensamen haben vergleichsweise dichter stehende, strichförmige Papillen und die Samen der Wassermiere zeichnen sich durch stachelförmige Papillen aus (s.u.).

Cerastium L. sp. (Hornkrautarten)

Mehrere leere Samen mit durchschimmernder, rotbrauner Samenhülle sind so schlecht erhalten, dass sie keiner bestimmten Hornkrautart zugeordnet werden können. Ihre Papillen sind z.T. bis auf Stümpfe korrodiert, die sich als dunkle Flächen von der Samenschale abheben. Aufgrund ihrer Größe gehören sie wohl vorwiegend zum häufig nachgewiesenen Gemeinen H. (s.o.).

Dianthus armeria L. (Rauhe Nelke, Büschel-Nelke; Taf. 3,9)

1 sf. Expl.: L. 1,35 mm; B. 0,90 mm; D. 0,45 mm bzw. 0,55 mm mit Wurzelspitze

Der im Umriss ovale Samen zeichnet sich durch seine schildartige Form aus, wie sie für die Samen dieser Gattung typisch ist. Auffallend sind die weit hervorstehende Wurzelspitze und die stielförmige Spitze, zwischen welchen eine median verlaufende Leiste liegt. Leiste und Wurzelspitze sind von einer ausgeprägten Vertiefung umgeben, die ihrerseits von den bauchwärts vorgewölbten Randpartien begrenzt wird. Auf der Rückenseite des Samens ist von der Spitze ausgehend ein kurzer, abgerundeter Grat ausgebildet, der bei rezenten Exemplaren erhabener und länger sein kann. Die Oberfläche ist von einem für Caryophyllaceensamen charakteristischen Noppenmuster bedeckt. Auf der Bauchseite sind diese Noppen schmal und länglich und radiär um den Nabel bzw. die Wurzelspitze angeordnet. Ihre Form ist auf der Rückenseite vom Rand zur Mitte hin zunehmend rundlicher und größer.

Von der nachgewiesenen Art leicht zu unterscheiden sind die Samen der Heide-Nelke (*D. deltoides* L.) durch ihre schmaleren, länglicheren und zahlreicheren Noppen und außerdem durch ihre flachere und länglichere Schildform. Die Samen des Sprossenden Nelkenköpfchens (*Petrorhagia prolifera* [L.] P. W. Ball et Heywood) besitzen ebenfalls eine andersartige Noppenstruktur und zeichnen sich durch einen stark ausgeprägten Randwulst sowie eine schmale Bauchleiste und eine kleine Wurzelspitze aus. Weitere Verwechslungsmöglichkeiten bestehen nicht.

Gypsophila muralis L.
(Acker-Gipskraut, Mauer-G.; Taf. 3,2)

6 sf. Expl.: L. 0,53 (0,50–0,60) mm; B. 0,47 (0,40–0,55) mm; D. 0,33 (0,30–0,35) mm

Alle sieben gefundenen, äußerst kleinen Exemplare sind von rundlicher bis ovaler Form, lateral nur wenig gewölbt und besitzen eine typische Radicula. Diese ist fast rechtwinklig zur Bauchseite hin umgebogen, liegt dieser eng an und ist am Ende stumpf geformt. Die Oberfläche der Samen weist parallel zur Rückenlinie Reihen von lang gestreckten erhabenen Leisten mit randlichen versetzten Zapfen auf, die in ihrer Längsachse zum Nabel hin ausgerichtet sind. Auch bei dem angegriffenen Samen ist diese charakteristische Struktur an einzelnen Stellen erhalten geblieben und eine Verwechslung mit anderen Caryophyllaceensamen ist ausgeschlossen. Sämtliche weiteren Gipskrautarten bilden größere Samen aus und können gut von den subfossilen Funden unterschieden werden.

Lychnis flos-cuculi L. (Kuckucks-Lichtnelke)

5 sf. Expl.: L. 0,82 (0,70–0,90) mm; B. 0,57 (0,50–0,60) mm; D. 0,66 (0,50–0,75) mm

Die unversehrten, schwarzen Samen dieser Art sind in lateraler Lage von runder bis nierenförmiger Gestalt mit schwach eingesenkter Nabelregion. Der Nabel selbst wird von einem lippenartig geformten Ringwulst umgeben. Die Lateralflächen sind abgeflacht und gehen in eine breite Rückenfläche über. Die breiteste Stelle der Samen liegt nicht median. Typisch sind die stachelartigen Noppen und die radiär abzweigenden Leisten ihrer Basen. Diese Struktur der Noppen geht zum Nabel hin in eine ovale und schließlich ausgeprägt längliche Noppenform über. Zugleich nimmt die Höhe der Noppen und die Anzahl ihrer Basisleisten ab.

Von ähnlicher Größe und Bestachelung, zumindest auf der Rückenseite, sind die Samen der Pech-Nelke (*Lychnis viscaria* L.). Unterschiede bestehen in der rinnenartig eingesenkten Rückenlinie, den konkaven Seitenflächen und in deren wenig erhabenen, längs gestreckten Noppen.

Myosoton aquaticum (L.) Moench
(Gemeiner Wasserdarm, Wassermiere; Taf. 3,5)

Synonym: *Stellaria aquatica* (L.) Scop.
10 sf. Expl.: L. 0,90 (0,80–1,05) mm; B. 0,58 (0,50–0,65) mm; D. 0,84 (0,75–0,95) mm

Die einheitlich rundlichen bis leicht nierenförmigen Samen besitzen eine breite, abgesetzte Radicula, welche gegenüber dem stark ausgerandeten Bauchteil zurückgesetzt ist. Stachelförmige Papillen in engem Abstand und unregelmäßig auf Kreisbögen angeordnet geben den Wassermierensamen ihr charakteristisches Aussehen. Die Zwischenräume werden von kräftigen, ineinander verzahnten Basisleisten der Stacheln ausgefüllt. Besonders lange Stacheln sind auf der Rückenfläche ausgebildet; im Nabelbereich und auf der Radiculaspitze sind die Noppen länglich und niedrig. Außerdem liegen vier weitere Exemplare mit rotbraun durchschimmernder Samenschale aus der oberen und mittleren Kulturschicht vor. Sie besitzen niedrige, abgeflachte Papillen mit wenig entwickelten Basisleisten und entsprechen kleinen, unreifen Wassermierensamen unserer Vergleichssammlung.

Die gefundenen Samen der Gras-Sternmiere sind im Mittel etwas größer und länglicher als die vorliegenden Exemplare sowie von charakteristischen feingratigen Noppen bedeckt (s.u.). Die weit gehend unversehrte Oberfläche erlaubt eine sichere Abgrenzung von den im Mittel größeren Vogelmierensamen (*Stellaria media*, s.u.). Diese besitzen feine Wärzchen auf den vergleichsweise niedrigen Papillen, die bei 100facher Vergrößerung gut auszumachen sind (Jacomet 1986). Ihre Papillen sind breiter, weiter voneinander entfernt und regelmäßig auf Kreisbögen angeordnet. Samen der Kuckucks-Lichtnelke sind kleiner und können durch ihre spitzen, zierlichen Stacheln und den Nabelwulst gut unterschieden werden (s.o.).

Sagina procumbens L.
(Liegendes Mastkraut; Taf. 3,3)

2 sf. Expl.: L. 0,38/0,44 mm; B. 0,23/0,21 mm; D. 0,28/0,30 mm

Die beiden Samen des Liegenden Mastkrautes sind die kleinsten nachgewiesenen Caryophyllaceensamen. Ihr Umriss ist abgerundet nierenförmig, die Radicula breit abgerundet und nicht geknickt und der Nabel liegt wenig eingesenkt seitlich neben der Wurzelspitze. Die Seitenflächen sind aufgewölbt und die Rückenlinie ist nicht rinnenartig, wie es bei rezenten Samen meist der Fall ist. Aufgewölbte Epidermiszellen mit stark gebuchteten Zellwänden sind ineinander verzahnt.

Nur das Aufrechte M. (*S. micropetala* Rauschert) bildet ebenfalls sehr kleine Samen aus. Sie zeichnen sich aber durch einen kantigeren Umriss und eine schlanke, gekrümmte Radicula aus. Bertsch (1941) beschreibt die Samenoberfläche als spitz warzig, wogegen die Samen der vorliegenden Art eine fast glatte Oberfläche besitzen sollen. Unter jeweils drei Herkünften unserer Vergleichssammlung weisen die Samen des Aufrechten M. niemals Warzen auf, diejenigen des Liegenden M. dagegen haben in einem Fall spitze Warzen, d.h., eine Warze pro Zelle. Da mir keine weitere Arbeit mit entsprechenden Beschreibungen der beiden kleinsamigen Saginaarten bekannt ist, wird das Merkmal „warzige" bzw. „fast glatte Oberfläche" hier nicht zur Artbestimmung herangezogen.

Stellaria graminea L.
(Gras-Sternmiere; Taf. 3,4)

10 sf. Expl.: L. 1,00 (0,90–1,20) mm; B. 0,66 (0,40–0,80) mm; D. 0,89 (0,70–1,00) mm

Im Gegensatz zum homogenen Samenmaterial der Vogelmiere (s. u.) sind die Samen der Gras-Sternmiere sehr variabel in Form und Größe. Rundlich ovale Typen sind häufiger als runde Formen, seitlich wenig aufgewölbte Typen die Regel, kugelförmige selten. Die Radicula ist kurz und stumpf und im Gegensatz zu den Vogelmierensamen deutlich entfernt von der Medianachse gelegen. Gewundene, feingratige Noppen sind in „unordentlichen" konzentrischen Reihen parallel zur Rückenlinie angeordnet; ihre Basisausläufer sind gut entwickelt und eng ineinander verzahnt. Diese Strukturen bedecken die gesamte Oberfläche und sind bei sämtlichen subfossilen Samen kaum korrodiert.

Samen der nicht nachgewiesenen Graugrünen S. (*S. palustris* Retz.) sind größer, wesentlich länger gestreckt und durch ihre abgesetzte Radicula sowie die andersartig gestalteten Noppen mit ihren feinen Basisleisten klar zu unterscheiden. Unterschiede zu Vogelmierensamen bestehen in der Größe, v.a. der geringeren Dicke – gemessen zwischen ventraler Nabelseite und Dorsallinie in lateraler Lage –, der Radiculaform und -lage sowie den Oberflächenstrukturen (s. u.).

Stellaria media (L.)
Cyr. (Vogel-Sternmiere, Vogelmiere; Taf. 3,6)

10 sf. Expl.: L. 1,15 (1,05–1,25) mm; B. 0,81 (0,70–0,90) mm; D. 1,14 (1,00–1,40) mm

Die größten subfossilen Caryophyllaceensamen gehören zur formenreichen Vogelmiere. Sie sind im Umriss nahezu kreisrund, z.T. dicker als lang, mit einer nur wenig hervorspringenden, geraden Radicula und einer schlitzartig vertieften Nabelregion. Nur einzelne Exemplare haben an den Längsenden schwach ausgeprägte abgerundete Ecken. Die abgeflachten Lateralflächen gehen in eine breit aufgewölbte Rückenfläche über. Die Oberfläche wird von Noppen unterschiedlicher Form strukturiert. Sie sind in Kreisbögen parallel zur Rückenlinie angeordnet, auf der Dorsalseite breit und erhaben und zur Ventralseite hin schmäler und niedriger werdend. Sternförmige Noppen mit mehreren feinen Basisleisten bedecken die Lateralflächen.

Die kleineren Samen der Gras-Sternmiere (s. o.) haben eine feingratig strukturierte Oberfläche mit wohl ausgebildeten Basisleisten – zur Graugrünen S. siehe bei *S. graminea*. Unterschiede zu *Myosoton aquaticum* sind bei der Beschreibung dieser Art aufgeführt (s. o.). Bei guten Erhaltungsbedingungen der Samen können alle weiteren Caryophyllaceenarten abgetrennt werden.

Die formenreiche Vogelmiere ist seit der jüngeren Steinzeit ein Kulturbegleiter des Menschen.

Stellaria cf. uliginosa Murray
(wohl Quell-Sternmiere; Taf. 3,1)

Synonym: *S. alsine* Grimm
2 sf. Expl.: L. 0,85/0,85 mm; B. 0,50/0,55 mm; D. 0,75/0,70 mm

Unter den zahlreichen Sternmierensamen fallen zwei Exemplare durch ihre geringe Größe und ihre schlanke, gekrümmte Wurzelspitze auf. Ihre Form ist abgerundet kantig, etwas asymmetrisch und die Samen besitzen schwach gewölbte Seitenflächen. Strichförmige Noppen sind auf konzentrischen Kreisen auf der Samenoberfläche angeordnet. Die subfossilen Exemplare sind größer als rezentes Vergleichsmaterial der Quell-Sternmiere, stimmen ansonsten aber mit diesem im Wesentlichen überein.

Zwei ebenfalls unsichere kaiserzeitliche Nachweise der Quell-S. sind sogar noch länger und breiter (hier: dicker) als die vorliegenden (Körber-Grohne 1967), wogegen Knörzer (1970) geringere Messwerte für subfossile und rezente Samen angibt, die mit den Messungen an unserem Rezentmaterial übereinstimmen.

Unreife rezente Samen der Gras-S. (s. o.) sind ebenso klein wie unser Fundmaterial, doch besitzt ihre Oberfläche wie bei ausgereiften Samen sehr lange, ineinander verschlungene Noppen bzw. Leisten, deren Anordnung „unordentlicher" ist. Weitere mögliche Verwechslungspartner sind dem Autor nicht bekannt.

Chenopodiaceae

Atriplex patula L.
(Spreizende Melde, Ruten-M.)

3 sf. Expl.: L. 1,42 (1,30–1,50) mm; B. 1,45 (1,40–1,50) mm; H. 0,73 (0,70–0,80) mm

Neben den beiden Chenopodiumarten *C. album* und *C. ficifolium* (s. u.) kann eine weitere Art der Gänsefußgewächse, die Spreizende Melde, anhand von fünf Samen nachgewiesen werden. Ihr Umriss ist abgerundet kantig mit stumpfem, „apikalem" Spitzchen und hervorstehender, gekrümmter Radicula. Ab ca. 100facher Vergrößerung sind leicht gewellte Längsfurchen auf der schwarz glänzenden Oberfläche zu sehen.

Eine Abgrenzung rezenten Samenmaterials der Spreizenden Melde und der Spieß-Melde (*A. hastata* L.) ist aufgrund der großen Ähnlichkeit und der ausgeprägten Heterokarpie nur mit Hilfe der Samenoberflächen sicher durchzuführen. So besitzen die im Mittel größeren und rundlicheren Samen der Spieß-M. deutliche Buckel und kleine Grübchen, d.h. genarbte Oberflächen, was auf unser Fundmaterial nicht zutrifft. Entsprechende Unterschiede hat Körber-Grohne (1967) bei subfossilen Samen dieser beiden Arten ebenfalls festgestellt.

Im Gegensatz zu den Samen der Gattung Chenopodium weisen die Atriplexsamen keine Griffelwarze auf, dafür eine deutlich gerifte Radicula und eine bei schwacher Vergrößerung glatt wirkende Oberfläche.

Chenopodium album L. (Weißer Gänsefuß)

10 sf. Expl.: L. 1,32 (1,20–1,50) mm; B. 1,30 (1,20–1,40) mm; H. 0,75 (0,65–0,85) mm

Der Weiße Gänsefuß ist die am häufigsten nachgewiesene Chenopodiaceenart. Es sind ausschließlich unverkohlte Samen und Bruchstücke derselben ohne anhaftende Fruchtwandreste gefunden worden. Die linsenförmigen Samen, häufig fälschlicherweise als Früchte bezeichnet (vgl. Gassner 1955, 50; Brouwer/Stählin 1975, 75 ff.), besitzen eine schwarz glänzende Oberfläche aus polyedrischen Zellen. Der Umriss ist nahezu kreisrund, selten schwach kantig, mit einer nur wenig hervorstehenden Radicula. Die schwacher aufgewölbte Samenoberseite weist median eine erhabene Griffelnarbe auf, von welcher 15 bis 20 radiär angeordnete Riefen zum Rand hin ziehen. Bei einigen Exemplaren ist die derbe Samenschale zerbrochen, so dass die inneren häutigen Teile derselben zu sehen sind.

Die nahe verwandten Arten *Chenopodium opulifolium* Schrader ex Koch et Ziz (Schneeballblättriger G.) und *C. strictum* Roth (Gestreifter G.) – bei Ellenberg (1979) als Kleinarten von *C. album* aufgeführt – besitzen ähnlich gestaltete Samen. Diese sind aber vergleichsweise unregelmäßig im Umriss, abgeflachter und insbesondere bei *C. strictum* mit kantiger Randpartie und undeutlicher Griffelnarbe ausgebildet.

Chenopodium ficifolium SM. (Feigenblättriger Gänsefuß)

Synonym: *C. serotinum* auct. non L.
10 sf. Expl.: L. 1,05 (0,95–1,20) mm; B. 1,01 (0,75–1,20) mm; H. 0,57 (0,50–0,60) mm

Die nahezu kreisrunden, z. T. seitlich eingebeulten Samen des Feigenblättrigen Gänsefußes sind bei guter Erhaltung durch ihre stark skulpturierte Oberfläche leicht von den Samen der anderen einheimischen Gänsefußarten zu unterscheiden. Das Relief der grubigen Samenoberseite wird von der Griffelnarbe zum Rand hin zunehmend ausgeprägter; zugleich wird die Form der Grübchen länglicher. In der Mitte der Unterseite sind radial angeordnete Riefen ausgebildet, die zum Rand hin in längliche Grübchen übergehen, vergleichbar mit denen der Oberseite. Anhaftende Reste des Perikarps verstärken die angeführten Oberflächenstrukturen und verleihen den Samen einen goldenen Schimmer. Die Wurzelspitze der subfossilen Samen steht nur geringfügig hervor und ihr Rand ist gleichmäßig gerundet.

Die gefundenen Samen des Weißen G. (s. o.) sind erheblich größer und auch an ihrer strukturärmeren, glänzenden Oberfläche von den Samen des Feigenblättrigen G. zu unterscheiden.

Chenopodium glaucum L. vel *C. rubrum* L. (Graugrüner Gänsefuß oder Roter G.)

5 sf. Expl.: L. 0,73 (0,60–0,80) mm; B. 0,72 (0,60–0,85) mm

Fünf flach gedrückte schwarze Samen gehören zu einer der beiden kleinfrüchtigen Gänsefußarten. Die runden Samen besitzen eine vorgezogene Radicula und eine aufgrund des Lagerungsdruckes gefaltete Oberfläche. Die fehlende Griffelwarze und die fein genarbte Oberfläche sind Merkmale beider Arten, wobei rezente Samen von *C. glaucum* ein dichteres Netz von Grübchen aufweisen, d.h. stärker genarbt und außerdem im Mittel etwas größer sind. Unser Fundmaterial gehört vermutlich zum Roten Gänsefuß.

Auf die große Ähnlichkeit und die damit verbundene schwierige Unterscheidung der Samen von *C. rubrum* und *C. glaucum* weist auch Körber-Grohne (1967) bei der Beschreibung kaiserzeitlichen Samenmaterials hin.

Chenopodium L. sp. (Gänsefußarten)

3 sf. Expl.: L. 1,10 (1,00–1,30) mm; B. 1,05 (0,90–1,30) mm

Vier weitere Chenopodiumsamen sind seitlich flach gedrückt und mehr oder weniger stark beschädigt. Die ehemals wohl intensiv strukturierte Oberfläche und die Abmessungen der Samen lassen ihre Zugehörigkeit zu *C. ficifolium* (s. o.) vermuten.

Polygonaceae

Polygonaceae Juss. (Knöterichgewächse)

Die zahlreichen zwei- bis dreikantigen subfossilen Nussfrüchte dieser Familie können verschiedenen Arten zugeordnet werden. Rumexarten (Ampfer) besitzen mehr oder weniger scharfkantige Früchte (Ausnahmen: *R. acetosella* coll., *R. conglomeratus*, *R. sanguineus*; s. u.), die den stumpfkantigen Früchten der Polygonum- (Knöterich) bzw. Fallopiaarten (Windenknöterich) gegenüberzustellen sind.

Fallopia convolvulus (L.) A. Löve (Gemeiner Windenknöterich)

11 sf. Expl.: L. 3,55 (3,10–4,10) mm; B. 2,21 (1,90–2,60) mm; D. 1,98 (1,70–2,30) mm

In allen drei Kulturschichten sind Früchte des Gemeinen Windenknöterichs gefunden worden. Sie können an ihrer durch Warzenreihen reich skulpturierten Oberfläche leicht erkannt werden. Die breiteste Stelle der dreikantigen Früchte befindet sich in der Mitte und ihre annähernd gleich großen Seitenflächen – eine Seitenfläche ist in der Regel etwas breiter als die beiden anderen – sind mehr oder weniger stark konkav. Die Hälfte der gefundenen Exemplare ist durch die Lagerung flach gedrückt bzw. beschädigt. Selten haften den Früchten noch Reste des Perigons an, lediglich eine Frucht ist mit vollständig erhaltenem Perigon nachgewiesen worden. Dieses ist braun, weist noch Reste der Drüsen auf und ist ungeflügelt.

Die nicht nachgewiesenen Früchte des Hecken-W. (*F. dumetorum* [L.] Holub) besitzen eine glatte, schwarz glänzende Oberfläche sowie ein drüsenloses Perianth, dessen äußere Blätter bei der Reife breit geflügelt sind. Unter den nahe verwandten Polygonumarten (Knöterich) weisen nur die Früchte des Vogel-K. (*P. aviculare* L.) eine raue Oberfläche auf. Sie sind unter anderem durch ihre geringere Größe, ihre ungleichen Seitenflächen und das lang zugespitzte Griffelende von den vorliegenden Früchten unterschieden (s. u.).

Polygonum aviculare L. (Vogel-Knöterich)

10 sf. Expl.: L. 2,32 (1,75–2,80) mm; B. 1,40 (0,90–1,70) mm; D. (1) 1,32 (0,85–1,60) mm; D. (2) 1,00 (0,60–1,40) mm

Das sehr heterogene Fundmaterial enthält große und kleine Früchte mit unterschiedlichen Längen-Breiten-Indizes und verschieden geformten Lateralflächen. Charakteristisch für alle gefundenen Exemplare sind die warzig raue Oberfläche, die kurz gestielte Basis, das schmale, lang ausgezogene Griffelende und die drei ungleich großen Seitenflächen. Meist entsprechen sich die Breiten zweier Seiten, wogegen die Dritte deutlich schmaler ist. Die Früchte erscheinen dadurch abgeflacht.

Im Unterschied zu den größeren Früchten des Gemeinen Windenknöterichs (s. o.) liegt die breiteste Stelle stets unterhalb der Mitte. Weitere Verwechslungsmöglichkeiten bestehen nicht.

Die äußerst kleinen Exemplare von 1,75 bis 1,95 mm Länge scheinen nicht ausgereift zu sein. Sie kommen stets zusammen mit den ansonsten gleich gestalteten großen Früchten vor. Auch unser Vergleichsmaterial enthält unterschiedlich große Früchte. Entsprechendes schreibt Knörzer (1973) bei der Bearbeitung römischen Fundgutes aus Butzbach.

Polygonum cf. hydropiper L. (wohl Wasserpfeffer, Pfeffer-Knöterich)

1 sf. Expl.: L. 2,15 mm; B. 1,50 mm

Die drei beschädigten subfossilen Früchte können nicht eindeutig dem Wasserpfeffer zugerechnet werden, doch eine Abgrenzung von den sehr ähnlichen Früchten des Milden Knöterichs (P. mite) ist möglich (s. u.). Die breit geformten Exemplare besitzen eine braune, matte und raue Oberfläche, wie sie auch für Rezentmaterial typisch ist. Das vermessene Exemplar ist wesentlich kleiner als die stark beschädigten Früchte; diese hatten ursprünglich eine Länge von knapp 3 bzw. über 3 mm und eine Breite von ca. 2 mm. Weitere Einzelheiten, wie Aufwölbung der Ventralseite, Stärke der Eindellungen und das Vorhandensein eines basalen Perianthrestes, können bei dem Fundmaterial aufgrund der schlechten Erhaltung nicht mehr angesprochen werden.
An Rezentmaterial festgestellte Unterschiede zwischen den Früchten des Wasserpfeffers und des Milden Knöterichs sind bei Jacomet (1986) zusammengestellt.

Polygonum minus Huds. (Kleiner Knöterich)

1 sf. Expl.: L. 1,70 mm; B. 1,10 mm; D. 0,65 mm

Die kleinsten Früchte unter den Polygonum- bzw. Fallopiaarten besitzt der Kleine Knöterich. Lediglich ein gut erhaltenes Exemplar mit basalen Resten des Perigons ist hierher zu stellen. Die zweiseitige Frucht ist auf der einen Seite vorgewölbt, auf der anderen durch den Lagerungsdruck ungleichmäßig eingedellt. Ihr griffelseitiges Ende trägt eine kleine Spitze und die Oberfläche glänzt schwarz. Rezente Früchte sind in der Regel rundlicher im Umriss als das gefundene Exemplar, stimmen aber ansonsten in allen Merkmalen mit diesem überein.
Verwechslungen mit den Früchten anderer Knöterich- bzw. Windenknöterricharten sind nicht möglich.

Polygonum mite Schrank (Milder Knöterich)

5 sf. Expl.: L. 2,17 (1,95–2,50) mm; B. 1,39 (1,25–1,60) mm; D. 0,63 (0,55–0,70) mm

Die Abgrenzung rezenter Früchte des Milden Knöterichs von denen des Wasserpfeffers (s. o.) bereitet gewisse Schwierigkeiten, da sie in Form und Größe sehr ähnlich sind (vgl. Knörzer 1970; 1981). Beim vorliegenden Fundmaterial lassen sich die beiden Arten allerdings voneinander abgrenzen. Die Früchte des Milden Knöterichs sind kleiner, schlanker und apikal stärker verjüngt. Die abgeflachten Exemplare besitzen eine gleichmäßig aufgewölbte Ventralseite und z.T. leichte Eindellungen auf Bauch- und Rückenseite. Weitere Kennzeichen sind eine schwach glänzende, wenig raue Oberfläche und eine schwarze Färbung. Entsprechendes hat Jacomet (1986) beim Vergleich von Rezentmaterial der beiden Knöterricharten festgestellt.

Polygonum persicaria L. (Floh-Knöterich)

8 sf. Expl.: L. 2,45 (2,40–2,60) mm; B. 1,87 (1,70–2,00) mm; D. 0,94 (0,75–1,00) mm

Der Umriss der stets abgeflachten subfossilen Früchte ist abgerundet eiförmig mit kleiner apikaler Spitze und äußerst kurzer, gestutzter Basis. Beide Seiten sind vorgewölbt, die eine in der unteren Hälfte schwach dachförmig, die andere kann in ihrer Mitte zuweilen aber leicht eingesenkt sein. Die feinzellige, matt glänzende Oberfläche wird von regellos verlaufenden feinen Runzeln überprägt. Gut erhaltene Früchte sind schwarz, angegriffene leere Exemplare bzw. Fruchthälften sind dagegen braun gefärbt. Reste des Perigons finden sich lediglich an der Basis einzelner Früchte.
Ähnlich gestaltete Früchte bildet der Ampfer-Knöterich, Sammelart (Polygonum lapathifolium L. coll.), aus. Diese weisen eine deutlich abgesetzte Griffelbasis und zwei mehr oder weniger stark eingebeulte Seiten („dropsartig") auf. Ihre Oberfläche ist stärker strukturiert als bei den Früchten des Floh-K., wobei die Runzeln häufig radiär von der Eindellung zum Rand hin orientiert sind. Der Kleine K. (P. minus) besitzt Früchte von gleicher Form, jedoch wesentlich geringerer Größe (s. o.).

Die Gattung Rumex L. (Ampfer, Sauerampfer)

Bis auf zwei Ausnahmen sind alle Ampferfrüchte ohne umhüllendes Perigon gefunden worden. Hierdurch entfallen wichtige Merkmale für die Artbestimmung, wie „Valven (innere Perigonblätter) mit oder ohne Schwiele", „Valvenform" und „Valven ganzrandig oder gezähnt". Der Vergleich unserer subfossilen Exemplare mit dem umfangreichen rezenten Fruchtmaterial ermöglichte dennoch eine sichere Artzuweisung in einzelnen Fällen. Hierzu wurden rezente Früchte verschiedener Herkünfte einer Art von ihrem Perigon befreit, untereinander verglichen und artcharakteristische Merkmale herausgearbeitet. Außerdem waren die Beschreibungen von perigonlosen Rumexnüssen bei der Merkmalsfindung dienlich, so z.B. in den Arbeiten von Brouwer/Stählin (1975), Jensen (1979), Knörzer (1970; 1973; 1975) und Körber-Grohne (1967).
Selbst wenn anhand perigonloser Nüsse nicht in jedem Fall eine sichere Artbestimmung vorgenommen werden kann, so sollte sie zumindest angestrengt werden. Grundsätzlich widerspricht dies der Auffassung, dass Rumexnüsse generell nur mit Hilfe von Resten der Fruchthülle determinierbar sind, wie sie z.B. von Bertsch (1941) und Behre (1983) und in eingeschränktem Maße von Knörzer (1970; 1973) sowie von Schlichtherle (1985) vertreten wird.

Rumex acetosella L. vel R. tenuifolius (Wallr.) A. Löve (Kleiner Ampfer oder Schmalblättriger A.)

9 sf. Expl.: L. 1,13 (0,95–1,30) mm; B. 0,84 (0,65–0,95) mm

Die kleinen, stumpf dreikantigen Früchte lassen sich von den überwiegend scharfkantigen Früchten der anderen Rumexarten leicht unterscheiden. Ihr Umriss ist gleichmäßig rundlich bis oval mit schwach zugespitzten Enden. Ihre drei Lateralflächen sind entweder leicht konkav geschwungen oder etwas aufgewölbt und von braun glänzender Farbe. Die robusten Nüsse sind fast alle unversehrt. Zur gleichnamigen Sammelart *R. acetosella* L. coll. gehört noch *R. angiocarpus* Murb. (Hüllfrüchtiger A.), dessen Früchte fest mit dem inneren Perianthwirtel verbunden sind und sich hierdurch von den gefundenen Exemplaren abgrenzen lassen. Um welche der beiden oben erwähnten Kleinarten es sich im vorliegenden Fall handelt, kann nicht entschieden werden. Nach Oberdorfer (1979) müssten die subfossilen Exemplare (0,95–1,30 mm lang) zu *R. tenuifolius* gestellt werden (Oberdorfer: Früchte 1,0–1,3 mm lang), da sich die Früchte von *R. acetosella* durch eine Länge von 1,3 bis 1,5 mm auszeichnen. Die Breitenwerte von 0,65 bis 0,95 mm liegen dagegen in den Bereichen von beiden Kleinarten, wobei sieben von neun Nüssen 0,8 mm und breiter sind, was eher für die Früchte von *R. acetosella* zutrifft. Da auch unser rezentes Vergleichsmaterial nicht zwischen *R. tenuifolius* und *R. acetosella* unterscheidet, unterbleibt eine genaue Determination.

Nur die Früchte von *R. conglomeratus* und *R. sanguineus* sind ebenfalls stumpfkantig. Neben ihren größeren Abmessungen sind sie auch durch ihren zugespitzten Apex und ihre insgesamt weniger gedrungene Form von den vorliegenden Nüssen unterschieden (s. u.).

Rumex conglomeratus Murray vel. *R. sanguineus* L. (Knäuel-Ampfer oder Blut-A.)

10 sf. Expl.: L. 1,79 (1,40–1,95) mm; B. 1,19 (1,10–1,30) mm
10 rez. Expl. (*R. conglomeratus*, 1. Herkunft):
L. 1,52 (1,40–1,60) mm; B. 0,99 (0,95–1,05) mm
10 rez. Expl. (*R. conglomeratus*, 2. Herkunft):
L. 1,57 (1,50–1,65) mm; B. 1,11 (1,00–1,20) mm
10 rez. Expl. (*R. sanguineus*, 1. Herkunft):
L. 1,62 (1,50–1,70) mm; B. 1,08 (1,00–1,15) mm
10 rez. Expl. (*R. sanguineus*, 2. Herkunft):
L. 1,55 (1,40–1,75) mm; B. 1,01 (0,95–1,10) mm

Zehn unversehrte schwarzbraune Früchte mit zwiebelähnlichem Umriss gehören zum Knäuel- oder Blut-Ampfer. Das obere Ende ist deutlich zugespitzt, das untere mehr oder weniger breit abgerundet und ohne Stielchen. Die Kanten sind stumpf und nicht abgesetzt, die Seitenflächen konkav bis deutlich aufgewölbt. Nur zwei Früchte sind von Resten des Perigons umgeben, deren Schwielen weit gehend korrodiert sind, so dass auch hier nicht zwischen beiden Arten unterschieden werden kann.

Eindeutige Unterscheidungsmerkmale konnten beim Vergleich rezenten Fruchtmaterials jeweils mehrerer Herkünfte zwischen den beiden angeführten Rumexarten nicht gefunden werden. Auch die Größenmessungen an rezenten Nüssen ergeben keine Unterschiede (s. o.), ebenso die berechneten Breiten-Längen-Indizes, die bei beiden Arten zwischen ca. 60 und 75 (B/L × 100) liegen. Ein kleines subfossiles Exemplar ist aufgrund seiner gedrungenen Form – basaler Teil im Umriss rundlich, Seitenflächen deutlich aufgewölbt – eher zu *R. conglomeratus* zu stellen. Die vier großen Exemplare ähneln wegen ihrer etwas ausgezogenen Basen und den leicht nach innen geneigten Seitenflächen mehr den Früchten von *R. sanguineus*.

Auch die im Rahmen der Beschreibung von *R. crispus* angeführten Literaturstellen weisen keine Angaben zur Unterscheidung beider Arten auf (s. u.). Größenangaben von Knörzer (1970) zufolge liegen die Längenwerte von rezenten Früchten des Knäuel-A. oberhalb derjenigen des Blut-A., was die vorliegenden Messungen nicht bestätigen können. Unterschiede zu den Früchten von *R. acetosella* L. coll. sind dort angegeben.

Rumex crispus L. (Krauser-Ampfer)

2 sf. Expl.: L. 2,10/2,30 mm; B. 1,35/1,45 mm
10 rez. Expl. (1. Herkunft): L. 2,03 (1,90–2,10) mm; B. 1,42 (1,35–1,50) mm
10 rez. Expl. (2. Herkunft): L. 2,47 (2,10–2,70) mm; B. 1,36 (1,15–1,50) mm
10 rez. Expl. (3. Herkunft): L. 2,30 (1,90–2,50) mm; B. 1,42 (1,20–1,50) mm

Die auffallendsten Merkmale der vier gefundenen Nüsse sind ihre relativ scharfen, deutlich abgesetzten Kanten sowie die ausgeprägt zugespitzten Enden. Durch nach innen gebogene Kanten ist der Fruchtapex stark verjüngt, zuweilen leicht abgesetzt. Alle drei Seitenflächen sind gleichermaßen aufgewölbt, wodurch die eingeschlossenen Winkel stumpfer sind als es gewöhnlich bei Rumexfrüchten der Fall ist. Der Basis entspringt pro Lateralfläche eine kurze, runzelartige Erhebung.

Ein Vergleich der subfossilen Früchte mit rezenten zeigt völlige Übereinstimmung in allen genannten Merkmalen. Entsprechende Beschreibungen bzw. Abbildungen sind den Werken von Brouwer (1927), Körber-Grohne (1967), Knörzer (1970), Brouwer/Stählin (1975) sowie Jensen (1979) zu entnehmen. Die Längen- und Breitenmesswerte von jeweils zehn rezenten Nüssen dreier verschiedener Herkünfte (s. o.) ergeben ein ziemlich einheitliches Bild, in welches sich die subfossilen Exemplare gut einfügen. Geringfügige Abweichungen von Breitenmesswerten der z. T. etwas unterschiedlich großen Seitenflächen einer Nuss wurden nicht gesondert vermerkt. Größenangaben rezenter und fossiler Früchte in den oben erwähnten Arbeiten stimmen weit gehend mit den eigenen Messergebnissen überein, wobei Knörzer etwas größere und Brouwer kleinere Exemplare vorlagen.

Die ähnlich gestalteten Früchte von drei weiteren Rumexarten lassen sich wie folgt abgrenzen:
– *R. hydrolapathum* Huds. (Teich-A., Hoher A.): wesentlich größer, Seitenflächen stets schwach konkav, Kanten undeutlich abgesetzt, griffelseitiges Ende in der Regel kürzer und gleichmäßiger zugespitzt.
– *R. obtusifolius* L. (Stumpfblättriger A.): im Mittel etwas kleiner, Seitenflächen geschwungen, nie gleichmäßig aufgewölbt, Kanten breiter und insbesondere im Bereich der Basis undeutlicher abgesetzt, basales Ende stumpfer.
– *R. patientia* L. (Garten-A.): deutlich größer, v.a. länger, Seitenflächen schwächer aufgewölbt, basales Ende stumpfer. Diese ursprünglich ostmediterrane bis westasiatische Art wird in Mitteleuropa kultiviert und ist gelegentlich verwildert. Beck (zitiert in Hegi; Bd. 3, 1912) sowie Brouwer/Stählin (1975) vermuten, dass *R. patientia* nur eine Kulturform von *R. crispus* darstellt, demnach für unsere Belange nicht von Interesse sein dürfte.

Die Früchte von *R. obtusifolius* lassen sich am schwierigsten von den Früchten des Krausen A. unterscheiden, doch erlaubt der gute Erhaltungszustand der subfossilen Nüsse eine sichere Artbestimmung.

Rumex palustris SM. (Sumpf-Ampfer)

2 sf. Expl.: L. 1,00/1,10 mm; B. 0,65/0,60 mm
Die sehr kleinen Früchte sind im Umriss länglich oval, die breiteste Stelle liegt in der Mitte und beide Enden sind in nahezu gleicher Weise zugespitzt. Die drei konkav geschwungenen Seitenflächen werden von scharfen Kanten begrenzt. Verwechslungen mit Früchten anderer Ampferarten sind kaum möglich, sofern es sich um ausgereifte Exemplare handelt. Entsprechend kleine Früchte bilden nur die drei Kleinarten der Sammelart *Rumex acetosella* L. coll. aus (s. o.). Diese besitzen allerdings stumpfe Kanten und eine gedrungene Form.

Rumex L. sp. (Ampfer-, Sauerampferarten)

Einige beschädigte Nüsse müssen unbestimmt bleiben. In Größe und Form entsprechen sie am ehesten den nachgewiesenen Früchten des Knäuel- oder Blut-Ampfers (s. o.).

Hypericaceae

Hypericum perforatum L. (Tüpfel-Hartheu, Echtes Johanniskraut)

11 sf. Expl.: L. 1,02 (0,85–1,20) mm; B. 0,47 (0,40–0,55) mm
Die gefundenen Samen sind ausgezeichnet erhalten; nur ihre schwarze Oberfläche ist leicht korrodiert. Dadurch kommt das weitmaschige Netzwerk mit seinen erhabenen Leisten und den hervorspringenden Ecken stärker zur Geltung als bei rezenten Samen derselben Art. Diese charakteristische Oberflächenstruktur, die großen Abmessungen und die breit walzenförmige Gestalt mit den stumpf zugespitzten Enden ermöglichen eine sichere Zuordnung der Reste zum Tüpfel-Hartheu.
Verwandte Arten bilden kleinere und anders gestaltete Samen aus. Von ähnlicher Länge sind nur die rotbraunen Samen des Rauhhaarigen Johanniskrauts (*H. hirsutum* L.) und des Zierlichen Johanniskrauts (*H. elegans* Steph. ex Willd.). Sie unterscheiden sich von den gefundenen Exemplaren durch ihre schlanke Form und das feinere Maschenwerk sowie durch die stachelartigen Noppen ihrer Oberfläche.

Hypericum tetrapterum Fries (Flügel-Hartheu)

1 sf. Expl.: L. 0,75 mm; B. 0,35 mm
Neben mehreren Nachweisen des Tüpfel-Hartheus (s. o.) konnte ein sehr kleiner Samen dem Flügel-H. zugeordnet werden. Er ist zylindrisch mit verjüngten Enden und ein wenig zur Bauchseite hin gebogen. Die unversehrte Oberfläche lässt ein Netz aus regelmäßigen, klar umrissenen Maschen erkennen.
Außer dem Berg-Hartheu (*H. montanum* L.) besitzen sämtliche Arten dieser Gattung deutlich größere Samen. Seine Samen sind ebenfalls im Mittel größer, v.a. aber breiter, eher walzenförmig und mit stumpferen Enden versehen als das gefundene Exemplar. Kleine, undeutlich begrenzte Maschen verleihen der Oberfläche ein raues Aussehen.

Violaceae

Viola palustris L. (Sumpf-Stiefmütterchen, Sumpf-Veilchen)

4 sf. Expl.: L. 1,45 (1,40–1,50) mm; B. 0,91 (0,85–1,00) mm
Drei leicht beschädigte und seitlich gepresste Samen sowie ein unversehrter sind dieser Art zuzurechnen. Charakteristisch für die Samen der Gattung Viola (Veilchen) sind ihre Tropfenform mit einer gestutzten Nabelregion an der Basis und einer gebogenen Spitze am apikalen Ende. Der dunkle Nabel und die lateral gelegene Samenschwiele sind bei den subfossilen Samen vergangen. Nur bei einem Exemplar ist die Raphe als dunkler Längsstreifen zwischen Spitze und Basis erhalten geblieben. Polygonale Zellen unterschiedlicher Größe bilden die dunkle Oberhaut. Meist sind nur die hellen, schmalen Seiten- und Innenwände der Epidermiszellen vorhanden, durch welche in Längsreihen angeordnete Zellen sehr geringer Größe der darunter liegenden Zellschicht schimmern. Sie verleihen den Samen schon bei 40facher Vergrößerung eine längs gestreifte Struktur.
Samen ähnlichen Aussehens besitzt nur *Viola tricolor* L. coll. (Wildes Stiefmütterchen: Sammelart). Diese zeichnen sich aber durch eine schmale, längliche Form sowie eine Epidermis aus rundlichen und in Längsreihen angeordneten Zellen aus (vgl. Knörzer 1970). Sämtliche weiteren Veilchenarten bilden größere Samen aus.

Brassicaceae

Arabidopsis thaliana (L.) Heynh. (Acker-Schmalwand; Taf. 4,2)

Synonym: *Stenophragma thalianum* (L.) Celak.
4 sf. Expl.: L. 0,44 (0,35–0,50) mm; B. 0,35 mm; D. 0,25 mm
10 rez. Expl. (*Erophila verna* [L.] Chevall.):
L. 0,42 (0,35–0,50) mm; B. 0,31 (0,28–0,36) mm; D. 0,16 (0,15–0,20) mm
Eine der wenigen, durch die Untersuchung der feinsten Fraktion von 0,2 mm Maschenweite, nachgewiesenen Arten ist die Acker-Schmalwand. Die fünf gefundenen Samen sind als eine Rarität bei botanischen Makrorestanalysen anzusehen. Sowohl subfossile als auch rezente Samen zeichnen sich durch ihre Formvariabilität aus. Neben ovalen Typen (4 sf. Expl.) treten auch vereinzelt kürzere, abgerundet kantige Samen (1 sf. Expl.) mit entsprechender Breite und Dicke auf. Die seitlich gelegene Radicula ist ebenso lang wie der Samen oder überragt diesen ein wenig. Polyedrische Oberhautzellen unterschiedlicher Größe mit großer zentraler Papille sind in „unordentlichen" Längsreihen angeordnet. Rezente Samen der Acker-S. besitzen meist eine deutlicher abgesetzte Radicula als die gefundenen Samen, allerdings ist auch bei diesem Merkmal eine gewisse Variationsbreite festzustellen. Unter den vielen Kreuzblütlerarten kommt aufgrund der geringen Größe der subfossilen Samen nur das Frühlings-Hungerblümchen (*Erophila verna* [L.] Chevall.) als Verwechslungspartner in Betracht. Seine Samen sind im Mittel etwas kleiner (Messwerte s. o.), lateral abgeflacht und weisen eine papillenlose, kleinzelligere Oberhaut auf als die Samen der Acker-Schmalwand.

Brassica rapa L.
(Rübsen, Stoppelrübe; Taf. 4,4–6)

Synonym: *B. campestris* L.
3 sf. Expl. („Typ 1"): L. 1,28 (1,15–1,40) mm; B. 1,15 mm; D. 1,15 mm

Insgesamt neun Samen konnten aus den beiden oberen Kulturschichten ausgelesen werden, wovon alleine sieben Stück der mittleren Schicht entstammen. Aufgrund des unterschiedlichen Erhaltungszustandes können zwei „Typen" von Samen beschrieben werden:
- „Typ 1" (sechs Samen): fast kugelrund, Samenschale schwarz und derb, Oberfläche grob genetzt mit wenig vertieften Maschen und abgerundeten Maschenrändern; sehr feine Felderung – bei 40facher Vergrößerung als „Punktierung" zu erkennen – überzieht die gesamte Samenoberfläche; der nahezu kreisrunde Nabel hebt sich nur undeutlich ab.
- „Typ 2" (drei Samen): unregelmäßig abgerundet bis zusammengedrückt kugelig, Samenschale gelblich braun, transparent und häutig mit deutlich sich abzeichnendem dunkelbraunem Nabel; Oberfläche feiner genetzt mit stark vertieften Maschen und ausgeprägten, scharfen Maschenrändern; feine Felderung nicht vorhanden.

Die Samen beider Typen sind leer, d. h., Endosperm, Kotyledonen und Keimwurzel sind vergangen.

Mikroskopische Präparate demonstrieren den zellulären Aufbau der Samenschale, zugleich aber auch die unterschiedliche Erhaltungsfähigkeit der verschiedenen Zellschichten. Die Samen des „Typ 1" sind wesentlich besser erhalten: In Flächenansichten ist das feine Netzwerk der dickwandigen, gelbbraunen Steinzellen (Palisadenzellen) gut zu sehen (Taf. 4,4); in mehrzeiligen Reihen angeordnete, erhöhte Steinzellen bilden in ihrer Gesamtheit ein grobes Maschenwerk, welches sich aufgrund geringerer Lichtdurchlässigkeit etwas dunkler abzeichnet. Die Samen des „Typ 2" zeichnen sich durch erheblich größere Korrosion aus: Nur farblose, weit gehend abgebaute Steinzellen sind zu finden. Dafür können farblose, großlumige Aleuronzellen mit mehr oder weniger regelmäßigem Umriss und dunklen Zellwänden erkannt werden (Taf. 4,6). Weitere Einzelheiten zum Bau der Samenschale finden sich bei Gassner (1955, 114 ff.), Körber-Grohne (1967, 183 ff.) und Steiner (1977).

Unterscheidungsmerkmale von Rübsensamen und weiteren Brassica- bzw. Sinapissamen sind u. a. der ausführlichen Beschreibung bei Körber-Grohne (1967) sowie der Arbeit von Berggren (1962) zu entnehmen.

Capsella bursa-pastoris (L.) Med.
(Gemeines Hirtentäschel; Taf. 4,3)

4 sf. Expl.: L. 0,99 (0,85–1,10) mm; B. 0,53 (0,50–0,60) mm; D. 0,45 (0,35–0,50) mm

Von den sechs Samen ist jeweils nur die Samenschale als braune, transparente Hülle erhalten geblieben, die in zwei Fällen nicht seitlich zusammengedrückt und eingerissen ist. Die länglich ovalen Samen besitzen abgeflachte Seiten und eine nur im basalen Teil abgesetzte Radicula. Sie ist gerade, ebenso lang oder etwas länger als die Keimblätter und liegt dem Rücken des einen Keimblattes auf. In Längsreihen angeordnete rechteckige Oberhautzellen bedecken die Samenoberfläche; zu dem Samen- und dem Radiculaende hin werden diese kleiner und gleichmäßig polygonal. Die Zellecken stehen etwas hervor und verleihen der Oberfläche ein raues Aussehen (Vergr. mindestens 100fach). Rezente Hirtentäschelsamen sind flacher (0,3–0,4 mm dick) und ihre Radicula zeichnet sich deutlicher ab.

Ähnlich geformte Samen besitzt die Schutt-Kresse (*Lepidium ruderale* L.). Die spitzere Basis, die schwache Krümmung und die feinmaschige Oberfläche grenzen sie von den subfossilen Samen ab.

Nasturtium officinale R. Br.
(Gemeine Brunnenkresse)

Synonym: *Rorippa nasturtium-aquaticum* (L.) Hayek
1 sf. Expl.: L. 1,05 mm; B. 0,85 mm; D. 0,35 mm

Der leere, flach gedrückte Samen besitzt eine braune Samenschale mit hellem Saum. Seine Form ist oval mit breit gestutztem, wenig eingebuchtetem unteren und zugespitztem oberen Ende. Die Keimwurzel ist nicht abgesetzt und ihre seitliche Lage ist nur durch die kaum hervorspringende Wurzelspitze erkennbar. Ein Netz mit großen erhabenen und glitzernden Maschen überzieht die gesamte Samenoberfläche.

Rothmaler (1976) unterscheidet die Samen der Einreihigen Brunnenkresse (*N. microphyllum* [Boenn.] Rchb.) an ihrer geringeren Größe und der kleinmaschigen Oberfläche von den Samen der Gemeinen Brunnenkresse.

Sämtliche vorliegenden Rorippaarten (Sumpfkresse) bilden wesentlich kleinere und feinmaschigere Samen aus.

Thlaspi arvense L.
(Acker-Hellerkraut; Taf. 4,1)

3 sf. Expl.: L. 1,77 (1,50–2,10) mm; B. 1,30 (1,10–1,50) mm; D. 0,83 (0,60–1,00) mm

Drei Samen und ein großes Bruchstück derselben sind vom Acker-Hellerkraut gefunden worden. Sie sind im Umriss oval, seitlich abgeflacht und wirken durch die etwas seitlich gelegenen Spitzen der abstehenden Radicula und der Basis schwach asymmetrisch. Die grubige, schwarze Oberfläche wird von mehreren kräftigen Rippen überprägt, welche im Nabelbereich beginnen und in gleichen Abständen bogenförmig dem Verlauf des Randes folgen.

Eine Verwechslung mit den stets kleineren, hellen und rippenlosen Samen der anderen Hellerkrautarten ist nicht möglich.

Salicaceae

Salix L. sp. (Weidenarten; Taf. 4,9)

1 sf. Expl.: L. 1,60 mm; B. 1,00 mm; D. 0,80 mm

Die Weide ist nur durch einen Nachweis belegt. Gefunden wurde ein Bruchstück des unteren Teils einer Kapselhälfte, welches sich nach oben stark verjüngt, seitlich eingerollt und nach außen gekrümmt ist. Die dunkelbraune Außenseite ist unregelmäßig gerippt. Eine Artbestimmung ist mit Hilfe des geringen Rezentmaterials nicht möglich und außerdem ist dem Autor nicht bekannt, ob sich die zahlreichen Arten und Bastarde der Weiden anhand ihrer Kapseln voneinander abgrenzen lassen. Die winzigen Haarschopfsamen treten im Fundmaterial nicht auf.

Als zusätzliche Bestimmungshilfe diente die Arbeit von Tomlinson (1985).

Primulaceae

Anagallis arvensis L. vel *A. foemina* Mill. (Acker-Gauchheil oder Blauer G.)

2 sf. Expl.: L. 1,40/1,55 mm; B. 1,10/1,20 mm; D. 0,95/1,00 mm

Die gefundenen Samen sind stumpf kegelförmig mit einem schmalen, lang gestreckten Nabel an der erhabensten Stelle und einer rundlichen, leicht vorgewölbten, stumpf fünfeckigen Rücken- bzw. Grundfläche. Vom Nabel aus ziehen zwei Kanten zu den beiden Ecken des runden Teils der Rückenfläche, eine weitere, scharfe Kante endet in dem zugespitzten Ende. Reste von braunen Schüppchen sind nur rudimentär erhalten geblieben; runde Wärzchen bedecken die gesamte Samenoberfläche. Die drei subfossilen Exemplare sind eingerissen und korrodiert, können aber vermessen werden. Aufgrund ihrer Abmessungen kann es sich nicht um Reste des kleinsamigen Zarten Gauchheils (*A. tenella* [L.] L.) handeln. Mit Hilfe des geringen Vergleichsmaterials von *A. foemina* ist es dem Autor nicht möglich, Unterschiede zwischen den Samen des Acker- und Blauen Gauchheils herauszufinden. Auch konnte keine Literaturstelle zu Samenfunden bzw. -beschreibungen der zuletzt genannten Art ausfindig gemacht werden. Ein gewisser Unterschied besteht in der rundlicher geformten Rückenfläche und den stumpferen Kanten der Samen des Acker-Gauchheils, was für die subfossilen Exemplare ebenfalls zutrifft.

Körber-Grohne (1967) sieht als weiteren Verwechslungspartner die Samen des Milchkrautes (*Glaux maritima* L.) an, einer Pflanze der Küstensalzwiesen und der Salzstellen des Binnenlandes. Rezente Milchkrautsamen unserer Vergleichssammlung sind wesentlich niedriger, mit deutlich vorgewölbter Rückenfläche und einer schüppchenlosen, feinnetzig strukturierten Oberfläche. Eine Abgrenzung dieser Art ist von Bedeutung, da eine weitere Art der heutigen Küstenwiesen, die Zweischneidige Binse (*Juncus anceps* La Harpe), durch ihre Samen sicher nachgewiesen werden konnte (s. u.).

Rosaceae

Aphanes arvensis L. (Gemeiner Ackerfrauenmantel; Taf. 4,7)

1 sf. Expl.: L. 1,40 mm; B. 0,90 mm; D. 0,75 mm; L/B. 1,56; L/D. 1,87

Das einzige Früchtchen dieser Art ist in der Probe Q62/2 gefunden worden. Die seitlich gelegene Basis ist abgebrochen, doch ist eine Bestimmung anhand der schiefen, asymmetrischen, spitz birnenförmigen Gestalt, der leicht gekielten Ränder und der abgeflachten Form möglich. Die Oberfläche ist von einem Netz regellos angeordneter kleiner Zellen unterschiedlicher Größe mit relativ breiten Zellwänden überzogen.

Der Kleinfrüchtige Ackerfrauenmantel (*A. microcarpa* [Boiss. et Reuter] Rothm.) bildet wesentlich kleinere Nüsschen aus (s. u.), wogegen die Früchtchen des Gewöhnlichen Frauenmantels (*Alchemilla vulgaris* L.) größer, im Umriss rundlicher und an den Rändern nicht gekielt sind. Sämtliche weitere Frauenmantelarten sind in der Vergleichssammlung nicht vertreten. Aufgrund ihrer montanen und vorwiegend präalpinen bis alpinen Verbreitung können sie für das westliche Bodenseegebiet weit gehend ausgeschlossen werden (vgl. Oberdorfer 1979).

Aphanes microcarpa (Boiss. et Reuter) Rothm. (Kleinfrüchtiger Ackerfrauenmantel; Taf. 4,8)

2 sf. Expl.: L. 0,75/0,80 mm; B. 0,45/0,50 mm; D. 0,35/0,40 mm; L/B. 1,66/1,60; L/D. 2,14/2,00

Einen sehr seltenen und bis dato wohl den ältesten Fund dieser Spezies stellen die beiden gut erhaltenen Früchtchen dar. Dem Autor steht zwar kein Vergleichsmaterial zur Verfügung, aber die halb so großen Messwerte im Vergleich zu den Nüsschen von *A. arvensis* (s. o.) lassen eine Abgrenzung zu. Knörzer (1970; 1976) erwähnt in diesem Zusammenhang Messungen von rezenten bzw. subfossilen, unverkohlten Früchtchen beider Arten, wobei die Größen von *A. microcarpa*-Exemplaren die hier festgestellten sogar deutlich übersteigen. In allen anderen Merkmalen wie Form, Ansatzstelle der Basis, gekieltem Rand und Oberflächenstruktur sind sich die gefundenen Nüsschen beider Ackerfrauenmantelarten nahezu gleich. Ein wohl eher zufälliger Unterschied besteht in den etwas größeren Indexwerten von Länge/Breite und Länge/Dicke der Nüsschen von *A. microcarpa*.

Crataegus monogyna Jacq. (Eingriffliger Weißdorn)

1 sf. Expl.: L. 7,8 mm; B. 6,7 mm; D. 4,5 mm

Ein unverkohlter, kaffeebohnenförmiger Steinkern mit abgeflachter Ventral- und mächtig aufgewölbter Dorsalseite stammt vom Eingriffligen Weißdorn. Drei Längsrinnen verlaufen über die Rückenfläche und auf der Bauchseite sind beidseitig des medianen Gefäßstranges zwei tiefe Einkerbungen hufeisenförmig angeordnet. Eine weitere schmale Vertiefung ist quer hierzu am oberen Ende vorhanden.

Auch der Zweigriffige W. (*C. oxyacantha* L. em. Jacq.) bildet z. T. bauchseits abgeflachte Steinkerne aus. Diese unterscheiden sich durch ihre größeren und gezackt berandeten Vertiefungen der Bauchseite, die verhältnismäßig kleine Abflachung sowie ihre flachere, eher dachförmige Rückenseite von dem vorliegenden Exemplar.

Filipendula ulmaria (L.) Maxim. (Echtes Mädesüß)

5 sf. Expl.: L. 2,54 (2,40–2,90) mm; B. 0,94 (0,90–1,00) mm; D. 0,44 (0,40–0,50) mm

Fünf Früchtchen sind unversehrt, eines ist in der Mitte zerbrochen. Sie sind sichelartig gebogen, in sich gekrümmt und stark abgeflacht. Eine Leiste setzt sich vom spitz hervorstehenden Nabel der unteren Fruchthälfte entlang der Innenkante bis zum apikalen, gebogenen Griffelrest fort. Die transparente Fruchtwand der subfossilen Exemplare lässt eine dunkel gefärbte, geschrumpfte Samenschale im Innern erkennen.

Die unverwechselbaren Früchtchen des Echten Mädesüß gestatten auch im beschädigten Zustand eine sichere Artbestimmung. Das Kleine M. (*F. vulgaris* Moench) als nächst verwandte einheimische Art ist leicht durch ihre geraden und behaarten Früchtchen zu unterscheiden.

Fragaria vesca L. (Wald-Erdbeere)

10 sf. Expl.: L. 1,28 (1,20–1,35) mm; B. 0,93 (0,85–1,00) mm; D. 0,66 (0,60–0,75) mm

Viele Dutzend Nüsschen gehören zur Wald-Erdbeere, der kleinfrüchtigsten Erdbeerenart unserer mitteleuropäischen Flora. Als unverwechselbare Merkmale sind die schnabelartige Spitze – hier meist klaffend – und die vom Nabel ausgehenden hellen Rippen zu nennen. Diese ziehen, sich baumartig verzweigend, über die wenig gewölbten Seitenflächen und enden unweit der Dorsalkante.

Fragaria moschata Duchesne (Zimt-E.) und *F. viridis* Duchesne (Knack-E.) bilden breitere, dickere Nüsschen aus und die Potentillafrüchtchen sind an ihren andersartigen Rippen bzw. Höckerchen gut zu unterscheiden.

Die zahlreichen Nachweise der Wald-Erdbeere in allen drei Kulturschichten zeigt deren Wichtigkeit für die Ernährung der Seeufersiedler. Bodman-Schachen I gehört wie die vielen weiteren Feuchtbodensiedlungen des nördlichen Alpenvorlandes zum Ausbreitungsareal der Wald-Erdbeere während des Neolithikums und der Bronzezeit (Küster 1985a).

Fragaria L. sp. (Erdbeerenarten)

3 sf. Expl.: L. 1,30 (1,15–1,45) mm; B. 1,07 (1,00–1,20) mm; D. 0,77 (0,70–0,90) mm

Drei Balgfrüchte können keiner bestimmten Erdbeerenart zugeordnet werden. Ihr rundlicher Umriss, ihr kurzes, stumpfes Näschen und die gut erhaltenen Rippen sowie die gelbliche Färbung unterscheidet sie von allen anderen Erdbeerfunden. Entweder handelt es sich um abnorm gestaltete Nüsschen der Wald-Erdbeere oder um missgestaltete bzw. unreife Exemplare der Zimt-Erdbeere oder der Knack-E. (s.o.).

Malus domestica Borkh. vel *M. sylvestris* Mill. (Kultur-Apfel oder Wild-, Holz-Apfel)

6 sf. Expl. (Kerne): L. 6,15 (4,9–7,0) mm; B. 3,53 (2,7–4,3) mm; D. 1,74 (1,1–2,4) mm
7 sf. Expl. (Nucellarreste): L. 2,66 (2,40–2,85) mm; B. 1,44 (1,00–1,65) mm; D. 0,68 (0,50–1,00) mm

Der Apfel konnte anhand von Kernen bzw. Bruchstücken derselben, Nucellarrestteilen und Resten des Endokarps (Kernhaus) nachgewiesen werden. Zur Bestimmung der Apfelreste wurde neben rezentem Vergleichsmaterial insbesondere Gassner (1955, 167ff.) und Hegi (1923, Bd. 4.2, 743ff.) herangezogen.

Drei der ganzen Kerne sind lang gestreckt oval und weisen einen ausgeprägten Grat auf einer Lateralfläche auf, der leicht geschwungen vom proximalen zum distalen Kernende zieht. Dieser ist für Apfelkerne typisch; seine Ausbildung ist auf das enge und versetzte Nebeneinanderliegen zweier Kerne in einem Karpell (Fruchtfach) zurückzuführen. Zwei weitere gut erhaltene Kerne sind rundlich oval und beidseitig gleichmäßig aufgewölbt. Der fehlende Grat und die Form dieser Exemplare sprechen für ihre Herkunft aus einem einsamigen Fruchtfach. – Letzteres tritt bei Birnen häufig auf: Nur eine Samenanlage entwickelt sich, die zweite verkümmert. – Mit Hilfe der Form der Oberhautzellen können Apfel- und Birnenkerne eindeutig voneinander unterschieden werden. Die fünf ganzen Kerne sowie sämtliche längs eingeschlitzten Bruchstücke der Samenschale besitzen lang gestreckte und in Längsrichtung orientierte Oberhautzellen, die meist an beiden Enden zugespitzt sind. Bei geringer Korrosion der Kernoberfläche glänzen ihre Zellaußenwände beim Antrocknen. Birnenkerne hingegen weisen eine Oberhaut mit abgerundet polygonalen, dickwandigen Zellen auf (vgl. Frank/Stika 1988).

In allen drei Kulturschichtproben finden sich gelblich braune, plättchenartige Fetzen in verschiedenen Größen. Eine Seite ist glänzend, die andere matt. Es handelt sich um Bruchstücke der derben, pergamentartigen Scheidewände des Kernhauses, die, wie mikroskopische Präparate zeigen, aus mehreren Lagen dickwandiger, sich kreuzender Faserzellen bestehen (Frank/Stika 1988).

Daneben konnten einige „zimmermannshütchen"-ähnliche Teile des Nucellarrestes von Apfelkernen ausgelesen werden. Es sind braune verdickte Stücke des ansonsten transparenten und häutigen Nucellarrestes, die das Endosperm und den Embryo am distalen Ende hutartig umgeben. Die Reste sind von orangebraun gefärbten häutigen Anteilen des Nucellarrestes gesäumt, welcher in einem Fall gut erhalten und mit der Samenschale verbacken ist. Seine polygonalen Zellen mit dicken Zellwänden bilden ein unregelmäßig strukturiertes Netzwerk. Die Frage, ob es sich bei den Funden um Reste der Kultur- oder Wildform des Apfels handelt, kann nicht beantwortet werden. Selbst die relativ großen Abmessungen der vier ganzen Kerne weisen nicht auf kultivierte Formen hin. Rezente Wildtypen bilden z.T. noch größere Kerne aus, wie unser Vergleichsmaterial zeigt.

Die Inkulturnahme des Apfelbaumes erfolgte bereits in der Antike, in Mitteleuropa seit dem Neolithikum. Als Stammpflanzen von *Malus domestica* dienten einheimische oder eingeführte Primitivformen. Eine Kultivierung des Apfels im nördlichen Alpenvorland während der frühen Bronzezeit ist bislang noch nicht belegt. Dagegen sind sichere Nachweise für die Nutzung des Holz-Apfels in prähistorischer Zeit in mehreren Pfahlbausiedlungen des Bodenseeraumes erbracht worden (Hegi, Bd. 4.2, 1923).

Malus Mill. sp. vel *Pyrus* L. sp. (Apfel- oder Birnenarten)

1 sf. Expl.: L. 4,9 mm; B. 2,4 mm; D. 1,7 mm

Im gesamten Fundmaterial kommt nur ein einzelner, verkohlter Kern von „Apfel oder Birne" vor. Er ist schlank und lang, besitzt eine schwach konvexe Ventral- und eine gleichmäßig aufgewölbte Dorsalseite. Das distale Ende trägt seitlich eine kleine Spitze, die beschädigte Basis ist gerade ausgezogen und zugespitzt. Die Oberfläche ist weit gehend abgegangen, woran die Kerne von Apfel und Birne letztendlich sicher zu unterscheiden sind (s.o.).

Von den Sorbusarten (Mehlbeeren) kommen aufgrund ihrer Größe und Form nur die Kerne von *S. aucuparia* L. em. Hedl. (Eberesche) als Verwechslungspartner in Betracht. Im Unterschied zu dem gefundenen Kern zeichnen sich diese durch eine gekrümmte Basis und eine flache bzw. konkave, von einem Rand umgebene Bauchseite aus.

Padus avium Mill.
(Gewöhnliche Traubenkirsche)

1 sf. Expl.: L. 5,5 mm; B. 5,1 mm; D. 4,8 mm

Der unversehrte Steinkern ist an seiner rundlichen, kugeligen Form, dem leicht zugespitzten distalen Ende und den breiten Graten gut zu erkennen. Diese wenig korrodierten, erhabenen Grate haben ihren Beginn z.T. in der umwallten Nabelregion, von wo aus sie sich mehrfach verzweigend über die Lateralflächen hinwegziehen. Ein mächtiger, abgeplatteter Wulst säumt die Bauchnaht. Die Rückennaht ist unscheinbar und in der unteren Hälfte leicht eingesenkt.

Die nahe verwandte Art *Padus serotina* (Ehrh.) Borkh. (Späte Traubenkirsche) bildet glatte Steinkerne aus, die, wie die Steinkerne weiterer einheimischer bzw. eingebürgerter Prunus- und Cerasusarten, nicht mit dem subfossilen Exemplar verwechselt werden können.

Potentilla erecta (L.) Räuschel
(Blutwurz, Tormentill)

Synonym: *P. tormentilla* Necker

1 sf. Expl.: L. 1,50 mm; B. 1,00 mm; D. 0,95 mm

Es wurde lediglich eine gut erhaltene Balgfrucht der Blutwurz in der jüngsten Kulturschicht nachgewiesen. Typisch für diese Art sind der gerade Verlauf der Bauchnaht, die nur wenig gekrümmte Spitze sowie die feinen Grate der ansonsten glatten Oberfläche. Diese ziehen von der schmalen, aber distinkten Rücken- und der Bauchnaht über die Lateralflächen und enden in deren oberen Hälften. Von der schlanken Spitzenregion verbreitert sich die Balgfrucht in das stark aufgeblähte gegenüberliegende Ende.

Als einzige Verwechslungspartner kommen die Balgfrüchte des Frühlings-Fingerkrautes (*P. tabernaemontani* Aschers.) in Frage. Durch ihre konkave Bauchnaht, den stärker und gleichmäßig aufgewölbten Rücken und die abgeflachtere Form sind sie gut von dem subfossilen Exemplar abzugrenzen. Weiterhin können die breiten und wenig erhabenen Grate der Lateralflächen zur Unterscheidung herangezogen werden. Unterscheidungsmerkmale zu den Nüsschen des Kriechenden F. (*P. reptans* L.) sind dort angeführt (s.u.).

Potentilla reptans L.
(Kriechendes Fingerkraut)

5 sf. Expl.: L. 1,15 (1,00–1,30) mm; B. 0,85 (0,80–0,90) mm; D. 0,67 (0,60–0,75) mm

Die Nüsschen dieser Fingerkrautart unterscheiden sich deutlich durch ihre geringere Größe, ihren gleichmäßig ovalen Umriss, die schwach gekielte Rückennaht sowie ihre ausgeprägte Spitze von den oben erwähnten Blutwurznüsschen. Typisch sind weiterhin die von Höckerchen besetzten Lateralflächen und die nur im Ventralbereich undeutlich ausgebildeten, breiten Rippen, Merkmale, wie sie bei keiner anderen Fingerkrautart angetroffen werden. Die wenig angegriffenen Fruchtoberflächen zeigen noch deutlicher als bei rezenten Nüsschen ein Maschenwerk aus polygonalen Oberhautzellen mit dunklem Lumen und hellen, mächtigen, hervorspringenden Wänden. Entsprechende Beobachtungen hat Knörzer (1970; 1973) bei römerzeitlichen Funden der beiden Potentillaarten gemacht.

Vier weitere Balgfrüchte sind stark beschädigt bzw. unreif und ohne charakteristische Oberflächenstrukturen; sie werden als *Potentilla* L. sp. in den Listen aufgeführt.

Prunus spinosa L. (Schlehe, Schwarzdorn)

6 sf. Expl. (feucht): L. 8,52 (7,0–9,4) mm; B. 5,50 (4,8–6,3) mm; D (H). 6,92 (6,0–7,9) mm; B/L × 100: 64,81 (55,81–71,59); D/L × 100: 81,36 (69,77–89,66)

20 sf. Expl. (trocken): L. 5,50 (4,5–6,7) mm; B. 3,80 (3,2–4,5) mm; D (H). 5,00 (4,2–6,1) mm; B/L × 100: 69,30 (54,84–85,11); D/L × 100: 90,91 (71,19–108,89)

Sechs unverkohlte Steinkerne stammen aus verschiedenen Kulturschichtproben. Weitere 32 Schlehensteinkerne wurden von den Ausgräbern gesondert als Anhäufung aus Q29 (untere Kulturschicht) entnommen, geschlämmt und anschließend getrocknet. Nahezu die Hälfte der Steinkerne ist bei der Trocknung entlang der Bauchnaht aufgerissen, wobei die ausgeprägten Wülste die Öffnung wie Lippen eines aufgerissenen Mundes umgeben. Eine Bestimmung der deformierten und ganzen Exemplare ist auch anhand ihrer unverwechselbaren Oberflächenstruktur möglich. Ein feinmaschiges Netz schmaler, hervorspringender Leisten überspannt die seitlichen Flächen, wodurch die Steinkerne in lateraler Lage eine gewellte dorsale Umrisslinie bekommen. Selbst das geringe Fundmaterial zeigt sehr gut die große Form- und Größenvariabilität von Schlehensteinkernen: Kleine, kugelige Typen stehen großen, schlanken Typen gegenüber; daneben sind verschiedene Übergangsformen vorhanden. Die geringen Abmessungen (s.o.) resultieren aus Schrumpfungsprozessen. Verschiedene Versuche an rezentem Material und mittelalterlichen Steinkernen aus Oberndorf a.N. (Frank in Vorbereitung) zeigen eine Längeneinbuße zwischen 10 und 20% bei vollständiger Trocknung.

Einen direkten Vergleich mit Schlehensteinkernen anderer Fundkomplexe erlauben die Indexwerte B/L × 100 und D/L × 100 (Messwerte s.o.). Den Publikationen von Behre (1983), Frank (in Vorbereitung), Frank/Stika (1988) und Kroll (1980) liegen lange Messreihen von 100 bis 1200 unverkohlten Steinkernen aus römischen, wikingerzeitlichen und mittelalterlichen Ausgrabungen zugrunde. Auch hier zeigt sich stets die starke Größenvariabilität des Fundgutes. Die Indexwerte liegen hingegen im Mittel zwischen 55 und 65 (B/L × 100) bzw. 73 und 84 (D/L × 100). Die feuchten Steinkerne aus Bodman-Schachen lassen sich hier ebenfalls einreihen. Die getrockneten Steinkerne dagegen weisen aufgrund der vergleichsweise starken Längeneinbuße etwas höhere Werte auf.

Eine Zusammenstellung prähistorischer Steinkerne von *Prunus spinosa* findet sich bei Baas (1974).

Rosa L. sp. (Rosenarten)

5 sf. Expl.: L. 5,00 (4,45–5,45) mm; B. 2,55 (2,25–2,00) mm; D. 2,86 (2,50–3,30) mm

Nur fünf Steinfrüchtchen können der Rose zugeordnet werden. – In allen drei Proben sind außerdem jeweils einige Stacheln enthalten, die weder besprochen noch in einer Liste aufgeführt sind. – Ihre Formen variieren erheblich, doch bilden stets mehrere unterschiedliche Flächen die Oberfläche der asymmetrischen Früchtchen. Die beiden Fruchtschalenhälften sind nach außen dachförmig vorgewölbt und schließen auf ihrem Grat eine rinnenartig eingesenkte Verwachsungsnaht ein. Bei zwei Exemplaren sind die Kontaktflächen eben und die Kanten scharf; sie ähneln am ehesten rezenten Früchtchen von *Rosa canina* L. (Hunds-Rose). Die anderen drei Exemplare können mit ihren vorgewölbten Kontaktflächen, ihren abgerundeten Kanten und ihrer stumpfen Spitze am ehesten mit den Früchtchen von *R. arvensis* Huds. (Kriechende Rose) verglichen werden.

Aus folgenden Gründen ist eine Artzuordnung der Funde nicht gerechtfertigt: Die Steinfrüchtchen liegen in den Scheinfrüchten der Rose (Hagebutten) dicht gepackt nebeneinander und sind dadurch innerhalb einer einzigen Hagebutte sehr unterschiedlich geformt; Rosen neigen stark zur Bastardisierung und Polyploidisierung, woraus sich eine nahezu unüberschaubare Formenmannigfaltigkeit ergibt, vgl. Hegi (1923, Bd. 4.2, 982f.) sowie Rothmaler (1976); unsere Vergleichssammlung enthält nur einen kleinen Ausschnitt aus dem weiten Artenspektrum.

Rubus caesius L. (Kratzbeere, Bereifte Beere)

3 sf. Expl.: L. 3,13 (2,40–3,60) mm; B. 1,18 (0,95–1,40) mm; D. 1,87 (1,50–2,10) mm

Die Steinfrüchtchen der Kratzbeere sind an ihrer seitlich abgeflachten Form und der zur Bauchseite hin schnabelartig umgebogenen Basis gut von den Steinfrüchtchen der anderen nachgewiesenen Rubusarten zu unterscheiden. Längen- und Dickenwerte liegen im Bereich derjenigen von *Rubus fruticosus* (Brombeere), übersteigen die der Himbeere im Allgemeinen aber deutlich. Dorsal- und Ventralkante der Kratzbeersteinfrüchtchen sind weniger erhaben und die Gruben des Leistennetzes der Lateralflächen sind größer und flacher als bei den Brombeerfunden.

Über die Schwierigkeiten bei der Bestimmung und Abgrenzung der Steinfrüchtchen von denjenigen anderer Rubusarten berichtet schon Baas (1974). Er nimmt an, dass die Kratzbeere seit uralten Zeiten als Wildobstart genutzt worden ist und ihre Steinfrüchtchen deshalb häufiger bei vor- und frühgeschichtlichen Grabungen auftreten müssten. In unserem Falle wurde das umfangreiche Fundmaterial der Rubusarten sehr gewissenhaft auf das Vorhandensein von Kratzbeersteinfrüchtchen durchgemustert, doch ließen sich lediglich drei Exemplare als solche bestimmen.

Rubus fruticosus L. coll. (Echte Brombeeren: Sammelart)

20 sf. Expl.: L. 3,15 (2,50–3,60) mm; B. 1,53 (1,15–2,00) mm; D. 1,98 (1,50–2,45) mm

Die große Anzahl der gefundenen und unversehrten Steinfrüchtchen spiegelt ihre Formen- und Größenmannigfaltigkeit wider. Von länglich ovalen Typen mit aufgewölbten Lateralflächen bis zu breit geformten, eckigen Typen mit abgeflachten Seitenflächen sind alle Übergänge vorhanden. Die Ventralseite biegt im Bereich der Ansatzstelle deutlich zur Rückenseite hin um, so dass der breitovale Nabel exponiert liegt. Nur in einzelnen Fällen verläuft die Bauchseite gerade, nach innen gebogen ist sie nie. Die erhabene Bauchnaht wird beiderseits von zwei kräftigen Leisten gesäumt. Eine grobmaschige Netzstruktur mit breiten Graten und tiefen Gruben bedeckt die Oberfläche. Die Abgrenzung der Brombeersteinfrüchtchen findet sich bei der Besprechung der anderen Rubusarten.

Das weite Formenspektrum der subfossilen Brombeersteinfrüchtchen, wie es uns hier vorliegt, treffen wir bei umfangreichem Fundmaterial bei den meisten paläobotanischen Untersuchungen an. Dies hängt mit dem großen Formenreichtum der Sammelart *Rubus fruticosus* zusammen, welche nach Oberdorfer (1979) heute auf deutschem Gebiet und in den Nachbarräumen neun wichtige Sippengruppen mit insgesamt einigen Dutzenden von Arten umfasst.

Besonders häufig sind prähistorische Nachweise der Brombeere bei den Bearbeitungen von Material aus den schweizerischen und deutschen Seeufersiedlungen erbracht worden (Renfrew 1973). Eingehende Betrachtungen hierzu sind Neuweiler (1905; 1924) zu entnehmen.

Rubus fruticosus L. coll. vel *R. saxatilis* L. (Echte Brombeeren: Sammelart oder Felsen-Himbeere, Steinbeere)

2 sf. Expl.: L. 3,40/3,85 mm; B. 1,90/2,10 mm; D. 2,50/2,90 mm

Zwei Steinfrüchtchen fallen durch ihre Größe und ihre großflächigen, eckigen Seiten aus dem Rahmen des großen Typenspektrums der Brombeersteinfrüchtchen. Die Enden sind nicht verjüngt und die proximale Seite ist durch eine weit geschwungene, leicht geschulterte Bauchseite breiter als die distale Seite. Bei sämtlichen Brombeerfunden ist das proximale Ende stets schlanker, z.T. leicht zugespitzt. Auch die Netzmaschen sind bei den beiden vorliegenden Exemplaren auffallend groß und tief. Nach Bertsch (1941) werden für die Steinfrüchtchen von *Rubus saxatilis* stark gewölbte Lateralflächen und eine Größe zwischen 4 und 5 mm angegeben, was mit dem Fundmaterial nicht völlig übereinstimmt. Ebenso weichen die subfossilen Exemplare von Brombeer- als auch von Steinbeersteinfrüchtchen der rezenten Vergleichssammlung ein wenig ab.

Rubus idaeus L. (Himbeere)

10 sf. Expl.: L. 2,28 (1,70–2,55) mm; B. 1,01 (0,90–1,20) mm; D. 1,30 (1,05–1,50) mm

Die zierlichen, länglich ovalen, teils halbmondförmigen und seitlich abgeflachten Steinfrüchtchen zeichnen sich durch eine zur Bauchseite hin gebogene Ansatzstelle aus, die zu einer kleinen Spitze ausgezogen ist. Die Dorsalseite ist im Bereich der Basis stark aufgewölbt und verläuft in der oberen Hälfte nur wenig gekrümmt; die dickste Stelle liegt meist etwas unterhalb der Mitte. Die Bauchwülste sind schmal, das Netzwerk der Lateralflächen ist feingratig mit kleinen Gruben.

Eindeutige Unterschiede zu den Steinfrüchtchen der Brombeere sind: Größenverhältnisse, Ausprägung der Basisregion und Lage des Nabels sowie die Struktur der Oberfläche. Von den vielen Nachweisen der Brombeere und Himbeere zeigen nur fünf Exemplare Merkmale von beiden Arten und sind in den Listen als *R. fruticosus* L. coll. vel *R. idaeus* L. aufgeführt.

Linaceae

Linum catharticum L.
(Purgier-Lein, Wiesen-Lein; Taf. 5,6)

5 sf. Expl.: L. 1,19 (1,10–1,25) mm; B. 0,74 (0,70–0,80) mm; D. 0,36 (0,30–0,40) mm

Fünf kleine Leinsamen stammen vom Purgier-Lein. Typisch für die Gattung Linum sind der birnenschnitzartige Umriss und das umgebogene basale Ende („Näschen") mit dem seitlich gelegenen Nabel. Einer abgeflachten Seite liegt eine asymmetrisch aufgewölbte gegenüber; ihre Berührungskante wird im Bereich des Näschens von einem schmalen Saum begleitet. Weite, polygonale Maschen mit feinen Zellwänden bedecken die Oberfläche. Selbst bei den dunkelbraun gefärbten subfossilen Samen ist die darunter liegende Schicht sehr schmaler, lang gestreckter Zellen zu erkennen. Die gefundenen Exemplare stimmen in allen Einzelheiten mit rezenten überein.

Von den Samen der anderen Leinarten sind sie aufgrund ihrer geringen Größe leicht zu unterscheiden (vgl. die nachfolgende Beschreibung).

Linum usitatissimum L. (Saatlein; Taf. 5,7–8)

6 sf. Expl. (unverkohlt): L. 3,58 (2,85–4,00) mm; B. 2,06 (1,85–2,30) mm
4 sf. Expl. (verkohlt): L. 2,95 (2,70–3,40) mm; B. 1,63 (1,45–1,80) mm
Bruchstück eines Kapselsegments: L. 5,2 mm; B. 2,0 mm

Insgesamt können nur wenige Nachweise dieser alten Kulturpflanze verzeichnet werden. Bei den gefundenen, häutigen, birnenförmigen Samen sind beide Lateralflächen stark beschädigt; die Randpartien und das wenig abgesetzte Näschen mit dem darunter befindlichen Nabel sind dagegen weit gehend unversehrt und erlauben eine exakte Größenmessung. Die Ränder sind abgeflacht, auf der Dorsalseite abgerundet, auf der Ventralseite schwach gekielt. Eine feine polygonale Netzstruktur bedeckt die gelblich braune Oberfläche, wobei die Maschengröße von der Mitte der Lateralflächen zum Rand hin stetig zunimmt.

Samen anderer Leinarten kommen entweder aufgrund ihrer geringen Abmessungen nicht in Betracht, wie diejenigen vom Purgier-Lein (*L. catharticum* L.) und vom Schmalblättrigen Lein (*L. tenuifolium* L.), oder wegen ihrer breiten Form und der grob strukturierten Oberfläche, wie diejenigen vom Gelben Lein (*L. flavum* L.). Der Klebrige Lein (*L. viscosum* L.), der Dauer-Lein (*L. perenne* L.) sowie der Österreichische Lein (*L. austriacum* L.) bilden stark abgeflachte Samen mit dünnen bzw. gekielten Randpartien und runzelig warzigen Oberflächen aus.

Bei zwei weiteren Leinsamen – als *Linum* L. sp. bezeichnet – handelt es sich wahrscheinlich ebenfalls um den Saatlein; die geringe Größe, die schmale Form und das nur andeutungsweise ausgebildete Näschen sprechen für unausgereifte Exemplare.

Zusätzlich kommen in der getreidekornhaltigen Probe Q64–1002 vier verkohlte Leinsamen vor. Eine durch die Verkohlung bedingte Längeneinbuße der Samen, wie sie Helbaek (1959), Körber-Grohne (1967) und Neuweiler (1905) beschreiben, kann auch bei dem vorliegenden Fundmaterial festgestellt werden. So ergibt sich eine Schrumpfung der Länge von 17,60% und der Breite von 21,12% beim Vergleich der Mittelwerte (s.o.). Helbaek ermittelte etwas größere Schrumpfungswerte bei der Untersuchung von frühbronzezeitlichen Leinsamenfunden (1800–1600 v.Chr.) aus dem norditalienischen Lagozza (vgl. hierzu die Originalarbeit von Regazzoni 1887: La stazione prehistorica della Lagozza., Bull. di Paletnologia; zitiert in Helbaek 1959). Bei nahezu identischen Messwerten der feuchten, unverkohlten Samen mit dem vorliegenden Material sind Einbußen der Länge von ca. 25% und der Breite von ca. 30% bei den verkohlten Exemplaren nachzuweisen. Überdies tritt bei den verkohlten Leinsamen das Näschen deutlicher hervor als bei den unverkohlten; gleiches ist Körber-Grohne (1967) zu entnehmen. Die Abmessungen der gefundenen verkohlten und unverkohlten Leinsamen liegen im Bereich der Größen anderer prähistorischer Leinfunde aus Mittel- und Nordeuropa – vgl. die Zusammenstellung bei Körber-Grohne (1967, 150ff.) – sowie aus dem südeuropäischen Lagozza (Helbaek 1959). Heute kultivierte Sorten bilden vergleichsweise erheblich größere Samen aus.

Weiterhin konnte vom Lein ein beschädigtes Kapselsegment ausgelesen werden. Mit einer Breite von 2,0 mm liegt es im Größenbereich heute kultivierter Leinsorten. Dem Segment haften noch Reste der Scheidewände (Septen) an, die nicht behaart sind. Dieses Merkmal spricht für Schließlein, auch Dresch- oder Sommerlein genannt (ssp. *usitatissimum* [var. *vulgare* Boenn.] – vgl. Schiemann 1932). Im vorliegenden Fall kann der Verlust eventuell vorhandener Haare auch durch den schlechten Erhaltungszustand bedingt sein, wodurch das Auftreten von Schließlein anstatt von Springlein, auch Klanglein genannt (ssp. *crepitans* [Boenn.] Vav. et Ell.), vorgetäuscht wird. In diesem Zusammenhang muss noch der neolithische Pfahlbautenlein erwähnt werden, dessen verschiedene Nachweise von Heer (1865) erstmalig zusammengestellt wurden. Es handelt sich um einen kleinkapseligen, kleinsamigen Lein mit geschlossenen, bisweilen schwach geöffneten Kapseln, dessen Scheidewände wie bei Springlein behaart sind. Eine derart abweichende Morphologie von Schließlein – behaarte bzw. bewimperte Septen – ist bei dem heute noch in der Schweiz gebauten Alpenwinterlein (var. *bienne* Mill.) festzustellen. Die fehlenden Nachweise von unversehrten Leinkapseln sowie die Tatsache des Auftretens des neolithischen Pfahlbautenleins in unmittelbarer Nähe des Untersuchungsgebiets von Bodman-Schachen lassen eine Zuordnung des gefundenen Kapselsegments zu einer der drei Formen des Saatleins nicht zu. Einzelheiten zur Herkunft, Geschichte und Nutzung der verschiedenen Formen von *Linum usitatissimum* sind u.a. den Arbeiten von Heer (1865), Hegi (1908–1931), Helbaek (1959), Körber-Grohne (1987) und Schiemann (1932) zu entnehmen.

Herkunft, Geschichte und Nutzung des Leins im Überblick

Die ältesten Nachweise von Leinsamen kultivierter Formen stammen aus präkeramischen Siedlungsschichten (ca. 6000 B.C.) von Ramad in Syrien. Weitere frühe Funde wurden an anderen Siedlungsplätzen Vorder- und Mittelasiens, Ägyptens und des Balkans gemacht. Seit der Bandkeramik wurde der Lein auf den mitteleuropäischen Lößflächen nördlich der Donau kultiviert. Erst in den jüngeren neolithischen und bronzezeitlichen Kulturschichten der Pfahlbauten gehört der Lein zum Kulturpflanzeninventar des nördlichen Alpenvorlandes. Als Vorfahr unseres Kulturleins (*L. usitatissimum* L.) wird der mediterrane Zweijährige Lein (*L. bienne* Mill. = *L. angustifolium* Huds.) angesehen; in Bezug auf die Chromosomenzahl (2n = 30) und den Bau der Testa (Samenschale) zeigen beide Arten völlige Übereinstimmung (Helbaek 1959). Somit können die von Heer (1865) gemachten Beobachtungen an neolithischen Leinsamen der schweizerischen Seeufersiedlungen zur Herkunft unseres Kulturleins bestätigt werden. Körber-Grohne (1987) zufolge gibt es möglicherweise zwei verschiedene Einwanderungswege des Leins nach Mitteleuropa. Der für das nördliche Alpenvorland typische Winterlein ist direkt aus dem Mittelmeergebiet über die Alpen in unseren Raum gekommen. Der in Mitteleuropa üblicherweise angebaute Sommerlein scheint dagegen aus der östlichen Mittelmeerregion zu stammen, von wo er sich entlang der Donau nach Norden und Westen ausgebreitet hat. Für das frühbronzezeitliche Bodman-Schachen ist durchaus an einen Anbau von Winterlein zu denken, das heißt, Aussaat im Herbst und Ernte im folgenden Frühsommer, wie es Heer (1865) aufgrund seiner Funde postuliert hat.

Neben der Verwendung der Samen ist auch eine Nutzung der Leinfasern für Kleidungsstücke, Fischernetze und weitere Produkte im frühbronzezeitlichen Bodman-Schachen wahrscheinlich. Schon im Neolithikum sind viele Funde von Flachsarbeiten aus den Seeufersiedlungen der Schweiz und des Bodensees zu verzeichnen, so z. B. aus Hornstaad, Wangen, Allensbach und Sipplingen (Körber-Grohne/Feldtkeller 1998).

Lythraceae

Lythrum salicaria L.
(Gemeiner Blutweiderich; Taf. 5,5)

10 sf. Expl.: L. 1,00 (0,75–1,20) mm; B. 0,50 (0,40–0,65) mm; D. 0,34 (0,20–0,45) mm

Es wurden insgesamt zehn Samen mit meist eingedellter Bauchseite gefunden. Sieben sind schmal und basal zugespitzt, die drei größeren Samen sind schief birnenförmig und apikal breit ausgerandet mit flacher Ventral- und aufgewölbter Dorsalseite. Schmale, lang gestreckte Zellen mit erhabenen Wänden bedecken die glänzende Samenoberfläche. An korrodierten Stellen der Bauchseite ist die darunter liegende Schicht mit rundlichen Zellen und gewellten Wänden sichtbar. Rezente Samen des Gemeinen Blutweiderichs entsprechen den subfossilen Exemplaren in allen wesentlichen Merkmalen.

In der vorliegenden Vergleichssammlung fehlen Samen von *L. hyssopifolia* L. (Ysop-Blutweiderich). Nach Bertsch (1941) und Hegi (Bd. 5.2, 1926) sind diese durch ihre ausgesprochen schlanke, gebogene Form von denen der nachgewiesenen Art zu unterscheiden. Die einzige weitere einheimische Lythraceenart ist der Sumpfquendel (*Peplis portula* L.) mit deutlich kürzeren und gedrungenen Samen.

Onagraceae

Epilobium L. sp. (Weidenröschenarten)

9 sf. Expl.: L. 1,00 (0,75–1,15) mm; B. 0,46 (0,35–0,55) mm; D. 0,39 (0,30–0,50) mm
Davon:
2 Expl. „Hirsutum-Typ": L. 1,00/1,00 mm; B. 0,55/0,55 mm; D. 0,45/0,55 mm
2 Expl. „Roseum-Typ": L. 0,75/0,80 mm; B. 0,45/0,45 mm; D. 0,30/– mm
5 Expl. „Tetragonum-Typ": L. 1,09 (0,95–1,15) mm; B. 0,42 (0,35–0,45) mm; D. 0,37 (0,30–0,40) mm

Große Schwierigkeiten bereitete die Bestimmung und Abgrenzung der knapp zwei Dutzend Samen der Gattung Epilobium. Das Fundmaterial weist unterschiedlich geformte Typen auf, denen aber eine warzig papillöse Oberfläche gemeinsam ist. Der Vergleich mit rezentem Samenmaterial zeigt, dass alle gefundenen Samen zu einer vom Autor selbst zusammengestellten Gruppe von sechs Arten gehören. *E. hirsutum* L. (Rauhhaariges W.), *E. montanum* L. (Berg-W.), *E. obscurum* Schreber (Dunkelgrünes W.), *E. parviflorum* Schreber (Kleinblütiges W.), *E. roseum* Schreber (Rosenrotes W.) und *E. tetragonum* L. (Vierkantiges W.). Zu demselben Ergebnis kommt Jacomet (1986) bei Vergleichsstudien an rezentem Material. Innerhalb dieser Gruppe können die Samen von *E. hirsutum* aufgrund ihrer großen Breite, ihrer ausgeprägten Raphe und den kräftigen Warzen am ehesten abgegrenzt werden. Da zur sicheren Unterscheidung der sechs genannten Arten eingehendere Untersuchungen an umfangreichem Vergleichsmaterial angestellt werden müssten, bleibt es im Rahmen dieser Arbeit lediglich bei einer Typisierung der subfossilen Samen. Auch sind dem Autor keine entsprechenden Arbeiten bekannt, auf welche zurückgegriffen werden kann.

– „Hirsutum-Typ": im Vergleich zur Länge relativ breit, kräftige Warzen, distales Ende breit und „kantig" (5 sf. Samen).
– „Roseum-Typ": im Vergleich zur Länge relativ breit, kürzer als „Hirsutum-Typ", feinwarzig, im Längsschnitt „kantig" aussehend (2 sf. Samen).
– „Tetragonum-Typ": relativ schmal und länglich, Basis schmaler zugespitzt und Warzen größer als bei „Roseum-Typ" (6 sf. Samen).
– Den folgenden drei Typen können keine Samen zugeordnet werden:
– „Montanum-Typ": relativ groß, meist länger und schmaler als „Hirsutum-Typ", Warzen kleiner als bei diesen, distales Ende rund.
– „Obscurum-Typ": Form unterschiedlich, zwischen „Roseum-Typ" und „Tetragonum-Typ" stehend, feinwarzig, Warzen enger stehend als bei „Roseum-Typ".
– „Parviflorum-Typ": ähnlich wie „Tetragonum-Typ", aber Warzen eher großflächiger und deutlicher in Reihen angeordnet als bei diesem und im Mittel kleiner.

Wie schwierig eine Abgrenzung der verschiedenen Samen ist, zeigt das Typisierungsschema. Es soll lediglich Tendenzen bestimmter Merkmale innerhalb einer Art aufzeigen und stellt nicht den Anspruch auf eine allgemeine Gültigkeit. Auch ist bei der Bestimmung von Epilobiumsamen an die Vielzahl der vorkommenden Bastarde zu denken (Rothmaler 1976). Diese werden, auch bei besseren Kenntnissen über die artcharakteristischen Samenmerkmale, die Artzuweisung erschweren, vielleicht sogar unmöglich machen.

Cornaceae

Cornus suecica L.
(Schwedischer Hartriegel; Taf. 5,4)

5 sf. Expl.: L. 2,90 (2,50–3,40) mm; B. 2,84 (2,70–3,00) mm; D. 2,28 (1,90–2,80) mm

Einen besonderen Fund stellen die acht unversehrten Steinkerne des Schwedischen Hartriegels dar, die bis auf eine Ausnahme alle aus der kleinen Flächenprobe Q22c stammen. Sie sind unverkohlt und weisen auf der Oberfläche noch Reste des ehemals roten Fruchtfleisches auf. Die Form der Steinkerne ist kugelig, seitlich ein wenig zusammengedrückt und schwach asymmetrisch. Eine hervorspringende, im Querschnitt runde Basis steht einem abgeflachten bis zugespitzten proximalen Griffelende gegenüber. Schwach ausgebildete Rippen verlaufen von der Basis zur Spitze.

Die subfossilen Exemplare gleichen den rezenten in allen Einzelheiten und lassen sich gut von den Steinkernen der anderen Hartriegelarten abgrenzen. So besitzt der Blutrote H. (*C. sanguinea* L.) erheblich größere, kugelige Steinkerne, die Kornelkirsche (*C. mas* L.) große, ellipsoidische und der Weiße Hartriegel (*C. alba* L.) große Steinkerne, welche mindestens so breit wie lang und stark gerippt sind. Die zuletzt genannte Art wird in drei Unterarten aufgeteilt, von welchen in Mitteleuropa keine heimisch ist (Hegi, Bd. 5.2., 1926) und somit für unsere Betrachtungen entfällt.

Apiaceae

Aethusa cynapium L. (Hundspetersilie)

12 sf. Expl.: L. 3,16 (2,65–3,50) mm; B. 2,13 (1,60–2,50) mm; D. 1,18 (0,90–1,45) mm

Das größenvariable Fundmaterial enthält vorwiegend sehr gut erhaltene Teilfrüchte. Charakteristisch sind die mächtigen, wulstartigen Rippen ihrer aufgewölbten Rückenseite, zwischen denen jeweils ein rotbrauner Ölstriemen verläuft. Der Hautsaum und die beiden bogenförmigen Ölstriemen der abgeflachten Innenseite sind dagegen meist korrodiert. Bei einzelnen, stark angegriffenen Exemplaren ist nur eine rippenlose, gelblich braune Hülle erhalten geblieben, bei welcher die Raphe (Samennaht) gut zu sehen ist.

Die subfossilen Teilfrüchte der anderen nachgewiesenen Apiaceenarten (s. u.) sind vergleichsweise stärker korrodiert und können von dem vorliegenden Fundgut leicht abgegrenzt werden. Verwechslungsmöglichkeiten mit anderen Sämereien sind dem Autor nicht bekannt.

Conium maculatum L.
(Gefleckter Schierling; Taf. 5,3)

1 sf. Expl.: L. 3,6 mm; B. 1,8 mm; D. 1,5 mm

Erhalten geblieben ist ausschließlich die transparente, hellbraune Fruchtschale einer Teilfrucht, welche gequetscht und eingerissen ist. Ihr Umriss ist oval, basal zugespitzt und die abgeflachte Innenseite weist eine tiefe Längsfurche auf. Viele dunkle, gezähnte Leisten verlaufen in charakteristischer Weise von einem zum anderen Ende. Diese werden durch die verdickten Wände der Schmalseite quer orientierter, sprossenförmiger Zellen des Mesokarps gebildet. Die darunter liegende zweite Querzellenschicht aus allseitig dünnwandigen Zellen gehört zum Endokarp; sie ist bei der subfossilen Teilfrucht teilweise vom Mesokarp abgelöst (vgl. Gassner 1955, 307).

Bei rezenten Exemplaren genügen wenige Sekunden Wässerung, um die Rippen und die Griffelbasis abschaben zu können. Die präparierten rezenten Teilfrüchte entsprechen dem Fund in allen genannten Merkmalen. Ähnliche Korrosionsstadien von Teilfrüchten des Gefleckten S. werden von Knörzer (1967; 1970; 1973; 1981) beschrieben bzw. abgebildet.

Daucus carota L. (Wilde Möhre)

7 sf. Expl.: L. 2,26 (1,70–2,90) mm; B. 1,38 (1,20–1,55) mm; D. 0,77 (0,70–0,80) mm

Nur bei einer der acht rundlich bis länglich eiförmigen Teilfrüchte (Merikarpien) blieben Reste der hellen, abgeflachten Saumstacheln erhalten. Sie sind in Reihen auf den seitlichen Rippen und auf den beiden Längsrippen der aufgewölbten Außenfläche angeordnet. Zwischen diesen vier Rippen verläuft jeweils eine weitere schwache Rippe, deren borstige Behaarung vollständig abgegangen ist. Von Stacheln und äußerer Fruchtschale befreite rezente Exemplare sind mit den sieben korrodierten Merikarpien identisch. Als arttypisch gelten die beiden kräftigen Längsrippen der Außenfläche, woran auch schlecht erhaltene Teilfrüchte erkannt werden können. Das subfossile Material zeichnet sich weiterhin durch eine glatte, braun glänzende Oberfläche sowie – entsprechend den rezenten Vergleichsfrüchten – durch eine große Variabilität in Form und Länge aus.

Verwechslungen mit Merikarpien anderer Umbelliferenarten sind kaum möglich.

Peucedanum officinale L.
(Echter Haarstrang)

4 sf. Expl.: L. 5,13 (3,9–6,4) mm; B. 3,40 (2,6–4,0) mm; D. ca. 0,5 mm

Die Teilfrüchte sind im Umriss länglich oval und stark abgeflacht. Bei allen gefundenen Exemplaren sind die längs verlaufenden Ölstriemen und Rippen der nach innen gewölbten Fugen- und der konvexen Rückenfläche nicht mehr zu erkennen. Der beidseitig zugespitzte, spindelförmige Mittelteil hebt sich vom allseitig umgebenden Hautsaum durch seine größere Dicke und seine dunklere Färbung deutlich ab. Bei den subfossilen Exemplaren fallen weiterhin zwei dunkle Linien auf, die die äußere Begrenzung der Fugenfläche zum Hautsaum darstellen. Die beiden Enden sind meist abgerissen und der Rand des Hautsaumes ist etwas ausgefranst.

Die Teilfrüchte anderer Haarstrangarten sind bedeutend kleiner als die gefundenen Exemplare oder breiter im Verhältnis zur Länge wie die Teilfrüchte des Sumpf-Haarstrangs (*P. palustre* [L.] Moench). Weitere großfrüchtige Umbelliferenarten kommen aufgrund der rundlich ovalen Form ihrer Teilfrüchte, wie beim Pastinak (*Pastinaca sativa* L.) und der Großen Zirmet (*Tordylium maximum* L.) oder wegen der größeren Dicke ihrer Teilfrüchte wie bei der Echten Engelwurz (*Angelica archangelica* L.) für eine Verwechslung nicht in Betracht.

Torilis japonica (Houtt.) DC.
(Gemeiner Klettenkerbel; Taf. 5,2)

Größenmessungen müssen bei der erheblich beschädigten Teilfrucht entfallen. Ihre Bestimmung kann anhand ihrer großen Anzahl von Stacheln bzw. Stachelstümpfen und den drei Längsfurchen – unbestachelte Partien – der Rückenseite, der stachellosen Bauchseite und der länglich ovalen Form erfolgen. Die median verlaufende helle Rippe der Ventralseite ist noch zu erkennen, die Ansatzstelle fehlt.
Teilfrüchte von *T. arvensis* (Huds.) Link (Feld-Klettenkerbel) sind größer, länger gestreckt und kräftiger bestachelt als das gefundene Exemplar. Diejenigen von *Anthriscus caucalis* M. Bieb. (Hunds-Kerbel) sind dagegen etwas kleiner, schwächer bestachelt und besitzen keine Längsfurchen.

Apiaceae Lindl. indet.
(unbestimmbare Doldengewächsart)

1 sf. Expl. (Bruchstück): L. 3,5 mm; B. 1,6 mm; D. 0,3 mm
Ein kleines Bruchstück einer Teilfrucht mit dunklen Ölstriemen und Resten von schmalen, hellen Längsrippen kann weder einer nachgewiesenen noch einer anderen Umbelliferenart zugeordnet werden. Die Form des Fragmentes spricht für ein ehemals schmales, längliches Merikarp mit gerade verlaufenden Rändern, wie es für den Echten Haarstrang (*Peucedanum officinale* L.) typisch ist. Allerdings sind dessen Teilfrüchte in einem anderen Erhaltungszustand nachgewiesen worden (s.o.).

Gentianaceae

Centaurium pulchellum (Sw.) Druce
(Zierliches Tausendgüldenkraut)

Synonym: *Erythraea pulchella* Fries
3 sf. Expl.: L. 0,32 (0,29–0,35) mm; B. 0,26 (0,25–0,27) mm; D. 0,25 (0,23–0,27) mm
Die drei gefundenen Samen dieser Art sind die einzigen Nachweise der Familie Gentianaceae Juss. (Enziangewächse). Sie gehören zu den kleinsten pflanzlichen Funden und sind an ihrer „abgeplattet kugeligen" Form und der ausgeprägten Felderung der Samenoberfläche gut zu erkennen.
Einige Schwierigkeiten bereitet allerdings die Unterscheidung der Samen verschiedener Tausendgüldenkrautarten. *C. littorale* (Turner) Gilmour (Strand-T.) und *C. capitatum* (Willd.) Borbas (Kopfiges T.) bilden in der Regel größere Samen aus und dürfen wohl aufgrund ihrer heutigen küstennahen Vorkommen ausgeschlossen werden. Beim Vergleich der Samen von *C. pulchellum* und *C. erythraea* Rafn (Echtes T.) müssen mehrere Merkmale zugleich herangezogen werden, um eine sichere Unterscheidung zu gewährleisten. Rezente Samen von *C. pulchellum* sind im Mittel kleiner, ihre Felderung ist feiner, die Leisten sind niedriger und die Höckerchen des Mascheninnenraumes sind kleiner. Das heißt, die Samen von *C. pulchellum* sind zierlicher und feiner strukturiert als die Samen von *C. erythraea*. Auch Körber-Grohne (1967) beschreibt die Samen von *C. pulchellum* als „wohl im Mittel ein wenig kleiner". Die Größenangaben der subfossilen Samen von *C. pulchellum* bei Jacomet (1986) – Durchmesser: 0,5 bis 0,6 mm – treffen dagegen eher auf die Exemplare von *C. erythraea* unserer Vergleichssammlung zu, ebenso wie die dort angeführten Oberflächenmerkmale.

Caprifoliaceae

Sambucus ebulus L.
(Zwerg-Holunder, Attich)

2 sf. Expl.: L. 2,70/3,00 mm; B. 2,40/2,50 mm; D. 1,40/1,15 mm; B/L × 100: 88,89/83,33; B/D × 100: 51,85/38,33
Unter dem sehr umfangreichen und auffallend gut erhaltenen Steinkernmaterial der Gattung Sambucus L. (Holunder) fallen zwei Exemplare mit abgerundet eiförmigem Umriss auf. Die Basis ist schmaler als das breit gerundete distale Ende, aber nicht zugespitzt. Einer stark aufgewölbten Rückenseite liegt eine mehr oder weniger stark ausgeprägte dachförmige Bauchseite gegenüber, an deren Basis der kleine Nabel sitzt. Kräftige Querrunzeln überziehen die Oberfläche der beiden rötlich braunen Steinkerne.
Sämtliche anderen Holundersteinkerne sind schlanker, länger, stets basal zugespitzt und von gelblich brauner Farbe. Die runde Form der Attichsteinkerne zeigt sich insbesondere bei den Indexwerten von B/L × 100, die erheblich höher liegen als bei den vermessenen Exemplaren von *S. nigra* und *S. racemosa* (s.u.).

Sambucus nigra L. (Schwarzer Holunder)

30 sf. Expl.: L. 3,70 (3,00–4,80) mm; B. 1,87 (1,55–2,35) mm; D. 1,01 (0,80–1,20) mm; B/L × 100: 51,14 (35,23–67,74); D/L × 100: 27,67 (20,45–34,29)
10 rez. Expl. (1. Herkunft): L. 3,91 (3,50–4,50) mm; B. 1,67 (1,50–1,80) mm; D. 1,00 (0,90–1,20) mm; B/L × 100: 42,71 (39,47–48,61); D/L × 100: 25,58 (22,50–31,17)
10 rez. Expl. (2. Herkunft): L. 3,08 (2,90–3,30) mm; B. 1,85 (1,75–2,00) mm; D. 0,99 (0,95–1,05) mm; B/L × 100: 59,92 (54,69–63,49); D/L × 100: 32,18 (30,16–35,00)
Sambucus racemosa L. (Trauben-Holunder) zum Vergleich:
10 rez. Expl. (1. Herkunft): L. 2,79 (2,50–2,90) mm; B. 1,55 (1,40–1,75) mm; D. 1,06 (1,00–1,15) mm; B/L × 100: 55,63 (50,00–68,00); D/L × 100: 38,07 (35,71–40,00)
10 rez. Expl. (2. Herkunft): L. 2,77 (2,65–2,90) mm; B. 1,81 (1,65–2,05) mm; D. 1,21 (1,15–1,30) mm; B/L × 100: 65,40 (60,00–75,93); D/L × 100: 43,74 (39,66–49,06)
Weit über 300 Steinkerne gehören zum Schwarzen Holunder. Ihr Umriss ist länglich eiförmig, apikal kantig gerundet und basal mehr oder weniger stark zugespitzt. Rücken- und Bauchseite sind nur wenig aufgewölbt, Letztere ist zum Teil dachförmig ausgebildet und zur Spitze hin abgeflacht. Die Außenkante teilt die Steinkerne in eine Dorsal- und Ventralhälfte nahezu gleicher Dicke. Kräftige Querrunzeln bedecken die gelblich braune Oberfläche.
Die beiden subfossilen Attichsteinkerne unterscheiden sich eindeutig von den Steinkernen des Schwarzen H. (s.o.). Schwierigkeiten bereitet dagegen die Abgrenzung einiger dicker, kurzer Exemplare mit dachförmiger Bauchseite von den Steinkernen des Trauben-H. (*S. racemosa* L.). Rezente Exemplare dieser Art haben in der Regel eine gerade Ventralkante ohne abgeflachte Basis, eine gleichmäßiger aufgewölbte Rückenfläche und in Aufsicht ein gerundetes oberes Ende ohne „Kanten". Das heißt, sie sind regelmäßiger geformt und ihre Oberfläche weist feinere Runzeln auf als die gefundenen Steinkerne.

70 subfossile und rezente Steinkerne jeweils verschiedener Herkünfte von *S. nigra* bzw. von *S. racemosa* wurden vermessen, um die Artbestimmung auch größenstatistisch abzusichern (Messwerte s. o.). Bis auf ein rezentes Exemplar sind sämtliche Steinkerne von *S. nigra* länger und diejenigen von *S. racemosa* kürzer als 3,0 mm. Bessere Unterscheidungskriterien sind die Indexwerte B/L × 100 und insbesondere D/L × 100. Bei Letzteren haben sich keine Überschneidungen zwischen den beiden Arten ergeben. Alle vermessenen subfossilen Steinkerne liegen im Größenbereich von *S. nigra*.

Auf die Schwierigkeiten bei der Unterscheidung von Holundersteinkernen aufgrund von möglichen Übergangsformen weist auch Fredskild (1978) hin. Eine Zusammenstellung einiger neolithischer Fundplätze von Steinkernen des Attichs und des Schwarzen Holunders ist bei Küster (1985b) zu finden.

Valerianaceae

Valeriana L. sp. (Baldrianarten; Taf. 5,1)

1 sf. Expl.: L. 3,1 mm; B. 1,6 mm; D. 0,2 mm

Als besonders schwierig erwies sich die Bestimmung der zwei Baldrianreste. Es handelt sich zum einen um ein dunkelbraunes Bruchstück der Fruchtaußenseite, welches an den drei medianen Längsnerven zu erkennen ist. Zum anderen handelt es sich um eine leierförmige „Innenfrucht", das heißt eine Frucht, bei der die äußeren Wandschichten samt den typischen Längsnerven abgegangen sind. Der verbliebene gelbbraune, transparente Perikarpanteil aus deutlich sich abzeichnenden, rundlichen Zellen mit dunklen Wänden lässt im Innern die dunkle Samenschale erkennen. Bei rezenten Baldrianfrüchten können die äußeren Wandschichten leicht abgerieben werden. Sie gleichen dann in der Form und Oberflächenstruktur dem subfossilen Fund; das Nabelspitzchen ist im Gegensatz zu unbehandelten Früchten sehr klein und schräg nach unten abstehend.

Die Zuordnung des gefundenen Exemplars zum Kleinen Baldrian (*V. dioica* L.) ist trotz des ausgerandeten Apexes, den geringen Abmessungen und dem Längen-Breiten-Index von ca. 0,5 nicht eindeutig. Der Echte Baldrian (*V. officinalis* L.) und der Kriechende Baldrian (*V. repens* Host) bilden mitunter ähnlich gestaltete Früchte aus und sind nicht sicher abzutrennen.

Valerianella dentata (L.) Pollich (Gezähnter Feldsalat, Gezähntes Rapünzchen)

5 sf. Expl.: L. 1,69 (1,35–1,90) mm; B. 1,11 (0,95–1,20) mm; D. 0,80 (0,65–0,90) mm

Die beiden auffallenden Wülste der Ventralseite, die schmale, dazwischen liegende Rippe und die dorsale Längsrippe geben den Früchten ein unverwechselbares Aussehen. Von dem ursprünglich mehrzähnigen Kelchsaum ist der große Zahn über dem Rücken des Samenfaches bei allen Exemplaren erhalten geblieben. Die rundmaschige Oberhaut ist z. T. abgegangen.

Die Früchte anderer Feldsalatarten lassen sich leicht von den beschriebenen Fundexemplaren abgrenzen (s. u.).

Valerianella locusta Laterrade em. Betcke (Echter Feldsalat, Gemeines Rapünzchen)

1 sf. Expl. (Frucht): L. 2,00 mm; B. 2,00 mm; D. 1,05 mm

Zu dieser Art sind eine unversehrte braune Frucht und ein aufgerissenes gelblich braunes Mittelfach zu stellen. Von der Breitseite aus gesehen ist die Frucht fast kreisrund, im Querschnitt asymmetrisch schmal elliptisch. Je eine seichte Furche befindet sich zwischen den benachbarten Fruchtfächern und an der Schmalseite des Samen- bzw. Mittelfaches. Von dem mehrzähnigen Kelchsaum ist bei dem subfossilen Exemplar nur der größte Zahn oberhalb des fruchtbaren Mittelfaches erhalten geblieben. Das einzeln gefundene Samenfach ist an seiner gekrümmten, abgeflachten Form und der nach innen hervorstehenden dunklen Warze des zugespitzten apikalen Endes zu erkennen. Gut sichtbare rundliche Maschen prägen die Oberfläche des Samenfaches. Die ursprüngliche korkige Verdickung des Rückenteils ist abgegangen.

Verwechslungen mit Früchten bzw. einzeln vorliegenden Mittelfächern anderer Valerianellaarten sind ausgeschlossen.

Boraginaceae

Myosotis L. sp. (Vergißmeinnichtarten)

1 sf. Expl.: L. 1,15 mm; B. 0,80 mm; D. 0,55 mm

Lediglich ein schwarzes, birnenförmiges Nüsschen mit zugespitztem apikalen Ende kann der Gattung Myosotis zugeordnet werden. Der eiförmige Nabel liegt ventral am ausgerundeten Ende, quer zur Längsachse ausgerichtet. Reste des bauchwärts hoch gewölbten Hautsaumes sind noch zu erkennen. Die dachförmige Aufwölbung ist nur im oberen Drittel der Klause scharf ausgeprägt.

Vergleiche mit Rezentmaterial erlauben keine Artbestimmung, nicht zuletzt wegen der erheblichen Größenvariabilität der Klausen innerhalb einer Art und der großen Ähnlichkeit der Klausen verschiedener Vergißmeinnichtarten. Auch die Untersuchung der Oberflächenstrukturen ergab keine nennenswerten Artunterschiede. Die geringe Größe des subfossilen Exemplares spricht am ehesten für die kleinfrüchtigen Arten *M. arvensis* (L.) Hill. (Acker-V.), *M. discolor* Pers. (Buntes V.) und *M. ramosissima* Rochel (Rauhes V.).

Solanaceae

Solanum nigrum L. em. Mill. (Schwarzer Nachtschatten)

1 sf. Expl.: L. 1,80 mm; B. 1,50 mm; D. 0,85 mm; L/B. 1,2

In der oberen Kulturschicht sind ein gut erhaltener Samen und ein flach gedrücktes, schwach transparentes Samenbruchstück nachgewiesen worden. Die wellig verzahnten Epidermiszellen sind charakteristisch für die Familie der Solanaceae (Nachtschattengewächse).

Auf die Schwierigkeiten der Unterscheidung von subfossilem Samenmaterial der drei hier in Frage kommenden Arten *S. nigrum* L., *S. dulcamara* L. (Bittersüßer N.) und *Physalis alkekengi* L. (Wilde Judenkirsche) weist schon Villaret-von Rochow (1967, 56 ff.) bei ihren eingehenden Untersuchungen hin. Die Samen der Wilden Judenkirsche unterscheiden sich durch ihre mächtigen Epidermiszellwände von den vorliegenden Funden. Das unversehrte Exemplar ist etwas in die Länge gestreckt und am basalen Ende gebogen zugespitzt, was für die rezenten Samen von *S. nigrum* unserer Vergleichssammlung zutrifft. Auch der Längen-Breiten-Index von 1,2 liegt im Bereich der genannten Art. Samen von *S. dulcamara* sind vergleichsweise größer, rundlicher im Umriss, basal nur selten zugespitzt und besitzen dementsprechend geringere Längen-Breiten-Indizes. Dieselben Feststellungen machten auch Villaret-von Rochow (1967), Knörzer (1970) und Jacomet (1986). Aufgrund der Form und Größe wird das Samenbruchstück ebenfalls zum Schwarzen Nachtschatten gestellt.

Scrophulariaceae

cf. *Pseudolysimachium* (Koch) Opiz sp. (wohl Blauweiderichart)

1 sf. Expl.: L. 1,15 mm; B. 0,95 mm; D. 0,35 mm

Der Samen ist im Umriss oval, abgeflacht, aber nicht schildförmig und hat zur Bauchseite hin gebogene und gewellte Ränder. Die konkave Ventralseite ist korrodiert, so dass der Nabel und die Raphe nur andeutungsweise zu erkennen sind. Schon bei geringer Vergrößerung erscheint die Oberfläche durch erhabene Zellwände aufgeraut.

Unter den Blauweicharten kommen die großen, dicken Samen des Ährigen B. (*P. spicatum* [L.] Opiz) am ehesten hierfür in Betracht. Selbst die nah verwandten, großsamigen Veronicaarten (Ehrenpreis) können nicht völlig ausgeschlossen werden.

Veronica beccabunga L. (Bach-Ehrenpreis, Bachbunge)

2 sf. Expl.: L. 0,60/0,60 mm; B. 0,45/0,50 mm; D. 0,35/0,40 mm

Eine der kleinsamigsten Veronicaarten ist die Bachbunge. Nur die eingerissenen, transparenten Samenschalen zweier Exemplare sind erhalten geblieben. Der napfartig gewölbte Rücken umschließt mit seinem nach unten vorgewölbten Rand die schwach konkave Bauchseite. Auffallend ist die kleine, punktförmige Nabelgrube, die im Vergleich zu anderen Ehrenpreissamen basaler liegt. Daneben kann die glänzende, faltig-"knautschige" Oberfläche als typisches Merkmal der Bachbungensamen angesehen werden.

Die Samen des Blauen Wasser-Ehrenpreises (*V. anagallis-aquatica* L.) kommen als einziger Verwechslungspartner in Frage. An Rezentmaterial herausgearbeitete Unterschiede zur nachgewiesenen Art sind: Die Samen sind im Mittel kleiner, meist mit rundlichem Umriss und schwächer gewölbt; die Nabelgrube ist bei gleicher Lage stets größer als bei den rezenten und subfossilen Samen der Bachbunge.

Veronica chamaedrys L. (Gamander-Ehrenpreis)

3 sf. Expl.: L. 1,13 (0,95–1,35) mm; B. 0,75 (0,65–0,80) mm; D. 0,20 mm
Nabelgröße: L. 0,50 (0,45–0,55) mm; B. 0,38 (0,35–0,40) mm

Deutlich größere Samen als die vorige Art besitzt der Gamander-Ehrenpreis. Von den subfossilen Exemplaren ist nur die Samenschale erhalten geblieben, in zwei Fällen dunkelbraun gefärbt, im anderen Fall bernsteinfarben transparent. Der Umriss der schwach bikonvexen Samen ist oval, der Außenrand fällt zum Rücken hin ab. Auffallend ist der große, eiförmige und hervorstehende Nabel, der mehr als ein Drittel der Samenlänge und knapp die Hälfte der Breite misst (Messwerte s. o.). Er ist der Länge nach rinnenartig eingesenkt, und von seinem Rand ziehen mehrere feine Grate in radiärer Anordnung zum Samenrand hin. Ein feines Zellnetz bedeckt die Samenoberfläche.

Entsprechend geformte Samen anderer Ehrenpreisarten können an ihren kleineren Nabeln von den subfossilen Funden unterschieden werden.

Veronica serpyllifolia L. (Quendel-Ehrenpreis)

2 sf. Expl.: L. 0,50/0,50 mm; B. 0,40/0,40 mm; D. 0,20/0,20 mm

Die beiden kleinsten Veronicasamen gehören zum Quendel-Ehrenpreis. Sie sind im Umriss abgerundet eiförmig, schildförmig mit nach unten vorgewölbtem Rand und besitzen einen kreisrunden, erhabenen Nabel von ca. 1 mm Durchmesser knapp unterhalb der Mitte. Ihre durchschimmernde Samenschale ist von bernsteinfarbenem Ton und bei einem Exemplar eingerissen. Rezentes Samenmaterial dieser Art ist in der Regel größer, aber kleine Exemplare entsprechen in ihren Abmessungen durchaus den gefundenen.

Kleinsamige Arten wie *V. beccabunga* und *V. anagallis-aquatica* (s. o.) sind gut abzugrenzen. Auch die kleinen Samen von *V. peregrina* L. (Fremder Ehrenpreis) – Herkunft: Südamerika (!) – und von *V. acinifolia* L. (Kölme-E.) können an ihrem lang gestreckten Nabel von den subfossilen Funden unterschieden werden. Einziger Verwechslungspartner ist *V. officinalis* L. (Echter E.). Reife Samen sind erheblich größer und an ihrem stets median gelegenen, punktförmigen Nabel zu erkennen.

Plantaginaceae

Plantago major L. (Breit-Wegerich; Taf. 6,1–3)

10 sf. Expl., „cf. ssp. *major*": L. 1,39 (1,25–1,60) mm; B. 0,79 (0,70–0,90) mm
1 sf. Expl., „cf. ssp. *intermedia*": L. 0,85 mm; B. 0,55 mm
8 sf. Expl., „ssp. *intermedia* vel ssp. *major*": L. 1,11 (1,00–1,20) mm; B. 0,71 (0,70–0,75) mm

Die größtenteils schlecht erhaltenen und flach gedrückten Samen sind im Umriss oval oder dreieckig mit abgerundeten Ecken. Die starke Heterogenität in Form und Größe spiegelt sich auch bei rezentem Material wider. Eine Abtrennung der beiden Unterarten ssp. *major* und ssp. *intermedia* (Godr.) Lange kann nur bei der Hälfte der Funde erfolgen. Erstere besitzt deutlich größere und breiter geformte Samen mit meist ausgeprägten „Ecken"; hierzu werden zehn Exemplare gerechnet (cf. ssp. *major*). Ein kleiner Samen gehört wohl zur Subspezies *intermedia* (cf. ssp. *intermedia* = *P. intermedia* Gilib, Kleiner Wegerich) und weitere neun, eher eiförmige Samen können keiner der beiden Unterarten zugeordnet werden. Sie ähneln mehr dem Rezentmaterial des Kleinen

Wegerichs. Von den beiden grubenartig eingesenkten Nabelflecken der Ventralseite ziehen viele radiär angeordnete, geschlängelte Grate zu den Rändern hin, wohingegen die Grate zwischen den Nabelflecken senkrecht zu einer durch sie gedachten Achse verlaufen. Auf der Dorsalseite ziehen die Grate parallel zueinander in Längsrichtung des Samens. In Längsreihen angeordnete rechteckige Zellen geben der Oberfläche eine engmaschige Netzstruktur. Messwerte und Größendiagramme von römerzeitlichen *Plantago major*-Samen sind bei Knörzer (1981) zu finden.

Ebenfalls kleine Samen besitzt der an Salzstellen beheimate Krähenfuß-Wegerich (*P. coronopus* L.). An der gleichmäßig ovalen Form und den breit abgerundeten Rändern sind dessen Samen von dem Fundgut leicht zu unterscheiden. Sämtliche nicht genannten Wegericharten haben wesentlich größere Samen.

Plantago major ssp. *major* wird als bedeutender Kulturzeiger seit dem Neolithikum angesehen.

Verbenaceae

Verbena officinalis L. (Echtes Eisenkraut)

5 sf. Expl.: L. 1,70 (1,50–1,90) mm; B. 0,65 (0,60–0,70) mm; D. 0,57 (0,50–0,60) mm

Die stäbchenförmigen, beidseitig abgerundeten Klausen weisen auf ihrer aufgewölbten Dorsalseite vier Längsrippen auf, die sich lateral und apikal verästeln. Die mehr oder weniger unstrukturierte Ventralseite trägt den Nabel an ihrer Basis und ist flach dachförmig. Die unverwechselbaren Teilfrüchtchen der einzigen einheimischen Eisenkrautart sind im rezenten Zustand auf der Bauchseite von beigefarbenen Warzen dicht besetzt, die auch bei gut erhaltenen subfossilen Exemplaren nicht mehr vorhanden sind.

Lamiaceae

Acinos cf. *arvensis* (Lamk.) Dandy (wohl Gemeiner Steinquendel)

Synonyme: *Calamintha acinos* (L.) Clairv., *Satureja acinos* (L.) Scheele
2 sf. Expl.: L. 0,90/1,00 mm; B. 0,55/0,55 mm; D. 0,40/0,45 mm
10 rez. Expl.: L. 1,42 (1,3–1,5) mm; B. 0,68 (0,6–0,8) mm; D. 0,50 (0,4–0,6) mm

Insgesamt konnten nur drei leicht beschädigte Klausen dieser Art zugerechnet werden. Sie zeichnen sich durch ihre schlanke, lang gestreckte Form, ihre schmal zugespitzte Basis und den bis ins obere Drittel der Klause ausgezogenen scharfen Ventralgrat aus. Im Längsschnitt ist die allmähliche Verjüngung der Teilfrüchtchen vom abgerundeten Apex bis zur lang ausgezogenen Basis zu erkennen. Eine feine Oberflächenstruktur wird nur stellenweise von der ursprünglichen Oberhaut aus weiten Maschen überlagert. Rezente Klausen des Gemeinen Steinquendels ähneln den beschriebenen Exemplaren am ehesten. Ihre noch länger ausgezogene Basis und ihre deutlich größeren Abmessungen (Messwerte s.o.) unterscheiden sie von den eventuell nicht ausgereiften subfossilen Klausen.

Die nahe verwandten Calamintha- (Bergminze) und Saturejaarten (Bohnenkraut) sind durch ihre erheblich größeren, im Umriss rundlichen und dicken Früchtchen gut abzugrenzen.

Verwechslungen mit anderen kleinfrüchtigen Labiatengattungen sind nicht möglich: *Origanum vulgare* (Gemeiner Dost) besitzt breitere, flachere und stumpfer zugespitzte Klausen, Menthafrüchtchen (Minze) haben deutlich abgesetzte, dreikantige und breite Nabelspitzchen (Beschreibungen s.u.) und rundliche bzw. kugelige Klausen sind der Gattung Thymus (Thymian) eigen.

Ajuga reptans L. (Kriechender Günsel; Taf. 6,7)

1 sf. Expl.: L. 1,55 mm; B. 1,00 mm; D. 0,90 mm

Die abgerundet eiförmige Klause wird auf ihrer Außenseite von einem groben Netz aus annähernd regelmäßigen, polygonalen Maschen bedeckt. Die Hälfte bis ein Drittel der Innenseite wird von der Anheftungsfläche eingenommen, in deren Mitte sich der längliche Nabel erhebt. Das Elaiosom (wulstiger Rand) ist nur halbseitig erhalten geblieben. Rezente Klausen des Kriechenden G. sind größer, ansonsten aber gleich gestaltet wie das subfossile Exemplar.

Teilfrüchte des Gelben G. (*A. chamaepitys* [L.] Schreber) und des Pyramiden-G. (*A. pyramidalis* L.) sind durch ihre schmale Form und ihre Größe unterschieden. Bei den Klausen des Heide-G. (*A. genevensis* L.) nimmt die Anheftungsfläche ca. zwei Drittel der Innenseite ein und ihre Maschengruben sind kleiner und tiefer als bei der gefundenen Teilfrucht.

Clinopodium vulgare L. (Wirbeldost)

Synonym: *Calamintha clinopodium* Spenner, *Satureja calamintha* (L.) Scheele
2 sf. Expl.: L. 1,10/1,40 mm; B. 1,00/1,15 mm; D. 0,80/0,90 mm
10 rez. Expl.: L. 1,13 (1,00–1,20) mm; B. 0,94 (0,85–1,00) mm; D. 0,75 (0,70–0,80) mm

Die beiden Klausen des Wirbeldostes haben einen rundlich ovalen bzw. nahezu kreisrunden Umriss und eine kaum hervorspringende Nabelspitze. Die breiteste Stelle liegt in der Mitte und der bauchwärts gelegene Grat ist stumpf. Ein feinmaschiges Zellnetz überzieht die Oberfläche. Auf der Dorsalseite verlaufen drei – bei rezenten Exemplaren zwei bis vier – divergierende Längsstreifen mit jeweils einer medianen Rippe von der Basis bis zum distalen Ende. Sie sind bei den beiden Funden nur noch andeutungsweise erhalten geblieben. Eine der beiden Klausen liefert deutlich größere Messwerte als das vorliegende rezente Vergleichsmaterial (Messwerte s.o.). Die angegebenen Größen decken sich hingegen mit den von Knörzer (1970) an Rezentmaterial erzielten Ergebnissen.

Die möglichen Verwechslungspartner *Satureja hortensis* L. (Echtes Bohnenkraut), *S. montana* L. (Winter-B.) – beides mediterrane Arten, die nachweislich erst seit dem Beginn des Mittelalters bzw. der Frühen Neuzeit in Mitteleuropa kultiviert werden (vgl. Hegi, Bd. 5.4, 1927, 2282ff.) – und *Calamintha sylvatica* Bromfield (Wald-Bergminze) zeichnen sich durch folgende Gemeinsamkeiten ihrer Klausen aus: Umriss oval mit zugespitzter Basis, breiteste Stelle nahe der Ansatzstelle gelegen, Oberfläche rau. Eine sichere Abgrenzung ist auch von den schmalen, lang gestreckten Früchtchen von *Acinos arvensis* möglich (s. o.).

Galeopsis cf. *speciosa* Mill. (wohl Bunter Hohlzahn; Taf. 6,6)

3 sf. Expl.: L. 3,33 (3,20–3,45) mm; B. 2,93 (2,90–3,00) mm

Im Umriss sind die dunkelbraunen Teilfrüchte rundlich tropfenförmig mit breit ausgerundetem oberen und schmalerem unteren Ende – alle drei Funde in Probe Q62/2. Der runde Nabel ist schräg gestellt und zeigt zur dachförmigen Bauchfläche. Ihre beiden Hälften sind aufgewölbt und treffen sich in einem stumpfen Winkel an der nur in der basalen Hälfte der Klause ausgebildeten Dachleiste. In seitlicher Lage erkennt man die nahezu gleichmäßig aufgewölbte Bauch- und Rückenseite, die in der unteren Hälfte der Teilfrucht von einer deutlichen Randkante getrennt werden; im oberen Drittel ist der Rand abgerundet. Die breiteste Stelle liegt bei lateraler Ansicht meist etwas unterhalb der Mitte. Der feinzelligen Oberfläche sind fleckenweise Zellgruppen größerer polygonaler Zellen als äußerste Schicht aufgelagert. Auffallend sind bei den subfossilen Exemplaren mehrere bäumchenartig verzweigte feine Grate (Nerven) auf der Bauchseite, die ihren Ursprung in der Ventralleiste haben.

Von ähnlicher Größe sind die Teilfrüchte des Stechenden Hohlzahns (*G. tetrahit* L.). Im Umriss sind diese ausgeprägter tropfenförmig und zur Basis hin stärker verjüngt als die Exemplare der nachgewiesenen Art. Ventral- und Dorsalseite schließen am distalen Ende einen spitzeren Winkel ein und eine ausgeprägte Randkante umsäumt die ganze Teilfrucht. Von der breitesten Stelle knapp oberhalb der Mitte verläuft die Bauchfläche gerade bis zum oberen Ende. Die anderen Hohlzahnarten bilden kleinere, schmale, längliche Teilfrüchte aus. Da es sich bei den gefundenen Resten um drei auf der Rückenseite beschädigte und drei platt gedrückte Früchte ohne äußerste Zellschicht handelt, kann deren Bestimmung nicht sicher bis zur Art erfolgen.

Galeopsis L. sp. (Hohlzahnarten)

1 sf. Expl.: L. 2,60 mm; B. 1,95 mm

Zwei weitere, schlecht erhaltene Teilfrüchte sowie drei große Fruchtbruchstücke der Gattung Galeopsis sind ebenfalls – bis auf eine Ausnahme – in Probe Q62/2 aufgetaucht. Im Umriss sind die ganzen Exemplare rundlich tropfenförmig, flach gedrückt und von gelblich brauner Farbe. Die Abmessungen liegen deutlich unter denen der anderen Hohlzahnteilfrüchte dieser Probe. Da die Größen der Teilfrüchte von Galeopsisarten erheblich schwanken, kann es sich auch hier um Reste kleiner Teilfrüchte des Bunten Hohlzahns handeln. *Galeopsis angustifolia* (Ehrh.) Hoffm. (Schmalblättriger H.), *G. ladanum* L. (Acker-H.) und *G. segetum* Necker (Saat-H.) kommen aufgrund ihrer kleinen, schmalen Teilfrüchte kaum in Frage.

Lycopus europaeus L. (Ufer-Wolfstrapp)

1 sf. Expl.: L. 1,30 mm; B. 1,20 mm; D. 0,45 mm

Die gefundene Klause ist stark beschädigt, v.a. im Bereich des schwimmringähnlichen Randwulstes. Die tetraedrische Form des Teilfrüchtchens, der mächtige Randwulst, der hufeisenförmige Nabel und die schwach ausgeprägte Bauchkante sind so typisch, dass eine Verwechslung mit Klausen anderer Labiatengattungen ausgeschlossen ist. Die ursprünglich dunkelbraune Färbung hat sich verändert: der Mittelteil ist gelbbraun, der Randwulst weißlich.

Die Teilfrüchtchen des nahe verwandten Hohen Wolfstrapps (*L. exaltatus* L. fil.) unterscheiden sich von dem apikal gestutzten Fundexemplar durch einen abgerundeten Apex.

Mentha aquatica L. (Wasser-Minze; Taf. 6,5)

1 sf. Expl.: L. 1,00 mm; B. 0,75 mm; D. 0,65 mm

Die Klausen der Wasser-Minze und der nachfolgend beschriebenen Acker-Minze (*M. arvensis* L.) lassen sich durch das für Minzenarten typische, deutlich abgesetzte Nabelspitzchen und die großen lateralen Nabelgruben leicht von den Früchtchen der anderen Labiatengattungen unterscheiden. Bei oberflächlicher Betrachtung sehen sich die Klausen der beiden Menthaarten sehr ähnlich und können von den Früchtchen der anderen Minzenarten durch ihre größeren Maße abgegrenzt werden. Das subfossile Exemplar ist breit und dick, im Querschnitt nahezu oval und das Nabelspitzchen ist kantig abgesetzt. Bei 400facher Vergrößerung ist im trockenen Zustand das ausgeprägte Relief der dunkelgrauen Oberfläche mit seinen großen, tiefen Gruben gut zu erkennen. Unterscheidungsmerkmale zu *M. arvensis* finden sich bei der Besprechung dieser Art.

Mentha arvensis L. (Acker-Minze; Taf. 6,4)

8 sf. Expl.: L. 0,95 (0,85–1,10) mm; B. 0,64 (0,60–0,75) mm; D. 0,56 (0,50–0,65) mm

Der gute Erhaltungszustand der sieben Klausen der Acker-Minze erlaubt eine sichere Artbestimmung. Im Unterschied zur oben erwähnten Art sind die Exemplare schlanker, im Querschnitt flacher und eckiger und das Nabelspitzchen ist nicht kantig abgesetzt. Die Oberfläche ist hellgrau und von einem feinen und gleichmäßigen Netzwerk im Bereich des Schwammgewebes überzogen.

Weitere Einzelheiten und Abbildungen zu den Klausen von *M. arvensis* und *M. aquatica* sind der Arbeit von Jacomet (1986) zu entnehmen.

Origanum vulgare L. (Gemeiner Dost)

10 sf. Expl.: L. 0,83 (0,70–0,95) mm; B. 0,59 (0,50–0,70) mm; D. 0,39 (0,35–0,45) mm

Die kleinen ovalen Klausen haben eine zugespitzte Basis und ihre breiteste Stelle dicht unterhalb der Mitte. Neben unversehrten braunen Exemplaren treten im Fundmaterial auch hellhäutige, gequetschte Klausen auf. Die Nabelspitze ist schlank dreikantig und wird beiderseits von je einer ausgeprägten, kleinen Nabelgrube flankiert. Bauch- und Rückenseite sind nur wenig aufgewölbt; im Querschnitt ergibt sich hierdurch eine linsenähnliche Form. Auf der Oberfläche finden sich zahlreiche kleine Warzen und feine, kurze Grate. Eine Verwechslung mit den Klausen anderer kleinfrüchtiger Labiatengattungen ist nicht möglich (vgl. *Acinos arvensis*).

Prunella vulgaris L. (Gemeine Braunelle)

10 sf. Expl.: L. 1,57 (1,00–1,95) mm; B. 1,00 (0,65–1,15) mm; D. 0,68 (0,35–0,85) mm

Die Gemeine Braunelle besitzt unverwechselbare Klausen von ovaler Form und mit abgerundet dreieckigem Querschnitt. Vier auffällige helle, dunkel eingefasste Schleimstreifen verlaufen entlang den Rändern sowie in der Mitte von Bauch- und Rückenseite. Weitere helle Stellen sind z. T. vorhanden. Beschädigungen und abblätternde Oberflächen treten bei allen subfossilen Exemplaren auf. Auffallend kleine, schmale und stark zugespitzte Klausen der unteren Kulturschicht sind vermutlich Kümmerformen oder nicht ausgereifte Exemplare.

Im Unterschied zu den gefundenen Klausen haben die Teilfrüchte der Großblütigen Braunelle (*P. grandiflora* [L.] Scholler) einen runden Umriss, diejenigen der Weißen B. (*P. laciniata* [L.] L.) dagegen eine länglichere Form. Außerdem besitzen Letztere tiefer eingesenkte Schleimstreifen und bekommen dadurch ein „kantigeres" Aussehen.

Campanulaceae

Campanula cochleariifolia Lamk. vel *C. scheuchzeri* Vill.
(Zwerg-Glockenblume oder Scheuchzers G.; Taf. 7,3–4)

10 sf. Expl.: L. 1,33 (1,00–1,55) mm; B. 0,47 (0,40–0,55) mm

Bei den gefundenen länglich spindelförmigen Samen handelt es sich meist um leicht beschädigte und seitlich platt gedrückte Samenhüllen von gelblich brauner Farbe und mit längs gefalteter Oberfläche; ein dunkler Streifen zieht entlang den Randpartien. Sowohl das abgerundete obere Ende als auch das schmale, gestutzte untere Ende weisen zusätzlich eine dunkle, fleckenförmige Verfärbung auf, wie es für alle Campanulasamen typisch ist. Die Oberfläche wird in der Samenmitte von schmalen, lang gestreckten und häufig gebogenen Oberhautzellen mit erhabenen Zellwänden gebildet; zu den Enden hin werden die Zellen breiter und kürzer. Dem Autor ist es anhand des wenigen Vergleichsmaterials nicht möglich, die Samen der Zwerg- und der Scheuchzers Glockenblume sicher auseinander zu halten. Allerdings ähneln sämtliche subfossile Exemplare durch ihre schlanke Form eher den Samen der erstgenannten Art.

Samen anderer Glockenblumenarten mit ähnlichem Aussehen unterscheiden sich wie folgt: Die Pfirsichblättrige G. (*C. persicifolia* L.) hat etwas kleinere, rundlichere und ungleichmäßig oval geformte Samen mit breit gestutzter Basis; die Samen der Strauß-G. (*C. thyrsoides* L.) sind abgeflacht, breiter, in sich gebogen bzw. verdreht und ihre Oberhautzellen sind sehr schmal und lang gestreckt; die Rundblättrige G. (*C. rotundifolia* L.) bildet kleinere Samen aus, deren Oberfläche von einem grobmaschigeren Zellnetz strukturiert wird.

Campanula patula L.
(Wiesen-Glockenblume; Taf. 7,1–2)

4 sf. Expl.: L. 0,55 (0,51–0,60) mm; B. 0,34 (0,31–0,37) mm; D. 0,25 (0,22–0,28) mm

Die sehr kleinen, hellbraun oder dunkelbraun gefärbten Samen sind weit gehend unversehrt und nur an der Basis z. T. beschädigt. Diese ist schmal gestutzt und weist einen kleinen, dunklen Nabel auf. Im Querschnitt sind die Samen bei guter Erhaltung flach elliptisch mit abgerundeten Rändern. Unter dem Mikroskop sind bei 500facher Vergrößerung die lang gestreckten Oberhautzellen mit ihren mächtigen Zellwänden und äußerst engem Lumen gut zu sehen. An den Enden sind diese zugespitzt und ein- oder mehrfach gebogen.

Deutlich größere Samen mit breit gestutzter Basis besitzt die Pfirsichblättrige Glockenblume (*C. persicifolia* L.). Sie sind überdies an ihren Epidermiszellen mit relativ schmalen Zellwänden und weiten Lumina gut zu unterscheiden. Sämtliche weitere Glockenblumenarten unserer Vergleichssammlung haben erheblich größere Samen als die hier gefundenen.

Auf entsprechende Beschreibungen und Abbildungen der oben erwähnten Arten sei an dieser Stelle verwiesen (Frank/Stika 1988).

Campanula rapunculoides L. vel *C. rapunculus* L.
(Acker-Glockenblume oder Rapunzel-G.; Taf. 7,5–6)

4 sf. Expl.: L. 1,49 (1,35–1,70) mm; B. 0,66 (0,60–0,80) mm
10 rez. Expl. (*C. rapunculoides*): L. 1,44 (1,25–1,55) mm; B. 0,77 (0,70–0,85) mm
10 rez. Expl. (*C. rapunculus*): L. 1,43 (1,30–1,55) mm; B. 0,79 (0,70–0,90) mm

Lediglich vier Samenhüllen ohne innere Gewebeteile können einer dieser beiden Arten zugeordnet werden. Die schief eiförmigen, abgeflachten Samen besitzen eine gelblich braune Außenhaut mit sehr schmalen, lang gestreckten, reich getüpfelten Oberhautzellen und eine innere, dunkler gefärbte Hülle. Im Gegensatz zu rezenten Samen ist diese Innenhülle bedeutend kleiner als die Außenhaut – sie ist geschrumpft. Dem Autor ist es nicht möglich, anhand des vorliegenden Vergleichsmaterials die Samen der Acker- und Rapunzel-Glockenblume sicher voneinander zu unterscheiden. Die zuerst Genannten sind etwas länger und schlanker, was auch an den Messungen (s. o.) zu erkennen ist; die subfossilen Exemplare ähneln eher den Samen dieser Art.

Die Knäuel-G. (*C. glomerata* L.) bildet Samen ähnlicher Form und Größe aus. Im Mittel sind diese etwas breiter und gedrungener und weisen eine rauere Oberfläche auf, die durch breite Epidermiszellen mit mächtigen, erhabenen Zellwänden bedingt ist.

Asteraceae

Arctium tomentosum Mill. (Filz-Klette)

4 sf. Expl.: L. 5,65 (4,9–6,5) mm; B. 2,65 (2,4–2,8) mm; D. 1,60 (1,5–1,8) mm

Bei den gefundenen Resten handelt es sich um länglich ovale, wenig gekrümmte Achänen mit gestutzten Enden und um große Bruchstücke bzw. Hälften derselben. Auffallend ist die Bruchzone der Stücke, welche entlang einer quer orientierten Krümmungslinie zu verlaufen scheint, wie sie für rezente Früchte typisch ist. Die ehemals lebhaft strukturierte Oberfläche ist weit gehend korrodiert und von hellbrauner Farbe. Die meisten Längsrippen sind nur noch andeutungsweise in Form kleiner Spitzen erhalten geblieben. Bei rezenten Achänen sind dagegen ausgeprägte Bänder zickzackförmig verlaufender Rinnen und eine Vielzahl von Graten ausgebildet.

Die Früchte der Kleinen Klette (*A. minus* [Hill.] Bernh.) sind erheblich breiter und dicker im Verhältnis zur Länge, zum basalen Ende hin weniger verjüngt und apikal großflächiger gestutzt. Die Große K. (*A. lappa* L.) und die Hain-K. (*A. nemorosum* Lej.) besitzen lang gestreckte, schmale Achänen. Die unterschiedlichen Strukturierungen der Fruchtoberflächen können aufgrund der Korrosion der subfossilen Exemplare nicht zur Artabgrenzung ins Feld geführt werden.

Erwähnt sei an dieser Stelle die starke Neigung zur Bastardisierung der Klettenarten. So sind Bastardformen von *A. tomentosum* mit allen anderen Arctiumarten bekannt (Rothmaler 1976), die mangels Vergleichsmaterials nicht ausgeschlossen werden können.

Carduus L. sp. vel *Cirsium* Mill. sp. (Distel- oder Kratzdistelarten; Taf. 8,1)

1 sf. Expl.: L. 3,00 mm; B. 1,50 mm

Hierzu wird eine innere Fruchthülle von gelblich brauner Färbung und mit lang gestreckten, gebogenen Zellen gestellt. Frei präparierte innere Hüllen verschiedener Carduus- und Cirsiumfrüchte zeigen keine nennenswerten Unterschiede; eine Bestimmung muss deshalb unterbleiben.

Cirsium arvense (L.) Scop. (Acker-Kratzdistel)

3 sf. Expl.: L. 3,08 (3,05–3,10) mm; B. 1,10 mm; D. 0,82 (0,75–0,95) mm

Die gefundenen Achänen sind von schlanker und sehr schwach gebogener Form. Ihre Basis läuft schmal zu und ist gescheitelt, wobei ein Zipfel zu einer kurzen Spitze ausgezogen ist. Die Griffelseite ist breit und endet in einer ringwulstförmigen Verdickung, dem Kragen; das Fruchtstielchen ist nur noch andeutungsweise vorhanden. Die Früchte haben ihre breiteste Stelle oberhalb der Mitte, sind seitlich abgeflacht und fein längs gestreift. Die drei nachgewiesenen, gut erhaltenen Exemplare können eindeutig der Acker-Kratzdistel zugeordnet werden.

Verwechslungspartner sind die Achänen der Kohl-Kratzdistel (*C. oleraceum* [L.] Scop.) sowie der Lanzett-K. (*C. vulgare* [Savi] Ten.). Erstere sind bedeutend größer, v.a. breiter, mit gestutzter Basis und einem höheren Kragen; auf ihren Lateralflächen verlaufen drei oder vier helle Längsstreifen. Letztere sind wesentlich größer und breiter, apikal gebuckelt, basal breit gestutzt, lateral gekielt und durch einen schräg stehenden, hohen Kragen gekennzeichnet (s.u.).

Die formenreiche Acker-Kratzdistel ist seit dem Neolithikum ein Kulturbegleiter des Menschen (vgl. Neuweiler 1946; Willerding 1986).

Cirsium vulgare (Savi) Ten. (Lanzett-Kratzdistel)

1 sf. Expl.: L. 3,65 mm; B. 1,70 mm; D. 1,10 mm

Eine einzige unversehrte Achäne kann der Lanzett-Kratzdistel zugeordnet werden. Sie ist von breiter, seitlich abgeflachter Form mit wenig verjüngter, breit gestutzter Basis. Artcharakteristisch ist der an einer Schmalseite liegende Buckel etwas unterhalb des Kragens, welcher zugleich die breiteste Stelle der Frucht ist. Griffelseitiges Ende und Kragen sind entsprechend schräg gestellt. Im Querschnitt sind die beiden Längsgrate („Kielung") gut zu sehen; bei rezenten Exemplaren fallen diese durch eine helle Färbung auf.

Die Achänen der Kohl-K. (*C. oleraceum* [L.] Scop.) sind wie folgt zu unterscheiden: in der Regel länger, schlanker, deutlich gekrümmt und zur Basis hin verjüngt, ungebuckelt, breiteste Stelle in der Mitte gelegen, Kragen höher und nur selten gekielt. Zur Abgrenzung von Früchten der Acker-K. (*C. arvense*) siehe oben.

Cirsium Mill. sp. (Kratzdistelarten)

1 sf. Expl.: L. 2,0 mm; B. 1,4 mm; D. 1,0 mm

Lediglich ein Bruchstück des griffelseitigen Endes einer Achäne konnte ausgelesen werden. Kragen und Fruchtstielchen sind abgegangen. Früchte der nachgewiesenen Arten *Cirsium arvense* und *C. vulgare* (s.o.) kommen aufgrund ihrer geringen Größe bzw. ihrem „Buckel" nicht in Betracht. Weitere Kratzdistelarten können weder ausgeschlossen noch angesprochen werden.

Hieracium L. sp. (Habichtskrautarten)

1 sf. Expl. (Bruchstück): L. 1,4 mm; B. 0,8 mm; Dm. der Griffelbasis 0,55 mm

Gefunden worden ist lediglich das apikale Ende einer rotbraunen Achäne mit Resten der Flughaare. Sie ist nach oben zu verjüngt, trägt undeutliche Rippen und die kreisrunde Griffelbasis überragt den Kelchsaum. Diese drei genannten Merkmale unterscheiden das gefundene Exemplar von den Achänen der Greiskrautarten (*Senecio* L. sp.).

Innerhalb der Gattung Hieracium kommen die folgenden vier Arten in Betracht: *H. amplexicaule* L. (Stengelumfassendes H.), *H. bupleuroides* C. C. Gmelin (Hasenohr-H.), *H. sabaudum* L. (Savoyer H.) sowie *H. umbellatum* L. (Dolden-H.); sie gehören zur Untergattung Hieracium Torr. et Gray – Echte Habichtskräuter – (Oberdorfer 1979).

Lapsana communis L. (Gemeiner Rainkohl)

15 sf. Expl.: L. 3,45 (3,00–3,80) mm; B. 1,00 (0,75–1,45) mm; D. 0,64 (0,50–0,70) mm

Die meisten Achänen sind unversehrt und von strohgelber bis hellbrauner Farbe. Ihre Form ist spindelartig mit der breitesten Stelle deutlich oberhalb der Mitte, und sie sind nach innen gekrümmt. Eng beieinander liegende Rippen verlaufen von der schlanken Basis bis zum Scheitel, welcher von einem schmalen Kelchrand begrenzt wird. Einzelne Rippen sind bei den gefundenen Achänen dunkel gefärbt.

Verwechslungsmöglichkeiten mit Achänen anderer Korbblütlerarten bestehen nicht, so dass auch beschädigte Früchte und große Fruchtbruchstücke eindeutig dem Gemeinen Rainkohl zugeordnet werden können.

Sonchus asper (L.) Hill. (Rauhe Gänsedistel)

4 sf. Expl.: L. 2,40 (2,10–2,60) mm; B. 0,9/0,9 mm; D. 0,3 mm

Von der Rauhen Gänsedistel sind zwei gut erhaltene und mehrere korrodierte Achänen bzw. Achänenhälften bestimmt worden. Auf jeder ihrer beiden flachen Seiten verlaufen drei schmale Längsrippen und beide Enden der lang gestreckt ovalen Früchte sind etwas zugespitzt. Das unbeschädigte griffelseitige Ende trägt einen schmalen Rand, die Basis dagegen ist stets mehrfach der Länge nach eingerissen, wodurch deren breiter Rand nur undeutlich zu erkennen ist. Die Achänen aller drei weiteren einheimischen Sonchusarten sind u. a. durch ihre breiten Rippen und ihre querrunzeligen Oberflächen von dem Fundmaterial unterschieden.

Alismataceae

Alisma L. sp. (Froschlöffelarten)

1 sf. Expl.: L. 1,70 mm; B. 1,00 mm; D. 0,60 mm

Nur ein einzelnes beschädigtes Teilfrüchtchen der Gattung Alisma konnte ausgelesen werden. Die typische Keilform – bedingt durch die enge Lage der Früchtchen im Fruchtstand – und die dorsale Längsfurche sind erhalten geblieben. Der hervorspringende Nabel und das zugespitzte Ende sind abgebrochen. Eine feine Längsstreifung ist insbesondere in der Mitte der eingesenkten Seitenflächen ausgeprägt. Bei rezenten Froschlöffelteilfrüchtchen schimmert der dunkle Samen durch das dünne Perikarp, was bei dem braun gefärbten subfossilen Exemplar nicht mehr möglich ist.

Das lang gestreckte, wohl unausgereifte Früchtchen gehört wahrscheinlich zu *A. plantago-aquatica* L. (Gemeiner F.), einer heute in Röhrichten und Großseggengesellschaften häufig anzutreffenden Art. Verkümmerte bzw. unausgereifte rezente Teilfrüchtchen von *A. gramineum* Lej. (Grasblättriger F.) und *A. lanceolatum* With. (Lanzett-F.) können anhand der Vergleichssammlung nicht abgegrenzt werden, weshalb eine Artbestimmung nicht vorgenommen werden kann.

Potamogetonaceae

Potamogeton cf. *perfoliatus* L. (wohl Durchwachsenes Laichkraut; Taf. 8,3)

9 sf. Expl. (ohne Schnabel und Stiel): L. 2,77 (2,50–3,10) mm; B. 1,28 (1,15–1,40) mm; D. 2,22 (1,95–2,50) mm

Alle ganzen und unverkohlten Nussfrüchte (genauer: Endokarpteile bzw. Steinkerne der Gattung Potamogeton) stammen wahrscheinlich vom Durchwachsenen Laichkraut. Sie sind ausschließlich aus dem Material der Flächenproben Q64–1002 und Q64–1004 ausgelesen worden. Die Ventralseite zeigt einen S-förmigen Verlauf, die Dorsalseite ist gleichmäßig vorgewölbt und die geringfügig eingedellten Lateralflächen verschmälern sich zu den Enden hin allmählich. In den meisten Fällen ist die Rücken- bzw. Keimklappe (Deckel) ein wenig abgehoben, bei zwei Früchten ist sie abgegangen und Rudimente der Samenschale sind sichtbar. Bei allen Funden erreicht das apikale, stumpf zugespitzte Ende der Rückenklappe die Basis des kurzen Schnabels. Er liegt stets median, ist zur Dorsalseite hin gekrümmt und basal in Form eines Grates auf der Ventralseite herablaufend. Selten sind Reste des basoventralen Stieles an den Früchten verblieben. Die beschriebenen subfossilen Exemplare gleichen durchaus rezenten Früchten des Durchwachsenen Laichkrautes. Jessen (1955), Nötzold (1965), Aalto (1970), Weber (1977) und Jacomet (1986) führen entsprechende Beschreibungen dieser Art an. Die große Form- und Größenvariabilität der Früchte innerhalb einer Laichkrautart und ein zu geringes Vergleichsmaterial erlauben allerdings keine sichere Artbestimmung.

Verwechslungspartner sind die Früchte des Schwimmenden L. (*P. natans* L.) und des Spiegelnden L. (*P. lucens* L.). Diese sind im Allgemeinen gedrungener, ihr Schnabel liegt meist ventral und das obere Ende der Rückenklappe erreicht die Schnabelbasis in der Regel nicht (vgl. Aalto 1970).

Zannichelliaceae

Zannichellia palustris L. (Sumpf-Teichfaden; Taf. 8,2)

7 sf. Expl.: L. 2,28 (2,10–2,40) mm; B. 0,40 (0,30–0,45) mm; D. 0,74 (0,60–0,85) mm

Die unverwechselbaren Früchtchen des Sumpf-Teichfadens sind alle der Länge nach aufgerissen und stark korrodiert. Nur die leeren, gebogenen Fruchthüllen mit Resten der dorsalen Stacheln, der dünnen, langen Stiele (0,6–0,9 mm lang) und der breiten Griffel sind erhalten geblieben. Die transparente Oberhaut zeigt ein deutliches Muster aus mehr oder weniger lang gestreckten Zellen unterschiedlicher Form und Größe.

Da kein Vergleichsmaterial der einzelnen Unterarten ssp. *palustris*, ssp. *repens* (Boenn.) W. Koch und ssp. *pedicellata* (Wahlenb. et Ros.) Arc. (nach Oberdorfer 1979) zur Verfügung steht, muss deren Bestimmung unterbleiben.

Najadaceae

Najas intermedia Wolfg. (Mittleres Nixenkraut; Taf. 8,5)

Synonym: *N. marina* var. *intermedia* (Wolfg.) A. Br.

30 sf. Expl. (Fruchthälften): L. 3,32 (2,8–3,7) mm; D. 1,22 (0,8–1,5) mm; davon 4 sf. Expl. (ganze Früchte): B. 0,99 (0,8–1,1) mm

10 rez. Expl. (ganze Früchte): L. 3,74 (3,5–4,1) mm; B. 1,00 (0,9–1,1) mm; D. 1,29 (1,1–1,7) mm

Wenige ganze Früchte und eine große Anzahl von Fruchtschalenhälften können dem Mittleren Nixenkraut zugeordnet werden. Die im Umriss länglich ovalen bis schmal spindelförmigen Nüsse haben ihre dickste Stelle etwas unterhalb der Mitte und sind in der apikalen Hälfte häufig zur Ventralseite hin gekrümmt. Das stumpf zugespitzte Griffelende ist stets schmaler als das z. T. schräg abgeschnittene Basisende. Die Dorsalseite ist ebenfalls gleichmäßig, aber schwächer aufgewölbt als die Ventralseite. Wenig erhabene Grate begleiten den lang gestreckten Nabel, welcher unterhalb der dicksten Stelle bei einem Fünftel bis einem Drittel der Länge endet. In Rückenlage sind die Früchte lang gestreckt oval mit wenig verjüngten Enden, nie spindelförmig, im Querschnitt rundlich oval. Feine Runzeln und kleine Gruben verleihen der Oberfläche ein raues Aussehen.

Unterscheidungsmerkmale von den Früchten des Großen Nixenkrauts finden sich im Anschluss an die Beschreibung dieser Art.

Najas marina L.
(Großes Nixenkraut; Taf. 8,4)

Synonym: *N. marina* var. *marina* Rendl.
5 sf. Expl. (Fruchthälften): L. 3,58 (3,35–3,80) mm;
D. 1,55 (1,50–1,60) mm;
davon 2 sf. Expl. (ganze Früchte): B. 1,20/1,35 mm
10 rez. Expl. (ganze Früchte): L. 4,89 (4,6–5,1) mm; B. 1,44 (1,4–1,8) mm; D. 1,95 (1,7–2,2) mm

Die einsamigen Nüsse sind in lateraler Lage im Umriss länglich oval bis breit spindelförmig mit abgerundeten Enden und der dicksten Stelle in der Mitte. Die Rückenseite ist schwach und gleichmäßig gerundet, die Bauchseite dagegen ist stärker aufgewölbt und in der Mitte bzw. knapp unterhalb davon geknickt. Bis zu diesem Knick (dickste Stelle) verläuft der lang gestreckte Nabel, welcher auf seiner ganzen Länge von zwei erhabenen Graten seitlich begrenzt wird. In Rückenlage sind die Nüsse schmal spindelförmig, im Querschnitt oval. Ist die äußerste Fruchtschale entfernt, wie es bei den subfossilen Früchten stets der Fall ist, so ist eine raue, von Runzeln und Gruben bedeckte Oberfläche mit unregelmäßigem Zellmuster zu sehen. Neben ganzen Nüssen treten auch Fruchtschalenhälften auf, bei welchen die mächtigen Fruchtwände gut zu erkennen sind.

Die Untersuchung von subfossilen und rezenten Nixenkrautfrüchten ermöglichte die Herausarbeitung mehrerer arttypischer Merkmale, die eine Abgrenzung der beiden Spezies *N. marina* und *N. intermedia* im bearbeiteten Fundmaterial rechtfertigt. Übergangsformen zwischen den Nüssen beider Arten, wie sie Jacomet (1986) erwähnt, liegen bei dem bronzezeitlichen Fundgut nicht vor.

Geeignete Unterscheidungsmerkmale zwischen den subfossilen Früchten der beiden Nixenkrautarten sind der unten stehenden Tabelle zu entnehmen.

Bei ähnlichen Fruchtlängen sind die Dicken- und Breitenmesswerte von *N. marina* größer als bei *N. intermedia*. Ein gewisser Überschneidungsbereich ergibt sich aber beim Vergleich von subfossilen Funden mit den im Mittel größeren rezenten Exemplaren. Nach Oberdorfer (1979) liegen die Fruchtlängen bei *N. marina* zwischen 4 und 8 mm, bei *N. intermedia* zwischen 3 und 4 mm. Sämtliche bronzezeitlichen Exemplare liegen im Bereich der zuletzt genannten Art.

Juncaceae

Die Gattung Juncus L. (Binsenarten)

Die Verwendung eines 0,2-Millimeter-Siebes als feinste Fraktion ermöglichte eine Anreicherung von Juncussamen, wie sie mittels des bei uns üblichen feinsten Siebes von 0,315 mm Maschenweite nicht denkbar gewesen wäre (Kap. 2.1). So ließen sich elf verschiedene Juncusarten sicher bestimmen, mit Ausnahme der Salz-Binse (*J.* cf. *gerardii* Loisel.). Nur bei einem kleinen Prozentsatz der gefundenen Binsensamen konnte die Spezies nicht bestimmt werden. Ein derart großes determiniertes Artenspektrum von Juncussamen ist dem Autor von keiner weiteren paläoethnobotanischen Untersuchung bekannt. Häufig werden alle Nachweise von Binsensamen unter der Gattung *Juncus* L. sp. in den Listen aufgeführt, ohne dass eine Aufschlüsselung der verschiedenen Arten erfolgt. Nur wenige Arbeiten befassen sich mit den gefundenen Binsensamen, so z.B. Körber-Grohne (1967), Kroll (1975), Behre (1976), Knörzer (1981), Jacomet (1986) und Jacquat (1988).

Das reichhaltige und zumeist ausgezeichnet erhaltene Fundmaterial erlaubt es, auf die Bestimmungskriterien ausführlich einzugehen und sämtliche nachgewiesene Arten mit Mikrofotografien der Samen und Ausschnitten ihrer Oberfläche zu belegen. Ohne unsere Vergleichssammlung künstlich fossilisierter und subfossiler Juncussamen und dem „Bestimmungsschlüssel für subfossile Juncus-Samen und Gramineen-Früchte" von Körber-Grohne (1964) wäre die allemal Zeit raubende Bestimmungsarbeit nicht durchführbar gewesen.

Voraussetzung für die Determination ist der gute Erhaltungszustand der Samen, denen, von wenigen Ausnahmen abgesehen, das Endosperm und die äußersten Zelllagen der Samenschale aus längs gestreckten Zellen fehlen. Es war daher möglich, von den subfossilen Samen Quetschpräparate zu machen, um bei 100- bis 1000facher Vergrößerung den Bau der artcharakteristischen quer gestreckten Zellen zu studieren. Gemeinsam ist dagegen allen gefundenen Binsenarten ein beidseitig zugespitzter (zumeist achsenunsymmetrischer; vgl. *J. bufonius*!), ovaler bis spindelförmiger Umriss, ein runder Querschnitt im frischen Zustand sowie eine gelbbraune Färbung der Samenschale mit stets dunklen Enden. Selbst gewisse Form-, Größen- und Farbunterschiede der Samen können oft nur unsichere Hinweise auf ihre Artzugehörigkeit geben. Auch der Versuch, stark angegriffene Samen an der Zellstruktur der äußeren Schicht des Endosperms zu identifizieren, ist gescheitert. So verbleibt als einziges sicheres Bestimmungskriterium die Zellstruktur der

	N. marina	*N. intermedia*
Form in seitlicher Lage:	breit spindelförmig	schmal spindelförmig
	Ventralseite mit Knick	Ventralseite ohne Knick
	stets gestreckt	apikale Hälfte meist gekrümmt
Form in Rückenlage:	schmal spindelförmig	lang gestreckt oval
Form im Querschnitt:	oval bis aufgewölbt diskusförmig	oval bis rundlich oval
Nabel:	ca. halb so lang wie die Nuss	L. max. ein Drittel der Nuss
	„Nabelgrate" erhaben	„Nabelgrate" zierlicher
Oberfläche:	stark strukturiert	feiner strukturiert
Fruchtwand:	dickwandig, derb	dünner, elastischer
Abmessungen:	Messwerte s. o.	Messwerte s. o.

quer gestreckten Zellen der Samenschale. Zusammen mit Größenangaben und weiteren auffälligen Merkmalen wird sie im Folgenden aufgeführt.

Für genauere Angaben zum Bau der Samenschale von rezenten und fossilen Juncussamen sei an dieser Stelle nochmals auf die Arbeit von Körber-Grohne (1964) hingewiesen. Von den 265 ausgelesenen Juncussamen entfallen 16 Samen auf die untere, 23 Samen auf die mittlere und 226 Samen auf die obere Kulturschichtprobe. Ihre Artzugehörigkeit ergibt sich aus den nachgenannten Charakteristika.

„*Juncus articulatus*-Typen" (mit knotenartigen Verdickungen)

Juncus acutiflorus Ehrh. ex Hoffm.
(Spitzblütige Binse; Taf. 10,1–3)

10 sf. Expl.: L. 599 (520–690) µm; B. 306 (280–340) µm

Die spangenartigen Zellwände sind schwach gebogen, z.T. nahezu gerade, verlaufen parallel („leiterförmig") und sind deutlich breiter als bei allen anderen Arten. Bei 100facher Vergrößerung fallen sie schon als verschwommene Querbänder auf, ab 250- bis 400facher Vergrößerung sind dunkle Ränder von einem hellen Inneren zu unterscheiden. Die Zelllumina erscheinen aufgrund der mächtigen Zellwände vergleichsweise eng. Die knotenartigen Verdickungen sind groß. Die zahnartigen Fortsätze sind kräftig (breit und lang) mit zwei gut ausgebildeten, zumeist aufsteigenden Zipfeln.

Juncus articulatus L. em. Richter
(Glieder-Binse; Taf. 10,4–6)

10 sf. Expl.: L. 595 (520–640) µm; B. 304 (270–330) µm

Die spangenartigen Zellwände sind stärker gebogen als bei der vorigen Art, nie leiterförmig und deutlich schmaler. Die Zelllumina erscheinen dadurch entsprechend weiter. Die knotenartigen Verdickungen sind groß. Die zahnartigen Fortsätze sind breit und kurz (weniger kräftig als bei der vorigen Art) mit meist mehreren, vergleichsweise kurzen, aufsteigenden Zipfeln unterschiedlicher Länge.

Juncus bulbosus L.
(Zwiebel-Binse; Taf. 11,1–3)

10 sf. Expl.: L. 614 (570–690) µm; B. 318 (260–400) µm

Die spangenartigen Zellwände sind häufig stark gebogen, z.T. verzweigt und schräg verlaufend („unordentlich" angeordnet) und wesentlich schmaler als bei den beiden vorigen Arten („graziles Spangensystem"). Die Zelllumina sind entsprechend von unterschiedlicher Größe, z.T. sehr klein. Die knotenartigen Verdickungen sind klein und verschwinden bei Scharfeinstellung auf die Spangen; es erscheinen dafür transparente zahnartige Fortsätze (Unterschied zu den beiden vorigen Arten). Die zahnartigen Fortsätze sind schmal und lang, an der Basis häufig zweigeteilt, mit zwei gut ausgebildeten herabhängenden Zipfeln („pälmchenartig"). Die Zellwände der großlumigen Endospermzellen sind nicht selten hell durchscheinend.

Juncus anceps La Harpe
(Zweischneidige Binse; Taf. 9,1–3)

5 sf. Expl.: L. 636 (590–670) µm; B. 236 (220–250) µm

Die Samen – alle sechs Exemplare wurden in der oberen Kulturschicht gefunden – sind im Vergleich zu den vorigen Arten länger und schlanker, ausgeprägt spindelförmig und zweieinhalb- bis dreimal so lang wie breit. Zum Teil ist lediglich eine Zellschicht des Endosperms aus großen, nahezu regelmäßig geformten Zellen mit kräftig braun gefärbten Einlagerungen erhalten geblieben. In gutem Erhaltungszustand sind die Zellwände der großlumigen Endospermzellen dunkel durchscheinend. Die spangenartigen Zellwände sind überwiegend gerade und leiterförmig, sehr ebenmäßig angeordnet und äußerst schmal. Die Zelllumina sind entsprechend regelmäßig und lang gestreckt rechteckig. Die knotenartigen Verdickungen sind sehr klein. Die zahnartigen Fortsätze sind relativ kurz und breit mit nur angedeuteten Zipfeln („pollerartig") – sie sind nicht abgebildet.

Der Nachweis der Zweischneidigen Binse ist eine große Rarität, da bislang keine Vorkommen dieser Art im Untersuchungsraum bekannt sind, auch nicht in prähistorischen Epochen (Kap. 4.2, Gruppe 2, „Kleinseggenrieder").

Juncus subnodulosus Schrank
(Knoten-Binse; Taf. 11,4–6)

1 sf. Expl.: L. 620 µm; B. 310 µm

Die Zellwände sind nicht spangenartig, sondern gerade und sehr schmal, z.T. verlaufen sie schräg. Die Zelllumina entsprechen mehr oder weniger ebenmäßigen Vielecken. Die knotenartigen Verdickungen sind groß, stehen relativ weit auseinander und sind nicht nur in Längs-, sondern auch in z.T. schräg verlaufenden Querreihen angeordnet – einzige Ausnahme bei „*Juncus articulatus*-Typ". Die zahnartigen Fortsätze haben zwei gut ausgebildete lange, aufsteigende Zipfel.

„*Juncus effusus*-Typen" (ohne knotenartige Verdickungen)

Juncus conglomeratus L. em. Leers
(Knäuel-Binse; Taf. 12,4–5)

10 sf. Expl.: L. 537 (440–650) µm; B. 263 (220–300) µm

Die Zellen sind in der Querrichtung längs gestreckt, länger als bei *J. effusus*, und bilden fünf bis sechs „unordentliche" Längsreihen. Die Querwände verlaufen meist etwas schräg, selten parallel oder gewellt. Die Meridionalwände erscheinen durch Schrägstellung häufig in den Winkeln stark verdickt; insbesondere bei leichter Unschärfstellung runden sich die Ecken ab.

Juncus effusus L. (Flatter-Binse; Taf. 13,1–2)

10 sf. Expl.: L. 537 (470–630) µm; B. 287 (190–390) µm

Die Zellen sind meist kürzer und höher als bei der vorigen Art, z.T. fast regelmäßig vieleckig, und bilden ebenfalls sechs bis acht „unordentliche" Längsreihen. Die Querwände verlaufen etwas schräg oder parallel, selten gewellt. Die Meridionalwände erscheinen durch Schrägstellung in den Winkeln selten und nur schwach verdickt. Die gefundenen Samen sind schwächer gefärbt und transparenter als diejenigen von *J. conglomeratus*.

Juncus inflexus L.
(Blaugrüne Binse; Taf. 12,1–3)

Synonym: *J. glaucus* Sibth.
10 sf. Expl.: L. 530 (460–580) µm; B. 287 (260–330) µm
Die Zellen sind in der Querrichtung lang gestreckt, im Mittel etwas kürzer als bei *J. conglomeratus* und niedriger als bei beiden vorigen Arten; die Zellumina wirken dadurch deutlich kleiner. Die Zellen sind weit gehend einheitlich geformt und bilden sechs bis neun „ordentliche" Längsreihen. Die Querwände sind meist parallel und z.T. gewellt (ein Artefakt?). Die Meridionalwände stehen nicht schräg; dadurch erscheinen die Zellwände mehr oder weniger gleich dick. Die gefundenen Samen sind deutlich kräftiger gefärbt als diejenigen von *J. conglomeratus* und *J. effusus*.

Juncus bufonius L. coll.
(Kröten-Binse: Sammelart; Taf. 9,4–5)

3 sf. Expl.: L. 457 (420–500) µm; B. 277 (260–300) µm
Die Zellen sind deutlich kleiner als bei allen anderen gefundenen Samen des „*Juncus effusus*-Typs", unterschiedlich geformt und in 15–22 „unordentlichen" Längsreihen angeordnet. Die Querwände verlaufen häufig schräg und alle Zellwände haben eine gleichförmige Wandstärke. Ein Charakteristikum sind die wulstförmigen, z.T. girlandenartig angeordneten Verdickungen des Mikropylendes, deren Oberfläche stets gepunktet ist. Die Samen sind achsensymmetrisch, niemals gekrümmt wie die meisten gefundenen Samen der anderen Juncusarten. Die Zuordnung zu einer Kleinart erfolgt wegen des geringen Fundmaterials und der unsicheren Unterscheidung nicht, allerdings sprechen die „unordentlichen" Zelllängsreihen und die geringe Größe der drei Samen für die Kleinart *J. ranarius* Perr. et Song (Körber-Grohne 1964).

Juncus compressus Jacq.
(Platthalm-Binse; Taf. 13,3–4)

10 sf. Expl.: L. 453 (420–490) µm; B. 247 (220–280) µm;
Zellen in Querrichtung 16–86 µm;
Zellen in Längsrichtung 6–30 µm
Die Zellen sind in der Querrichtung lang gestreckt, relativ niedrig und in vier bis sechs „ordentlichen" Längsreihen angeordnet. Im Unterschied zu den bereits erwähnten Samen des „*Juncus effusus*-Typs" sind die Zellwände allseitig kräftig, in den Winkeln stark verdickt, wodurch sich dunkle, meridionale Zickzackbänder bilden. Die Querwände verlaufen meist schräg, z.T. sind sie gebogen und verzweigt, nicht selten gewellt. Die Zellform ist dadurch uneinheitlich und von unterschiedlicher Breite und Höhe (Messwerte s.o.). Die Samen sind rundlich und kürzer als die gefundenen Exemplare der anderen Juncusarten mit Ausnahme von *J. bufonius*, deren Samen aber achsensymmetrisch sind (s.o.). Die Samen sind auffallend kräftig braun gefärbt mit schwarzen Längsbändern, wodurch sie unter dem Binokular schon bei 40facher Vergrößerung meist gut von den Samen der oben erwähnten Arten abzutrennen sind.

Juncus cf. *gerardii* Loisel.
(wohl Salz-Binse, Bodden-B.)

1 sf. Expl.: L. ca. 520 µm (beschädigt!); B. 330 µm;
Zellen in Querrichtung: 26–84 µm;
Zellen in Längsrichtung: 6–30 µm
Das einzige gefundene Exemplar ist deutlich größer als die Samen der vorgenannten Art und die Zellen sind im Mittel weitlumiger, v.a. länger in der Querrichtung. Die Meridionalwände sind weniger stark verdickt als bei *J. compressus* und bei 100- bis 250facher Vergrößerung bilden sie schärfer begrenzte Zickzacklinien. Das gefundene Exemplar wirkt dementsprechend heller und transparenter als die zahlreichen Samen von *J. compressus*; ansonsten entsprechen die Merkmale denen dieser Art. Eine sichere Determination des beschädigten Einzelfundes ist nicht möglich. – Eine Abbildung dieses charakteristischen Samens fehlt, da er kurz vor der Aufnahme in mehrere Teile zerrissen wurde!
Zwei weitere auffallend große, beschädigte Exemplare (470/520 µm × 340/280 µm), ebenfalls aus der oberen Kulturschicht stammend, liegen in ihren Merkmalskombinationen zwischen der Platthalm- und der Salz-Binse. Sie werden als *Juncus conglomeratus* vel *J. gerardii* in den Listen aufgeführt (Taf. 13,5–6).

Cyperaceae

Baeothryon cespitosum (L.) A. Dietrich
(Rasige Haarsimse; Taf. 14,8)

Synonyme: *Trichophorum cespitosum* (L.) Hartm., *Scirpus cespitosus* L.
1 sf. Expl.: L. 1,45 mm; B. 0,85 mm
Die ursprünglich dreiseitige Frucht ist durch die Sedimentauflast platt gedrückt und an der Basis aufgerissen. Eine sichere Bestimmung ist u.a. anhand der ovalen Form und der charakteristischen breit gestutzten Basis möglich. Die Oberseite war vermutlich rundlich aufgewölbt und von einem schmalen Grat in zwei Flächen unterteilt, nicht scharfkantig dachförmig. Auch bei rezentem Vergleichsmaterial sind solche Typen neben scharfkantig dachförmigen Früchten ausgebildet. Ein feines Zellmuster aus regelmäßigen und länglichen Vielecken überzieht die Oberfläche; die Papillen sind weit gehend korrodiert. Andere kleinfrüchtige Eriophorum- bzw. Trichophorumarten besitzen länger gestreckte Früchte mit schlanker Basis.
Der Nachweis der Rasigen Haarsimse in der unteren Kulturschicht ist eine große Besonderheit (Kap. 4.2, Gruppe 2, „Kleinseggenrieder").

Blysmus cf. *compressus* (L.) Panzer ex Link
(wohl Platthalm-Quellried; Taf. 14,10)

Synonym: *Scirpus compressus* (L.) Pers.
1 sf. Expl.: L. 1,80 mm; B. 1,20 mm
Eine flach gedrückte Frucht und ein großes Fruchtbruchstück stammen wohl vom Platthalm-Quellried. Typisch für die zweiseitigen Früchte – auch die rezenten – sind die breitovale Form und das lang ausgezogene proximale Ende, dessen Basis bei dem subfossilen Exemplar samt den Perigonborsten abgebrochen ist. Die Frucht ist vergleichsweise „hoch geschultert" und trägt einen schlanken Griffelrest,

was für rezentes Vergleichsmaterial nur annähernd zutrifft. Die äußerste Schicht aus regelmäßig polygonalen Oberhautzellen mit breiten, hervorspringenden Zellwänden ist weit gehend korrodiert. Sie lässt sich auch bei rezenten Früchten schon durch schwaches Reiben entfernen. Die darunter liegende Schicht aus in Reihen angeordneten länglichen Zellen bildet die Oberfläche der beiden subfossilen Funde.

Die nahe verwandte Art *Blysmus rufus* (Huds.) Link (Rotbraunes Q.) bildet große, lang gestreckte Früchte aus. Auch andere Cyperaceenarten mit zweiseitigen Früchten können nicht mit der vorliegenden Art verwechselt werden. Der schlechte Erhaltungszustand erlaubt allerdings keine sichere Artzuweisung.

Die Gattung Carex L. (Seggen, Riedgräser)

Im untersuchten Fundmaterial sind nur die Innenfrüchte erhalten, diese aber in einem vorwiegend guten Zustand. Reste eines Utriculus (Perigynium, Fruchtschlauch) sind in keinem Fall vorhanden. Dies erschwert die Artbestimmung erheblich, da sich die Innenfrüchte jeweils mehrerer Arten z.T. sehr stark ähneln. Es wurden stets Form, Größe, Oberflächenstruktur und Farbe zur Determination der Innenfrüchte herangezogen, bei guter Erhaltung auch die Ausbildung des Griffelrestes. Gegebenenfalls wurden rezente Exemplare quer geschnitten, um Unterschiede in der Wandstärke erkennen zu können. Neben unserer umfangreichen Vergleichssammlung wurden v.a. die Arbeiten von Körber-Grohne (1967), Nilsson/Hjelmquist (1967) und Berggren (1969) als Bestimmungshilfen benutzt.

Die nachgewiesenen acht Seggenarten gehören zwei verschiedenen Untergattungen an (vgl. Oberdorfer 1979). Zu den gleichährigen Seggen (Vignea) zählen *C.* cf. *canescens* L., *C. muricata* L. coll. und *C. remota* L., zur großen Gruppe der verschiedenährigen Seggen (Carex) *C. flava* L., *C. hirta* L., *C. pseudocyperus* L., *C.* cf. *riparia* Curtis und *C.* cf. *vesicaria* L.

Carex cf. canescens L.
(wohl Grau-Segge; Taf. 14,6)

6 sf. Expl.: L. 1,03 (0,90–1,20) mm; B. 0,68 (0,65–0,75) mm
10 rez. Expl.: L. 1,35 (1,20–1,40) mm; B. 0,90 (0,80–0,95) mm

Sechs ca. 1,0 mm lange und ca. 0,7 mm breite Innenfrüchte gehören wahrscheinlich zur Grau-Segge, der kleinfrüchtigsten nachgewiesenen Carexart. Der Größenvergleich mit rezenten Exemplaren zeigt, dass es sich bei dem Fundmaterial entweder um besonders kleine oder nicht ausgereifte Innenfrüchte handelt (Messwerte s.o.). Im Umriss sind sie rundlich oval bis länglich oval, weisen eine breit gestutzte Basis auf und besitzen eine fein strukturierte Oberfläche. Bei zwei Exemplaren ist der Griffel bzw. das Stielchen vollständig erhalten. Auch wenn die zweiseitigen Innenfrüchtchen dem rezenten Vergleichsmaterial der Grau-S. im Wesentlichen entsprechen, gestatten der oben erwähnte Größenunterschied zu rezenten Exemplaren und die schlechte Erhaltung keine sichere Artbestimmung.

Die Innenfrüchte der Bräunlichen S. (*C. brunnescens* [Pers.] Poiret) sind ebenfalls sehr klein, allerdings haben sie größere Epidermiszellen und sind breiter und dicker. Außerdem ist ein Vorkommen dieser arktisch-alpinen Art im Bodenseegebiet nicht zu erwarten.

Carex flava L. coll.
(Gelb-Segge: Sammelart; Taf. 14,7)

2 sf. Expl.: L. 1,45/1,65 mm; B. 1,15/1,00 mm; D. 0,90/0,95 mm

Die zwei subfossilen dreiseitigen Innenfrüchte der Gelb-Segge gehören zu den kleinfrüchtigen Carexfunden. Typisch sind die verhältnismäßig breite, geknickte Ansatzstelle und die mehr oder weniger scharfen Kanten. Das große Exemplar kann aufgrund seiner Länge, seiner breiten Form und der braunen Farbe am ehesten mit rezenten Innenfrüchten der Schuppenfrüchtigen Gelb-S. (*C. lepidocarpa* Tausch) verglichen werden. Die kleine, dunkelbraune Innenfrucht ist gedrungen, besitzt stumpfe Kanten und unterschiedlich große Seitenflächen, die im Querschnitt ein gleichschenkliges Dreieck bilden. Sie steht damit innerhalb der Sammelart Gelb-Segge rezenten Innenfrüchten der Oeders Gelb-S. (*C. oederi* Retz) am nächsten.

Innenfrüchte von *C. pendula* Huds. (Hänge-S.) und *C. pseudocyperus* L. (Scheinzyper-S.) sind schlanker, beidseitig zugespitzt und „regelmäßiger" geformt (s.u.).

Carex hirta L. (Behaarte Segge; Taf. 14,2)

5 sf. Expl.: L. 2,60 (2,50–2,70) mm; B. 1,39 (1,35–1,40) mm; D. 1,39 (1,35–1,40) mm

Neben fünf ganzen Innenfrüchten können knapp zwei Dutzend beschädigte Exemplare sowie große Bruchstücke derselben mit derber Wandung und gelblich brauner Farbe zur Behaarten Segge gestellt werden. Die Innenfrüchte gehören zum „großen dreiseitigen Carex-Typ". Sie sind im Umriss verkehrt eiförmig, beidseitig zugespitzt und besitzen mehr oder weniger stumpfe Kanten. Lange Griffelreste zeigen eine deutliche, artcharakteristische Krümmung. Die Ansatzstelle ist im Vergleich zu anderen Carexinnenfrüchten relativ breit. Im Querschnitt sind die konkav geschwungenen Seitenflächen gut zu sehen, die zusammen ein gleichseitiges Dreieck bilden. Gleichmäßig polygonale Epidermiszellen mit kleiner, zentraler Papille bedecken die Oberfläche.

Ähnlich geformte Innenfrüchte anderer verschiedenähriger Carexarten unterscheiden sich wie folgt: *C. riparia* Curtis (Ufer-S.) bildet breitere und im Querschnitt rundlichere Innenfrüchte aus, diejenigen von *C. vesicaria* L. (Blasen-S.) sind kürzer und gedrungener (s. u.). Die Innenfrüchte von *C. pallescens* L. (Bleich-S.) und *C. sylvatica* Huds. (Wald-S.) besitzen schlanke Griffelansatzstellen und sind erheblich dünnwandiger.

Carex muricata L. coll.
(Stachel-Segge: Sammelart; Taf. 14,3)

4 sf. Expl.: L. 2,39 (2,20–2,55) mm; B. 1,88 (1,70–2,20) mm; D. 0,78 (0,75–0,80) mm

Die acht gefundenen Innenfrüchte sind die größten ihrer Art von allen nachgewiesenen Carexspezies. Sie zählen zu den „großen Zweiseitigen" der Carexgruppe. Die Innenfrüchte haben einen rundlich ovalen bis trapezförmigen Umriss und eine sehr breite Basis. Hoch gezogene, abgerundete „Schultern" am distalen Ende werden von einem sehr kurzen Griffelstumpf gekrönt. Fünf Exemplare sind stark angegriffen und flach gedrückt.

Durch ihre schmalere Form, die schlanke Basis und die eher

herabfallenden „Schultern" sind die Innenfrüchte der Fuchs-Segge (*C. vulpina* L.) abzugrenzen. Ebenfalls trapezförmige, aber deutlich kleinere Innenfrüchte besitzt die Igel-S. (*C. echinata* Murray).

Carex pseudocyperus L. (Scheinzyper-Segge; Taf. 14,4)

2 sf. Expl.: L. 1,70/1,75 mm; B. 0,95/1,10 mm; D. 0,90/0,95 mm

Diese Art kann anhand zweier unversehrter Innenfrüchte nachgewiesen werden. Sie gehören zur Gruppe der „kleinen dreiseitigen Carexfrüchte" und zeichnen sich durch relativ scharfe Kanten und einen regelmäßigen, ovalen Umriss aus. Beide Enden sind zugespitzt und tragen einen kurzen Stiel bzw. einen mehr oder weniger langen, zierlichen Griffelstumpf. Die breiteste Stelle der gleichförmigen Seitenflächen liegt knapp oberhalb der Fruchtmitte. Entsprechende Beobachtungen an subfossilem Material haben Körber-Grohne (1967) und Jacomet (1986) gemacht.

Die geringe Größe und die regelmäßige Form der gefundenen Exemplare erlauben eine sichere Bestimmung und eine leichte Abgrenzung gegenüber allen weiteren Carexarten mit kleinen, dreiseitigen Innenfrüchten. Nur *C. pendula* Huds. (Hänge-S.) kann unter Umständen als Verwechslungspartner gelten. Ihre Früchte sind in der Regel aber „unregelmäßig" geformt, mit der breitesten Stelle oberhalb der Mitte und einer sehr schmal zulaufenden Basis; man kann sie als gedrungener geformt bezeichnen.

Carex remota L. (Winkel-Segge; Taf. 14,5)

5 sf. Expl.: L. 1,52 (1,40–1,70) mm; B. 0,95 (0,80–1,05) mm; D. 0,46 (0,40–0,50) mm

Sieben hellbraune Innenfrüchte gehören zur Winkel-Segge. Auffallend für diese kleinen, zweiseitigen Innenfrüchte sind die verhältnismäßig breite Basis mit den abfallenden Kanten und das verjüngte apikale Ende. Reste der schillernden und rauen Oberfläche sind bei einem Teil der Exemplare stellenweise erhalten geblieben. Das rezente Vergleichsmaterial zeigt völlige Übereinstimmung mit den subfossilen Nachweisen. Weitere Carexarten mit kleinen, zweiseitigen Innenfrüchten, wie die Zweizeilige Segge (*C. disticha* Huds.), die Grau-S. (*C. canescens* L.; s.o.), die Bräunliche. S. (*C. brunnescens* [Pers.] Poiret) und die Hasenpfoten-S. (*C. leporina* L.) können alle durch ihren breit geformten Fruchtapex von den Innenfrüchten der Winkel-S. unterschieden werden.

Carex cf. *riparia* Curtis (wohl Ufer-Segge; Taf. 14,1)

1 sf. Expl.: L. 2,15 mm; B. 1,25 mm; D. 1,25 mm

Eine dunkelbraune Innenfrucht ist längs ihren stumpfen Kanten aufgerissen und dadurch nicht sicher bestimmbar. Die aufgewölbten, gleichförmigen Seitenflächen werden von einem sehr kurzen Griffelstumpf gekrönt. Rezente Innenfrüchte der Ufer-Segge sind in der Regel breiter geformt und tragen einen langen, kräftigen Griffelstumpf.

Ähnlich gestaltete Innenfrüchte besitzt nur die Behaarte S. (*C. hirta*), die subfossil mehrfach nachgewiesen wurden und sich deutlich von dem vorliegenden Exemplar unterscheiden (s.o.).

Carex cf. *vesicaria* L. (wohl Blasen-Segge)

Ein gelbbraunes, glitzerndes Bruchstück einer Innenfrucht kann aufgrund seiner Abmessungen (2,1 mm × 1,4 mm) nur zu einer großen, dreiseitigen Carexfrucht gehören. Auffallend große, regelmäßig polygonale („wabenartige") Epidermiszellen mit erhabenen Wänden und wohl ausgebildeter zentraler Papille verleihen der Oberfläche ein raues Aussehen. Insbesondere an korrodierten Stellen scheint die Längsstruktur der darunter befindlichen Zellschicht hindurch. Unter dem umfangreichen rezenten Seggenmaterial treffen die erwähnten Merkmale ausschließlich auf die großen, dreiseitigen Innenfrüchte der Blasen-Segge zu.

Die braunen Innenfrüchte der Hirse-S. (*C. panicea* L.) besitzen ein unregelmäßiges, grobes Zellmuster aus länglichen und wabenartigen Zellen verschiedener Größe sowie eine derbere Fruchtwand als das subfossile Bruchstück.

Carex L. sp. (Seggen-, Riedgrasarten)

1 sf. Expl. (Bruchstück): L. 2,00 mm; B. 1,10 mm

Ein Bruchstück einer braunen Innenfrucht mit kurzem, schlankem Griffelstumpf und der breitesten Stelle in der Mitte kann keiner bestimmten Seggenart zugeordnet werden. Das Fragment gehört zu einer nicht belegten Spezies mit schlanken, dreiseitigen Innenfrüchten. Gewisse Ähnlichkeiten bestehen mit den Innenfrüchten der Wald-S. (*C. sylvatica* Huds.) und v.a. mit denen der Entferntährigen S. (*C. distans* L.).

Cyperus fuscus L. (Braunes Zypergras)

10 sf. Expl.: L. 0,84 (0,75–0,90) mm; B. 0,50 (0,40–0,55) mm; D. 0,41 (0,30–0,50) mm

Die kleinen, scharfkantigen Früchte sind länglich oval und basal zugespitzt. Das distale Ende trägt bei allen gefundenen subfossilen Exemplaren einen kurzen Griffelrest. Die wulstförmige Verbreiterung der Ansatzstelle ist durch feine Längsrisse nur undeutlich zu erkennen. Der Querschnitt entspricht einem gleichschenkligen Dreieck mit leicht geschwungenen Seiten; die größte Seitenfläche ist meist konkav geformt. Die gefundenen Früchte zeichnen sich durch ein transparentes bräunlich gelbes Perikarp aus, so dass die dunkler gefärbten Samen stets sichtbar sind. Ein Netz von in Längsreihen angeordneten, fünf- oder sechseckigen Maschen bedeckt die Fruchtoberfläche.

Früchte des Gelblichen Zypergrases (*C. flavescens* L.) sind gedrungener und bikonvex, diejenigen des Langen Z. (*C. longus* L.) erheblich länger als die subfossilen Exemplare. Ähnlich geformt sind die ebenfalls nachgewiesenen, aber dunkler gefärbten Früchte der Wald- bzw. Flecht-Simse (*Scirpus sylvaticus* L.). Diese sind im Mittel größer, v.a. breiter und abgeflachter, besitzen runde Kanten und konvexe Seitenflächen. Die dickste Stelle liegt in der Mitte (Längsschnitt), wogegen sie bei Früchten des Braunen Z. deutlich dem distalen Ende angenähert ist (Beschreibung von *Scirpus sylvaticus* s.u.).

Eleocharis palustris (L.) R. et Sch. coll. (Gemeine Sumpfsimse: Sammelart)

14 sf. Expl. (ohne Griffelpolster): L. 1,61 (1,40–1,80) mm; B. 1,24 (1,10–1,40) mm; D. 0,92 (0,80–1,00) mm
4 sf. Expl. („cf. ssp. *palustris*" = „cf. ssp. *microcarpa* S. M. Walters"): L. 1,30 (1,20–1,35) mm; B. 0,99 (0,90–1,05) mm; D. 0,70 (0,70) mm

Die verkehrt birnenförmigen Früchte sind für alle drei Kulturschichten nachgewiesen. Die breiteste Stelle liegt oberhalb der Mitte, das apikale Ende ist gleichmäßig gerundet und die Basis ist breit gestutzt. Reste des Griffelpolsters sind nur bei wenigen Exemplaren vorhanden und die Basalborsten fehlen stets. Die faltig-häutige Oberhaut ist meist eingerissen, z.T. korrodiert und braun glänzend. Sie ist etwas rau, aber nicht papillös, wie es für die meisten Cyperaceenfrüchte typisch ist. Unter den Arten der Gattung Eleocharis besitzt nur die Einspelzige Sumpfsimse (*E. uniglumis* [Link.] Schult.) ähnlich geformte Früchte. Diese sind im Mittel etwas länger, zur Basis hin gleichmäßiger verjüngt und an den Seiten abgerundeter als die subfossilen Funde. Die Fruchtoberfläche ist durch tiefe Gruben mit dicken Wänden stark strukturiert und nur matt glänzend. Die Ausprägung der Griffelpolster, die Körber-Grohne (1967) zur Unterscheidung von *E. palustris* und *E. uniglumis* ins Feld führt, kann beim vorliegenden Material aufgrund seiner starken Korrosion nicht zur Artabgrenzung herangezogen werden.

Vier auffallend kleine Früchte mit Längen zwischen 1,20 und 1,35 mm sind entweder nicht ausgereift oder gehören zur Unterart *E. palustris* ssp. *palustris* (= *E. palustris* ssp. *microcarpa* S. M. Walters). Ihre Abmessungen sind gesondert aufgeführt (s. o.). Oberdorfer (1979) gibt hierfür Fruchtlängen von 1,2 bis 1,4 mm an, wogegen Früchte der Subspezies *vulgaris* S. M. Walters 1,5 bis 2,0 mm lang sind. Der Großteil des Fundmaterials gehört wohl zur zuletzt genannten Unterart.

Schoenoplectus lacustris (L.) Palla (Gemeine Teichsimse; Taf. 14,9)

8 sf. Expl.: L. 2,55 (2,20–2,90) mm; B. 1,81 (1,50–2,05) mm; D. 1,24 (1,10–1,35) mm

Im Gegensatz zu den glänzenden, bräunlich grauen rezenten Früchten sind die gefundenen Exemplare von matt schwarzer Farbe. In Bauchlage ist der Umriss verkehrt eiförmig mit schmal zulaufender Basis bzw. tropfenförmig; die breiteste Stelle liegt etwas oberhalb der Mitte. Die Oberseite ist abgerundet dachförmig, die Unterseite ist flach bis mäßig aufgewölbt und in der basalen Hälfte eingedellt. Im Querschnitt ergibt dies ein gleichschenkliges Dreieck mit schwach konvexen Seitenflächen und abgerundeten Kanten. Zwei gut erhaltene Exemplare tragen noch Reste der sechs Perigonborsten mit nach hinten gerichteten Stachelchen und die Rudimente der drei Filamente. Lange, gestutzte Griffelstümpfe sind stets vorhanden. Die wenig eingetieften Oberhautzellen tragen keine Papillen. Auf den Lateralflächen haben sie eine hexagonale, regelmäßige Form, im Bereich der Randpartien und der Basis sind sie lang gestreckt.

Zur Unterscheidung der subfossilen Früchte der Gemeinen Teichsimse von anderen großfrüchtigen Schoenoplectus- und Bolboschoenusarten wurden u.a. Körber-Grohne (1967) und Berggren (1969) als Spezialliteratur herangezogen. Die Unterschiede sind:

- *Schoenoplectus triqueter* (L.) Palla (Dreikant-T.) besitzt kleinere, schlankere Früchte mit „herabfallenden Schultern" und nur wenig aufgewölbter Oberseite; ihr Umriss kann mit „drachenförmig" beschrieben werden.
- *S. americanus* (Pers.) Volkart (Amerikanische T.) hat Früchte vergleichbarer Größe, die aber gedrungener sind und eine ausgesprochen breite Basis aufweisen; die Oberseite ist stets aufgewölbt, aber nie dachförmig.
- *S. tabernaemontani* (C. C. Gmelin) Palla (Salz-T.) bildet kürzere und v.a. schlankere Früchte mit „herabfallenden Schultern" aus. Durch die stärker aufgewölbte Oberseite ergibt sich im Querschnitt ein asymmetrisches Oval.
- Schwieriger ist die Abgrenzung von Früchten der Gemeinen Strandsimse (*Bolboschoenus maritimus* [L.] Palla). Diese sind in der Regel breiter, „höher geschultert" und zur Basis hin stärker verjüngt. Der optische Schwerpunkt liegt somit näher bei der Griffelansatzstelle als bei den gefundenen Exemplaren. Die Oberseite der Früchte ist stets aufgewölbt, aber nie dachförmig ausgebildet, wodurch ein schief eiförmiger Querschnitt entsteht. Die äußere, stark glänzende Schicht der Fruchtwand ist im subfossilen Zustand meist korrodiert und kann als Unterscheidungsmerkmal nicht herangezogen werden (Körber-Grohne 1967; Jacomet 1986).

Erwähnt sei noch die Ausbildung des Griffelrestes. Dieser ist bei den subfossilen Exemplaren schmal, lang und gestutzt. Breite, kurze und gestutzte Griffelreste, wie sie nach Körber-Grohne für die Früchte von *B. maritimus* typisch sind, liegen in unserem Material nicht vor. Dieser Befund wird durch eigens angestellte Versuche an Rezentmaterial untermauert. So lassen sich bei Früchten von *B. maritimus* durch geringen Druck mit der Präpariernadel die zugespitzten Griffelreste aus blasigem, lockerem Gewebe bis auf einen zurückbleibenden Stumpf entfernen. Bei *S. lacustris*-Früchten ist auf diese Weise nichts zu erreichen, die langen Griffelreste bleiben erhalten.

Obwohl die Gemeine Strandsimse heute vorwiegend im Küstenbereich beheimatet und nur selten im Binnenland anzutreffen ist (Oberdorfer 1979), erscheint die eingehende Betrachtung der subfossilen Früchte und deren sichere Zuordnung zu *S. lacustris* in der vorliegenden Arbeit von besonderer Bedeutung. Eine weitere Art der Küstenwiesen, die Zweischneidige Binse (*Juncus anceps* La Harpe), konnte für Bodman-Schachen nachgewiesen werden (s. o.), was die potentielle binnenländische Verbreitung von Küstenpflanzen in der frühen Bronzezeit demonstriert.

Scirpus sylvaticus L. (Wald-Simse, Flecht-S.)

10 sf. Expl.: L. 0,94 (0,85–1,05) mm; B. 0,62 (0,55–0,65) mm; D. 0,38 (0,35–0,40) mm

Die dreiseitigen, stumpfkantigen Früchte der Wald-Simse haben eine zugespitzte Basis und eine breit ausgeformte obere Hälfte; ihre Form kann mit „birnenförmig" beschrieben werden. Im Gegensatz zu rezenten Exemplaren tragen die gefundenen keine Griffelreste mehr. Der Querschnitt entspricht einem flachen, gleichschenkligen Dreieck mit einer konvex verlaufenden Grundseite. Die dickste Stelle liegt in der Mitte (Längsschnitt).

Die Oberflächenstruktur aus in Längsreihen angeordneten Maschen ähnelt derjenigen von Früchten des Braunen Zypergrases. Das Mascheninnere ist bei der vorliegenden Art aber tiefer eingesenkt und der Maschenrand ist breiter. Die transparente Hülle gestattet die Sicht auf die dunkel gefärbte und braun gefleckte Innenfrucht; eine derartige Zeichnung ist bei den Früchten des Braunen Zypergrases nicht anzutreffen. Auch der fehlende Griffelstumpf lässt sich bei dem vorliegenden subfossilen Fruchtmaterial als Unterscheidungsmerkmal zur zuletzt genannten Art heranziehen (Beschreibung von *Cyperus fuscus* s. a.).

Poaceae

Zur Familie der Poaceae Barnhart oder Gramineae Juss. (Süßgräserarten) können sechs Spezies bzw. acht Taxa von Wildgräsern gestellt werden. Fünf weitere Arten zählen zu den Cerealea (Getreidearten), die an anderer Stelle besprochen werden, mit Ausnahme von *Hordeum vulgare* (Kap. 3.1). Insgesamt liegen 91 Karyopsen vor, wovon 17 der unteren, 19 der mittleren und 55 der oberen Kulturschicht angehören.

Die prozentualen Anteile der Wildgrasnachweise am Gesamtspektrum einer Probe schlüsseln sich wie folgt auf – die Zahlen in Klammern bedeuten die theoretischen Anteile bei vollständiger Durchsicht der jeweiligen 0,315-Millimeter- und 0,2-Millimeter-Fraktion: untere Kulturschicht 1,8 (2,4)%, mittlere Kulturschicht 1,8%, obere Kulturschicht 3,8 (3,5)%. Berechnen wir die Anteile der Wildgraskaryopsen an den Gesamtnachweisen der krautigen Wildpflanzen des Landes (Pflanzen der mehr oder weniger waldfreien und von Menschen beeinflussten Standorte): untere Kulturschicht 9,8%, mittlere Kulturschicht 6,7%, obere Kulturschicht 4,6%. Die Bestimmung der Wildgrasreste erweitert das Pflanzenspektrum nicht unwesentlich und erlaubt zugleich einen besseren Einblick in die Zusammensetzung der Pflanzenwelt waldfreier Standorte. Voraussetzung ist allerdings die Determination von bodenfeuchtem bzw. -nassem Material.

Von den Karyopsen der Wildgräser ist im subfossilen Zustand nur ein mehr oder weniger transparentes, inhaltsloses Häutchen aus Teilen des Perikarps (Fruchtwand) und der Testa (Samenschale) erhalten geblieben. Die Bestimmung schließt die Ausprägung des Nabels, die Beschaffenheit des Perikarps bzw. der Testa sowie Größe und Form der flach gedrückten Früchte mit ein, die dem ehemals vollen Korn entsprechen. Nur beim Wolligen Honiggras (*Holcus lanatus*) blieben zumeist Spelzenfragmente erhalten. Die Determination erfolgte mit Hilfe unserer Sammlung künstlich fossilisierter und subfossiler Poaceenfrüchte und dem Bestimmungsschlüssel von Körber-Grohne (1964).

Agrostis stolonifera L.
(Weißes Straußgras; Taf. 15,4)

1 sf. Expl.: L. 0,95 mm; B. 0,48 mm;
Nabel: L. 165 µm; B. 64 µm

Merkmale: Nabel klein, etwas länger als ein Sechstel der Fruchtlänge, deutlich von der Basis entfernt und etwas seitwärts der Mitte liegend. Form des Nabels länglich eiförmig, zum apikalen Ende hin sich etwas verjüngend, aber nicht zugespitzt, ungefähr zweieinhalbmal so lang wie breit. Dieses Einzelexemplar unterscheidet sich durch seinen auffallend schmalen und lang gestreckten, kräftig gefärbten Nabel von den Früchten der nachgenannten Agrostisarten. Frucht elliptisch mit leicht zugespitzter Basis, deutlich kleiner als die Früchte der Poaarten (s. u.) und heller gefärbt. „Nabelstrahlen" (dunkel gefärbte Linien) radiär vom Nabel ausgehend.

Agrostis tenuis Sibth.
(Rot-Straußgras; Taf. 15,3)

Synonym: *A. vulgaris*
9 sf. Expl.: L. 0,97 (0,77–1,18) mm; B. 0,42 (0,29–0,57) mm;
Nabel: L. 120 (102–150) µm; B. 56 (30–76) µm

Merkmale: Nabel klein, ca. ein Achtel der Fruchtlänge (kürzer als bei *A. stolonifera*), meist median liegend. Form des Nabels oval, kaum verjüngt, ungefähr zweimal so lang wie breit; stets schwächer gefärbt als bei dem oben erwähnten Einzelexemplar. Weitere Merkmale wie bei voriger Art.

Agrostis canina L. vel. *A. tenuis* Sibth.
(Hunds-Straußgras oder Rot-S.)

4 sf. Expl.: L. 0,86 (0,83–0,89) mm; B. 0,38 (0,37–0,38) mm;
Nabel: L. 115 (102–127) µm; B. 61 (38–76) µm

Merkmale: Früchte kleiner als bei *A. tenuis*, Nabel kürzer und breiter („rundlich oval") und deutlich heller gefärbt. Eventuell handelt es sich hier auch um etwas anders gestaltete Früchte der vorigen Art.

Calamagrostis Adans. sp. (non *C. canescens* [Weber] Roth),
(Reitgrasarten, nicht Sumpf-Reitgras; Taf. 16,3)

1 sf. Expl.: L. 1,08 mm; B. 0,52 mm;
Nabel: L. 254 µm; B. 64 µm

Merkmale: Frucht klein, so groß wie die Agrostisfrüchte, im Unterschied zu diesen aber basal zugespitzt und am apikalen Ende mit Griffelresten. Nabel extrem lang gestreckt, ungefähr viermal so lang wie breit und beidseitig zugespitzt; randlich dunkel gefärbt, im Innern hell (vgl. auch *Holcus lanatus* L.). Wände der lang gestreckten Fruchtwandzellen dunkel, dadurch Oberfläche genetzt.

Abgrenzung: Früchte von *C. canescens* sind wesentlich kleiner als das gefundene Exemplar. Unsere Vergleichssammlung enthält nicht alle Reitgrasarten, wodurch eine Artbestimmung unterbleiben muss.

Holcus lanatus L.
(Wolliges Honiggras; Taf. 16,2)

19 sf. Expl.: L. 1,50 (1,27–1,73) mm; B. 0,63 (0,51–0,80) mm; Nabel: L. 210 (152–267) µm; B. 68 (44–89) µm

Merkmale: Früchte wesentlich größer, v.a. länger als bei oben genannten Arten, transparenter, ohne Netzmuster, hell gescheckt. Fast allen Früchten haften noch Reste der Spelzen an („faseriges Aussehen"). Charakteristisch sind auch die zahlreichen feinen Querrunzeln. Nabel lang gestreckt, apikal verjüngt, ca. dreimal so lang wie breit und meist seitwärts der Mitte gelegen.

Abgrenzung: *Holcus mollis* L. (Weiches Honiggras) bildet rundlichere Früchte aus. Einen elliptischen Nabel und grießige Einlagerungen der Fruchtwand kennzeichnen die Früchte von *Cynosurus cristatus* L. (Weide-Kammgras), Querrunzeln nicht vorhanden.

Poa pratensis L.
(Wiesen-Rispengras; Taf. 15,2)

8 sf. Expl.: L. 1,39 (1,27–1,58) mm; B. 0,67 (0,62–0,71) mm; Nabel: L. 148 (114–178) µm; B. 145 (114–178) µm

Merkmale: Früchte ungefähr so groß wie diejenigen von *Holcus lanatus*, durch dreieckig verjüngte Basis aber kantiger. Nabel kreisrund und sehr dunkel gefärbt, meist seitlich gelegen; kräftige Einlagerungen in den Fruchtwandzellen (vgl. nachgenannte Art).

Poa trivialis L.
(Gemeines Rispengras; Taf. 15,1)

8 sf. Expl.: L. 1,52 (1,36–1,65) mm; B. 0,62 (0,58–0,69) mm; Nabel: L. 191 (152–229) µm; B. 132 (102–165) µm

Merkmale: Früchte geformt wie bei voriger Art, Nabel aber eiförmig und nach oben etwas verjüngt. Einlagerungen der Fruchtwandzellen schwach, ähnlich wie bei *Holcus lanatus* (s.o.).

Abgrenzung: Die Hälfte der Nachweise besitzt keine ausgeprägten Artmerkmale und wird unter *Poa pratensis* vel *P. trivialis* in den Listen geführt. Früchte von *Poa palustris* L. (Sumpf-Rispengras) sind wesentlich kleiner und v.a. schlanker sowie apikal zugespitzter als die Früchte der beiden nachgewiesenen Arten.

Echinochloa crus-galli (L.) P. B.
(Gemeine Hühnerhirse; Taf. 16,4)

1 sf. Expl. (beschädigt): L. 1,35 mm; B. 0,85 mm; Nabel: L. 400 µm; B. 450 µm

Merkmale: Beschädigte Frucht mit extrem großem, rundem Nabel und einem von ehemals zwei Griffelstümpfen. „Fruchtwand" ausschließlich aus großen polygonalen Testazellen mit gerade (!) verlaufenden Wänden bestehend – Perikarpzellen sind dagegen stark gewellt. Testa gelbbraun, Nabel kräftig dunkel gefärbt.

Abgrenzung: Digitaria- (Fingerhirse) und Setariaarten (Borstenhirse) besitzen stets ovale Nabel geringerer Größe.

Poaceae Barnhart indet.
(unbestimmbare Süßgrasart; Taf. 16,1)

1 sf. Expl.: L. 3,11 mm; B. 0,64 mm; Nabel: L. 2413 µm; B. 127 µm

Neun Früchte bleiben unbestimmt, da sie schlecht erhalten sind, mit Ausnahme des auf Tafel 16,1 abgebildeten Exemplars. Dieses ist vergleichsweise lang und besitzt einen linealischen Nabel, der länger als drei Viertel der Fruchtlänge ist und nicht strahlenförmig endet. Eine Determination muss mangels Vergleichsmaterials unterbleiben (Bromusart?).

Hordeum vulgare L.
(Mehr- oder Zweizeilige Gerste; Taf. 15,5–6)

1 sf. Bruchstück: L. 1,6 mm; B. 1,0 mm

Es ist das einzige bestimmbare unverkohlte Getreidekorn; die Besprechung findet deshalb an dieser Stelle Platz. Das apikale Fruchtende ist etwas eingezogen und trägt eine kleine Spitze. Der Nabel liegt median, ist breit und endet nur wenig unterhalb des Griffelendes. Das Querzellenmuster ist von der Mitte zum Rand hin „ordentlicher" werdend (vgl. Körber-Grohne 1964).

Typhaceae

Typha L. sp. (Rohrkolbenarten; Taf. 8,6)

3 sf. Expl.: L. 0,88/1,00/1,20 mm; B. 0,23/0,28/0,25 mm

Es sind nur drei schlanke, spindelförmige Samen mit einem zugespitzten, dunklen Ende und einem abgestumpften Mikropylende nachgewiesen. Ihre Farbe ist gelblich braun bzw. orangebraun. Die ebenfalls spindelförmigen Fruchthüllen der einsamigen Deckelnüsse sind abgegangen. Dem kleinsten Samen sitzt noch der Samendeckel am Mikropylende auf, welcher bei der Keimung gesprengt wird. Was bei geringer Vergrößerung als feine Längsstreifung zu erkennen ist, wird im Mikroskop als netzmaschige Struktur sichtbar. Diese ist durch in Reihen angeordnete, quadratische Zellen der äußeren Samenschale (Testa) bedingt. Zu den Enden hin werden die Testazellen abgeflacht rechteckig.

Größenunterschiede konnten bei rezentem Samenmaterial zwischen den beiden kommunen Arten *Typha angustifolia* L. (Schmalblättriger Rohrkolben) und *T. latifolia* L. (Breitblättriger R.) nicht festgestellt werden. Nach Jacomet (1986) liegt das kleine Exemplar im Größenbereich der ersten Art, die beiden anderen im Bereich der zuletzt genannten Art bzw. im Überschneidungsbereich beider Arten. Strukturdifferenzen der Samenoberflächen lassen sich bei rezentem Material ebenfalls nicht nachweisen.

Die einheimischen, heute im Gebiet aber nicht (mehr?) vorkommenden Arten *T. minima* Hoppe (Zwerg-R.) und *T. shuttleworthii* Koch et Sonder (Shuttleworths R.) können anhand von rezentem Vergleichsmaterial auch nicht abgetrennt werden. Die Klassifizierung der drei Samen als *Typha* L. sp. ist somit gerechtfertigt.

Als Speziallitertur diente Brouwer/Stählin (1975) und Hegi, Bd. 1 (1908).

4 Diskussion der vorliegenden Ergebnisse

4.1 Zusammenstellung der möglichen Nutzpflanzenarten und die Ernährungsweise der frühbronzezeitlichen Seeufersiedler von Bodman-Schachen I

Kulturpflanzen: Dinkel, Emmer, Einkorn, Saatweizen im weitesten Sinne, Gerste, Schlafmohn und Saatlein

Für das frühbronzezeitliche Bodman-Schachen sind fünf Getreidearten belegt (Kap. 3.1), die wohl als Winterfrüchte angebaut wurden. Es sind dies – die Reihenfolge entspricht der Häufigkeit ihrer Nachweise: Dinkel, Emmer, Einkorn, Saatweizen im weitesten Sinne und Gerste. Die Spelzweizenarten Dinkel und Emmer sind in allen drei Kulturschichtproben reichlich vorhanden, wobei der Dinkel stets überwiegt. Einkorn und Saatweizen sind nur für die beiden älteren Kulturschichten sicher nachgewiesen und die beiden Gerstenfunde entstammen ebenfalls der unteren Kulturschicht. Aussagen über die Mengenverhältnisse der verschiedenen Getreidearten in den einzelnen Besiedlungsphasen lassen sich nicht treffen, da sämtliche untersuchten getreidekornreichen Flächenproben der unteren Kulturschicht entstammen. Auch für die älteste Besiedlungsphase sind die Proben zu spärlich, als dass die Ergebnisse den Getreideanbau und die Ernährungssituation genau widerspiegeln könnten.

Wichtig ist der häufige Nachweis des Dinkels, der im südwestdeutschen und schweizerischen Neolithikum noch nicht zu fassen ist. Brombacher/Dick (1987) konnten bei ihren Analysen von Seeuferstraten des Zürichsees zum ersten Mal sicher einen Dinkelanbau für die frühe Bronzezeit bzw. für die Phase zwischen der Schnurkeramik und der Frühbronzezeit belegen. Zeitgleich mit diesen Funden sind die Dinkelnachweise der ältesten Kulturschicht (2365–1740 v. Chr., cal.; s. Kap. 1.2 u. Beitrag Köninger). Inwieweit die hohe Nachweissumme des Dinkels seinen damaligen Stellenwert in der Ernährung der Seeufersiedler widerspiegelt, kann anhand der bearbeiteten Proben dieser Untersuchung nicht entschieden werden.

Körner von Rispenhirse (*Panicum miliaceum* L.) und Kolbenhirse (*Setaria italica* [L.] Beauv.) fehlen in allen ausgelesenen Proben von Bodman-Schachen. Beide Arten tauchen seit dem mittleren Neolithikum im nördlichen Alpenvorland auf (vgl. u. a. Körber-Grohne 1987), gewinnen aber erst während der Bronzezeit an Bedeutung (Schlichtherle 1985). Für das nahe gelegene jungneolithische Pfahldorf Sipplingen können beide Hirsearten eventuell durch je ein Korn belegt werden, denen zahlreiche Nachweise von Zwergweizen (*Triticum compactum* Host), Emmer und Sechszeiliger Gerste (*Hordeum hexastichum* L.) gegenüberstehen (Bertsch 1932). Bei Untersuchungen reichhaltiger Kulturschichtabfolgen, die von ca. 4000 v. Chr. bis 1000 v. Chr. am unteren Zürichsee abgelagert wurden, wurde Rispenhirse erst in der Spätbronzezeit gefunden und Kolbenhirse nicht sicher bestimmt (Brombacher/Dick 1987). Für das südliche Mitteleuropa ist die Rispenhirse dagegen seit dem Pfahlbauneolithikum als Brotgetreide nachgewiesen (Neuweiler 1905). Bei weiteren Analysen ist mit Hirsenachweisen demnach wohl nur in den beiden jüngeren Kulturschichten zu rechnen (Kap. 6).

Weitere Kulturpflanzen sind die Ölpflanzen Schlafmohn und Saatlein, die seit den ersten Tagen der neolithischen Seeuferbesiedlung angebaut wurden (Schlichtherle/Wahlster 1986). Ihre Nachweise sind rar und beschränken sich beim Saatlein auf die beiden älteren Kulturschichten. Leinsamen sind aufgrund ihrer schlechten Erhaltungsfähigkeit in unverkohltem Zustand vermutlich in den Proben unterrepräsentiert (vgl. Kap. 3.4.2). Nur die mittlere Kulturschichtprobe enthält eine „größere" Anzahl von Mohnsamen. Welchen Stellenwert Schlafmohn und Saatlein in der Ernährung der Seeufersiedler hatten, bleibt, wie bei den Getreidearten, offen. Es ist allerdings unwahrscheinlich, dass Schlafmohn und Saatlein als die beiden wichtigsten prähistorischen Ölpflanzen des nördlichen Alpenvorlandes in Bodman-Schachen seltener genutzt wurden als in anderen Seeufersiedlungen – die ölreichen Samen wurden in jener Zeit der Nahrung beigemischt und noch nicht zur Ölgewinnung ausgepresst.

Mohn wurde vielleicht daneben auch zu Heilzwecken verwendet, Saatlein oder Flachs kann außerdem zur Fasergewinnung gedient haben. Wiederholt fanden sich in neolithischen Seeufersiedlungen des nördlichen Alpenvorlandes, so auch des westlichen Bodensees, verkohlte Stücke von Leinwand und von geknüpften Fischnetzen, die aus zweifädigem Flachszwirn hergestellt worden sind (Körber-

Grohne 1987; Körber-Grohne/Feldtkeller 1998). Die Vermutung liegt nahe, dass auch die Siedler von Bodman-Schachen Flachs in entsprechender Weise verarbeitet haben.

Eine weitere ölreiche Pflanze ist der Leindotter (*Camelina sativa* [L.] Crantz), der im Alpenvorland nur an zwei spätneolithischen Siedlungsplätzen des Neuenburger Sees (Schweiz) gefunden wurde (Villaret-von Rochow 1971; Schlichtherle 1981). Für Bodman-Schachen liegen keine Nachweise des Leindotters vor, obwohl Funde aufgrund der zeitlichen Stellung durchaus denkbar sind. Einen Überblick über die Entwicklung und Ausbreitung des Leindotters gibt Knörzer (1978).

Von den Hülsenfrüchten, typischen Sommerfrüchten, fehlt jede Spur. Ihre Erhaltungsbedingungen in unverkohltem Zustand sind äußerst gering, so dass in den drei Kulturschichtproben kaum mit Nachweisen von Hülsenfrüchten zu rechnen ist. In den Flächenproben, mit einem überwiegenden Anteil an Holzkohle und verkohlten Getreidekörnern, sind sie ebenfalls nicht belegt. Typische Hülsenfrüchte des Neolithikums und der Bronzezeit in Mitteleuropa waren Erbsen (*Pisum sativum* L.) und Linsen (*Lens culinaris* Med.), die in den Ufersiedlungen im Alpenvorland erstmals in den Kulturschichten des mittleren Neolithikums auftauchen (Körber-Grohne 1987). Der Erbse scheint im neolithischen Alpenvorland eine bedeutendere Stellung als der Linse zugekommen zu sein, wie verschiedene archäobotanische Makrorestbearbeitungen zeigen (Lundström-Baudais 1984; Brombacher/Dick 1987; Jacomet 1987a). Ein Anbau von Erbsen und/oder Linsen ist für Bodman-Schachen wahrscheinlich. Nachweise können allerdings erst bei verkohlten (Vorrats-) Funden erwartet werden (Kap. 6). Mit dem Auftreten der Ackerbohne (*Vicia faba* L.), einer weiteren Hülsenfrucht, ist auch während der jüngsten Besiedlungsphase (ca. 1600 v.Chr.; s. Kap. 1.2) nicht zu rechnen. Sie erscheint im Untersuchungsraum zum ersten Mal in der späten Bronzezeit ab ca. 1200 v.Chr. (Körber-Grohne 1987).

Essbare Sammelpflanzen: Brombeere, Schwarzer Holunder, Wald-Erdbeere, Himbeere, Hasel, Schlehe, Apfel, Kratzbeere, Rosen, Zwerg-Holunder, Eingriffliger Weißdorn, Birne (?)

Die Auflistung der Sammelpflanzen folgt der Häufigkeit ihrer Nachweise. Man erkennt die große Vielfalt der gesammelten Obst- und Nussarten, die durch weitere Pflanzen ergänzt werden können (s.u.). Sämtliche Arten wachsen in Mantelgesellschaften oder an lichten Stellen von Auen- und Laubmischwäldern, können zum Teil aber auch freistehende Hecken bilden. Gemäß ihren Vorkommen gehören diese Sammelpflanzen zu den ökologischen Gruppen „SWA" (Tab. 15, 3.2) und „UW" (Tab. 15, 2.5). Durch die Auflichtung der ursprünglichen Waldlandschaft hat der Mensch wohl zumeist ungewollt neue Lebensräume für die Mantelgebüsche geschaffen und indirekt seine Versorgungslage verbessert (Kap. 3.2). Es handelt sich dementsprechend auch hier um „Kulturpflanzen" bzw. Kulturbegleiter. Daneben sind auch angepflanzte Hecken vorstellbar, wie sie in Kapitel 3.2.4 zur Sprache kommen.

Bei den erwähnten Pflanzen kann nicht in jedem Fall von einer wirklichen Nutzung durch den Menschen ausgegangen werden. Die hohen Fundzahlen von Brombeere, Schwarzem Holunder, Wald-Erdbeere, Himbeere, Hasel, Schlehe und Apfel machen zumindest für diese Arten ein gezieltes Einbringen in die Siedlung wahrscheinlich. Dieses Sammelspektrum taucht in ähnlicher Ausprägung bei den meisten vorgeschichtlichen Feuchtbodensiedlungen des nördlichen Alpenvorlandes auf. Kratzbeeren, Schlehen, Hagebutten und die Früchte des Zwerg-Holunders und des Eingriffligen Weißdorns sind auch heute noch ein zum Teil begehrtes Sammelgut, können aber auch ohne Zutun des Menschen abgelagert worden sein. Überschwemmungen der Waldränder und anschließender Ferntransport der Sämereien mit dem Wasser können bei Seeufersiedlungen ebenso wenig ausgeschlossen werden wie die Verbreitung durch Tiere (vgl. Bollinger 1981). Die Früchte des Schwarzen Holunders sind heute beispielsweise bei Vögeln ein begehrtes Futter.

Zu den eventuell eingebrachten Früchten zählen die nicht sicher nachgewiesene Birne und die Steinbeere, des Weiteren die Früchte der Gewöhnlichen Traubenkirsche, die Eicheln, die Bucheckern und die Früchte des Schwedischen Hartriegels. Eine Nutzung dieser Arten ist aus heutiger Sicht nicht in jedem Falle vorstellbar. Die enge Naturverbundenheit des prähistorischen Menschen darf bei den Betrachtungen allerdings nicht außer Acht gelassen werden. Wenn es um die Bereicherung des Speisezettels ging, war der Mensch wohl auch in der Vergangenheit nicht einfallslos!

Die auffallend vielen Nachweise von Sammelpflanzen für die mittlere Besiedlungsphase und die vergleichsweise niedrigen Werte in der jüngsten Kulturschicht müssen weder mit der unterschiedlichen Sammeltätigkeit des Menschen noch mit der Häufigkeit der Arten in Siedlungsnähe zusammenhängen. Vielmehr spiegelt sich hier wohl eher die Variabilität der Probenzusammensetzung wider, die hinsichtlich der Nutzpflanzen (vgl. auch Getreidenachweise) unter Umständen große Unterschiede in der Siedlungsfläche aufweisen kann (Vorratslager, Abfallhaufen, Fäkalien).

Weitere mögliche Nutzpflanzen

Viele wild wachsende Kräuter und Gehölzpflanzen wurden seit jeher vom Menschen genutzt – auch in vorgeschichtlicher Zeit –, sei es zu Heilzwecken, zum Färben, zum Weben und Flechten, zum Hausbau (Holzarten; Binsen, Simsen, Seggen, Röhricht zum Innenausbau und zur Isolation?) oder zu anderen handwerklichen Tätigkeiten. Not bzw. Natur macht erfinderisch. Unter diesem Gesichtspunkt sollen die folgenden Angaben gesehen werden, die nur einen Ausschnitt der möglichen Verwendungszwecke darstellen können. Die lateinischen Namen sind jeweils in alphabetischer Reihenfolge angegeben.

– Heilpflanzen: *Ajuga reptans*, *Betula* sp., *Calamintha clinopodium*, *Capsella bursa-pastoris*, *Conium maculatum*, *Corylus avellana*, *Crataegus monogyna*, *Daucus carota*, *Filipendula ulmaria*, *Fragaria vesca*, *Hypericum perforatum*, *Lapsana communis*, *Lycopus europaeus*, *Lythrum salicaria*, *Mentha aquatica*, *Mentha arvensis*, *Nasturtium officinale*, *Origanum vulgare*, *Papaver rhoeas*, *Plantago major*, *Polygonum aviculare*, *Polygonum hydropiper*, *Potentilla reptans*, *Prunella vulgaris*, *Ranunculus sceleratus*, *Rosa* sp., *Rubus fruticosus* coll., *Rubus idaeus*, *Rumex crispus*, *Sambucus ebulus*, *Sambucus nigra*, *Stellaria media*, *Urtica dioica*, *Valerianella locusta* und *Verbena officinalis*.

– Färbepflanzen: *Alnus glutinosa*, *Betula* sp., *Corylus avellana*, *Fagus sylvatica*, *Hypericum perforatum*, *Polygonum aviculare*, *Polygonum persicaria*, *Quercus* sp., *Rosa* sp., *Rubus fruticosus* coll., *Rubus idaeus*, *Rumex crispus*, *Sambucus ebulus*, *Sambucus nigra* und *Urtica dioica*.

– Faserpflanzen: *Linum usitatissimum* und *Urtica dioica*.

– Essbare Wildpflanzen (-teile): *Aethusa cynapium*, *Brassica rapa*, *Campanula rapunculus*, *Chenopodium album*, *Daucus carota*, *Fallopia convolvulus*, *Lapsana communis*, *Lythrum salicaria*, *Origanum vulgare*, *Plantago major*, *Polygonum persicaria*, *Prunella vulgaris*, *Rumex acetosella*, *Rumex crispus*, *Solanum nigrum*, *Urtica dioica*, *Valerianella dentata* und *Valerianella locusta*.

Der letzten Gruppe könnten vielleicht noch weitere Arten zugeordnet werden, deren Verwendungsmöglichkeiten zu Nahrungszwecken aber heute nicht mehr bekannt sind. Die vorliegende Auflistung wurde u.a. mit den Angaben bei Knörzer (1971a), „Genutzte Wildpflanzen in vorgeschichtlicher Zeit", verglichen.

Nutzte man ausschließlich Wurzeln, Sprosse oder Blätter einer Pflanze, wird sie womöglich vor der Samen- bzw. der Fruchtreife geerntet worden sein; ihre Nachweisbarkeit ist dadurch erheblich eingeschränkt. Gegenteiliges ergibt sich bei der Verwendung von Samen oder Früchten. In diesem Zusammenhang sei auf die Arbeit von Schlichtherle (1981) verwiesen, in welcher die Nutzung der ölreichen Brassicaceensamen diskutiert wird. Es gibt auch einzelne Hinweise auf gezieltes Sammeln u.a. von Samen des Rübsens (*Brassica rapa*), dem wilden Vorfahr der heutigen Kulturformen Rübsen bzw. Feldkohl, Chinakohl, Stoppelrübe und Rübstiel (Körber-Grohne 1987). Die spärlichen Nachweise legen diese Vermutung für Bodman-Schachen nicht nahe, widerlegen sie aber keinesfalls. Weitere Brassicaceenarten seien hier genannt, deren Samen aber stets in geringen Mengen vorliegen: *Arabidopsis thaliana*, *Capsella bursa-pastoris*, *Nasturtium officinale* und *Thlaspi arvense*.

Die angegebenen weiteren Nutzungsformen diverser Wildpflanzen ließen sich bei besserer Kenntnis der Lebensgewohnheiten der prähistorischen Seeufersiedler sicherlich ergänzen. Hierzu müssen weitere Samen- und Fruchtansammlungen in verschiedenen Siedlungen aufgefunden und analysiert werden.

Ernährungsweise der frühbronzezeitlichen Seeufersiedler

Quantitative Aussagen zum Verhältnis Kultur-/Sammelpflanzen bezüglich der Ernährung lassen sich für Bodman-Schachen nicht machen. Hierfür sind die untersuchten Proben und die erbrachten Nachweise zu spärlich. Die Ergebnisse demonstrieren aber in eindrücklicher Weise den reichhaltigen Speisezettel der frühbronzezeitlichen Seeufersiedler. Neben den fünf Getreidearten Dinkel, Emmer, Einkorn, Saatweizen im weitesten Sinne und Gerste enthielt er die beiden Ölpflanzen Schlafmohn und Saatlein. Eine Reihe von gesammelten Obst- und Nussarten sowie eine große Anzahl von weiteren essbaren Wildpflanzen ergänzten den Speisezettel. Der Dinkel – im Jungneolithikum des nördlichen Alpenvorlandes wohl noch nicht angebaut (s.o.) – scheint sich schon mit der beginnenden Frühbronzezeit großer Beliebtheit in Bodman-Schachen erfreut zu haben.

Im Hinblick auf wirtschaftsarchäologische Fragestellungen müssen selbstverständlich die Ergebnisse der Osteologie miteinbezogen werden. Die Analysen der Knochenreste aus Bodman-Schachen I ergeben (Kokabi 1987): Haussäugetiere (57,9%), Wildsäugetiere (40,6%) und Vögel/Fische (1,5%). Den größten Anteil der Haussäugetierknochen stellt das Rind, gefolgt von Schwein, Schaf/Ziege und spärlichen Resten von Pferd und Hund. Annähernd 35% aller Knochenfunde stammen vom Rothirsch, wogegen die weiteren Wildsäuger anscheinend nicht häufig verspeist wurden, wie Wildschwein, Reh, Hase, Biber, Fischotter und Wolf. Vögel und Fische standen trotz der Uferlage der Siedlung mit 1,5% äußerst selten auf dem Speisezettel. Diese Aufstellung zeigt, dass vermutlich über die Hälfte des Fleischverbrauchs durch die Haltung von Haussäugetieren gedeckt wurde. Daneben spielte bei der Ernährung, im Vergleich zu anderen Seeufersiedlungen, die waldspezifische Fauna wohl eine erhebliche Rolle. Zu bedauern ist die fehlende Differenzierung der osteologischen Analysen hinsichtlich der drei verschiedenen Kulturschichtpakete, die eventuell zeitliche Veränderungen der Gepflogenheiten des Fleischverzehrs hätte aufzeigen können. Sowohl botanische als auch zoologische Befunde zeigen sehr gut die Nutzung der Nahrungsressourcen der Umgebung von Bodman-Schachen durch die frühbronzezeitlichen Siedler auf. Hierbei kam den waldspezifischen und waldnahen Elementen von Flora und Fauna eine überaus große Bedeutung zu. In der frühen Bronzezeit konnte der Mensch in Mitteleuropa schon auf eine ca. 3500-jährige Tradition des Ackerbaus und der Viehzucht zurückblicken, doch wurde die Deckung des täglichen Nahrungsbedarfs durch intensive Sammeltätigkeit, Jagd und Fischfang unterstützt, so vermutlich auch in Bodman-Schachen. Der Vergleich verschiedener jungneolithischer und bronzezeitlicher Seeufersiedlungen des Bodenseeraumes zeigt, dass sich im Laufe der Zeit das Schwergewicht von „wildbeuterischen" zu produzierenden Wirtschaftsmaßnahmen verschob (vgl. Kokabi 1987; Liese-Kleiber 1987; Rösch 1987b).

4.2 Aussagemöglichkeiten der ausgelesenen Wildpflanzenreste: Versuch einer Rekonstruktion der frühbronzezeitlichen Vegetationsverhältnisse in der näheren Umgebung der Seeufersiedlungen Bodman-Schachen I

Für die Rekonstruktion der frühbronzezeitlichen Vegetationsverhältnisse stehen insgesamt 160 Taxa zur Verfügung (inkl. der Flächenproben; s. Tab. 17). Auf Probe Q62/6 entfallen 88 Taxa, 77 auf Probe Q62/4 und die jüngste Probe Q62/2 enthält 129 nachgewiesene Taxa (Tab. 18). Nur sieben Arten gehören zu den Kulturpflanzen, die restlichen Taxa werden zu den verschiedenen ökologischen Gruppen der Wildpflanzen gestellt (Tab. 15). Die grafischen Darstellungen der drei verschiedenen Kulturschichtproben und der Probensumme zeigen die prozentualen Häufigkeiten der Taxa- und Nachweissummen der 17 verschiedenen ökologischen Gruppen (Abb. 9–12). Mit Hilfe der Ellenbergschen Zeigerwerte (Ellenberg 1979) kann ein Prozentsatz von 75–80% der jeweiligen Taxa einer Probe auf die jeweiligen Standortfaktoren untersucht werden (Abb. 15–20). Die Ergebnisse können im Einzelnen den Kapiteln 3.2 und 3.3 entnommen werden.

Das vorliegende Pflanzenspektrum der drei Kulturschichten enthält eine Fülle von Pflanzenarten unterschiedlichster natürlicher, naturnaher und anthropogen bedingter Standorte. Der Seeuferlage entsprechend handelt es sich bei den gefundenen Samen und Früchten häufig um Belege von Pflanzen der Uferregion. Ungefähr ein Viertel der nachgewiesenen Taxa gehören hierzu. Daneben spielen Pflanzen der Waldränder, des Grünlandes und der Ruderal- und Ackerstandorte eine wichtige Rolle. Sie bilden Ersatzgesellschaften der ursprünglich geschlossenen Waldländer. Der nachfolgenden Zusammenstellung sind die Ergebnisse von Kapitel 3.2 zu entnehmen (vgl. Tab. 15). Bei der anschließenden Diskussion werden die Aussagen von Kapitel 3.3 „Die Ellenbergschen Zeigerwerte ..." in die Betrachtungen mit einfließen. Die erste Zahl gibt die Anzahl der nachgewiesenen Taxa in Prozenten an, in Klammern stehen die Prozentwerte der nachgewiesenen Reste – Werte gerundet. Die Kulturpflanzen (7. Gruppe) sind nicht aufgeführt; ihre Prozentwerte sind von der Gesamtsumme einer Probe (100%) abzuziehen.

Gruppe (Gesellschaften)	Q62/6	Q62/4	Q62/2
1. Wasserpflanzengesellschaften	4 (37)	4(6)	4 (1)
2. Verlandungsgesellschaften	21 (8)	21(3)	25 (35)
3. Ges. der Wälder, Waldränder, Waldverlichtungen, Hecken und Gebüsche	17 (17)	17(66)	11 (6)
4. Grünlandgesellschaften	16 (4)	19(3)	21 (20)
5. Pflanzen der trockenen Magerrasen	2 (0,2)	3(0,3)	2 (1)
6. Gesellschaften ruderaler Flächen, der Hackfrucht- und Getreideäcker	31 (9)	27(7)	34 (24)
Summe Gruppen 1–6	91 (75,2)	91 (85,3)	97 (87,0)

Die Gruppen 1 und 2 umfassen weit gehend naturnahe und von Menschen nicht oder nur wenig gestörte Plätze der Uferzone. Die Sämereien der hierzu gestellten Arten können sich unter natürlichen Bedingungen häufig in Seesedimenten ablagern. Die Pflanzen der Gruppen 3 bis 6 wachsen außerhalb der Uferzone. Ihre Nachweishäufigkeit hängt somit stark von anthropo-zoogenen Einflüssen ab. Durch Öffnung des geschlossenen Waldkleides werden die Standorte der Gruppen 3 bis 6 nachhaltig in ihrer flächenhaften Ausdehnung gefördert oder neu geschaffen (vgl. Ellenberg 1982). Die Sammeltätigkeit des Menschen bewirkt zudem die häufige Sedimentation einzelner Arten in den Kulturschichten, die nicht mit der Häufigkeit ihres Vorkommens in der Umgebung des Siedlungsareals gleichgesetzt werden darf (Kap. 4.1).

Das äußerst heterogene Gemisch aus Samen und Früchten von Pflanzenarten der verschiedensten Standorte ist aber auch durch die Einwirkung des Wassers auf die Siedlungsstraten bedingt (Kap. 4.3). Der Ferntransport von Sämereien durch den Wind und/oder das Wasser bewirkt eine Sedimentation von Pflanzenresten der unterschiedlichsten Herkünfte. Dies ergibt eine Thanatocoenose aus autochthonen und allochthonen Makroresten, die primär das Vegetationsmosaik der näheren, zugleich aber auch der weiteren Umgebung der frühbronzezeitlichen Siedlungen widerspiegelt. Samenkundliche Untersuchungen von Rezentsedimenten aus Verlandungsserien an schweizerischen Seeufern zeigen die deutliche Beeinflussung von periodischen Überschwemmungen auf die Artengarnitur von Seesedimenten ebenfalls auf (Bollinger 1981). Anthropogene Aktivitäten lassen sich auch hier nachweisen, wie z. B. Ackerunkräuter und Holzkohle.

Der Vergleich des nachgewiesenen Pflanzenspektrums mit den Artenlisten anderer makrorestanalytisch untersuchter Feuchtbodensiedlungen (Seeufer- und Moorsiedlungen) des nördlichen Alpenvorlandes ergibt eine weit gehende Übereinstimmung hinsichtlich der Arten- und Standortvielfalt. Eine kleine Auswahl von Veröffentlichungen sei hier in chronologischer Reihenfolge genannt: Heer (1865), Neuweiler (1905; 1919; 1924) und Bertsch (1926; 1932) sowie neuere Publikationen von Lundström-Baudais (1978; 1984), Jacomet-Engel (1980), Schoch/Schweingruber/Pawlik (1980), Bollinger/Jacomet-Engel (1981), Jacomet (1981; 1985; 1987a), Rösch (1984; 1985; 1987b), Brombacher (1986), Karg (1986) und Dick (1988). Deutliche Unterschiede zeigen sich in Bezug auf kleine Sämereien, deren häufige Nachweise in der vorliegenden Arbeit durch die Verwendung eines feinmaschigen Siebes von 0,2 mm Maschenweite erzielt werden konnten (Kap. 1.3 und 2.1). Zu den makrorestanalytisch selten oder zum ersten Mal nachgewiesenen Arten im nördlichen Alpenvorland zählen insbesondere die elf Juncusarten und die Poaceen sowie *Aphanes microcarpa*, *Arabidopsis thaliana*, die Campanulaarten, *Centaurium pulchellum*, *Gypsophila muralis*, *Sagina procumbens* und *Typha* sp. (s. u.; Kap. 3.4; Tab. 16).

Ein direkter Vergleich der Prozentwerte der verschiedenen Gruppen (Pflanzengesellschaften) einer Probe hinkt stets, da die Artenanzahl damals wie heute von Gruppe zu Gruppe unterschiedlich ist. Erst der Vergleich der drei Kulturschichtproben zeigt gewisse Tendenzen auf, die die Bedeutung einer Gruppe in einer Probe erahnen lassen. Vor diesem Hintergrund sind die folgenden Ausführungen zu sehen.

Gruppe 1: Wasserpflanzengesellschaften

Die Taxasummen der submersen Wasserpflanzen von den drei Kulturschichten sind gleich, was vermutlich auf die fehlende Determination der zahlreichen Characeen-Oogonien in der unteren Kulturschicht zurückzuführen sein dürfte; es ist mit mehreren Arten von Armleuchteralgen zu rechnen (Kap. 3.4.2). Die Nachweissummen lassen die unterschiedliche Sedimentationsrate von Oogonien besser erkennen.

Nur die Nixenkrautpflanzen können kurzzeitiges Trockenfallen überdauern. Ein Wassereinfluss auf das Siedlungsareal ist demnach für alle Besiedlungsphasen vorauszusetzen (Kap. 4.3). Bis auf das Mittlere Nixenkraut können alle nachgewiesenen Taxa auch in langsam fließenden Gewässern gedeihen. Während der frühbronzezeitlichen Besiedlung mündete die Stockacher Aach zumindest zeitweise noch nördlich des Siedlungsareals in den Bodensee (Kap. 1.4), so dass ein Vorkommen der belegten Wasserpflanzen im fließenden Wasser nicht auszuschließen ist (Kap. 6). – Einzelne Arten des Bachröhrichts sind ebenfalls belegt (s. u.).

Die Abnahme der Nachweisrate von Characeen-Oogonien kann in Zusammenhang mit einer zunehmenden Eutrophierung der siedlungsnahen Wasserbereiche gesehen werden (vgl. Lang 1973). Anzeichen hierfür sind bei den Wasserpflanzenspektren allerdings keine vorhanden. Es hat eher den Anschein, dass die Pflanzen von Böden mittlerer Stickstoffversorgung von der ältesten zur jüngsten Besiedlungsphase zahlreicher werden, was auch bei der Gruppe der Verlandungsgesellschaften festzustellen ist (Gruppe 2). Der Rückgang der Armleuchteralgen ist eher mit einem abnehmenden Einfluss des Wassers auf das Siedlungsareal zu erklären, sei es durch dessen Anhebung (Kulturschichten, Seesedimente) oder durch das allmähliche Absinken des Seespiegels während der frühen Bronzezeit. Beide Vorgänge können ebenso Hand in Hand gegangen sein.

Einen weiteren Einfluss auf Sedimentationsprozesse haben gut ausgebildete Gürtel emersen Röhrichts. Sie behindern die Anspülung von Getreibsel und dessen Ablagerung an der Hochwassergrenze (Lang 1973). Andererseits deuten sie auf meso- bis eutrophe Gewässerverhältnisse hin. Die steigenden Nachweis- und Taxazahlen der Pflanzen von Röhrichten und Großseggenriedern von der unteren zur oberen Kulturschicht könnten in Zusammenhang hiermit gesehen werden (Gruppe 2).

Definitive Aussagen zum Trophiegrad des Wassers und dem Einfluss des Wassers auf die Siedlungsschichten können letztendlich nur durch die zusätzliche Determination der Characeen-Oogonien und die Bearbeitung der limnischen Sedimentschichten der Siedlungslücken gemacht werden (Kap. 6).

Gruppe 2: Verlandungsgesellschaften

Die jüngste Kulturschicht zeichnet sich durch die höchsten Summen an nachgewiesenen Taxa und insbesondere an gefundenen Resten aus. Gut vertreten sind hier die Uferpioniere und die Pflanzen der Röhrichte und Großseggenrieder. Bei Letzteren ist ein kontinuierlicher Anstieg von Q62/6 zu Q62/2 festzustellen, der sich auch in den Ökodiagrammen durch eine Zunahme an Halblichtpflanzen ausdrückt (Abb. 15).

Echtes Röhricht, Bachröhricht, Großseggenrieder
Die relativ häufig belegten Spezies Gemeine Teichsimse und Gemeine Sumpfsimse sowie die meisten anderen Arten sprechen für mesotrophe Verhältnisse; nur die Rohrkolben, der Froschlöffel und die Gemeine Brunnenkresse zeigen eine gute Stickstoffversorgung an (Lang 1973; Ellenberg 1979). Einen abnehmenden Wassereinfluss auf die Kulturschicht als einzigen sich verändernden Faktor vorausgesetzt (vgl. Gruppe 1), spräche deshalb eher für einen Rückgang der Nachweise von Arten der Röhrichte und Großseggenrieder von der unteren zur oberen Kulturschicht aufgrund der abnehmenden Wahrscheinlichkeit der Sedimentation ihrer Sämereien im Siedlungsareal. Das Gegenteil ist der Fall, vermutlich aufgrund einer stärkeren Ausweitung des Röhricht- und Großseggengürtels, bedingt durch die Rodungen und Auflichtungen von Auewaldbereichen (s.u.). Hinweise auf eine Ausdehnung von Röhrichtgürteln nördlich der Alpen während des Jungneolithikums und insbesondere der frühen Bronzezeit liegen auch von Jacomet (1985) und Liese-Kleiber (1985) vor. Zu ähnlichen Ergebnissen kommt auch Karg (1986) bei Großrestanalysen von jungneolithischen Schichten in Allensbach (Bodensee). Früchte des heute weit verbreiteten Schilfs (*Phragmites australis*) können unter Umständen aufgrund ihrer schlechten Erhaltungsfähigkeit in den bearbeiteten Proben fehlen – die Poaceenfrüchte sind in allen untersuchten Proben stark angegriffen (Kap. 3.4.2).

Uferpioniere
Bei dieser Gruppe handelt es sich um nitrophile Pionierarten, die an lichtoffenen und stark besonnten Uferplätzen gut gedeihen. Hierzu zählen heute die Vertreter der Kriechpionierrasen, der Zweizahn-Schlammufer-Gesellschaften und der Zwergpflanzenfluren. Ihre Standorte auf z.T. entblößten Böden an Ufern von Flüssen oder Seen sind natürlich, können aber durch die Eingriffe des Menschen in den Naturhaushalt nachhaltig beeinflusst werden; Ellenberg (1982) spricht von halbruderalen Plätzen. Arten der Kriechpionierrasen besiedeln Standorte zwischen Niederwasser- und mittlerer Sommerwasserlinie und nehmen somit den unteren Auenrand ein. Sie vermitteln zwischen den tiefer gelegenen Zwergpflanzenfluren und den Zweizahn-Schlammufer-Gesellschaften einerseits und dem Flussröhricht bzw. dem Seeuferröhricht andererseits.

Die hohen prozentualen Anteile von Uferpionieren in der unteren und insbesondere der oberen Kulturschicht zeigen die große Bedeutung, die dieser Pflanzengruppe zukommt. Hierzu gehören beispielsweise die Blaugrüne und die Zwiebel-Binse, das Braune Zyperngras, der Milde Knöterich und der Gift-Hahnenfuß. Zur Deckung des Bau- und Brennholzbedarfs und zur Neuanlage von Siedlungsplätzen und landwirtschaftlichen Nutzflächen mussten Auenwaldbereiche gerodet werden (vgl. Gruppe 3). Durch diese Eingriffe hat der frühbronzezeitliche Mensch mit großer Wahrscheinlichkeit viele neue Wuchsorte für Uferpioniere geschaffen. Nicht nur in unmittelbarer Ufernähe, sondern auch in oft überschwemmten Geländedepressionen von Nasswiesen und auf wechselnassen Riedwegen ist die Ansiedlung von trittertragenden Uferpionieren zu vermuten (vgl. Ellenberg 1982; Lang 1973). Stets handelt es sich um mehr oder weniger stark gestörte, wechselnasse Plätze, an denen ausdauernde Arten nicht Fuß fassen können.

Kleinseggenrieder
Sie stellen natürliche Glieder von Verlandungsreihen an Seen oder Quellvegetationskomplexen dar, können aber auch sekundär an die Stelle von Bruchwäl-

dern treten. Nachweise von Pflanzen der Kleinseggenrieder sind rar und erreichen auch in der jüngsten Probe nur geringe Prozentwerte. Hier sind es vornehmlich die Glieder- und die Zweischneidige Binse, die Grau-Segge und das Sumpf-Stiefmütterchen. Weitere Arten der Uferpioniere und Nasswiesen können hinzutreten. Kleinseggenrieder sind auf sauren, stickstoffarmen Torfböden beheimatet, die es in der direkten Umgebung des Siedlungsareals wohl nur kleinflächig gegeben hat. Größere Torfvorkommen können heute nur landeinwärts in der Espasinger Niederung angetroffen werden (Erb/Haus/Rutte 1961; Lang 1973; vgl. Kap. 1.4). Eine Rarität stellt der Einzelfund der Rasigen Haarsimse (*Baeothryon cespitosum*) in der unteren Kulturschicht dar. Spät- und postglaziale Fossilfunde bestätigen das ehemalige Vorkommen dieser Art in Zwischenmoorgesellschaften mit „Hochmooranflug" im westlichen Bodenseegebiet (Lang 1973). Die Zweischneidige Binse (*Juncus anceps*) ist durch sechs Samen in der jüngsten Kulturschicht belegt; süddeutsche Vorkommen sind weder rezent noch subfossil belegt.

Gruppe 3: Gesellschaften der Wälder (inklusive Auenwälder), Waldränder, Waldverlichtungen, Hecken und Gebüsche

Waldpflanzen
Makrorestanalytisch belegt sind schwerpunktmäßig die Schwarz-Erle und die Eiche, wobei es sich bei Letzterer wohl um die in Auenwäldern beheimatete Stiel-Eiche handeln dürfte. Weitere Arten sind die Gewöhnliche Traubenkirsche, der Apfel, die Weide und die Birke (beide nicht bis zur Art bestimmbar), die Kratzbeere sowie die krautigen Pflanzen Wald-Simse, Winkel-Segge und Quell-Sternmiere. Grundwasserfernere Waldstandorte sind nur durch die Rot-Buche belegt.
Die spärlichen Nachweise von Auenwaldarten erlauben keine Differenzierung der verschiedenen, natürlich vorkommenden Auenwaldtypen. Sie geben eher Anlass zu der Annahme, dass weite Teile in der Umgebung des Siedlungsareals von ihrem geschlossenen Auenwaldkleid entblößt waren. Hierfür spricht schon allein die Tatsache der Siedlungslage im Uferbereich. Für Bauzwecke verwendete man wohl zu Anfang die am nächsten gelegenen Holzressourcen. Dies wird auch durch die Holzanalyse von J. Köninger (S. 66ff.) bestätigt. Esche ist das mit Abstand häufigste Bauholz der ältesten Besiedlungsphase gewesen, gefolgt von Eiche und Erle. In der mittleren Kulturschicht liegt das Schwergewicht bei der Erle. Auffallend ist bei diesem Holzspektrum die große Artenvielfalt der verwendeten Hölzer. Neben wenig Eiche und Esche können Buche, Hasel, Ahorn, Birke und Pappel angeführt werden. Es scheint, dass trotz der langen Siedlungslücke in Bodman-Schachen I von mindestens 100, wenn nicht sogar 200 Jahren (vgl. Kap. 1.2), der Auenwald sich nicht wieder zu seiner einstigen Blüte entwickeln konnte. Pioniergehölze traten an seine Stelle. Die frühbronzezeitlichen Siedler weiteten ihre Rodungen auch auf entferntere Bereiche des trockener stehenden Buchenwaldes aus. Man kann darin einerseits eine gezielte Entnahme eines bautechnisch wertvollen Holzes sehen, andererseits aber auch eine Verringerung der Holzvorräte des Auenwaldes. Viele Arten der Ruderal- und Ackerflora sowie der Grünlandgesellschaften sprechen ebenfalls für die Ausweitung der Rodungstätigkeiten auf relativ trockene Waldstandorte (Gruppe 4, 6). Während der jüngsten Besiedlungsphase dominiert die Eiche, gefolgt von Erle. Im Vergleich zu der nur 40 Jahre zurückliegenden mittleren Besiedlungsphase, sind hier die Verhältnisse genau umgekehrt. Das verbleibende Holzspektrum unterscheidet sich nur durch das Fehlen von Pappel und Birke und durch den Nachweis von Lindenholz. Ein jeweils deutlicher Rückgang der Baumpollenanteile am Gesamtspektrum während der Siedlungsphasen zeichnet sich auch bei der Analyse zweier Profilsäulen des Siedlungsareals ab (schriftl. Mitt. Frau Dr. H. Liese-Kleiber, Univ. Freiburg). Die Anteile der Erle – die am häufigsten belegte Holzart – gehen im Laufe der frühbronzezeitlichen Besiedlung des Schachenhorns etwas zurück, wobei in den drei Kulturschichten ihre Pollenwerte deutlich niedriger liegen als während der Siedlungslücken. Die Kurven der Buche, der Eiche und der Esche verlaufen in ähnlicher Weise.
Die makrorest-, pollen- und holzanalytisch gewonnenen Ergebnisse bestätigen in eindrucksvoller Weise die Angaben über die potentielle natürliche Vegetation des Untersuchungsgebiets (Lang 1973). In der direkten Umgebung des Siedlungsareals ist mit einem Schwarzerlen-Eschen-Wald und im Bereich der Stockacher Aach mit einem Bach-Eschenwald zu rechnen, die auf den dortigen Eu- und Anmoorgleyen stocken. Im unmittelbaren Einflussbereich des Bodensees würde sich auf den kalkreichen und durchlässigen Braunen Auenböden ein Stieleichen-Ulmen-Wald einstellen, der in seewärtigen Teilen in einen Silberweiden-Schwarzpappel-Wald übergeht. Auffallend ist der fehlende Nachweis von Eschenfrüchten. Diese sind wohl aufgrund ihrer schlechten Erhaltungsfähigkeit nicht mehr in den Sedimentproben enthalten.
Auf den weit verbreiteten Parabraunerden geringer Entkalkungstiefe im Bereich der würmzeitlichen

Geschiebemergel würden sich unter natürlichen Verhältnissen Buchenwälder einstellen. Während der frühbronzezeitlichen Besiedlung bedeckten sie vermutlich die nahe gelegenen Abhänge des Stockacher Berglandes im Norden und des Bodanrück im Süden (Kap. 1.4).

Pflanzen der Saumgesellschaften und Waldverlichtungen

Die hierzu gehörenden Arten stellen sich dann verstärkt ein, wenn der Mensch durch Rodung, Waldweide und Verhinderung der Wiederbewaldung ursprünglich bewaldete Gebiete ihres Waldkleides entblößt. Sekundär bilden sich Waldmäntel und -säume, daneben auch freistehende Hecken. Insgesamt gesehen weisen viele der nachgewiesenen Arten auf eine stark aufgelichtete Landschaft hin, wobei zur jüngeren Kulturschicht hin ein deutlicher Rückgang der Artenzahl festzustellen ist. Viele Mantelarten wie Brombeere, Himbeere, Schwarzer Holunder und Schlehe dienen der menschlichen Ernährung. Auf sie wird in Kapitel 4.1 eingegangen.
Den helio-thermophilen Staudensäumen an Gehölzen sind eine Reihe von Pflanzen zuzuordnen, so z. B. der Tüpfel-Hartheu, der Wirbeldost, die Acker- oder Rapunzel-Glockenblume und der Gamander-Ehrenpreis. Sämtliche Arten bevorzugen trockene bis mäßig frische, stickstoffarme und zumeist schwach basische Böden und vermitteln zu Halbtrockenrasen, so auch die Rauhe Nelke und der Gemeine Dost. Nur der Echte Haarstrang zeigt wechselnde Trockenheit der Böden an, typisch beispielsweise für die Halbtrockenrasen der Auen. Standorte für die genannten Arten finden sich heute sowohl an den siedlungsnahen südexponierten Abhängen des Stockacher Berglandes als auch an einzelnen Stellen des südlich gelegenen Bodanrück.
An aufgelichteten Stellen der Talaue und des Seeufers stellen sich hingegen ausdauernde nitrophile Krautfluren ein. Sie gedeihen unter natürlichen Bedingungen an halbbeschatteten Plätzen mit guter Wasserversorgung, werden durch Rodungen und Nährstoffanreicherung in den Böden aber zusätzlich gefördert. Einige Arten seien hier genannt, so die Stachel-Segge, der Gemeine Klettenkerbel, die Große Brennessel, der Gemeine Wasserdarm und der Gefleckte Schierling.
Zusammenfassend lässt sich feststellen, dass die Waldmantelgebüsche, Staudensäume und Stickstoffkrautfluren in allen Kulturschichtproben gut vertreten sind. Ihre prozentuale Häufigkeit nimmt von der mittleren zur jüngsten Besiedlungsphase deutlich ab (Taxasumme: 16/16/10%; Nachweissumme: 17/65/5%). Ein Grund hierfür kann die intensivere Nutzung von Grünland- und Ackerflächen während der letzten Siedlungsphase sein, die der mittleren auf eine nur 40 Jahre lang dauernde Siedlungslücke folgt (vgl. Gruppen 4–6).

Die Ergebnisse reihen sich gut in die Befunde ein, die bei anderen Makrorestanalysen von Feuchtbodensiedlungen im nördlichen Alpenvorland gewonnen wurden. – Die entsprechenden Literaturangaben sind am Anfang dieses Kapitels zusammengestellt. – Auch für das westliche Bodenseegebiet ist eine nachhaltige Veränderung des ehemals geschlossenen Waldlandes während der jungneolithischen Besiedlung nachzuweisen, die in der Bronzezeit ihren Fortgang erfährt (Rösch 1987a, 1987b). Großflächige Rodungen ermöglichten die landwirtschaftliche Nutzung primärer Waldstandorte.

Einführung in die Gruppen 4–6: Grünlandgesellschaften, Pflanzen trockener Magerrasen und Gesellschaften ruderaler Flächen, der Hackfrucht- und Getreideäcker

Die prozentualen Anteile der Arten in den verschiedenen Proben sind der Zusammenstellung am Anfang des Kapitels zu entnehmen. Grünlandarten und Pflanzen von Ruderal- und Ackerflächen nehmen von der unteren zur oberen Kulturschicht zu, wobei Letztere in der mittleren Besiedlungsphase etwas seltener vertreten sind. Pflanzen der trockenen Magerrasen sind rar. Die Aufsummierung der Anteile der Gruppen 4, 5 und 6 ergibt, dass annähernd 50% – bei der jüngsten Kulturschicht sind es 57% – der nachgewiesenen Taxa auf sie entfallen.
In diesen Gruppen werden Pflanzen vereinigt, deren flächenhafte Ausbreitung im mitteleuropäischen Raum erst durch die Rodungen der jungneolithischen Siedler möglich war (Ellenberg 1982). Die Primärstandorte der Grünlandpflanzen sind an unbewaldeten Stellen und lichtoffenen Plätzen der Wälder und Waldränder zu suchen (Ellenberg 1982). Im Untersuchungsgebiet gab es vor den menschlichen Eingriffen hierfür vermutlich viele Wuchsorte im Bereich des Seeufers und der Bachaue der Stockacher Aach. Waldfreie Nieder-, Zwischen- und Hochmoorteile der Espasinger Niederung und der Bodanrückhöhen können ebenso wie extreme Steilhänge und Felsköpfe des Stockacher Berglandes und des Überlinger Steiluferlandes als weitere ursprüngliche, kleinflächige Standorte für Grünlandarten angesehen werden (vgl. Abb. 5). Unter den Bewohnern der Ruderal- und Ackerstandorte finden sich daneben auch Arten, die ehemals in den Grassteppen des Ostens und Südens beheimatet gewesen sind (Ellenberg 1982). Schon während des ausklingenden Neolithikums hatten viele Wild-

kräuter dank ihrer hohen Wandergeschwindigkeit auf den mitteleuropäischen Äckern Fuß fassen können (Ellenberg 1982; Willerding 1986).

Beim Vergleich der vorliegenden Fundlisten mit den Nachweisdiagrammen der mitteleuropäischen Unkräuter bei Willerding (1986) stellt man bei vielen Arten eine Fundlücke in der frühen Bronzezeit fest. Der Grund hierfür ist wohl in der relativ geringen Anzahl makrorestanalytisch untersuchter Siedlungsplätze zu sehen; neolithische und mittel- bis spätbronzezeitliche Siedlungsreste sind hingegen gut bekannt (Willerding 1986). Auch für den ansonsten gut untersuchten Bodenseeraum klafft eine zeitliche Lücke in der frühen Bronzezeit (Rösch 1987a). Zeitgleiche Siedlungsschichten wurden im nördlichen Alpenvorland nur von Brombacher (1986) im Rahmen einer Dissertation großrestanalytisch bearbeitet. Diesen ungünstigen Forschungsstand etwas zu verbessern, war der Anlass zur Vergabe der hier vorgestellten Diplomarbeit (vgl. Kap. 1.3).

Einige für die Frühbronzezeit bis dato noch nicht belegte Unkrautarten im weitesten Sinn sind im Folgenden genannt (vgl. Willerding 1986). Sie sind in der „Liste der ökologischen Gruppen" (Tab. 15) zum Teil den Uferpionieren und den Grünlandgesellschaften mit entsprechenden Anmerkungen zu weiteren Vorkommen zugeordnet.

– Arten der „frühbronzezeitlichen Fundlücke": *Aphanes arvensis, Arenaria serpyllifolia, Atriplex patula, Capsella bursa-pastoris, Daucus carota, Echinochloa crus-galli, Lapsana communis, Mentha arvensis, Myosoton aquaticum, Papaver argemone, Plantago major, Polygonum aviculare, Polygonum minus, Solanum nigrum, Sonchus asper, Thlaspi arvense, Urtica dioica, Valerianella dentata, Valerianella locusta, Verbena officinalis*.
– Funde dieser Arten treten erst in späteren Epochen auf oder fehlen in der Zusammenstellung bei Willerding (1986): *Agrostis stolonifera, Aphanes microcarpa, Arctium tomentosum, Centaurium pulchellum, Cerastium glomeratum, Cirsium vulgare, Conium maculatum, Cyperus fuscus, Fallopia convolvulus, Gypsophila muralis, Juncus bufonius, Juncus compressus, Juncus inflexus, Papaver dubium, Poa pratensis, Poa trivialis, Sagina procumbens*.
– Zuvor nur für das Neolithikum belegte Art: *Arabidopsis thaliana*.

Zu den bislang erst in jüngeren Epochen nachgewiesenen Arten zählen auffallend viele kleinsamige bzw. kleinfrüchtige Spezies. Dies dürfte nicht zuletzt durch die Verwendung eines sehr feinmaschigen Siebes von 0,2 mm Maschenweite beim Schlämmen begründet sein (vgl. Kap. 2.1).

Gruppe 4: Grünlandgesellschaften

Nasse Staudenfluren

Hierzu zählen unter anderem Gemeiner Blutweiderich, Echtes Mädesüß und Flügel-Hartheu, die fast ausnahmslos in der jüngsten Kulturschicht gefunden wurden. Arten der nassen Staudenfluren besiedeln hin und wieder überschwemmte, mild bis mäßig saure, eher kalkarme und nährstoffreiche Böden an Stellen hohen Lichtgenusses. Entsprechende Standorte befanden sich sicherlich auch schon während der frühbronzezeitlichen Besiedlung nicht nur im Bodenseeuferbereich, sondern auch im Einflussbereich der Stockacher Aach an natürlichen und aufgelichteten Plätzen des Schwarzerlen-Eschen-Auenwaldes, landeinwärts des Röhricht- und Großseggengürtels. Sie profitierten sicherlich von den menschlich bedingten Auflichtungen des Auenwaldes, was auch die Nachweiszahlen zu belegen scheinen. Die von nassen Staudenfluren bevorzugten Böden sind die heute weit verbreiteten mineralischen Gleyböden auf den holozänen Tallehmen der Espasinger Niederung (vgl. Lang 1973; vgl. Kap. 1.4).

Nasswiesen

Die Pflanzen der „nassen Staudenfluren" vermitteln zu den Nasswiesen, den Moor- und Sumpfwiesen. Hierzu gehören die Flatter-Binse, die Spitzblütige Binse, die Knäuel-Binse, die Knoten-Binse und die Kuckucks-Lichtnelke. Sie siedeln sich bevorzugt in stark vernässten, zum Teil wechselnassen und gestörten Wiesenbereichen an, die sekundär an die Stelle des Auenwaldes getreten sind. Bei länger anhaltenden Überflutungen dieser Bereiche gesellen sich die oben angeführten Pflanzen der Kleinseggenrieder hinzu. Das Nebeneinander von nährstoffreichen, mild bis mäßig sauren Sumpfwiesen und nährstoff- bzw. stickstoffarmen, sauren Kleinseggenriedern ist, betrachtet man die Fundzahlen, vor allem für die jüngste Besiedlungsphase eindeutig zu belegen.

Frisches bis mäßig feuchtes Grünland

Es wird unter anderem durch das Wollige Honiggras, die Gemeine Braunelle, den Scharfen Hahnenfuß, das Kriechende Fingerkraut, das Gemeine Rispengras und den Kriechenden Günsel belegt. Diese Arten siedeln bevorzugt auf neutralen bis mäßig sauren und gut mit Wasser und Nährstoffen versorgten Böden. Derartige Wiesenstandorte sind wohl im Übergangsbereich des typischen Erlen-Eschen-Auenwaldes zum feuchten Buchenwald ausgebildet gewesen. Unter den heutigen hydrologischen und geomorphologischen Gegebenheiten und unter Einbeziehung der potentiellen natürlichen Vegetation (Lang 1973) können solche Bereiche als Ersatzgesellschaften des Waldes an den Hangfüßen der nach Süden abfallenden Hänge des Stockacher Berglandes für das frühbronzezeitliche Bodman-Schachen vermutet werden. Auf den dort anstehenden holozänen lehmigen Anschwemmungen und den feinsandig-lehmigen Abschlämmmassen der Hänge, einer Mischung aus Molasse- und Grundmoränenmaterial (Kap. 1.4), sind auch heute noch stellenweise entsprechende Wiesengemeinschaften zu finden.

Mäßig trockenes bis frisches Grünland
Die nachgewiesenen Arten deuten auf Standorte mit neutralen bis mäßig sauren, kalkarmen, mehr oder weniger nährstoffreichen Böden hin. Die Gras-Sternmiere, das Rot-Straußgras, das Wiesen-Rispengras, die Wilde Möhre, die Wiesen-Glockenblume und der Quendel-Ehrenpreis sind hierher zu stellen. Nur der Purgier-Lein zieht kalkreiche Böden vor. Zahlreiche Gebüscharten und Pflanzen der helio-thermophilen Staudensäume vermitteln zwischen Waldstandorten und frischen bis mäßig trockenen Wiesen. Ein gewisser Ausbreitungshöhepunkt von frischen Wiesen und der „Kontaktzone" scheint sich in der mittleren Besiedlungsphase abzuzeichnen. Von der älteren zur jüngeren Besiedlungsphase ist tendenziell ein leichter Anstieg der trockenen Wiesengemeinschaften festzustellen. Waldmantel- und Saumgesellschaften nehmen hingegen ab. Vielleicht ist hierin ein Schwinden der Ressourcen an guten Böden in Siedlungsnähe zu sehen, das den Menschen in Bodman-Schachen dazu zwang, siedlungsfernere Standorte mit schlechteren Böden zu roden, urbar zu machen und intensiver als zuvor zu nutzen (vgl. Gruppe 3). Ein Rückgriff auf mindere Ackerböden kann auch anhand des Spektrums der Getreidebeikräuter für die jüngste Besiedlungsphase vermutet werden (vgl. Gruppe 6).

Betrachtet man die Wuchshöhen der Pflanzen der trockenen bis mäßig feuchten Wiesen, so finden sich nur Arten niedrigen oder mittelhohen Wuchses. Bei den vier Süßgrasarten handelt es sich um das Wollige Honiggras, ein Mittelgras, und die drei Untergräser Wiesen- und Gemeines Rispengras sowie das Rot-Straußgras. Im Gegensatz zu den Moor- und Sumpfwiesen kommen bei den trockenen Wiesentypen keine Störungszeiger vor.

Welche Form der Bewirtschaftung den Grünlandgesellschaften zugute kam, kann aus den Funden nicht sicher geschlossen werden. Zur weiteren Diskussion werden deshalb auch entsprechende Ausführungen verschiedener Autoren (Ellenberg 1982) herangezogen: Ohne Sense und Heuernte gibt es keine Wiesenflora; zur Bronzezeit kannte man das Mähen von Wiesen wohl noch nicht, höchstens das hiermit nicht vergleichbare Zupfen; Wiesen sind im Vergleich zu Viehweiden relativ junge Ersatzgesellschaften (vgl. Kap. 3.2). Sieht man sich die Wiesenpflanzen unter diesen Prämissen nochmals an, so liegt es nahe, ihre Herkunft von wiesenähnlichen Weiden bzw. von als Weide genutzten Wiesen zu vermuten, die durch das weidende Vieh keine nennenswerte Nährstoffzufuhr erhielten. Bei reichlicher Stickstoffversorgung hätten sich auch auf mäßig frischen bis trockenen Böden frische bis feucht anmutende Grünlandgesellschaften einstellen können, gemäß der alten Bauernregel, die besagt, „Stickstoff ersetzt Wasser". Eine extensive Weidenutzung der Wiesen kann auch die Funde mittel- bis niedrigwüchsiger Arten erklären. Sie vermehren sich bei geringer Beanspruchung stärker als hohe Kräuter und Obergräser.

Vergleiche mit heutigen Wiesen- und Weidegesellschaften können und dürfen nicht gezogen werden. Dies ergibt sich alleine schon aus der Tatsache, dass sämtliche Charakterarten der heutigen Wiesen und Weiden in den Proben fehlen. Entsprechende Befunde können auch in anderen gegrabenen neolithischen und frühbronzezeitlichen Siedlungsschichten festgestellt werden (Körber-Grohne 1990). Erst in der vorrömischen Eisenzeit, ab ca. 800 v.Chr., sind im mitteleuropäischen Kulturraum die ersten, wohl noch einschürigen Wiesen entstanden (Ellenberg 1982).

Die Vermutung liegt nahe, dass die zu extensiven Weidezwecken genutzten Grünländer in der direkten Nachbarschaft der Siedlungen an den nach Süden exponierten ausgedehnten Hängen des Stockacher Berglandes lagen. Eine allmähliche Zunahme dieser Flächen von der älteren zur jüngeren Besiedlungsphase scheint sich abzuzeichnen. Rodungstätigkeiten der dort potentiell stockenden Buchenwälder sind holz- und pollenanalytisch gerade für die mittlere und jüngste Besiedlungsphase nachzuweisen (Beitrag Köninger S. 262; schriftl. Mitt. Frau Dr. H. Liese-Kleiber, Univ. Freiburg). Zahlreiche Funde von Sämereien der Nasswiesen und nassen Staudenfluren in der jüngsten Kulturschicht lassen den Schluss zu, dass sich auch diese Pflanzengemeinschaften unter dem Einfluss des Menschen als Ersatzgesellschaften des Auenwaldes im Bereich der Talniederung und des Seeufers stark ausweiten konnten. Die vornehmliche Verwendung von Eschen-, Eichen- und Erlenholz zu Bauzwecken steht hiermit sicherlich in engem Zusammenhang (vgl. Gruppe 3). Die vergleichsweise hohen Nachweissummen von Pflanzen der Kleinseggenrieder und der Uferpioniere in der oberen Kulturschicht sind wohl in derselben Weise zu interpretieren.

Die Nutzung der feuchten und vernässten bzw. versumpften Grünländer der Talniederung als Weide ist eher unwahrscheinlich, kann aber nicht gänzlich ausgeschlossen werden. Während des späten sommerlichen (Grundwasser-) Hochstandes des Bodensees und seiner Flussauenböden (vgl. Kap. 1.4 und 1.5) meidet das Vieh, sofern es geht, die durchnässten Moor- und Sumpfwiesen der Auen. Beim winterlichen Tiefstand des Grundwassers und des Bodensees sind die nassen Bereiche besser zugängig – vorausgesetzt, die jährlichen Seespiegelschwankungen der Frühzeit entsprechen dem heutigen jahreszeitlichen Rhythmus. Dann haben die Pflanzen aber zum Großteil ihre oberirdischen Sprosse eingezogen und ihre Nährstoffe in bodennahe Teile verlagert; der Futterwert ist gegenüber dem Sommer stark gesunken. Außerdem werden binsenreiche Nasswiesen – die häufigen Funde von Binsensamen sprechen für ein Vorkommen dieses Typus – bei ausreichendem Nahrungsangebot vom Vieh verschmäht, da Binsen hart und zäh sind. Unter Umständen weist die deutliche prozentuale Abnahme der nitrophilen Krautfluren von der mittleren zur oberen Kulturschicht auf eine beschränkte Nutzung der Nasswiesen während der jüngsten Besiedlungsphase hin. Dies kann bedingt sein durch die Notwendigkeit der Erschließung neuer, siedlungsnaher Weideflächen und eventuell ist dies verknüpft mit einem geringeren Wassereinfluss durch einen sich im Laufe der frühen Bronzezeit absenkenden Seespiegel.

Gruppe 5: Pflanzen der trockenen Magerrasen

Diese Gruppe ist nur spärlich vertreten. Hierzu gehört der Gemeine Dost und der nicht sicher bestimmte Gemeine Steinquendel. Daneben können aber einige Arten der helio-thermophilen Staudensäume, wie der Tüpfel-Hartheu, der Gamander-Ehrenpreis und die Rauhe Nelke zu den trockenen Magerrasen vermitteln. Schlehe, Eingriffliger Weißdorn und Rosen sowie einige Arten des mäßig trockenen bis frischen Grünlands stehen bei entsprechenden Standortverhältnissen ebenfalls in Kontakt mit Mesobrometen. Extrem austrocknende und humusarme Sand- und Felsrasen sind die natürlichen Standorte des Gemeinen Steinquendels und der Zwerg-Glockenblume sowie einiger Ruderal- und Ackerpflanzen, wie des Quendel-Sandkrautes, der Acker-Schmalwand sowie dem Gezähnten und Echten Feldsalat. Derartige Standorte gibt es an den Steilhängen des Stockacher Berglandes und der Überlinger Steiluferwand im Norden des Überlinger Sees (Abb. 5). Die vergleichsweise hohen Fundzahlen der erwähnten Ruderal- und Ackerpflanzen, insbesondere der oberen Kulturschicht, legen die Vermutung nahe, dass sie auf den siedlungsnahen Äckern beheimatet gewesen sind (vgl. Gruppe 6). Werden Vertreter anderer ökologischer Gruppen bei der Standortsuche mit einbezogen, so lassen sich zumindest kleinflächige Vorkommen von Halbtrockenrasen und Felsrasen in der Umgebung des frühbronzezeitlichen Bodman-Schachen vermuten. Geeignete Standorte befinden sich in mehr oder weniger stark geneigten Hangbereichen des Stockacher Berglandes auf flachgründigen Parabraunerden und Hangbraunerden (Kap. 1.4).

Gruppe 6: Gesellschaften ruderaler Flächen, der Hackfrucht- und Getreideäcker; Aussagen zur Nährstoffversorgung, Bewirtschaftung, Lage und Größe der Äcker sowie zur Ernteweise

Bei dieser Gruppe ist ein prozentualer Anstieg der nachgewiesenen Taxa und insbesondere der Fundzahlen von der unteren zur oberen Kulturschicht zu erkennen (s.o.). Die Werte der mittleren Kulturschicht liegen etwas unter denjenigen der unteren Kulturschicht. – Die prozentualen Anteile aller Gruppen werden durch die extrem hohen Nachweissummen der Sammelpflanzen in der zuerst genannten Probe stark geschmälert! – Die Artenvielfalt der Ruderal- und Ackerstandorte wird nicht annähernd von einer anderen Gruppe erreicht, woraus, unter Einbeziehung der ebenfalls gut belegten Grünland- und Waldrandgesellschaften, die starken menschlichen Eingriffe in den Naturhaushalt ersichtlich sind.

Ruderalpflanzen

Hierzu gehören Arten der unterschiedlichsten Standorte. Eine Ruderalflora stellt sich dann ein, wenn Trittbelastung, Entblößung des Bodens und Nährstoff- bzw. Stickstoffzufuhr die natürliche Vegetationsdecke nachhaltig beeinflussen.

Ausdauernde Arten wie die Große Brennessel, der Gemeine Wasserdarm, die Filz-Klette, die Lanzett-Kratzdistel, der Wilde Rübsen und der Gefleckte Schierling bilden nitrophile Krautfluren, die sich an den Ufern der Stockacher Aach und des Bodensees während der frühbronzezeitlichen Besiedlung unter menschlichem Einfluss gut ausbreiten konnten. Im Siedlungsbereich waren entsprechende Gesellschaften bei ausreichender Stickstoff- und Wasserversorgung wohl ebenfalls vertreten. – Weitere Erläuterungen hierzu finden sich in der Besprechung von Gruppe 3.

Zu den Kriechpionierrasen, den Zwergpflanzenfluren und den Schlammufergesellschaften zählen einige nachgewiesene Ruderalpflanzen. Diese Pflanzengemeinschaften bilden sich unter natürlichen Bedingungen auf Pionierstandorten an Ufern von Flüssen und Seen. Ihre Samen und Früchte werden aufgrund der Lage des Siedlungsareals sicherlich auch von diesen Primärstandorten in den Kulturschichten zur Ablagerung gekommen sein (vgl. Gruppe 2).

Typische Siedlungszeiger hingegen sind der Vogel-Knöterich, der Kleine Ampfer, der Kriechende Hahnenfuß, der Große Wegerich und das Liegende Mastkraut. Sie besiedeln stickstoffreiche und trockene, trittbelastete Stellen, die im Siedlungsbereich und am Rande von Äckern denkbar sind.

Eine strikte Trennung zwischen Ruderal- und Ackerflora darf nicht vorgenommen werden. Viele Arten der Ruderalgesellschaften können insbesondere in Hackfruchtäcker vordringen, da hier vergleichbare Standortbedingungen herrschen. Gerade in prähistorischer Zeit ist mit einem bunten Artengemisch auf den Ackerflächen zu rechnen. Die Äcker konnten zum einen mit den primitiven Geräten nur lückenhaft umgebrochen werden, zum anderen boten die vermutlich relativ niederen und locker stehenden Kulturpflanzen den Wildkräutern bessere Wuchsbedingungen als heute (vgl. Ellenberg 1982; Willerding 1986; 1988).

Die Auswertung des Artenspektrums der Hackfrucht- und Getreideäcker ist, wenn auch unüblich, aus praktischen Gründen zum Teil mit in den Ergebnisteil eingeflossen (Kap. 3.2). Die Quintessenz der Auswertung ist dem Folgenden zu entnehmen. Hierbei ist zu bedenken, dass von Bodman-Schachen keine Unkrautsamen enthaltenden Getreideproben vorliegen, die nachgenannten Ausführungen also eher spekulativ als sicher untermauert sind (vgl. Jacomet 1981). Allerdings verhalten sich die prozentualen Anteile der Beikräuter aller drei Kulturschichtproben in ähnlicher Weise; der Zufall ist somit etwas eingeschränkt. Die besten Einblicke erlaubt die artenreiche jüngste Kulturschicht.

Getreidebeikräuter
Artenspektrum: Saat-, Klatsch- und Sand-Mohn, Gemeiner Windenknöterich, Gezähnter und Echter Feldsalat, Acker-Schmalwand, Kleinfrüchtiger und Gemeiner Ackerfrauenmantel, Quendel-Sandkraut, Acker- oder Blauer Gauchheil.
Böden: Bevorzugt werden mäßig trockene bis mäßig frische, neutrale bis mäßig saure, eher kalkarme und nur mäßig stickstoffreiche Böden; Sandbodenzeiger sind der Sand-Mohn, die Acker-Schmalwand und der Kleinfrüchtige Ackerfrauenmantel.
Wuchshöhen: Extrem niedrig, meist zwischen 3 und 30 cm; nur der kletternde Gemeine Windenknöterich, der Saat- und der Klatsch-Mohn übersteigen unter entsprechenden Wuchsbedingungen 50 cm Höhe (Rothmaler 1987).
Blütezeiten: April bis Juni bzw. April bis September bei einzelnen Arten; früher als bei den Hackfruchtbeikräutern (s.u.).
Keimzeit: „Kaltkeimer", einjährig grün überwinternd (Ausnahme: Gemeiner Windenknöterich, Gauchheilarten).
Lebensform nach „Raunkiaer": Therophyten.

Die weit gehende Übereinstimmung der vorgestellten elf Getreidebeikräuter – nur in der jüngsten Kulturschicht vollzählig vertreten – hinsichtlich ihrer Standortansprüche und Wuchseigenschaften ist offensichtlich.

Die Bearbeitungsweise der Getreideäcker ließ kurzlebige Arten in größerer Zahl aufkommen; – auch unter den Hackfruchtbeikräutern sind nur Therophyten zu finden. Selbst unter Annahme, dass ausdauernde Ruderal-, Saum- und Wiesenpflanzen in prähistorischen Getreidefeldern gute Wuchsbedingungen vorfanden (vgl. Ellenberg 1982), kann eine mehr oder weniger intensive Bewirtschaftung angenommen werden. Die Ergebnisse stimmen gut mit den Erkenntnissen von Willerding (1986) überein. So herrschten seit dem frühen Neolithikum bis in die Neuzeit bei den Unkräutern Therophyten vor; Therophyten und Hemikryptophyten sind zumeist in einem Verhältnis von 2:1 nachzuweisen. Das Lebensformenspektrum kann sich ebenso in umgekehrter Weise gestalten. Jacomet (1981) vermutet aufgrund zahlreicher Funde von hemikryptophytischen Unkrautpflanzen eine ziemlich uneffektive Art der Bodenbearbeitung in neolithischen Besiedlungsphasen von Twann.

Das Vorkommen von überwiegend einjährigen, grün überwinternden Kaltkeimern und die frühen Blütezeiten der Getreidebeikräuter deuten sehr stark auf einen Wintergetreideanbau hin. Dies lässt sich mit dem häufigen Nachweis des Dinkels, einer typischen Winterfrucht, gut in Zusammenhang bringen – Dinkelfunde sind allerdings nur für die älteste Kulturschicht zahlreich belegt. Die nahezu getreidekornfreie jüngste Probe enthält hingegen die Mehrzahl der nachgewiesenen Reste von Getreidebeikräutern. Vermutlich hängen diese Fundverhältnisse mit der geringen Probenanzahl zusammen (vgl. hierzu Tab. 3; 6; 16). Auch Saatlein gilt als typische Winterfrucht. Seine noch jüngst stark spezialisierte Unkrautgesellschaft ist in Bodman-Schachen nicht belegt; entsprechendes stellen Bollinger/Jacomet-Engel (1981) und Jacomet-Engel (1980) im schweizerischen Neolithikum fest. Vermutlich war auf frühbronzezeitlichen Leinäckern ein ähnliches Beikrautspektrum wie auf Wintergetreidefeldern vorhanden. Einkorn, Emmer, Nacktweizen (Saatweizen) und Gerste können hingegen als Winter- und Sommerfrüchte angebaut werden. Der vermutlich lockere Kulturpflanzenbestand bot auch typischen „Warmkeimern", den Hackfruchtbeikräutern, gute Wuchsbedingungen in Winterfruchtfeldern.

Die Interpretation der Wuchshöhen kann nur spekulativ sein. Auffallend sind zumindest die nahezu einheitlichen niedrigen Wuchshöhen fast aller typischen Getreidebeikräuter. Vergleichen wir das Spektrum mit anderen prähistorischen Fundlisten (Brombacher/Dick 1987; Jacomet 1981), so zeigt sich auch hier das vergleichsweise häufige Auftreten von niedrigwüchsigen Getreidebeikräutern für Bodman-Schachen.

Eine reine Ährenernte des Getreides scheint für die untersuchten Besiedlungsphasen nicht vorzuliegen, obwohl dies für prähistorische Zeiten nicht selten angenommen wird (vgl. Willerding 1986). Vielleicht wurde Getreide bodennah und bodenfern zugleich geerntet bzw. war die Ernteweise abhängig von der Getreideart. Spelzweizen können durch Abknicken der Ähren geerntet werden, wogegen durch das relativ leichte Ausfallen der Körner aus den Spelzen bei Nacktweizen (Saatweizen) eine bodennahe Ernteweise vorzuziehen ist (Jacomet 1981). Brombacher/Dick (1987) hingegen schließen aus dem vorwiegenden Anbau von Spelzgetreide (Emmer, Dinkel und wenig Einkorn) während der Frühbronzezeit aus Gründen der rationelleren Ernteweise auf eine bodennahe Ernte. Das Gesagte soll zeigen, wie umstritten prähistorische Ernteweisen sind. Weitere Untersuchungen des frühbronzezeitlichen Bodman-Schachen können vielleicht etwas Licht ins Dunkel bringen (Kap. 6).

Die Nährstoffversorgung der Getreideäcker scheint nicht gut gewesen zu sein. Die Stickstoffzahlen der Getreidebeikräuter bewegen sich zumindest zwischen 4 und 6, was nur für mäßig stickstoffarme bis mäßig stickstoffreiche Böden spricht (vgl. Ellenberg 1979). Der Vergleich mit anderen Seeufersiedlungen der Schweiz (Bollinger/Jacomet-Engel 1981; Brombacher/Dick 1987; Jacomet 1987a), Frankreichs (Lundström-Baudais 1984) und Deutschlands (Karg 1986) zeigt, dass während des Neolithikums und der frühen Bronzezeit die Äcker zumeist ausreichend mit Stickstoff versorgt waren. Auf ebenfalls stickstoffarme Standorte der Getreidefelder weisen die Getreidebeikräuter der neolithischen Ufersiedlung „Hornstaad-Hörnle I" am Untersee (Bodensee) hin (Rösch 1985). Die schlechte Stickstoffversorgung der Böden lässt zum einen auf eine geringe Düngung schließen, zum anderen spiegelt sich hier die vermutliche Lage zumindest eines Teils der Getreideäcker wider.

Die nachgewiesenen Getreidebeikräuter zeigen außerdem, wie bereits erwähnt, eher kalkarme Böden mäßiger Wasserversorgung und neutraler bis mäßig saurer Bodenreaktion an. Die kalkreichen Braunen Auenböden und die wasserbeeinflussten mineralischen Gleyböden und stark humosen Böden der Espasinger Niederung scheiden als mögliche Standorte für die Getreideäcker aus. In ebenen Lagen der Abschlämmmassen finden sich entlang der Hangfüße primäre Ton-Pseudogleye; auch sie entfallen für die Betrachtungen (Kap. 1.4). Ebenso kommen die Bereiche hoher Reliefenergie – hier sind Pararendzinen und Hangbraunerden ausgebildet – für eine Ackerwirtschaft nicht in Betracht.

Für die Lage der frühbronzezeitlichen Getreidefelder verbleiben somit nur die schwach bis mäßig stark geneigten Lagen der umliegenden Abhänge des Stockacher Berglandes und des südlich gelegenen Bodanrück. Hier finden sich Parabraunerden mehr oder wenig geringer Entkalkungstiefe auf würmzeitlichen Geschiebemergeln und Molassesanden der Unteren Süßwassermolasse (Kap. 1.4). Entsprechende Bereiche befinden sich nur ca. 500 m nördlich des frühbronzezeitlichen Siedlungsareals an den nordwest-südostlich ausgerichteten, südexponierten Abhängen des Stockacher Berglandes (Abb. 1; 5). Zwei bis drei Kilometer südlich von Bodman-Schachen trifft man ähnliche Bodenverhältnisse an den Abhängen des Bodanrück an. Selbst unter Annahme eines relativ großen Aktionsradius der frühbronzezeitlichen Bevölkerung – Jacomet (1987a) vermutet bei neolithischen Seeufersiedlern am Zürichsee 30–40 Kilometer, womit allerdings die Sammeltätigkeit angesprochen ist – ist es eher unwahrscheinlich, dass weiter entfernte Ackerstandorte in nordexponierten Lagen bewirtschaftet wurden. Sonnenverwöhnte Südhänge „direkt vor der Haustüre" hat wohl auch der prähistorische Mensch bei ausreichendem Platzangebot vorgezogen.

Pflanzen von Acker- (Hackfrucht-) und Ruderalstandorten

Weitaus höhere Fundzahlen als die typischen Getreidebeikräuter weisen die Arten von Hackfrucht- und Ruderalstandorten auf. Insbesondere in der jüngsten Probe sind zahlreiche Nachweise erbracht – Standortvielfalt, kein vorherrschender Hackfruchtanbau! Insgesamt zählen 17 Arten hierzu, wie z. B. der Gemeine Rainkohl, die Hundspetersilie, der Wilde Rübsen, die Acker-Minze, die Rauhe Gänsedistel, das Knäuel-Hornkraut, die Gemeine Hühnerhirse und das Acker-Hellerkraut. Über ihr potentielles Vorkommen auf ruderalen Flächen und Sommerfruchtäckern, auch Sommergetreidefeldern, kann nichts definitives ausgesagt werden. Hierzu fehlen mit Unkrautsamen vermengte Getreidevorratsproben.

Auf einen Anbau von Sommerfrüchten können alle nachgewiesenen Getreidearten außer Dinkel (Emmer, Einkorn, Saatweizen und Gerste), Mohn und die nicht belegten Hackfrüchte Erbse und Linse (Kap. 4.1) hindeuten. Bei den Getreidearten ist zu bedenken, dass sie ihre Wurzeln im Winterregengebiet des östlichen Mittelmeeres haben (Körber-Grohne 1987), wo der Winterfruchtanbau zur Keimung der Saat erforderlich ist. Die Aussaat erfolgte wohl ursprünglich auch auf den mitteleuropäischen Feldern im Herbst. Für die Bronzezeit ist trotz des Aufkommens des Kreuzhakens noch mit einer Bodenbearbeitung zu rechnen, die unbearbeitete Flächen, so genannte „Unkraut-Herde", auf den Äckern hinterließ (Willerding 1986). Die häufigen Nachweise der wärmekeimenden Hackfruchtbeikräuter lassen sich hiernach auch durch einen Wintergetreideanbau erklären. Für das frühbronzezeitliche Bodman-Schachen ist also nicht zwingend ein Sommergetreideanbau als Grund ins Feld zu führen. Das Überwiegen der Hackfrucht- gegenüber den Getreidebeikräutern ist ein allgemein festzustellendes Phänomen der prähistorischen Besiedlungsphasen (Willerding 1986).

Unterschiede zu den Getreidebeikräutern bestehen auch hinsichtlich ihrer Wuchshöhen. Die nachgewiesenen Hackfruchtbeikräuter erreichen in der Regel 50 cm oder liegen deutlich darüber. Ausnahmen sind die oft auch in Getreidefeldern beheimateten Arten Vogelmiere, Acker-Minze und Knäuel-Hornkraut. Die Wahrscheinlichkeit des Nachweises der hochwüchsigen Hackfruchtbeikräuter in den Siedlungsschichten ist somit größer als bei den niedrigen Getreidebeikräutern, auch bei bodennaher Ernte. Den relativ späten Erntezeiten der Sommerfrüchte entsprechend, liegen die Hauptblütezeiten der meisten Hackfruchtbeikräuter zwischen Juni und Oktober. Auch hinsichtlich der Ansprüche an den Boden gibt es Unterschiede. Diese sind bei den Hackfruchtbeikräutern wesentlich höher als bei den belegten Getreidebeikräutern. Nährstoff- und stickstoffreiche, eher basenreiche, neutrale bis milde, humose Böden mit einer guten Wasserversorgung werden bevorzugt. Arten wie die Hundspetersilie, das Gemeine Hirtentäschel, die Gemeine Hühnerhirse und der Schwarze Nachtschatten gelten heute als Nährstoff- bzw. Stickstoffzeiger.

Bei der Rekonstruktion der Lage der (Hackfrucht-) Äcker des frühbronzezeitlichen Bodman-Schachen ergibt sich folgendes Bild. Für vernässte Auenstandorte und trockene, flachgründige Hanglagen großer Neigung gibt es keine Hinweise. Vermutlich lagen die Felder in Auenrandbereichen in schwach geneigtem Gelände mit guter Wasser- und Nährstoffversorgung. In diesen Bereichen sind Parabraunerden ausgebildet, die in ebenen Bereichen durch Tonverlagerung in den Abschlämmmassen zur Pseudovergleyung neigen (Kap. 1.4).

Lage und Größe der landwirtschaftlichen Nutzflächen

Die typischen Getreidebeikräuter deuten darauf hin, dass zumindest einige Getreidefelder in relativ nährstoffarmen, wohl nicht gedüngten, eher kalkarmen und nur mäßig wasserversorgten Bereichen der Abhänge des nördlich gelegenen Stockacher Berglandes lagen. Weitere Ackerflächen, Getreide- und Hackfruchtäcker, sind in tiefer gelegenen, nährstoff- und kalkreichen Hangbereichen am Rande der Talaue genutzt worden. Hierfür sprechen zahlreiche Hackfruchtbeikräuter. Für eine ackerbauliche Nutzung der vernässten Aue gibt es keine Anhaltspunkte. In vielen anderen Feuchtbodensiedlungen fehlen ebenfalls Belege für Äcker im Auenbereich (vgl. hierzu Bollinger/Jacomet-Engel 1981; Brombacher/Dick 1987; Jacomet 1987a; Lundström-Baudais 1984; Rösch 1985). Die landwirtschaftliche Nutzung von Hangbereichen des südlich gelegenen Bodanrück scheint dem Autor ebenso unwahrscheinlich. Einerseits handelt es sich hier um nordexponierte Lagen, die zudem 2–3 Kilometer entfernt vom Grabungsort liegen, andererseits boten die weit gespannten südexponierten Abhänge des nahe gelegenen Stockacher Berglandes dem frühbronzezeitlichen Seeufersiedler gute ackerbauliche Bedingungen.

Auffallend ist das vorwiegende Auftreten von typischen Getreidebeikräutern armer Böden in der jüngsten Probe. Ob dies mit einer Verringerung der Ressourcen an guten Ackerstandorten im nahe gelegenen Auenbereich und einer Neuerschließung von Äckern in weiter entfernten und mageren Hangbereichen zusammenhängt, muss offen bleiben. Jedenfalls wurden auch höher gelegene Hanglagen gerodet und landwirtschaftlich genutzt. Viele Arten des mäßig trockenen bis frischen Grünlands und der

539

Waldrandgesellschaften weisen ebenfalls auf die Entwaldung der umliegenden Hänge hin (Gruppe 3 u. 4). Die Anlage von Äckern auf eher stickstoffarmen und relativ trockenen Böden ist für prähistorische Epochen nicht üblich gewesen, wie der Vergleich mit anderen gegrabenen Feuchtbodensiedlungen des nördlichen Alpenvorlandes zeigt (Literaturangaben s. o.). Nachweislich wussten schon die Menschen in neolithischen Epochen sehr gut über Bodenqualität und Nährstoffansprüche der Kulturpflanzen Bescheid (vgl. Jacomet 1987a, 157).

Welchen Umfang die landwirtschaftlichen Nutzflächen insgesamt und welche Größe die einzelnen Wiesen- und Ackerflächen gehabt haben, ist nicht abschätzbar. Die nachgewiesenen Beikräuter zeigen vorwiegend gute Lichtverhältnisse an – es handelt sich um „Halblichtpflanzen" (vgl. Ellenberg 1979). Bessere Einblicke geben hingegen die gut belegten Arten von Waldmänteln und Saumgesellschaften (nicht nur Sammelpflanzen). Ihr häufiges Auftreten spiegelt die starken Eingriffe des Menschen wider. Unter Annahme von vielen kleinen Rodungsinseln bzw. landwirtschaftlichen Nutzflächen sind die hohen Fundzahlen von Arten der „Kontaktzone" Wald-Freifläche noch verständlicher. Rösch (1985; 1987b) vermutet derartige kleinparzellierte Verhältnisse allgemein für jungneolithische Besiedlungsphasen des Bodenseeraumes. Darüber hinaus stellt der Autor einen rein hypothetischen Rotationszyklus „Wald-Lichtung-Feld-Wiederbewaldung" vor, der die vielen Nachweise für Staudenfluren und Gebüsche zu erklären versucht. Diese Pflanzengemeinschaften weisen nicht nur auf einen „Dauerzustand Kontaktzone" hin, sondern können auch in Übergangsstadien der Rückentwicklung zum geschlossenen Wald gehäuft auftreten. Ein derartiger Rotationszyklus von 15–20 Jahren (Rösch 1987b) ist für das frühbronzezeitliche Bodman-Schachen aufgrund der Fundlisten durchaus denkbar.

4.3 Lage des Siedlungsareals in der frühen Bronzezeit in Bezug auf die Uferlinie; Seespiegelschwankungen und ihre Auswirkungen auf die Sedimentation und die Erhaltungsfähigkeit von botanischen und zoologischen Makroresten

Das annähernd 3000 m² große Areal der frühbronzezeitlichen Siedlungen von Bodman-Schachen I befindet sich heute in 120 bis 160 m Entfernung vom Winterufer im Flachwasserbereich. Die Siedler hatten einen Platz auf der Spitze des Schachenhorns gewählt, einer alten holozänen Deltaschüttung der Stockacher Aach (Abb. 4). Diese weit in den äußeren Flachwasserbereich hinaus erbaute Siedlung, die heute unweit der steil abfallenden Halde liegt, dürfte zu Zeiten der frühbronzezeitlichen Besiedlungen aus archäologischer Sicht eine geringere Distanz zur Uferlinie gehabt haben. Außerdem mündete wohl die Stockacher Aach damals noch am Schachenhorn in den See, und zwar nördlich der Siedlung. Erb/Haus/Rutte (1961) schreiben hierzu: „... vor einer zeitlich nicht weit zurückliegenden Mündung ..."; gemeint ist die Mündung der alten, in einem anderen Bett befindlichen Stockacher Aach.

Nach einer mündlichen Mitteilung von Herrn H. Schlichtherle (Landesdenkmalamt Stuttgart) wird der Befund der ufernahen Lage schnurkeramischer Pfahlfelder und der deutlich in den heutigen Seebereich hinaus erbauten frühbronzezeitlichen Siedlungen, wie es auch am Schachenhorn der Fall ist, am Bodensee nicht selten angetroffen. Gründe hierfür können einerseits differierende Belange der Seeufersiedler und damit die unterschiedliche Entfernung ihrer Siedlungen zur bestehenden Uferlinie sein. Andererseits sind aber auch, und dies in verstärktem Maß, die Veränderungen der Seespiegelstände im Wandel der Zeit in die Überlegungen mit einzubeziehen. Klifflinien und Strandwälle der mittleren Steinzeit im Gelände markieren 4 bis 5 m höhere Wasserstände (transgressive Strandverschiebung) als heute. In bronzezeitlichen Tagen ist dagegen mit einer regressiven Strandverschiebung, das heißt, mit einem 2 bis 3 m tieferen Seestand als heute zu rechnen. Angaben hierzu liefern die palynologischen (Bertsch 1931), bautechnischen (Paret 1942), siedlungs- und pflanzengeographischen (Gradmann 1950) sowie die klimatologischen (Wundt 1950) Untersuchungen früherer Jahre. Weitere Arbeiten sind bei Lang (1973) angegeben. Auf sie alle sei an dieser Stelle verwiesen.

Dem Paläobotaniker ist es nicht möglich, anhand von wenigen Befunden den vielschichtigen Fragenkomplex der postglazialen Seespiegelschwankungen des Bodensees in allen seinen Einzelheiten zu hinterfragen (vgl. Joos 1980). Allerdings kann er wichtige Beiträge zum Thema liefern. Im Folgenden werden die Befunde vorgestellt und ihre Aussagemöglichkeiten zum Seespiegelstand zu Zeiten ihrer Sedimentation im Siedlungsbereich diskutiert.

Für eine Wasserbedeckung der verschiedenen Kulturschichten in Planquadrat Q62, seewärtiger Bereich des nordöstlichen Siedlungsareals – gleiches gilt für Q21, seewärtiger Bereich des südlichen Siedlungsareals (Punkt 3) – sprechen folgende Punkte.

Aus paläobotanischer Sicht (betrifft alle Kulturschichtproben):

1. Die mehr oder weniger gut erhaltenen Sämereien bedurften seit ihrer Ablagerung eines ständig bodennassen bzw. -feuchten Milieus, wenn nicht sogar einer ständigen Wasserbedeckung. Empfindliche Sämereien werden schon bei einmaliger und kurzer Austrocknung irreversibel geschädigt (Beobachtungen beim Fundmaterial): Spelzenreste von Spelzgetreide (Einkorn, Emmer, Dinkel) sowie Früchte von Süßgräsern und Nixenkräutern schrumpfen und verkrümmen sich, Fruchtwandbruchstücke der Eicheln färben sich außerdem schwarz und Blattstückchen vergehen weitestgehend.
2. Die häufige Sedimentation von Sämereien der submersen Wasserpflanzen sowie der Pflanzen von Röhrichten und Großseggenriedern sprechen für eine ständige bzw. zeitweise Wasserbedeckung.

Aus paläobotanischer bzw. palynologischer Sicht (betrifft alle Schichten von Q62 sowie von Q21; schriftl. Mitt. Frau Dr. H. Liese-Kleiber, Univ. Freiburg):

3. Die Pollenerhaltung und Pollendichte sind überraschend gut, allerdings sind wohl alle drei Kulturschichten in Q62 stark lessiviert (s. u.). Die Kulturschichten zeichnen sich dennoch durch erhöhte Kräuter- und Getreidepollenanteile gegenüber den „sterilen" Zwischenschichten aus.

Aus archäologischer Sicht (betrifft alle Kulturschichten; mündl. Mitt. Herr J. Köninger, Univ. Freiburg):

4. Die Keramikteile sind in nicht verrolltem Zustand abgelagert.

Aus zoologischer Sicht (betrifft alle Kulturschichtproben):

5. Die Schnecken- und Muschelschalen sowie Operkel (Schneckendeckel) stammen von süßwasserbewohnenden Arten und sind in allen Proben reichlich vorhanden (vgl. Tab. 2).
6. Köcher von Köcherfliegenlarven (Trichoptera) sind stets in geringen Stückzahlen vorhanden (vgl. Tab. 2). Sie bewohnen Steh- und Fließgewässer.
7. Flottoblasten, die Überwinterungskeime von *Cristatella mucedo* (Moostierchenart, Bryozoa), sind in geringen Stückzahlen in geschlossenem und geöffnetem Zustand in den Kulturschichten zu finden (in keiner Tabelle aufgeführt; s. Taf. 8,7). Diese Art bewohnt Steh- und Fließgewässer (Engelhardt 1983).

Für ein zumindest zeitweises „Trockenfallen" von Q62 sprechen die folgenden Punkte.

Aus paläobotanischer und archäologischer Sicht (betrifft vorwiegend die untere Kulturschicht):

8. Holzkohlestücke und Getreideklumpen können nur in trockenem bzw. bodenfeuchtem Milieu in nicht verrolltem Zustand zur Konservierung gelangen.

Aus archäologischer Sicht (betrifft die untere Kulturschicht; schriftl. Mitt. Herr J. Köninger, Univ. Freiburg):

9. Erlen-Flecklinge sind liegende Holzteile, so genannte „Pfahlschuhe", die das Einsinken der Hauspfosten (Ständer) verhindern sollten. Sie weisen auf ihrer ursprünglich sedimentfreien Oberseite z. T. angekohlte Oberflächen auf.

Die vorgestellten Befunde (Punkte 1–9) ergeben folgendes Bild. Alle drei Kulturschichten waren seit ihrer frühbronzezeitlichen Ablagerung bis in die heutigen Tage stets in bodennassem Milieu (Punkte 1 und 3). Auf eine ständige Wasserbedeckung der Kulturschichten könnten die Punkte 2, 5, 6 und 7 hindeuten. Auf ein zumindest zeitweises „Trockenfallen", vorwiegend der unteren und in eingeschränktem Maße der beiden oberen Kulturschichten, weisen die Punkte 8 und 9 hin. Die Lage des Sedimentationsortes muss außerhalb der brandungs- und grundgangintensiven Zone des Eulitorals (Grenzzone) gewesen sein (Abb. 13 und 14), um ein Verrollen der Kulturreste zu verhindern (Punkte 4 und 8). Gegen eine derartige Lage der Siedlungen spricht im Prinzip schon allein die Tatsache, dass die Areale auf der exponierten Hornspitze von vornherein den unter Umständen äußerst heftigen Nordoststürmen (eigene Beobachtungen) schutzlos ausgesetzt waren (Abb. 4; Beitrag Köninger S. 31 Abb. 9).

Welche Lage für die frühbronzezeitlichen Siedlungen kommt in Frage? Die Befunde deuten darauf hin, dass man sich die Siedlungsareale zunächst am ehesten im Flachwasserbereich des unteren Eulitorals, also zwischen Hochwasser- und Niederwasserlinie, vorstellen kann. Das untere Eulitoral ist eine Zone, die im Sommer in der Regel überschwemmt wird, die übrige Zeit des Jahres aber „trocken" liegt und wenig brandungsintensiv ist, insbesondere bei der angenommenen, flach abfallenden Deltalage der Siedlungen. Die gute Erhaltung der Sämereien und Pollen (Punkte 1 und 3) erfordert zumindest für den seewärtigen Teil der Siedlungen (Entnahmestelle von Q62 u. Q21; s. Beitrag Köninger S. 56 Abb. 39

Nr. 8) eine Lage im Übergangsbereich von Eulitoral zu Sublitoral (Abb. 13), so dass auch extreme Niedrigwasser die botanischen Reste nicht nachhaltig schädigen konnten. Dies entspricht heute am Bodensee den Vegetationskomplexen von Schilf- und Teichsimsenröhricht an einem mesotrophen Ufer bzw. von Rohrkolben- und Schwadenröhricht im eutrophierten Uferbereich (Abb. 14). Unter der Voraussetzung der heutigen mittleren jährlichen Seespiegelschwankung von ca. 1,6 m wäre im seewärtigen Bereich der Siedlungen eine mindestens 2,0 bis 2,5 m über dem Boden liegende Wohnfläche erforderlich gewesen. Zum Ufer hin hätten dementsprechend weniger abgehobene Bauten ausreichend Schutz vor Hochwasser geboten. Klare Aussagen zur genauen Lage der frühbronzezeitlichen Siedlungen und dem Wassereinfluss können letztendlich nur in Zusammenarbeit mit Archäologen und Sedimentologen gemacht werden (Beitrag Köninger S. 39ff.). Die angenommene Lage der Siedlungen kann auch die „starke Lessivierung" von Q62 erklären (Punkt 3). Gerade dieses seewärtige nordöstliche Siedlungsareal ist durch die ungeschützte nordostexponierte Lage von der Abrasion in besonderem Maße betroffen, sicherlich unterstützt durch den Bootsverkehr und Uferverbauungen unserer Tage. Vielleicht spielte bei den Lessivierungsvorgängen die ehemals nördlich des Siedlungsareals mündende Stockacher Aach eine nicht unbedeutende Rolle (Kap. 1.4). Hierfür spricht zumindest in gewisser Weise ein weiterer Befund von Frau Dr. H. Liese-Kleiber. Das Pollenprofil von Q21 aus dem geschützteren seewärtigen südlichen Siedlungsareal zeigt eindeutig stärker ausgeprägte Getreidepollen- und Kräuterpollenmaxima während den Besiedlungsphasen als dasjenige von Q62. Da der vorliegenden Makrorestbearbeitung nur die Profilsäule Q62Np und einzelne Flächenproben zugrunde liegen, können bezüglich der Lessivierung keine Aussagen gemacht werden (Kap. 6).

Bleibt nur die Frage offen, zu welcher Jahreszeit die Brandkatastrophe erfolgt ist, die zu der ausgeprägten Brandschicht in der ältesten Kulturstrate führte. Nicht verrollte Holzkohlestücke und Getreideklumpen (Punkt 8) sprechen ebenso für eine winterliche Brandkatastrophe bei zeitweilig „trocken" gefallenem, das heißt, nicht überflutetem Siedlungsboden, wie die angekohlten Oberflächen der Erlen-Flecklinge (Punkt 9). – Allerdings führen auch sommerliche Tiefststände des Bodensees zum Trockenfallen von ansonsten überfluteten Flachwasserzonen. – In einem derartigen Milieu ließe sich eine Ablagerung durch leichtes Einsinken der bis heute nicht verrollten Holzkohlen, Getreideklumpen und Keramikstücke in die seekreidehaltige Kulturschicht gut vorstellen.

Das Rekonstruktionsmodell wird auch von archäologischer Seite für die plausibelste Lösung gehalten (Beitrag Köninger S. 50ff.). Stets auf der Seite liegende oder mit der Mündung nach unten einsedimentierte Töpfe sprechen ebenfalls für eine über dem Boden liegende Wohnfläche. Die älteste Siedlung wurde nach ihrem Abbrennen direkt verlassen und nicht wieder aufgebaut. Gut erhaltene Gefäße blieben sogar im Brandschutt zurück. Nachbesiedlungszeitliche Wassereinflüsse sind für die Seekreideablagerungen zwischen unterer und mittlerer Kulturschicht, zumindest im seewärtigen Bereich der Siedlung, verantwortlich (Abb. 6, Befund 5).

Einen ausgeprägten Wassereinfluss zeigen nicht nur die drei Kulturschichten von Q62, sondern auch die getreidekornreichen Flächenproben der unteren Kulturschicht des nur wenig südlich von Q62 gelegenen Planquadrates Q64. Trotz Vorschlämmung der Proben mit weitmaschigen Sieben durch die Ausgräber fanden sich zahlreiche Nachweise für Armleuchteralgen, Nixenkräuter und Laichkräuter (Tab. 17).

Die Analyse weiterer Proben, insbesondere von landwärtigeren Siedlungsbereichen, dürfte zum besseren Verständnis der Siedlungslage und der Einflüsse des Wassers auf die Kulturschichten und die „sterilen" Zwischenschichten beitragen (Kap. 6).

5 Zusammenfassung

In der vorliegenden Arbeit wurden botanische Makroreste aus der archäologischen Tauchgrabung Bodman-Schachen I am nordwestlichen Ende des Bodensees (Lake of Constance) untersucht. Die frühbronzezeitlichen Funde stammen aus drei gut voneinander abgegrenzten Kulturschichten der Seeufersiedlungen Bodman-Schachen I, die sich bis heute im Flachwasserbereich des Naturschutzgebietes am „Schachenhorn" erhalten konnten. Frühbronzezeitliche Fundkomplexe des Bodenseegebietes wurden bislang noch nicht makrorestanalytisch bearbeitet. Diese zeitliche Fundlücke zu schließen, war der Anlass für die Vergabe dieser Diplomarbeit. Bereits im Jahr 1866 wurde das Siedlungsareal entdeckt. Erst im Rahmen planmäßiger Grabungskampagnen in den Jahren 1982–1986 konnte es in seiner Gesamtheit erfasst werden. Die durchgeführten Tauchgänge und die Untersuchungen der Siedlungsreste sind Teil des „Projektes Bodensee-Oberschwaben" (PBO) des Landesdenkmalamtes Stuttgart.

Bei der paläobotanischen Bearbeitung des Fundgutes ging es in erster Linie um die Rekonstruktion der frühbronzezeitlichen Vegetationsverhältnisse und der Ernährungsweisen der Seeufersiedler. Mit Hilfe des umfangreichen unverkohlten Wildpflanzenmaterials und der verkohlten Getreidereste lassen sich wichtige Fragen beantworten. Besonderen Wert hat der Autor auf die Anreicherung und Bestimmung sämtlicher Samen und Früchte gelegt, wozu ein sehr feines Sieb mit einer Maschenweite von 0,2 mm als feinste Schlämmfraktion verwendet wurde. Kleine Samen und Früchte konnten – im Unterschied zu anderen Großrestanalysen – auf diesem Wege in großer Anzahl ausgelesen werden, so zum Beispiel die Juncaceensamen und die Poaceenfrüchte. Detaillierte Beschreibungen und Artabgrenzungen liegen für alle bestimmten Taxa vor. Bislang paläobotanisch selten oder nicht belegte Sämereien sind daneben auch fotografisch dokumentiert.

Zu den nachgewiesenen Kulturpflanzen zählen die fünf Getreidearten Dinkel (*Triticum spelta*), Emmer (*T. dicoccum*), Einkorn (*T. monococcum*), Saatweizen im weitesten Sinne (*T. aestivum* s.l.) und Gerste (*Hordeum vulgare*) sowie die Ölpflanzen Schlafmohn (*Papaver somniferum*) und Saatlein (*Linum usitatissimum*). Sie sind zumeist für alle drei Siedlungsphasen belegt. Die größten Fundmengen an Getreide stammen aus den getreidekornreichen Flächenproben der ältesten Kulturschicht. Beachtenswert sind die vielen Körner und Spelzenreste des Dinkels, der in Bodman-Schachen I schon in der älteren Frühbronzezeit ein beliebtes Getreide gewesen zu sein scheint. Die Dinkelnachweise von Bodman-Schachen I zählen zu den ältesten Belegen für einen Dinkelanbau im nördlichen Alpenvorland.

Zu den Nutzpflanzenarten gehören auch eine große Anzahl an essbaren Sammelpflanzen der Wälder und Waldmäntel sowie etliche Heil-, Färbe- und Faserpflanzen. Vermutlich sind viele Wildpflanzen zu Nahrungszwecken verwendet worden, deren Nutzung den Menschen heute nur noch selten bekannt ist.

Das Wildpflanzenspektrum umfasst Arten aus dem Uferbereich und von Standorten außerhalb der Uferzone. Es werden 17 ökologische Gruppen unterschieden. Weit gehend naturnahe, von Menschen nicht oder nur wenig gestörte Plätze können anhand der Fundlisten ebenso belegt werden wie Bereiche, die von Menschen und Tieren mehr oder weniger stark gestört sind. Zu den naturnahen Plätzen werden Arten der Wasserpflanzen- und Verlandungsgesellschaften, in eingeschränktem Maße auch die Gesellschaften der Wälder, Waldränder, Waldverlichtungen, Hecken und Gebüsche gestellt. Häufige Nachweise für Grünlandgesellschaften, von Pflanzen der trockenen Magerrasen und für Gesellschaften ruderaler Flächen sowie für Hackfrucht- und Getreideäcker demonstrieren in eindrucksvoller Weise den starken Einfluss des Menschen auf die Ausprägung der Vegetationsdecke. Die prozentuale Zunahme der Verlandungs- und Grünlandgesellschaften sowie der Ruderal- und Ackerflora von der unteren zur oberen Kulturschicht spricht für eine allmähliche Auflichtung der Umgebung von Bodman-Schachen während der frühbronzezeitlichen Besiedlung. Zugleich ist dies ein Beleg für die Vergrößerung der landwirtschaftlichen Nutzflächen.

Die nachgewiesenen Unkräuter („Beikräuter") belegen die Ausdehnung der Nutzflächen während den Besiedlungsphasen auf seefernere, trockenere und magere Bereiche. Die Getreidefelder lagen vermutlich in schwach bis mäßig stark geneigten Lagen der nahe gelegenen Abhänge des Stockacher Berglandes, die Hackfruchtäcker eher in Auenrandbereichen in schwach geneigtem Gelände mit besserer

Wasser- und Nährstoffversorgung. Vielleicht hängt die Verlagerung mit einer Verkleinerung der Ressourcen an gut mit Wasser und Nährstoffen versorgten Standorten zusammen. Das Überwiegen der Therophyten lässt eine mehr oder weniger intensive Bodenbearbeitung der Äcker vermuten. Die Getreidebeikräuter deuten sehr stark auf einen Wintergetreideanbau hin und ihre sehr niedrigen Wuchshöhen sprechen nicht für eine reine Ährenernte des Getreides. Die Grünlandflächen scheinen unseren heutigen süßgrasreichen Wiesen und Weiden nicht sehr ähnlich gewesen zu sein; eine extensive Weidenutzung ist wahrscheinlich.

Die Lage des Siedlungsareals Bodman-Schachen I in der frühen Bronzezeit in Bezug auf die Uferlinie lässt sich anhand von makrorestanalytischen Belegen nur ansatzweise rekonstruieren. Ein starker Wassereinfluss auf alle Kulturschichten ist aufgrund der vorliegenden botanischen Ergebnisse nicht von der Hand zu weisen. Unter Einbeziehung von klimatologischen, palynologischen, zoologischen und archäologischen Befunden kommt eine Lage im Flachwasserbereich des unteren Eulitorals, einer Zone zwischen Hochwasser- und Niederwasserlinie, für die Siedlungen am ehesten in Betracht. Diese Zone wird im Sommer in der Regel überschwemmt und ist nur wenig brandungsintensiv; die übrige Zeit des Jahres liegt sie meist „trocken" (gut durchfeuchteter Boden ohne permanente Wasserbedeckung). Die Brandkatastrophe, die zu der ausgeprägten Brandschicht in der ältesten Kulturstrate geführt hat, fällt allem Anschein nach in die Wintermonate während des Tiefstandes des Seespiegels.

6 Ausblick

Die vorliegende Bearbeitung der botanischen Makroreste gibt nur einen kleinen Einblick in die Vegetationsverhältnisse der Umgebung von Bodman-Schachen I, in die Ernährungsweisen der frühbronzezeitlichen Bevölkerung und in die Lage der Siedlungsareale in Bezug auf die Uferlinie. Die tatsächlichen Bedingungen, unter denen die bronzezeitlichen Siedler zu leben hatten, werden wir wohl nie erfahren. Viele Aussagen müssen spekulativ bleiben. Fortführende paläobotanische Untersuchungen ermöglichen aber tiefere Einsichten in das Leben der prähistorischen Bewohner. Hierzu ist es notwendig, ein umfangreiches Probenmaterial auf pflanzliche Überreste zu analysieren. Bei der Probenwahl sollten die folgenden Punkte beachtet werden:

– Die Schichtproben müssen von unterschiedlichen Siedlungsarealen stammen.
– Von der Abrasion betroffene, ufernahe Bereiche müssen bei der Probenentnahme ebenfalls bedacht werden, um Fragen über die genaue Lage der Siedlungsareale nachgehen zu können.
– Schichtproben aus dem südlichen Areal sollten bevorzugt bearbeitet werden, da hier die Lessivierung der Schichten wohl schwächer gewesen ist.
– Flächenproben der unteren Kulturschicht müssen verstärkt analysiert werden, um ein großes Spektrum an verkohlten Pflanzenresten zu erhalten.
– Es ist notwendig, die Straten zwischen den Kulturschichten – „sterile" Zwischenschichten – zu schlämmen. Verschiebungen im Vegetationsgefüge während den besiedlungsfreien Phasen und die natürliche, nicht anthropogen beeinflusste Sedimentation von Sämereien im Bereich der Siedlungsareale können so erkannt werden. Ebenso lassen sich Vermengungen von Siedlungsresten mit Ablagerungen der Besiedlungslücken hierdurch besser abschätzen.

Durch die entsprechende Probenentnahme kann ein umfassenderes Spektrum an Wild- und Kulturpflanzen bearbeitet werden als es dieser Arbeit zugrunde liegt. Es wird dann eventuell auch möglich sein, noch offene Fragen beantworten zu können, die im Folgenden skizziert werden.

Hinsichtlich der Kulturpflanzen bedeutet dies, dass vermutlich

– fundierte qualitative und quantitative Abschätzungen über den Anbau der verschiedenen Getreidearten und der Ölpflanzen erzielt werden können;
– die Bedeutung des Dinkels als neu hinzukommende Getreideart in der frühen Bronzezeit besser beurteilt werden kann;
– ein umfangreiches Material an Körnern des Saatweizens im weitesten Sinne vorliegen wird zur genauen Determination dieses Taxons;
– Nachweise für die Kolben- und Rispenhirse, zumindest in den beiden jüngeren Kulturschichten, erbracht werden können;
– der Leindotter bereits für die älteste Besiedlungsphase durch Funde belegt werden kann;
– verkohlte Reste der Hülsenfrüchte Erbse und Linse ausgelesen werden können;
– weitere Funde von Saatlein-Kapseln eine Zuordnung des Saatleins zum Schließlein, zum Springlein oder zum Alpenwinterlein ermöglichen werden;
– Aussagen zum Winter-/Sommerfruchtanbau, zum Rein-/Mischanbau und zum Fruchtwechsel gemacht werden können, sollten große Fundmengen vorhanden sein;
– Veränderungen der Größe und Form von Samen und Früchten während den verschiedenen Besiedlungsphasen aufgezeigt werden können, sollte ein umfangreiches Fundgut vorhanden sein.

Hinsichtlich der Wildpflanzen bedeutet dies, dass vermutlich
– präzisere Aussagen zum Vegetationsmosaik der Siedlungsumgebung als in der vorliegenden Arbeit möglich sein werden;
– Verschiebungen des Vegetationsgefüges von Besiedlungsphasen zu Besiedlungslücken an den Artenlisten abzulesen sein werden;
– Artbestimmungen von dem reichen Oogonienmaterial der Characeen detailliertere Aussagen über den Wasserchemismus, z. B. den Trophiegrad, ermöglichen werden;
– ein gezieltes Sammeln von weiteren Arten wie den Brassicaceen belegt werden kann;
– Reste von Moosen angereichert werden, die wertvolle ökologische Hinweise auf die Zusammensetzung der Pflanzendecke liefern können;
– ein umfangreiches Fundmaterial an Hölzern und Holzkohlen zur präziseren Rekonstruktion der Wälder anfallen wird.

7 Literaturverzeichnis

Aalto 1970	M. Aalto, Potamogetonaceae Fruits. I. Recent and Subfossil Endocarps of the Fennoscandian Species. Acta Bot. Fenn. 88, 1970, 1–85.
Andersson 1902	G. Andersson, Der Haselstrauch in Schweden. Bot. Jahrb. Systematik 33, 1902, 493–501.
Baas 1974	J. Baas, Kultur- und Wildpflanzenreste aus einem römischen Brunnen von Rottweil-Altstadt. Fundber. Baden-Württemberg 1, 1974, 373–416.
Behre 1976	K.-E. Behre, Die Pflanzenreste aus der frühgeschichtlichen Wurt Elisenhof. In: Studien zur Küstenarchäologie Schleswig-Holsteins, Serie A, Elisenhof, Bd. 2 (Bern, Frankfurt a.M. 1976).
Behre 1983	K.-E. Behre, Ernährung und Umwelt der wikingerzeitlichen Siedlung Haithabu. In: Die Ausgrabungen in Haithabu 8 (Neumünster 1983).
Beijerinck 1976	W. Beijerinck, Zadenatlas der Nederlandsche Flora. Reprint (Amsterdam 1976).
Berggren 1962	G. Berggren, Reviews on the Taxanomy of some Species of the Genus Brassica, Based on Their Seeds. Sv. Bot. Tidskr. 56, 1962, 65–133.
Berggren 1969	G. Berggren, Atlas of Seeds and Small Fruits of Northwest-European Plant Species. Part 2 Cyperaceae. Swedish Natural Science Research Council (Stockholm 1969).
Bertsch 1926	K. Bertsch, Die Pflanzenreste aus der Kulturschichte der neolithischen Siedlung Riedschachen bei Schussenried. Schr. Vereinigung Gesch. Bodensee u. Umgebung 54, 1926 (Jahr), 1926, 261–279.
Bertsch 1931	K. Bertsch, Wasserspiegelschwankungen des Bodensees in der älteren Nacheiszeit. Abh. Nat. Ver. Bremen 28, 1931, 51–59.
Bertsch 1932	K. Bertsch, Die Pflanzenreste. In: H. Reinerth (Hrsg.), Das Pfahldorf Sipplingen. Ergebnisse der Ausgrabungen des Bodenseegeschichtsvereins 1929/30. Führer zur Urgeschichte 10, 1932, 93–111.
Bertsch 1941	K. Bertsch, Früchte und Samen. Ein Bestimmungsbuch zur Pflanzenkunde der vorgeschichtlichen Zeit (Stuttgart 1941).
Bertsch 1947	K. Bertsch, Der See als Lebensgemeinschaft (Ravensburg 1947).
Bertsch/Bertsch 1947	K. Bertsch/F. Bertsch, Geschichte unserer Kulturpflanzen (Stuttgart 1947).
Billamboz/Keefer/Köninger/Torke 1988	A. Billamboz/E. Keefer/J. Köninger/W. Torke, La transition Bronze ancien-moyen dans le sud-ouest de l'Allemagne à l'exemple de deux stations de l'habitat palustre (Station Forschner, Federsee) et littoral (Bodman-Schachen I, Bodensee). Unpubl. Arbeitsber. (Landesdenkmalamt Stuttgart 1988).
Boesch 1982	B. Boesch, Die Orts- und Gewässernamen der Bodenseelandschaft. In: H. Maurer (Hrsg.), Der Bodensee: Landschaft, Geschichte, Kultur. Bodensee-Bibliothek 28 (Sigmaringen 1982) 233–280.
Bollinger 1981	T. Bollinger, Samenkundliche Untersuchung von Rezent-Sedimenten aus Verlandungsserien am Ufer des Greifen- und Zürichsees. Unpubl. Diplomarbeit (Botan. Inst. Univ. Basel 1981).
Bollinger/Jacomet-Engel 1981	T. Bollinger/S. Jacomet-Engel, Resultate der Samen- und Holzanalysen aus den Cortaillodschichten. In: B. Ammann u.a., Die neolithischen Ufersiedlungen von Twann 14. Botanische Untersuchungen. Schriftenr. Erziehungsdirektion Kanton Bern (Bern 1981) 35–67.
Braun-Blanquet 1964	J. Braun-Blanquet, Pflanzensoziologie³ (Wien, New York 1964).
Brombacher 1986	C. Brombacher, Untersuchungen der botanischen Makroreste des prähistorischen Siedlungsplatzes Zürich-Mozartstrasse I. Unpubl. Diss. (Botan. Inst. Univ. Basel 1986).
Brombacher/Dick 1987	C. Brombacher/M. Dick, Die Untersuchung der botanischen Makroreste. In: Zürich „Mozartstrasse". Neolithische und bronzezeitliche Ufersiedlungen 1. Ber. Züricher Denkmalpfl. Monogr. 4 (Zürich 1987) 198–212.
Brouwer 1927	W. Brouwer, Landwirtschaftliche Samenkunde. Ein Schlüssel zum Bestimmen der kleinkörnigen Kultursamen sowie der wichtigsten Unkrautsamen (Landsberg a.W. 1927).
Brouwer/Stählin 1975	W. Brouwer/A. Stählin, Handbuch der Samenkunde² (Frankfurt a.M. 1975).
Deutscher Wetterdienst 1953	Deutscher Wetterdienst (Hrsg.), Klimaatlas von Baden-Württemberg – 75 Karten, 9 Diagramme (Bad Kissingen 1953).
Dick 1988	M. Dick, Untersuchungen der botanischen Makroreste des prähistorischen Siedlungsplatzes Zürich-Mozartstrasse II (Jung- und Spätneolithikum). Unpubl. Diss. (Botan. Inst. Univ. Basel 1988).
Ellenberg 1979	H. Ellenberg, Zeigerwerte der Gefäßpflanzen Mitteleuropas. Scripta Geobotanica 9² (Göttingen 1979).
Ellenberg 1982	H. Ellenberg, Vegetation Mitteleuropas mit den Alpen in ökologischer Sicht³ (Stuttgart 1982).
Engelhardt 1983	W. Engelhardt, Was lebt in Tümpel, Bach und Weiher? Eine Einführung in die Lehre vom Leben der Binnengewässer¹⁰ (Stuttgart 1983).
Erb/Haus/Rutte 1961	L. Erb/H. A. Haus/W. Rutte, Geologische Karte von Baden-Württemberg 1:25 000. Erläuterungen zu Blatt 8120 Stockach (Stuttgart 1961).

Frank (in Vorbereitung)	K.-S. Frank, Untersuchung einer steinkernreichen Probe aus einem spätmittelalterlichen (1. Hälfte des 14. Jh.) Brunnen der Stadt Oberndorf a.N. unter besonderer Berücksichtigung der Steinkerne von Kirschen und Pflaumen. Arbeit in Vorber. (Botan. Inst. Univ. Hohenheim).
Frank/Stika 1988	K.-S. Frank/H.-P. Stika, Bearbeitung der makroskopischen Pflanzen- und einiger Tierreste des Römerkastells Sablonetum (Ellingen bei Weissenburg in Bayern). Materialh. Bayer. Vorgesch. A61 (Kallmünz/Opf. 1988).
Fredskild 1978	B. Fredskild, Seeds and Fruits from the Neolithic Settlement Weier, Switzerland. Sv. Bot. Tidskr. 72, 1978, 189–201.
Fritsch 1979	R. Fritsch, Zur Samenmorphologie des Kulturmohns (Papaver somniferum L.). Die Kulturpflanze 37, 1979, 217–227.
Gassner 1955	G. Gassner, Mikroskopische Untersuchung pflanzlicher Nahrungs- und Genussmittel[3] (Stuttgart 1955).
Geyer/Gwinner 1986	O. Geyer/M. Gwinner, Geologie von Baden-Württemberg (Stuttgart 1986).
Gradmann 1950	R. Gradmann, Pfahlbauten und Klimaschwankungen. Schr. Vereinigung Gesch. Bodensee 69, 1950, 1–15.
Gutermann 1982	T. Gutermann, Wetter und Klima im Bodenseeraum. In: H. Maurer (Hrsg.), Der Bodensee: Landschaft, Geschichte, Kultur. Bodensee-Bibliothek 28 (Sigmaringen 1982) 99–128.
Heer 1865	O. Heer, Die Pflanzen der Pfahlbauten. Neujahrsbl. Naturforsch. Ges. Zürich 74, 1865, 1–26.
Hegi 1908–1931	G. Hegi, Illustrierte Flora von Mitteleuropa. Bd. 1–7[1] (München 1908–1931).
Heinisch 1955	O. Heinisch, Samenatlas der wichtigsten Futterpflanzen und ihre Unkräuter (Berlin 1955).
Helbaek 1959	H. Helbaek, Notes on the Evolution and History of Linum. Kuml, Arbog Jysk Ark. Selsk, 1959, 103–129.
Hofmann 1982	F. Hofmann, Die geologische Vorgeschichte der Bodenseelandschaft. In: H. Maurer (Hrsg.), Der Bodensee: Landschaft, Geschichte, Kultur. Bodensee-Bibliothek 28 (Sigmaringen 1982) 35–67.
Hopf 1975	M. Hopf, Beobachtungen und Überlegungen bei der Bestimmung von verkohlten Hordeum-Früchten. Folia Quaternaria 46, 1975, 83–92.
Jacomet 1981	S. Jacomet, Neue Untersuchungen botanischer Großreste an jungsteinzeitlichen Seeufersiedlungen im Gebiet der Stadt Zürich (Schweiz). Zeitschr. Arch. 15, 1981, 125–140.
Jacomet 1985	S. Jacomet, Botanische Makroreste aus den Sedimenten des neolithischen Siedlungsplatzes „AKAD-Seehofstrasse" am untersten Zürichsee. Die Reste der Uferpflanzen und ihre Aussagemöglichkeiten zu Vegetationsgeschichte, Schichtentstehung und Seespiegelschwankung. Züricher Stud. Arch. (Zürich 1985).
Jacomet 1986	S. Jacomet, Zur Morphologie subfossiler Samen und Früchte aus postglazialen See- und Kulturschichtsedimenten der neolithischen Siedlungsplätze „AKAD-Seehofstrasse" und „Pressehaus" am untersten Zürichsee. Botanica Helvetica 96/2, 1986, 159–204.
Jacomet 1987a	S. Jacomet, Ackerbau, Sammelwirtschaft und Umwelt der Egolzwiler- und Cortaillod-Siedlungen auf dem „Kleinen Hafner" in Zürich. Ergebnisse samenanalytischer Untersuchungen. In: P. Suter: Zürich „Kleiner Hafner". Tauchgrabungen 1981–1984. Ber. Züricher Denkmalpfl. Monogr. 3 (Zürich 1987) 144–166.
Jacomet 1987b	S. Jacomet, Prähistorische Getreidefunde. Eine Anleitung zur Bestimmung prähistorischer Gersten- und Weizenfunde. Botan. Inst. Univ. Basel (Basel 1987).
Jacomet-Engel 1980	S. Jacomet-Engel, Botanische Makroreste aus den neolithischen Seeufersiedlungen des Areals „Pressehaus Ringier" in Zürich (Schweiz). Stratigraphie und vegetationskundliche Auswertung. Vierteljahrsschr. Naturforsch. Ges. Zürich 125/2, 1980, 139–152.
Jacquat 1988	C. Jacquat, Hauterive-Champréveyres, 1. Les plantes de l'âge du Bronze. Catalogue des fruits et graines. Saint-Blaise, Editions du Ruau, Archéologie neuchâteloise 7, 1988.
Jensen 1979	H. A. Jensen, Key to and Description of the Fruits of some Rumex Species. Seed Science & Technol. 7, 1979, 525–528.
Jessen 1955	K. Jessen, Key to Subfossil Potamogeton. Sv. Bot. Tidskr. 52, 1955, 1–7.
Joos 1980	M. Joos, unter Mitarbeit von B. Ritter u. G. Scheller, Die sedimentologische Analyse von Profil X/42 und ihr Beitrag zur Stratigraphie der Cortaillod-Siedlungen von Twann. In: Die neolithischen Ufersiedlungen von Twann 6. Die Profilkolonne X/42. Schriftenr. Erziehungsdirektion Kanton Bern (Bern 1980) 69–112.
Karg 1986	S. Karg, Pflanzliche Großreste der jungsteinzeitlichen Ufersiedlung Allensbach-Strandbad. Wildpflanzen und Anbaufrüchte als stratigraphische, ökologische und wirtschaftliche Informationsquellen. Unpubl. Magisterarbeit (Geowiss. Fakultät Univ. Tübingen 1986).
Katz/Katz 1946	N. J. Katz/S. W. Katz, Atlas und Bestimmungsbuch der Früchte und Samen in Torfen und Mudden (Moskau 1946).
Knörzer 1967	K.-H. Knörzer, Römerzeitliche Pflanzenfunde aus Aachen. In: Untersuchungen subfossiler pflanzlicher Großreste im Rheinland. Archaeo-Physika 2 (Köln 1967) 39–64.
Knörzer 1970	K.-H. Knörzer, Römerzeitliche Pflanzenfunde aus Neuss. Novaesium 4. Limesforschungen 10 (Wiesbaden 1970).
Knörzer 1971	K.-H. Knörzer, Genutzte Wildpflanzen in vorgeschichtlicher Zeit. Bonner Jahrb. 171, 1971, 1–8.
Knörzer 1973	K.-H. Knörzer, Römerzeitliche Pflanzenreste aus einem Brunnen in Butzbach (Hessen). Saalburg-Jahrb. 30, 1973, 71–114.
Knörzer 1975	K.-H. Knörzer, Mittelalterliche und jüngere Pflanzenfunde aus Neuss am Rhein. Zeitschr. Arch. Mittelalter 3, 1975, 129–181.

Knörzer 1976	K.-H. Knörzer, Späthallstattzeitliche Pflanzenfunde bei Bergheim, Erftkreis. Beiträge zur Urgeschichte des Rheinlandes II. Rhein. Ausgr. 17 (Bonn 1976) 151–185.
Knörzer 1978	K.-H. Knörzer, Entwicklung und Ausbreitung des Leindotters (*Camelina sativa* s. l.). Ber. Dt. Bot. Ges. 91, 1978, 187–195.
Knörzer 1981	K.-H. Knörzer, Römerzeitliche Pflanzenfunde aus Xanten. Archaeo-Physika 11 (Köln 1981) 1–176.
Kokabi 1987	M. Kokabi, Die Tierknochenfunde aus den neolithischen Ufersiedlungen am Bodensee – Versuch einer Rekonstruktion der einstigen Wirtschafts- und Umweltverhältnisse mit der Untersuchungsmethode der Osteologie. In: Siedlungsarchäologische Untersuchungen im Bodenseeraum. Neue Forschungen und Funde zur Jungsteinzeit und Bronzezeit (Freiburg 1987) 61–66.
Körber-Grohne 1964	U. Körber-Grohne, Bestimmungsschlüssel für subfossile Juncus-Samen und Gramineen-Früchte. Probleme der Küstenforschung im südlichen Nordseegebiet 7 (Hildesheim 1964).
Körber-Grohne 1967	U. Körber-Grohne, Geobotanische Untersuchungen auf der Feddersen Wierde I. In: W. Haarnagel (Hrsg.), Feddersen Wierde. Die Ergebnisse der Ausgrabung der vorgeschichtlichen Wurt Feddersen Wierde bei Bremerhaven in den Jahren 1955–1963 (Wiesbaden 1967).
Körber-Grohne 1987	U. Körber-Grohne, Nutzpflanzen in Deutschland. Kulturgeschichte und Biologie (Stuttgart 1987).
Körber-Grohne 1990	U. Körber-Grohne, Gramineen und Grünlandvegetationen vom Neolithikum bis zum Mittelalter in Mitteleuropa. Bibliotheca Botanica 139 (Stuttgart 1990).
Körber-Grohne/ Feldtkeller 1998	U. Körber-Grohne/A. Feldtkeller, Pflanzliche Rohmaterialien und Herstellungstechniken der Gewebe, Netze, Geflechte sowie anderer Produkte aus den neolithischen Siedlungen Hornstaad, Wangen, Allensbach und Sipplingen am Bodensee. In: Siedlungsarchäologie im Alpenvorland V. Forsch. u. Ber. Vor- u. Frühgesch. Baden-Württemberg 68 (Stuttgart 1998) 131 ff.
Körber-Grohne/Piening 1981	U. Körber-Grohne/U. Piening, Die Feinstruktur der Oberflächen verkohlter und unverkohlter Getreidekörner, beobachtet im Rasterelektronen- und Lichtmikroskop als zusätzliches Hilfsmittel zur Bestimmung prähistorischer Funde. Zeitschr. Arch. 15, 1981, 65–72.
Krause 1986	W. Krause, Zur Bestimmungsmöglichkeit subfossiler Characeen-Oosporen an Beispielen aus Schweizer Seen. Vierteljahrsschr. Naturforsch. Ges. Zürich 131/4, 1986, 295–313.
Kroll 1975	H. Kroll, Ur- und frühgeschichtlicher Ackerbau in Archsum auf Sylt. Eine botanische Großrestanalyse. Unpubl. Diss. Univ. Kiel.
Kroll 1980	H. Kroll, Mittelalterlich-frühneuzeitliches Steinobst aus Lübeck. Lübecker Schr. Arch. u. Kulturgesch. 3, 1980, 167–173.
Küster 1985a	H. Küster, Die Ausbreitungsgeschichte der Walderdbeere (*Fragaria vesca* L.) während des Postglazials. Flora 177, 1985, 253- 263.
Küster 1985b	H. Küster, Neolithische Pflanzenreste aus Hochdorf, Gemeinde Eberdingen (Kreis Ludwigsburg). In: Hochdorf I. Forsch. u. Ber. Vor- u. Frühgesch. Baden-Württemberg 19 (Stuttgart 1985) 13–83.
Lang 1973	G. Lang, Die Vegetation des westlichen Bodenseegebietes. Pflanzensoziologie 17 (Jena 1973).
Liese-Kleiber 1985	H. Liese-Kleiber, Pollenanalysen in urgeschichtlichen Ufersiedlungen – Vergleich von Untersuchungen am westlichen Bodensee und Neuenburger See. In: Berichte zu Ufer- und Moorsiedlungen Südwestdeutschlands II. Materialh. Vor- u. Frühgesch. Baden-Württemberg 7 (Stuttgart 1985) 200–241.
Liese-Kleiber 1987	H. Liese-Kleiber, Getreidepollen – ein Indikator für prähistorische Wirtschaftsformen? In: Siedlungsarchäologische Untersuchungen im Bodenseeraum. Neue Forschungen und Funde zur Jungsteinzeit und Bronzezeit (Freiburg 1987) 54–61.
Lundström-Baudais 1978	K. Lundström-Baudais, Plant Remains from a Swiss Neolithic Lakeshore Site: Brise-Lames, Auvernier. Ber. Dt. Bot. Ges. 91, 1978, 67–83.
Lundström-Baudais 1984	K. Lundström-Baudais, Palaeo-Ethnobotanical Investigation of Plant Remains from a Neolithic Lakeshore Site in France: Clairvaux, Station III. In: W. van Zeist/W. A. Casparie (Hrsg.), Plants and Ancient Man: Studies in Palaeoethnobotany (Rotterdam 1984) 293–305.
Mädler 1952	K. Mädler, Charophyten aus dem nordwestdeutschen Kimmeridge. Geol. Jahrb. 67 (Hannover 1952) 1–46.
Mädler 1971	K. Mädler, Die Früchte und Samen aus der frühpleistozänen Braunkohle von Megalopolis in Griechenland und ihre ökologische Bedeutung. Beih. Geol. Jahrb. 110 (Hannover 1971).
Migula 1909	W. Migula, Kryptogamen-Flora von Deutschland, Deutsch-Österreich und der Schweiz im Anschluss an Thome's Flora von Deutschland 2/2: Algen. Rhodophyceae, Phaeophyceae, Characeae (Gera 1909).
Neuweiler 1905	E. Neuweiler, Die prähistorischen Pflanzenreste Mitteleuropas mit besonderer Berücksichtigung der schweizerischen Funde. Vierteljahrsschr. Naturforsch. Ges. Zürich 50, 1905, 23–134.
Neuweiler 1919	E. Neuweiler, Die Pflanzenreste aus den Pfahlbauten am Alpenquai in Zürich und von Wollishofen. Vierteljahrsschr. Naturforsch. Ges. Zürich 82, 1919, 617- 648.
Neuweiler 1924	E. Neuweiler, Die Pflanzenwelt in der jüngeren Stein- und Bronzezeit der Schweiz. Mitt. Antiquar. Ges. Zürich 29.4, 10. Pfahlbaubericht, 1924, 109–120.
Neuweiler 1946	E. Neuweiler, Nachträge II urgeschichtlicher Pflanzen. Vierteljahrsschr. Naturforsch. Ges. Zürich 91, 1946, 122–136.
Nilsson/Hjelmquist 1967	Ö. Nilsson/H. Hjelmquist, Studies on the Nutlet Structure of South Scandinavian Species of Carex. Bot. Notiser 120, 1967, 460–485.
Nötzold 1962	T. Nötzold, Fossile Charophytenreste vom Tüllinger Berg bei Weil/Rh. Monatsber. Dt. Akad. Wiss. 4/10, 1962, 663–669.

Nötzold 1965	T. Nötzold, Die Fazies der spätquartären Ablagerungen von Königsaue bei Gatersleben auf Grund der karpologischen Pflanzenreste. Geologie 14, 1965, 699–710.
Oberdorfer 1977	E. Oberdorfer, Süddeutsche Pflanzengesellschaften Teil 1² (Stuttgart 1977).
Oberdorfer 1978	E. Oberdorfer, Süddeutsche Pflanzengesellschaften Teil 2² (Stuttgart 1978).
Oberdorfer 1979	E. Oberdorfer, Pflanzensoziologische Exkursionsflora⁴ (Stuttgart 1979).
Oberdorfer 1983	E. Oberdorfer, Süddeutsche Pflanzengesellschaften Teil 3² (Stuttgart 1983).
Paret 1942	O. Paret, Die Pfahlbauten. Ein Nachruf. Schrift. Vereinigung Gesch. Bodensee 68, 1942, 75–107.
Pascher 1925	A. Pascher, Die Süßwasser-Flora Deutschlands, Österreichs und der Schweiz 11: Heterokontae, Phaeophyta, Rhodophyta, Charophyta (Jena 1925).
Piening 1981	U. Piening, Die verkohlten Pflanzenreste aus den Proben der Cortaillod- und Horgener Kultur. In: B. Ammann u. a., Die neolithischen Ufersiedlungen von Twann 14, Botanische Untersuchungen. Schriftenr. Erziehungsdirektion Kanton Bern (Bern 1981) 69–88.
Rabien 1953	I. Rabien, Zur Bestimmung fossiler Knospenschuppen. Paläont. Zeitschr. 27,1/2, 1953, 57–66.
Regionalverband Bodensee-Oberschwaben 1985	Regionalverband Bodensee-Oberschwaben (Hrsg.), Bodenseeuferplan – nach der Genehmigung vom 15. November 1984 (Ravensburg 1985).
Renfrew 1973	J. M. Renfrew, Palaeoethnobotany. The Prehistoric Food Plants of the Near East and Europe. Columbia University Press (New York 1973).
Rösch 1984	M. Rösch, Botanische Großrestanalysen in der „Siedlung Forschner": Erste Ergebnisse im Spiegel der bisherigen Forschung. In: Berichte zu Ufer- und Moorsiedlungen Südwestdeutschlands I. Materialh. Vor- u. Frühgesch. Baden-Württemberg 4 (Stuttgart 1984) 64–79.
Rösch 1985	M. Rösch, Die Pflanzenreste der neolithischen Ufersiedlung von Hornstaad-Hörnle I am westlichen Bodensee. In: Berichte zu Ufer- und Moorsiedlungen Südwestdeutschlands II. Materialh. Vor- u. Frühgesch. Baden-Württemberg 7 (Stuttgart 1985) 164–199.
Rösch 1987a	M. Rösch, Der Mensch als landschaftsprägender Faktor des westlichen Bodenseegebietes seit dem späten Atlantikum. Eiszeitalter u. Gegenwart 37, 1987, 19–29.
Rösch 1987b	M. Rösch, Zur Umwelt und Wirtschaft des Jungneolithikums am Bodensee – Botanische Untersuchungen in Bodman-Blissenhalde. In: Siedlungsarchäologische Untersuchungen im Bodenseeraum. Neue Forschungen und Funde zur Jungsteinzeit und Bronzezeit (Freiburg 1987) 42–53.
Rothmaler 1976	W. Rothmaler, Exkursionsflora für die Gebiete der DDR und der BRD 4, kritischer Band. Volk und Wissen Volkseigener Verlag (Berlin 1976).
Rothmaler 1987	W. Rothmaler, Exkursionsflora für die Gebiete der DDR und der BRD 3, Atlas der Gefäßpflanzen. Volk und Wissen Volkseigener Verlag (Berlin 1987).
Ruttner 1962	F. Ruttner, Grundriss der Limnologie³ (Berlin 1962).
Scheffer/Schachtschabel 1984	F. Scheffer/P. Schachtschabel, Lehrbuch der Bodenkunde¹¹ (Stuttgart 1984).
Schiemann 1932	E. Schiemann, Entstehung der Kulturpflanzen. Handbuch der Vererbungswissenschaften 3 (Berlin 1932).
Schlichtherle 1981	H. Schlichtherle, Cruciferen als Nutzpflanzen in neolithischen Ufersiedlungen Südwestdeutschlands und der Schweiz. Zeitschr. Arch. 15, 1981, 113–124.
Schlichtherle 1983	H. Schlichtherle, Mikroskopische Untersuchungen an neolithischen Gefäßinhalten aus Hornstaad, Yverdon und Burgäschisee-Süd. In: H. Müller-Beck/R. Rottländer (Hrsg.), Naturwissenschaftliche Untersuchungen zur Ermittlung prähistorischer Nahrungsmittel – Ein Symposionsbericht (Tübingen 1983) 39–61.
Schlichtherle 1985	H. Schlichtherle, Samen und Früchte: Konzentrationsdiagramme pflanzlicher Großreste aus einer neolithischen Seeuferstratigraphie. In: C. Strahm/H.-P. Uerpmann (Hrsg.), Quantitative Untersuchungen an einem Profilsockel in Yverdon, Avenue des Sports (Freiburg i. Br. 1985) 7–43.
Schlichtherle/Wahlster 1986	H. Schlichtherle/B. Wahlster, Archäologie in Seen und Mooren. Den Pfahlbauten auf der Spur (Stuttgart 1986).
Schoch/Schweingruber/Pawlik 1980	W. Schoch/F. Schweingruber/B. Pawlik, Analyse der Makroreste aus dem Profilblock X/42 der cortaillod zeitlichen Schichtabfolge in Twann. In: Die neolithischen Ufersiedlungen von Twann 6. Die Profilkolonne X/42. Schriftenr. Erziehungsdirektion Kanton Bern (Bern 1980) 55–67.
Schultze-Motel 1979	J. Schultze-Motel, Die urgeschichtlichen Reste des Schlafmohns (*Papaver somniferum* L.) und die Entstehung der Art. Die Kulturpflanze 37, 1979, 207–215.
Schwoerbel 1984	J. Schwoerbel, Einführung in die Limnologie⁵ (Stuttgart 1984).
Sick 1982	W.-D. Sick, Die ländlichen Siedlungen des Bodenseeraumes. In: H. Maurer (Hrsg.), Der Bodensee: Landschaft, Geschichte, Kultur. Bodensee-Bibliothek 28 (Sigmaringen 1982) 121–144.
Steiner 1977	A. M. Steiner, Untersuchungen zur Echtheitsbestimmung bei Saatgut landwirtschaftlicher Brassicaarten mittels der Oberflächenstruktur der Samenschale. Seed Science & Technol. 5, 1977, 41–52.
Tomlinson 1985	P. Tomlinson, An Aid to the Identification of Fossil Buds, Bud-Scales and Catkin-Bracts of British Trees and Shrubs. Circaea 3.2 (York 1985) 45–130.
Tüxen 1956	R. Tüxen, Die heutige potentielle natürliche Vegetation als Gegenstand der Vegetationskartierung. Angew. Pflanzensoz. 13, 1956, 5–42.
Villaret-von Rochow 1967	M. Villaret-von Rochow, Frucht- und Samenreste aus der neolithischen Station Seeberg Burgäschisee-Süd. In: K. Brunnacker u. a. (Hrsg.), Seeberg Burgäschisee-Süd, Teil 4, Chronologie und Umwelt. Acta Bernensia 2 (Bern 1967) 21–64.

Villaret-von Rochow 1971	M. Villaret-von Rochow, Samenanalysen aus der spätneolithischen Grabung Auvernier (Neuenburger See). In: IIIième Congr. Mus. d'Agric. (Budapest 1971) 206–208.
Weber 1977	B. Weber, Contribution à l'étude du tardiglaciaire de la région lémanique. Le profil de St. Laurent à Lausanne. IIIième étude des macrorestes végétaux. Ber. Schweiz. Bot. Ges. 87 (3/4), 1977, 207–226.
Werner 1964	J. Werner, Grundzüge einer regionalen Bodenkunde des südwestdeutschen Alpenvorlandes. Schriftenr. Landesforstverw. Baden-Württemberg 17 (Stuttgart 1964).
Willerding 1986	U. Willerding, Zur Geschichte der Unkräuter Mitteleuropas. Göttinger Schr. Vor- u. Frühgesch. 22 (Neumünster 1986).
Willerding 1988	U. Willerding, Zur Entwicklung von Ackerunkrautgesellschaften im Zeitraum vom Neolithikum bis in die Neuzeit. In: H. Küster (Hrsg.), Der prähistorische Mensch und seine Umwelt. Festschrift für Udelgard Körber-Grohne zum 65. Geburtstag (Stuttgart 1988) 31–41.
Wundt 1950	W. Wundt, Pfahlbauten oder Moorsiedlungen? Naturw. Rundschau 5, 1950, 209–215.

8 Tabelle 15–18

Tabelle 15: Liste der ökologischen Gruppen. Zusammenstellung aller nachgewiesenen Pflanzentaxa der Kulturschicht- und Flächenproben zu ökologischen Gruppen (Verbreitungsschwerpunkte der Taxa) in Anlehnung an heutige pflanzensoziologische Einheiten höheren Ranges – nach Ellenberg (1979; 1982) und Oberdorfer (1977; 1978; 1979; 1983). Die Taxa innerhalb einer Gruppe werden entsprechend ihrer Häufigkeiten in den drei Kulturschichtproben Q62/6, Q62/4 und Q62/2 aufgelistet. Die Funde in den Flächenproben (*) sind aufsummiert und werden gesondert aufgeführt. Sie dürfen nicht in Relation zu den Nachweisen der Kulturschichtproben gesetzt werden. „Weitere Vorkommen" eines Taxons in anderen ökologischen Gruppen sind mit den entsprechenden Abkürzungen in die Liste aufgenommen; die zugehörigen Erklärungen sind unten stehendem Verzeichnis zu entnehmen. *(Zeichenerklärung und Fußnoten auf S. 558)*

Lateinischer Name des Taxons	Weitere Vorkommen	Anzahl der gefundenen Reste				*Flächen-proben	Deutscher Name des Taxons
		Kulturschicht-Proben					
		62/2	62/4	62/6	Summe		
1. SUBMERSE WASSERPFLANZEN (SWP)							
Characeae indet.	–	6	61	332	399	*113	unbestimmte Armleuchter-algen-Arten
Zannichellia palustris	–	1		7	8		Sumpf-Teichfaden
Najas intermedia	–	1(6)		3(19)	4(25)	*6	Mittleres Nixenkraut
Najas marina	–	2(1)	(2)		2(3)		Großes Nixenkraut
Najas cf. intermedia	–		1		1		w. Mittleres Nixenkraut
Potamogeton sp.	–	1			1		Laichkraut-Arten
*Potamogeton cf. perfoliatus	–					*9	*w. Durchwachsenes Laichkraut
2.1./2.2. PFLANZEN der RÖHRICHTE (RÖ) und GROSSEGGEN-RIEDER (GSR)							
Eleocharis palustris coll. (RÖ/GSR)	–	16	1	5	22		Gemeine Sumpfsimse (Sammelart)
Schoenoplectus lacustris (RÖ)	–	2(5)	1(1)	3	6(6)	*3	Gemeine Teichsimse
Carex pseudocyperus (GSR)	BW	1	1		2		Scheinzyper-Segge
Typha sp. (RÖ)	–		2		2	*1	Rohrkolben-Arten
Veronica beccabunga (RÖ/GSR)	*QF,SWP	1	1		2		Bach-Ehrenpreis
Alisma sp. (RÖ/GSR)	–		1		1		Froschlöffel-Arten
Carex cf. riparia (GSR)	BW	1			1		w. Ufer-Segge
Mentha aquatica (RÖ/GSR)	NSF,BW	1			1		Wasser-Minze
Nasturtium officinale (RÖ/GSR)	SWP	1			1		Gemeine Brunnenkresse
Carex cf. vesicaria (GSR)	–		(1)		(1)		w. Blasen-Segge
*Lycopus europaeus (RÖ/GSR)	BW					*1	*Ufer-Wolfstrapp
2.3. UFERPIONIERE (UP)							
Juncus inflexus	*UF,RU,SWA	43	5	4	52		Blaugrüne Binse
Juncus bulbosus	*FMO	28		4	32		Zwiebel-Binse
Cyperus fuscus	RU	10		2	12		Braunes Zypergras
Juncus cf. inflexus	s.o.	12			12		w. Blaugrüne Binse
Gypsophila muralis	R/A	6		1	7		Acker-Gipskraut
Polygonum mite	–	6		1	7		Milder Knöterich
Chenopodium glaucum vel C. rubrum	RU	5			5		Graugrüner Gänsefuß oder Roter G.
Rumex crispus	R/A,NWI	3		1	4		Krauser Ampfer
Centaurium pulchellum	RU	1	2		3		Zierliches Tausendgüldenkraut
Juncus bufonius coll.	RU	3			3		Kröten-Binse (Sammelart)
Polygonum cf. hydropiper	R/A	2		1	3		w. Wasserpfeffer
Ranunculus sceleratus	–		3		3		Gift-Hahnenfuß
Rumex palustris	–		2		2		Sumpf-Ampfer

Tabelle 15 *(Fortsetzung, Zeichenerklärung und Fußnoten auf S. 558)*

Lateinischer Name des Taxons	Weitere Vorkommen	Anzahl der gefundenen Reste				*Flächen-proben	Deutscher Name des Taxons
		Kulturschicht-Proben					
		62/2	62/4	62/6	Summe		
Agrostis stolonifera	R/A	1			1		Weißes Straußgras
Plantago major cf. ssp. intermedia	R/A			1	1		w. Kleiner Wegerich
Polygonum minus	RU			1	1		Kleiner Knöterich
2.4. PFLANZEN der KLEIN-SEGGENRIEDER (KSR)							
Juncus articulatus	*NWI,UP, FMO	11			11		Glieder-Binse
Carex cf. canescens	*FMO	6			6		w. Grau-Segge
Juncus anceps	*SMR	6			6		Zweischneidige Binse
Viola palustris	*FMO,*QF, BW	3		1	4		Sumpf-Stiefmütterchen
Carex flava coll.	*FMO,NWI	1	1		2		Gelb-Segge (Sammelart)
Baeothryon cespitosum	*HMO			1	1		Rasige Haarsimse
Juncus cf. articulatus	s.o.	1			1		w. Glieder-Binse
2.5. PFLANZEN des UFERWALDES (UW): Bruchwald (BW), Auenwald (AW)							
Scirpus sylvaticus (AW)	NWI,*QF	277	10	29	316		Wald-Simse
Alnus glutinosa (BW/AW)	*FMO	10(2)	1	8(12)	19(14)	*29	Schwarz-Erle
Malus domestica vel M. sylvestris (AW)	WA,SWA	1/(+)	/(+)	9(17) /(+)	10(17) /(+)	*23/(27)	Kultur-Apfel oder Holz-A.
Carex remota (AW)	WA,*QF	7			7		Winkel-Segge
Stellaria cf. uliginosa (AW)	*QF,UP	1		1	2		w. Quell-Sternmiere
Padus avium (AW)	WA,SWA			1	1		Gewöhnliche Trauben-kirsche
Rubus caesius (AW)	SWA,*UF			1	1	*2	Kratzbeere
Salix sp. (BW/AW)	-			(1)	(1)		Weiden-Arten
*Malus sp. vel Pyrus sp. (AW)	WA,SWA					*1	*Apfel- oder Birnen-Arten
3.1. PFLANZEN des WALDES (WA)							
Quercus sp.	AW,SWA	14/(+)	10/(+)	3(3)/(+)	27(3)/(+)	*6	Eichen-Arten
*Cornus suecica	SWA					*8	*Schwedischer Hart-riegel
*Fagus sylvatica	AW,SWA					*2	*Rotbuche
*Rubus fruticosus vel R. saxatilis	SWA					*2	*Brombeere oder Steinbeere
3.2. PFLANZEN der SAUMGE-SELLSCHAFTEN und WALD-VERLICHTUNGEN (SWA)							
Rubus fruticosus coll.	WA,*UF	11(6)	206	117	334(6)	*282	Brombeere (Sammelart)
Sambucus nigra	AW,WA,RU	15	300	17	332	*22	Schwarzer Holunder

Tabelle 15 *(Fortsetzung, Zeichenerklärung und Fußnoten auf S. 558)*

Lateinischer Name des Taxons	Weitere Vorkommen	Anzahl der gefundenen Reste				*Flächen-proben	Deutscher Name des Taxons
		Kulturschicht-Proben					
		62/2	62/4	62/6	Summe		
Fragaria vesca	-	13	92(20)	8(1)	113(21)	*4	Wald-Erdbeere
Rubus idaeus	WA,*UF	2	45	3	50	*2	Himbeere
Hypericum perforatum	RU,TGR	5	6		11		Tüpfel-Hartheu
Carex muricata coll.	-	7		1	8		Stachel-Segge (Sammelart)
Rubus fruticosus vel R. idaeus	s.o.			5	5		Brombeere oder Himbeere
Campanula rapunculoides vel C. rapunculus	-	3	1		4		Acker-Glockenblume oder Rapunzel-G.
Peucedanum officinale	TMR	3		1	4		Echter Haarstrang
Prunus spinosa	AW,WA,TMR		3	1	4	*46	Schlehe
Rosa sp.	AW,TMR		2	2	4	*1	Rosen-Arten
Fragaria sp.	-		3		3		Erdbeer-Arten
Veronica chamaedrys	TGR,WA	2		1	3		Gamander-Ehrenpreis
Clinopodium vulgare	WA		1	1	2		Wirbeldost
Sambucus ebulus	RU		1	1	2		Zwerg-Holunder
cf. Corylus avellana	s.u.		1		1		w. Gemeine Hasel
Crataegus monogyna	WA,TMR			1	1		Eingriffliger Weißdorn
Dianthus armeria	TMR	1			1		Rauhe Nelke
Corylus avellana	WA,AW	(3)	(3)	(24)	(30)	*9(158)	Gemeine Hasel
*Torilis japonica	-					*1	*Gemeiner Klettenkerbel

4.1. PFLANZEN NASSER STAUDENFLUREN (NSF)

Lythrum salicaria	NWI,GSR	7	1		8	*2	Gemeiner Blutweiderich
Filipendula ulmaria	NWI,AW	6			6		Echtes Mädesüß
Hypericum tetrapterum	RÖ,GSR,SWA	1			1		Flügel-Hartheu

4.2. PFLANZEN der NASSWIESEN (NWI)

Juncus effusus	UP,SWA,RU	26	9	2	37		Flatter-Binse
Juncus acutiflorus	KSR	23	3	3	29		Spitzblütige Binse
Juncus conglomeratus	SWA	25	3	1	29		Knäuel-Binse
Holcus lanatus	FGR	15	2	3	20		Wolliges Honiggras
Juncus cf. effusus	s.o.	6			6		w. Flatter-Binse
Lychnis flos-cuculi	FGR	5		1	6		Kuckucks-Lichtnelke
Caltha palustris	AW,GSR,*QF	1			1		Sumpf-Dotterblume
Juncus subnodulosus	KSR,GSR	1			1		Knoten-Binse

4.3. PFLANZEN des FRISCH bis MÄSSIG FEUCHTEN GRÜNLANDS (FGR)

Prunella vulgaris	NWI,*UF,TGR	11	1	1	13	*1	Gemeine Braunelle
Potentilla reptans	NWI,UP,RU	2	2	1	5		Kriechendes Fingerkraut
Ranunculus acris	TGR,NWI,RU	2			2		Scharfer Hahnenfuß

Tabelle 15 *(Fortsetzung, Zeichenerklärung und Fußnoten auf S. 558)*

Lateinischer Name des Taxons	Weitere Vorkommen	Anzahl der gefundenen Reste Kulturschicht-Proben				*Flächen-proben	Deutscher Name des Taxons
		62/2	62/4	62/6	Summe		
4.4. PFLANZEN des MÄSSIG TROCKENEN bis FRISCHEN GRÜNLANDS (TGR)							
Cerastium holosteoides	FGR	64(28)	2	7	73(28)		Gemeines Hornkraut
Stellaria graminea	R/A	29	3	8	40	*1	Gras-Sternmiere
Poa pratensis vel P. trivialis	-	11		7	18		Wiesen-Rispengras oder Gemeines R.
Agrostis tenuis	TMR,SWA	2	3	3	8		Rot-Straußgras
Poa pratensis	TMR,RU,SWA	7	1		8		Wiesen-Rispengras
Poa trivialis	FGR,UP,SWA	6	2		8		Gemeines Rispengras
Daucus carota	TMR,RU,SWA	5	2		7	*1	Wilde Möhre
Campanula patula	RU	5		1	6		Wiesen-Glockenblume
Linum catharticum	NWI,*QF,TMR	5			5		Purgier-Lein
Veronica serpyllifolia	FGR,UP,R/A	2			2		Quendel-Ehrenpreis
Ajuga reptans	FGR,WA			1	1		Kriechender Günsel
Potentilla erecta	FGR,TMR,*FMO	1			1		Blutwurz
5. PFLANZEN der TROCKENEN MAGERRASEN (TMR)							
Origanum vulgare	SWA,TGR	15	2	1	18		Gemeiner Dost
Acinos cf. arvensis	RU	1	1	1	3		w. Gemeiner Steinquendel
6.1. PFLANZEN RUDERALER STANDORTE (RU)							
Urtica dioica	*UF,AW,NSF	30	3	6	39		Große Brennessel
Juncus compressus	UP	25	1	2	28		Platthalm-Binse
Myosoton aquaticum	*UF,UP,NSF	9	7	1	17		Gemeiner Wasserdarm
Carex hirta	UP,SWA	11(9)		1(6)	12(15)		Behaarte Segge
Plantago major cf. ssp. major	*UF	7		3	10		w. Großer Wegerich
Arctium tomentosum	SWA,*UF	4		2	6		Filz-Klette
Verbena officinalis	*UF,UP,SWA	3		3	6		Echtes Eisenkraut
Blysmus cf. compressus	UP,*QF,KSR		2		2		w. Platthalm-Quellried
Juncus compressus vel J. gerardii	-	2			2		Platthalm-Binse oder Salz-B.
Juncus cf. gerardii	UP,*SMR	1			1		w. Salz-Binse
*Cirsium vulgare	*UF,SWA					*1	*Lanzett-Kratzdistel
*Conium maculatum	*UF,SWA					*1	*Gefleckter Schierling

Tabelle 15 *(Fortsetzung, Zeichenerklärung und Fußnoten auf S. 558)*

Lateinischer Name des Taxons	Weitere Vorkommen	Anzahl der gefundenen Reste Kulturschicht-Proben				*Flächen-proben	Deutscher Name des Taxons
		62/2	62/4	62/6	Summe		
6.2. PFLANZEN von RUDERAL- und ACKERSTANDORTEN (R/A)							
Arenaria serpyllifolia coll.	TMR	37	8	9	54		Quendel-Sandkraut (Sammelart)
Chenopodium album	*UF,SWA	14(2)	11	8(1)	33(3)		Weißer Gänsefuß
Stellaria media	UP	16(6)	6	8	30(6)		Vogelmiere
Lapsana communis	SWA	20	3(3)	1(1)	24(4)		Gemeiner Rainkohl
Polygonum persicaria	UP	14(2)		6	20(2)		Floh-Knöterich
Aethusa cynapium	-	16		4	20	*6	Hundspetersilie
Ranunculus repens	UP,FGR,AW	13(7)		6(1)	19(8)	*1	Kriechender Hahnenfuß
Polygonum aviculare	-	12(4)	1	5	18(4)		Vogel-Knöterich
Brassica rapa	-	2	7		9		Rübsen, Stoppelrübe
Rumex acetosella vel R. tenuifolius	SWA,TMR	6		3	9		Kleiner Ampfer oder Schmalblättriger A.
Mentha arvensis	NWI,FGR	7	1		8		Acker-Minze
Sonchus asper	UP	5	3		8		Rauhe Gänsedistel
Capsella bursa-pastoris	-	4		2	6		Gemeines Hirtentäschel
Galeopsis cf. speciosa	SWA,*UF	6			6		w. Bunter Hohlzahn
Arabidopsis thaliana	TMR	2	3		5		Acker-Schmalwand
Atriplex patula	UP	5			5		Spreizende Melde
Chenopodium sp.	-	4			4		Gänsefuß-Arten
Cerastium glomeratum	UP		2		2		Knäuel-Hornkraut
Cerastium cf. glomeratum	s.o.	2			2		w. Knäuel-Hornkraut
Cirsium arvense	SWA,*UF	1		1	2		Acker-Kratzdistel
Sagina procumbens	UP,*QF	1		1	2		Liegendes Mastkraut
Solanum nigrum	-	2			2		Schwarzer Nachtschatten
Echinochloa crus-galli	UP			1	1		Gemeine Hühnerhirse
*Ranunculus cf. repens	s.o.					*1	*w. Kriechender Hahnenfuß
6.3. PFLANZEN von ACKERSTANDORTEN (ACK)							
Papaver dubium	RU	7	9	1	17		Saat-Mohn
Chenopodium ficifolium	UP,RU	4	11	1	16		Feigenblättriger Gänsefuß
Fallopia convolvulus	RU	7	(3)	2	9(3)		Gemeiner Windenknöterich
Valerianella dentata	TMR	4	1		5		Gezähnter Feldsalat
Papaver cf. rhoeas	RU	2	2		4		w. Klatsch-Mohn
Thlaspi arvense	RU	3		1	4		Acker-Hellerkraut
Anagallis arvensis vel A. foemina	RU	2		1	3		Acker-Gauchheil oder Blauer G.
Papaver argemone	RU	3			3		Sand-Mohn
Aphanes microcarpa	-	2			2		Kleinfrüchtiger Ackerfrauenmantel
Valerianella locusta	TMR	2			2		Echter Feldsalat
Aphanes arvensis	-	1			1		Gemeiner Ackerfrauenmantel

Tabelle 15 *(Fortsetzung, Zeichenerklärung und Fußnoten auf S. 558)*

Lateinischer Name des Taxons	Weitere Vorkommen	Anzahl der gefundenen Reste				*Flächen-proben	Deutscher Name des Taxons
		Kulturschicht-Proben					
		62/2	62/4	62/6	Summe		

7. KULTURPFLANZEN (KU)

Lateinischer Name des Taxons	Weitere Vorkommen	62/2	62/4	62/6	Summe	*Flächen-proben	Deutscher Name des Taxons
Triticum dicoccum vel T. monococcum vel T. spelta	-	66	106	16	188		Emmer oder Einkorn oder Dinkel
T. spelta	-	34	5	62	101	**315	Dinkel
T. dicoccum vel T. spelta	-	26	3	25	54	**48	Emmer oder Dinkel
Triticum sp.	-			54	54	**307	Weizen-Arten
T. dicoccum vel T. monococcum	-	33	3	7	43	**25	Emmer oder Einkorn
T. dicoccum	-	15	4	18	37	**68	Emmer
Triticum sp. (non T. aestivum)	-			37	37	**705	Weizen-Arten (nicht Saat-weizen)
Papaver somniferum	-	1	16	1	18		Schlaf-Mohn
Triticum aestivum s.l.	-		1	5	6	**7	Saatweizen im weitesten Sinne
Linum usitatissimum	-		2	1	3	*8	Saat-Lein
Triticum aestivum s.l. vel T. spelta	-			3	3	**18	Saatweizen i.w.S. oder Dinkel
T. monococcum	-		1	1	2	**20	Einkorn
Cerealea indet.	-			1	1		unbest. Getreide-Art
Hordeum vulgare	-			1	1	*1	Mehr- oder Zweizeilige Gerste

8. UNBESTIMMBARE PFLANZEN-RESTE von TAXA DIVERSER STANDORTE (UNB)

Lateinischer Name des Taxons	Weitere Vorkommen	62/2	62/4	62/6	Summe	*Flächen-proben	Deutscher Name des Taxons
Epilobium sp.	-	13	8	1	22		Weidenröschen-Arten
Campanula cochleariifolia vel C. scheuchzeri	-	12	6	1	19		Zwerg-Glockenblume oder Scheuchzers G.
Agrostis canina vel A. tenuis	-	2	7	2	11		Hunds-Straußgras oder Rot-S.
Plantago major cf. ssp. intermedia vel P. major cf. ssp. major	-	8	1	1	10		w. Kleiner Wegerich oder w. Großer Wegerich
Rumex conglomeratus vel R. sanguineus	-	7	1	2	10		Knäuel-Ampfer oder Blut-A.
Cerastium sp.	-	9	(+)		9(+)		Hornkraut-Arten
Poaceae indet.	-	8	1		9		unbest. Süßgras-Arten
Betula sp.	-	4	3	1	8	*2	Birken-Arten
Juncus sp.	-	6	2		8		Binsen-Arten
Agrostis sp.	-	2	3	1	6		Straußgras-Arten
Galeopsis sp.	-	4	1		5		Hohlzahn-Arten
Juncus conglomeratus vel J. effusus vel J. inflexus	-	5			5		Knäuel-Binse oder Flatter-B. oder Blaugrüne B.
Potentilla sp.	-	3	1		4		Fingerkraut-Arten
Rumex sp.	-	3(1)			3(1)		Ampfer-Arten
Linum sp.	-	2			2		Lein-Arten
Valeriana sp.	-	1		1	2		Baldrian-Arten
Brassicaceae indet.	-		1		1		unbest. Kreuzblüten-gewächs-Art
Calamagrostis sp. (non C. canescens)	-	1			1		Reitgras-Arten (nicht Sumpf-R.)

Tabelle 15 *(Fortsetzung)*

Lateinischer Name des Taxons	Weitere Vorkommen	Anzahl der gefundenen Reste				*Flächen-proben	Deutscher Name des Taxons
		Kulturschicht-Proben					
		62/2	62/4	62/6	Summe		
Carduus sp. vel Cirsium sp.	-		1		1		Distel- oder Kratz-distel-Arten
Centaurea sp.	-		1		1		Flockenblumen-Arten
Cirsium sp.	-		1		1		Kratzdistel-Arten
Hieracium sp.	-		1		1		Habichtskraut-Arten
Juncus acutiflorus vel J. articulatus	-		1		1		Spitzblütige Binse oder Glieder-B.
Juncus anceps vel J. bulbosus	-		1		1		Zweischneidige Binse oder Zwiebel-B.
Myosotis sp.	-		1		1		Vergißmeinnicht-Arten
cf. Pseudolysimachium sp.	-			1	1		w. Blauweiderich-Arten
Apiaceae indet.	-			(1)	(1)		unbest. Doldengewächs-Art
Carex sp.	-	(1)			(1)		Seggen-, Riedgras-Arten

* Funde in Flächenproben (nicht zu verwechseln mit den Gruppen der Sonderstandorte, die ebenfalls mit * gekennzeichnet sind, s. u.)
** Getreidenachweise in Flächenproben
() Zahlen in Klammern – Bruchstücke von Samen und Früchten
(+) einige Dutzend Bruchstücke

Verzeichnis der ökologischen Gruppen

Weit gehend naturnahe, von Menschen nicht oder nur wenig gestörte Plätze

1. Wasserpflanzengesellschaften
    1   SWP   submerse Wasserpflanzen

2. Verlandungsgesellschaften
    2.1   RÖ   Pflanzen der Röhrichte
    2.2   GSR   Pflanzen der Großseggenrieder
    2.3   UP   Uferpioniere
    2.4   KSR   Pflanzen der Kleinseggenrieder
    2.5   UW   Pflanzen des Uferwaldes
          BW   Pflanzen des Bruchwaldes
          AW   Pflanzen des Auenwaldes

Von Menschen und Tieren mehr oder weniger stark gestörte, erhaltene und mitgeschaffene Plätze

3. Gesellschaften der Wälder, Waldränder, Waldverlichtungen, Hecken und Gebüsche
    3.1   WA   Pflanzen des Waldes
    3.2   SWA   Pflanzen der Saumgesellschaften und Waldverlichtungen

4. Grünlandgesellschaften
    4.1   NSF   Pflanzen nasser Staudenfluren
    4.2   NWI   Pflanzen der Nasswiesen
    4.3   FGR   Pflanzen des frischen bis mäßig feuchten Grünlands
    4.4   TGR   Pflanzen des mäßig trockenen bis frischen Grünlands

5. Pflanzen der trockenen Magerrasen
    5   TMR   Pflanzen der trockenen Magerrasen

6. Gesellschaften ruderaler Flächen, der Hackfrucht- und Getreideäcker
    6.1   RU   Pflanzen ruderaler Standorte
    6.2   R/A   Pflanzen von Ruderal- und Ackerstandorten
    6.3   ACK   Pflanzen von Ackerstandorten

7. Kulturpflanzen
    7   KU   Kulturpflanzen

8. Nicht bestimmbare Pflanzenreste von Taxa diverser Standorte
    8   UNB   unbestimmbare Pflanzenreste von Taxa diverser Standorte

Weit gehend naturnahe, von Menschen nicht oder nur wenig gestörte Plätze – „Sonderstandorte" (Erläuterungen s. u.)

*UF   Uferpflanzen: allgemein im lichtoffenen Uferbereich vorkommende Pflanzen unterschiedlicher Wuchshöhe
*QF   Pflanzen von Quellfluren des Waldes und lichtoffener Standorte
*FMO   Pflanzen von Flachmooren
*HMO   Pflanzen von Hochmooren
*SMR   Pflanzen von Salzmarschrasen der Küsten

Die mit * gekennzeichneten Pflanzengruppen sind nicht als separate ökologische Gruppen in der Liste aufgeführt, da ihre Vertreter heute zumeist einen anderen Verbreitungsschwerpunkt besitzen. Es handelt sich bei ihnen um weit gehend von Menschen ungestörte, naturnahe Plätze. Für die Zusammensetzung der Vegetation in der Umgebung der frühbronzezeitlichen Siedlungen Bodman-Schachen geben die potentiell in einer mit * gekennzeichneten Gruppe vorkommenden Pflanzen wichtige Hinweise.

Tabelle 16: Gesamtliste. Zusammenstellung aller nachgewiesenen und bestimmten Pflanzenreste der drei Kulturschichtproben Q62/6 (BS IA, unten), Q62/4 (BS IB, Mitte) und Q62/2 (BS IC, oben). Die lateinischen Namen sind in alphabetischer Reihenfolge aufgelistet. *(Zeichenerklärung und Fußnoten auf S. 564)*

Lateinischer Name des Taxons	Gefundene subfossile Pflanzenreste	Häufigste Fraktion (mm)	Anzahl der gefundenen Reste				Deutscher Name des Taxons
			Kulturschicht-Proben			Summe/ Stetigkeit	
			62/2	62/4	62/6		
Acinos cf. arvensis (LAMK.) DANDY	Teilfrüchte	0,315	1	1	1	3/III	w.Gemeiner Steinquendel
Aethusa cynapium L.	Teilfrüchte	1,0	16		4	20/II	Hundspetersilie
Agrostis canina L. vel A.tenuis SIBTH.	Früchte	0,315	2	7	2	11/III	Hunds-Straußgras oder Rot-S.
Agrostis stolonifera L.	Früchte	0,315	1			1/I	Weißes Straußgras
Agrostis tenuis SIBTH.	Früchte	0,315	2	3	3	8/III	Rot-Straußgras
Agrostis L.sp.	Früchte	0,315	2	3	1	6/III	Straußgras-Arten
Ajuga reptans L.	Teilfrucht	0,315			1	1/I	Kriechender Günsel
Alisma L.sp.	Teilfrüchtchen	0,315	1			1/I	Froschlöffel-Arten
Alnus glutinosa (L.) GAERTN.	Früchte	1,0	10(2)	1	8(12)	19(14)/III	Schwarz-Erle
Anagallis arvensis L. vel A.foemina MILL.	Samen	0,315	2		1	3/II	Acker-Gauchheil oder Blauer G.
Aphanes arvensis L.	Früchtchen	0,315	1			1/I	Gemeiner Ackerfrauenmantel
Aphanes microcarpa (BOISS. et REUTER) ROTHM.	Früchtchen	0,20	2			2/I	Kleinfrüchtiger Ackerfrauenmantel
Apiaceae LINDL. indet.	Teilfrucht	0,315			(1)	(1)/I	unbest. Doldengewächs-Art
Arabidopsis thaliana (L.) HEYNH.	Samen	0,20	2	3		5/II	Acker-Schmalwand
Arctium tomentosum MILL.	Früchte	2,5	4		2	6/II	Filz-Klette
Arenaria serpyllifolia L. coll.	Samen	0,315	37	8	9	54/III	Quendel-Sandkraut (Sammelart)
Atriplex patula L.	Früchte	1,0	5			5/I	Spreizende Melde
Baeothryon cespitosum (L.) A.DIETRICH	Frucht	0,315			1	1/I	Rasige Haarsimse
Betula L.sp.	Früchte	0,315	4	3	1	8/III	Birken-Arten
Blysmus cf. compressus (L.) PANZER ex LINK	Früchte	1,0		2		2/I	w.Platthalm-Quellried
Brassica rapa L.	Samen	1,0	2	7		9/II	Rübsen, Stoppelrübe
Brassicaceae BURNETT indet.	Same	0,315		1		1/I	unbest. Kreuzblütengewächs-Art
Calamagrostis ADANS.sp. (non C.canescens (WEBER) ROTH)	Frucht	0,315	1			1/I	Reitgras-Arten (nicht Sumpf-R.)
Caltha palustris L.	Same	1,0	1			1/I	Sumpf-Dotterblume
Campanula cochleariifolia LAMK. vel C.scheuchzeri VILL.	Samen	0,20	12	6	1	19/III	Zwerg-Glockenblume oder Scheuchzers G.
Campanula patula L.	Samen	0,20	5		1	6/II	Wiesen-Glockenblume

Tabelle 16 *(Fortsetzung, Zeichenerklärung und Fußnoten auf S. 564)*

Lateinischer Name des Taxons	Gefundene subfossile Pflanzenreste	Häufigste Fraktion (mm)	Anzahl der gefundenen Reste Kulturschicht-Proben			Summe/ Stetigkeit	Deutscher Name des Taxons
			62/2	62/4	62/6		
Campanula rapunculoides L. vel C.rapunculus L.	Samen	0,315	3	1		4/II	Acker-Glockenblume oder Rapunzel-G.
Capsella bursa-pastoris (L.) MED.	Samen	0,315	4		2	6/II	Gemeines Hirtentäschel
Carduus L.sp. vel Cirsium MILL.sp.	"innere Fruchthülle"	1,0	1			1/I	Distel- oder Kratzdistel-Arten
Carex cf. canescens L.	Innenfrüchte	0,315	6			6/I	w.Grau-Segge
Carex flava L. coll.	Innenfrüchte	0,315	1	1		2/II	Gelb-Segge (Sammelart)
Carex hirta L.	Innenfrüchte	1,0	11(9)		1(6)	12(15)/II	Behaarte Segge
Carex muricata L. coll.	Innenfrüchte	1,0	7		1	8/II	Stachel-Segge (Sammelart)
Carex pseudocyperus L.	Innenfrüchte	0,315	1	1		2/II	Scheinzyper-Segge
Carex remota L.	Innenfrüchte	0,315	7			7/I	Winkel-Segge
Carex cf. riparia CURTIS	Innenfrucht	0,315	1			1/I	w. Ufer-Segge
Carex cf. vesicaria L.	Innenfrucht	0,315		(1)		(1)/I	w. Blasen-Segge
Carex L. sp.	Innenfrucht	0,315	(1)			(1)/I	Seggen-, Riedgras-Arten
Centaurea L. sp.	Frucht	0,315	1			1/I	Flockenblumen-Arten
Centaurium pulchellum (SW.) DRUCE	Samen	0,20	1	2		3/II	Zierliches Tausendgüldenkraut
Cerastium glomeratum THUILL.	Samen	0,315		2		2/I	Knäuel-Hornkraut
C.cf. glomeratum THUILL.	Samen	0,20	2			2/I	w. Knäuel-H.
Cerastium holosteoides FRIES em. HYL.	Samen	0,315	64(28)	2	7	73(28)/III	Gemeines Hornkraut
Cerastium L. sp.	Samen	0,315	9	(ein. Dtz.)		9/II	Hornkraut-Arten
Cerealea indet.	Testarest	0,315			1	1/I	unbest.Getreide-Art
Characeae indet.	Oogonien bzw. Oosporen	0,315	6	61	332	399/III	unbestimmte Armleuchteralgen-Arten
Chenopodium album L.	Früchte	1,0	14(2)	11	8(1)	33(3)/III	Weißer Gänsefuß
Chenopodium ficifolium SM.	Früchte	0,315	4	11	1	16/III	Feigenblättriger Gänsefuß
Chenopodium glaucum L. vel C. rubrum L.	Früchte	0,315	5			5/I	Graugrüner Gänsefuß oder Roter G.
Chenopodium L. sp.	Früchte	0,315	4			4/I	Gänsefuß-Arten
Cirsium arvense (L.) SCOP.	Früchte	0,315	1		1	2/II	Acker-Kratzdistel
Cirsium MILL. sp.	Frucht	0,315	1			1/I	Kratzdistel-Arten
Clinopodium vulgare L.	Teilfrüchte	0,315		1	1	2/II	Wirbeldost
Corylus avellana L.	Fruchtschalen	5,0	(3)	(3)	(21),(3)	(27),(3)/III	Gemeine Hasel
cf. Corylus avellana L.	Knospe	2,5		1		1/I	w. Gemeine Hasel
Crataegus monogyna JACQ.	Steinkern	5,0			1	1/I	Eingriffliger Weißdorn
Cyperus fuscus L.	Früchte	0,315	10		2	12/II	Braunes Zypergras
Daucus carota L.	Teilfrüchte	1,0	5	2		7/II	Wilde Möhre
Dianthus armeria L.	Same	0,315	1			1/I	Rauhe Nelke
Echinochloa crus-galli (L.) P.B.	Frucht	1,0			1	1/I	Gemeine Hühnerhirse
Eleocharis palustris (L.) R. et SCH. coll.	Früchte	0,315	16	1	5	22/III	Gemeine Sumpfsimse (Sammelart)
Epilobium L. sp.	Samen	0,315	13	8	1	22/III	Weidenröschen-Arten

Tabelle 16 *(Fortsetzung, Zeichenerklärung und Fußnoten auf S. 564)*

Lateinischer Name des Taxons	Gefundene subfossile Pflanzenreste	Häufigste Fraktion (mm)	Kulturschicht-Proben 62/2	62/4	62/6	Summe/ Stetigkeit	Deutscher Name des Taxons
Fallopia convolvulus (L.) Á. LÖVE	Früchte/mit Perigon	1,0	6/1	(3)/-	2/-	9(3)/III	Gemeiner Windenknöterich
Filipendula ulmaria (L.) MAXIM.	Früchtchen	1,0	6			6/I	Echtes Mädesüß
Fragaria vesca L.	Nüßchen	0,315	13	92(20)	8(1)	113(21)/III	Wald-Erdbeere
Fragaria L. sp.	Nüßchen	0,315		3		3/I	Erdbeer-Arten
Galeopsis cf. speciosa MILL.	Teilfrüchte	2,5	6			6/I	w. Bunter Hohlzahn
Galeopsis L. sp.	Teilfrüchte	2,5	4	1		5/II	Hohlzahn-Arten
Gypsophila muralis L.	Samen	0,20	6		1	7/II	Acker-Gipskraut
Hieracium L. sp.	Frucht	0,315	1			1/I	Habichtskraut-Arten
Holcus lanatus L.	Früchte	0,315	15	2	3	20/III	Wolliges Honiggras
Hordeum vulgare L.	Frucht	1,0			1	1/I	Mehr- oder Zweizeilige Gerste
Hypericum perforatum L.	Samen	0,315	5	6		11/II	Tüpfel-Hartheu
Hypericum tetrapterum FRIES	Same	0,315	1			1/I	Flügel-Hartheu
Juncus acutiflorus EHRH. ex HOFFM.	Samen	0,20	23	3	3	29/III	Spitzblütige Binse
J.acutiflorus EHRH. ex HOFFM. vel J.articulatus L. em. RICHTER	Same	0,20	1			1/I	Spitzblütige B. oder Glieder-B.
J.anceps LA HARPE	Samen	0,20	6			6/I	Zweischneidige B.
J.anceps LA HARPE vel J.bulbosus L.	Same	0,20	1			1/I	Zweischneidige B. oder Zwiebel-B.
J.articulatus L. em. RICHTER	Samen	0,20	11			11/I	Glieder-B.
J.cf. articulatus L. em. RICHTER	Same	0,20	1			1/I	w. Glieder-B.
J.bufonius L. coll.	Samen	0,20	3			3/I	Kröten-B. (Sammelart)
J.bulbosus L.	Samen	0,20	28		4	32/II	Zwiebel-B.
J.compressus JACQ.	Samen	0,20	25	1	2	28/III	Platthalm-B.
J.compressus JACQ. vel J.gerardii LOISEL.	Samen	0,20	2			2/I	Platthalm-B. oder Salz-B.
J.conglomeratus L. em. LEERS	Samen	0,20	25	3	1	29/III	Knäuel-B.
J.conglomeratus L. em. LEERS vel J.effusus L. vel J.inflexus L.	Samen	0,20	5			5/I	Knäuel-B. oder Flatter-B. oder Blaugrüne B.
J.effusus L.	Samen	0,20	26	9	2	37/III	Flatter-B.
J.cf. effusus L.	Samen	0,20	6			6/I	w. Flatter-B.
J.cf. gerardii LOISEL.	Same	0,20	1			1/I	w. Salz-B.
J.inflexus L.	Samen	0,20	43	5	4	52/III	Blaugrüne B.
J.cf. inflexus L.	Samen	0,20	12			12/I	w. Blaugrüne B.
J.subnodulosus SCHRANK	Same	0,20	1			1/I	Knoten-B.
Juncus L. sp.	Samen	0,20	6	2		8/II	Binsen-Arten
Lapsana communis L.	Früchte	1,0	20	3(3)	1(1)	24(4)/III	Gemeiner Rainkohl
Linum catharticum L.	Samen	0,315	5			5/I	Purgier-Lein
Linum usitatissimum L.	Samen	1,0		1	1	3/II	Saat-Lein
	Kapselsegment	1,0		1			

Tabelle 16 (Fortsetzung, Zeichenerklärung und Fußnoten auf S. 564)

Lateinischer Name des Taxons	Gefundene subfossile Pflanzenreste	Häufigste Fraktion (mm)	Anzahl der gefundenen Reste Kulturschicht-Proben			Summe/ Stetigkeit	Deutscher Name des Taxons
			62/2	62/4	62/6		
Linum L. sp.	Samen	0,315	2			2/I	Lein-Arten
Lychnis flos-cuculi L.	Samen	0,315	5		1	6/II	Kuckucks-Lichtnelke
Lythrum salicaria L.	Samen	0,315	7	1		8/II	Gemeiner Blutweiderich
Malus domestica BORKH. vel M.sylvestris MILL.	Kerne	5,0	1		4(17)	10(17)/III	Kultur-Apfel oder Holz-Apfel
	Endokarpteile	5,0	ein. Dtz.	ein. Dtz.	ein. Dtz.		
	Nucellarreste	1,0			5		
Mentha aquatica L.	Teilfrucht	0,315	1			1/I	Wasser-Minze
Mentha arvensis L.	Teilfrüchte	0,315	7	1		8/II	Acker-Minze
Myosotis L. sp.	Nüßchen	0,315	1			1/I	Vergißmeinnicht-Arten
Myosoton aquaticum (L.) MOENCH	Samen	0,315	9	7	1	17/III	Gemeiner Wasserdarm
Najas intermedia WOLFG.	Frucht(-hälften)	1,0	1(6)		3(19)	4(25)/II	Mittleres Nixenkraut
N. cf. intermedia WOLFG.	Frucht	1,0		1		1/I	w. Mittleres Nixenkraut
Najas marina L.	Frucht(-hälften)	1,0	2(1)	(2)		2(3)/II	Großes Nixenkraut
Nasturtium officinale R.BR.	Same	0,315	1			1/I	Gemeine Brunnenkresse
Origanum vulgare L.	Teilfrüchte	0,315	15	2	1	18/III	Gemeiner Dost
Padus avium MILL.	Seinkern	5,0		1		1/I	Gewöhnliche Traubenkirsche
Papaver argemone L.	Samen	0,315	3			3/I	Sand-Mohn
Papaver dubium L.	Samen	0,315	7	9	1	17/III	Saat-Mohn
Papaver cf. rhoeas L.	Samen	0,315	2	2		4/II	w. Klatsch-Mohn
Papaver somniferum L.	Samen	0,315	1	16	1	18/III	Schlaf-Mohn
Peucedanum officinale L.	Teilfrüchte	1,0	3		1	4/II	Echter Haarstrang
Plantago major cf. ssp. intermedia (GODR.)LANGE	Same	0,20			1	(s.u.)	w. Kleiner Wegerich
P.major cf. ssp. intermedia (GODR.) LANGE vel P.major L.cf.ssp.major	Samen	0,20	8	1	1	21/III	w.Kleiner Wegerich oder w.Großer Wegerich
P.major L. cf. ssp.major	Samen	0,315	7		3	(s.o.)	w.Großer Wegerich
Poa pratensis L.	Früchte	0,315	7	1		8/II	Wiesen-Rispengras
P.pratensis L. vel P.trivialis L.	Früchte	0,315	11		7	18/II	Wiesen-Rispengras oder Gemeines R.
Poa trivialis L.	Früchte	0,315	6	2		8/II	Gemeines Rispengras
Poaceae BARNHART indet.	Früchte	1,0	8	1		9/II	unbest. Süßgras-Arten
Polygonum aviculare L.	Früchte	1,0	12(4)	1	5	18(4)/III	Vogel-Knöterich
Polygonum cf. hydropiper L.	Früchte	1,0	2		1	3/II	w. Wasserpfeffer
Polygonum minus HUDS.	Frucht m.Perigon	0,315			1	1/I	Kleiner Knöterich
Polygonum mite SCHRANK	Früchte/m.Perigon	1,0	6/-		-/1	7/II	Milder Knöterich
Polygonum persicaria L.	Früchte/m.Perigon	1,0	14(2)/-		4/2	20(2)/II	Floh-Knöterich

Tabelle 16 *(Fortsetzung, Zeichenerklärung und Fußnoten auf S. 564)*

Lateinischer Name des Taxons	Gefundene subfossile Pflanzenreste	Häufigste Fraktion (mm)	Anzahl der gefundenen Reste Kulturschicht-Proben			Summe/ Stetigkeit	Deutscher Name des Taxons
			62/2	62/4	62/6		
Potamogeton L. sp.	Frucht	1,0	1			1/I	Laichkraut-Arten
Potentilla erecta (L.) RÄUSCHEL	Nüßchen	0,315	1			1/I	Blutwurz
Potentilla reptans L.	Nüßchen	0,315	2	2	1	5/III	Kriechendes Fingerkraut
Potentilla L. sp.	Nüßchen	0,315	3		1	4/II	Fingerkraut-Arten
Prunella vulgaris L.	Teilfrüchte	0,315	11	1	1	13/III	Gemeine Braunelle
Prunus spinosa L.	Steinkerne	5,0		3	1	4/II	Schlehe
cf. Pseudolysimachium (KOCH) OPIZ sp.	Same	0,315			1	1/I	w. Blauweiderich-Arten
Quercus L. sp.	Korkscheiben	5,0	9	6	(3)	27(3)/III	Eichen-Arten
	Fruchtwandteile	2,5	ein. Dtz.	ein. Dtz.	ein. Dtz.		
	Knospenschuppen	0,315	5	4	3		
Ranunculus acris L.	Nüßchen	1,0	2			2/I	Scharfer Hahnenfuß
Ranunculus repens L.	Nüßchen	1,0	13(7)		6(1)	19(8)/II	Kriechender Hahnenfuß
Ranunculus sceleratus L.	Nüßchen	0,315		3		3/I	Gift-Hahnenfuß
Rosa L. sp.	Steinfrüchtchen	5,0		2	2	4/II	Rosen-Arten
Rubus caesius L.	Steinfrüchtchen	1,0		1		1/I	Kratzbeere
Rubus fruticosus L. coll.	Steinfrüchtchen	1,0	11(6)	206	117	334(6)/III	Brombeere (Sammelart)
R. fruticosus L. vel R. idaeus L.	Steinfrüchtchen	1,0			5	5/I	Brombeere oder Himbeere
Rubus idaeus L.	Steinfrüchtchen	1,0	2	45	3	50/III	Himbeere
Rumex acetosella L. vel R. tenuifolius (WALLR.) Á. LÖVE	Früchte	0,315	6		3	9/II	Kleiner Ampfer oder Schmalblättriger A.
Rumex conglomeratus MURRAY vel R. sanguineus L.	Früchte/m.Perigon	1,0	7/-	1/-	-/2	10/III	Knäuel-Ampfer oder Blut-A.
Rumex crispus L.	Früchte	1,0	3		1	4/II	Krauser Ampfer
Rumex palustris SM.	Früchte	0,315	2			2/I	Sumpf-Ampfer
Rumex L. sp.	Früchte	0,315	3(1)			3(1)/I	Ampfer-Arten
Sagina procumbens L.	Samen	0,20	1		1	2/II	Liegendes Mastkraut
Salix L. sp.	Kapsel	0,315			(1)	(1)/I	Weiden-Arten
Sambucus ebulus L.	Steinkerne	1,0		1	1	2/II	Zwerg-Holunder
Sambucus nigra L.	Steinkerne	1,0	15	300	17	332/III	Schwarzer Holunder
Schoenoplectus lacustris (L.) PALLA	Früchte	1,0	2(5)	1(1)	3	6(6)/III	Gemeine Teichsimse
Scirpus sylvaticus L.	Früchte	0,315	277	10	29	316/III	Wald-Simse
Solanum nigrum L. em. MILL.	Samen	1,0	2			2/I	Schwarzer Nachtschatten
Sonchus asper (L.) HILL	Früchte	1,0	5	3		8/II	Rauhe Gänsedistel
Stellaria graminea L.	Samen	0,315	29	3	8	40/III	Gras-Sternmiere
Stellaria media (L.) CYR.	Samen	0,315	16(6)	6	8	30(6)/III	Vogelmiere
Stellaria cf. uliginosa MURRAY	Samen	0,315	1		1	2/II	w. Quell-Sternmiere

Tabelle 16 (Fortsetzung)

Lateinischer Name des Taxons	Gefundene subfossile Pflanzenreste	Häufigste Fraktion (mm)	Kulturschicht-Proben 62/2	62/4	62/6	Summe/ Stetigkeit	Deutscher Name des Taxons
Thlaspi arvense L.	Früchte	1,0	3		1	4/II	Acker-Hellerkraut
Triticum aestivum L.s.l.	Früchte	5,0		1	5	6/II	Saatweizen im weitesten Sinne
T.aestivum L.s.l. vel T.spelta L.	Früchte	5,0			3	3/I	Saatweizen i.w.S. oder Dinkel
T.dicoccum SCHRANK	Früchte	2,5	1		13	15,22/III	Emmer
	Hüllspelzenbasen	0,315	11,3	4			
	Ährchengabeln	0,315			4,1		
T.dicoccum SCHRANK vel T.monococcum L.	Früchte	2,5			2	36,7/III	Emmer oder Einkorn
	Hüllspelzenbasen	0,315	13,2	2			
	Ährchengabeln	0,315	18	1	5		
T.dicoccum SCHRANK vel T.monococcum L. vel T.spelta L.	Hüllspelzenbasen	0,315	66	69	16	188/III	Emmer oder Einkorn oder Dinkel
	Ährchengabeln	0,315		37			
T.dicoccum SCHRANK vel T.spelta L.	Früchte	2,5			7	40,14/III	Emmer oder Dinkel
	Hüllspelzenbasen	0,315	21,2	3	12,1		
	Ährchengabeln	0,315	2,1		5		
T.monococcum L.	Frucht	1,0			1	2/II	Einkorn
	Ährchengabel	0,315		1			
T.spelta L.	Früchte	5,0			40	48,53/III	Dinkel
	Hüllspelzenbasen	0,315	30,4	5	16,4		
	Ährchengabeln	0,315			2		
Triticum L. sp. (non T.aestivum L.)	Früchte	2,5			37	37/I	Weizen-Arten (nicht Saatweizen)
Triticum L. sp.	Früchte	2,5			54	54/I	Weizen-Arten
Typha L. sp.	Samen	0,20		2		2/I	Rohrkolben-Arten
Urtica dioica L.	Nüßchen	0,315	30	3	6	39/III	Große Brennessel
Valeriana L. sp.	Früchte	1,0	1		1	2/II	Baldrian-Arten
Valerianella dentata (L.) POLLICH	Früchte	1,0	4	1		5/II	Gezähnter Feldsalat
Valerianella locusta LATERR. em. BETCKE	Frucht	1,0	1			2/I	Echter Feldsalat
	Samenfach		1				
Verbena officinalis L.	Teilfrüchtchen	0,315	3		3	6/II	Echtes Eisenkraut
Veronica beccabunga L.	Samen	0,315	1	1		2/II	Bach-Ehrenpreis
Veronica chamaedrys L.	Samen	0,315	2		1	3/II	Gamander-Ehrenpreis
Veronica serpyllifolia L.	Samen	0,315	2			2/I	Quendel-Ehrenpreis
Viola palustris L.	Samen	0,315	3		1	4/II	Sumpf-Stiefmütterchen
Zannichellia palustris L.	Früchtchen	1,0	1		7	8/II	Sumpf-Teichfaden

(1)	Bruchstücke von Samen und Früchten	
1	verkohlte Nachweise	
I, II, III	Stetigkeit einer Art, zur besseren Unterscheidung von den Nachweiszahlen in römischen Ziffern	
cf.	con ferre („wohl")	
coll.	Sammelart (heute meist „agg." – Aggregat)	
ein. Dtz.	einige Dutzend	

i.w.S.	im weitesten Sinne
indet.	unbestimmbare Pflanzenreste („Indeterminata")
s.l.	sensu latu („im weitesten Sinne")
vel	oder
w.	wohl

Tabelle 17: Artenspektrum der zumeist unverkohlten Sämereien – ohne Getreide – der Flächenproben Q56–1014, Q64–1002/-1003/-1004/-1016. Das Schüttvolumen der wassergesättigten Probe ist jeweils in Klammern hinzugefügt. Die beiden Kleinproben Q22c und Q29–1029 – Ansammlungen getrockneter Sämereien – sind der Einfachheit halber mitaufgeführt.

Probe (Schüttvolumen) Taxon	Q 22c	Q 29-1029	Q 56-1014 (610ccm)	Q 64-1002 (360ccm)	Q 64-1003 (1200ccm)	Q 64-1004 (340ccm)	Q 64-1016 (615ccm)	Deutscher Name des Taxons
Aethusa cynapium	6							Hundspetersilie
Alnus glutinosa				28		1		Schwarz-Erle
Arctium tomentosum				1				Filz-Klette
Betula sp.				2				Birken-Arten
Characeae indet.			4	62	2	43	2	unbest. Armleuchteralgen-Arten
Cirsium arvense				1				Acker-Kratzdistel
*Cirsium vulgare				1				*Lanzett-Kratzdistel
*Conium maculatum						1		*Gefleckter Schierling
*Cornus suecica	7	1						*Schwedischer Hartriegel
Corylus avellana: ganz			-	-	(8)	-	1	Gemeine Hasel
+ Bruchstücke			+1	+9(32)	+34(51)	+4(12)	+4(11)	
Daucus carota				1				Wilde Möhre
*Fagus sylvatica: Frb			1				1	*Rotbuche
Fragaria vesca				4				Wald-Erdbeere
Linum usitatissimum				3(4)		1		Saat-Lein
*Lycopus europaeus				1				*Ufer-Wolfstrapp
Lythrum salicaria				1		1		Gemeiner Blutweiderich
Malus domestica vel M. sylvestris: K/End/Nuc	1/1/-	-/4/-	4/3/1	6/8/3	3/11/1	2/-/2		Kultur-Apfel oder Holz-Apfel
*Malus sp. vel Pyrus sp.						1		*Apfel- oder Birnen-Arten
Najas intermedia				6				Mittleres Nixenkraut
*Potamogeton cf. perfoliatus				2		7		*w. Durchwachsenes Laichkraut
Prunella vulgaris					1			Gemeine Braunelle
Prunus spinosa	10	32		2			2	Schlehe
Quercus sp: Fr/*Kn	*4			2				Eichen-Arten
Ranunculus repens				1				Kriechender Hahnenfuß
Ranunculus cf. repens				(1)				w. Kriechender Hahnenfuß
Rosa sp.				1				Rosen-Arten
Rubus caesius						2		Kratzbeere
Rubus fruticosus coll.	17			130	10	125		Brombeere (Sammelart)
*R. fruticosus vel R. saxatilis						2		*Brombeere oder Steinbeere
Rubus idaeus				2				Himbeere
Sambucus nigra	19			3				Schwarzer Holunder
Schoenoplectus lacustris				3				Gemeine Teichsimse
Stellaria graminea					1			Gras-Sternmiere
*Torilis japonica				1				*Gemeiner Klettenkerbel
Typha sp.				1				Rohrkolben-Arten
Summe der Reste	65	37	11	318	126	204	21	
Anzahl der Taxa	7	3	4	23	8	12	4	
sonstige gefundene Reste:								
Blattfragmente				6				
Blattnarben				1		5		
Moos-Stämmchen			4	11	1			

(1) verkohlte Sämereien
End Endokarp
Frb Fruchtbecher
Fr   Frucht
K   Kern
Kn   Knospe
Nuc Nucellarrest

* Pflanzenarten, die in den Kulturschichtproben Q62/2, Q62/4 und Q62/6 nicht nachgewiesen sind. Bei der Besprechung der ökologischen Gegebenheiten am Siedlungsplatz gehen sie mit in die Diskussion ein.

Tabelle 18: Zusammenstellung der Ergebnisse, die sich bei der Auswertung der Gesamtliste (Tab. 16) ergeben.

Auswertungsergebnisse der untersuchten Kulturschichtproben der Profilsäule Q 62 Np:
Grundlage bildet die Zusammenstellung der "Gesamtliste" (s. Anhang)

Errechnete Parameter	Probe 62/2	Probe 62/4	Probe 62/6	Probensumme
untersuchtes Schüttvolumen wg (in ccm)	300	240	620	1160
Anzahl aller gefundenen subfossilen Pflanzenreste, ohne kleine Bruchstücke	1439 (73)	1063 (25)	953 (67)	3455 (165)
Anzahl aller einer Spezies (incl. cf.-Bestimmungen) zugeordneten Reste	1168 (71)	839 (25)	435 (46)	2442 (142)
Anzahl der nachgewiesenen Taxa	129	77	88	151
Anzahl der nachgewiesenen Spezies (incl. cf.-Bestimmungen)	105	65	73	122
Anzahl der subfossilen Reste (ohne Bruchstücke)/Taxon	11,2	13,8	10,8	22,9
Anzahl der subfossilen Reste (ohne Bruchstücke)/ Spezies	11,1	12,9	6,0	20,0
Durchsicht von organischem Anteil der 0,315mm-Fraktion	20g (50%)	10g (100%)	10g (33%)	
Durchsicht von organischem Anteil der 0,20mm-Fraktion	3g (25%)	3g (100%)	3g (25%)	
gezählte subfossile Pflanzenreste in der Fraktion 0,315mm/0,20mm	919/265	414/38	544/22	
errechnete Anzahl vermutlich vorhandener subfossiler Pflanzenreste / 1000 ccm Schüttvol. wg (*korrigierte Werte)	*10508	4429	*3398	
Stetigkeiten-Summe der nachgewiesenen Taxa (absolut, prozentual)				
Stetigkeit I = Taxa sind für 1 Probe nachgewiesen	36 (28%)	9 (12%)	9 (10%)	54 (36%)
Stetigkeit II = Taxa sind für 2 Proben nachgewiesen	47 (36%)	22 (28%)	33 (38%)	51 (34%)
Stetigkeit III = Taxa sind für 3 Proben nachgewiesen	46 (36%)	46 (60%)	46 (52%)	46 (30%)
Summe der Stetigkeiten I+II+III = Gesamtanzahl der Taxa	129 (100%)	77 (100%)	88 (100%)	151 (100%)

() Zahlen in Klammern – große Bruchstücke von Samen und Früchten

* Korrigierte Werte, die aufgrund einer nur teilweisen Durchsicht der Feinfraktionen 0,315 mm und 0,20 mm errechnet sind, um einen direkten Vergleich der hochgerechneten Anzahlen an Pflanzenresten/Probe (Schüttvolumen wg = 1000 cm^3) ermöglichen zu können.

Tafel 1–16

Tafel 1

Betulaceae
1, 2 *Betula* sp. (Birkenarten): Früchte unterschiedlicher Form und Größe mit Resten des Flügelsaumes, lateral, 30 ×.
3   *Alnus glutinosa* (Schwarz-Erle): Gut erhaltene Frucht mit Griffelstümpfen, lateral, 15 ×.

Papaveraceae
4   *Papaver argemone* (Sand-Mohn): Samen in lateraler Lage, 40 ×.
5   *Papaver somniferum* (Schlafmohn): Samen in lateraler Lage, 40 ×.
6   *Papaver dubium* (Saat-Mohn): Samen in lateraler Lage, 40 ×.

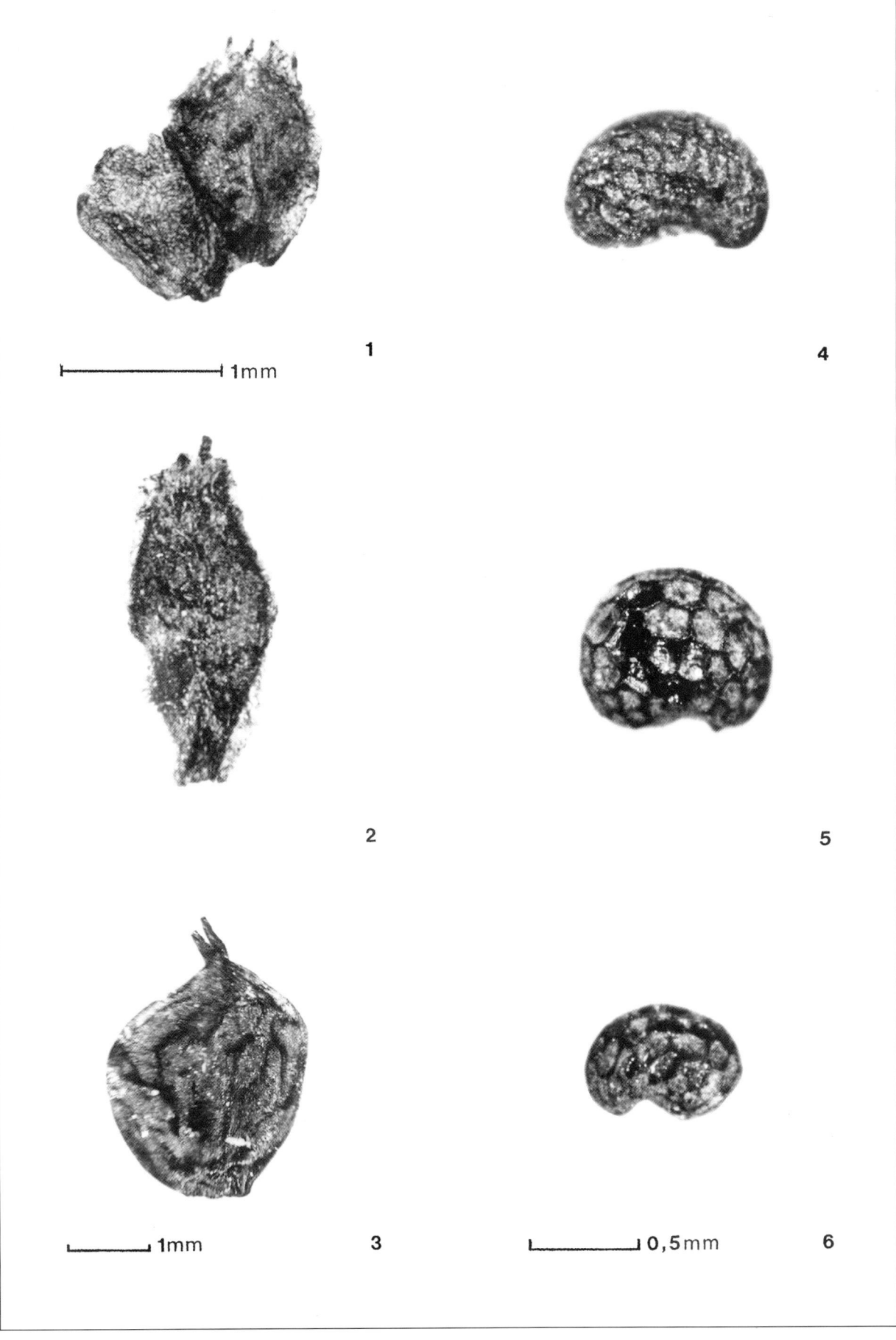

Tafel 1

Tafel 2

Fagaceae
1, 2 *Quercus* sp. (Eichenarten): Korkscheiben von Eicheln in Aufsicht. Großer, flacher Typ (1) und kleiner, aufgewölbter Typ (2), 8 ×.
3, 4 *Quercus* sp. (Eichenarten): Hypodermis einer äußeren Knospenschuppe mit charakteristischen, längs orientierten Kristallkammerfasern. Mittlerer Bereich der Außenseite (3) und der Innenseite (4) einer Knospenschuppe, 300 ×.

Tafel 2

1 2

⊢――――⊣ 4mm

⊢――――⊣ 0,1mm

3 4

Tafel 3

Caryophyllaceae
1 *Stellaria* cf. *uliginosa* (wohl Quell-Sternmiere): Samen, lateral, 30 ×.
2 *Gypsophila muralis* (Mauer-Gipskraut): Samen, lateral, 60 ×.
3 *Sagina procumbens* (Liegendes Mastkraut): Samen, lateral, 90 ×.
4 *Stellaria graminea* (Gras-Sternmiere): Samen, lateral, 30 ×.
5 *Myosoton aquaticum* (Gemeiner Wasserdarm): Samen, lateral, 30 ×.
6 *Stellaria media* (Vogel-Sternmiere): Samen, lateral, 30 ×.
7, 8 *Cerastium holosteoides* (Gemeines Hornkraut): Samen in lateraler Lage, Typ A (7) und Typ B (8), 60 ×.
9 *Dianthus armeria* (Büschel-Nelke): Samen, ventral, 30 ×.

Tafel 3

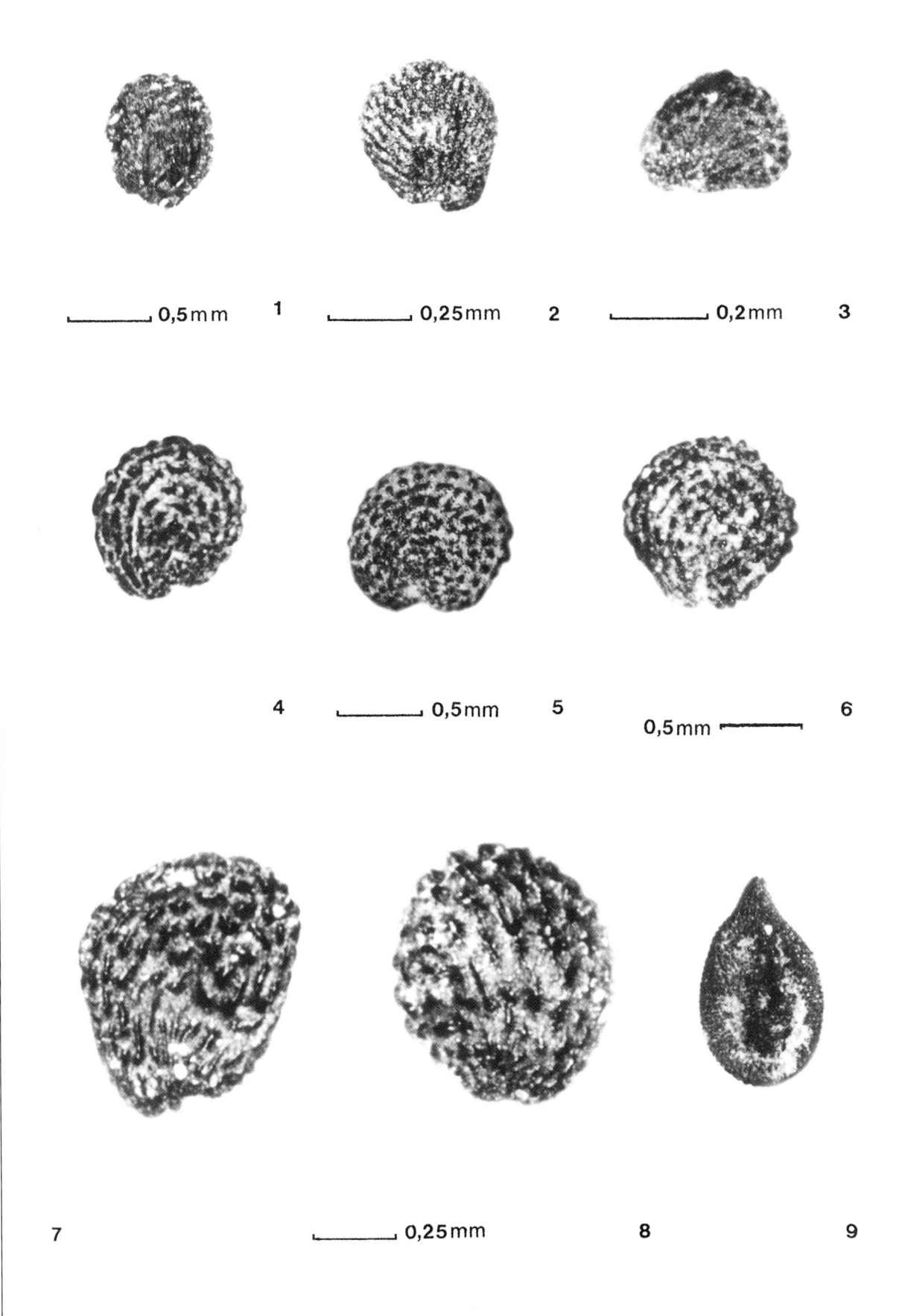

Tafel 4

Brassicaceae
1 *Thlaspi arvense* (Acker-Hellerkraut): Samen, lateral, 20 ×.
2 *Arabidopsis thaliana* (Acker-Schmalwand): Samen mit ovalem Umriss, lateral, 50 ×.
3 *Capsella bursa-pastoris* (Gemeines Hirtentäschel): Gut erhaltener Samen, lateral, 50 ×.
4–6 *Brassica rapa* (Rübsen): Gut erhaltener Samen des Typs 1 in lateraler Lage, Nabel nach links ausgerichtet (5), 30 ×. Oberfläche eines Samens des Typs 1 aus dickwandigen Palisadenzellen mit unterschiedlich stark korrodierten Zellwänden und einem dunkel sich abzeichnenden groben Maschenwerk aus erhöhten Zellen (4), 250 ×. Korrodierte Samenoberfläche des Typs 2 aus farblosen, großlumigen Aleuronzellen mit dünnen Zellwänden (6), 250 ×.

Rosaceae
7 *Aphanes arvensis* (Gemeiner Ackerfrauenmantel): Früchtchen mit abgebrochener, seitlich gelegener Basis, lateral, 30 ×.
8 *Aphanes microcarpa* (Kleinfrüchtiger Ackerfrauenmantel): Gut erhaltenes Früchtchen mit nach rechts unten ausgerichteter Basis, lateral, 30 ×.

Salicaceae
9 *Salix* sp. (Weidenarten): Bruchstück des unteren Teils einer Kapselhälfte, Innenseite zeigt nach oben, 30 ×.

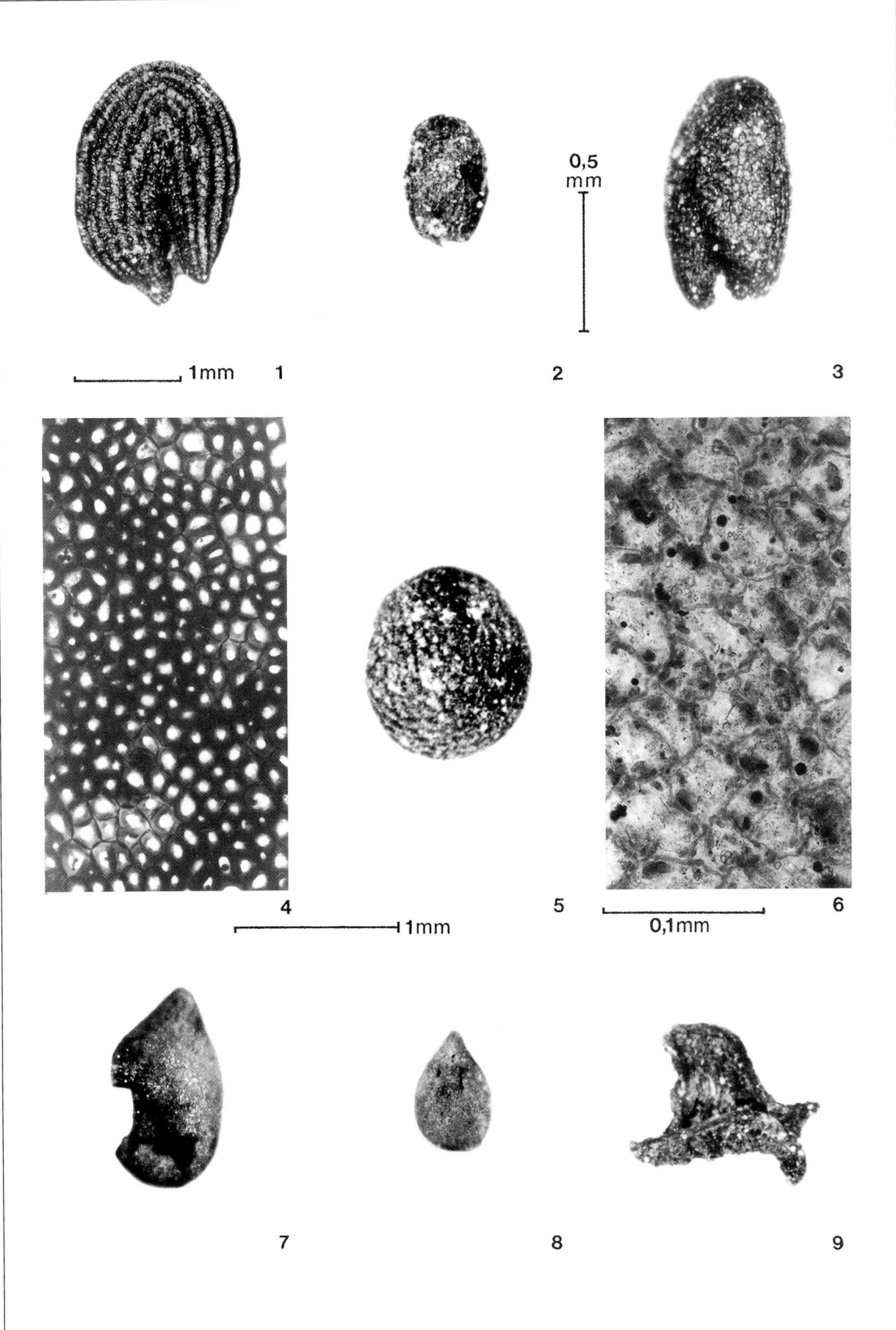

Tafel 4

Tafel 5

Valerianaceae
1   *Valeriana* sp. (Baldrianarten): Leierförmige „Innenfrucht", bei welcher die äußeren Wandschichten abgegangen sind, lateral, 20 ×.

Apiaceae
2   *Torilis japonica* (Gemeiner Klettenkerbel): Stark beschädigte Teilfrucht mit abgebrochener Ansatzstelle, Innenseite nach rechts ausgerichtet, lateral, 15 ×.
3   *Conium maculatum* (Gefleckter Schierling): Aufgerissene Teilfrucht in ventrolateraler Ansicht, 15 ×.

Cornaceae
4   *Cornus suecica* (Schwedischer Hartriegel): Steinkern mit Resten des Fruchtfleisches, lateral, 10 ×.

Lythraceae
5   *Lythrum salicaria* (Gemeiner Blutweiderich): Samen, lateral, 40 ×.

Linaceae
6   *Linum catharticum* (Purgier-Lein): Samen, lateral, 20 ×.
7, 8   *Linum usitatissimum* (Saatlein): Samen unverkohlt (7) und in verkohltem Zustand (8), lateral, 20 ×.

Tafel 5

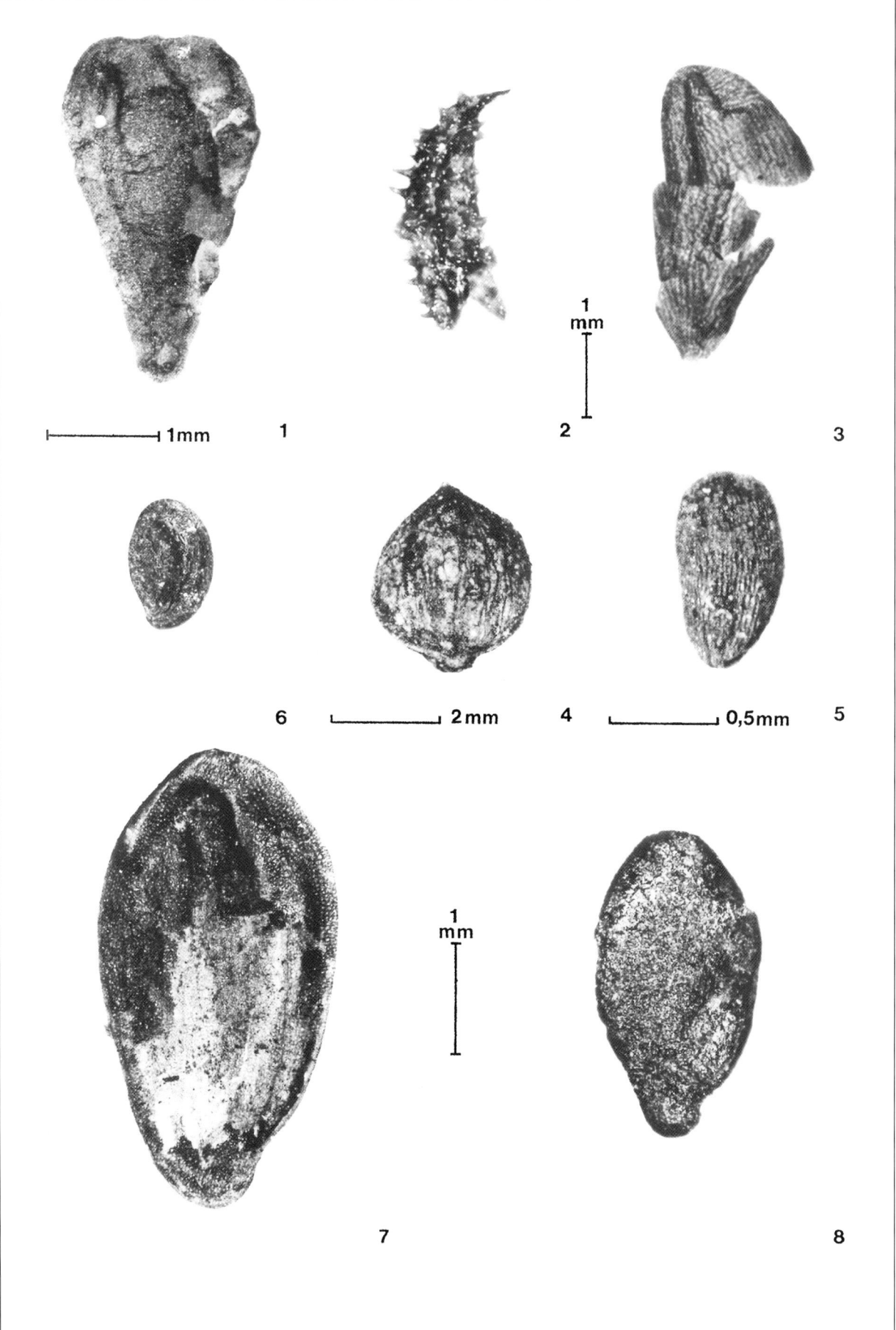

Tafel 6

Plantaginaceae
1–3 *Plantago major* (Breit-Wegerich): Flach gedrückte Samen unterschiedlicher Form und Größe in Ventralansicht. Exemplare der „cf. Subspezies *intermedia*" (1) und der „cf. Subspezies *major*" (3) sowie ein nicht zuzuordnender Samen mittlerer Größe (2), 50 ×.

Lamiaceae
4 *Mentha arvensis* (Acker-Minze): Klause mit einer gleichmäßig strukturierten Oberfläche aus flachen Grübchen, ventral, 40 ×.
5 *Mentha aquatica* (Wasser-Minze): Klause mit einer ungleichmäßig strukturierten Oberfläche aus großen, tiefen Gruben, ventral, 40 ×.
6 *Galeopsis* cf. *speciosa* (wohl Bunter Hohlzahn): Leicht beschädigte Klause, ventral, 15 ×.
7 *Ajuga reptans* (Kriechender Günsel): Kleine Klause mit erheblich korrodiertem Elaiosom, lateral, 20 ×.

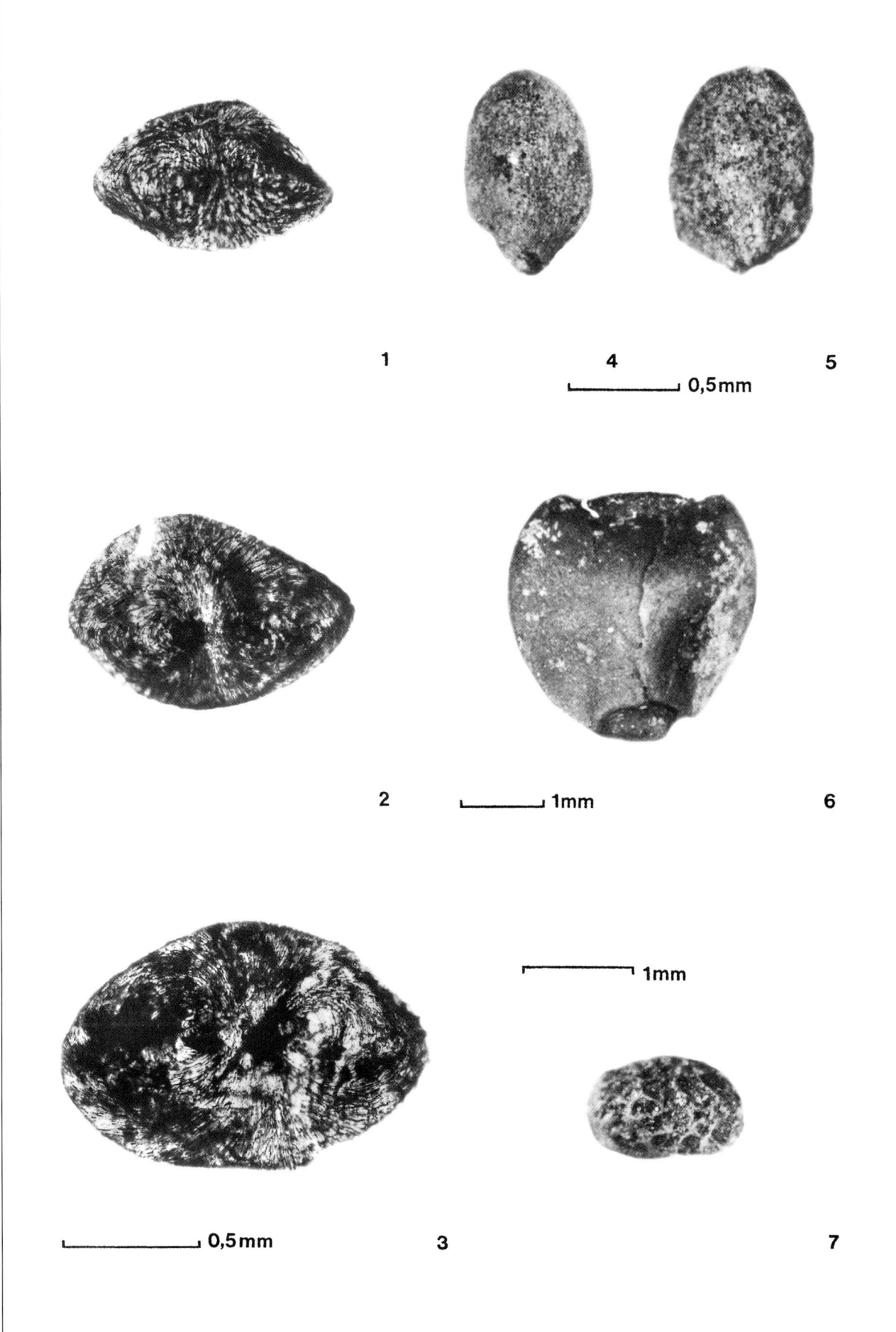

Tafel 6

Tafel 7

Campanulaceae
1, 2 *Campanula patula* (Wiesen-Glockenblume): An der Basis beschädigter Samen mit charakteristischer Oberhaut, lateral (2), 60 ×. Zellen der Epidermis mit mächtigen Zellwänden und engen Lumina, Samenmitte, Aufsicht (1), 500 ×.
3, 4 *Campanula cochleariifolia* vel *C. scheuchzeri* (Zwerg-Glockenblume oder Scheuchzers G.): Länglich spindelförmiger Samen mit längs gefalteter Samenschale, lateral (3), 60 ×. Schmale, in der Längsrichtung des Samens gestreckte Epidermiszellen mit dünnen Zellwänden, Samenmitte, Aufsicht (4), 500 ×.
5, 6 *Campanula rapunculoides* vel *C. rapunculus* (Acker-Glockenblume oder Rapunzel-G.): Schief eiförmiger Samen mit leicht beschädigter Basis, lateral (6), 60 ×. In der Längsrichtung des Samens gestreckte Epidermiszellen mit breiten und reich getüpfelten Zellwänden, Samenmitte, Aufsicht (5), 500 ×.

Tafel 7

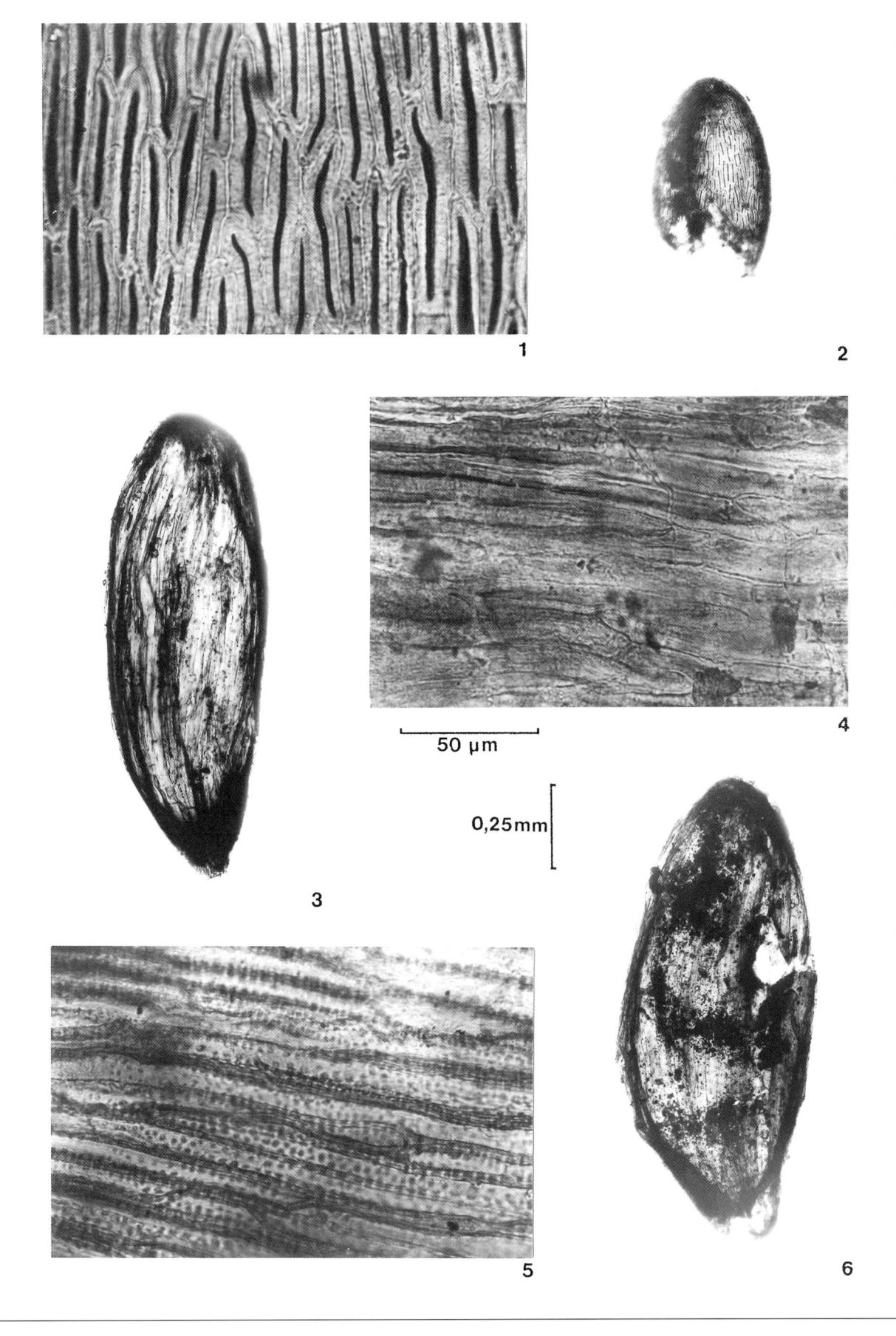

Tafel 8

Asteraceae
1   *Carduus* sp. vel *Cirsium* sp. (Distel- oder Kratzdistelarten): Innere Fruchthülle in seitlicher Lage, flach gedrückt, 20 ×.

Zannichelliaceae
2   *Zannichellia palustris* (Sumpf-Teichfaden): Früchtchen mit Resten der dorsalen Stacheln, lateral, 15 ×.

Potamogetonaceae
3   *Potamogeton* cf. *perfoliatus* (wohl Durchwachsenes Laichkraut): Steinkern mit unversehrter Keimklappe und einem Stumpf des basoventralen Stieles, lateral, 15 ×.

Najadaceae
4   *Najas marina* (Großes Nixenkraut): Breit spindelförmige Frucht, lateral, 15 ×.
5   *Najas intermedia* (Mittleres Nixenkraut): Schmal spindelförmige Frucht, lateral, 15 ×.

Typhaceae
6   *Typha* sp. (Rohrkolbenarten): Kleiner Samen mit abgehobenem Samendeckel, lateral, 60 ×.

Zoologischer Rest
7   *Cristatella mucedo*, eine limnische Moostierchenart: Flottoblast mit stark korrodierten Häkchen, Außenseite, 40 ×.

Unbestimmbarer Rest
8   Botanischer Rest (Samen-, Fruchthülle?). Die Zellstruktur ist weit gehend vergangen. Messwerte: 2,6 mm lang, 1,2 mm breit, lateral, 25 ×.

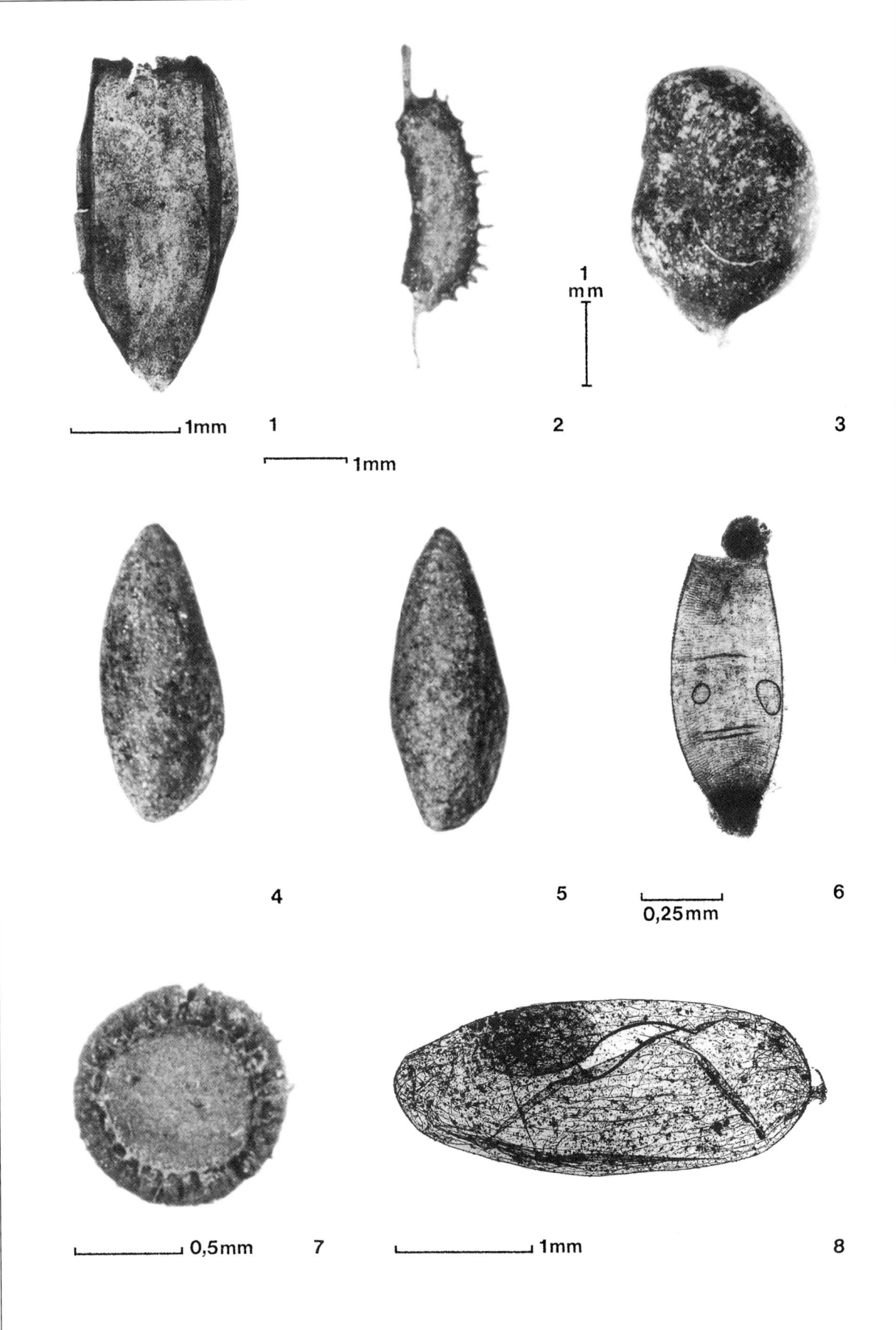

Tafel 8

Tafel 9

Juncaceae
1–3 *Juncus anceps* (Zweischneidige Binse): Samen in korrodiertem Zustand, bei welchem lediglich eine Zellschicht des Endosperms aus großen, nahezu isodiametrischen Zellen mit kräftig braun gefärbten Einlagerungen erhalten geblieben ist, Basis abgebrochen, lateral (1), 140×. Samen in gutem Erhaltungszustand mit innerer Schicht der Samenschale aus dünnwandigen, quer gestreckten Zellen und äußerster Schicht des Endosperms (vgl. Abb. 1) – hier als dunkles Maschenwerk zu erkennen –, Spitze abgebrochen, lateral (2), 140×. Ausschnitt der Zellstrukturen der inneren Schicht der Samenschale und der hier sich unscharf abzeichnenden darunter liegenden Schicht des Endosperms, spangenartige Zellwände sehr schmal und überwiegend gerade, knotenartige Verdickungen äußerst fein, Aufsicht (3), 500×.
4, 5 *Juncus bufonius* (Kröten-Binse): Kleiner, seitlich gequetschter Samen mit beschädigter Basis, lateral (4), 140×. Ausschnitt des Mikropylendes mit gepunkteten, wulstförmigen, z.T. girlandenartig angeordneten Verdickungen und weit gehend unversehrten Zellen der Samenschale, Aufsicht (5), 150×.

Tafel 9

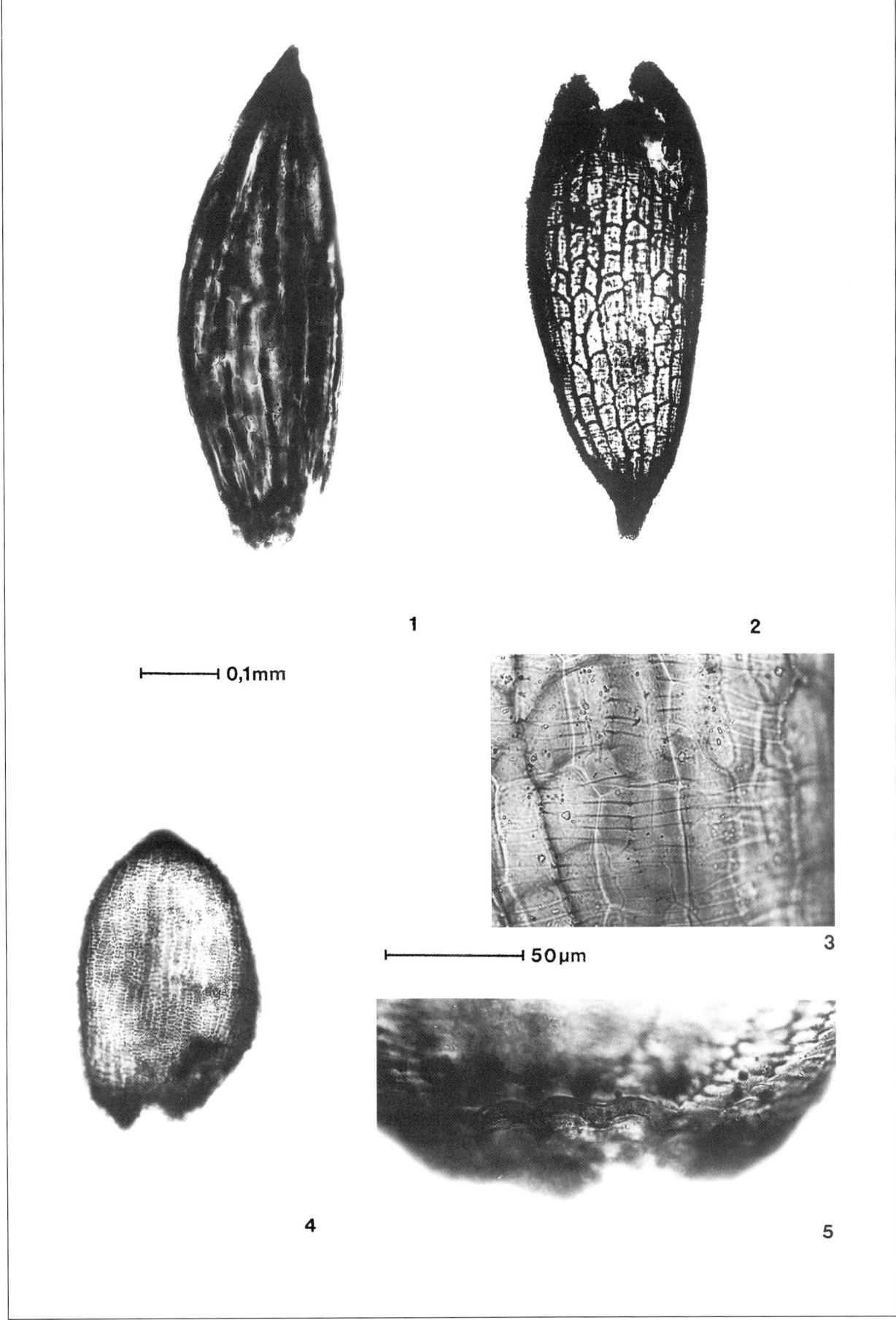

Tafel 10

Juncaceae (Fortsetzung)

1–3 *Juncus acutiflorus* (Spitzblütige Binse): Samen in leicht beschädigtem Zustand, lateral (1), 140 ×. Ausschnitt der inneren Zellschicht der Samenschale, spangenartige Zellwände breit und schwach gebogen, knotenartige Verdickungen groß, Aufsicht (2), 500 ×. Ausschnitt des Samenrandes mit kräftigen zahnartigen Fortsätzen im Profil, Zipfel schräg nach oben abstehend (3), 1200 ×.

4–6 *Juncus articulatus* (Glieder-Binse): Gut erhaltener Samen, lateral (4), 140 ×. Ausschnitt der inneren Zellschicht der Samenschale, spangenartige Zellwände schmaler und stärker gebogen als bei voriger Art, knotenartige Verdickungen groß, Aufsicht (5), 500 ×. Ausschnitt des Samenrandes mit relativ breiten, aber kurzen zahnartigen Fortsätzen mit jeweils mehreren kleinen, undeutlich erkennbaren Zipfeln, im Profil (6), 1200 ×.

Tafel 10

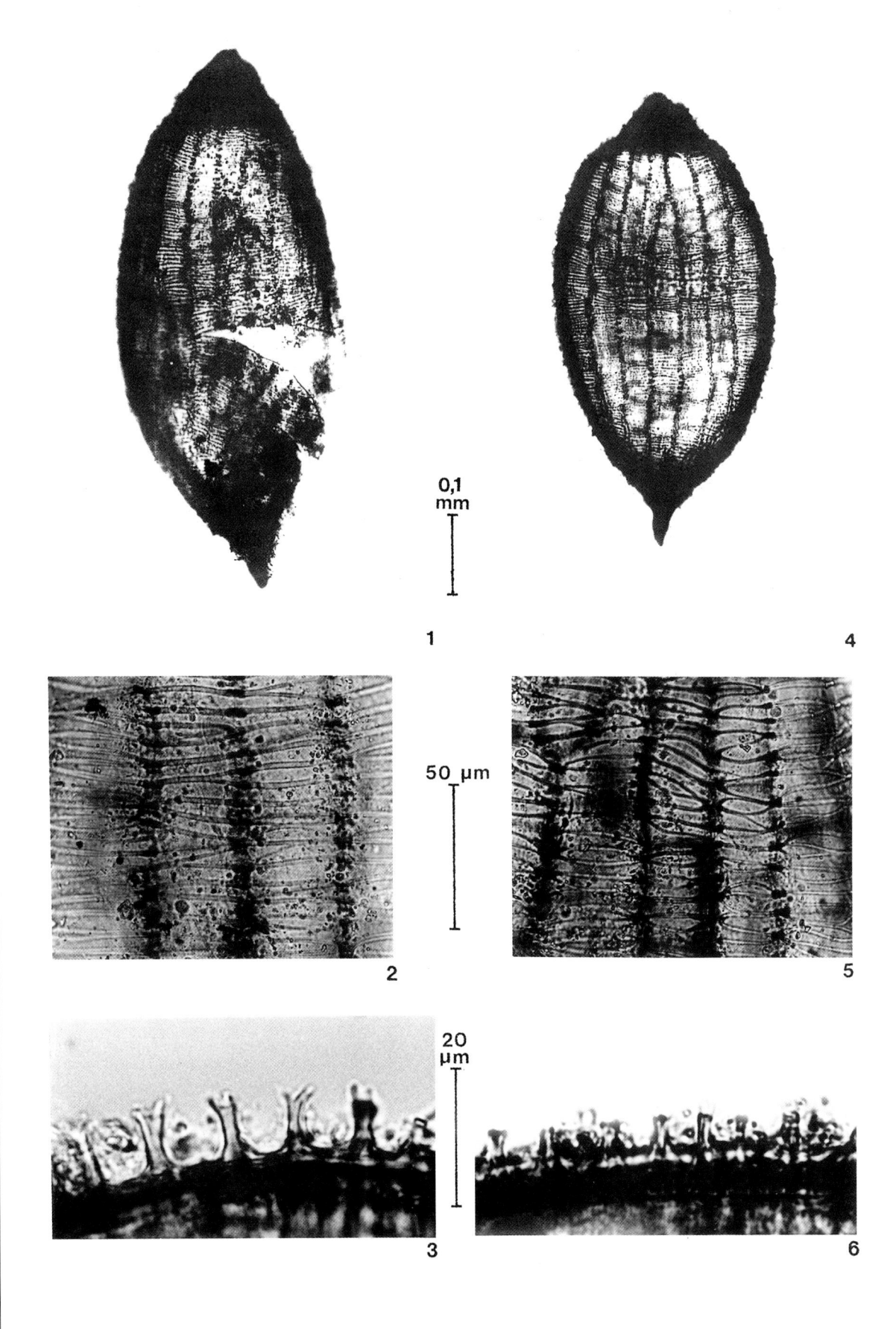

Tafel 11

Juncaceae (Fortsetzung)

1–3 *Juncus bulbosus* (Zwiebel-Binse): Gut erhaltener Samen, lateral (1), 140 ×. Ausschnitt der inneren Zellschicht der Samenschale, spangenartige Zellwände schmal und häufig stark gebogen, knotenartige Verdickungen klein, Zellwände der großlumigen Endospermzellen hell durchscheinend, Aufsicht (2), 500 ×. Ausschnitt des Samenrandes mit langen, schlanken, zahnartigen Fortsätzen, herabhängende Zipfel hier nicht erkennbar, im Profil (3), 1200 ×.

4–6 *Juncus subnodulosus* (Knoten-Binse): Samen mit beschädigtem apikalen Ende, lateral (4), 140 ×. Ausschnitt der inneren Zellschicht der Samenschale, knotenartige Verdickungen in Längs- und Querrichtung des Samens, Aufsicht (5), 500 ×. Ausschnitt der Samenoberfläche in Aufsicht mit sehr kräftigen zahnartigen Fortsätzen im Profil, Zipfel aufrecht und lang (6), 1200 ×.

Tafel 11

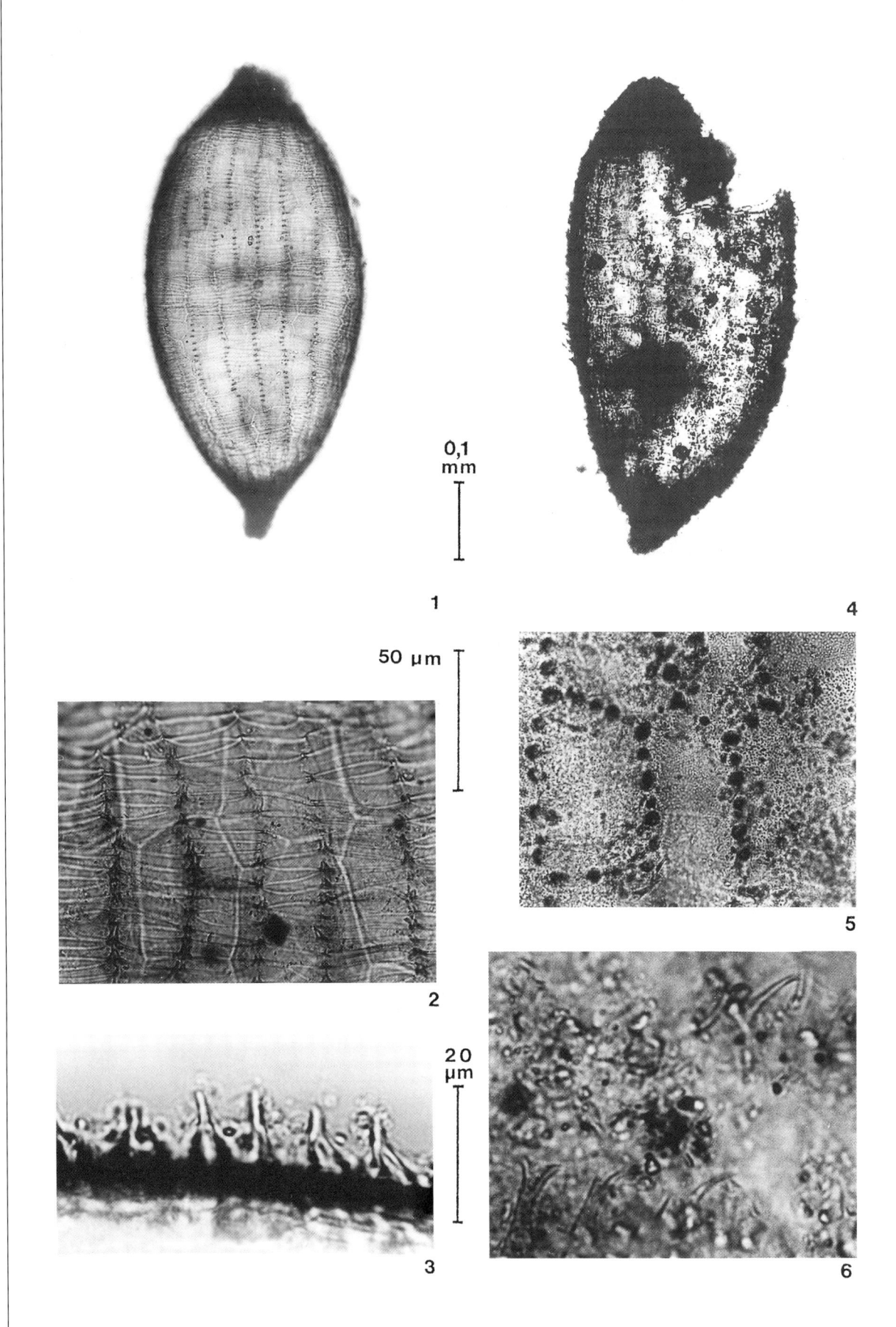

Tafel 12

Juncaceae (Fortsetzung)

1–3 *Juncus inflexus* (Blaugrüne Binse): Samen, leicht gequetscht, lateral (1), 140×. Ausschnitt der inneren Zellschicht der Samenschale, Zellen kurz („niedrig") in deutlichen Längsreihen angeordnet, Querwände parallel zueinander verlaufend, Meridionalwände nicht „verdickt", untere Hälfte des Samens, Aufsicht (2), 500×. (3) derselbe Ausschnitt wie bei (2) mit einem fotografischen „Kunstgriff" aufgenommen, wodurch die erhabenen Seitenwände und die Innenwände der „deckellosen" Zellen – ohne Außenwände – gut erkennbar sind, 500×.

4, 5 *Juncus conglomeratus* (Knäuel-Binse): Samen mit beschädigter Basis, lateral (4), 140×. Ausschnitt der inneren Zellschicht der Samenschale des apikalen Samenendes, Zellen breiter als bei der vorigen Art und „unordentlicher" angeordnet, Meridionalwände häufig stark „verdickt", Aufsicht (5), 500×.

Tafel 12

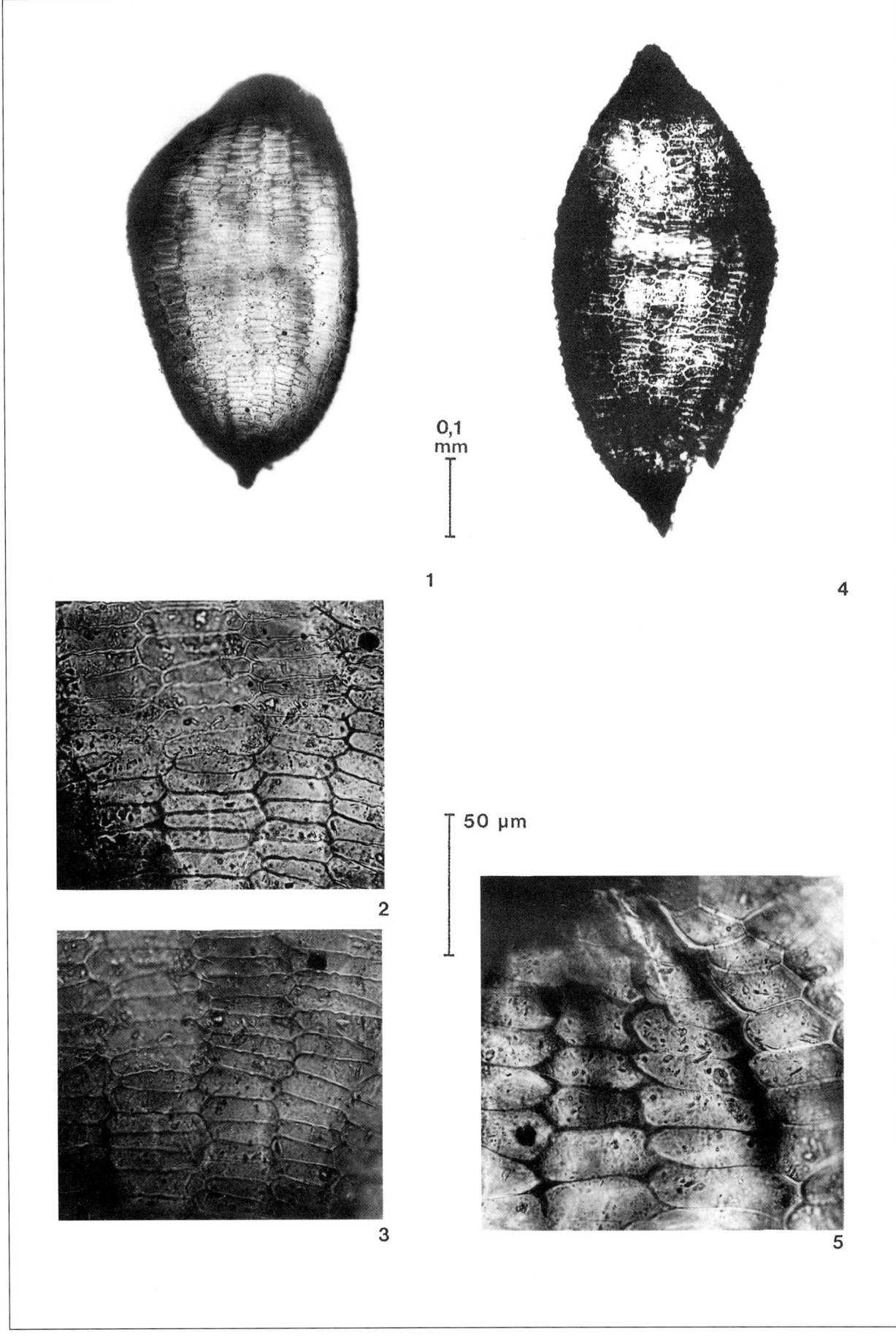

Tafel 13

Juncaceae (Fortsetzung)

1, 2 *Juncus effusus* (Flatter-Binse): Gut erhaltener Samen, lateral (1), 140 ×. Ausschnitt der inneren Zellschicht der Samenschale, Zellen unregelmäßig geformt und zum Teil ebenso lang („hoch") wie breit, einzelne Meridionalwände in den Zellwandwinkeln leicht „verdickt", Aufsicht (2), 500 ×.

3, 4 *Juncus compressus* (Platthalm-Binse): Gut erhaltener Samen, lateral (3), 140 ×. Ausschnitt der inneren Zellschicht der Samenschale, Zellen sehr breit und verhältnismäßig kurz („niedrig") mit schwach gewellten Querwänden und verdickten Längswänden, Aufsicht (4), 500 ×.

5, 6 *Juncus compressus* vel *J. gerardii* (Platthalm-Binse oder Salz-B.): Stark beschädigter Samen mit schmaleren, schärfer begrenzten Zickzackbändern (Meridionalwände) als bei voriger Art, lateral (5), 140 ×. Ausschnitt der inneren Zellschicht der Samenschale, Zellen ähnlich der vorigen Art, Aufsicht (6), 500 ×.

Tafel 13

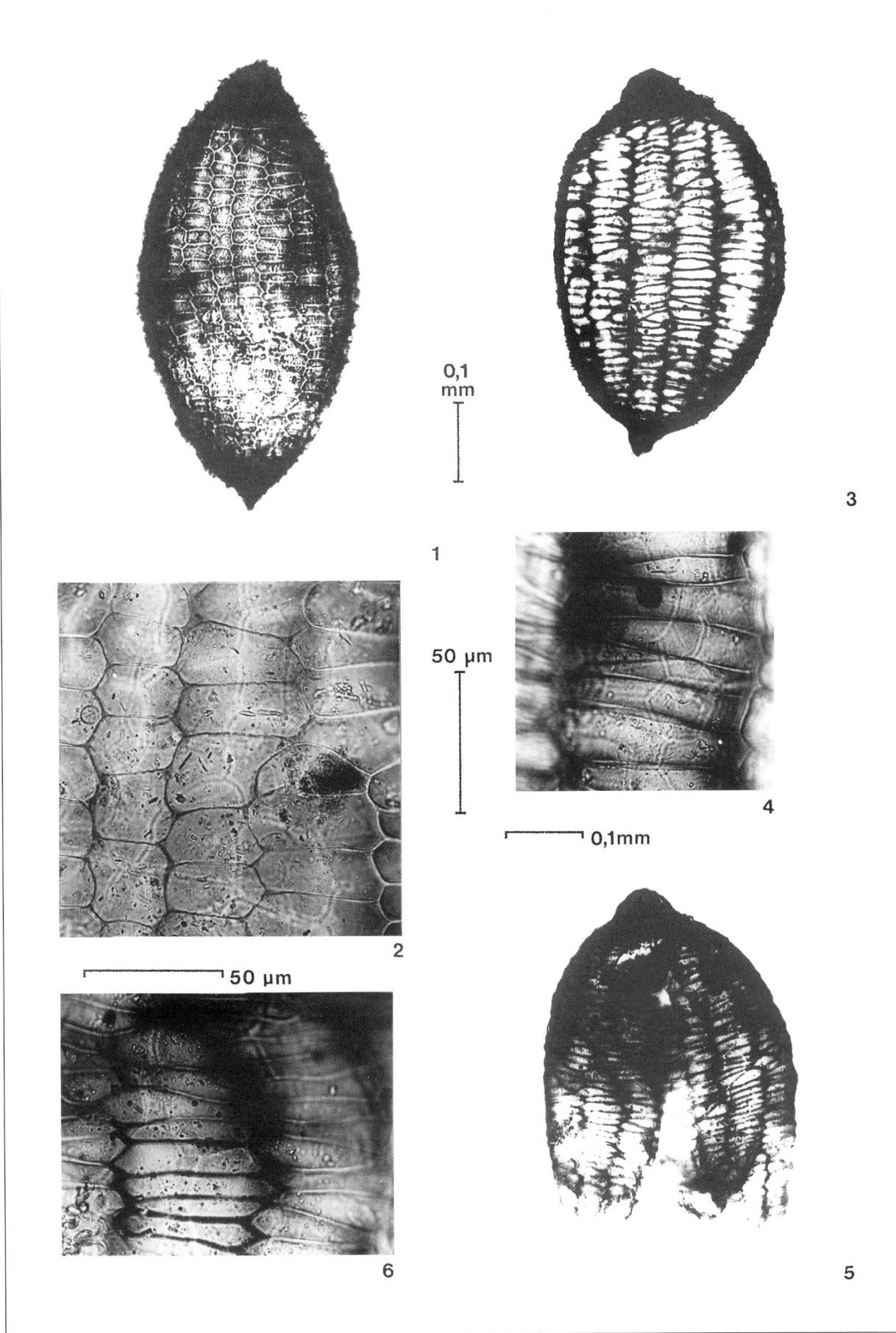

Tafel 14

Cyperaceae
1. *Carex* cf. *riparia* (wohl Ufer-Segge): Innenfrucht, längs den stumpfen Kanten aufgerissen und korrodiert, lateral, 20 ×.
2. *Carex hirta* (Behaarte Segge): Unversehrte Innenfrucht, lateral, 20 ×.
3. *Carex muricata* coll. (Stachel-Segge: Sammelart): Innenfrucht mit eingedellter Lateralfläche und teilweise korrodierter Oberfläche, lateral, 20 ×.
4. *Carex pseudocyperus* (Scheinzyper-Segge): Unversehrte Innenfrucht, lateral, 20 ×.
5. *Carex remota* (Winkel-Segge): Innenfrucht mit stark angegriffener Oberfläche, lateral, 20 ×.
6. *Carex* cf. *canescens* (wohl Grau-Segge): Leicht beschädigte Innenfrucht, lateral, 40 ×.
7. *Carex flava* coll. (Gelb-Segge: Sammelart): Innenfrucht mit angegriffener Oberfläche, lateral, 20 ×.
8. *Baeothryon cespitosum* (Rasige Haarsimse): Innenfrucht, lateral, 20 ×.
9. *Schoenoplectus lacustris* (Gemeine Teichsimse): Innenfrucht mit gut erhaltenen Perigonborsten, lateral, 15 ×.
10. *Blysmus* cf. *compressus* (wohl Platthalm-Quellried): Innenfrucht mit abgebrochener Ansatzstelle, lateral, 20 ×.

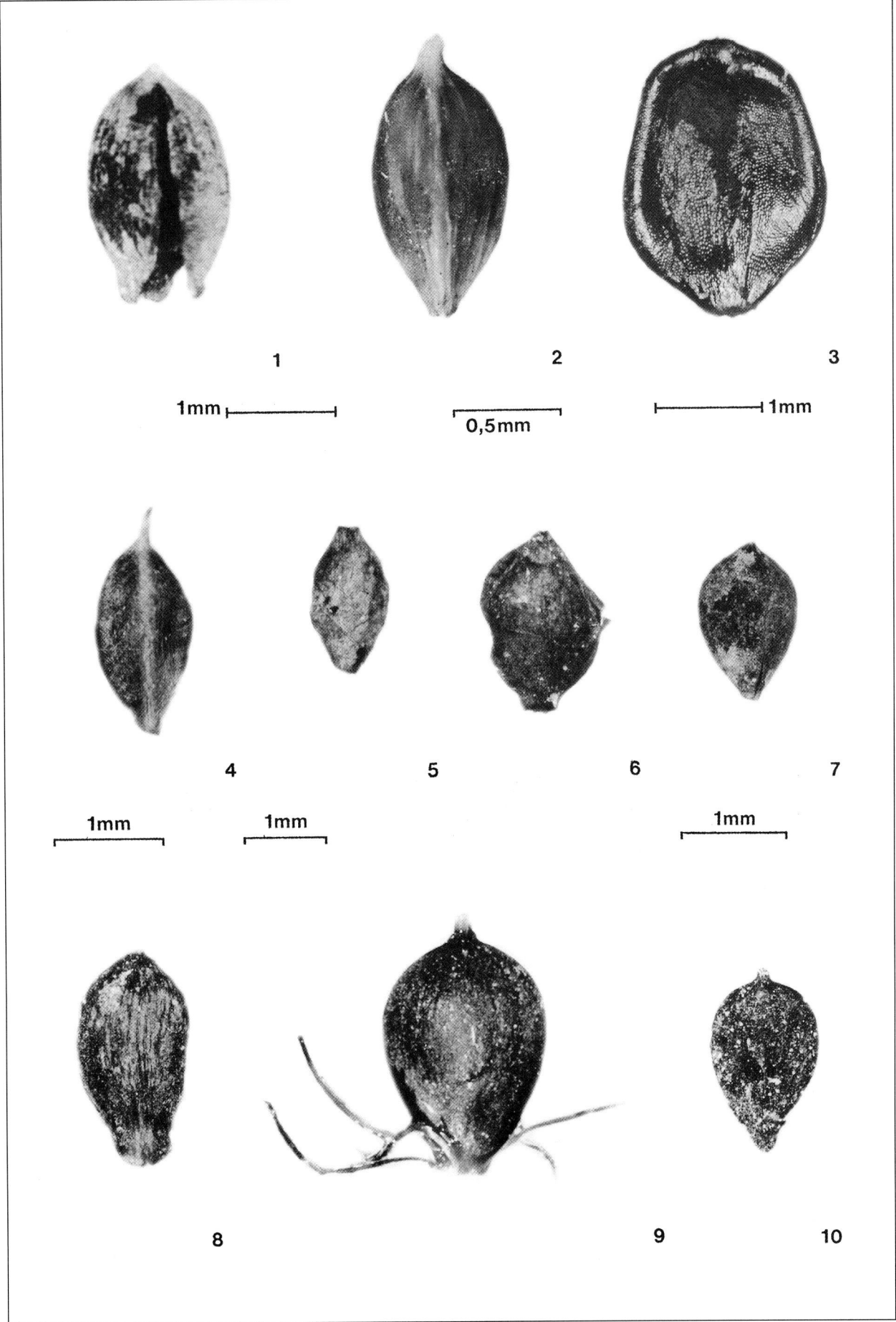

Tafel 14

Tafel 15

Poaceae
1   *Poa trivialis* (Gemeines Rispengras): Frucht mit angegriffener und gefalteter Oberfläche, Nabel eiförmig, ventral, 60 ×.
2   *Poa pratensis* (Wiesen-Rispengras): Gut erhaltene Frucht, Nabel kreisrund, ventrolateral, 60 ×.
3   *Agrostis tenuis* (Rot-Straußgras): Frucht in Ventralansicht, Nabel eiförmig, 60 ×.
4   *Agrostis stolonifera* (Weißes Straußgras): Frucht in ventrolateraler Lage, Nabel lang gestreckt eiförmig, 60 ×.
5, 6 *Hordeum vulgare* (Mehr- oder Zweizeilige Gerste): Bruchstück des apikalen Endes einer Frucht, hoch geschultert mit kleiner Spitze, Nabel breit und wenig unterhalb der Spitze endend (5), 20 ×. Ausschnitt der Zellstruktur des randlichen Teils der Frucht mit relativ breiten und unregelmäßig angeordneten Querzellen, Aufsicht (6), 130 ×.

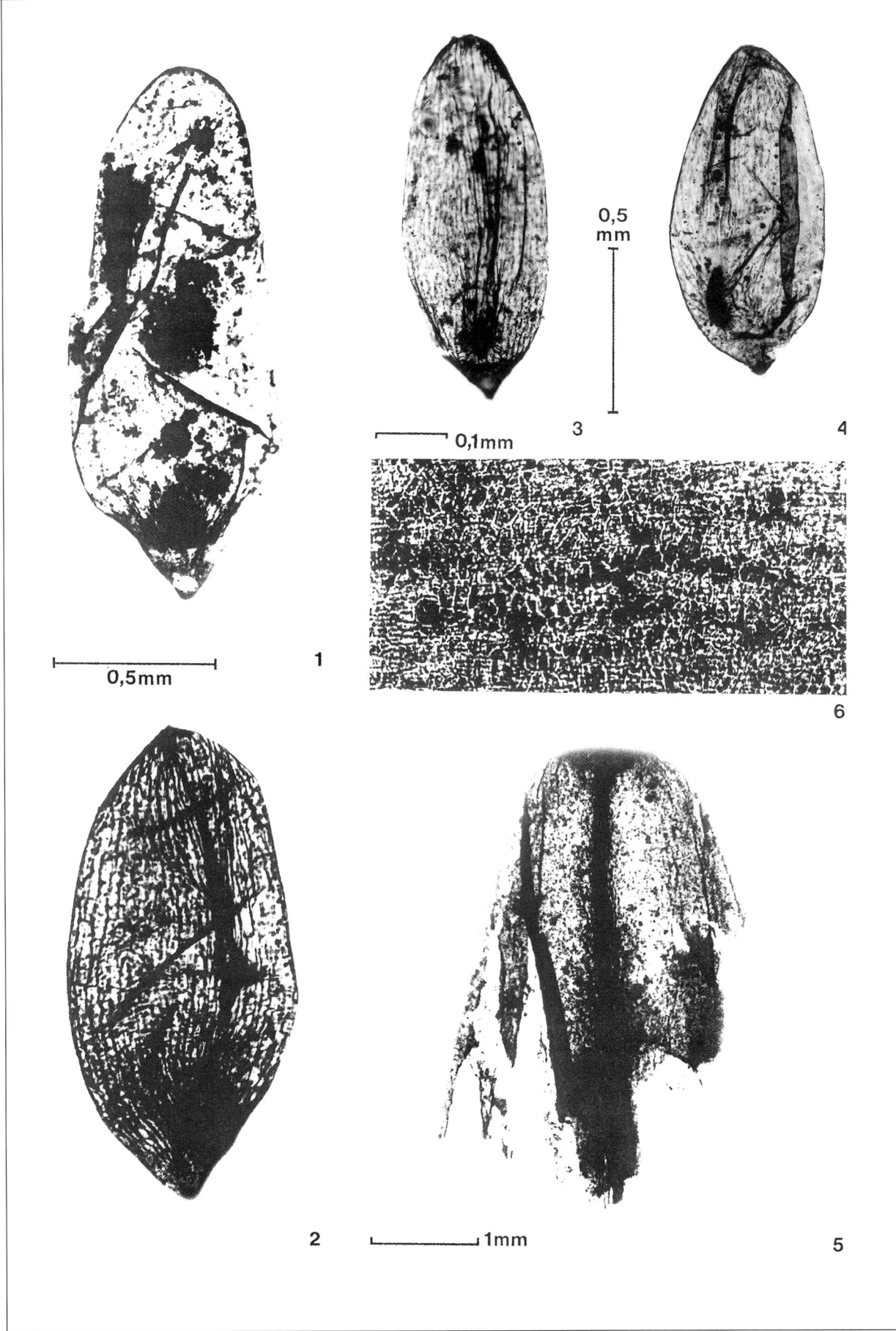

Tafel 16

Poaceae (Fortsetzung)
1   Poaceae indet. (unbestimmbare Süßgrasart): Frucht erheblicher Länge mit aufgerissenem, lang gestrecktem Nabel, ventral, 60 ×.
2   *Holcus lanatus* (Wolliges Honiggras): Frucht mit lang gestrecktem, zugespitztem Nabel, Spelzenreste noch anhaftend, ventrolateral, 60 ×.
3   *Calamagrostis* sp. (non *C. canescens*), (Reitgrasarten, nicht Sumpf-R.): Beschädigte Frucht mit lang gestrecktem, zugespitztem Nabel, ventral, 60 ×.
4   *Echinochloa crus-galli* (Gemeine Hühnerhirse): Leicht beschädigte Frucht mit extrem großem, rundlichem Nabel, ventral, 60 ×.

Tafel 16

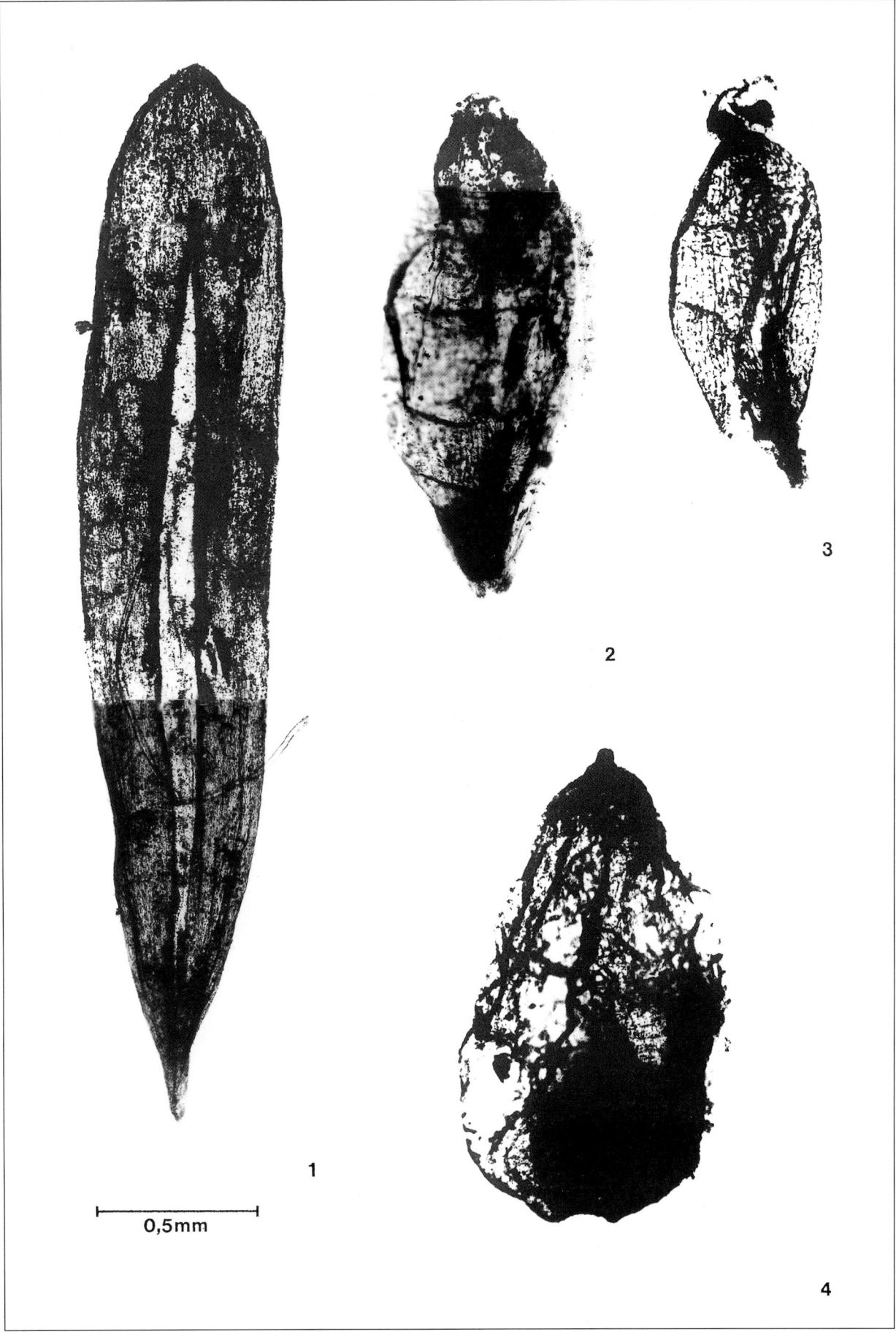

0,5mm

VERÖFFENTLICHUNGEN DES LANDESAMTES FÜR DENKMALPFLEGE BADEN-WÜRTTEMBERG
Archäologische Denkmalpflege

FORSCHUNGEN UND BERICHTE ZUR VOR- UND FRÜHGESCHICHTE IN BADEN-WÜRTTEMBERG
Kommissionsverlag Konrad Theiss Verlag Stuttgart

Band 1–40 auf Anfrage beim Verlag.
Band 3/1   Robert Koch, Das Erdwerk der Michelsberger Kultur auf dem Hetzenberg bei Heilbronn-Neckargartach (2005).
Band 41/1 Siegwalt Schiek, Das Gräberfeld der Merowingerzeit bei Oberflacht (Gemeinde Seitingen-Oberflacht, Lkr. Tuttlingen). Mit Beiträgen von Paul Filzer u. a. (1992).
Band 41/2 Peter Paulsen, Die Holzfunde aus dem Gräberfeld bei Oberflacht und ihre kulturhistorische Bedeutung (1992).
Band 42   Carol van Driel-Murray / Hans-Heinz Hartmann, Zum Ostkastell von Welzheim, Rems-Murr-Kreis (1999).
Band 43   Rüdiger Rothkegel, Der römische Gutshof von Laufenburg / Baden (1994).
Band 44/1 Helmut Roth u. C. Theune, Das frühmittelalterliche Gräberfeld bei Weingarten 1(1995).
Band 45   Akten der 10. Internationalen Tagung über antike Bronzen (1994).
Band 46   Siedlungsarchäologie im Alpenvorland III (1995).
Band 47   Siedlungsarchäologie im Alpenvorland IV (1996).
Band 48   Matthias Knaut, Die alamannischen Gräberfelder von Neresheim und Kösingen, Ostalbkreis (1993).
Band 49   Der römische Weihebezirk von Osterburken II. Kolloquium 1990 und paläobotanisch-osteologische Untersuchungen (1994).
Band 50   Hartmut Kaiser u. C. Sebastian Sommer, LOPODVNVM I (1994).
Band 51   Anita Gaubatz-Sattler, Die Villa rustica von Bondorf (Lkr. Böblingen) (1994).
Band 52   Dieter Quast, Die merowingerzeitlichen Grabfunde aus Gültlingen (Stadt Wildberg, Kreis Calw) (1993).
Band 53   Beiträge zur Archäozoologie und Prähistorischen Anthropologie (1994).
Band 54   Allard W. Mees, Modelsignierte Dekorationen auf südgallischer Terra Sigillata (1995).
Band 55   Beiträge zur Eisenverhüttung auf der Schwäbischen Alb (1995).
Band 56   Susanne Buchta-Hohm, Das alamannische Gräberfeld von Donaueschingen (Schwarzwald-Baar-Kreis) (1996).
Band 57   Gabriele Seitz, Rainau-Buch I. Steinbauten im römischen Kastellvicus von Rainau-Buch (1999).
Band 58   Das jungsteinzeitliche Dorf Ehrenstein (Gemeinde Blaustein, Alb-Donau-Kreis). Ausgrabung 1960. Teil III: Die Funde (1997).
Band 59   Rainer Wiegels, LOPODVNVM II. Inschriften und Kulturdenkmäler aus dem römischen Ladenburg am Neckar (2000).
Band 60   Ursula Koch, Das alamannisch-fränkische Gräberfeld bei Pleidelsheim (2001).
Band 61   Eberhard Wagner, Cannstatt I. Großwildjäger im Travertingebiet (1995).
Band 62   Martin Luik, Köngen-Grinario I. Topographie, Fundstellenverzeichnis, ausgewählte Fundgruppen (1996).
Band 63   Günther Wieland, Die Spätlatènezeit in Württemberg. Forschungen zur jüngeren Latènezeit zwischen Schwarzwald und Nördlinger Ries (1996).
Band 64   Dirk Krausse, Hochdorf III. Das Trink- und Speiseservice aus dem späthallstattzeitlichen Fürstengrab von Eberdingen-Hochdorf (Kr. Ludwigsburg). Mit Beiträgen von Gerhard Längerer (1996).
Band 65   Karin Heiligmann-Batsch, Der römische Gutshof bei Büßlingen, Kr. Konstanz. Ein Beitrag zur Siedlungsgeschichte des Hegaus (1997).
Band 66   Hanns Dietrich, Die hallstattzeitlichen Grabfunde aus den Seewiesen von Heidenheim-Schnaitheim (1998).
Band 67   Wolfgang Brestrich, Die mittel- und spätbronzezeitlichen Grabfunde auf der Nordstadtterrasse von Singen am Hohentwiel (1998).
Band 68   Siedlungsarchäologie im Alpenvorland V (1998).
Band 69   Gerhard Fingerlin, Dangstetten II. Katalog der Funde (Fundstellen 604–1358) (1998).
Band 70   Johanna Banck-Burgess, Hochdorf IV. Die Textilfunde aus dem späthallstattzeitlichen Fürstengrab von Eberdingen-Hochdorf (Kreis Ludwigsburg) und weitere Grabtextilien aus hallstatt- und latènezeitlichen Kulturgruppen (1999).
Band 71   Anita Gaubatz-Sattler, SVMELOCENNA, Geschichte und Topographie des Römischen Rottenburg (1999).
Band 72   Siegfried Kurz, Die Heuneburg-Außensiedlung (2000).
Band 73   Jutta Klug-Treppe, Hallstattzeitliche Höhensiedlungen im Breisgau (2003).
Band 74   Ursula Maier / Richard Vogt, Siedlungsarchäologie im Alpenvorland VI. Botanische und pedologische Untersuchungen zur Ufersiedlung Hornstaad-Hörnle IA (2001).
Band 75   Barbara Sasse, Ein frühmittelalterliches Reihengräberfeld bei Eichstetten am Kaiserstuhl (2001).
Band 76   Reinhard Sölch, Die Topographie des römischen Heidenheim (2001).
Band 77   Gertrud Lenz-Bernhard, LOPODVNVM III, Ladenburg-Ziegelscheuer (Rhein-Neckar-Kreis) – neckarswebische Siedlung und Villa rustica (2002).
Band 78   Claus-Michael Hüssen, Die römische Besiedlung im Umland von Heilbronn (2001).
Band 79   Andrea Neth, Eine Siedlung der frühen Bandkeramik in Gerlingen, Kreis Ludwigsburg (1999).
Band 80   Günther Wieland, Die keltischen Viereckschanzen von Fellbach-Schmiden und Ehningen (1999).
Band 81   Veit Dresely, Schnurkeramik und Schnurkeramiker im Taubertal (2004).
Band 82   Martin Luik, Köngen-Grinario II. Historisch-Archäologische Auswertung (2004)
Band 83   Gebhard Bieg, Hochdorf V. Der Bronzekessel aus dem späthallstattzeitlichen Fürstengrab von Eberdingen-Hochdorf (Kr. Ludwigsburg) (2002).
Band 86   Abbau und Verhüttung von Eisenerzen im Vorland der mittleren Schwäbischen Alb (2003).
Band 87   Siegfried Kurz / Siegwalt Schiek, Bestattungsplätze im Umfeld der Heuneburg (2002).
Band 88   Claus-Joachim Kind, Das Mesolithikum in der Talaue des Neckars. Die Fundstellen von Rottenburg Siebenlinden 1 und 3 (2003).
Band 89   Julia Katharina Koch, HOCHDORF VI. Der Wagen und das Pferdegeschirr (2006).
Band 90   Jutta Hoffstadt, Siedlungsarchäologie im Alpenvorland VIII. Die Untersuchung der Silexartefakte aus der Ufersiedlung Hornstaad-Hörnle IA (2005).
Band 91   Thomas Schmidts, LOPODVNVM IV. Die Kleinfunde aus den römischen Häusern an der Kellerei in Ladenburg (2004).
Band 92   Forschungen zur keltischen Eisenerzverhüttung in Südwestdeutschland (2005).
Band 93   Regina Franke, ARAE FLAVIAE V. Die Kastelle I und II von Arae Flaviae/Rottweil und die römische Okkupation des oberen Neckargebietes (2003).
Band 94   Ernst und Susanna Künzl, Das römische Prunkportal von Ladenburg (2003).
Band 95   Klaus Kortüm / Johannes Lauber, Wahlheim I. Das Kastell II und die nachfolgende Besiedlung (2004)